Kandinsky

ISBN 2-85850-262-5

kandinsky

œuvres
de
Vassily Kandinsky (1866-1944)

Catalogue établi
par
Christian Derouet
et
Jessica Boissel

COLLECTIONS DU MUSÉE NATIONAL D'ART MODERNE

Ce volume des inventaires monographiques des collections du Musée national d'art moderne, consacré à Kandinsky, concerne un des fonds les plus importants de ce musée, comparable à ceux constitués par l'œuvre de Robert et Sonia Delaunay, Kupka, Matisse ou Brancusi. C'est à la volonté généreuse et toujours affirmée de Nina Kandinsky, et à l'écho que le musée sut lui rendre, que l'on doit cette place désormais exceptionnelle de l'œuvre de Kandinsky. C'est aussi de la part du musée l'affirmation de l'importance que celui-ci donne à cette œuvre parmi les diverses tendances de ce siècle et la reconnaissance du rôle de Kandinsky au même titre que celui d'artistes tels que Klee ou Léger. Mais cette place ne sera pas seulement d'ordre documentaire ou de la recherche comme on la conçoit autour d'un fonds d'atelier nourri des archives et de la collection personnelle du maître. Elle sera affirmée dans le musée par le choix des meilleures toiles rassemblées en un espace unique.

Depuis 1960 surtout, Kandinsky a bénéficié d'une attention particulière au sein du Musée national d'art moderne, puisque, avant même l'exposition rétrospective présentée au Palais de Tokyo, Nina Kandinsky lui confia en prêts permanents les tableaux majeurs de sa propre collection, constituant ainsi un ensemble d'œuvres jamais rassemblé dans un musée, sauf à Munich et à New York. Ce prêt, qui fut présenté dans une salle du Palais de Tokyo au sein d'un musée qui n'avait pas encore les moyens dont il dispose aujourd'hui pour les acquisitions, constituait un des points forts de la collection. Ce dépôt intervenait aussi au moment des grands enrichissements du musée, à l'époque où les principales donations qui fondent la collection furent remises à Jean Cassou. Et l'on comprend mieux alors le souci de Nina Kandinsky de s'associer à cette politique. En prévoyant de donner cet ensemble au musée, elle affirmait avec la même passion son souhait de voir l'œuvre de Kandinsky confrontée à celle de ses contemporains et représentée à sa juste place, elle qui sa vie durant fut une ardente collaboratrice de toutes les manifestations organisées autour de cette œuvre, qui les suscita ou les encouragea. Ainsi confirma-t-elle ces prêts à Bernard Dorival, puis à Jean Leymarie. Il s'agissait d'œuvres aussi importantes que *Avec l'arc noir* (1912), *Dans le gris* (1919), *Jaune-Rouge-Bleu* (1925), *Sur les pointes* (1928), *Le Paysage à la tour* (1908) ou la *Rue à Murnau* (1908), œuvre qu'elle vendit depuis. Ce prêt fut régulièrement renouvelé. C'est en 1976 que Nina Kandinsky, conseillée par des amis qui étaient aussi ceux du musée, saisit l'occasion du transfert de la collection dans ses nouveaux « murs » du Centre Georges Pompidou pour concrétiser sa donation. Soit 15 tableaux et 15 aquarelles que Pontus Hulten, qui n'avait cessé de parler de ce projet avec Nina Kandinsky, et qui avait su la convaincre, présenta au comité d'acquisition du musée. Donation qui correspond, à peu de choses près, aux œuvres prêtées depuis 1960 soit en permanence, soit par roulement.

Mais c'est en léguant par testament la totalité des œuvres de Kandinsky et de ses archives, correspondances et écrits, carnets et feuilles d'études, comme les estampes et les œuvres des amis peintres et compagnons de route, que Nina Kandinsky réalisa son souhait le plus chèrement affirmé: maintenir en un même lieu, en un seul fonds, tout ce qui permettrait une connaissance plus approfondie de cette œuvre si particulière et de la pensée qui la généra. Nul doute que l'impact de l'exposition « Paris-Moscou » et surtout « « Moscou-Paris », par la place qu'y tenait Kandinsky, grâce aux *Compositions VI* et *VII*, fut déterminant.

Ce fonds — publié aujourd'hui intégralement grâce à un travail d'une grande érudition scientifique dû à Christian Derouet et à Jessica Boissel — comprend, en y incluant les achats et dons successifs, non moins de 98 peintures, 116 gouaches et aquarelles, 510 dessins, 17 carnets, 66 gravures et 97 œuvres diverses provenant de la bibliothèque et de la collection personnelle de Kandinsky.

Grâce à l'importance de ce fonds, le Musée national d'art moderne devient un centre de recherches dont les ressources — même si la collection elle-même n'atteint sans doute pas la qualité et la cohérence de celles du Guggenheim ou du Lenbachhaus de Munich — sont désormais indispensables à toute étude sérieuse sur l'œuvre du maître, comme à celle de son contexte.

L'essentiel de ce catalogue est fondé sur les études attentives de Jessica Boissel et Christian Derouet, la première s'étant attachée aux périodes reconnues jusque-là comme majeures, le Blaue Reiter et l'enseignement du Bauhaus, tandis que Christian Derouet — qui a su saisir la chance d'être associé dès le début à la préparation de l'entrée de ce fonds dans la collection — s'est plus particulièrement penché sur les périodes moins bien étudiées : celle qui précède 1907; celle qui va de 1915 à 1921, « l'intermezzo », comme l'appelait W. Grohmann; et la période parisienne de 1934 à 1944. Christian Derouet présente, en outre, l'historique de cette collection; aussi ne m'appartient-il pas de le rappeler ici. Je voudrais pourtant saisir l'occasion de cette page pour corriger quelques légendes que l'on perpétue encore sur la constitution de la collection du Musée national d'art moderne.

Lorsqu'en 1947 Jean Cassou rendait cette collection, ou ce qui en tenait lieu, enfin accessible au public, la place de Kandinsky était, certes, réduite à la *Composition IX* de 1936, œuvre acquise en 1937-1939 par le Musée des Écoles étrangères du Jeu de Paume et si significative de la période parisienne. Kandinsky n'était ni mieux, ni moins bien représenté, ou « traité », que les autres artistes. Picasso, rappelons-le, n'avait jamais eu le moindre achat de la part de l'État et, si malgré cela son œuvre a pris au musée la place importante qu'elle a, c'est parce que l'artiste fit le don que l'on sait. On voudrait souvent nous faire croire que certains artistes, dont Kandinsky, auraient été victimes d'ostracisme. C'est une contre-vérité qui ignore les conditions de gestion de cette collection. Ce serait, en outre, faire injure à nos prédécesseurs dont on sait, au contraire, l'ouverture d'esprit et l'internationalisme militant. Et précisément le cas de Kandinsky est exemplaire. En 1947, le musée conserve la *Composition IX* de 1936 et une gouache acquise en même temps. Le souhait de Jean Cassou, cette année d'ouverture du musée, fut alors d'acquérir *Développement en brun* (1933); c'est le manque de crédit qui l'obligea à différer cette acquisition jusqu'en 1959* ! Cette même année vit le don par la Société des Amis du musée d'une œuvre elle aussi remarquable : *Ambiguïté, Complexité simple* de 1939. Enfin, en 1966, Nina Kandinsky fit don de l'*Improvisation 14* (1910), en même temps qu'elle faisait le prêt qui permettait l'ouverture de cette salle si remarquable. J'insiste sur ce point car l'historique de la collection de ce musée devra désormais se faire non plus à partir de polémiques ignorantes des conditions et des moyens d'acquisitions aux temps difficiles de l'après-guerre notamment. Et puis les acquisitions des musées se font, certes, selon les possibilités des budgets, mais ne sont-elles pas aussi liées aux qualités et à l'intérêt des œuvres disponibles, aux circonstances du marché, qui créent parfois des priorités !

Envisager la représentation d'un artiste à un certain moment ne signifie pas trouver l'œuvre nécessaire à la collection. En 1945, la collection du Museum of Modern Art de New York — qui nous sert si souvent de référence — n'était guère plus riche. Et ce n'est que tout récemment, mais grâce à un échange pertinent avec le Guggenheim, qu'elle a pu acquérir un ensemble aussi remarquable et de la qualité d'*Archer* ou des quatre panneaux réalisés pour Campbell. On frémit à l'idée de ce que l'on dirait de nos acquisitions si on ne les envisageait que du « seul point de vue des lacunes ». Kandinsky fut, dès les années 45-47, une des préoccupations importantes de ce musée. Le temps répara par la suite les insuffisances de moyens face à une situation alors si difficile.

Dominique Bozo

25/7/47

* *Chère Madame,*
Ne croyez pas qu'on ait tant acheté ces temps-ci ! Depuis plusieurs mois, tous les achats que j'avais en cours ont été stoppés, ce qui ne laisse pas de m'embarrasser beaucoup. Il nous faudra reprendre tout ça cet hiver et Kandinsky reste au premier rang de mes pensées. Bonnes vacances ! Recevez, chère Madame, mes hommages avec mon fidèle et dévoué souvenir.

Jean Cassou

Installés à Paris depuis 1933, les Kandinsky optaient définitivement pour la France en 1939 en choisissant notre nationalité.

Après la mort de Vassily, Nina, qui défendait avec passion, intelligence et volonté l'œuvre de son mari et la place déterminante qu'il tient dans la création artistique depuis le début du siècle, ne cessa de manifester son amour pour notre pays : prêts permanents de tableaux majeurs de sa collection, et importante donation en 1976.

Elle fut également l'une des premières, après une conversation avec mon mari, à comprendre l'enjeu du Centre culturel voulu par lui. Nina Kandinsky soutint avec ardeur le projet.

Elle réunissait souvent chez elle, autour d'un bœuf strogonoff, Pontus Hulten, Karl Flinker et moi-même. Et c'est chez moi qu'elle décida de créer la Société Kandinsky, que je préside depuis sa disparition, et aussi de léguer au Centre Georges Pompidou la totalité des œuvres de Kandinsky, ses archives, ainsi que leur collection personnelle.

Le Musée national d'art moderne possède ainsi un fonds Kandinsky d'une qualité et d'une valeur inestimables.

Cette rétrospective est donc bien un double hommage à l'artiste exceptionnel et à Nina Kandinsky.

Claude Pompidou
Présidente de la Société Kandinsky

René Drouin, assisté par Nina Kandinsky, accrochant *Ensemble multicolore,* 1938 (nº 648). Le jeudi 2 juin 1949 à 16 heures eut lieu le vernissage de l'exposition « Kandinsky, époque parisienne 1934-1944 » à la galerie René Drouin, 17 place Vendôme à Paris. La modeste plaquette éditée à cette occasion comprenait deux textes : « Actualité de Kandinsky » par Charles Estienne et « Souvenirs sur Kandinsky » (propos de Nina Kandinsky) recueillis par Henri-Pierre Roché.

Prologue à l'inventaire du cabinet d'un peintre abstrait-paysagiste

Le Musée national d'art moderne a recueilli une part importante d'une œuvre qui pourrait déjà être reversée au Musée d'Orsay si les principes qui régissent la vie des collections nationales ne s'accommodaient de certaines dérogations. Les œuvres de Vassily Kandinsky, né en 1866, auraient pu, en effet, rejoindre au Musée du XIXe siècle celles des artistes dont la naissance est antérieure à 1870, puisque cette date a été retenue arbitrairement pour les reversements. Là, les toiles de Kandinsky auraient pu prendre la suite logique des Gauguin, des symbolistes et des néo-impressionnistes et la section allemande du futur musée aurait pu se terminer avec l'apothéose de quelques œuvres magnifiques du *Blaue Reiter.* N'a-t-on pas prétendu que la découverte de l'abstraction picturale découlait naturellement à Munich de la ligne Jugendstil ? Certains articles et thèses ont développé cette filiation.

Tel n'était pas le sentiment de Nina Kandinsky, bienfaitrice du Musée national d'art moderne, qui considérait l'œuvre de son mari non comme l'aboutissement d'une époque mais comme une des œuvres fondatrices de l'esthétique du XXe siècle. En réalité, la question de date n'a pas de sens : Kandinsky, selon l'expression de Bernard Dorival, est un « tard venu de la peinture ». Il ne commence qu'en 1900 cette brillante carrière qui est moins celle d'un nouvel Anton Raphaël Mengs de la peinture allemande que celle d'un des pères putatifs de l'art informel parisien et de l'Abstract Expressionism. En 1969, dans son *Histoire de l'art* (Pléiade), Bernard Dorival n'hésite pas à écrire : « L'exemple de Kandinsky a été pour beaucoup dans le déferlement de l'art abstrait qu'on observe en France, aux États-Unis et dans le monde entier depuis la dernière guerre mondiale. Plus tardive peut-être que celle de Matisse, la gloire de Kandinsky est maintenant définitivement située dans l'histoire et l'ampleur de l'univers poétique qu'il a créé, universellement reconnue. »

Le Musée national d'art moderne récupère, semble-t-il, un élément essentiel de l'Histoire de l'art moderne universel. Kandinsky est devenu une sorte de maître populaire, sur lequel on a beaucoup publié et sur lequel on publie encore beaucoup. Toutefois cette reconnaissance posthume ne doit pas faire illusion. Le hasard, la politique ont voulu que Kandinsky vécût à Paris les dernières années de sa vie de 1934 à 1944. Paris fut loin de le fêter. Joan Miró, en ami attristé, souligne le relatif isolement dans lequel se trouva Kandinsky quand il se fut établi à Neuilly-sur-Seine : « Je me souviens aussi avec amertume qu'à son arrivée à Paris les "maîtres" de l'époque refusaient poliment de le recevoir ».

Il fallut beaucoup de patience à Nina Kandinsky, qui vécut ces années difficiles avec le peintre, pour oublier la tiédeur parisienne. Elle sut surmonter tout ressentiment et écrit simplement dans ses souvenirs : « La France qu'il (Kandinsky) appréciait beaucoup pour son hospitalité a mis assez longtemps à apprécier Kandinsky. Malgré cela, ce pays est devenu sa troisième patrie. Kandinsky est mort à Paris, citoyen français. Il est enterré au cimetière de Neuilly. » Dans le même ouvrage, avec une grande diplomatie, elle se louait des collaborations fructueuses avec Jean Cassou et Bernard Dorival, ou avec son ami, Jacques Lassaigne, et plus généralement avec les musées parisiens, mais ne s'interrogeait pas moins sur la destination future du patrimoine que Kandinsky lui avait confié : « Quelques musées célèbres dans le monde ont encore besoin, me semble-t-il, de telle ou telle œuvre pour compléter leur collection Kandinsky; aussi vais-je examiner minutieusement à quel musée je transmettrai telle ou telle œuvre. Ce qui m'importe surtout, c'est de savoir Kandinsky représenté dans les grandes collections et exposé dans des endroits dignes de lui. Je souhaite que son patrimoine conserve sa forme actuelle et ne soit pas morcelé. Il faut encore que je décide de son refuge définitif. Je n'ai d'ailleurs pas l'intention de mettre une condition à cet héritage : la fondation d'un "musée Kandinsky". Comme tous les génies, Kandinsky appartient au monde entier; aussi son œuvre doit-elle être présentée à l'humanité tout entière, à côté des autres artistes ».

Jusqu'en 1976, date de la parution des mémoires de Nina Kandinsky en langue allemande, la représentation du peintre dans les collections publiques françaises était modeste : en province, une petite peinture dans la donation Gildas Fardel au Musée des Beaux-Arts de Nantes, une aquarelle dans la donation Geneviève et Jean Masurel pour le futur Musée de la Communauté urbaine de Lille, un dessin à l'encre de Chine dans la collection Granville à Dijon, un tableau de l'époque parisienne à la Fondation Marguerite et Aimé Maeght à Saint-Paul-de-Vence, et une toile importante *Formes noires sur blanc* (1934) dans la collection de la Fondation Yvonne et Christian Zervos à Vézelay. A Paris, le Musée national d'art moderne comptait deux œuvres, *La Ligne blanche* et *Composition IX,* achetées du vivant de l'artiste sur proposition d'André Dézarrois, conservateur du Jeu de Paume, dont l'activité en tant que directeur du Musée des Écoles étrangères mériterait bien l'investigation d'une thèse de l'École du Louvre. Plus tard, deux œuvres importantes furent acquises à l'initiative de Jean Cassou, tandis que Bernard Dorival, dès 1960, obtenait le dépôt des principales œuvres de la collection de Nina Kandinsky pour leur présentation permanente dans les salles du musée. A la suite des expositions consacrées à Kandinsky en 1963 puis en 1966, la veuve de l'artiste fit en 1966 un premier don manuel en faveur du Musée national d'art moderne qui s'enrichissait ainsi d'une importante *Improvisation* de 1910, de deux aquarelles de Paul Klee et d'une peinture d'August Macke.

En 1975, la scène artistique parisienne fut modifiée par l'édification du Centre d'Art et de Culture Georges Pompidou, qui intégrait au cœur de la capitale le Musée national d'art moderne. Les rapports d'amitié entre Nina Kandinsky et Madame Claude Pompidou, la vigilance de Pontus Hulten préparèrent Nina Kandinsky à l'idée d'une prestigieuse donation : elle donnait, sous réserve d'un usufruit auquel elle renonçait d'ailleurs, quinze tableaux de toutes les époques de Kandinsky, qui pour la plupart avaient été présentés dans l'ancienne salle Kandinsky du Palais de Tokyo, et y ajoutait quinze aquarelles. L'acte de donation de Nina Kandinsky à l'État français pour le Centre national d'Art et de Culture Georges Pompidou fut signé définitivement par Robert Bordaz, président du Centre en 1976. La même année, le comité d'acquisition du 30 janvier avait accepté le don manuel des cinq maquettes réalisées par Vassily Kandinsky pour le salon d'entrée de la Juryfreie à Berlin en 1922, tandis que Jean Vidal reconstituait à l'identique cette décoration à l'entrée du nouveau Musée national d'art moderne.

Le succès des expositions « Kandinsky, trente tableaux des musées soviétiques » et « Paris-Moscou » incita Nina Kandinsky à se prononcer définitivement pour l'Institution parisienne. Au cours d'un dîner offert par Madame Pompidou le 6 décembre 1979, elle remit à Pontus Hulten une lettre où elle décidait qu'après sa mort toutes les œuvres de Kandinsky et tout ce qui, de près ou de loin, avait concerné la carrière de son mari constitueraient un fonds Kandinsky au Musée national d'art moderne. Elle créait également une Société Kandinsky chargée de veiller à la sauvegarde et à la promotion de l'œuvre et de la mémoire de Vassily Kandinsky. Ces dispositions furent reprises dans un testament olographe en date du 12 janvier 1980 que Nina Kandinsky confia à son ami Karl Flinker.

Puis ce fut le tragique décès de Nina Kandinsky à Gstaad le 2 septembre 1980. Ses biens, conformément à la loi, furent gérés par un administrateur désigné par les autorités judiciaires,

Me Caron. Le 23 septembre 1981, le Tribunal de Grande Instance de Nanterre, dans le ressort duquel se trouvait le domicile de Nina Kandinsky, rendit un jugement permettant au Centre national d'Art et de Culture Georges Pompidou d'entrer en possession du legs particulier qui lui était fait. La Société Kandinsky, créée le 6 décembre 1979 par Nina Kandinsky, déposa ses statuts le 26 mars 1982. Elle comprend des membres français et étrangers désignés par Madame Kandinsky, ainsi que le président du Centre et le directeur du musée en exercice.

L'acceptation du legs par le Centre Georges Pompidou fut signée le 8 octobre 1981 par M. Jean-Claude Groshens, président du centre, et par M. Dominique Bozo, directeur du musée. Le contenu du legs forme, avec les premières donations de Nina Kandinsky et les acquisitions sporadiques des Musées Nationaux, un des fonds Kandinsky les plus importants. La collection des peintures à l'huile de tout format sur support de carton ou de toile comporte 98 numéros dont 11 œuvres de la période Munich-Murnau. On y relève deux chefs-d'œuvre : *Avec l'arc noir* (1912) et *Dans le gris* (1919); des toiles très importantes : *Impression V (Parc)* (1911), la *Tache rouge* (1914), *Jaune-Rouge-Bleu* (1925), *Trente* (1937), *Bleu de ciel* (1940), *Accord réciproque* (1942). On y trouve également, comme dans tout atelier d'artiste, des œuvres moins attrayantes mais qui renforcent la cohérence de l'ensemble et fournissent de précieuses informations sur l'évolution de l'artiste. Une des originalités de ce fonds est de comprendre une suite d'œuvres intimes comme les six petites peintures exécutées à Akhtyrka en 1917 ou la série des petites compositions ovales offertes par Kandinsky à sa femme : *Message intime* (1925), *Sans titre* (1925), *Chuchoté* (1925), *Œuf de Pâques* (1926).

L'intérêt majeur du fonds Kandinsky réside dans l'extraordinaire collection d'œuvres sur papier, conservée respectueusement et transmise par Nina Kandinsky. La suite des aquarelles et des gouaches, à laquelle sont jointes les temperas, comprend 116 pièces d'intérêt inégal. Les feuilles plus extraordinaires sont la légendaire aquarelle datée 1910, *Dans le cercle* (1911), *Simple* (1916) et *Promenade* (1920). S'y ajoutent 510 dessins : quelques-uns à l'encre de Chine, monogrammés et parfois datés. La plupart ne sont que de simples croquis à la mine de plomb, qui complètent les séries conservées à Munich ou constituent une très originale documentation sur la période du Bauhaus et des années parisiennes. Le joyau en est certainement la série des 54 dessins et les 22 aquarelles de la période moscovite (1915-1921) dont la qualité est manifeste et qui tend à prouver, en dépit des idées émises par la plupart des biographes, que le peintre continuait en mode mineur, œuvres sur papier, un travail remarquable. Le fonds comporte également 9 carnets de croquis et les 6 cahiers d'écolier connus sous l'appellation de « catalogue domestique ». Ce catalogue est un véritable « livre de raison » où l'artiste tenait scrupuleusement l'inventaire de sa production. L'œuvre gravé est bien représenté. Si on peut déplorer certaines lacunes, on trouve, en contrepartie, de nombreuses épreuves de tirage, des doubles. Aussi avons-nous pris la décision de ne retenir pour ce présent catalogue que 66 pièces, signées par l'artiste, renvoyant l'examen critique de cette partie du fonds à des études ultérieures.

L'entrée de cette collection au Musée national d'art moderne a entraîné immédiatement l'établissement de relations privilégiées avec deux autres institutions largement dépositaires de l'œuvre de Vassily Kandinsky : la Städtische Galerie im Lenbachhaus à Munich et le Solomon R. Guggenheim Museum à New York. La collection léguée par Gabriele Münter à la ville de Munich en 1957 comprend 123 peintures et 333 dessins, sans compter tous les croquis contenus dans 27 carnets. Cet ensemble, catalogué par les soins de Rosel Gollek et de Erika Hanfstaengl, a été une véritable révélation : tout-à-coup, l'Europe découvrait l'apport exceptionnel de Kandinsky à la peinture occidentale.

La collection du Solomon R. Guggenheim Museum complétée par la collection personnelle de Hilla Rebay a été épurée. En 1964 les Trustees du musée se défaisaient de 47 peintures du maître et, lors de l'entrée de la collection de Hilla Rebay, ils procédèrent à une nouvelle sélection, mettant aux enchères en 1971 47 aquarelles et peintures. Telle qu'elle vient d'être cataloguée par Vivian Barnett, cette collection — avec ses 205 numéros — forme certainement l'ensemble kandinskien le plus harmonieux et le plus didactique : chaque période y est représentée par des chefs-d'œuvre.

Le musée new-yorkais reste d'ailleurs le principal agent de la fortune kandinskienne. Promoteurs de la première grande rétrospective internationale consacrée à l'œuvre de Kandinsky en 1963, Thomas Messer et les Trustees du Solomon R. Guggenheim Museum ont pris l'initiative d'une grande révision de l'épopée kandinskienne à travers trois expositions successives. La

Photographie tirée de la revue suisse *Werk*, n° 8, août 1938. Elle présente quelques membres du jury à la XXIe Biennale de Venise : de gauche à droite, André Dézarrois, directeur du Musée des Écoles étrangères, Jeu de Paume des Tuileries à Paris; Hermann Hubacher, sculpteur à Zurich; Louis Hautecœur, directeur du Musée du Luxembourg à Paris; M. Blondel, chargé d'Affaires auprès de l'Ambassade de France à Rome. Entre 1937 et 1939, Kandinsky eut de nombreux rapports avec André Dézarrois. Ce dernier acheta *La Ligne blanche* (n° 618) et la *Composition IX* (n° 607). Il organisa en 1937 l'exposition « Origines et développement de l'art international indépendant ». Il facilita la naturalisation de Kandinsky en 1938-1939.

Exposition à Tokyo en 1961. M. Bernard Dorival, conservateur du Musée national d'art moderne au Palais de Tokyo, présente le *Nœud rouge* (peinture de Kandinsky de 1936). Il organisera en 1963 la première rétrospective « Kandinsky ».

première, « Kandinsky in Munich, 1896-1914 », confiée à Peg Weiss, fut inaugurée en 1982 à New York, puis reprise par le Museum of Modern Art de San Francisco et le Lenbachhaus de Munich. La version allemande du catalogue fut enrichie des essais d'Armin Zweite, de Sixten Ringbom et Johannes Langner. La seconde, « Kandinsky : Russian and Bauhaus Years, 1915-1933 », conçue par Clark V. Poling, fut présentée, après New York, au High Museum of Art of Atlanta, au Kunsthaus de Zurich et, enfin, au Bauhaus Archiv de Berlin. L'édition du catalogue berlinois comporte des communications de Peter Hahn, Magdalena Droste, Charles W. Haxthausen, spécifiques à l'enseignement du Bauhaus. La troisième sera inaugurée au Solomon R. Guggenheim Museum en février 1985 et sera consacrée à « Kandinsky in Paris, 1934-1944 ».

Parallèlement à ces manifestations, un incomparable travail de catalogue monographique fut mené par le Docteur Hans K. Roethel et Jean Benjamin. Le docteur Rœthel avait auparavant publié un catalogue des peintures sur verre de Kandinsky *(Hinterglasmalerei)*, publié au Guggenheim en 1966, un catalogue exhaustif et luxueux des gravures de Kandinsky à Cologne en 1970. Il avait entrepris l'édition du catalogue de l'œuvre peint. Le premier volume parut de son vivant en 1982, le second fut édité après sa mort par sa collaboratrice Jean Benjamin. Le catalogue des aquarelles a été entrepris par le Solomon R. Guggenheim Museum sous l'égide de la Société Kandinsky. Plusieurs éditeurs entreprenaient également l'édition des principaux textes de Kandinsky. Ainsi, Kenneth Lindsay et Peter Vergo ont-ils récemment publié en langue anglaise un recueil des textes de Kandinsky sur l'art.

C'est donc dans un contexte d'intenses publications consacrées à Kandinsky et à son œuvre que Jessica Boissel et moi-même avons entrepris le catalogue du fonds Kandinsky du Musée national d'art moderne. Nous nous sommes fixés pour but de pourvoir le chercheur d'un outil de travail et l'amateur d'un livre marqué spécialement du sceau de Kandinsky; aussi avons-nous rédigé les nomenclatures à partir des notes et des carnets de l'artiste. Les notices ont été réservées à des ensembles ou à des œuvres insignes. Nous nous sommes efforcés de reproduire chaque œuvre et n'avons dérogé à cette règle que pour des croquis de seconde importance, qui ne sont que mentionnés. Pour mieux rendre compte de l'évolution esthétique de Kandinsky, nous avons renoncé à l'ordonnance, fondée sur les techniques, habituelle aux monographies du musée, nous avons préféré reprendre les divisions chronologiques adoptées par Will Grohmann et distribuer la collection du musée en cinq grandes rubriques : 1900-1907, formation et voyages; 1908-1914, Munich-Murnau, la période dite « géniale »; 1915-1921, « intermezzo » moscovite; 1922-1933, enseignement au Bauhaus; 1934-1944, l'exil à Paris. Chaque partie est précédée d'un dossier contenant des informations succinctes, complétées par la publication de documents inédits et illustrées par une iconographie originale empruntée directement aux archives de l'artiste. La sixième partie du catalogue est consacrée à l'environnement et aux sources de Kandinsky (nous avons choisi certains ouvrages dans sa bibliothèque, des objets, que l'on classe sous l'étiquette d'art populaire), ainsi qu'à la présentation des œuvres les plus remarquables de sa collection personnelle. Ce sont des œuvres de petites dimensions, le plus souvent dédicacées. Certaines proviennent des strates lointaines et prestigieuses des expositions du Blaue Reiter : deux petites toiles de Henri Rousseau, une aquarelle *Tête de paysan* de Malévitch, une *Tête de conscrit* gouachée de Larionov et une *Nature morte au homard* de Natalia Gontcharova. D'autres illustrent les amitiés nouées par Kandinsky avec ses collègues du Bauhaus et plus généralement avec des artistes qui se sont illustrés sous la République de Weimar. Parmi les dix-sept pièces de Paul Klee, on remarque trois peintures importantes et trois aquarelles superbes. Lyonel Feininger est présent avec deux peintures et une belle marine aquarellée; Josef Albers, avec une gouache monumentale; Kurt Schwitters, avec un collage dédié au prince de Sibérie... Ce cabinet d'amateur, où se côtoient les grands noms du siècle, complète heureusement les représentations de ces artistes dans les collections nationales françaises.

On peut comparer l'importance du fonds Kandinsky à l'atelier de Brancusi ou aux collections données et léguées par les Delaunay, mais c'est pour constater immédiatement que ce fonds présente l'inappréciable qualité d'associer des milieux artistiques qui débordent de beaucoup le cadre strictement parisien. Il y a tout lieu de se féliciter que Nina Kandinsky ait écouté de judicieux conseils et pris le parti de léguer ce patrimoine au Musée national d'art moderne, c'est-à-dire à Paris, la ville qu'elle adorait.

Christian Derouet

Présentation des œuvres de Kandinsky à l'exposition « Origines et développement de l'art international indépendant », Jeu de Paume, 1937. Extrait d'une lettre adressée par Kandinsky à André Dézarrois, conservateur du Musée du Jeu de Paume, le 15 juillet 1937 : « J'ai fait tout mon possible de me contenter de huit mètres de cimaises et enfin j'ai réussi de présenter quatre périodes de mon développement. Malheureusement j'ai été forcé de supprimer la « racine » de ma forme « non figurative », c'est-à-dire à une toile de 1911, *Composition n° 4*, où se laissent voir encore des restes des « objets » d'une manière assez claire. Mais je me subordonne aux conditions données. Voilà les périodes présentées : *L'Arc noir*, 1912, période dite lyrique, une de mes premières toiles non figuratives [n° 142], *Sur blanc*, 1923, période froide [n° 311], *Développement en brun*, 1933, période des surfaces approfondies [n° 501], *Entre-deux*, 1934 [coll. particulière] et *Courbe dominante*, 1936 [S.R. Guggenheim Museum, New York], période synthétique. Ces dernières deux toiles sont des exemples de ma production parisienne. (...) Je vous remercie très cordialement de m'avoir donné la possibilité de montrer pour la première fois le développement de mon art au public parisien. »

Présentation de l'exposition « Kandinsky, trente tableaux des musées soviétiques » au Musée national d'art moderne, Centre Georges Pompidou, du 1er février au 26 mars 1979. De gauche à droite : *Moscou, place Zubovsky II* (1916 ?), *Moscou, Smolensk boulevard* (1916 ?), *Moscou I* (1916), *Esquisse pour le tableau à la bordure blanche* (1913), *Tache noire* (1914), *Composition VI* (1913).

Note biographique

par Pierre Astier

1866 4 décembre (22 novembre selon l'ancien calendrier russe), Vassily Kandinsky naît à Moscou.

1871 La famille s'installe à Odessa. Les parents de Vassily Kandinsky se séparent. Elisabeth Ticheef, sa tante, veille à son éducation.

1876 Entre au lycée à Odessa. Étudie le piano et le violoncelle. Une fois par an, jusqu'en 1885, rend visite à son père à Moscou.

1886 Entreprend des études de sciences économiques et de droit romain et russe.

1889 Voyage dans le gouvernement de Vologda (mai-juillet), parrainé par la Société des Sciences naturelles, d'Ethnographie et d'Anthropologie. A son retour, publie un rapport sur les réminiscences païennes dans la religion du peuple finnois Syrjaenen. Publie un essai sur « Les pénalités dans les verdicts des tribunaux paysans dans la province de Moscou ». Premier voyage à Paris.

1892 Épouse Anja Chimiakine, sa cousine. Second voyage à Paris.

1893 Ecrit une dissertation sur la légalité des salaires ouvriers. Est nommé attaché à la Faculté de Droit de l'Université de Moscou.

1895 Directeur artistique de l'imprimerie Kusverev à Moscou.

1896 Refuse un poste de professeur à l'Université de Dorpat (Tartu, Estonie). S'installe à Munich pour se consacrer à la peinture.

1897 Élève à l'école d'Anton Azbé.

1900 Élève de la classe de Franz von Stuck à l'Académie de Munich.

1901 Fonde avec d'autres artistes une association « Phalanx » qui, entre 1901 et 1904, organise douze expositions et ouvre une école d'art.

1902 Rencontre Gabriele Münter.

1903 Fermeture de l'école « Phalanx ». Publication à Moscou de *Poésies sans paroles*.

1904 Dissolution du groupe « Phalanx ». Voyage en Hollande avec G. Münter (mai-juin). Se sépare de sa femme Anja en septembre. Participe pour la première fois au Salon d'Automne et séjourne à Paris du 27 nov. au 2 déc. Voyage avec G. Münter à Tunis (déc.-avril). Sociétaire du Salon d'Automne.

1905 Séjourne avec G. Münter à Rapallo (Italie).

1906 S'installe à Paris en mai au 12, rue des Ursulines, puis en juin à Sèvres, au 4, Petite rue des Binelles, pour un an.

1907 Peint *Buntes Leben* (Vie mélangée).

1908 S'installe en septembre avec G. Münter au 36, Ainmillerstrasse, à Munich. Travaille avec le compositeur Thomas von Hartmann et le danseur Alexandre Sacharoff à ses premières œuvres pour la scène *Daphnis et Chloé* et *Sonorité jaune*.

1909 Fondation de la Neue Künstlervereinigung München (NKVM), qu'il préside. G. Münter achète une maison à Murnau. Publication de *Xylographies* à Paris. En décembre, première exposition de la NKVM à la Moderne Galerie Thannhauser à Munich.

1910 En septembre, 2e exposition de la Neue Künstlervereinigung München à la Moderne Galerie Thannhauser. En décembre, 2e Salon Izdebsky à Odessa (52 œuvres de Kandinsky). Participe à la première exposition du « Valet de carreau » organisée à Moscou par Larionov.

1911 Séparation d'avec Anja Chimiakine. Fondation avec Franz Marc du *Blaue Reiter* et première exposition, en décembre, à la Moderne Galerie Thannhauser à Munich. Rencontre avec Paul Klee. Peint ce qu'il considérera comme sa première peinture « non objective ». Publication de *Du spirituel dans l'art* à Munich (lecture d'extraits, au Congrès pan-russe des artistes, à St-Petersbourg, par son ami Koulbine).

1912 En février, seconde exposition du *Blaue Reiter* à la galerie Hans Goltz, à Munich. En mars, première exposition du *Blaue Reiter* à la galerie Der Sturm à Berlin. 2e et 3e éditions de *Du Spirituel dans l'art.* En mai, publication de l'almanach *Der Blaue Reiter,* à Munich. En octobre, première exposition personnelle de Kandinsky à la galerie Der Sturm.

1913 *Improvisation XXVII* présenté à l'*Armory Show* à New York, puis à Chicago et Boston. Arthur Jerome Eddy devient son premier collectionneur américain. En septembre, Kandinsky participe à l'Erster Deutscher Herbstsalon à la galerie Der Sturm, à Berlin. Publication de *Klänge,* à Munich. Der Sturm édite l'album *Kandinsky* contenant *Regards sur le passé.*

1914 En janvier, exposition personnelle à la Moderne Galerie Thannhauser à Munich. Publication de *The Art of Spiritual Harmony* (traduction de *Du Spirituel dans l'art* par Michael Sadler), à Londres; version russe abrégée publiée ultérieurement à Petrograd. 2e édition de l'Almanach *Der Blaue Reiter.*

1915 Ne peint pas au cours de cette année. Emménage dans son immeuble à Moscou. Séjourne à Stockholm (décembre-mars).

1916 En janvier, publication de *Om Konstnären* (Sur l'artiste) et exposition chez Gummeson à Stockholm. Rupture définitive avec G. Münter.

1917 Épouse Nina von Andreevsky le 11 février. Les Kandinsky passent l'été à Akhtyrka. Naissance de leur fils Volodia en septembre.
Démission du tsar Nicolas II. Révolution d'Octobre.

1918 Membre de la section des beaux-arts (IZO) au commissariat pour l'Instruction publique (NARKOMPROS). Contribue à la création de 22 nouveaux musées en URSS. Nommé professeur aux ateliers d'art libres de l'État, à Moscou. Publication de *Tekst Kudocñika. Stupeni (Regards sur le passé)* à Moscou.

1919 Associé à la création du Musée de Culture picturale à Moscou. Se heurte à Rodchenko et Stepanova dans les discussions qui portent sur l'enseignement.

1920 Mort de son fils Volodia le 16 juin. Participe à la création de l'Institut de Culture artistique (INKHUK). Trois articles de Kandinsky, dont « Muzei zhivopisnoi Kultury » (Musée de culture picturale) et « O velikoi utopii » (Sur la grande utopie) sont publiés dans le journal IZO NKP, Khudozhestvennaia zhizn (Vie artistique), anciennement *Iskusstvo.* Exposition personnelle organisée par l'État à Moscou, en octobre. Quitte l'INKHUK en décembre.

1921 Nommé vice-président de l'Académie russe des Sciences artistiques de Moscou (RAKhN). Présente son plan pour le Département physico-psychologique du RAKhN, qui sera accepté par la commission de l'Académie en juillet. Décide de retourner en Allemagne et arrive à Berlin la veille de Noël.

1922 Peintures murales pour l'exposition de la Juryfreie à Berlin. S'installe en juin à Weimar et enseigne au Bauhaus. En octobre, exposition personnelle chez Gummeson à Stockholm. Publication à Berlin d'un portfolio d'estampes *Kleine Welten* (Petits Mondes).

1923 En mars, première exposition personnelle à New York, à la « Société anonyme », dont il devient vice-président. En août, première exposition générale du Bauhaus à Weimar.

1924 Galka Scheyer présente et expose les « Blue Four » (Kandinsky, Klee, Feininger et Jawlensky) aux États-Unis.

1925 Le Bauhaus est transféré à Dessau, à la suite d'attaques du parti national-socialiste.

1926 Publication à Munich de *Point-Ligne-Plan.* A l'occasion de son 60e anniversaire, expositions à Dresde et Brunswick. Premier numéro du *Bauhaus Zeitschrift für Gestaltung* consacré à Kandinsky.

1927 Commence un cours de « Peinture libre ». Rencontre Christian Zervos.

1928 Vassily et Nina Kandinsky obtiennent la nationalité allemande. Hannes Meyer succède à Walter Gropius à la direction du Bauhaus. Kandinsky (assisté de Félix Klee) met en scène *Tableaux d'une exposition* de Moussorgsky au Friedrich-Theater à Dessau. Vacances d'été sur la Côte d'Azur. Seconde édition de *Point-Ligne-Plan.*

1929 En janvier, première exposition à Paris à la galerie Zak. Marcel Duchamp et Katherine Dreier rendent visite à Kandinsky au Bauhaus. Vacances avec Paul Klee à Hendaye-Plage. Rencontre Hilla Rebay et Solomon R. Guggenheim.

1930 En mars, exposition à la galerie de France, à Paris. Participe à l'exposition « Cercle et Carré » à Paris. Mies van der Rohe succède à Hannes Meyer à la direction du Bauhaus.

1931 Décoration murale en céramique d'une salle de musique pour une exposition d'architecture sous la direction de Mies van der Rohe, à Berlin. Début de sa collaboration avec *Les Cahiers d'Art* à Paris.

1932 En février, exposition d'aquarelles, dessins et gravures à la galerie Ferdinand Möller à Berlin. En octobre, le Bauhaus, fermé par le gouvernement nazi, est transféré de Dessau à Berlin. Kandinsky s'installe à Berlin-Südende.

1933 Fermeture définitive du Bauhaus. Vacances d'été aux Sablettes (Var). En décembre, s'installe au 135 bd de la Seine (du Général Koenig aujourd'hui), à Paris.

1934 Expose à la Galleria del Milione à Milan, puis, en mai, aux Cahiers d'Art, à Paris.

1935 Participe, en février, à l'exposition « Thèse, antithèse, synthèse » au Kunstmuseum de Lucerne. En juin, expose aux Cahiers d'Art et participe au Salon de l'Art mural.

1936 Participe à « Cubism and Abstract Art » au Museum of Modern Art, à New York. Exposition à la galerie Jeanne Bucher, en décembre, à Paris.

1937 Rétrospective « Kandinsky » en février à la Kunsthalle de Berne. Dernière visite à Paul Klee. 57 de ses œuvres figurant dans des musées allemands sont confisquées par les nazis. Quelques-unes sont à l'exposition « Entartete Kunst » (Art dégénéré) au Haus der Kunst, en juillet, à Munich. Participe à l'exposition « Origines et développement de l'art international indépendant » au Jeu de Paume, à Paris, en juillet.

1938 Parution du premier numéro de *xxe siècle* avec un article de Kandinsky, « L'Art concret ». Exposition en février à la galerie Guggenheim Jeune; préface du catalogue par André Breton.

1939 Les Kandinsky obtiennent la nationalité française. *Composition IX* est acquis par le Jeu de Paume. Expose en juin à la galerie Jeanne Bucher. Participe en juillet à l'exposition « Réalités nouvelles » à la galerie Charpentier. Déclaration de guerre à l'Allemagne le 3 septembre.

1940 Séjour à Cauterets (Pyrénées) pendant l'exode et les premiers mois de l'Occupation allemande. Retour à Paris fin août. Mort de Paul Klee.

1941 Malgré les propositions de Varian Fry d'émigrer aux États-Unis, les Kandinsky décident de rester à Paris.

1942 Exposition en juillet chez Jeanne Bucher. En juin-juillet, peint sa dernière œuvre de grand format : *Tensions délicates.*

1943 Séjourne à Rochefort-en-Yvelines. Préface l'album de César Domela (dernier texte imprimé de Kandinsky).

1944 Expose en janvier à la galerie Jeanne Bucher avec Domela et Nicolas de Staël. Tombe malade en mars et cesse de peindre en juin. Exposition à la galerie L'Esquisse en novembre. Vassily Kandinsky meurt à Neuilly, le 13 décembre, à l'âge de 78 ans.

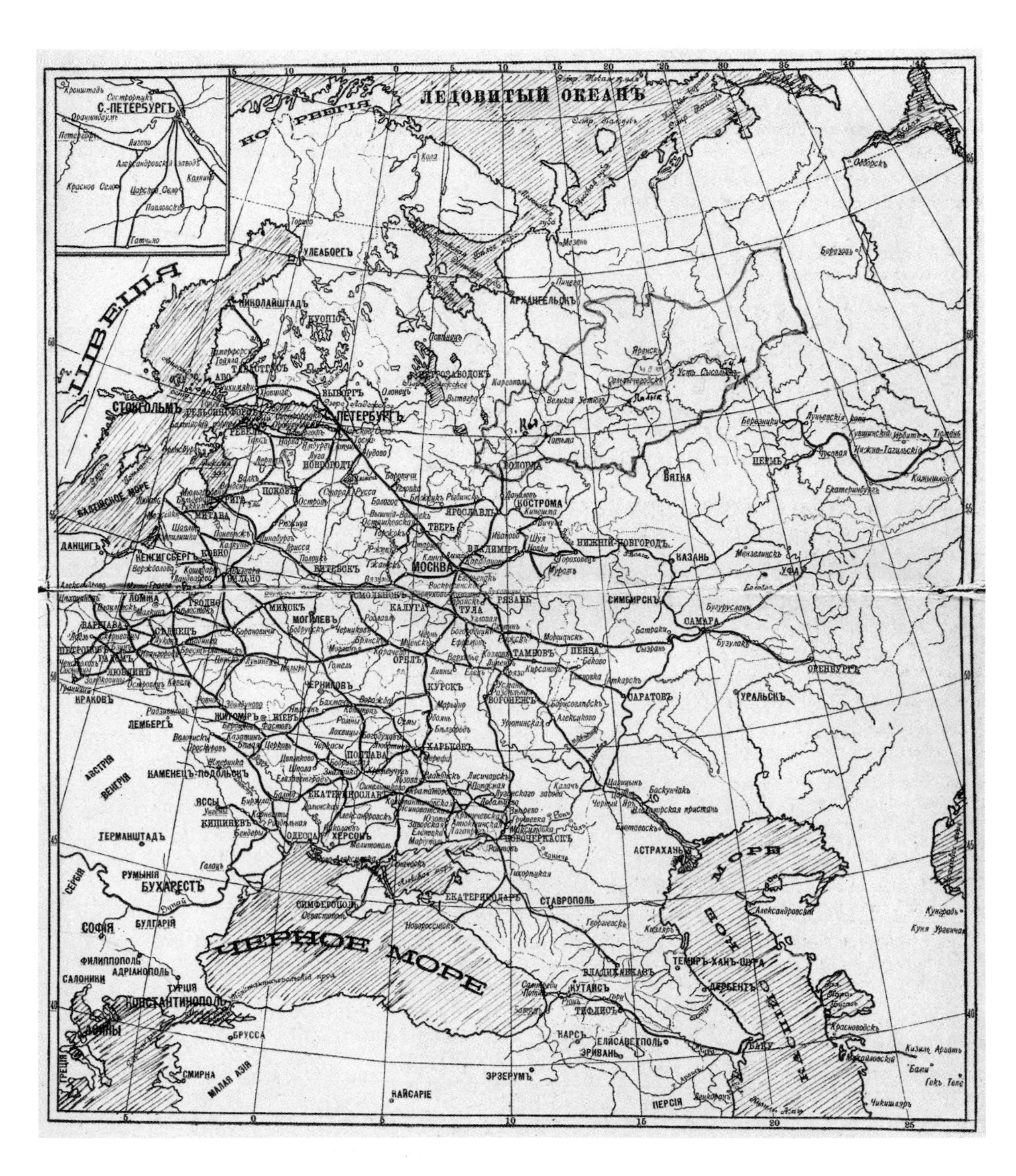

Carte de Russie reproduite sur la couverture de l'agenda de 1889, dans lequel Kandinsky nota ses impressions de voyage en Vologda, région septentrionale se trouvant au nord-est de Moscou. Kandinsky a indiqué à la mine de plomb et à l'encre l'itinéraire de son périple. Il évoque les réminiscences de ce voyage dans une longue lettre adressée à André Dézarrois le 31 juillet 1937 : « A vrai dire l'origine de ma peinture abstraite serait à chercher chez les peintres religieux russes du 10e au 14e siècle, et dans la peinture populaire russe que j'ai vue pour la première fois pendant mon voyage au nord de la Russie, quand j'étais étudiant à l'Université de Moscou. C'était une impression violente. »

Bibliographie sommaire

par Pierre Astier

Cette bibliographie est réduite aux principaux textes de Kandinsky, aux ouvrages de référence essentiels sur son œuvre et aux parutions les plus récentes. Une bibliographie exhaustive établie par Hans K. Roethel et Jean K. Benjamin a été publiée dans le tome II du Catalogue raisonné de l'œuvre peint.

Principaux écrits de Kandinsky

Du Spirituel dans l'art

Über das Geistige in der Kunst, Insbesondere in der Malerei, Munich. R. Piper & Co, 1912, première édition suivie de deux autres. *The Art of Spiritual Harmony* traduit par Michael Sadler, Londres, Constable & Co; Boston, Houghton Mifflin, 1914. *Über das Geistige in der Kunst, Insbesondere in der Malerei,* édité et présenté par Max Bill, Bern, Benteli Verlag, 1952, suivi d'une autre édition en 1965. *Du Spirituel dans l'art et dans la peinture en particulier,* première édition française, traduit par M. de Man, Paris, galerie René Drouin, 1949 (300 exemplaires). *Du Spirituel dans l'art et dans la peinture en particulier,* traduit par Charles Estienne, Paris, éditions de Beaune, 1951. *Du Spirituel dans l'art et dans la peinture en particulier,* traduit par Pierre Volboudt, Paris, Denoël-Gonthier, 1969. *Concerning the Spiritual in Art and Painting in particular,* version de la traduction de Michael Sadler, 1914, revue par Francis Golffing, Michael Harrison et Ferdinand Ostertag (Documents of 20th Century Art), New York, George Wittenborn Inc., 1947.

Le Cavalier bleu

Der Blaue Reiter, édité par Kandinsky et Franz Marc, Munich, R. Piper & Co, 1912; seconde édition, 1914. *Der Blaue Reiter,* nouvelle édition documentaire de Klaus Lankheit, Munich, R. Piper & Co, 1965; seconde édition 1967. *The Blaue Reiter Almanac,* édition documentaire, traduit en anglais par Klaus Lankheit, New York, Viking Press, 1974; Londres, Thames and Hudson, 1974. *L'Almanach du Blaue Reiter,* édité par Mme Brion-Guerry, présenté par Klaus Lankheit, Paris, Klincksieck, 1981.

Sonorités

Klänge, Munich, R. Piper & Co, 1912-1913. *Sounds,* traduit et présenté par Elizabeth R. Napier, New Haven and London, Yale University Press, 1981.

Regards sur le passé

Rückblicke, in *Kandinsky 1901-1913,* Berlin, Der Sturm, 1913; in *Tekst Kudočnika. Stupeni* (Texte de l'Artiste), Moscou, IZO NKP, 1918. Première édition française : *Regards sur le passé,* traduit par Gabrielle Buffet-Pacabia, Paris, Drouin, 1946; seconde édition : *Regards sur le passé,* Paris, Belfond, 1971; troisième édition : *Regards sur le passé et autres textes, 1912-1922,* présenté par J.P. Bouillon, Paris, Hermann, 1974.

Point-Ligne-Plan

Punkt und Linie zu Fläche : Beitrag zur Analyse der Malerischen Elemente, Bauhaus-Buch n° 9, Munich, Albert Langen, 1926; seconde édition, 1928; Berne, Benteli, 1956. *Point, Ligne, Plan : contribution à l'analyse des éléments picturaux,* première édition française, traduit par Christine Boumeester, Paris, éditions de Beaune, 1963; *Point, Ligne, Plan : contribution à l'analyse des éléments picturaux,* traduit par Suzanne et Jean Leppien, Paris, Denoël, 1970, éd. de poche, Bibliothèque Médiations. *Point and Line to Plane : Contribution to the Analysis of Pictorial Elements,* traduit par Howard Dearstyne et Hilla Rebay, New York, Solomon R. Guggenheim, Foundation for the Museum of Non-Objective Painting, 1947, New York, Dover Publications Inc., 1979.

Cours du Bauhaus, traduit par Suzanne et Jean Leppien, Paris, Denoël-Gonthier, édition de poche, Bibliothèque Médiations, 1975.

Wassily Kandinsky : Ecrits complets, édité par Philippe Sers, Paris, Denoël-Gonthier, vol. 2 et 3 parus en 1970 et 1975. *Kandinsky, die Gesammelten Schriften,* édité par Hans K. Roethel et Jelena Hahl-Koch, vol. 1 paru, Berne, Benteli, 1980. *Kandinsky : Complete Writings on Art,* édité par Kenneth C. Lindsay et Peter Vergo, Documents of 20th Century Art, 2 vol., Boston, G.K. Hall & Co, 1982; Londres, Faber & Faber, 1982.

Principaux écrits sur Kandinsky

Catalogues raisonnés :

Will Grohmann : *Vassily Kandinsky, Life and Work,* Harry N. Abrams Inc., New York, 1958; *Vassily Kandinsky, Sein Leben, sein Werk,* DuMont-Schauberg, Cologne, 1958; *Vassily Kandinsky, sa vie, son œuvre,* Flammarion, Paris, 1958.

Hans Konrad Roethel : *Kandinsky : Das Graphische Werk,* DuMont-Schauberg, Cologne, 1970.

Hans Konrad Roethel et Jean K. Benjamin, *Vassily Kandinsky, Catalogue raisonné of the Oil-Paintings 1900-1915, 1916-1944,* Sotheby Publications, Philip Wilson Publishers Ltd., Londres, 1982-83; *Catalogue raisonné de l'œuvre peint 1900-1915, 1916-1944,* éditions Karl Flinker, Paris, 1982-83; *Gesamt Katalog des Malerischen Werkes Kandinskys,* Beck, Munich, 1982-83.

Troels Andersen : *Some Unpublished Letters by Kandinsky,* Artes, Periodical of the Fine Arts, vol. II, pp. 90-110, Copenhague, 1966; *Moderne Russik Kunst, 1910-1925,* Borgens Forlag, 1967; *Art et poésie russe, 1900-1930,* textes choisis, Centre Georges Pompidou, Paris, 1979.

Max Bill : *Wassily Kandinsky,* éd. Maeght, Paris, 1951.

John E. Bowlt : *Russian Art of the Avant- Garde : Theory and Criticism, 1902-1934,* New York, 1976.

John E. Bowlt and Rose C. Washton-Long : *The Life of Vasilii Kandinsky in Russian Art : a study of « On the Spiritual in Art »,* Newtonville, Massachussetts, 1980.

Marcel Brion : *Kandinsky,* Londres, 1961; *Kandinsky,* Somogy, Paris, 1961.

Klaus Brisch : *Wassily Kandinsky, Untersuchnungen zur Entsehung der gegenstandslosen Malerei an seinem Werk von 1900-1921,* Université de Bonn, 1955.

Michel Conil Lacoste : *Kandinsky,* Flammarion, Paris, 1979; New York, 1979.

Hugo Debrunner : *Wir entdecken Kandinsky,* Origo, Zurich, 1947.

Christian Derouet : *Kandinsky : Trente peintures des musées soviétiques,* catalogue d'exposition du Musée national d'art moderne, Centre Georges Pompidou, Paris, 1979; *Vassily Kandinsky : notes et documents sur les dernières années du peintre,* Cahiers du Musée national d'art moderne, n° 9, 1982, p. 84-107.

Bernard Dorival : *Du réalisme à nos jours,* Histoire de l'art, tome IV, encyclopédie de la Pléiade, 1969.

Arthur Jerome Eddy : *Cubists and Post-Impressionism,* Chicago, 1914.

Johannes Eichner : *Kandinsky und Gabriele Münter. Von Ursprüngen Moderner Kunst,* Verlag Bruckmann, Munich, 1957.

Charles Estienne : « Actualité de Kandinsky », in catalogue *Kandinsky, époque parisienne, 1934-1944,* Paris, galerie René Drouin, 1949; *Kandinsky,* éditions de Beaune, Paris, 1950.

Jonathan David Fineberg : *Kandinsky in Paris 1906-1907,* Harvard University, Cambridge, Massachussets, 1975.

Hubertus Gassner et Gillen Eckhart : *Zwischen Revolutionskunst und Sozialistischem Realismus,* DuMont Bucherverlag, Cologne, 1979.

Will Grohmann : *« Vassily Kandinsky »* in *Cahiers d'Art,* 4e année, 1929, pp. 322-329; *Vassily Kandinsky,* Paris, 1930; « Catalogue des œuvres graphiques », in *Sélection,* n° 14, Anvers, 1953.

Jelena Hahl-Koch : *Arnold Schönberg-Wassily Kandinsky : Briefe, Bilder und Dokumente einer aussergewöhnlichen Begegnung,* Residenz Verlag, Salzbourg et Vienne, 1980.

Erika Hanfstaengl : *Wassily Kandinsky : Zeichnungen und Aquarelle im Lenbachhaus München,* Prestel Verlag, Munich, 1974.

Nina Kandinsky : *Souvenirs sur Kandinsky,* recueillis par Henri-Pierre Roché in *Kandinsky, époque parisienne, 1934-1944,* galerie René Drouin, Paris, 1949; *Kandinsky und ich,* Kindler, Munich, 1976; *Kandinsky et moi,* Flammarion, Paris, 1978.

Klaus Lankheit : *Wassily Kandinsky - Franz Marc, Briefwechsel,* R. Piper & Co Verlag, Munich et Zurich, 1983.

Kenneth C. Lindsay : *An Examination of the Fundamental Theories of Wassily Kandinsky,* University of Wisconsin, Madison, 1951; *The Genesis and Meaning of the cover design for the first Blaue Reiter catalog,* Art Bulletin, vol. XXXV, 1953; *Kandinsky in 1914 in New York : Solving a Riddle,* Art News, vol. 55, 1956.

El Lissitzky : *New Russian Art a Lecture,* 1922, et compte rendu de l'exposition Kandinsky à la galerie Wallerstein de Berlin.

Joan M. Lukach : *Hilla Rebay in search of the Spirit in Art,* George Brazilles, New York, 1983.

Moderna Museet, *Exposition Kandinsky,* Stockholm, 1965.

Andrei Nakov : *Abstrait/Concret, art non objectif russe et polonais,* éditions de Minuit, Paris, 1981.

Peter Nisbet : « Some Facts on the Organizational History of the van Diemen Exhibition » in catalogue d'exposition *The First Russian Show, a Commemoration of the van Diemen Exhibition,* Berlin, 1922; Annely Juda Fine Art, Londres, 1983.

Paul Overy : *Kandinsky : the Language of the Eye,* New York, Cologne, Londres, 1969.

Clark Poling : *Kandinsky au Bauhaus : théorie de la couleur et grammaire picturale,* Change, vol. 26/27 (édition spéciale « La peinture », pp. 194-208), février 1976; *Kandinsky : Unterricht am Bauhaus : Farbenseminar und analytisches Zeichnen, dargestellt am Beispiel der Sammlung des Bauhaus Archives,* Berlin, Weingarten, 1982.

Sixten Ringbom : *The Sounding Cosmos : a Study in the Spiritualism of Kandinsky and the Genesis of Abstract Painting,* Abo, Finlande, 1970.

Hans Konrad Roethel et Jean K. Benjamin : *Kandinsky,* New York, 1979; Hudson Hills, 1981.

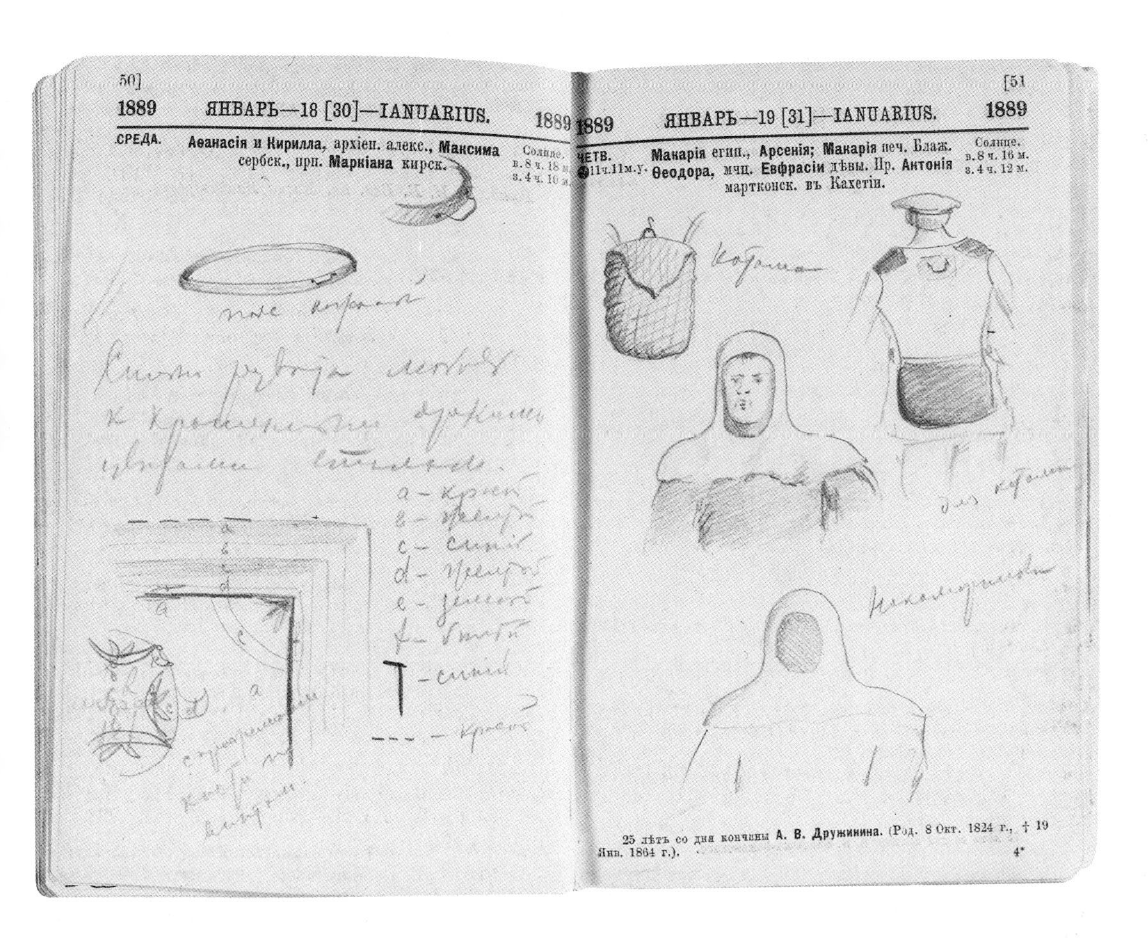

Feuillet 50 de l'agenda de 1889 (AM 1981-65-687) dans lequel Kandinsky avait noté ses impressions ethnographiques lors du voyage en Vologda.

Angelica Zander Rudenstine : *The George Costakis Collection. Russian Avant-Garde Art,* Thames and Hudson, Londres, 1981.

The Solomon R. Guggenheim Museum, New York : Thomas Messer, *Vassily Kandinsky, 1866-1944, a Retrospective Exhibition,* 1963; Vivian Endicott Barnett, *Kandinsky at the Guggenheim,* 1983; Angelica Zander Rudenstine, *The Guggenheim Museum Collection : Painting 1880-1945,* vol. I, pp. 204-291, 1976; *Kandinsky in Munich, 1896-1914,* 1982; *Kandinsky : Russian and Bauhaus Years, 1915-1933,* 1983.

Felix Thürlemann : *Kandinsky über Kandinsky, Eine Studie zur Selbstinterpretation,* Rome, 1983 (thèse non éditée).

Konstantin Umanskij : *Neue Kunst in Russland, 1914-1919,* Potsdam et Munich, 1920.

Pierre Volboudt : *Die Zeichnungen Wassily Kandinskys,* Cologne, 1974; *Kandinsky, 1896-1921 et 1922-1944* (2 vol.), Hazan, Paris, 1963; Londres, 1963.

Rose Carol Washton-Long : *Kandinsky : The Development of an Abstract Style,* New York, 1980; Oxford, 1980.

Peg Weiss : *Kandinsky in Munich : The Formative Jugendstil Years,* Princeton University Press, Princeton, 1979.

Hans M. Wingler : *The Bauhaus : Weimar, Dessau, Berlin, Chicago,* Cambridge, Massachussets, 1969; *Graphic Work from the Bauhaus,* Greenwich, Connecticut, 1969.

Hugo Zehder : *Wassily Kandinsky* (Unter autorisierter Benutzung der russischen Selbstbiographie), Dresde, 1920.

Dans l'hommage de ce catalogue à la mémoire de Nina Kandinsky, nous tenons à associer tous ceux qui, soit en vertu de l'amitié qu'ils portaient à la donatrice, soit en raison de leur fonction, ont facilité la constitution de cette collection Kandinsky au Musée national d'art moderne :

Madame Georges Pompidou

MM. Pontus Hulten, Robert Bordaz, Jean-Claude Groshens, Gilbert Paris, MM. Karl Flinker, Louis Clayeux, Maurice Lefebvre-Foinet, René Guillot, Hubert Landais, Mme Germaine de Liencourt

Mes Denise Gaudel, Raymond Caron, MM. Jean-Pierre Nicolas, Pierre Jolidon.

Nos remerciements s'adressent à tous ceux qui nous ont apporté leur bienveillant concours lors du classement de cette collection : *Claude Martinet, Robert Groborne, Gilles Pezzana, Maria Bohusz, Aloÿs de Becdelièvre, Antoinette Rezé-Huré, Agnès de Bretagne, Florence Willer-Perrard, Jacques Faujour, Adam Rzepka, Christian Bahier, Henri Faivre, Jacqueline Hyde, Christiane Rojouan, Olga Makhroff, Svonko Podkovac, Michel Balais.*

Nous sommes redevables de nombreuses informations à : *Dr. Armin Zweite, Dr. Rosel Gollek, Dr. Jelena Hahl-Koch (Städtische Galerie im Lenbachhaus, Munich), Erika Hanfstaengl, Ilse Holzinger (Gabriele Münter-Johannes Eichner Stiftung, Munich), Thomas Messer, Vivian Endicott-Barnett (Solomon R. Guggenheim Museum, New York), Dr. Hans Cristoph von Tavel, Dr. Sandor Kuthy, Dr. Jürgen Glaesemer (Kunstmuseum, Berne), Dr. Hans K. Roethel (†), Jean Benjamin (Blue Rider Research Trust, Great Neck, N.Y.), Dr. Peter Hahn, Dr. Christian Wolsdorff, Dr. Magdalena Droste (Bauhaus Archiv, Berlin), Clive Phillpot (Museum of Modern Art, New York), Anni Albers, Nicolas Fox Weber (Josef Albers Foundation, Orange, Connecticut), Greta Ströh, Gabriele Mann (Fondation Arp, Meudon), M. Shoonover (Yale University Library, New Haven), Dr. Ursel Berger (Kolbe-Museum, Berlin), Dr. Ina Cockerell (Bayerisches Nationalmuseum, Munich), M. Shimizu, Anne Chayet (Musée Guimet), Th. Lux Feininger (Cambridge Mass.), Grohmann Archiv (Stuttgart), Jean-François Jaeger (galerie Jeanne Bucher), Susi Magnelli, Mmes Ivanov et Koustnetzoff, Pierre Bruguière, Yves de Fontbrune, César Domela, Richard Mortensen, Bernard Dorival, Jean Bauret.*

Avertissement pour les dossiers documentation :

Ces dossiers documentaires ont été établis pour rappeler les événements saillants de la période traitée et souligner l'originalité et l'importance du fonds Kandinsky pour ladite période. L'illustration documentaire et iconographique a été établie exclusivement à partir des archives et de la bibliothèque intégrées dans le legs.
Les textes cités, quand ils sont traduits de l'allemand, l'ont été par les soins de Jessica Boissel, à l'exception des citations de la correspondance Will Grohmann - Kandinsky, traduites par Monica Wagenmann; quand ils sont traduits du russe, ils l'ont été par les soins d'Olga Makhroff, à l'exception de certaines citations (principalement des archives d'Alexandre Kojève) traduites par Mesdames Ivanov et Koustnetzoff.
Nous nous sommes efforcés de réduire au minimum les annotations et nous renvoyons le lecteur à la bibliographie générale établie par Hans K. Roethel et Jean K. Benjamin : *Catalogue raisonné de l'œuvre peint, deuxième volume, 1916-1944* (Paris, 1984).

Conventions utilisées dans les nomenclatures du catalogue :

titre titre français donné par l'artiste ou traduction française qui précède le titre original figurant entre parenthèses; les titres suggérés par Gabriele Münter, Nina Kandinsky ou les auteurs du catalogue apparaissent entre crochets.

date date portée au recto ou au verso par l'artiste; entre crochets : dates proposées par Gabriele Münter, Nina Kandinsky ou les auteurs du catalogue.

technique et support le support est précisé lorsqu'il s'agit de toile, carton, bois, papier spécial.

dimensions elles sont indiquées en centimètres, la hauteur précédant la largeur.

signature ou monogramme la signature est transcrite intégralement; dans le cas d'un médium spécial (gouache blanche, encre ou peinture rouge), celui-ci est mentionné; le monogramme est signalé par « K ».

inscriptions toutes les inscriptions sans mention d'auteur ont été écrites de la main de l'artiste.

acquisition code d'acquisition mentionné, quand il s'agit d'un achat de l'État, de dons manuels ou de la donation de 1976. La mention manque pour les œuvres provenant du legs de Nina Kandinsky en 1981, identifiables par l'indication « Inv. » suivie du numéro provisoire de l'inventaire notarial remplacé par un numéro d'inventaire du Musée national d'art moderne (AM 1981-65-...).

numéro entre parenthèses renvoie à une œuvre répertoriée dans ce catalogue.

historique de l'œuvre pour les peintures et les gouaches (aquarelles), ne sont mentionnées que les expositions portées par l'artiste dans son catalogue manuscrit. Ces informations sont accompagnées de la reproduction de la vignette (reconnaissable par la mention « mns Kandinsky ») dessinée par l'artiste pour illustrer l'entrée de l'œuvre dans ledit catalogue. On a renoncé à citer en référence les expositions auxquelles les œuvres du MNAM ont figuré après le décès de l'artiste, ainsi que les ouvrages où elles sont reproduites ou commentées. On a dû également renoncer à commenter avec reproductions de documents d'étude et de comparaison la plupart des œuvres cataloguées; toutefois, quelques notices soulignent l'importance des œuvres insignes.

Munich

formation et voyages

1900-1907

documentation

66 œuvres du fonds Kandinsky du Musée national d'art moderne appartiennent à la période de formation entre 1898 et 1907 : 30 petites esquisses à l'huile sur carton le plus souvent entoilé, 3 toiles d'un format supérieur, 9 temperas ou « dessins coloriés », 7 dessins et 20 gravures, sans compter de nombreux bois et des épreuves non signées. Ces pièces ont pour la plupart été publiées par Hans Konrad Roethel, à l'exception de 9 petites esquisses à l'huile retrouvées à la cave et récemment restaurées. Cette collection, complétée par quelques livres et une documentation photographique remarquable, est modeste en comparaison avec celle de la Gabriele Münter und Johannes Eichner Stiftung de Munich, qui reste fondamentale pour la connaissance de la vie et de l'œuvre de l'artiste à ses débuts.

Dans les monographies qui lui sont consacrées par le *Sturm* en 1913, par les *Cahiers d'Art* en 1931, Kandinsky tente de biffer ces dix années de tâtonnements. Il détruit même plusieurs des petites esquisses à l'huile et abandonne nombre d'entre elles dans une malle en arrivant à Neuilly-sur-Seine. Cette malle, qui contient également sa correspondance avec ses parents de 1900 à 1910, ses notes d'enseignement au Bauhaus et les travaux pratiques de ses élèves, est déposée à la cave à la merci des crues de la Seine. Malgré quelques dégâts dus à des moisissures, l'essentiel de ce matériel a pu être sauvé et intégré au fonds Kandinsky.

Naturellement, Kandinsky accorde peu de valeur commerciale à ses œuvres de jeunesse. Ce n'est que plusieurs années après sa mort que Aimé Maeght présente à Paris les petites esquisses à l'huile. Will Grohmann s'étonne qu'une ancienne élève de Kandinsky à « Phalanx » puisse en placer plusieurs sur le marché en 1956. Klauss Brisch est le premier à les inclure dans sa thèse, soutenue auprès de l'Université de Bonn en 1955 sous le titre *Wassili Kandinsky 1866-1944 Untersuchung zur Enstehung der gegenstandlosen Malerei und seinem Werk von 1900-1921.* Il conforte, avec Kenneth Lindsay, Nina Kandinsky, la veuve de l'artiste, dans la promotion de l'œuvre complète de son mari. Ces recherches sont complétées par la publication à Munich en 1957 de l'essai de Johannes Eichner, *Kandinsky und Gabriele Münter von Ursprüngen Moderner Kunst.* Mais c'est surtout le remarquable travail de Hans Konrad Roethel qui réhabilite et valorise les petites esquisses à l'huile, les temperas et les premières gravures sur bois. Il en établit le catalogue avec une érudition exemplaire, après avoir reconstitué pas-à-pas les déplacements du peintre. Récemment, deux thèses américaines discutent les atermoiements artistiques de Kandinsky à cette époque. Peg Weiss, dans son *Kandinsky in Munich - The Formative Years,* explique le lent processus qui mène l'artiste à la découverte de l'abstraction par le seul Jugendstil, l'art 1900 munichois. Jonathan Fineberg adopte un parti antithétique dans son *Kandinsky in Paris 1906-1907;* il privilégie les rapports avec le néo-impressionnisme et surestime l'importance des *Tendances Nouvelles,* un modeste périodique français.

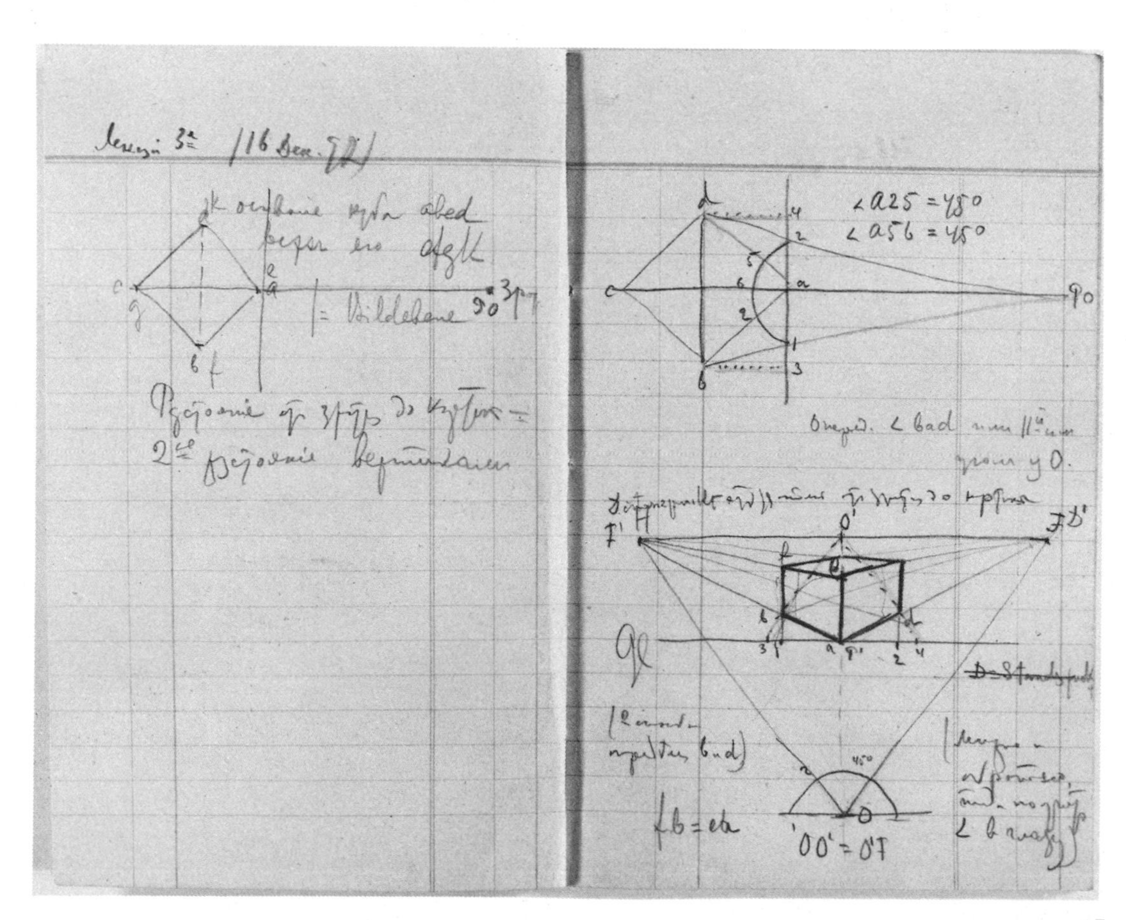

1 Notes sur la perspective, prises par Kandinsky dans un cahier de petit format (16,2 × 21 cm) comptant 32 feuillets dont 11 seulement couverts à la mine de plomb et à l'encre de croquis et d'annotations portées en allemand et en russe; l'un des feuillets porte la date du 16 décembre (18)97.

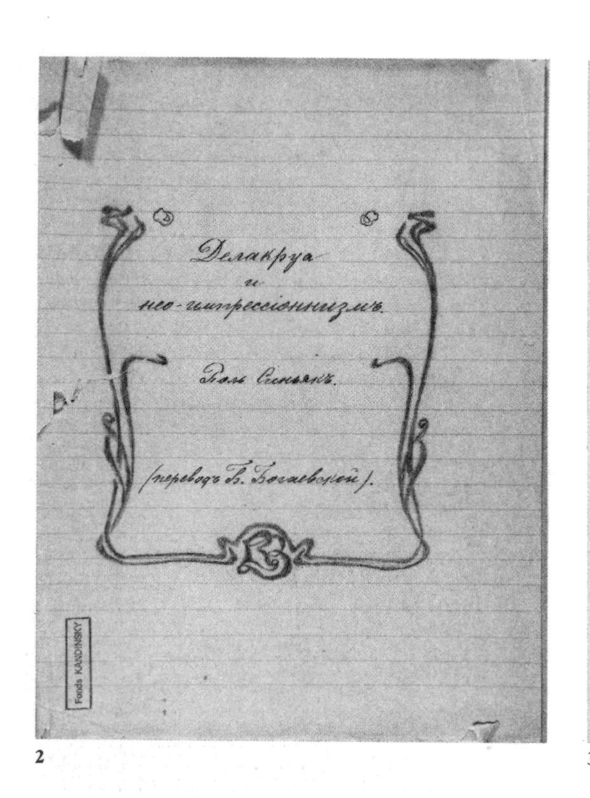
Делакруа
и
нео-импрессіонизмъ.
Поль Сеньякъ.
(переводъ Б. Богаевской).

Fonds KANDINSKY

2

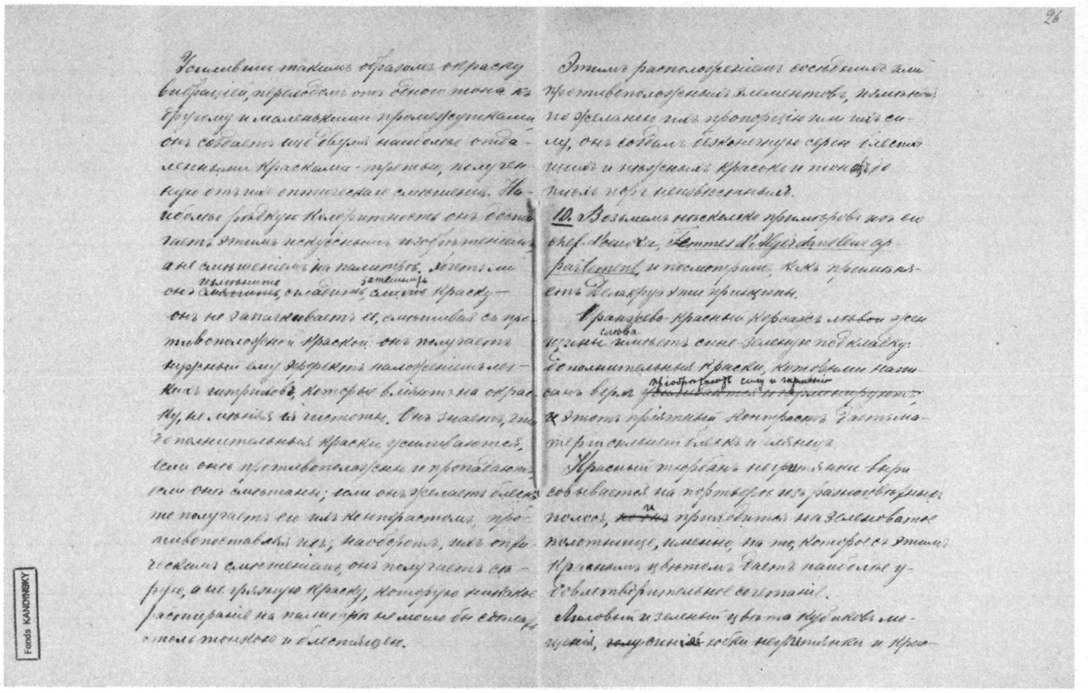

3

De Moscou à Schwabing

Vassily Kandinsky est né à Moscou en 1866. Il a été élevé à Odessa, où il a appris l'allemand en même temps que le russe. Puis il a étudié le droit et l'économie à Moscou. En 1889, après avoir voyagé quelques semaines dans une région septentrionale de Russie pour la Société des Sciences naturelles d'Éthnographie et d'Anthropologie, il publie un rapport sur les réminiscences païennes dans la religion du peuple finnois syrjaenen. En 1892, il épouse Anja Tchimiakine, sa cousine. Il vit dans une Russie des tsars lugubre : les journaux étrangers ne parlent que des exactions des cosaques et des attentats nihilistes. Kandinsky, comme tout jeune homme de l'époque, lit Bakounine, Tolstoï et rêve de l'Occident. Citoyen d'honneur d'une société conformiste où les cercles d'art sont rustres et fermés, il choisit comme patrie d'élection le royaume de Bavière et part y vivre selon sa « nécessité intérieure ».
Il n'a pas de soucis financiers : son père l'aide et l'entretient pendant sa tardive formation artistique. A travers les réponses que Kandinsky donne à un questionnaire russe émanant d'une société beethovienne, le 3 février 1914, il évalue le niveau artistique de son milieu familial : « Ma mère joue du piano. Mon père de la cithare. Mon père dessine depuis l'enfance, fréquente systématiquement les expositions, est un peu collectionneur. Le frère de mon père et le frère de ma mère sont certainement doués pour la peinture. Le père de ma mère montrait dans ses dessins beaucoup de goût, de sentiment, et savait bien faire la composition ». Il est le premier à assumer les risques d'une vie d'artiste et, en jeune homme de la bourgeoisie aisée, commence par le dilettantisme.
Kandinsky attribue sa vocation artistique à la révélation des Rembrandt du Musée de l'Ermitage à Saint-Pétersbourg. On retrouve, en effet, des reproductions photographiques des œuvres de Rembrandt sur les murs de son atelier à Munich. De la fameuse malle entreposée dans la cave de Neuilly, on exhume aussi des reproductions de Botticelli, de Burnes-Jones, de Félicien Rops, qui complètent la panoplie documentaire du parfait « décadent ». Kandinsky semble s'être aussi nourri de poésie symboliste. Ceci vaut au fonds Kandinsky une magnifique édition de Maurice Maeterlinck, *Der Schazt der armen,* publié à Leipzig en 1898 et dont Kandinsky date l'achat du « 25.1.99 ». L'apesanteur mystique des premiers Kandinsky participe très certainement de la seconde génération symboliste, celle de *Pelléas et Mélisande.*
Peg Weiss fait revivre Kandinsky à Munich, sous l'aspect d'un autodidacte fervent, trop âgé — il a passé trente ans — pour se fondre avec ses jeunes condisciples de l'académie privée d'Anton Azbé, et d'un candidat malheureux et ajourné par Franz von Stuck, maître de l'École des Beaux-Arts de Bavière. Plusieurs photographies du fonds Kandinsky fixent l'atmosphère de Schwabing, le quartier des ateliers et des artistes à Munich. On ridiculise l'attirail des peintres d'histoire : on pose en armure, l'épée à la main car le Jugendstil rêve de tournois. Les séances de nu ennuient Kandinsky. Il préfère fixer le paysage suburbain sans risquer de désobligeantes corrections. Toutefois les maîtres du Panthéon munichois et Böcklin le marquent profondément, comme leurs sirènes et leurs méduses impressionneront peu après Giorgio de Chirico. Faut-il lire l'*Improvisation 8 Das Shwert,* peinte par Kandinsky en 1909, comme une lointaine parodie vengeresse du *Das Verloren Parodies* de Franz Stuck ?

2 Traduction russe manuscrite par Madame Bojaewskaia de l'ouvrage de Paul Signac : *D'Eugène Delacroix au néo-impressionnisme.*

3 Manuscrit (22,8 × 18 cm) écrit à l'encre, comprenant 81 feuillets paginés, protégé par une couverture de papier, portant le titre de l'ouvrage, le nom de la traductrice et une ornementation Jugendstil à la mine de plomb. Le manifeste de Signac était paru en français en 1899. Des extraits en avaient été publiés dans *Jugend Styl* à Munich, dans *Pan*, et le volume entier parut en allemand en 1903.

4 *Modèle dans l'atelier à Munich*, photographie anonyme. Au mur au-dessus, des petits paysages encadrés, des reproductions de peintures et plus précisément, au-dessus du portrait de femme par Rembrandt, un carré de toile découpé portant une tête casquée, peinture que Kandinsky conserva jusqu'à sa mort et qui est reproduite p. 449 parmi les œuvres de sa collection.

4

Phalanx 1901-1904

école et expositions

A peine Kandinsky a-t-il acquis une formation technique qu'il s'institue professeur. Il crée, avec quelques collègues dont Rolf Niczky, sous le nom de « Phalanx » une association phalanstère dont les buts sont d'ouvrir un cours d'enseignement des beaux-arts et d'organiser des expositions. L'Académie officielle de Munich est alors fermée aux dames : « Phalanx », entre autres initiatives, offre aux postulantes la possibilité de dessiner d'après le modèle vivant. Kandinsky est chargé d'enseigner la peinture et le dessin de nu. Mais il préfère emmener ses étudiants en excursions dans la campagne pendant les cours d'été. Il leur apprend à fixer les paysages, à regarder la nature. Il est certain que le programme d'enseignement est mal arrêté. L'école de « Phalanx », faute d'inscriptions, doit fermer ses portes dès 1903.

5

La série d'expositions organisées par Phalanx est plus féconde et laisse des traces durables. Elle a pour but de révéler aux Munichois ce qui se fait ailleurs. Cette activité préfigure les coups d'éclat que seront les expositions organisées par le Neue Künstlervereinigung et par le Blaue Reiter. Il est difficile d'évaluer la responsabilité réelle de Kandinsky dans leur préparation, mais on sait qu'il est le seul à disposer des moyens financiers qui garantissent le succès des douzes manifestations de la Phalanx entre 1901 et 1904. La plupart sont consacrées à des peintres ou à des artistes décorateurs allemands. La septième présente le 11 mai 1903 seize peintures de Monet, vraisemblablement prêtées par Paul Cassirer. A cette occasion, Kandinsky réalise une affiche ornée d'un drakkar viking, curieux malentendu ou totale incompréhension de l'œuvre du maître impressionniste ? La dixième accueille des néo-impressionnistes parisiens, avec les envois d'œuvres de Paul Signac, Vallotton, Toulouse-Lautrec et du Belge Théo Van Rysselberghe. Kandinsky a lu la plaquette de Paul Signac : *De Delacroix au néo-impressionnisme.* Il est vraisemblable que les premiers contacts pris à l'occasion de cette exposition lui facilitent l'accès au Salon d'Automne en 1904 à Paris. L'affiche pour la première exposition de Phalanx ouverte le 17 août 1901 est le seul tribut important au Jugendstil. Si on excepte quelques publicités pour du chocolat, pour de la bière, et des croquis d'ornements dispersés dans les carnets de la Lenbachhaus Gallerie à Munich, Kandinsky sacrifie peu à la gorgone et à la Salomé des symbolistes. Claude Quiguer, dans un essai captivant, *Femmes et machines 1900, lecture d'une obsession modern style,* souligne le danger qu'il y aurait à vouloir présenter le passage à l'abstraction comme la suite logique des motifs Jugendstil d'August Endell ou de Hermann Obrist.

Les premiers Kandinsky ne prennent pas source exclusivement à Munich. La thématique de ses gravures sur bois ou linoléum relève des séquelles d'un pré-raphaélisme frelaté : *Abscheid* (*Les Adieux,* gravé en 1903) reprend le thème et la composition du *Sir Galahad* peint par George Frederick Watts en 1862. Kandinsky et « Phalanx » empruntent largement à l'*Art and Craft* de William Morris. Comme leurs homologues britanniques, ils veulent réconcilier dans la préciosité et le raffinement, l'art vivant et l'art populaire, l'artiste créateur et l'artisan. Les envois de Kandinsky au Salon d'Automne comprennent des bourses ornées des drakkars chimériques dessinés par lui et brodés par Gabriele Münter. Ce sont là autant de refus de pactiser avec la vulgarité de la peinture réaliste qui envahit toutes les kermesses-salons de peinture.

Après avoir dissocié les formes kandinskiennes du Jugendstil, il faut aussitôt ajouter que l'artiste reste toute sa vie fidèle, plus que tout autre, à la symbolique commune de l'art nouveau international. Les dames en crinolines et les vues de cimetière qui appartiennent à l'afféterie du dernier symbolisme ne disparaissent jamais complètement de l'œuvre de Kandinsky. Le dialogue muet des astres et la musique des sphères, chère au syncrétisme Rose-Croix, animent au Bauhaus sa période dite « des cercles » entre 1926 et 1929. La tentation est grande d'expliquer le renouvellement formel de la période parisienne 1933-1944 et son biomorphisme comme une survivance des lucioles et des embryons chers aux symbolistes.

5

6

5 Une école fut rattachée à l'association Phalanx de 1901 à 1903. Kandinsky y enseignait la peinture et le dessin de nu. Gabriele Münter s'inscrivit à cette école en 1902. La photographie, plaque de verre, retirée récemment, présente le cours d'académie : de gauche à droite, on distingue Mlle Meerson, Hüsgen, Emmi Dresler, Gabriele Münter, Robert Kolhe, Maria Giesler et, au premier plan, assis sur l'estrade du modèle, Kandinsky.
Dans un album de photographies prises par Gabriele Münter, on relève plusieurs clichés documentaires sur ce cours privé de beaux-arts et notamment une photographie de modèle, dont la pose est à mettre en relation avec les exercices dessinés par les élèves sur la plaque qui représente Kandinsky et ses quelques élèves.

6 Affiche pour la première exposition organisée à Munich par le groupe Phalanx, du 15 août à la fin novembre 1901. Lithographie, d'après une Composition de Kandinsky, imprimée à Munich par la maison Kastner et Lassen.
Munich est alors un des berceaux du Jugendstil en Allemagne, on en jugera par le décor du Pavillon des Arts à la foire d'octobre en 1903. La gorgone et la chouette d'Athéna ainsi qu'une frise de végétation invitent les visiteurs à la Moderne Kunst Ausstellung.

Des petites esquisses à l'huile aux grands « dessins coloriés »

Kandinsky trouve l'antidote à cette « fin de siècle » éthérée qui l'habite, dans les petites esquisses à l'huile qu'il peint d'après nature entre 1900 et 1907, date vers laquelle il cesse de se transporter sur le site pour l'exécution de ses paysages. On pourrait, non sans une certaine malignité, relever que les lieux qu'il choisit sont toujours chargés de la symbolique et de la mythologie du Modern style : l'eau du lac, les vapeurs du crépuscule, les furies de la mer. L'artiste fuit le cœur de la cité pour en peindre le pourtour : la couronne de tours de Rottenburg, des banlieues sans caractère, ou le plus souvent une nature qu'il vide d'animaux, d'hommes et même de maisons. Il participe du panthéisme naturel et entre dans les forces vives du végétal. Pour Kandinsky, la peinture de paysage est toujours prétexte à promenade en barque, à pied ou en bicyclette.
Jonathan Fineberg a utilisé ces petits paysages pour assimiler l'œuvre de Kandinsky au néo-impressionnisme. Il exagère la dépendance hypothétique de Kandinsky vis-à-vis de la tendance française.
L'artiste, certes, recourt à la technique divisionniste mais d'une tout autre manière. Il ne cherche pas à parvenir à la sérénité, à obtenir cette parfaite uniformité de texture dans toutes les zones du tableau, qui caractérise les œuvres de Signac, Cross ou Luce. Ses petites esquisses à l'huile partagent mieux le romantisme des dessins de paysages de Carrière : leurs ondes se propagent jusqu'à l'horizon. Parfois, à la limite du « chromo », les petites esquisses à l'huile sont le plus souvent des tentatives avortées de fixer moins le paysage que l'humeur du peintre face à telle ou telle beauté naturelle. Elles sont tributaires de l'instant; elles en ont l'emportement et ne tolèrent pas la reprise. Aussi sont-elles le plus souvent de format minuscule, peintes sur un carton rigide, susceptibles d'être exécutées sans chevalet. Kandinsky peint en écrasant la matière picturale sur le blanc du carton qui reste en réserve; il triture au couteau les empâtements. Au plaisir de peindre succède souvent la déception devant l'effet obtenu et le peintre détruit ses petits exercices, comme il le confiera par la suite dans ses lettres à J.B. Neumann le 2 octobre 1925 ou à Hans Thiemann en décembre 1937.
A la jeune femme chapeautée, lourdement assise dans l'herbe (n° 10), que Kandinsky peint avec un réalisme impressionniste, en grosses taches de couleur comme un énorme coquelicot dans la prairie, l'artiste substitue en atelier la dame qui se déplace sur la pelouse d'un parc sans écraser la moindre corolle. La différence est totale entre ce qui est peint sans préparation à l'extérieur et ce qui est exécuté à l'atelier d'après photographie ou notes prises à la mine de plomb.
On ne peut, en effet, imaginer plus grand contraste technique entre les petites esquisses à l'huile et les temperas ou « dessins coloriés ». En général, les « Farbige Zeichnungen » sont inventoriés à part et sont de format supérieur aux esquisses peintes à l'huile. Dans la bibliothèque du peintre, se trouve une petite brochure éditée par Lefranc et Cie, intitulée *Renseignement sur la peinture à l'œuf et sur les procédés des peintres primitifs reconstitués et rendus pratiques par J.G. Vibert.* Cette technique à la tempera présente les avantages de couvrir beaucoup sans empâter; la peinture sèche vite, elle est susceptible d'être retravaillée : « Le blanc opaque est très peu collé et donne un peu les effets de la gouache; il éclaircit en séchant... Il est très éclatant et, mélangé aux autres couleurs, donne les tons frais de la détrempe ». Kandinsky utilise cette technique, parfois même sur la toile. Il obtient par ces aplats des raffinements très précieux sur des fonds sombres. Il réalise sa plus belle tempera à Paris en 1907 et l'expose la même année sous le titre *Vie mélangée,* titre défiguré par certains critiques et devenu *Mélange des races* et, en allemand, *Buntes Leben.* Cette œuvre ne reprend pleinement son sens que lorsqu'on la situe dans le contexte de la synthèse des arts et de l'artisanat propagée par *Les Tendances Nouvelles* et *Le Musée du peuple.*
Les critiques de l'époque parlent d'« images originales », de « pittoresques images à peine ironiques », d'« amusantes images », d'« images si personnelles », de « petites gouaches sur fond noir », de « fantaisies décoratives », de « curieux dessins en couleurs ». Ils les confondent avec le biedermeier exotique russe mis à la mode à Paris par Borisoff-Mousatoff, Roerich, Polowetski et Isaac Lévitan. Aucun n'y découvre une énigmatique parenté avec un *Dimanche à la Grande Jatte* de Seurat et encore moins avec *Der Teppich des Lebens* du poète Stefan George.

7 Vassily Kandinsky, dans les quartiers périphériques de Munich. La photographie a été prise par Gabriele Münter. Dans l'album de photographies précédemment cité pour l'école Phalanx, on trouve, en effet, un autre cliché présentant Kandinsky dans le même site, avec les mêmes vêtements et observant des enfants. Kandinsky portait moustache et barbe à la Scriabine. Gabriele Münter a gravé un très beau portrait de Kandinsky à Paris.

D'Amsterdam à Tunis

Après le demi-échec de « Phalanx », Kandinsky entreprend d'incessants voyages qu'énumère ainsi Will Grohmann : « En 1903, il fait un court séjour à Venise (du 2 au 11 septembre) et par la même occasion va passer quelques semaines à Odessa et Moscou (du 22 octobre au 18 novembre). Après ce voyage, le 30 septembre 1904, jusqu'en avril 1905, il est à Tunis; pour l'été à Dresde (du 1er juin au 15 août), en automne à Odessa (du 4 octobre au 8 novembre), de fin décembre 1905 au 30 avril 1906 à Rapallo. De juin 1906 au 1er juin 1907, soit une année entière, à Sèvres près de Paris (les quatre premières semaines seulement à Paris même). En août 1907, il passe trois semaines en Suisse et, du 4 septembre 1907 au 25 avril 1908, soit 8 mois, à Berlin ».
Grohmann ajoute que sur ce grand tour il ne sait presque rien. Hans Konrad Roethel, lui, puise sa documentation dans le journal de Gabriele Münter, écrit entre 1908 et 1911. Les voyages de Kandinsky et son départ du premier appartement munichois (1 Friedrichstrasse) coïncident avec la séparation définitive d'avec sa première femme, Anja. Désormais, il voyage avec Gabriele Münter, déjà sa compagne pour la première visite en Hollande en 1903. Le journal de celle-ci relate les menus événements de leur vie et leurs déplacements jusqu'à leur installation commune au 36 Ainsmillerstrasse à Munich. Kandinsky réduit à presque rien ces années de nomadisme. Dans un curriculum vitae qu'il remplit en 1938 pour sa naturalisation française, il écrit simplement : « 1904, voyage en Tunisie, forte impression de l'entourage, phantastique *(sic)*, nombreuses études, dessins, « fête du mouton », Eddy (collection Jérôme Eddy à Chicago). 1905, voyage en Italie, une année à R(apallo), nombreux paysages ».
Gabriele Münter* est née à Berlin le 19 février 1877 et décédée à Murnau le 19 mai 1962. Elle rencontre Kandinsky pour la première fois en 1902 lors d'une séance de nature morte à l'Académie Phalanx. Avec lui, elle apprend à peindre le paysage à Kochel, à Kallmütz. Elle photographie paysages, scènes de rues avec une prédilection pour les attelages et les petits métiers, les enfants et particulièrement les petites filles. Kandinsky est séduit par cette compagne indépendante, qui a visité l'Amérique. Gabriele Münter l'assiste dans son travail : elle tient les premières listes de ses œuvres et brode à Tunis les objets qui seront présentés plus tard au Salon d'Automne. Elle dessine et grave plusieurs portraits de Kandinsky. Mais, pour obtenir le divorce d'Anja, il doit compter avec les lenteurs de la procédure russe qui le mèneront jusqu'en 1911.

Le fonds Kandinsky du Musée national d'art moderne ne possède qu'une modeste gravure (n° 849) de Gabriele Münter, mais conserve de nombreuses photographies prises par elle. C'est à elle, en effet, qu'il faut attribuer la plupart des films retrouvés dans la cave de Neuilly. Le nettoyage et le développement d'une partie d'entre eux ont permis d'augmenter l'iconographie kandinskienne conservée au Lenbachhaus de Munich. Malheureusement, cette documentation miraculée ne nous informe pas sur le séjour parisien des deux artistes.
Paris est alors encore profondément marqué par l'Exposition Universelle de 1900. La capitale des arts est dotée d'un nouveau Salon, créé en 1903 et ouvert aux arts décoratifs : le Salon d'Automne. Kandinsky participe au second, en 1904. Il s'est installé avec Gabriele Münter d'abord au 12 rue des Ursulines (22 mai au 27 juin 1906), puis au 4 Petite rue des Binelles à Sèvres (du 28 juin 1906 au 9 juin 1907). Dans son curriculum vitae, Kandinsky note laconiquement à propos de ce long séjour : « 1906, une année à Sèvres, motifs russes 'Vie Mélangée' avec un grand nombre de figures, et plusieurs toiles dont les différentes exp(osées) en été en Hollande, ex. Salon d'Automne, Indépendants ». Pas plus qu'Edvard Munch qui séjourne à Paris deux fois de 1889 à 1892, puis de 1895 à 1897, ou que Nolde en 1900, Kandinsky ne trouve sa place à Paris. Il vit en retrait à Sèvres et ne s'intègre pas même au cercle des artistes russes présentés par Serge Diaghilev au Salon d'Automne de 1906. Il rencontre les collectionneurs Gertrude et Léo Stein. Gabriele Münter s'inscrit à l'Académie de la Grande Chaumière où elle suit les corrections de Steinlen. Jonathan Fineberg suggère des contacts avec d'autres personnalités, mais tout ce qu'il avance est conjectural, à l'exception des rapports avec Alexis Mérodack-Jeanneau du groupe des *Tendances Nouvelles*.

8

9

Dans la bibliothèque de Kandinsky, on a retrouvé plusieurs guides de voyage et notamment ces deux publications qui illustrent ses excursions lointaines en Tunisie et en Italie :
8 *Tunis,* guide et calendrier édité par la Société anonyme de l'Imprimerie rapide en 1904.
Kandinsky est parti avec Gabriele Münter pour Tunis vers le 6 décembre 1905. Il en rapporta de nombreux croquis et puisera dans cette documentation pour peindre plusieurs temperas orientalistes, qu'il présentera au Salon d'Automne.
9 *Rapallo,* guide en allemand édité par la maison Reynaud's Reiserbucher. Roethel précise que Kandinsky séjourna à Rapallo avec Gabriele Münter du 23 décembre 1905 au 30 avril 1906.

* Gabriele Münter a légué en 1957, à l'occasion de son quatre-vingtième anniversaire, à la Städtische Galerie de Munich, 139 peintures, 282 aquarelles et dessins, 225 estampes, 24 peintures sur verre et 26 carnets de Kandinsky, auxquels s'ajoutaient de très nombreuses œuvres d'elle-même et de ses amis du Blaue Reiter ainsi que toute la documentation qu'elle avait conservée.

10, 11 Deux photographies prises lors du voyage de Gabriele Münter et de Kandinsky en Hollande du 11 mai au 21 juin 1904. Rapprocher le groupe de villageois de la tempera *Samstag Abend*, présentée au Salon à Paris en novembre 1905.

Paris 1906-1907

de la rue des Ursulines à Sèvres

12 Vue du parc de Saint-Cloud, terrasses en direction de Paris (photographie de Gabriele Münter).

En 1937 Kandinsky se défend de la tendance française à faire naître l'abstraction du cubisme, qu'il n'a pu connaître puisqu'il a quitté Paris en juin 1907. Il estime n'être redevable qu'envers Gauguin, Cézanne et Matisse. Du premier, il a vu la rétrospective organisée au Salon d'Automne de 1906 : l'Almanach du *Blaue Reiter* reproduit un panneau sculpté par Gauguin. Cézanne est alors une mention obligatoire et, sans qu'il y ait de rapport évident entre lui et la découverte de l'abstraction, Kandinsky le cite dans le même Almanach où sont reproduits trois Cézanne : une nature morte, deux compositions pour les saisons *L'Automne* et *L'Hiver*. Au cours de son séjour à Sèvres, Kandinsky découvre Matisse. Il écrit à André Dézarrois le 31 juillet 1937 : « Ma forme et le cubisme peuvent être vus comme deux lignes indépendantes l'une de l'autre qui avaient reçu (toutes deux) le même premier choc de Cézanne et plus tard du Fauvisme. J'ai été vraiment épris spécialement de la peinture de Matisse en 1905 ou en 1906. Je me souviens encore très vivement d'une carafe décomposée avec son bouchon* qui était peint assez loin de sa place « normale », c'est-à-dire de la gorge de la carafe. Les relations naturelles étaient détruites sur cette toile. » L'Almanach du Blaue Reiter publie *La Danse* de Matisse pour Serge Chtchoukine. Dans cette même lettre, Kandinsky ne mentionne pas Henri Rousseau dont l'Almanach reproduit sept peintures parmi lesquelles *La Cour* nouvellement acquise par Kandinsky.

* Au XXIe Salon des Indépendants, en 1905, Matisse expose, entre autres œuvres, quatre natures mortes sous les numéros et titres suivants : 2772, Nature morte au camaïeu - 2773, Nature morte à la pastèque - 2774, Nature morte (1898) - 2775, Nature morte (fruits). Au Salon d'Automne, en 1906, entre autres œuvres, deux natures mortes : 1172, Nature morte au tapis rouge - 1173, Nature morte à la statuette.

15 Reproduction d'une lettre en russe adressée par la mère de Kandinsky, devenue Madame Kojevnikova, à son fils pendant son séjour parisien. Les biographes du peintre ont souvent insisté sur les liens conjugaux qui scandent l'épopée kandinskienne, au risque de sous-estimer l'importance de sa propre famille dans sa vie affective. Traduction et annotation de cette lettre par Madame Nina Ivanov.

PAPIERS EN GROS
Ancne Mon LIPS
Envoi de RENAUD, TEXIER & Cie Succrs
5, Rue Nicolas-Flamel, PARIS
Mr W. Kandinsky
4. Petite rue des Binelles
à Sèvres près Paris
(Seine)
Colis remis au messager Billard
Le 8/5/1907
contre remboursement de 25 francs 38

13 Étiquette de la papeterie Renaud, collée sur un paquet contenant les feuilles de papier Japon sur lesquelles Kandinsky tirait ses linogravures en couleur. L'envoi date du 8 mai 1907. Il est adressé au 4 Petite rue des Binelles, où Kandinsky et Gabriele Münter résident du 28 juin 1906 au 9 juin 1907.

14 Dessins d'enfants représentant des dames en crinoline, « Kandinskaia » retrouvés parmi les calligraphies enfantines, messages de vœux émanant des petits Kojevnikoff, les demi-frères et sœurs ou les demi-neveux de Kandinsky.

28 décembre 1906, Odessa
Mon cher et gentil Vassiutotchka
J'ai bien reçu, hier, ta lettre dans laquelle à mon étonnement tu ne parles pas du tout de Lélia. Qu'est-ce que cela veut dire ? Est-il possible qu'il ne vienne pas chez toi ? Ce garçon m'inquiète, décidément; je pense continuellement à sa moralité, ainsi qu'à son bien-être physique. Paris présente trop de tentations, dont seuls les hommes de volonté peuvent triompher, ce n'est pas le cas de Lélia. A côté de ça, j'ai toujours peur qu'il attrape froid avec sa passion stupide de dormir dans des pièces jamais chauffées. Je suis certaine que notre cher Sachourotchka d'impérissable mémoire, dont la mort m'a rendue profondément malheureuse, est passé si tôt de la vie à trépas, parce qu'il ne comptait pas assez avec la rigueur du climat nordique. Ces temps derniers, il souffrait énormément de douleurs dans les jambes et en général tout son organisme était très affaibli. Si tu savais, mon chéri, comme c'est douloureux de regretter des défunts bien-aimés qu'on n'arrive pas à oublier. Pas une minute de repos, mon cœur et mon âme souffrent pour eux. Le sort a été vraiment sans clémence et impitoyable. En plus du chagrin personnel, je me tourmente pour Choura et Lulenka. Quand on pense à leur passé heureux et le compare avec le présent triste et sans joie, on devient désespéré. Pourquoi tout ceci est-il arrivé ? Aucune consolation, aucune raison pour tous ces malheurs qui m'écrasent.
Je t'envoie, cher Vassia, du caviar, en profitant de l'occasion puisque papa t'expédie un colis de friandises. Je pense que tu le dégusteras avec plaisir, bien que depuis quelque temps chez nous, à Odessa, on ne trouve plus souvent du bon caviar, mais j'espère quand même qu'on pourra le manger.
Adieu, mon cher fils, sois en bonne santé et heureux. Transmets mes amitiés à Elly. Je t'embrasse très fort et je te prie vivement d'exercer ton influence sur Lélia pour le retenir du mal. Ta maman.

Note du traducteur : dans cette lettre apparaissent les trois demi-frères de Kandinsky, Lélia, le benjamin encore en vie; Sachourotchka, le cadet, mort de tuberculose; l'aîné, tué en 1905 dans le conflit russo-japonais (Choura est sa veuve et Lulenka son fils, Alexandre Kojève, qui avait alors trois ans).

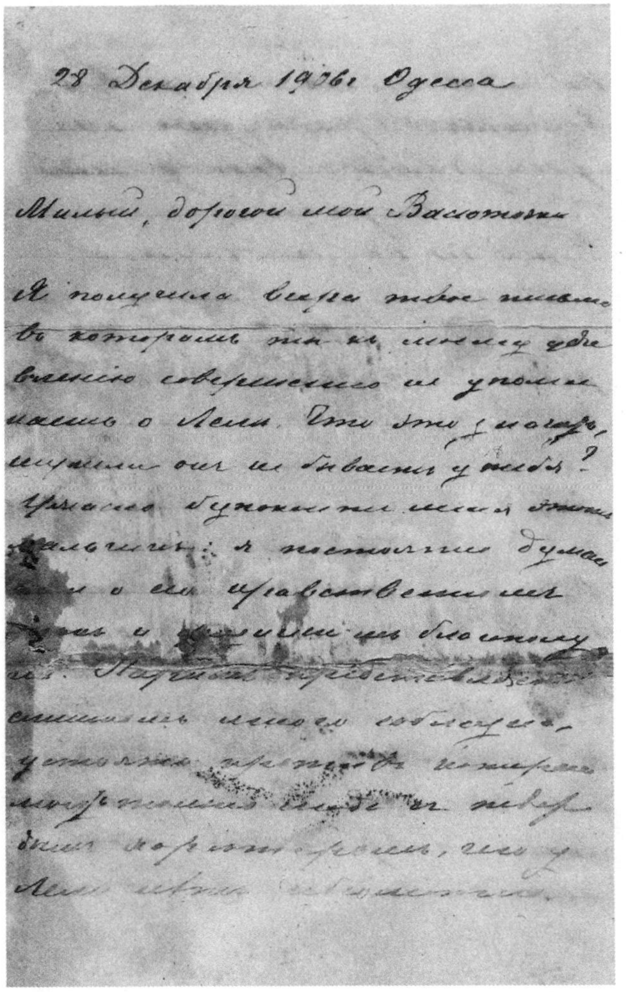

28 Декабря 1936 г. Одесса

Милый, дорогой мой Васюточка

Я получила вчера твое письмо в котором ты ни [illegible] совершенно не упоминаешь о Леле. Что это значит, неужели он не бывает у тебя? Ужасно беспокоит меня этот мальчик: я постоянно думаю о его нравственном [illegible] и [illegible] благополучии. Нервная предрасположенность [illegible] многого [illegible] утомление [illegible] [illegible] хорошо [illegible], что у Лели [illegible] [illegible].

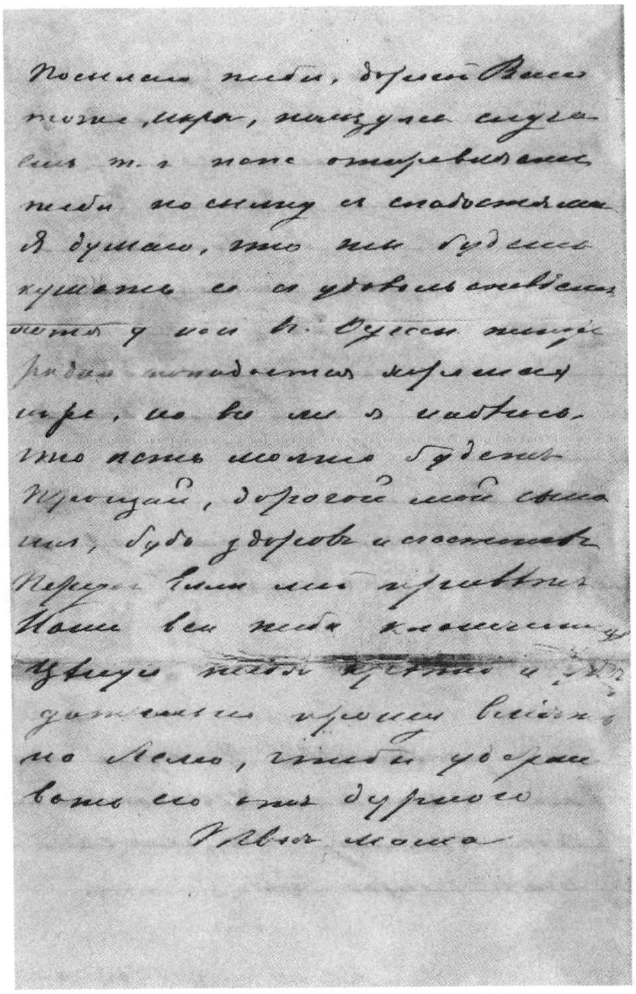

Посылаю тебе, дорогой Васюточка, пару, надеюсь сделаешь т. е. тоже [illegible] тебя по [illegible] и [illegible]. Я думаю, что ты будешь кушать ее с удовольствием хотя у нас в Одессе теперь [illegible] хорошая икра, но все же я надеюсь, что есть можно будет. Прощай, дорогой мой сыночек, будь здоров и счастлив. Передай Вале мой привет. [illegible] все тебя [illegible]. Целую тебя крепко и [illegible] [illegible] прошу [illegible] Лелю, чтобы удержать его от дурного.

Твоя мама

Помимо этого меня все мучает страх, что он простудится: ведь у него слабая [illegible]. Я убеждена, что наш дорогой, незабвенный [illegible] смертью [illegible] меня глубоко несчастной, [illegible] рано в могилу потому, что не считался с его [illegible]. Все он в [illegible] время [illegible] был в [illegible] и [illegible] все [illegible] был надорван. Если бы [illegible], голубчик мой, [illegible] отправиться до [illegible] по своим [illegible] любимым незабвенным покойникам. [illegible] покой, все [illegible] сердце и болит душа о них. Как безмолвно [illegible] среди [illegible] судьба! Помимо многого [illegible] и мало [illegible] испытываю [illegible] от Шуры и [illegible]. Как вспомнишь и все хорошее прошлое и сравнишь его с настоящим, безотрадным [illegible] приходишь в отчаяние. Зачем все это случилось, [illegible] и [illegible] объяснения [illegible], придававшему все мое полное существо.

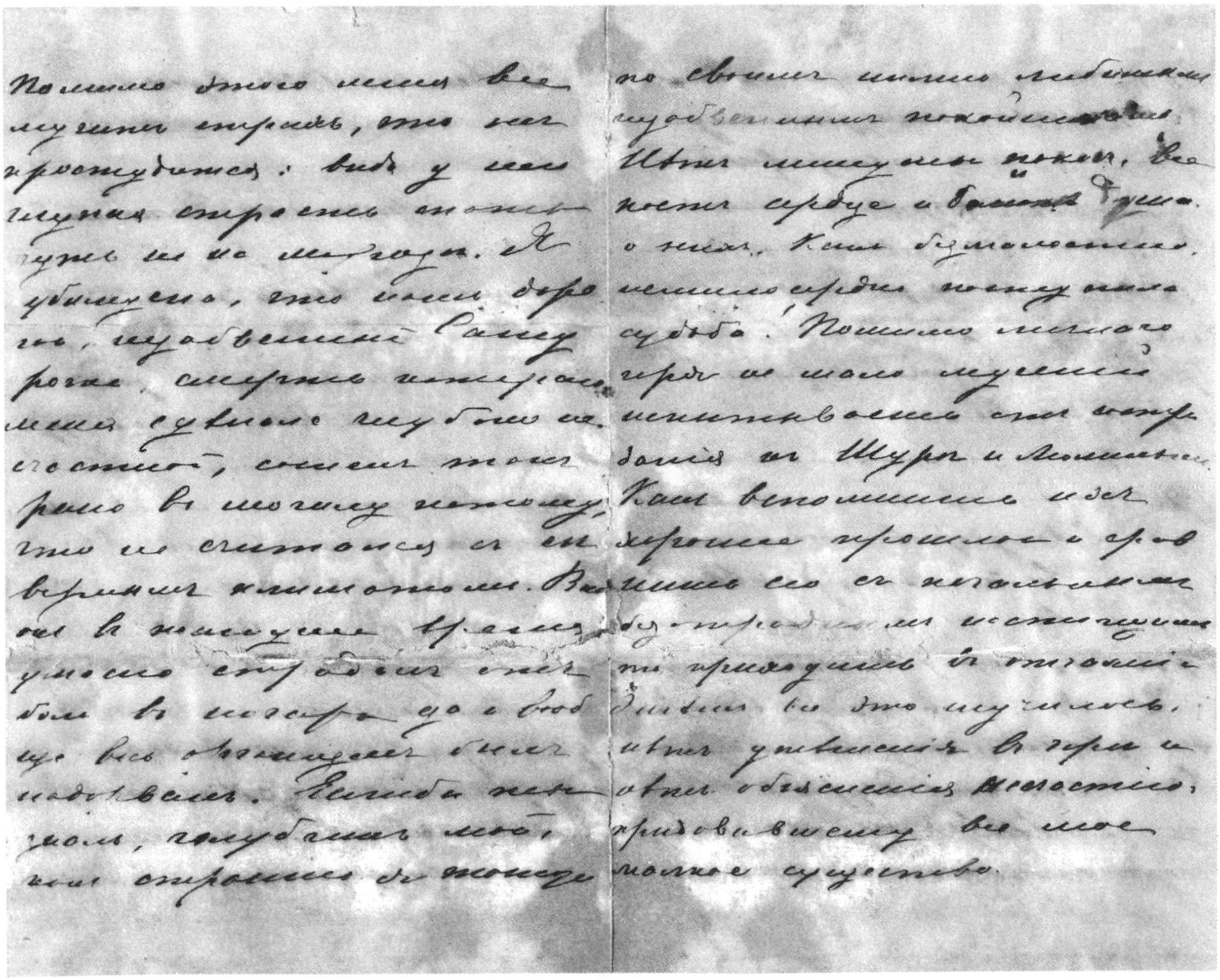

Kandinsky au Salon d'Automne 1904-1907

Morceaux choisis de la critique artistique de la presse parisienne

Salon d'Automne, 1904

(...) Les aquarelles et les lithographies de M. Kandinsky font souvenir du village russe et des humbles et touchants ouvrages qu'on vit assemblés lors de la dernière Exposition Universelle; les sujets fort simples, accessibles à tous, inspirés tour à tour de la nature ou de la légende, sont traduits par une technique adéquate, elle-même simple, naïve et rude.
(Roger Marx dans *La Revue Universelle,* décembre 1904)

Salon d'Automne, 1905

(...) Citons encore : les pastels de Borissoff-Moussatof, *L'Automne* de Deconchy, *L'Orage* de Faber du Faure, *La Ville arabe* de Kandinsky.
(Maurice Guillemot, dans *L'Art et les artistes,* n° 8, novembre 1905)

(...) Monsieur Kandinsky, bien qu'un peu obscur et énigmatique, attire l'attention avec ses impressions de Hollande.
(*La Revue française,* 25 novembre 1905)

(...) Le genre de Maufra se rapprochait davantage du dessin rehaussé de crayons de couleurs que de l'aquarelle; tandis que celui de M. Kandinsky rappelle on ne sait quelle école hétéroclite. Ses œuvres ne sont même pas des ombrelles chinoises. Avec ce système, on aboutirait aisément au renversement de toute idée d'art. C'est une transposition bizarre sur un diapason inusité des effets d'ombre et de lumière...
(Jules de Saint-Hilaire, dans le *Journal des Arts,* 29 novembre 1905)

Salon d'Automne, 1906

(...) M. Basile Kandinsky expose des œuvres fort diverses, un *Dimanche* d'un beau coloris (5), un *Soir orageux,* empâté et cimenté comme un Monticelli, un *Petit Parc,* tandis que ses dessins *Les Amies,* la *Caravane,* un *Port italien* (6), sont d'une exécution sobre et précise.
(Laertes, dans un journal non identifié)

(...) Le parti pris des vignettes gouachées de M. Kandinsky accuse trop peut-être le procédé de simplification, et puis le contraste choque un peu de ces illustrations enfantines et du fond opaque sur quoi elles se détachent.
(Louis Vauxcelles dans *Gil Blas,* 19 novembre 1906)

(...) Mais quand nous la quitterons pour gagner, par les galeries de la rotonde, les dernières salles de l'étage, Kandinsky à la sortie nous retiendra par un enfant nu debout devant un chien (7), où nous verrons un superbe morceau de peinture.
(Thiébault-Sisson, dans *Petit Temps,* 5 octobre 1906)

(...) Les spirituelles Compositions de M. Kandinsky, semblables à des toiles d'ombre sur lesquelles des figures, des bateaux et des jardins apparaîtraient découpés et coloriés.
(Étienne Charles dans *Liberté,* 17 novembre 1906)

Salon des Indépendants, 1907

(...) Dès qu'on vit — voici trois ans, si j'ai bonne souvenance — les peintures à la gouache de M. Kandinsky, chacun se prit à les rapprocher des créations de l'art populaire, tant il y avait accord entre la naïveté de l'observation et la simplicité quasi fruste de la technique. Une *Scène de bal masqué* et un *Enterrement* sont au nombre des plus importants ouvrages que l'artiste ait jusqu'ici montrés (8).
(Roger Marx, dans la *Chronique des arts et de la curiosité,* 1907)

(...) Serre de l'Alma. La première salle en est encore plus maigre, s'il se peut, que la salle d'entrée de l'autre serre. On y a entassé, à la hâte, les retardataires et les exposants de médiocre intérêt. Signalons pourtant, à gauche, des bestiaux dans un paysage de montagne du Russe Roudnieff, les gouaches toujours amusantes de M. Kandinsky, et Mlle Zakucka, dans des fantaisies du même genre que celles de M. Kandinsky se fait remarquer.
(Thiébault-Sisson dans *Petit Temps,* 22 mars 1907)

Salon d'Automne, 1907

(...) Kandinsky s'amuse à faire la blague du pointillisme, Kousnetzoff, qu'il groupe des femmes dans un parc ou qu'il embrasse d'un coup d'œil le panorama de Saint-Germain, a des chaleurs de tons mauves, roses, bleutés, dont on goûte le charme sans trop pouvoir le préciser (9).
(Maurice Guillemot dans *L'Art et les artistes,* n° 32, novembre 1907)

Trois feuillets d'un carnet (Inv. 188 h) qui en comprend 26 (format 11,5 × 8). Dans ce carnet, Kandinsky commence à tenir la liste de ses envois à différentes manifestations en Allemagne, en Russie et en France.
16 feuillet 14 : liste des œuvres présentées à l'exposition organisée en juin 1904 par l'association *Les Tendances Nouvelles* dans un local loué au 20 rue Le Pelletier.
Kandinsky envoie des petites esquisses à l'huile, portant des titres de localités allemandes, Kochel, Kallmünz. La description des œuvres est en russe. Récemment, deux des œuvres mentionnées sur cette liste (les n°s 4 et 5) ont réapparu sur le marché parisien.
17 feuillet 19 : liste des œuvres présentées par Kandinsky au Salon d'Automne, organisé pour la seconde année consécutive au Grand Palais. Kandinsky envoie 9 temperas et 2 gravures sur bois. Les titres sont portés en français et correspondent à l'ordre de leur publication dans le catalogue du Salon d'Automne de 1904 (du numéro 1504 à 1512).
18 feuillet 23 : participation de Kandinsky à une exposition de beaux-arts en novembre 1904, avec l'envoi de 3 aquarelles. Kandinsky a noté le nom du responsable de la manifestation : Monsieur de La Rivière, 35 rue de La Chapelle.

19 Lettre type adressée par le secrétaire général du Salon d'Automne à Kandinsky le 14 novembre 1904 pour lui annoncer qu'il vient d'être nommé sociétaire du Salon d'Automne.

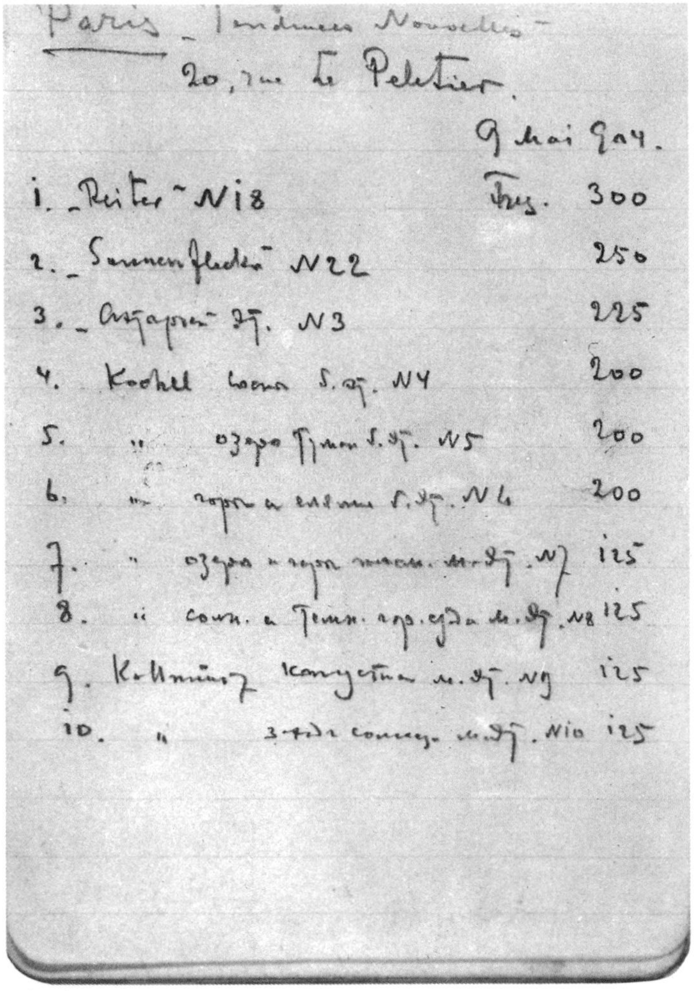

Paris _ Tendances Nouvelles _
20, rue Le Peletier.

9 mai 904.

1. _Reiter_ N18	Frs.	300
2. _Sonnenflecken_ N22		250
3. _[illegible]_ N3		225
4. Kochel [illegible] N4		200
5. " [illegible] N5		200
6. " [illegible] N6		200
7. " [illegible] N7		125
8. " [illegible] N8		125
9. Kallmünz [illegible] N9		125
10. " [illegible] N10		125

16

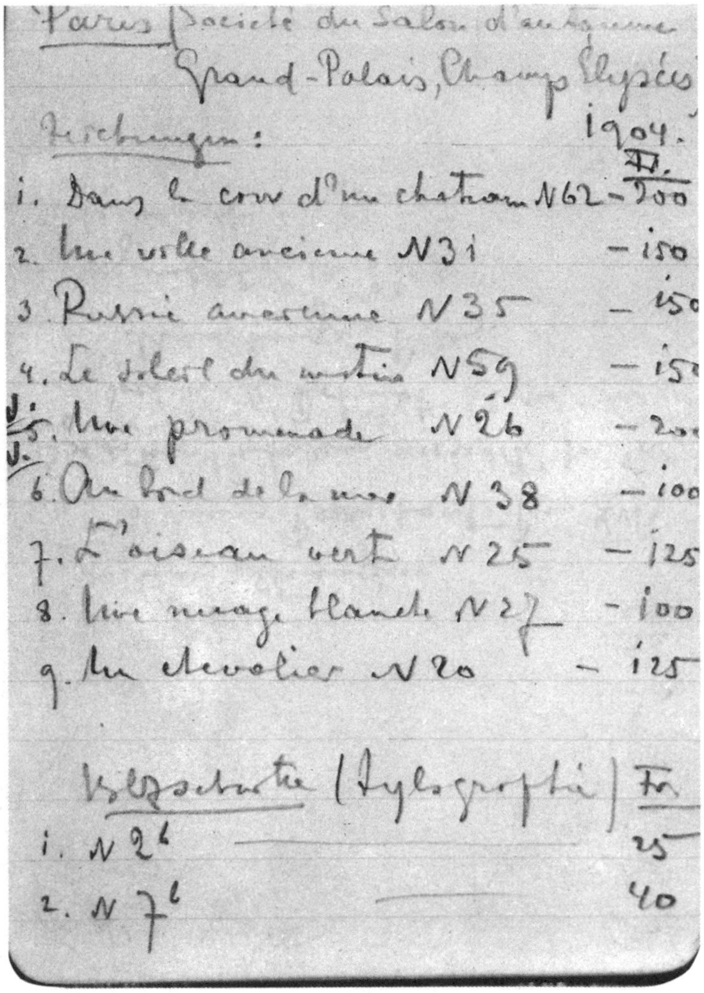

Paris | Société du Salon d'Automne
Grand-Palais, Champs Elysées

Zeichnungen: 1904.

	Fr.
1. Dans la cour d'un château N62	– 200
2. Une ville ancienne N31	– 150
3. Russie ancienne N35	– 150
4. Le soleil du matin N59	– 150
5. Une promenade N26	– 200
6. Au bord de la mer N38	– 100
7. L'oiseau vert N25	– 125
8. Une nuage blanche N27	– 100
9. Un chevalier N20	– 125

Holzschnitte (Xylographie)	Fr.
1. N 2[b]	25
2. N 7[b]	40

17

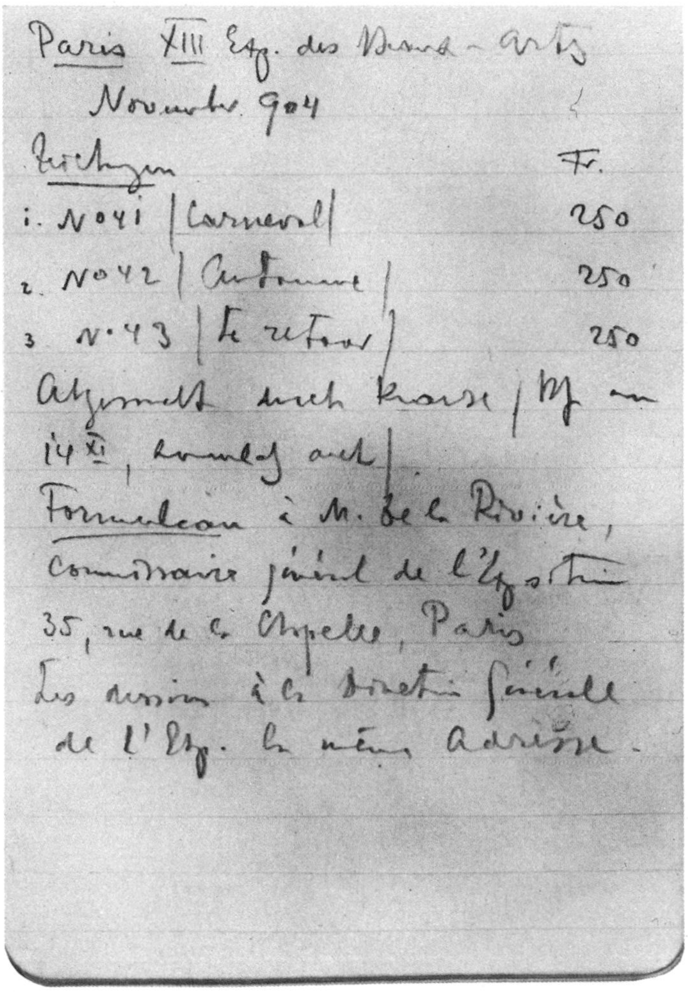

Paris XIII Exp. des Beaux-Arts
November 904

Zeichnungen	Fr.
1. N°41 (Carneval)	250
2. N°42 (Automne)	250
3. N°43 (Le retour)	250

Abgesandt durch Kraase / [illegible] am 14.XI, angekommen [illegible]

Formulaire à M. de la Rivière, commissaire général de l'Exposition 35, rue de la Chapelle, Paris

Les dessins à la direction générale de l'Exp. la même adresse.

18

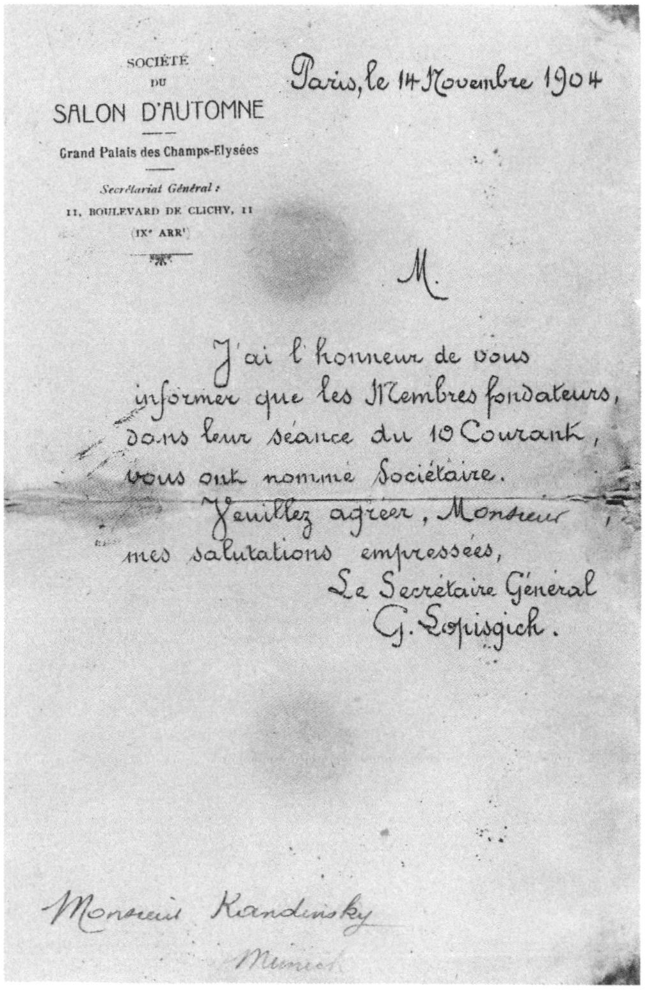

SOCIÉTÉ DU SALON D'AUTOMNE
Grand Palais des Champs-Elysées
Secrétariat Général :
11, BOULEVARD DE CLICHY, 11
(IXe ARRt)

Paris, le 14 Novembre 1904

M.

J'ai l'honneur de vous informer que les Membres fondateurs, dans leur séance du 10 Courant, vous ont nommé Sociétaire.

Veuillez agréer, Monsieur mes salutations empressées,

Le Secrétaire Général
G. Desvallières

Monsieur Kandinsky
Munich

19

20 Les 18-19 octobre 1903, Kandinsky est à Moscou. Il publie aux éditions de l'École Stroganoff (École des Arts décoratifs de Moscou) un recueil de gravures : 12 bois et 2 vignettes, sous le titre *Poésies sans paroles.*

Kandinsky et Les Tendances Nouvelles

Kandinsky - La gravure sur bois, l'illustration

Qui accuser ? A qui s'en prendre ? Comment la gravure sur bois est-elle demi-morte ? Triomphe de la machine. Lassitude et découragement de l'artiste à l'heure précise où son énergie devait s'accroître. Insensibles concessions et petites lâchetés répétées, même par les plus forts, les plus souples, j'entends, car la plupart de ceux qui arrivent montrent, comme on sait, des consciences de gélatine, malléables à toutes les influences, à toutes les dominations industrielles. Si les maîtres, au lieu de se voir avec complaisance traduits par de détestables procédés mécaniques sur des papiers dits de luxe et repassés comme des faux-cols, si les maîtres avaient daigné protester, faisant acte de solidarité artiste, le mal eût été conjuré. Mais non.

Donc, la gravure sur bois est devenue chose presque inusitée, tout comme la lithographie, du reste. Le malheureux amateur est réduit à feuilleter des pages ornées de reproductions nombreuses, oh ! certes, mais où rien ne persiste de la volonté de l'auteur, puisqu'a disparu toute empreinte de sa main.

L'âme des beaux livres qu'est l'image ne vibre plus, et l'on se plaint de voir le bibliophile n'acheter que des anciens ! Qu'avons-nous d'équivalent à lui offrir ?

On fait après cela de la propagande pour introniser l'image au foyer du peuple ! Allons donc !

Aussi, de quels encouragements n'accueillerons-nous pas les efforts de Basile Kandinsky, courageux rénovateur de cet art désuet.

Ce qui charme dans la gravure sur bois, ce qui « amuse », dirait le Parisien, c'est non seulement l'expression artiste, la conception, mais aussi l'idée qui préside au métier.

En bon graveur, Kandinsky pense son dessin sur le bois; il lui soumet en quelque sorte sa volonté, l'alliant du moins à la matière et profitant de ses infinies ressources. Il transpose, simplifie son sujet en noirs veloutés et moelleux qui semblent creuser le papier, en blancs éclatants qui jaillissent et font vivre l'œuvre, et par instants en des gris doux et tendres à l'œil. Les dessins de cet artiste, d'une extrême originalité, me laissent l'impression de choses apparues en songe, ou bien encore de silhouettes tracées sur un écran derrière lequel une intense clarté se meut. La lumière qui en émane est d'une radiance bizarre et leur auteur paraît un peu magicien. Ils procèdent à la fois de l'imagination et de la vérité. L'imagination, du reste, est-elle autre chose que la transcription des multiples vérités que l'artiste a saisies ? « Rien ne se crée ! » L'imagination qu'on a dite mentale n'est pour moi que l'afflux considérable vers le centre nerveux — comme en une suite d'éclairs cinématographiques — des impressions enregistrées par tous les sens. Notre inlassable orgueil humain accrédita la vaste utopie du règne de notre cerveau sur notre être. Je nie plus que jamais cette puissance : le cerveau n'est qu'un réceptacle à sensations, non un distributeur d'ordres. Et croyez bien aussi que nulle énergie ne vous fera coloriste ou dessinateur autrement que selon votre faculté de sentir la couleur ou la ligne.

C'est par le détail, le petit détail — évidemment choisi, synthétisé — que Kandinsky évoque en nous l'idée parfaite et complète de l'ensemble (êtres et choses). Merveilleusement il réfute l'opinion contemporaine du « détail qui n'existe pas ».

Dans un pays caractéristique, un milieu typique, aux mœurs et costumes inaccoutumés, qu'est-ce donc qui frappe d'abord notre entendement ? Le blanc d'un burnous, le ton cru d'un uniforme, le picotis d'un châle ou l'ornement d'un cheval. Le détail grandit en raison de sa nouveauté puis décroît à la longue, jusqu'à ce que l'œil familiarisé, indifférent, ne le transmette plus que négligemment au cerveau. Examinez les dessins d'enfants, la loi que je viens d'indiquer les régit.

On comprendra sans doute que Kandinsky, revendiquant la joie de vivre et d'exprimer ses sensations par ses œuvres, puisse s'énerver, se révolter, en entendant prôner des théories d'écoles cataloguées sous des « noms en isme, bourreaux du sentiment libre et de la pensée franche ». Et l'on s'intéressera forcément aux recherches de cet artiste curieux de l'influence des formes et des couleurs sur l'âme. Son langage est celui d'un initié. Sa formule, au premier abord déconcertante, contient, pour qui l'approfondit, le schéma très expressif d'innombrables apparences de la matière et, comme il en étudie les moindres reflets, comme il en apprécie toutes les correspondances avec le « moi supérieur » des êtres, les images qu'il nous trace sous une impulsion venue du monde extérieur nous résument admirablement ses plus chères visions intérieures.

(Gérôme-Maësse dans *Les Tendances Nouvelles,* 3e année, n° 26, pp. 436-438)

21 Couverture de la revue *Les Tendances Nouvelles,* n° 26, Noël 1906, ornée d'un bois gravé de Kandinsky représentant un cavalier russe. De 1906 à 1909, cette revue, de diffusion modeste et d'un intérêt presque régional bien que sa rédaction soit installée à Paris, publie 33 bois gravés de Kandinsky et lui consacre plusieurs articles. C'est l'organe d'une de ces innombrables sociétés de beaux-arts qui fleurissent en province au début du siècle. Revue et société sont dirigées par Alexis Mérodack-Jeaneau, peintre né à Angers en 1873 et mort dans la même ville en 1919. Il est l'animateur de l'Union internationale des Beaux-Arts, des Lettres, des Sciences et de l'Industrie.

La revue *Les Tendances Nouvelles* comprend 63 livraisons de 1904 à 1914, et a fait l'objet d'une réédition en 1980 par la maison Da Capo, avec une préface et un embryon d'annotations par Jonathan Fineberg.

LES

IDÉA

Tendances Nouvelles

ORGANE OFFICIEL ILLUSTRÉ
DE
l'Union Internationale des Beaux-Arts, des Lettres, des Sciences et de l'Industrie

Fondée sous la haute Présidence de

MM. Paul ADAM, Auguste RODIN et Vincent d'INDY

Numéro consacré à la lithographie et à la gravure sur bois.

ALEXIS MÉRODACK-JEANEAU.
LOUIS LEROY,
Directeurs.
JEAN VARIN,
Secrétaire.

B. KANDINSKY.

15, Rue Rochechouart, 15,
PARIS.

Noël

ABONNEMENTS :
FRANCE...... un *An* 12 *Fr.*
ÉTRANGER.... » 15 *Fr.*

TROISIÈME ANNÉE — N° 26

22 Vue de la salle Chemellier à Angers, prise lors de la première exposition, organisée dans cette ville par Alexis Mérodack-Jeaneau sous l'égide de l'Union internationale des Beaux-Arts, des Lettres, des Sciences, en août 1905. Document reproduit dans une des livraisons des *Tendances Nouvelles*. Les traits portés à l'encre dans la partie gauche indiquaient à Kandinsky l'emplacement destiné à la présentation de ses travaux lors de l'exposition de 1907.

Au Musée du Peuple

Je me frappe encore souvent, très souvent, la poitrine devant les Kandinsky. Certes, il accroche mon attention. Il eût été dommage qu'il se soit pour cela donné tant de mal en pure perte. J'y trouve en plus un mélange de procédés rares de métier, de réminiscences, de hasards heureux. Sa cuisine est très habile. Ici, c'est la tapisserie : on y voit tous les points de la trame, et les beaux bleus sourds qui ont vieilli. Plus loin, sur une toile affleurée d'essence, il évoque un vitrail avec ses plombs, et les lignes coupent en morceau le chevalier bardé d'acier, les grands iris et la blanche ville qui se mirent en des eaux mystérieuses. Plus loin, ce sont des paysages peints, plaqués, sculptés, avec un inconnu procédé : on se demande, inquiet, s'ils sont obtenus au premier ou au troisième feu. Prenez-les à plat, posez-y un mets de choix et servez-les, ils joueront les Bernard Palissy. Ailleurs, c'est une peinture à la gouache ou à la colle, jouant le pochoir sur préparation grise, noire ou bleue. Je préfère à toutes ses « arabes » sa petite châtelaine tressant une couronne pour son chevalier qui passe au loin le petit pont et sa danse des Jupons hydropiques, joyeuse et ensoleillée comme un quatrain de Franc Nohain. Mais Kandinsky en évoque bien d'autres : Gustave Moreau, Boutet de Monvel, père et fils, des icônes grecques et russes, des primitifs, du Raffaëlli, de l'art allemand, voire même de l'image d'Épinal.
Où je l'aime bien et où il est plus personnel, c'est dans la série de petites gravures sur bois qui parut dans la revue des *Tendances*. Il me fait en résumé l'impression d'un homme habile, qui fait peu de croquis, et est plus imaginatif que sincère et visuel. Et, en m'en allant, je me répète malgré moi le mot familier de J.P. Laurens à ses élèves : « Si vous donnez un croc-en-jambe à la nature, c'est un sérieux coup de pied qu'elle vous rendra ».

(Jean Pavie dans le *Journal du Maine-et-Loire*, n° 142, 18 juin 1907)

Kandinsky invité d'honneur du Musée du Peuple à Angers, 1907

« Le Musée du Peuple », tel est le titre sous lequel s'ouvre le 12 mai 1907 la seconde exposition organisée à Angers par le peintre Alexis Mérodack-Jeaneau et l'Union internationale des Beaux-Arts, des Lettres et des Sciences. Parmi les exposants, beaucoup de provinciaux, mais on cite également les noms de Cézanne et du douanier Rousseau « dont les toiles firent courir tout Paris ». Le catalogue, qui ne semble jamais avoir été édité, comprend 1 244 numéros. L'envoi de Kandinsky constitue l'attraction de la manifestation. Telle est du moins l'opinion du chroniqueur d'un journal local *Le Patriote de l'Ouest*, le mercredi 18 juin 1907 : « Toute l'œuvre de Basile Kandinsky (109 numéros). Notons : Esquisse, Au bord de l'eau, Promenade à cheval, La Confusion des races (Buntes Leben), Jour de Fête, Accident (Panique), Cavaliers, Vers le soir, Venise, Mardi-Gras, etc. » Kandinsky a donc envoyé à Angers les grandes temperas russes peintes à Paris, ainsi qu'une collection d'esquisses peintes à l'huile et de gravures. Cet accrochage est abondamment commenté. Compte rendu positif sous la plume de Gérôme-Maësse (alias Mérodack-Jeaneau ?) dans *Les Tendances Nouvelles*, compte rendu négatif par Jean Pavie, petit notable angevin et sculpteur animalier dans l'organe du département, le très sérieux *Journal du Maine-et-Loire*.

(...) Le panneau qu'occupe en ce moment Kandinsky est celui qu'occupait en 1905 le Lyonnais Jacques Martin.
(...) Aussi variées que nombreuses, les œuvres de Kandinsky attirent infailliblement le spectateur. Elles l'intriguent, puis elles le retiennent. S'il en est certaines qui dérivent de l'école de Munich, toutes disent néanmoins l'ardeur un peu sauvage de l'âme slave et la moindre d'entre elles reste une trouvaille. L'artiste qui crée son œuvre d'imagination est encore imaginatif en plein métier. Savons-nous de quels mystérieux accouplements de pâtes et de vernis-copal sont nées ces inoubliables splendeurs d'Orient ?* Ce très moderne peintre ne serait-il pas un très ancien verrier, un très ancien céramiste, un très ancien tapissier ? Voici que les clochetons de sa *Ville* m'apparaissent en verroteries bigarrées qu'on aurait soufflées en fusion ! Des bleus, des jaunes, et quels jaunes ardents ! mêlés à des laques. Devant des cabarets brique, des popes en violet, des moujiks en gros vert; la foule des costumes également bariolés qui grouille; multiple coloration de la vie populaire. Que nous sommes loin de la peinture embêtante et sage, derrière laquelle on sent toujours le raisonnement et le compas, qui ennuie même celui qui l'a faite et que je personnifierais volontiers sous les traits de quelque honnête et riche bourgeois, belle assurément, mais d'esprit si borné ! La peinture qui nous occupe est expressive, séduisante, agressive et charmante, exagérée parfois, volatile et souvent inquiète, mais elle nous accapare et nous passionne; elle est la maîtresse perfide; elle nous ensorcelle. L'un des côtés les plus remarquables du talent de l'artiste est bien celui-ci : graveur sur bois d'une valeur incontestable, il est encore un vrai peintre de « valeurs ». Et cela rompt avec la coutume. Tout le monde sait que les tentatives picturales de plusieurs de ses confrères très appréciés — ne citerais-je que Vibert — sont plutôt à passer sous silence. Or, sans compter ses importants tableaux dont j'ai parlé déjà, et ses grandes aquarelles traitées selon la formule du bois, des personnages dont les vêtements et les chairs éclatent en fanfare sur un fonds de ténèbres, Kandinsky expose une série de *petites études à l'huile*, d'une extraordinaire justesse de vision.

* Malheureusement je dois prévenir l'artiste contre la tentation de continuer dans cette manière fort belle mais susceptible en peu de temps de faire craqueler sa peinture.

(Gérôme-Maësse dans *Les Tendances Nouvelles*, 3e année, n° 30, milieu 1907 ? [dernier n° daté : n° 25 du 30 oct. 1906])

23 Photographie commerciale de l'église de la Nativité de la Vierge à Moscou. Kandinsky a représenté plusieurs fois cet édifice et il est permis de supposer qu'il a réalisé le dessin à la plume ci-contre d'après ce document photographique.

Munich
formation et voyages

1900-1907

catalogue

1
[Sans titre, Église de la Nativité de la Vierge à Moscou]
encre de Chine, 19,9 × 15,1
daté au revers, à la mine de plomb, par Mme Nina Kandinsky : 1886
Grohmann p. 15
AM 1981-65-168 (Inv. 123)

2
[Sans titre, Scène du Jugement dernier]
encre de Chine et rehauts d'aquarelle sur papier calque, 20,4 × 15,2
AM 1981-65-169 (Inv. 335)

3

6

4

7

5

8

9

3
Hiver, Schwabing (Winter in Schwabing), 1902
huile sur carton entoilé, 23,7 × 32,9
ni signé, ni daté
inscription au revers : « Winter in Schwabing 1902 »
Grohmann n° 545, repr. p. 344
Roethel n° 7 (daté : 1901)
AM 1981-65-1 (Inv. 26)

4
Schwabing, Soleil d'hiver
(Schwabing Wintersonne), 1901
huile sur carton entoilé, 23,8 × 32,3
signé en bas à droite en rouge : KANDINSKY
inscription au revers : « Munich, Schwabing Wintersonne 1901 »
manuscrit Kandinsky I (petites études à l'huile) n° 38
Grohmann p. 342
Roethel n° 8
AM 1981-65-2 (Inv. 41)

5
Kochel, paysage avec deux maisons
(Kochelsee b. München)
huile sur carton entoilé, 16,1 × 32,6
signé en bas à droite en brun : KANDINSKY
inscription au revers à la mine de plomb :
« Kochelsee b. München »
manuscrit Kandinsky I (petites études à l'huile) n° 36
Grohmann p. 344
Roethel n° 11 (daté : 1901)
AM 1981-65-3 (Inv. 38)

6
[Peupliers]
huile sur carton entoilé, 23,5 × 32,8
ni signé, ni daté
inscription au revers, à la mine de plomb, par Mme Nina Kandinsky : « Les Peupliers/Kandinsky/1901 »
Roethel n° 19
AM 1981-65-4 (Inv. 712)

7
Munich, le cimetière du Nord
(München, Nördl. Friedhof)
huile sur carton entoilé, 32 × 23,5
signé en bas à droite en rouge : KANDINSKY
inscription au revers à la mine de plomb :
« KANDINSKY. Nördl. Friedhof/München/n° 80 »
manuscrit Kandinsky I (petites études à l'huile) n° 80, avec la mention « Aus d(em) Atelier Fenster gesehen. »
Grohmann p. 343
Roethel n° 17
AM 1981-65-5 (Inv. 710)

8
Munich, Englischer Garten (Lac et canot)
huile sur carton, 17 × 32,5
signé en bas à droite en rouge : KANDINSKY
inscription au revers par Mme Nina Kandinsky :
« Kandinsky : Englischer Garten (See im Boot) *(sic)* »
manuscrit Kandinsky I (petites études à l'huile) n° 35
Grohmann p. 342
Roethel n° 23
AM 1981-65-6 (Inv. 313)

9
Crépuscule, Binz auf Rügen
huile sur carton entoilé, 23,2 × 32,8
signé en bas à droite en rouge : KANDINSKY
inscription au revers à la mine de plomb :
« KANDINSKY (MÜNCHEN)-Binz auf Rügen (oel)/n° 71 »
manuscrit Kandinsky I (petites études à l'huile) n° 71
Roethel n° 28
AM 1981-65-7 (Inv. 709)

10
[Sans titre, Dame assise sur l'herbe]
huile sur carton entoilé, 31,8 × 23
ni signé, ni daté
restauration 1984
à rapprocher de l'entrée n° 25 du manuscrit
Kandinsky I (petites études à l'huile) : « Frl.Meerson
à Kochel (rouge-Bordeaux). pas à vendre. »
AM 1981-65-8 (Inv. suppl.)

11
[Parc d'Akhtyrka]
huile sur carton, 23,7 × 32,8
signé en bas à gauche en rouge : KANDINSKY
Grohmann p. 342
Roethel n° 30 (daté : 1901)
AM 1981-65-9 (Inv. 39)

12
Air clair (Helle Luft), [1901]
huile et tempera sur toile, 34 × 52,3
signé en bas à gauche en rouge : KANDINSKY
manuscrit Kandinsky I (tableau-tempera) n° 13 « un petit parc »
Sturm-Album, repr. p. 17
Grohmann p. 329
Roethel n° 36 (daté : 1901)
AM 1981-65-10 (Inv. 23)

13
Printemps aux environs d'Augsbourg (Frühling, Umgebung von Augsburg), 1902
huile sur carton 23,8 × 33
ni signé, ni daté
inscription au revers à la mine de plomb : « Frühling (Umgebung von Augsburg) 1902 »
manuscrit Kandinsky I (petites études à l'huile) n° 72
Grohmann p. 343 (daté : 1904)
Roethel n° 45
AM 1981-65-11 (Inv. 28)

14
Kochel, 1902 [Lac et embarcadère I]
huile sur carton entoilé, 24 × 33
signé en bas à gauche en rouge : KANDINSKY
inscription au revers au crayon bleu : « n° 56 / KANDINSKY/Kochel (Hochbayern) »
manuscrit Kandinsky I (petites études à l'huile) n° 56
Roethel n° 51 (daté : 1902)
AM 1981-65-12 (Inv. 711)

15
Lac de Kochel (Kochelsee mit Herzogstand), 1902
huile sur carton entoilé, 23,5 × 32,6
signé en bas à droite en rouge : KANDINSKY
inscription au revers à la mine de plomb : « Kochelsee/1902 »
Roethel n° 59
AM 1981-65-13 (Inv. 40)

16
[Sans titre, Kochel, prairie de montagne]
huile sur carton entoilé, 24 × 32,8
ni signé, ni daté
Roethel n° 64 (daté : 1902)
AM 1981-65-14 (Inv. 718)

17
L'ancienne route de Kochel (Kochel Alte Kesselbergstrasse), [1902]
huile sur carton entoilé, 32,8 × 24
ni signé, ni daté
inscription au revers à la mine de plomb : « Alte Kesselstrasse Kochel/1902 n° 94 »
manuscrit Kandinsky I (petites études à l'huile) n° 94
Roethel n° 58
AM 1981-65-15 (Inv. 312)

13

14

15

16

17

18
Vieille Ville II (Alte Stadt), 1902
huile sur toile, 52 × 78,5
signé et daté en bas à gauche en rouge :
KANDINSKY 1902
inscription au revers : « Alte Stadt 1902 »
manuscrit Kandinsky I (tableau) n° 12
Grohmann p. 329
Roethel n° 41
AM 1981-65-16 (Inv. 31)

Cette petite toile représente Rothenburg ob der Tauber, une cité médiévale de Franconie épargnée par le temps, pittoresque à souhait pour séduire un artiste immergé dans la peinture d'histoire au début de ce siècle : Kandinsky revit son émerveillement dans *Regards sur le passé* : « (...) j'avais l'impression d'être dans une ville d'art, ce qui était pour moi la même chose qu'une ville de conte de fées. Les tableaux inspirés par le Moyen Age que je peignis plus tard provenaient de ces impressions ». Ce n'est pas dans la présence d'une jeune femme qui chemine dans la campagne, ni dans les ombres très « chiriquiennes » au premier plan que réside l'énigme, mais simplement dans le fait qu'il y ait deux versions de ce même tableau et que ce soit précisément le deuxième qui subsiste.
La première version, légèrement inférieure, était très prisée par le maître qui l'avait fait reproduire dans sa monographie éditée en allemand par Walden en 1913 et en russe par l'Izo à Moscou en 1918. Les variantes entre les deux versions sont insignifiantes, autant qu'on puisse en juger sur photographie.
Vers 1935, à Paris, Kandinsky vit un peu dans la nostalgie des paysages de sa jeunesse et, naturellement, il conseille la visite des petites villes du Sud à Christian Zervos qui prépare un périple en Allemagne. Cela apparaît dans la correspondance entre Kandinsky et Grohmann le 22 octobre 1935 : « Cela vous intéressera de savoir que Zervos a fait un voyage en voiture à travers toute l'Allemagne. Il était très enthousiasmé des anciennes villes allemandes. Malheureusement il n'a pas vu des vieilles et petites villes du Sud de l'Allemagne qui ressemblent bien sûr à celles du Nord mais qui néanmoins ont quelque chose d'étrange et de particulier en plus ».
Peu de temps après, en 1937, à l'occasion de la rétrospective Kandinsky organisée par la Kunsthalle de Berne, réapparaît *Vieille Ville*, première mention de *Vieille Ville II*.
Est-ce une réplique tardive pour compenser la perte de ce tableau, comme cela avait été le cas pour *Petites Joies*, peint en 1913 et refait en 1924 ? La question reste ouverte.

19
Venise n° 4 [Pont du Rialto]
tempera sur carton, 40,5 × 56
signé en bas à gauche en rouge : KANDINSKY
manuscrit Kandinsky I (dessins coloriés) n° 51
exposé pour la première fois à Munich en juillet 1904
AM 1981-65-79 (Inv. 292)

Photographie, 6 × 8,5, prise à Venise par Kandinsky ou Gabriele Münter en septembre 1903.

20
Venise n° 3 [Canal à Venise]
tempera sur carton, 40,5 × 56,5
signé en bas à droite à la gouache blanche : KANDINSKY
manuscrit Kandinsky I (dessins coloriés) n° 48
exposé pour la première fois à Munich en juillet 1904
AM 1981-65-80 (Inv. 289)

Photographie, 6 × 8,5, prise à Venise par Kandinsky ou Gabriele Münter en septembre 1903.

Roethel situe le voyage de Kandinsky et de Gabriele Münter à Venise le 5 septembre 1903. Ni Münter, ni Kandinsky ne semblent y avoir enlevé d'esquisses à l'huile. Pudeur devant la cité des doges avilie par de nombreux Ziem, manque de temps. Ils ne prennent que des photographies. Est-ce Münter, est-ce Kandinsky l'auteur des deux petits clichés à l'origine de ces deux temperas exécutées avant juillet 1944, date de leur présentation à Munich ?
Il n'y a pas longtemps encore, on était choqué qu'un peintre ait pu emprunter sa composition ou un détail à une photographie. Les éditeurs ont ainsi tardé à réconcilier la peinture des nabis avec les tirages photographiques qui ont été retrouvés dans les archives de Vuillard ou de Bonnard. Un des grands griefs retenus contre l'authenticité de la peinture du Douanier Rousseau résidait dans la tare avouée qu'il empruntait sujet et mise en place à des cartes postales.
Münter était bonne photographe. Elle a donc couru l'Europe avec Kandinsky, composant des albums de minuscules tirages de vues de villes, d'attelages, de petits métiers, ou au contraire de campagne déserte, de perspective de chemins de campagne, sans compter d'excellents portraits de son compagnon d'aventure, Kandinsky.
Kandinsky, lui, a souvent puisé dans cette documentation qui suppléait les carences d'un dessin imparfaitement maîtrisé ou trop lent pour fixer ce qu'un seul déclic, celui d'un appareil photographique, réalise mieux que personne. Point n'est besoin de crier au plagiat, au charlatanisme donc lorsque Kandinsky prétend se reposer sur sa seule mémoire pour la confection de ses « dessins coloriés », ce qui l'intéresse c'est de reconstituer grâce à la couleur une impression. « Parfois, disait-il, m'écartant bel et bien de la "nature", je peignais quelque chose à mon goût. »
Jusqu'à sa mort Kandinsky utilisa à sa manière les photographies en général prises par d'autres ou plus simplement découpées dans des revues.

21
Les Spectateurs (Die Zuschauer)
tempera sur papier teinté et collé sur carton,
57,4 × 79
signé en bas à gauche à la gouache blanche :
KANDINSKY
inscription au revers au crayon bleu :
« KANDINSKY. Die Zuschauer (tempera) n° 99 »
manuscrit Kandinsky I (dessins coloriés) n° 99
exposé au Salon d'Automne 1905
Sturm-Album, repr. p. 27
AM 1981-65-81 (Inv. 6)

Les Spectateurs
gravure sur bois, 7,4 × 13,7
Roethel (gravures) n° 16
gravure reproduite dans le périodique *Les Tendances Nouvelles*, n° 28, janvier 1907
AM 1981-65-807 (Inv. 597-7)

22
Promenade, 1902
gravure, 14,6 × 24,6
inscription en bas à gauche : « Holzschnitt (Handdruck) »/gravure sur bois (tirée à la main)
signé en bas à droite à la gouache blanche : KANDINSKY
manuscrit Kandinsky I (gravure) n° 1
Roethel (gravures) n° 1
AM 1981-65-689 (Inv. 156)

23
Sur la plage ou Au bord de la mer (Am Strande), 1903
gravure, 35,4 × 34,6
signé en bas à droite à la mine de plomb : KANDINSKY
inscription en bas à gauche : « Holzschnitt (Handdruck) »/gravure sur bois (tirée à la main)
manuscrit Kandinsky I (gravure) n° 5
Roethel (gravures) n° 5
AM 1981-65-690 (Inv. 781-1)

24
Dame à l'éventail
(Dame mit Fächer), 1903
gravure, 25 × 15
signé en bas à droite à la gouache blanche :
KANDINSKY
inscription en bas à gauche à la gouache blanche :
« Holzschnitt (Handdruck) »/gravure sur bois (tirée à la main)
Roethel (gravures) n° 2
AM 1981-65-691 (Inv. 156)

25
La Nuit (Die Nacht, grosse Fassung), 1903
gravure, 29,9 × 12,8
signé en bas à droite à la mine de plomb : KANDINSKY
inscription en bas à gauche : « Holzschnitt (Handdruck) »/gravure sur bois (tirée à la main)
Roethel (gravures) n° 6
AM 1981-65-692 (Inv. 781-6)

26
L'Adieu (Abschied, grosse Fassung), 1903
gravure, 31,3 × 31,2
signé en bas à droite à la mine de plomb : KANDINSKY
manuscrit Kandinsky I (gravure) n° 7
Roethel (gravures) n° 7
AM 1981-65-693 (Inv. 139)

HOLZSCHNITT
KANDINSKY

27

29

HOLZSCHNITT (Handdruck).
KANDINSKY

28

KANDINSKY

30

27
Le Bouquet (Der Strauss), 1904
gravure, 5,6 × 11
signé en bas à droite sur le montage à la gouache blanche : KANDINSKY
inscription en bas à gauche sur le montage à la gouache blanche : « Holzschnitt »/gravure sur bois. Il s'agit d'un ex-libris.
manuscrit Kandinsky I (gravure) n° 13
Roethel (gravures) n° 36 (daté : 1904)
AM 1981-65-694 (Inv. 781-18)

28
En été (Im Sommer), 1904
gravure, 31,6 × 16,9
signé en bas à droite sur le montage à la gouache blanche : KANDINSKY
inscription en bas à gauche sur le montage à la gouache blanche : « Holzschnitt (Handdruck) »/ gravure sur bois (tirée à la main)
manuscrit Kandinsky I (gravure) n° 10 : « Dort auch 'Dame mit Mädchen' genannt »
Roethel (gravures) n° 33
AM 1981-65-695 (Inv. 781-17)

29
[Fragment de *Promenade gracieuse*], 1904
gravure, 14,9 × 8,3
détail supérieur de la partie gauche
Roethel (gravures) n° 43 (daté : 1904)
AM 1981-65-696 (Inv. 597-62)

30
Lever de la lune (Mondaufgang), 1904
gravure, 26 × 15,5
signé en bas à droite à la mine de plomb sur la marge : KANDINSKY
manuscrit Kandinsky I (gravure) n° 12
Roethel (gravures) n° 35
AM 1981-65-697 (Inv. 781-15)

31
Paysage vallonné (Hügellandschaft), 1904
gravure, 16,7 × 31,5
signé en bas à droite à la mine de plomb sur la marge : KANDINSKY
manuscrit Kandinsky I (gravure) n° 15 bei Unterammergau
Roethel (gravures) n° 38
AM 1981-65-698 (Inv. 781-14)

32
Crépuscule (Abenddämmerung), 1904
gravure, 15,9 × 31,7
signé en bas à droite à la mine de plomb : KANDINSKY
manuscrit Kandinsky I (gravure) n° 14
Roethel (gravures) n° 37 (daté : 1904)
AM 1981-65-699 (Inv. 781-16)

31

32

33
Place du marché, Marktplein, 1900-1903
tempera et mine de plomb sur carton, 15,1 × 33
daté au revers par Mme Nina Kandinsky : 1900
à rapprocher de *Altes Städtchen,* Roethel (gravures) n° 17 (daté : 1903)
AM 1981-65-82 (Inv. 129)

34
[Sans titre]
encre de Chine, papier quadrillé, 11,6 × 17,9
inscription au verso : « gem. in Sèvres »
à rapprocher de la peinture *Devant l'église de la Nativité de la Vierge à Moscou,* v. 1903-1904, reproduite mais non localisée, Roethel n° 113
AM 1981-65-170 (Inv. 354)

35
[Sans titre]
mine de plomb, mise au carreau, 14,3 × 22,5
description du paysage en allemand
AM 1981-65-171 (Inv. 207-e)

36
[Sans titre, Tour du Kremlin]
encre, 13,5 × 10,7
AM 1981-65-172 (Inv. 594-41)

37
[Sans titre, Chevalier]
crayon bleu, 25,4 × 31,4
inscription en bas à gauche : « XII »
restauration 1983
AM 1981-65-173 (Inv. 870-1)

33

34

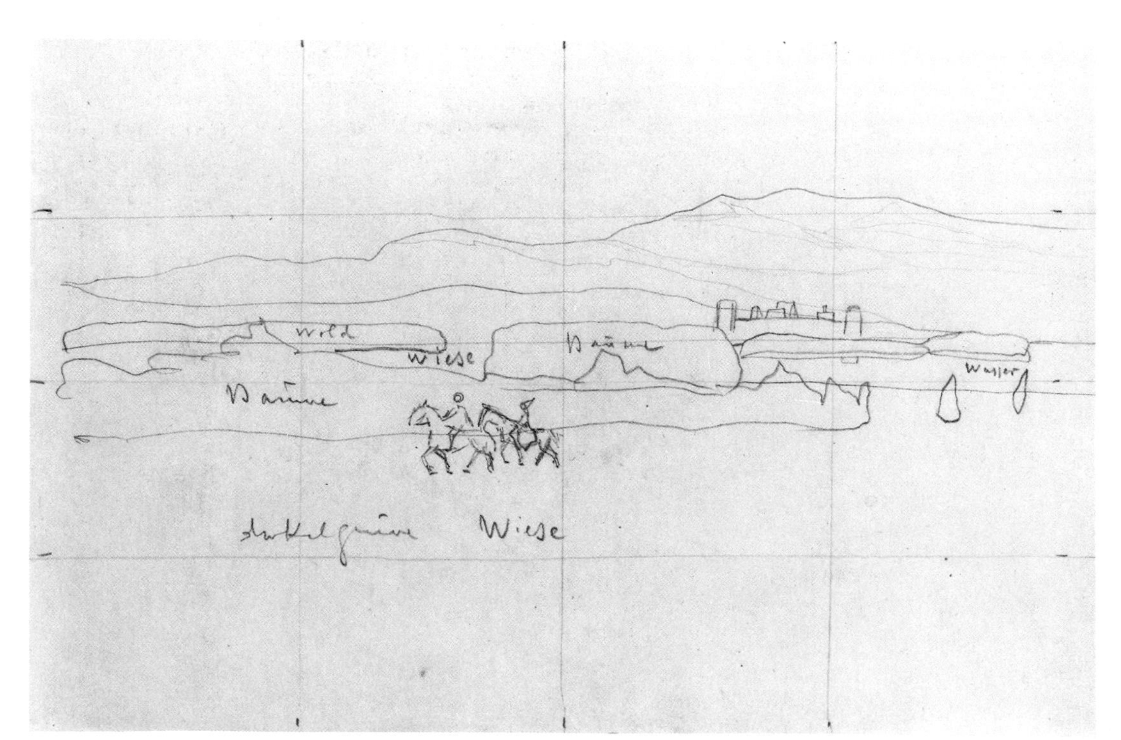

35

36

37

38
[Scène russe, Dimanche (Vieille Russie)]
tempera sur carton, 23 × 54,7
signé en bas à droite à la gouache blanche :
KANDINSKY
verso (non reproduit) : une autre tempera masquée sous un papier collé
à rapprocher de la peinture *Sonntag (Altrussisch)*, Roethel n° 118, 1904
AM 1981-65-83 recto-verso (Inv. 22)

39

40

41

39
[Sans titre, Haut Palatinat ?]
huile sur papier teinté, 23,7 × 32,5
ni signé, ni daté
à rapprocher de la peinture *Haut Palatinat. Paysage d'automne,* Roethel n° 106
restauration 1984
AM 1981-65-17 (Inv. suppl.)

40
[Sans titre, Femme s'éloignant dans un paysage]
huile sur carton entoilé, 23,5 × 31,7
ni signé, ni daté
restauration 1984
AM 1981-65-18 (Inv. suppl.)

41
[Sans titre, Canal en Hollande]
huile sur carton entoilé, 23,2 × 32,5
ni signé, ni daté
manque l'angle inférieur droit, restauration 1984
AM 1981-65-19 (Inv. suppl.)

Hans K. Rœthel situe le voyage entrepris par Kandinsky et Gabriele Münter en Hollande entre le 11 mai et le 21 juin 1904. Kandinsky y allait sans doute pour découvrir le pays de Rembrandt, peintre dont les œuvres conservées à l'Ermitage avaient exercé une profonde impression sur lui et contribué à renforcer sa vocation de peintre.
Dans le catalogue des peintures, Rœthel retient pour l'épisode hollandais 7 œuvres dont une disparue, ce port de Rotterdam, précisément; le fonds Kandinsky comporte également deux autres petites esquisses réalisées au cours du même voyage et qu'il conviendra désormais d'ajouter à l'œuvre peint de Kandinsky.
La petite esquisse, peinte à l'huile, enlevée sur le site, n'a de Rotterdam que le nom sous lequel Kandinsky la range dans son recueil des petites peintures à l'huile, où elle apparaît sous le n° 53; car ce ne sont pas les deux navires représentés qui permettent de reconnaître la topographie de Rotterdam. Kandinsky a signé cette œuvre, ce qui tend à confirmer qu'elle le satisfait. Il en a même esquissé un croquis dans ce même inventaire, ce qui nous a permis d'identifier cette peinture qui, entreposée avec d'autres dans un coffre à la cave, était considérée comme perdue et doit au savoir-faire d'un restaurateur d'être miraculeusement réapparue. Plusieurs des petites esquisses avaient été en effet oubliées par Kandinsky dans une grande malle qui avait subi plusieurs fois les effets des crues de la

Seine. *Rotterdam* n'en avait pas trop souffert et est ressorti de cet accident pratiquement indemne.
Les vues de ports n'ont rien d'original en ce début de siècle. Elles appartiennent à la tradition d'une peinture topographique chère aux amateurs qui couraient les campagnes et les villes européennes. Kandinsky reprend, en réalité, la tradition du grand tour en parcourant les pays du Nord et du Sud de l'Europe, au cours de ces « wanderjahre », que Nina Kandinsky mentionne comme « une course folle à travers l'Europe… ». Cette sorte d'impressionnisme après-coup est même très à la mode avec la prédilection des néo-impressionnistes pour les vues de ports. Luce et Signac en sont des spécialistes et ils ont été l'un et l'autre invités à des expositions organisées par Kandinsky à Munich sous l'égide du groupe Phalanx. Quant aux vues de Rotterdam au début de ce siècle, leur inventaire constituerait de gros catalogues. Cette pochade n'a donc de sens que par rapport à l'œuvre de Kandinsky, œuvre du temps présent quand il divise ce qu'il peint en deux catégories : les « impressions » enlevées sur le site au cours d'une séance de travail avec la rudesse et la rapidité de la peinture au couteau, et les dessins coloriés appliqués et réalisés à l'atelier. Kandinsky est, par goût, un véritable paysagiste que le dessin d'académie a ennuyé pendant plus de trois ans; il s'offrait des pochades buissonnières dans les quartiers suburbains de Munich : « Lorsqu'il faisait un temps à peu près convenable, je peignais chaque jour une ou deux études, principalement dans le vieux Schwabing qui était alors en train de se transformer peu à peu en un quartier de Munich. Aux moments où j'étais déçu par le travail d'atelier et les tableaux peints de mémoire, je peignais surtout des paysages; cependant, ils ne me satisfaisaient guère, si bien que plus tard je n'en repris que fort peu pour faire des tableaux… ».
Autre propos désabusé de Kandinsky confié à ses *Regards sur le passé* : « A mon grand étonnement, je remarquai que je travaillais selon le principe de Rembrandt. Ce fut un moment d'amère déception et de doute mordant au sujet de mes propres forces, de doute sur la possibilité de trouver des moyens d'expression personnels ».
Cette pochade, comme les autres études enlevées en une séance à la peinture à l'huile, révèle également une constante chez Kandinsky : la sensualité de la couleur. Là aucun dessin ne contrarie le peintre, il est tout au plaisir d'écraser au couteau de la pâte colorée sur le support qui résiste. Il se moque de rendre les relations lumière-air des impressionnistes et ne cherche qu'à combiner des taches « néo-impressionnistes », à créer des rapports de tons rares ou inattendus. Pendant longtemps, ces petites peintures à l'huile restèrent dans les archives secrètes du peintre. Elles ne seront révélées au grand jour qu'après sa mort. Rœthel a été un des premiers à les étudier, c'est-à-dire à les réhabiliter.

42
Rotterdam, 1904
huile sur carton entoilé, 23 × 31,7
signé en bas à droite en rouge : Kandinsky
manuscrit Kandinsky I (petites études à l'huile) n° 53
restauration 1984
considéré comme perdu, Roethel n° 125 (daté : 1904)
AM 1981-65-20 (Inv. suppl.)

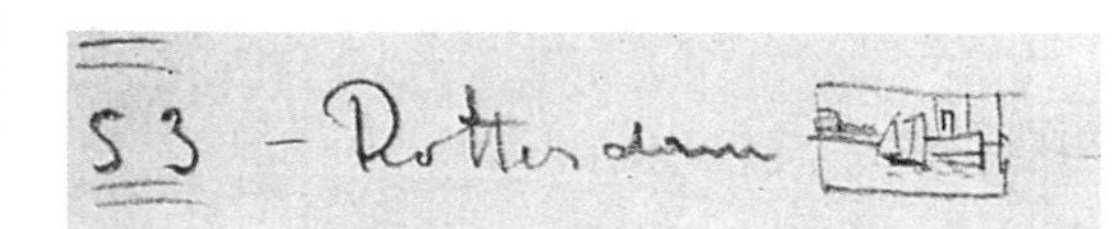

43
[Sans titre, Plage en Hollande]
huile sur carton, 23,8 × 32,7
signé en bas à gauche en rouge : KANDINSKY
restauration 1984
pourrait être le n° 50 « Scheveningen » du manuscrit Kandinsky I (petites études à l'huile)
AM 1981-65-21 (Inv. suppl.)

Lors de sa découverte, la dizaine de petites peintures à l'huile sur carton toilé présentait un état avancé de dégradation due à leur condition de conservation en milieu humide et clos. Les peintures stockées les unes sur les autres, avant que le processus de séchage des couleurs fût achevé, adhéraient les unes aux autres, soit couche picturale sur couche picturale, soit couche picturale contre le revers du support.
Les importantes déformations des supports de carton, l'attaque avancée des moisissures sur certaines parties et sur certaines couleurs — notamment les verts et les terres de Sienne — sans compter quelques déchirures ou même des parties manquantes, ont entraîné une intervention de restauration fondamentale.
Après désinfection au dioxyde d'éthylène, on a procédé au décollage des peintures, soit en amincissant le support de carton jusqu'à la toile. Après refixage de la peinture à travers la toile, on parvenait à la détacher en enroulant la peinture sur un large rouleau. La collecte et le traitement de tous les fragments, de toutes les écailles devaient nous permettre également de compléter heureusement certaines lacunes.
Séparées de leur support d'origine, les peintures ont été remontées sur des supports de carton identiques mais sains. La crasse et les moisissures retirées, les peintures sont apparues beaucoup mieux conservées qu'on ne pouvait l'espérer au départ. Les manques ont été mastiqués, quelques points d'aquarelle facilitent la lecture de l'œuvre mais ce ne sont pas là de véritables reconstitutions de matière. Deux des peintures ont été revernies comme elles l'avaient été à l'origine par Kandinsky.

Aloys de Bec de Lièvre,
stagiaire de l'Institut français
de Restauration des œuvres d'art

44
Moulin en Hollande (Mühle, Holland), 1904
tempera sur carton, 34,7 × 50,3
signé en bas à gauche à la gouache rouge :
KANDINSKY
manuscrit Kandinsky I (dessins coloriés) n° 68
« Mühle (Holland) 1904 »
exposé à Paris en novembre 1905
Sturm-Album, repr. p. 24
Grohmann p. 403
AM 1981-65-84 (Inv. 16)

45
Samedi soir (Samstag Abend)
tempera sur papier noir collé sur carton, 35,2 × 50,3
signé en bas à gauche à la gouache blanche :
KANDINSKY
inscription au revers à la mine de plomb : « Samstag Abend n° 70 »
manuscrit Kandinsky I (dessins coloriés) n° 70
exposé à Paris en novembre 1905
Sturm-Album, repr. p. 24
AM 1981-65-85 (Inv. 14)

46

48

47

49

46
[Sans titre, Tunis, la baie, 1905]
huile sur carton entoilé, 24 × 33
ni signé, ni daté
Roethel n° 130
AM 1981-65-22 (Inv. 714)

47
[Sans titre, Tunis, rue, 1905]
huile sur carton entoilé, 24 × 32,8
ni signé, ni daté
Roethel n° 133
AM 1981-65-23 (Inv. 715)

48
[Sans titre, Tunis, la baie, 1905]
huile sur carton entoilé, 24 × 33
ni signé, ni daté
inscription au revers : « Tunis 1905 »
Roethel n° 136
AM 1981-65-24 (Inv. 716)

49
[Sans titre, Tunis, la baie, 1905]
huile sur carton entoilé, 24 × 33
ni signé, ni daté
Roethel n° 135
AM 1981-65-25 (Inv. 713)

50
Ville arabe (Arabische Stadt), [1905]
tempera sur carton, 67,3 × 99,5
signé en bas à gauche : KANDINSKY
manuscrit Kandinsky I (dessins coloriés) n° 102
exposé au Salon d'Automne, 1905
AM 1981-65-86 (Inv. 135)

51
[Sans titre, Rivage]
huile sur carton entoilé, 32 × 22,9
signé en bas à droite en rouge : KANDINSKY
restauration 1984
AM 1981-65-26 (Inv. suppl.)

52
[Sans titre, Une place]
huile sur carton entoilé, 23 × 32
ni signé, ni daté
restauration 1984
AM 1981-65-27 (Inv. suppl.)

53
Rapallo, mer orageuse (Stürmische See), [1906]
huile sur carton entoilé, 23 × 33
manuscrit Kandinsky I (petites études à l'huile) n° 43
Grohmann p. 344
Roethel n° 146 (daté : 1906)
AM 1981-65-28 (Inv. 24)

54
[Parc de Saint-Cloud]
huile sur carton, 24 × 33
ni signé, ni daté
Roethel n° 176
AM 1981-65-29 (Inv. 717)

55
[Parc de Saint-Cloud]
huile sur carton, 23,7 × 33
ni signé, ni daté
deux manques importants, restauration 1984
AM 1981-65-30 (Inv. suppl.)

En janvier 1907, Kandinsky réside à Sèvres depuis plusieurs mois. Il reçoit les vœux de son ancien professeur de droit et d'économie, A.I. Tchouprov, qui vit alors à Munich dans les meubles que l'artiste lui a prêtés. Le professeur exhorte son ancien élève à découvrir les charmes du parc de Saint-Cloud, avec quelque retard car ce dernier a trouvé par lui-même les allées ombragées de l'ancien château de Saint-Cloud dont les ruines n'ont été rasées qu'en 1892. « J'ai été très heureux d'apprendre par votre lettre que vous êtes bien installés. Sèvres est à mon avis un lieu merveilleux. J'y suis allé deux fois et, à chaque fois, j'en ai gardé une impression des plus sympathiques. J'ai surtout en mémoire le parc merveilleux ou, pour être plus exact, la forêt transformée en parc, qui s'étend près de Sèvres. Ces arbres séculaires, florissants, se dressent encore maintenant sous mes yeux. J'ai toujours pensé à eux quand j'ai eu l'occasion d'admirer les œuvres de l'école de Fontainebleau (c'est-à-dire Barbizon) que j'aime tant. Vous avez là tant de motifs merveilleux sous la main et, ainsi, il vous est sans doute facile de créer l'atmosphère nécessaire au travail. Je souhaite très fort que l'inspiration vous visite tous les jours et à toutes les heures ».

Au cours de ce séjour parisien, Kandinsky consacre ses dernières esquisses peintes en plein air à ces opulentes frondaisons. Il laisse son élève Gabriele Münter, avec qui il séjourne dans la capitale française, fixer, à la manière de Pissaro, le pittoresque des ruelles et des rues grimpantes de Sèvres. Lui n'a d'yeux que pour les bassins du parc et les bosquets.

Rœthel a catalogué dix petites esquisses à l'huile enlevées sur le motif; grâce à la redécouverte de la restauration, le fonds Kandinsky en ajoute une autre. L'*Allée ombragée* — il est à noter qu'à une date incertaine le Douanier Rousseau a peint lui aussi une allée ombragée du parc de Saint-Cloud — est la plus importante par la taille et une des plus achevées, dans un style qui découle du pointillisme néo-impressionniste. Kandinsky semble, en effet, dans cette peinture suivre les préceptes de Paul Signac. Il choisit une touche proportionnée aux dimensions de la toile à couvrir et ne craint pas les juxtapositions criardes et bariolées pour rendre le contraste d'ombre et de lumière dans le sous-bois.

Si on compare cette *Allée ombragée* à l'*Allee im park von Saint-Cloud*, réalisée sur le même lieu et au même moment par Gabriele Münter, datant de 1906 (les deux œuvres ne varient dans l'angle de vision que de la légère distance des deux chevalets disposés sous le même ombrage), on note immédiatement la qualité plus fauve, plus accentuée des taches pigmentaires de Kandinsky par rapport à l'esquisse plus sage de son élève. Kandinsky est encore loin du style expressionniste qui va être le sien l'année suivante pour peindre Murnau.

L'*Allée ombragée* est son dernier essai néo-impressionniste, il en a la sérénité. Ce n'est pas dans cette calme verdure déserte qu'on retrouverait trace des inquiétudes éprouvées seize ans plus tôt dans le même Sèvres par Edvard Munch.

Il n'est pas loin le temps aussi où Fernand Léger, tirant les conséquences de la Première Guerre mondiale, mettra au placard tout cet impressionnisme fin de siècle : « Je soutiens qu'une mitrailleuse ou une culasse d'un 75 sont plus sujets à peinture que quatre pommes sur une table ou un paysage de St-Cloud et cela sans faire de futurisme ».

56
Le Parc de Saint-Cloud, allée ombragée, [1906]
huile sur toile, 48 × 65
signé en bas à droite en rouge : KANDINSKY
manuscrit Kandinsky I (petites études à l'huile) n° 100 (?)
Grohmann p. 344
Roethel n° 171 (daté : 1906)
AM 1981-65-31 (Inv. 822)

57
[Chant de la Volga], 1906
tempera sur carton, 49 × 66
signé en bas à gauche à la gouache blanche :
KANDINSKY
inscription au revers au crayon bleu : « Kandinsky, Chanson, n° 117 »
manuscrit Kandinsky I (dessins coloriés) n° 117 « Lied Chanson, 85 × 68. Indépendants, mars 1907 ».
Sturm-Album, repr. p. 30 « Das Wolga-Lied »
AM 1981-65-87 (Inv. 290)

A Sèvres, Kandinsky peint et grave essentiellement un cycle à thèmes « petits russiens » où il exalte le folklore du peuple russe. Cet exotisme est soudainement mis à la mode à Paris pour l'exposition du Salon d'Automne de 1906 organisée par Serge Diaghilev et par les Ballets russes qui vont rythmer l'activité artistique jusqu'en 1930.
A l'origine, il semble que ces scènes paysannes russes aient été moins anodines que les pastorales de nos peintres du 18e siècle. Il s'agit de l'opposition de deux aspects de la culture russe reflétant certainement des prises de positions politiques. Ce sont les « ambulants », des artistes peintres en marge des académies tsaristes, qui entreprirent d'illustrer les vertus et le caractère du peuple russe contre l'occidentalisation du pays voulue par les tsars.
Les thèmes « petits russiens » illustrent également la rivalité existant entre les deux villes qui se disputent l'hégémonie culturelle : Moscou et Saint-Pétersbourg. Ils irritent particulièrement l'administration tsariste au point que celle-ci dut interdire quelques-unes des représentations musicales gogolesques de Moussorgsky. La foire de Sorotchinky est un opéra paysan qui malmène trop la tutelle policée des salons à musique de la Baltique.
Kandinsky a découvert la peinture avec les ambulants. Il a retenu le caractère messianique de la mission qu'ils s'étaient assignée : réveiller et exprimer l'âme russe, mais il ne supporte pas le réalisme contraignant de leur expression. « Auparavant je ne connaissais que l'art réaliste », se remémore l'artiste dans ses *Regards sur le passé,* « et encore exclusivement les Russes; je restais longtemps en contemplation devant la main de Franz Liszt dans le portrait de Répine, je reproduisais plusieurs fois de mémoire le Christ de Polenov, j'avais été frappé par *A la rame* de Lévitan et par son monastère éclatant se reflétant dans la rivière ». *Chanson,* c'est sous ce simple titre et sous le numéro 2645 que fut présentée au Salon des Indépendants en 1907 notre tempera, qui devient par la suite *Chant de la Volga.* Les bateliers de la Volga n'y sont point traités avec leur lot de malheur réaliste. Ils apparaissent dans des drakkars de légende, prétextes à de beaux assemblages chromatiques comme les *Bateliers sur le Dniepr* peint l'année précédente par Nicolas Rœrich. Dans *Chanson,* comme dans *Troïka* ou *Buntes Leben* (le brassage des races, ou vie mélangée), Kandinsky cherche comme Bilibin ou Léon Bakst à provoquer l'enchantement. Les héros appartiennent au merveilleux de la mise en scène. Des personnages aux pieds bien sur terre, comme Gertrude Stein, ne purent qu'éclater de rire devant ce monde féerique gorgé de couleurs trop vives. Le peuple de Kandinsky est chevaleresque, idéalisé, il ne ressemble en rien aux soudards de Larionov, aux brutes rustiques que représente, vers 1910, Malévitch.
De l'*Entrée des marchands,* qui évoque les processions dans le style de Charles Cottet, il ne reste plus rien après son départ de Paris : foule, figure humaine, disparaissent à tout jamais des préoccupations plastiques de Kandinsky.

KANDINSKY

58
Le Miroir (Der Spiegel), 1907
linogravure, 32,3 × 15,7
monogrammé en haut à droite sur la gravure : K
manuscrit Kandinsky I (gravure) n° 21
exposé à Angers 1907, Salon d'Automne, Paris 1907
Roethel (gravures) n° 49
AM 1981-65-700 (Inv. 781-13)

59
Le Chasseur (Der Jäger), 1907
linogravure, 24,4 × 6,7
monogrammé en bas à gauche sur la gravure : K
signé en bas à droite à la mine de plomb sur la marge : KANDINSKY
inscription en bas à gauche à la mine de plomb sur la marge : « Jäger Holzschnitt »
manuscrit Kandinsky I (gravure) n° 24
Roethel (gravures) n° 50
AM 1981-65-701 (Inv. 781-12)

60
Moine (Mönch), 1907
linogravure, 25,5 × 7,4
monogrammé en bas à droite sur la gravure : K
signé en bas sur la marge à droite à la mine de plomb : KANDINSKY
inscription en bas à gauche sur la marge à la mine de plomb : « Mönch Holzschnitt »
manuscrit Kandinsky I (gravure) n° 24
exposé à Angers 1907, Salon d'Automne, Paris, 1907
Roethel (gravures) n° 52
AM 1981-65-702 (Inv. 781-1)

61
La Lyre (Leier), 1907
linogravure, 18,5 × 19
monogrammé en haut à gauche sur la gravure : K
manuscrit Kandinsky I (gravure) n° 25
exposé au Salon d'Automne, Paris, 1908
Roethel (gravures) n° 53
AM 1981-65-703 (Inv. 781-10)

Hans Konrad Rœthel a été le premier historien de Kandinsky à attirer l'attention sur l'importance des gravures de l'artiste. Il leur a consacré une étude exemplaire qui a été luxueusement publiée sous le titre *Kandinsky - Das Graphische Werk,* un monument de l'édition allemande où il a recensé 203 gravures, précisé le nombre d'épreuves tirées et la qualité du papier. Il a ainsi fixé l'attention sur une œuvre mineure généralement considérée comme sans intérêt par les autres biographes de Kandinsky, notamment Will Grohmann qui ne comprenait pas pourquoi l'artiste insistait tant sur ses premières images. Il est remarquable en effet que cette production graphique concerne essentiellement les premières décades de l'activité artistique de Kandinsky. Il en réalise 153 avant 1914, dont 73, soit un bon tiers, entre 1902 et 1907.
Kandinsky a commencé par pratiquer les gravures sur bois. Ce sont de petits blocs le plus souvent imprimés simplement en noir et blanc. Il y reproduit parfois des compositions qu'il a peintes ou « coloriées », mais ce sont le plus souvent des œuvres authentiquement originales présentant une thématique particulière. Kandinsky y pratique une sorte de syncrétisme entre la symbolique des derniers préraphaélites, Burnes-Jones, et l'exotisme « vieux russe » très à la mode à Paris au début du siècle. Il y glorifie une certaine idée de la femme lointaine, intouchable, coiffée du hennin, vêtue de longue robe, mais qui n'en occupe pas moins le premier plan de nombreuses « promenades ». Les hommes n'y apparaissent que munis d'un arc, chevauchant des montures dans un accoutrement fantaisiste. Cette thématique paraissait désuète et suscitait la critique, peut-être même le sarcasme du milieu proche de l'artiste. Kandinsky, dans une lettre à Gabriele Münter — datée du 10 août 1904 — justifie cette occupation en alléguant qu'il grave sur bois parce que c'est là le meilleur moyen pour lui de s'exprimer, qu'il ne peut faire autrement et qu'il se moque bien du qu'en dira-t-on. Personne ne pourra le dissuader de continuer ce travail. Il concède que toutes ses gravures ne sont pas des chefs-d'œuvre et considère nombre d'entre elles comme des essais, des tentatives de faire rendre au noir tout ce qu'on peut y enchâsser de lumière.
Comme personne ne lui a commandé ces culs-de-lampe, ces frontispices, ces ex-libris, il les fait éditer lui-même à compte d'auteur. En Russie paraissent les *Romances sans paroles,* plus tard ce seront les xylographies imprimées par les soins des éditions des Tendances Nouvelles, selon les modalités financières qui font apparaître la détermination de l'artiste à

62

63

64

financer coûte que coûte la parution de ses gravures sur bois. Il y a tout lieu de penser que la parution des 30 bois gravés par Kandinsky dans les livraisons de la revue des *Tendances Nouvelles,* entre 1906 et 1908, s'accompagnait également d'une importante participation financière de l'artiste au périodique d'Alexis Mérodack-Janneau. Bailleur de fonds, correspondant étranger, Kandinsky, en confiant ses bois à cette assez médiocre revue, l'a sauvée à tout jamais de l'oubli.
La gravure sur bois était une technique anachronique qui connut une certaine réhabilitation au début de ce siècle. Naturellement, on a rapproché les œuvres de Kandinsky des maléfices modern style d'Audrey Beardsley, du Monde des Arts de Petrograd, *Mir Iskusstvo;* on a insisté sur l'influence possible des gravures sur bois populaires, russes, les lubki que l'artiste collectionnait. Rœthel, lui, a préféré souligner le rapport des bois de Kandinsky avec ceux que Vallotton publiait dans la *Revue blanche.* Le groupe Phalanx avait en effet organisé une exposition des œuvres de Vallotton à Munich en 1904. Mais, la technique mise à part, le monde sinistre et réaliste de Vallotton n'a rien de commun avec l'univers féerique post-symbolique de Kandinsky. On pourrait également évoquer les gravures sur bois d'Edvard Munch réalisées à la même époque.

Autodidacte, Kandinsky a été amené à expérimenter des procédés de gravure peu communs en Occident. Rœthel a mis en relief le fait que Kandinsky grave en couleur à la manière des artistes japonais. Il utilise des linos : un pour indiquer les traits, les masses, un autre pour la couleur. Ce ne sont pas les pigments liés à l'huile utilisés en Occident mais des mélanges aquarellés. Cette étrangeté technique confère aux gravures en couleur qu'il réalise à cette époque une grande variété de tons : ils changent à chaque tirage de sorte que l'on peut considérer ces épreuves à la main comme autant de monotypes. La fraîcheur, la préciosité de l'effet obtenu en des réalisations aussi spectaculaires que *Leier (La Lyre)* ou *Die Raben (Les Corbeaux),* retiennent l'attention des techniciens qui visitent les Salons d'Automne et des Indépendants où Kandinsky ne manque pas de présenter ses gravures au même titre que ses temperas.
Le simple fait que Kandinsky ait conservé tous ses bois, tous ses linoléums gravés témoigne de la faveur dans laquelle il tenait ces œuvres jugées mineures, insignifiantes, indignes de lui par tous, y compris ses amis. Il sortira certains bois pour les faire tirer au bénéfice de la revue *xxe siècle* en 1938. Les linoléums, entreposés à la cave dans une malle, ont, eux, mal supporté les effets catastrophiques des crues répétées de la Seine.

62
Femmes vertes (Grüne Frauen), 1907
linogravure, 16,1 × 23,8
manuscrit Kandinsky I (gravure) n° 29
exposé au Salon d'Automne, Paris, 1908
Roethel (gravures) n° 57
AM 1981-65-704 (Inv. 781-7)

63
Deux jeunes filles (Zwei Mädchen), 1907
linogravure, 22,5 × 13,7
monogrammé sur la gravure en bas à droite : K
signé à la mine de plomb en bas à droite sur la marge : KANDINSKY
inscription au revers à la mine de plomb : « Deux jeunes filles 1907 »
manuscrit Kandinsky I (gravure) n° 35
exposé au Salon d'Automne, Paris, 1908
Roethel (gravures) n° 63
AM 1981-65-705 (Inv. 781-8)

64
Poursuite (Verfolgung), 1907
gravure sur bois, 17,4 × 37,1
signé en bas à la mine de plomb sur la marge : KANDINSKY
manuscrit Kandinsky I (gravure) n° 36
exposé au Salon d'Automne, Paris, 1908
Roethel (gravures) n° 64
AM 1981-65-706 (Inv. 144)

65
Les Corbeaux (Die Raben), [1907]
linogravure, 43,8 × 28,1
monogrammé en bas à droite : K
manuscrit Kandinsky I (gravure) n° 28
Grohmann p. 44
Roethel (gravures) n° 56
AM 1981-65-707 (Inv. 781-2)

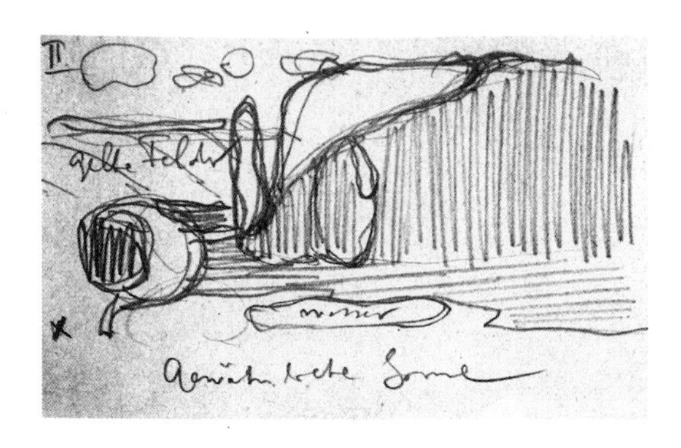

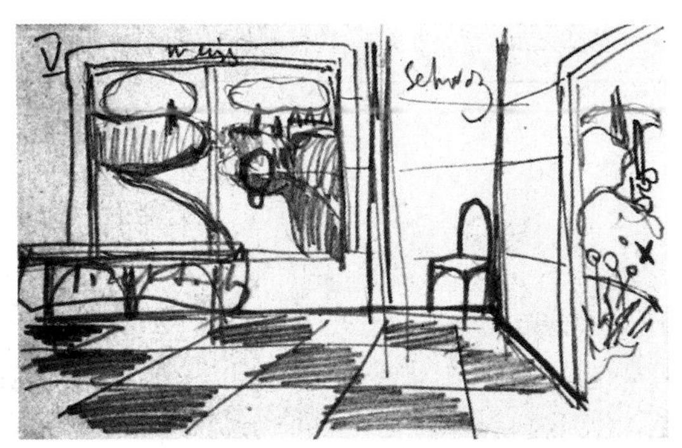

66
[Sans titre]
mine de plomb
cinq feuillets de carnet, 7 × 11,4, trouvés en guise de signet dans la traduction russe manuscrite par Madame Bojaiewskaia de l'ouvrage de Paul Signac, *D'Eugène Delacroix au néo-impressionnisme*
AM 1981-65-174 (Inv. 879-9)

Munich-Murnau 1908-1914

documentation

The most extreme man not only of Munich
but of the entire modern art mouvement...
A. Jerome Eddy, 1914[1]

Cette période se distingue de la première par son apparent statisme. La migration à travers l'Europe entière cesse, le paramètre des voyages effectués diminue, leur fréquence s'atténue. La sédentarité provisoire et incomplète s'exprime en une installation double, permettant de profiter des contrastes ville-campagne. A Munich, « cette ville admirable »[2], capitale du Jugendstil (traité dans le premier catalogue de la trilogie récente autour de Kandinsky du S.R. Guggenheim Museum, New York[3]), capitale de l'art pour peu de temps encore avant d'être détrônée par Berlin, Kandinsky s'installe dans le quartier des artistes à Schwabing, Ainmillerstrasse, à quelques pas de l'appartement de Paul Klee. La plaque de porte en cuivre jaune symbolise l'événement.

Après avoir arpenté le bel arrière-pays de Munich avec les élèves de l'École « Phalanx » en quête de motifs, et après un premier séjour à Murnau en 1908 à l'auberge Griesbräu, le peintre décide de choisir une demeure (l'ancienne villa Streidl au Dünaberg) dans ce bourg pittoresque sur le lac Staffel, villa que Gabriele Münter acquerra l'année suivante. Murnau fut un des rares centres en Bavière où l'on faisait encore de la peinture sous verre selon la vieille tradition jusqu'en 1914 (voir à ce sujet p. 122). Son deuxième avantage est de se trouver non loin de Sindelsdorf, village où Franz et Maria Marc s'installeront. Le vélo, moyen de locomotion très usité par Kandinsky et ses amis, vous y porte en une heure environ.

Après les repères géographiques, cette première page révèle aussi, visuellement déjà, le lieu de l'art de Kandinsky, imprégné des courbes élégantes du Jugendstil, se délectant d'images oniriques joliment agencées.

Les Tendances Nouvelles, organe officiel de l'Union Internationale des Beaux-Arts, des Lettres, des Sciences et de l'Industrie, publièrent en 1909, sous l'égide de Gérome-Maësse (qui en signera la préface), un album de xylographies de Kandinsky, poursuivant ainsi leurs efforts de sauver de l'oubli et de l'industrialisation les vieilles techniques de la gravure sur bois et de la lithographie. « Aussi de quels encouragements n'accueillerons-nous pas les efforts de B. Kandinsky, courageux rénovateur de cet art désuet », s'exclama Gérome-Maësse[4]. Le portefeuille en carton gris contient sept feuillets volants, dont cinq portent les gravures suivantes : « Les chevaliers », « Les oiseaux », « L'église », « Les bouleaux », « Les femmes au bois ».

La page d'index de cet ouvrage est significative. Avant tout texte, avant toute image même, elle présente quelques mesures de musique anonyme. Cette configuration donne le ton, annonce la couleur de toute cette période d'avant-guerre, d'une si extraordinaire activité. Musique - image - parole, ici encore énoncée dans cet ordre, devront se fondre ensuite dans le rêve de l'œuvre d'art total.

L'ouvrage, tiré en 1 000 exemplaires, fut financé par l'artiste lui-même. Il s'en est servi parfois en guise de carte de visite. Ainsi dans une lettre à A. Schönberg du 18 janvier 1911[5] annonce-t-il l'envoi d'un exemplaire de l'album, et Alban Berg écrit le 15 février 1912 : « Ich bin auf das mir gütigst zugedachte französische Album sehr gespannt »[6] (« J'ai hâte de recevoir l'album français que vous avez eu l'extrême obligeance de m'envoyer »). Cet opuscule « de ce puissant original, de ce fantastique graveur, de cet extraordinaire peintre »[7] clôt en quelque sorte les recherches de la première période de Kandinsky (même si cette technique, que Gabriele Münter désignait comme « Spielerei » — bagatelle, simple passe-temps —, restera un des moyens d'expression préférés de l'artiste pendant toute son activité). En même temps il servira d'introduction à ce que l'on désigne parfois comme la période « héroïque » ou « dramatique » du peintre.

Entre la miniature charmante de l'album de 1909 et l'éclatant *Tableau à la tache rouge* de 1914 (cf. p. 138), ou bien entre le superlatif extrême qui figure en exergue (prononcé par un des premiers collectionneurs de l'art de Kandinsky outre-Atlantique) et la consternation quasiment générale (cf. la fortune critique du peintre, p. 79), se déroulera la grande mutation dans les arts picturaux à laquelle participe

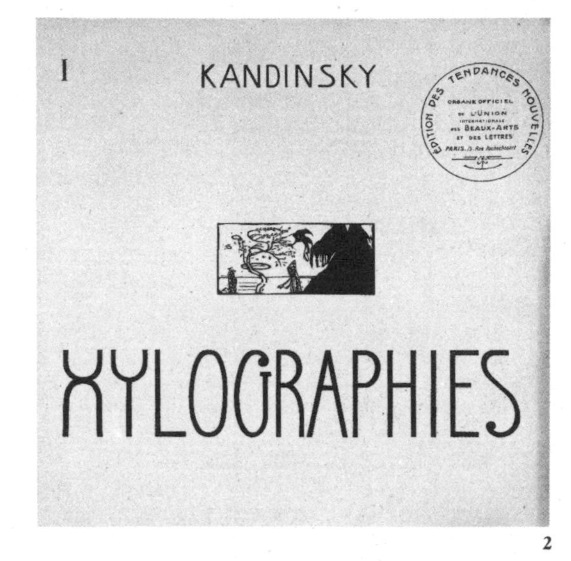

2

1 Plaque de porte en cuivre jaune au nom de Kandinsky. Elle fut reproduite dans le catalogue de l'exposition « Kandinsky und München », Munich, Lenbachhaus, 1982, dans un ensemble d'œuvres sur papier et de mobilier Jugendstil, réalisées par divers artistes autour de 1900.

2 Couverture de l'album de Xylographies de Kandinsky, publié par *Les Tendances Nouvelles* en 1909. La vignette, héliogravure d'après un bois qui date de 1907, porte le titre descriptif donné par K. Roethel : « Paysage avec figure et phénix ».

1

Neue Künstlervereinigung, Munich

Kandinsky en tant qu'un des principaux acteurs et novateurs, se fera la lente et prudente émancipation du naturalisme. Une peinture qui représente ce qui est sera abandonnée pour un art voué au surréel, selon les uns, au non objectif, à l'abstrait, selon les autres, à une réalité illimitée, selon Kandinsky.
En partant des paysages ruisselants de couleurs de Murnau (cf. les commentaires sur *Paysage à la tour*, 1908, p. 84), les œuvres peintes, dessinées ou gravées, conservées dans le fonds Kandinsky, illustrent et élucident parfaitement les diverses tendances présentes dans l'art du peintre jusqu'en 1914.
Car l'évolution que nous désignons aujourd'hui par son point d'arrivée, l'art abstrait, n'avait ni parcours ni terme établis d'avance. L'objet n'est pas exclu, ni à éviter. Il subit un traitement autre. Il est réduit à ses éléments essentiels, on en dégage la forme prégnante, libérée de toute tâche de figuration; libérée aussi d'une couleur descriptive qui, à son tour, peut affirmer son caractère intrinsèque, mener une existence autonome. Le pictural pur est atteint. L'art crée son propre univers, devient engendrement de réalité.
D'excellents exemples de cet art et de son cheminement sont : *Improvisation III*, 1909, *Improvisation XIV*, 1910, une exceptionnelle aquarelle dont on conteste la date de 1910, *Impression V*, 1911, *Avec l'arc noir*, 1912, ainsi que *Tableau à la tache rouge*, 1914, déjà cité. Ces toiles complètent utilement les collections plus riches en œuvres de cette grande période, conservées à la Städtische Galerie im Lenbachhaus, Munich et au S.R. Guggenheim Museum, New York.
Le fonds Kandinsky n'enferme aucune des grandes *Compositions I - VI* qui scandent la production du peintre jusqu'en 1913, série qui culmine provisoirement en la *Composition VII*, tableau que Kandinsky peint entre le 25 et le 28 octobre 1913 et qu'il considère comme son œuvre la plus importante de l'avant-guerre[8]. Il y travaillera pendant environ 18 mois en exécutant plus de 24 études.
En dehors de nombreuses études préparatoires à la mine de plomb, à l'encre de Chine ou à l'aquarelle pour la série des *Improvisations* et des *Impressions*, le fonds Kandinsky possède des feuillets admirables — parfois étonnamment en avance sur l'œuvre finale — consacrés à l'élaboration « concertée et ambitieuse, presque pédante » selon le peintre, de ses *Compositions*.

1. Arthur Jerome Eddy, *Cubists and Post-Impressionnism*, Chicago, A.C. Mc Clarg & Co, 1914.
2. Lettre de Kandinsky à A. Schardt du 28 déc. 1933, conservée à la Staatsbibliothek, Berlin, Preussischer Kulturbesitz.
3. Peg Weiss, « Kandinsky in Munich : Encounters and Transformations », in catalogue du S.R. Guggenheim Museum, New York, 22 janvier - 21 mars 1982.
4. *Les Tendances Nouvelles*, numéro de Noël (n° 26), 1906.
5. Lettre conservée dans les archives Schönberg à Washington, Library of Congress.
6. Lettre conservée dans les archives de la Münter-Eichner-Stiftung, Munich.
7. Préface à l'album de Xylographies, 1909, rédigée par Gérome-Maësse.
8. Ce tableau est actuellement conservé à la galerie Tretiakov, Moscou.

« Depuis le temps du collège, même depuis ma plus tendre enfance, écrit Kandinsky à Franz Marc le 17 janvier 1912, je suis connu comme fondateur »[1]. De cette tendance il avait donné en effet une preuve éclatante (sa durée est également celle d'un éclat) en janvier 1909 avec la fondation de la Neue Künstlervereinigung München (Société nouvelle d'Artistes, Munich), en compagnie d'Adolf Erbslöh (1881-1947), Alexei von Jawlensky (1864-1941), Marianne von Werefkin (1860-1938), Alexander Kanoldt (1891-1939), Alfred Kubin (1877-1959) et Gabriele Münter, sa compagne. La liste des membres fondateurs s'allonge considérablement dans le courant de l'année. Les Français Girieud et Le Fauconnier s'y joignent en 1910. Dans une lettre circulaire annonçant la fondation de la société, Kandinsky résume leur but idéal de la manière suivante : « Nous partons de l'idée que l'artiste, en dehors des impressions reçues du monde extérieur, de la nature, thésaurise sans cesse des expériences dans son monde intérieur; et la recherche de formes artistiques exprimant l'interpénétration de toutes ces expériences, formes qui doivent être dépouillées de tout ce qui est secondaire pour exprimer fortement le nécessaire, bref la tendance vers une synthèse artistique, ceci nous semble être une devise qui unit mentalement à ce moment de plus en plus d'artistes[2]. » Cette déclaration contient en germe les idées principales de l'artiste qu'il développera ensuite dans les grands écrits de cette époque.

3

Kandinsky, élu président de cette association, organisera avec ses amis une première exposition à la galerie Thannhauser à Munich du 1er au 15 décembre 1909. Non seulement il dessinera pour cette occasion une affiche, devenue célèbre (repr. ci-contre), ainsi que la carte de membre *(Mitgliedskarte)*, ornée d'une gravure sur bois *Felsen* (Rochers) de 1908-1909, mais il composera également l'emblème de cette association qui figurera sur les catalogues des deux premières expositions auxquelles participe Kandinsky, à savoir celles de décembre 1909 et de septembre 1910.
L'exposition de 1910 est importante à plusieurs égards : par la nouveauté des œuvres exposées et par une innovation en ce qui concerne le discours *sur* ces œuvres. Dans une lettre manuscrite de l'été 1910[3] Kandinsky annonce aux sociétaires et aux artistes invités qu'il a l'intention de donner la parole à ceux qui le désirent dans les pages du catalogue. Ainsi peuvent-ils s'adresser au public également « par le verbe » pour lui faire savoir leurs opinions générales sur l'art et rendre plus claire leur propre activité. Car, ajoute Kandinsky (et il accentuera cette tendance dans l'Almanach *Der Blaue Reiter)*, « parfois un mot très bref d'un artiste dit au visiteur à l'écoute juste cela que ni des articles volumineux des critiques d'art professionnels, ni des volumes innombrables d'une Histoire de l'art ne sont capables de dire. » Et il fallait voir les critiques à l'œuvre à l'occasion de ces deux expositions. Un seul échantillon — il dit avec le plus d'éclat l'incompréhension générale — suffirait : « Il n'y a pas 35 manières d'expliquer cette exposition (il s'agit de celle de 1909) : ou la majorité des membres et des invités de cette association sont des fous incurables, ou on a à faire à des bluffeurs éhontés »[4]. Une seule voix autre s'élève de ce chaos, celle du peintre Franz Marc (1880-1916) qui, dans une lettre à l'Association, exprime son enthousiasme au sujet de la deuxième exposition qui osa montrer, pour la première fois à Munich, quelques œuvres des cubistes français. Une amitié exceptionnelle se lia d'ailleurs à l'occasion de cette exposition entre Kandinsky, Marc et l'ami de ce dernier, August Macke (1887-1914). Marc devient membre de la *Künstlervereinigung* le 5 février 1911. Pour peu de temps d'ailleurs. Les divergences de vue entre Kandinsky et ses amis et le groupe autour de Jawlensky et Werefkin s'accentuèrent à un degré tel que Kandinsky, Marc, Münter et Kubin démissionnèrent de l'Association le 2 décembre 1911.

1. Klaus Lankheit, *W. Kandinsky - Franz Marc - Briefwechsel*, R. Piper & Co. Verlag, München-Zürich, 1983, p. 118.
2. Lettre citée in Roethel (Gravures), p. 438-39.
3. La lettre manuscrite de Kandinsky, ainsi que sa traduction manuscrite française par une main non identifiée (soulignant ainsi le caractère international de l'Association), sont conservées dans le fonds Kandinsky.
4. Article signé M.K. Rohe in *Münchner Neueste Nachrichten*, n° 424 du 5 déc. 1909. Cet article fut reproduit in extenso à côté de la lettre citée de F. Marc dans une publication de la N.K.V.M. en 1910.

3 Grande version de l'affiche réalisée d'après une étude de Kandinsky pour la première exposition de la Neuen Künstler-Vereinigung, Munich, 1909. Lithographie de trois couleurs, monogrammée en bas à droite, dimensions 94 × 64, elle porte en bas les coordonnées de l'imprimeur : *Lith. & Druck v. Joh. Roth Sel. Wwe, München*, et annonce ceci : *Nouvelle association d'artistes - Munich / Exposition 1/ dans la « Galerie Moderne » de H. Thannhauser, Theatinerstrasse 7, du premier au 15 décembre 1909.*

4 Le portrait de Kandinsky que nous avons choisi pour la période d'avant-guerre est celui reproduit et distribué sous forme de carte postale dans la série des artistes du *Sturm*.
Prévue dès 1913, cette galerie d'artistes célèbres ne fut présentée au public qu'à partir de 1916. La première effigie est un hommage à un des disparus de la guerre, August Stramm, proche ami de Nell et Herwarth Walden. La deuxième sera consacrée au directeur du *Sturm*, Herwarth Walden lui-même. Le 31 juillet 1917 ce dernier avertit Gabriele Münter (par une lettre conservée aux Archives de la Münter-Eichner-Stiftung, Munich) qu'il est en train d'éditer la carte postale « Kandinsky ». A ce sujet, l'artiste avait écrit à Walden le 15 novembre 1913 dans ces termes : « En ce qui concerne ma propre effigie avec signum, je n'aimerais pas la voir sur une carte postale. J'aurais préféré de beaucoup que mon portrait soit imprimé sur un bon papier aux dimensions plus importantes. Les gens qui s'intéressent vraiment à mon apparence extérieure peuvent sacrifier 50 sous (Pfennige). Ceci est mon attitude actuelle. Il se peut que, bientôt, je me montrerai plus libéral au sujet des cartes postales. » (lettre conservée aux Archives de la Staatsbibliothek, Berlin).
Contacté pour le même propos par Walden, la réaction de Marc fut très violente (lettre conservée aux Archives de la Staatsbibliothek, Berlin) : « Pour l'amour de Dieu, épargnez-moi au sujet des photographies (pour les cartes du *Sturm*). Cela m'est insupportable. Pour vous montrer que la bonne volonté ne manque pas je vous envoie une vue de dos; je ne puis céder davantage de ma « Gestalt » à la caméra. » Cette réponse fut datée du 1er mars 1916. Elle laisse apparaître le gouffre que creuse cette guerre entre les hommes. Franz Marc disparut devant Verdun trois jours plus tard.

Compositions scéniques, théâtre.

Bühnencomposition IV: „Schwarze Figur“

« Je m'empresse aussi de vous parler de vos contributions au *Blaue Reiter*... Votre composition scénique me plaît extraordinairement. Son introduction également[1]. Je suis entièrement d'accord. Le but que vous poursuivez est exactement ce que j'essaie de faire dans « La main heureuse »[2]. Seulement vous allez plus loin que moi en ce qui concerne le refus de toute pensée consciente, de toute action calquée sur la vie... Donc votre sonorité dorée [*sic*] me réjouit et je m'imagine que, mise en scène, elle aura sur moi un impact colossal ». Malheureusement, cette mise en scène, tant imaginée par Arnold Schönberg, auteur de cette lettre du 19 août 1912[3], ne sera réalisée que plus de 60 ans plus tard par Jacques Polieri en 1975 et, à nouveau, en 1982 par Ian Strasfogel[4].

C'est probablement dans le courant de l'année 1908 — comme le laisseraient entendre des notations très rudimentaires et d'autant plus émouvantes, dans un agenda de très petites dimensions, conservé au Lenbachhaus, Munich[5], notations concernant la composition scénique intitulée « Schwarz und weiss » (Noir et blanc) —, que Kandinsky commença à composer (le mot est en effet utilisé dans son sens musical) de petites pièces pour le théâtre, très éloignées de tout ce que l'on désigne traditionnellement par ce terme. Les manuscrits que nous possédons en russe ou en allemand sont en réalité des descriptions de l'action concertée des trois médias suivants :

— le son, émis ou par la voix humaine (inarticulé ou articulé en paroles lyriques) ou par des instruments de musique;

— la « sonorité corporelle-psychique », se traduisant en mouvements culminant parfois dans une danse « sauvage »;

— la « sonorité » de la couleur.

Même si les trois médias sont énoncés par Kandinsky dans cet ordre, le rôle principal est accordé à la couleur, à la lumière colorée qui est rehaussée, portée à un fortissimo parfois par les autres événements sensoriels, offerts simultanément au spectateur.

Le résultat obtenu est sans précédent. Ce sont des créations que Thomas von Hartmann, encore en 1950, dans une conférence non publiée, appelle « l'entreprise la plus osée, la plus aventureuse dans l'art théâtral des temps modernes. » Leur nouveauté réside dans l'utilisation des trois médias désignés à l'état pur. Les voix humaines qui s'élèvent, situées par l'auteur d'une manière très précise (voix d'alto féminine, par exemple), n'ont pas de message conceptuel à transmettre, n'ont pas d'action à relater comme les messagers de la tragédie antique. Les sons produits restent inarticulés ou, au plus, se comprennent comme des incantations poétiques brèves, répétées d'un tableau à l'autre. Si parole il y a, elle est utilisée pour « créer une atmosphère » — ce sont les mots de Kandinsky —, « pour rendre l'âme réceptive. » Il est important de noter les recherches très poussées sur le plan du langage dont Kandinsky fait preuve dans ces compositions. Selon Hugo Ball, il fut le premier « à découvrir et à employer l'expression la plus abstraite du son dans le langage, à savoir des voyelles et consonnes harmonisées »[6].

Ces voix appartiennent à des acteurs sans rôle, ayant perdu toute individualité. Ils sont des exécutants de mouvements simples, ils viennent, se groupent, s'effondrent, s'éloignent. Mais avant tout, ils sont des porteurs, des porteuses de couleurs. Les figures qui apparaissent sur la scène comme dans un rêve sont dites : noires, ou habillées en blanc aux longs cheveux noirs, une autre : silhouette violette à la tête vert pâle et au cou très allongé. Ces couleurs habitées de voix humaines (les couleurs *sont* des êtres pour le peintre, ce qui l'induit à parler de leur sonorité intérieure, à savoir leur âme) bougent dans la lumière changeante au rythme des sons, devant un décor décrit d'une manière précise en plans de couleur.

« En Kandinsky, se souvient Hugo Ball, un des rares admirateurs de l'artiste à l'époque, le verbe, la couleur et le son agissaient en une harmonie très singulière. »[7] En effet, Ball considérait Kandinsky comme un artiste moderne, idéal, l'« artiste idéal », grâce à l'envergure de sa vision. Leur rencontre, inévitable, selon les aveux de Ball, se fit à Munich en 1912, quand Ball exerça la fonction de metteur en scène au théâtre des Kammerspiele de Munich. Présenté par Kandinsky à Thomas von Hartmann et à d'autres collaborateurs de l'Almanach *Der Blaue Reiter*, il projeta non seulement des mises en scène modernes de pièces du répertoire dans le Künstlertheater de Munich, mais il voulait tenter également une première mise en scène de *Der gelbe Klang*. Ce projet échoua à cause de la Première Guerre mondiale. Un autre espoir secret de Kandinsky de voir la composition se dérouler sur scène, à l'occasion de l'exposition de ses œuvres peintes à Cologne au Kreis für Kunst en janvier 1914, s'effondrera également. A la place on demanda à une actrice de réciter quelques-uns des poèmes en prose de son album *Klänge* (Sonorités). « Les gens riaient », écrit-il à Herwarth Walden le 7 février 1914[8].

Inachèvement essentiel, donc, de ces créations qui, faites pour être vues, pour agir en forme de psychothérapie sur le spectateur, n'ont jamais trouvé ce vis-à-vis dont elles dépendent, n'ont jamais atteint l'intégralité de l'œuvre d'art total, faute d'un dernier élément essentiel : cet espace théâtral, cette « sonorité commune de l'ensemble architectural ».

Les compositions scéniques révèlent avec clarté cette idée de base qui anime les créations de Kandinsky et de ses amis à l'époque : rénover l'art, faire que les remparts de cette forteresse vétuste s'effondrent, réunir les genres du spectacle, drame, opéra, ballet, en une œuvre d'art total, libérer chaque médium du poids de la tradition et tâcher de lui rendre sa voix pure des origines.

Chez un spectateur réceptif — selon Kandinsky il n'existe pas d'homme qui ne reçoive pas l'art — le processus créateur se poursuivra, modifiera l'âme de celui-ci, la portera « à sa plus haute qualité ». L'art a donc un rôle à jouer dans la régénération d'une société en proie à une vision matérialiste du monde. L'artiste se découvre un devoir social. Il devient le guide spirituel de l'humanité. Seulement par son entremise le monde nouveau se fera.

Outre les mises en scène chimériques, les « cavaliers bleus » (il leur plaisait de se désigner ainsi) avaient également le projet de publier un livre sur le théâtre expressionniste et ils étaient en pourparler à ce sujet avec la maison d'édition Piper à Munich. On y prévoyait — la publication n'eut jamais lieu — des contributions de Kandinsky (une reprise de ces textes concernant le théâtre et publiés dans le *Blaue Reiter*), ainsi qu'un essai de Thomas von Hartmann sur la musique. Ce jeune compositeur russe que Kandinsky avait rencontré dans les soirées de M. von Werefkin en 1909, deviendra, avec le danseur russe Alexandre Sacharoff[9], un des plus proches collaborateurs de Kandinsky dans ce domaine. Leurs écritures (celles de Thomas von Hartmann, de son épouse Olga et celle de Kandinsky) se mélangent dans les manuscrits, rédigés parfois en russe, parfois en allemand, dont certains sont conservés au Lenbachhaus de Munich. Les partitions pour ces pièces de la main de von Hartmann, que Kandinsky mentionne dans la préface du manuscrit allemand intitulé « Compositions scéniques »[10], furent perdues. Il subsiste quelques annotations très curieuses en forme de partition.[11] Les titres des pièces réunies dans ce manuscrit (prêt à la publication, dirait-on) sont :

— Bühnencomposition I, « Riesen » (Géants) qui, modifiée et enrichie par les autres pièces, deviendra « Gelber Klang » (Sonorité jaune);

— Bühnencomposition II, « Stimmen » (Voix), qui portera ensuite le titre « Grüner Klang » (Sonorité verte);

— Bühnencomposition III, « Schwarz und weiss » (Noir et blanc);

et la quatrième, intitulée « Schwarze Figur » (Figure noire), titre que nous avons mis en avant sur cette page, car cette composition, écrite à l'encre de la main de Kandinsky et enrichie de deux pages de croquis à l'encre (nous reproduisons une de ces pages de texte ci-contre) n'a jamais été publiée en allemand, ni en traduction.

A une autre pièce, intitulée d'abord « Violetter Vorhang » (Rideau violet), puis « Violett » (Violet), datée de 1911 ou de 1914, une notice sera consacrée en relation avec une série de trois études de décor de scène, et de nombreux croquis conservés dans le fonds Kandinsky (voir à ce sujet pp. 140-144).

1. Il s'agit de la pièce « Der gelbe Klang » (Sonorité jaune), ainsi que de l'essai de Kandinsky, intitulé « De la composition scénique », publiés dans l'Alamanach *Der Blaue Reiter* en 1912.
2. Voir à ce sujet p. 76.
3. Lettre conservée dans les archives de la Münter-Eichner Stiftung, Munich.
4. Tentatives de mise en scène de la pièce qui échouèrent : H. Ball à Munich en 1914; Kreis für Kunst à Cologne, janvier 1914; à Moscou, Théâtre des artistes; à Berlin en 1922, Volksbühne; en 1957 le peintre Richard Mortensen exécute un très grand nombre de gouaches (112 pièces; voir à ce sujet p. 489) et les confie pour la réalisation d'un film à Jacques Polieri.
Enfin une présentation eut lieu en 1972 par le groupe Zone dans le cadre d'une exposition de Kandinsky au S.R. Guggenheim Museum, New York.
La première répétition publique dans une mise en scène de J. Polieri aura lieu en 1975 à l'Abbaye de la Sainte-Baume en Provence. Elle sera montrée à Paris au Théâtre des Champs-Élysées en 1976.

5 Page 2 du manuscrit allemand de la composition scénique « Figure noire », écrite probablement vers 1908-1909. Le manuscrit comporte huit feuillets paginés (16,2 × 21) écrits à l'encre de la main de Kandinsky, cinq feuillets non paginés écrits au crayon et décrivant Tableau 5, ainsi que deux croquis à l'encre pour le premier et le cinquième tableau.

Traduction de la page 2 :

Figure 6 : 'Tremblement tendu' (voix d'alto féminine)
Figure 1 : 'vie remplie' (tenor)
Figure 2 : 'et incandescence profonde' (voix de basse)
Le (croissant de) lune, orange, qui devient rouge en bas à droite, descend lentement et en biais vers la droite).
Silence
Figure 8 : 'Aucune sonorité, aucun bruit'
Figure 2 : 'Verbe caché'
Tous (à voix basse et en traînant sur les mots) : 'Qui l'a construit ?...' (Obscurité).
Deuxième Tableau.
Le sol est blanc, le fond de scène est tout à fait lisse et d'un rouge agressif (vermillon). Deux grands arbres noirs de chaque côté au premier plan.

6 Page de croquis pour la *Composition scénique II,* intitulée d'abord « Stimmen » (Voix), titre qui sera modifié par la suite en « Grüner Klang » (Sonorité verte), écrite probablement vers 1908-1909. Le dessin à l'encre donne des indications pour le deuxième tableau de la pièce. Le manuscrit comporte, en plus d'un deuxième dessin à l'encre concernant le premier tableau, douze feuillets (16,2 × 21) paginés, écrits à l'encre de la main de Kandinsky. C'est probablement une version russe qui fut traduite en français dans *Écrits complets,* édition établie par Philippe Sers/Denoël, Paris, Denoël-Gonthier, 1975, tome III, pp. 73-75.

Reprise de la pièce et nouvelle mise en scène par Ian Strasfogel à New York du 9 au 14 février 1982 au Théâtre Marymount, Manhattan.
5. GMS 328, pp. 79-81.
6. Hugo Ball (éditeur John Elderfield), *Flight out of Time : a Dada Diary*, New York, The Viking Press, 1974, p. 234 (texte d'une conférence sur Kandinsky de 1917).
7. *Ibid.*, p. 8.
8. Lettre conservée aux Archives de la Staatsbibliothek, Berlin.
9. Alexandre Sacharoff (1886-1963), ami de Rainer Maria Rilke et de Jawlensky (il a posé pour ce dernier à plusieurs reprises), fut désigné par la critique contemporaine comme un des premiers représentants de la « danse absolue ». « Rendre l'invisible visible » fut le but de son art.
10. Ce manuscrit fait partie du legs Kandinsky.
11. Voir à ce sujet les commentaires et reproductions concernant « Violet », pp. 140-144.

L'arrière-pays russe

Tout en se comptant parmi les peintres allemands, plus précisément parmi les peintres munichois qu'il distingue des peintres de Berlin[1], Kandinsky a toujours gardé un contact très étroit avec son pays natal, ses manifestations culturelles et ses innovations artistiques. Entre 1903 et son retour en 1914 il expose presque annuellement dans les galeries d'art de ce pays, parfois à Odessa, ville où il a passé une grande partie de son enfance, à Saint-Pétersbourg, ville qui selon lui est toujours restée provinciale, et à Moscou, la capitale des arts, qui sera perpétuellement son « diapason ». Non seulement il envoie alors ses œuvres à des associations comme celle des artistes de la Russie du Sud (entre 1905 et 1909) ou l'association artistique du Valet de Carreau, groupe fondé par Michel Larionov et ses amis, à qui Kandinsky se joint pour deux expositions en 1910-1911 et en janvier 1912 et dont il se détachera rapidement, mais il est aussi le correspondant allemand pour une des revues symbolistes de Saint-Pétersbourg, *Apollon.* Il effectue des voyages réguliers dans ce pays en 1910, 1912 et 1913, faisant toujours des haltes à Odessa, Moscou et Saint-Pétersbourg. Curieusement, ces séjours ne sont pas ressentis comme un repos mérité auprès des siens, sa famille, ses amis, mais plutôt comme une perturbation éreintante. « On parle parfois de l'araignée qui vide les mouches de leur substance. Eh bien, Moscou me fait toujours un effet semblable. Très lentement je me reconstitue un gros ventre spirituel », écrit-il à Walden après son voyage de 1912[2].

Avec le sculpteur Vladimir Izdebsky (1882-1966) Kandinsky entretenait des relations privilégiées. Il avait fait la connaissance de ce futur mécène à Munich en 1903 quand Izdebsky travaillait à l'Académie des Beaux-Arts sous Wilhelm von Rümann, avant de parfaire son éducation artistique à l'École des Beaux-Arts à Paris en 1907. Izdebsky organisa une série d'expositions à Odessa (beaucoup sont itinérantes), dont les plus célèbres furent les deux Salons internationaux de 1909 et de 1910-1911. Braque, Bonnard, Balla, Gleizes, Matisse, Rousseau, Signac, Vuillard figurèrent au premier Salon tandis que le second, montrant 52 œuvres de Kandinsky à côté des travaux de Bourliouk, Larionov, Gontcharova, Jawlensky et G. Münter, lui rendit un ostensible hommage.

L'affiche pour ce deuxième Salon, une lithographie en couleur, fut exécutée selon les projets de Kandinsky. Au catalogue, qui présentait en couverture une gravure sur bois de l'artiste de 1910, figurèrent son essai, intitulé « Contenu et forme », ainsi que sa traduction en russe de quelques extraits du « Traité d'harmonie » *(Harmonielehre)* d'Arnold Schönberg.

Deux autres projets d'Izdebsky n'ont pas abouti. Il s'agit d'une édition russe de l'album *Klänge* (Sonorités) de Kandinsky[3], prévue pour 1910, ainsi que de la publication d'une première monographie projetée pour 1911. Des travaux préparatoires pour la couverture de l'ouvrage subsiste le magnifique bois gravé par Kandinsky (reproduit page ci-contre), une des pièces maîtresses d'une riche collection de bois, de linoléum et de cuivre (supports variés que Kandinsky utilisait pour ses travaux gravés, technique qui fut d'une importance primordiale pour lui), conservée dans le fonds Kandinsky.

En ce qui concerne l'activité d'exposition européenne de l'artiste pendant cette période, nous nous limitons à quelques indications. Les expositions liées aux groupes tels que la Neue Künstler-Vereinigung ou Der Blaue Reiter, ainsi que celles organisées par la galerie Der Sturm, seront traitées dans les pages qui leur sont consacrées. En dehors de ses contributions régulières aux expositions de la Sécession de Berlin, ou sporadiques au London Salon, au Kunstverein de Cologne, au Sonderbund de Düsseldorf, au Moderne Bund de Zurich, ainsi qu'à la première exposition générale de Hans Goltz à Munich en 1912, nous devons absolument signaler la participation de Kandinsky à l'*Armory Show* de New York en 1913 (voir à ce sujet p. 126).

1. Selon Kandinsky, une compétition exagérée rend impossible à Berlin — les peintres de la Brücke y émigreront de Dresde — ce que le peintre apprécie dans le travail des artistes munichois, à savoir une certaine lenteur précautionneuse, liée à un rythme de vie autre.
2. Lettre datée du 20 décembre 1912, conservée à la Staatsbibliothek, Berlin.
3. Voir à ce sujet p. 74-75.

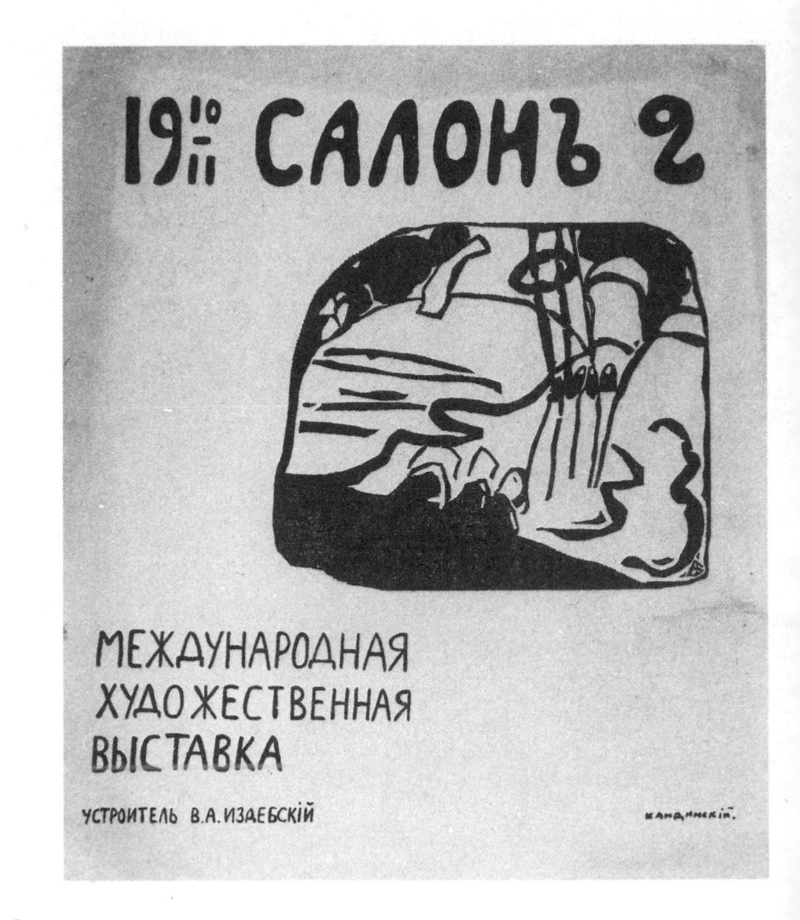

7 Couverture du catalogue du 2e Salon Izdebsky à Odessa 1910-11, réalisée d'après une gravure sur bois de Kandinsky de 1910. Le texte qui précède la gravure fut écrit par l'artiste au pinceau. Un motif identique figure sur les affiches (lithographies) pour l'exposition.

Traduction : 1910-11 Salon II
Exposition Artistique internationale
signé : Kandinsky
Organisateur V.A. Izdebsky

8 Bois original gravé par Kandinsky en 1911 d'après un motif de la *Composition IV* de la même année. Il fut créé pour la couverture d'une monographie que l'édition du Salon Izdebsky n'a jamais publiée. Le bois est monogrammé en bas à droite et porte l'inscription russe : *Kandinskij/Izdani Salona Izdebskago 1911* (Kandinsky/ Edition Salon Izdebsky 1911).

КАНДИНСКIЙ
ИЗДАНIЕ САЛОНА ИЗДЕБСКАГО

9 Couverture cartonnée du livre de Kandinsky *Ueber das Geistige in der Kunst, insbesondere in der Malerei*, première édition fin 1911 (date imprimée : 1912) chez R. Piper, Munich. L'ouvrage contient 8 planches de reproductions et 10 gravures sur bois originales. La couverture est ornée d'une gravure, portant le titre descriptif de K. Roethel : « Tour debout et tour s'effondrant avec cavalier », et datée de 1911. Cet exemplaire de l'édition de 1912 est annoté par Kandinsky.

10 Couverture cartonnée de la deuxième édition de 1914 de l'Almanach *Der Blaue Reiter*, identique à l'édition générale de 1912. Pour cette couverture Kandinsky avait fait une dizaine de projets à l'aquarelle (conservés au Lenbachhaus, Munich). Le dernier fut retenu et gravé sur bois par l'artiste en 1911. Tirée en deux couleurs (bleu et noir pour cette édition) ou en trois (bleu, orangé, noir), la gravure représente saint Martin à cheval avec, à ses pieds, le mendiant.

Du spirituel dans l'art

La venue au monde laborieuse de ce premier grand livre théorique de Kandinsky est relatée à Paul Westheim par son auteur en 1930 dans ces termes [1] : « En 1910 il était, entièrement écrit, quelque part dans mes tiroirs. Aucun éditeur n'avait suffisamment le courage de risquer d'avancer quelques frais d'édition (en fin de compte plutôt faibles). Même la très chaleureuse entremise du grand Hugo von Tschudi ne porta pas de fruits ».
En réalité, le tapuscrit allemand du livre fut achevé le 3 août 1909 à Murnau, et fut refusé par l'éditeur G. Müller, de Munich, le 15 octobre 1909. L'argument mis en avant ne porte pas sur le fond : « Le style, qui souffre beaucoup de nombreuses tournures peu allemandes, met trop en évidence qu'il s'agit d'un livre écrit par une main étrangère » [2]. L'ami Kubin résume ses impressions de sa lecture du tapuscrit le 12 novembre 1909 de la manière suivante : « Les pensées sont entièrement originales, souvent puisées dans les plus grandes profondeurs. Ce que vous dites des couleurs est extraordinairement attrayant » [3]. Il conseille cependant à Kandinsky de compléter son texte par un supplément concernant la composition, la forme et l'art du dessin.
Après un premier refus de la part de R. Piper en date du 20 juin 1910, un contrat double concernant à la fois la publication de *Klänge* et du *Spirituel dans l'art* est enfin signé le 28 septembre 1911, grâce à l'aide bienveillante de Franz Marc.
Le 4 octobre 1911, alors qu'il est en plein travail de composition de l'Almanach *Der Blaue Reiter*, Kandinsky informe Marc qu'il vient de recevoir la première partie des épreuves.

Malgré la date d'impression de 1912 qui figure dans l'ouvrage, une première édition du livre en 1 000 exemplaires sortit à Noël 1911. Le 27 décembre, Anton von Webern s'empresse de faire part à l'auteur de sa première impression : « Je suis en train de lire votre livre, *Le spirituel dans l'art*, et j'en suis enthousiasmé. Pardonnez-moi que j'ose me prononcer à ce sujet, mais je suis emporté » [4]. Deux autres éditions allemandes suivirent la même année et le succès de ce livre fut grand, surtout auprès de la jeunesse artistique qui, avec Kandinsky, tentait de se détourner de l'impressionnisme et de fixer à l'art des objectifs nouveaux dans le domaine de l'esprit.
En ce qui concerne le concept-clef employé par Kandinsky dans ce livre, la célèbre, trop souvent citée « nécessité intérieure » (nécessité et intériorité sont des concepts très fréquents déjà chez Wölfflin), il est malaisé de dire avec justesse quelle instance est désignée par le peintre de la sorte. Sa fonction cependant est plus claire : en parlant de nécessité en relation avec la nouvelle manière de créer l'image, qui est écoute de la voix intérieure, on exclut l'abandon à une subjectivité incontrôlée et incontrôlable [5].
Une version abrégée de l'essai en langue russe fut lue par N. Koulbine (1868-1917) à Saint-Pétersbourg entre décembre 1911 et janvier 1912 devant l'Association artistique pan-russe et provoqua un très grand enthousiasme dans l'audience. « Après la séance, écrit Kandinsky à Marc le 17 janvier 1912, une énorme foule de gens est venue dans le secrétariat en implorant Koulbine de bien vouloir redonner lecture du texte... Koulbine m'a écrit immédiatement après la séance, car son écriture dévoilait encore toute son excitation » [6].
Les pays de langue anglaise furent les premiers à éditer le texte en forme de livre d'après une traduction effectuée en 1914 par M.T.H. Sadler.
Le cas de la traduction française est une longue histoire de tentatives avortées, histoire qui ne sera couronnée de succès qu'en 1949. Et ceci malgré les démarches multiples faites dans ce sens par l'auteur. « J'ai entendu, écrit-il à Walden le 11 mai 1913, que l'orphisme qui vient de naître possède une ressemblance curieuse avec mes idées propres. Je m'abstiendrai de sonder entièrement cette affaire. Cependant je verrais avec un bon œil la parution de mon « Spirituel » en langue française » [7]. Dans la même lettre Kandinsky suggère de confier l'édition de cet ouvrage à la maison Figuière, entreprise pour laquelle Walden est représentant exclusif en Allemagne. Les traducteurs que Kandinsky recommande à Walden sont Apollinaire ou Mercereau. Un an plus tard, le 6 avril 1914 [8], Walden confirme qu'il est sûr que Figuière sortira le livre au début de 1915. De retour en Allemagne en 1922 et suivant le périple allemand du Bauhaus, Kandinsky tente vainement de combler cette lacune d'un texte francophone de son livre théorique le plus important, essentiel pour la compréhension du deuxième ouvrage théorique en préparation [9] (qu'il ne désignera que comme un développement et un approfondissement de ses pensées antérieures, dévoilées dans le *Spirituel*).

A.F. del Marle, en collaboration avec Gallien, prépare une traduction française de l'ouvrage en 1926. Le 16 février 1926 del Marle est encore confiant et croit en une publication dans un avenir proche, malgré « les difficultés économiques de tous ordres que traverse actuellement la France » et qui retarderont un peu la publication française de ce « beau livre » [10].
Les Français ne pourront apprécier la beauté relative de ce livre qu'en 1949, quand il sortira enfin dans une édition de la Galerie Drouin, parution tardive que ce livre partage avec l'Almanach *Der Blaue Reiter* (la version française sera publiée en 1981 par les Éditions Klincksieck), ainsi qu'avec le livre théorique très important de W. Worringer, *Abstraction et Einfühlung*, traduction qui sortira en 1978, 71 ans après l'édition dans le pays d'origine.
La première critique en langue française de *Du Spirituel dans l'art*, rédigée par M. Herbert en 1914, sera reproduite intégralement dans la fortune critique, présentée en fin de ce chapitre (cf. p. 80). On y désigne l'ouvrage comme « lourd, gauche et encombré de demi-science ». Ailleurs on plaint cet artiste qui s'est « fourvoyé dans le labyrinthe d'un travail théorique cérébral ». D'autres, en revanche, louent le fondement philosophique exceptionnel de son art [11].
Rappelons après ces opinions diverses la véritable intention du peintre-théoricien : son livre n'a qu'un but d'ordre maïeutique. Il le définit lui-même dans sa biographie « Rückblicke » (Regards en arrière) [12] de la manière suivante : « Éveiller, dans ceux qui ne l'ont pas encore, cette faculté de faire l'expérience du spirituel dans les choses matérielles et les choses abstraites, faculté réjouissante et nécessaire pour le futur ».

1. Lettre publiée in *Das Kunstblatt*, XIVe année, Berlin, 1930, p. 57.
2. Lettre citée par Roethel (Gravures), p. 444.
3. Passage cité par Roethel (Gravures), p. 444.
4. Lettre conservée aux Archives de la Münter-Eichner-Stiftung, Munich.
5. J. Langner, in catalogue exposition « Kandinsky und München », Munich, Städt Galerie im Lenbachhaus, 18 août-17 octobre 1982, p. 130.
6. Lankheit, *op.cit.*, p. 119.
7. Lettre conservée à la Staatsbibliothek, Berlin.
8. Lettre conservée dans les Archives de la Münter-Eichner-Stiftung, Munich.
9. Il s'agit de l'ouvrage *Punkt und Linie zu Fläche* (Point-Ligne-Plan), publié en Allemagne en 1926 (voir à ce sujet p. 230).
10. Lettre conservée dans le fonds Kandinsky.
11. André Breton dans la préface au catalogue de l'exposition chez Peggy Guggenheim à Londres en 1938.
12. « Rückblicke », publié pour la première fois in *Sturm-Album*, 1913, cf. p. XXVII.

10

Der Blaue Reiter

En 1911 (Kandinsky s'en souvient dans un article publié dans *Les Cahiers d'Art* en 1936[1]) « Marc et moi étions plongés dans la peinture, la peinture seule ne nous suffisait pas. J'avais alors l'idée d'un livre "synthétique", qui devait effacer les superstitions, faire "tomber les murs" entre les arts divisés l'un de l'autre. » S'adresser « aux artistes des cabines séparées », faire travailler côte à côte un peintre, un musicien, un poète, un danseur, mais aussi les artisans fabriquant des fixés-sous-verre en Bavière, des « loubki » (gravures populaires) en Russie; confronter ces travaux des anciens de l'Europe avec ceux des sauvages « de Chine et d'Égypte », d'Alaska, de l'Ile de Pâques et de la Nouvelle Calédonie, des primitifs et des enfants. Voici l'idée révolutionnaire qui vint à Kandinsky et dont il fait part à Marc, son compagnon de Sindelsdorf et de Munich avec qui, par lettre ou par contacts personnels très fréquents, il partageait la fièvre créatrice de cette époque munichoise. « J'ai maintenant un nouveau projet. Piper s'occupera de l'édition et nous deux nous serons les rédacteurs. Un genre d'almanach avec des reproductions et des articles exclusivement faits par des artistes. Dans ce livre toute l'année doit se refléter. Il doit former une chaîne avec le passé et son rayonnement dans le futur doit fournir à ce miroir toute sa vitalité… On pourrait appeler ce livre "Chaîne" ou autrement. »[2]

Un titre définitif fut trouvé en octobre 1911, date que l'on retient en général comme « date de fondation » de ce que sera *Der Blaue Reiter*. L'origine de cette dénomination est nonchalamment expliquée par ses créateurs par l'amour de la couleur bleue de l'un et la fascination pour les cavaliers de l'autre. D'ailleurs, on ne peut parler d'une « fondation ». Car le Cavalier Bleu ne fut jamais un groupe organisé. Certes, les participants organisèrent des expositions : la première ouvrit le 15 décembre 1911 à la Moderne Galerie de Thannhauser à Munich, suivie d'une autre, exclusivement consacrée aux œuvres en noir et blanc, qui furent montrées à la Galerie Hans Goltz à Munich du 12 février jusqu'en avril 1912, messagers extraordinaires de l'Almanach qui sera publié par R. Piper en mai 1912 (une deuxième édition, légèrement modifiée, date de 1914).

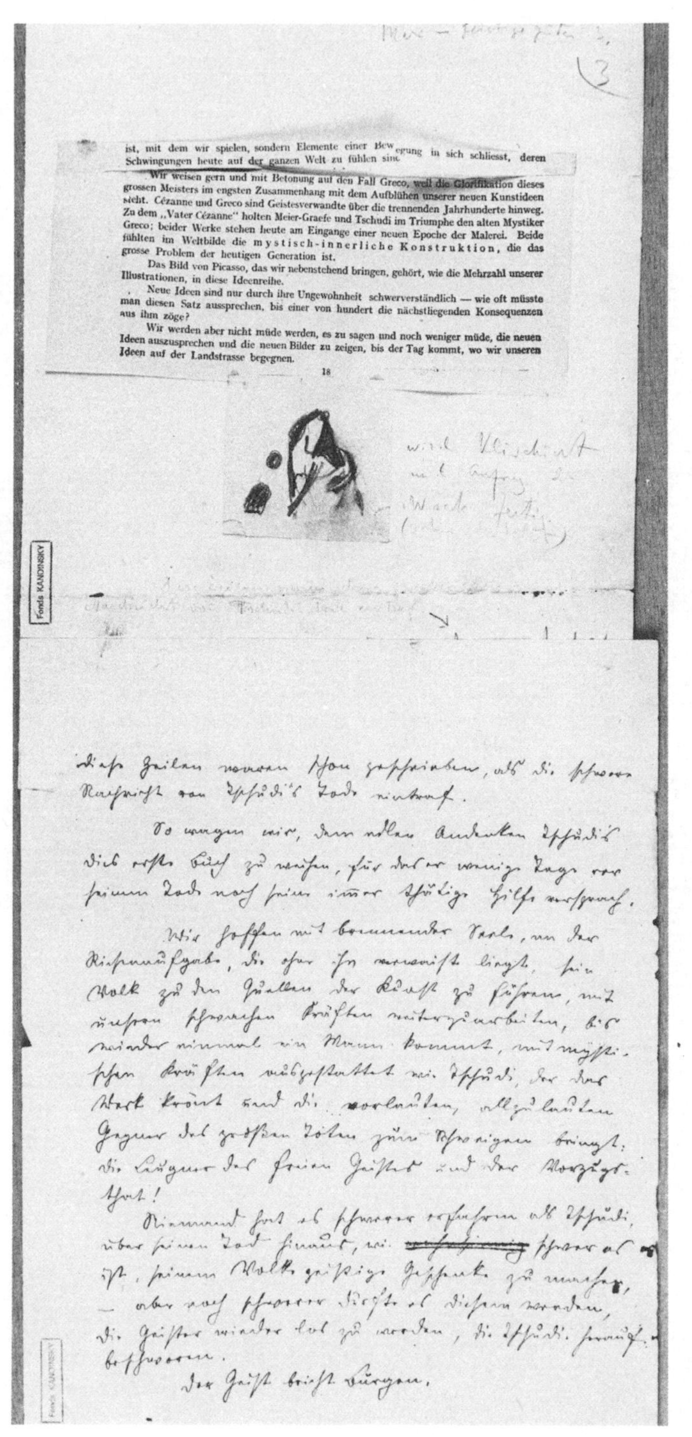
ist, mit dem wir spielen, sondern Elemente einer Bewegung in sich schliesst, deren Schwingungen heute auf der ganzen Welt zu fühlen sind.

Wir weisen gern und mit Betonung auf den Fall Greco, weil die Glorifikation dieses grossen Meisters im engsten Zusammenhang mit dem Aufblühen unserer neuen Kunstideen steht. Cézanne und Greco sind Geistesverwandte über die trennenden Jahrhunderte hinweg. Zu dem „Vater Cézanne" holten Meier-Graefe und Tschudi im Triumphe den alten Mystiker Greco; beider Werke stehen heute am Eingange einer neuen Epoche der Malerei. Beide fühlten im Weltbilde die mystisch-innerliche Konstruktion, die das grosse Problem der heutigen Generation ist.

Das Bild von Picasso, das wir nebenstehend bringen, gehört, wie die Mehrzahl unserer Illustrationen, in diese Ideenreihe.

Neue Ideen sind nur durch ihre Ungewohnheit schwerverständlich — wie oft müsste man diesen Satz aussprechen, bis einer von hundert die nächstliegenden Konsequenzen aus ihm zöge?

Wir werden aber nicht müde werden, es zu sagen und noch weniger müde, die neuen Ideen auszusprechen und die neuen Bilder zu zeigen, bis der Tag kommt, wo wir unseren Ideen auf der Landstrasse begegnen.

18

11 Fac-similé d'une page de la maquette de la première édition du *Blaue Reiter* qui est dédiée par les deux auteurs Kandinsky et Marc à la mémoire de leur ami, « le grand Hugo von Tschudi ». Ce brouillon de page, si vivant, nous porte au cœur même de l'événement qui bouleversa en novembre 1911 les collaborateurs de l'ouvrage. Hugo von Tschudi venait de mourir après une longue maladie. Cet historien d'art (né en 1851), d'abord directeur de la Galerie Nationale à Berlin, fut nommé en 1909 directeur général des collections de peinture de l'État de Bavière à Munich. Tschudi est le seul à défendre Kandinsky et ses amis quand leur exposition en 1910 est frappée d'une menace de fermeture immédiate.
Sa mort toucha profondément la petite communauté du Cavalier Bleu. La page du tapuscrit ci-dessus devait accueillir cet événement. Par ailleurs corrigée et annotée de la main de Kandinsky, portant un croquis qui sera ensuite remplacé par un cliché, elle est coupée pour faire place au texte manuscrit de Marc, annonçant au monde la disparition de l'ami.

Traduction de la page fac-similé :

(page) 3

(de la main de Kandinsky) :
Marc - « Biens spirituels »

[Car nous sommes conscients que notre monde d'idées n'est pas un château de cartes] avec lequel nous jouons, mais qu'il renferme les éléments d'un mouvement, dont les vibrations peuvent être aujourd'hui ressenties dans le monde entier.
Nous citons volontiers et avec insistance le cas du Greco, parce que la glorification de ce grand maître est très étroitement liée à l'épanouissement de nos nouvelles conceptions sur l'art. Cézanne et Greco ont des affinités spirituelles malgré les siècles qui les séparent. Meier-Graefe et Tschudi ont associé triomphalement le vieux mystique Greco au « Père Cézanne »; leurs œuvres marquent aujourd'hui le début d'une ère nouvelle de la peinture. Tous les deux sentaient dans le « Weltbild » la *construction mystique intérieure* qui est le grand problème de la génération actuelle.
Le tableau de Picasso, que nous reproduisons ci-dessous, prend sa place dans cet enchaînement d'idées comme la plupart de nos illustrations.
Les nouvelles idées ne sont difficiles à comprendre qu'à cause de leur caractère inhabituel — combien de fois faudrait-il prononcer cette phrase pour qu'une personne parmi cent autres en tire les conséquences les plus évidentes ?
Mais nous ne nous lasserons pas de le dire, et encore moins d'affirmer les nouvelles idées et de montrer les nouveaux tableaux jusqu'à ce que le jour vienne, où nous rencontrerons nos idées sur les routes de campagne.

A droite du croquis (de la main de Kandinsky) : *Ce sera un cliché qui sera prêt au début de la semaine prochaine (déjà commandé)*

Sous le croquis (de la main de Kandinsky) : *Ces lignes étaient déjà écrites lorsque la nouvelle de la mort de Tschudi nous parvint…*

(de la main de Franz Marc) :
Ces lignes étaient déjà écrites lorsque la pénible nouvelle de la mort de Tschudi nous parvint.
Ainsi osons-nous dédier à la noble mémoire de Tschudi ce premier livre pour lequel il nous avait promis peu de jours avant sa mort son aide toujours active.
Ardemment nous espérons continuer avec nos faibles forces l'immense tâche, qui est privée de son père, d'amener son peuple aux sources de l'art, jusqu'à ce que vienne un autre homme, possédant des forces mystiques, comme Tschudi, pour couronner l'œuvre et pour faire taire les adversaires impertinents et beaucoup trop bruyants du grand disparu : les négateurs de la liberté de l'esprit et de l'acte préférentiel !
Personne n'en a fait l'expérience plus douloureusement que Tschudi au-delà de sa mort : combien il est difficile de faire à son peuple des dons spirituels — mais combien il serait probablement plus difficile encore à ce peuple de se débarrasser des esprits que Tschudi avait conjurés.
L'Esprit brise les places fortes.

On sollicite pour ces expositions les contributions des artistes vivant ou créant en France, Delaunay, Le Fauconnier, Picasso, Matisse. De Russie on fait venir les œuvres de Larionov, Gontcharova, Burliuk, Malévitch. On s'extasie devant les tableaux du Douanier Rousseau. Ce qui fut à démontrer : « que la qualité d'une œuvre, peu importe si on lui accorde l'étiquette "art" ou non, est indépendante de la race, de l'époque, de la nationalité ou même de la virtuosité picturale acquise ».

Après les expositions et leur effet de choc, et sous le poids d'une longue fatigue qui s'accumule, les travaux de préparation pour le livre reprennent.

« Je suis tout excité, confesse Kandinsky à Marc dans une lettre du 24 nov. 1911[3], la chose commence ! Et même le sommeil n'apporte pas de repos véritable. Au petit matin, encore au lit, il n'y a que le cavalier bleu qui me trotte dans le crâne. Parfois je le trouve très bien, parfois assez peu clair ». Les articles et contributions en forme de partitions (deux Lieder de Schönberg et de Webern) ou de vignettes ne cessent d'arriver. On sélectionne, ajourne la publication de certains (on prévoyait la publication d'un deuxième volume pour 1915), on en refuse d'autres (Mercereau). Kandinsky fait de nombreuses études pour la couverture et chacun des deux co-éditeurs fait et refait ses propres articles. Le 17 janvier 1912 Kandinsky peut alors annoncer à Marc : « Hier, enfin, presque tous les manuscrits, ainsi que les premières épreuves sont partis à l'imprimerie. Dieu soit loué, mon article est aussi parti : il s'agit de l'essai "Ueber die Formfrage" (De la forme). Le paragraphe final tarda à prendre forme. Je l'avais comme une pierre sur l'estomac... Aujourd'hui je partirai pour trois ou quatre jours à Nuremberg pour reprendre mon souffle »[4].

Il était prévu que cet ouvrage qui, selon Klaus Lankheit, définit mieux qu'aucun autre tout le programme artistique du xxe siècle, soit suivi d'un deuxième volume, « réunissant les forces des artistes et des savants ». « Trouver la racine commune entre l'art et la science »[5] était alors le rêve de Kandinsky et de Marc.

En 1913 Marc pense encore que ce deuxième volume (pour lequel existe une seule page-index manuscrite dans le fonds Kandinsky) paraîtra peut-être en hiver 1915.

En mars 1914[6] Kandinsky se retire du projet. Organiser des expositions, préparer la publication d'un livre, toutes ces activités l'empêchent de se consacrer pleinement à ce qu'il croit être sa véritable tâche, à savoir, peindre.

Marc, pour quelques mois, prendra sur lui la lourde responsabilité de poursuivre le projet seul. « En ce qui me concerne, dit-il à Kandinsky le 13 mars 1914[7], je n'ai pas, jusqu'à présent, perdu l'envie ou, mieux, la pulsion d'augmenter et de clarifier ma présente ardeur au travail par une édition d'écrits ». Il en sera dispensé par la guerre. Cette guerre désastreuse qui corrobore, on ne peut mieux, et sur un plan humain beaucoup plus vaste, la conclusion finale à laquelle Marc et Kandinsky arrivèrent dans leur préface commune à la deuxième édition du *Blaue Reiter* en 1914 : « Le temps du véritable "entendre", du véritable "voir" n'est peut-être pas encore venu ».

1. *Les Cahiers d'Art*, n°s 9-10, pp. 274-275.
2. Lettre de Kandinsky à Marc du 19 juin 1911, in Lankheit, *op.cit.*, p. 40.
3. Lankheit, *op. cit.*, p. 78.
4. *Ibid.*, p. 119.
5. Article cité in *Les Cahiers d'Art*, pp. 274-275.
6. Lankheit, *op. cit.*, pp. 253-254.
7. Lankheit, *op. cit.*, pp. 255-256.

Klänge, poésie

Klingen. Klang. Son. Sonorité.

Quand elle est blanche, elle sert de titre à un tableau de 1908. Jaune ou verte, elle décrit des tableaux vivants, des compositions scéniques. Le vocabulaire de Kandinsky abonde en termes empruntés au langage musical. Quand il parle en tant que spectateur idéal de ses propres tableaux, par exemple de la *Composition VI* ou de *Tableau avec bordure blanche*, il emploie des mots tels que fugue[1], fortissimo, note, largo. Ses compositions sont des symphonies, et « composition » même se prend dans son acception musicale. Quand il publie enfin chez R. Piper ses 38 poèmes en prose, écrits entre 1908 et 1912, sorte de peintures parlées, accompagnées de 55 gravures dont 12 en couleur (les plus anciennes datent de 1907), il leur donne le titre *Klänge*. Ils sont salués par Marc comme suit : « Votre livre est tout à fait magnifique, et surtout le texte me devient plus proche qu'avant quand on en donnait lecture. Je suis très enthousiasmé[2] ».

« Sonorités » est la transcription française — peu musicale — de ce titre qui, jusqu'alors, attend encore la parution d'un album en cette langue.

La version russe de quelques poèmes de *Klänge* furent publiés, en avant-première en quelque sorte (et, semble-t-il, contre le gré de l'auteur) en décembre 1912 à Moscou dans le livre intitulé *Une gifle au goût public*, célèbre comme le manifeste du même nom, auquel contribuèrent, en dehors de Kandinsky, les frères David et Nikolai Bourliouk, Khlebnikov, Kroutchenykh, Livchits et Maïakovsky, donc le fleuron des futuristes russes. Le livre précieux, dont Kandinsky a conservé un exemplaire, est imprimé sur papier d'emballage gris et marron avec une couverture en toile à sac (repr. p. 454).

Rapidement Kandinsky se dissocia de cette entreprise dans une lettre de protestation, publiée le 4 mai 1913 dans le périodique russe *Russkoe Slovo*, Moscou, n° 102.

Parfois comparés à l'écriture des mystiques[3], aux procédés employés par Maeterlinck, aux poèmes dada ou aux essais onomato-poétiques, ces textes sont acclamés par H. Ball comme des précurseurs : « En poésie aussi, il est le premier à présenter des processus exclusivement spirituels. Avec les moyens les plus simples il crée devant nous dans *Klänge* le mouvement, la croissance, la couleur, et la tonalité, comme par exemple dans le poème « Basson ». Nulle part ailleurs, même pas parmi les futuristes a-t-on tenté une purification aussi osée du langage »[4].

Les considérations de Kandinsky au sujet de ce qu'il appela quelque part « (son) album musical » sont beaucoup plus terre à terre. Il rappelle à Walden le 11 avril 1913 de bien vouloir faire quelque publicité pour favoriser la vente de ses livres et de s'assurer que les bons de commande soient disponibles dans chaque lieu de son exposition itinérante. « Grâce à leur prix élevé — ou comme le disait un acheteur : "pas cher, en fin de compte, mais beaucoup d'argent", les *Klänge* se vendent difficilement et avec lenteur »[5].

1. « Fugue » devient même le titre d'une œuvre de 1914, par ailleurs désignée par le peintre comme une « improvisation maîtrisée ».
2. Lankheit, *op. cit.*, carte postale du 4 février 1913, p. 210.
3. Voir ci-après l'article de M. Herbert de 1914, p. 80.
4. H. Ball, *op. cit.*, p. 234.
5. Lettre conservée à la Staatsbibliothek, Berlin.

12

13

14 *La Grande Résurrection,* 1911, gravure sur bois de couleur sur papier brun, 22 × 21,9, monogrammé en bas à droite dans le bois, inscription dans la marge inférieure au crayon : Macgynny ottrisk iz knigni « Klänge » (tirage machine pour le livre « Klänge ») (1913).

15 Couverture cartonnée de l'album *Klänge* qui parut probablement à la fin de 1912 ou au début de l'année suivante. De couleur pourpre, au format longuement étudié par l'artiste (28,5 × 28,5), elle porte, gravée or, une de ses vignettes en l'absence de tout autre message.

14

12, 13 Nous reproduisons ici les manuscrits allemand et russe d'un des poèmes figurant dans le recueil *Klänge,* intitulé « Sehen » (Serie « Das ») [« Voir » (série « ça »)], car il est un des rares textes « poétiques » qui furent traduits en français en 1948 par Jean Arp et Michel Seuphor. Nous reproduisons également cette traduction. Il est à noter que la version russe du poème remplace dans l'édition russe (1918) de *Rückblicke (De l'artiste)* la traduction du poème de Verwey qui figure dans l'édition allemande de ce texte biographique dans le *Sturm-Album* de 1913.

15

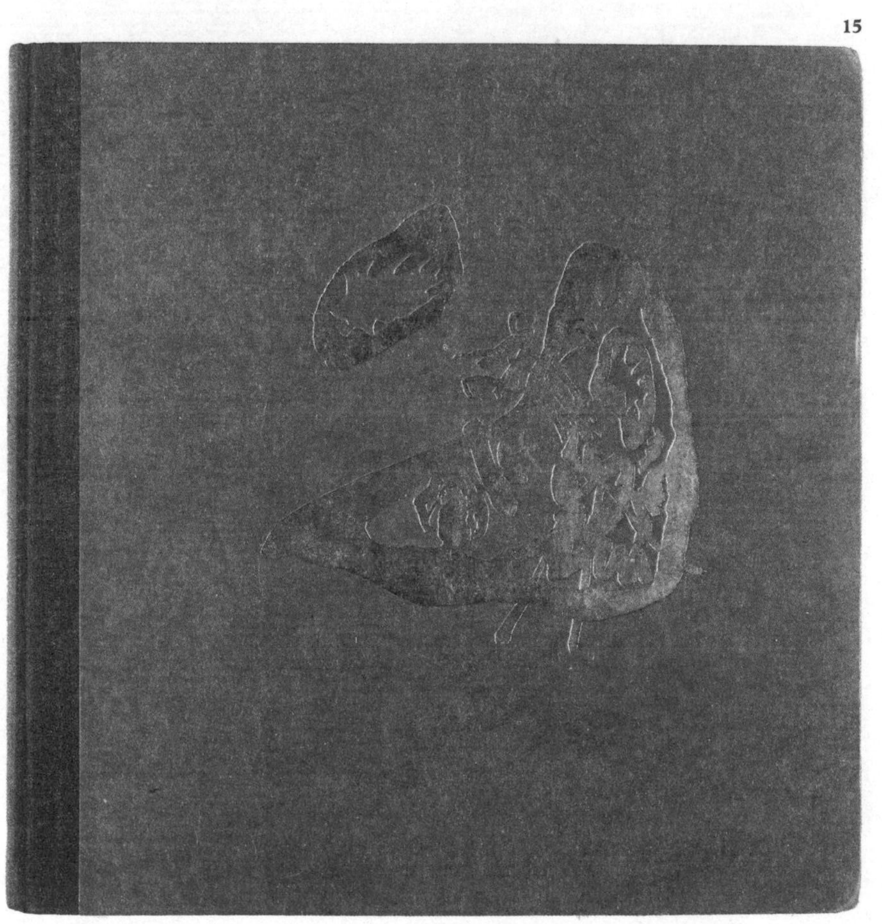

VOIR
Traduction Jean Arp et Michel Seuphor, 1948.

Du bleu, du bleu s'élevait, s'élevait et retombait.
Du mince, du pointu sifflait alors, pénétrait, mais ne perçait pas.
Dans tous les coins il grondait.
Du brun très épais restait suspendu, à jamais dirait-on, dirait-on.
Tu écarteras tes bras davantage, davantage, davantage.
Et tu cacheras ton visage sous un drap rouge.
Peut-être n'a-t-il pas encore bougé : et c'est toi qui a bougé.
Un saut blanc après un saut blanc.
Et après ce saut blanc, un autre saut blanc.
Et dans ce saut blanc, un saut blanc. Dans chaque saut blanc, un saut blanc.
C'est cela qui n'est pas bien, que tu ne voies pas ce qui est trouble : car c'est justement dans le trouble que cela se passe.
C'est pourquoi d'ailleurs que tout commence...
... Quelque chose a craqué...

Affinités musicales

Arnold Schönberg

Après un concert qu'Arnold Schönberg donna le 1er janvier 1911 à Munich et auquel, selon le témoignage de Franz Marc, assista la plupart des membres de la Neue Künstlervereinigung, Kandinsky osa écrire au compositeur viennois, sans le connaître, pour lui faire part de son enthousiasme et pour lui parler de la parenté qu'il constate entre les créations musicales de Schönberg et ses tableaux. Cette lettre ouvre une magnifique correspondance entre ces deux artistes[1], régulière jusqu'en 1914. Interrompue par la guerre et le séjour de Kandinsky en Russie, elle reprendra en 1922[2] pour se perdre bientôt sous les soupçons échafaudés par des amis bienveillants et le climat général hostile au judaïsme.

Jusqu'en 1914, les deux artistes, ravis des affinités qu'ils découvrent, tant dans leurs écrits théoriques, leurs pièces de théâtre[3] que dans leurs créations picturales ou musicales, échangent leurs idées révolutionnaires (tentatives de réaliser l'œuvre d'art total), étonnés de la facilité avec laquelle elles sont comprises par l'autre. Kandinsky, nous le savons, traduit en russe des extraits de la « Harmonielehre » (Traité d'harmonie) de Schönberg avant même la première lettre échangée. Il demande au compositeur une contribution en forme de tableaux pour l'itinérance de ce même salon d'Odessa en 1910-1911. Il sollicite sa contribution et celle de ses élèves A. Berg et A. von Webern à l'Almanach *Der Blaue Reiter* en forme de partitions de lieder inédits ou de peintures. Schönberg, sûrement flatté par l'offre d'exposer avec les artistes du « Blaue Reiter », refuse cependant poliment de se montrer à côté d'artistes de renom, lui, l'« outsider » de la peinture.

1. Correspondance publiée récemment par Jelena Hahl : *A. Schönberg - Wassily Kandinsky, Briefe, Bilder und Dokumente einer aussergewöhnlichen Begegnung* (Lettres, images et documents d'une rencontre exceptionnelle), Salzbourg et Vienne, Residenz Verlag, 1980. La revue *Contrechamps* (L'Age d'Homme, Lausanne) vient de publier dans un numéro récent (début 1984) plus de 70 pages de cette correspondance en français, ainsi qu'un essai de Jelena Hahl sur la pièce de Schönberg, « La main heureuse ».
2. En 1923 Kandinsky souhaite faire venir Schönberg comme enseignant au Bauhaus, idée qui, en principe, est accueillie favorablement par le compositeur. Échange de correspondance des 15 et 19 avril 1923.
3. A. Schönberg est l'auteur-compositeur d'un drame avec musique (op. 18), intitulé « Die glückliche Hand », pour lequel il écrit les premières notes en 1908-1909. Les textes, les indications scéniques dessinées aux crayons de couleur sont terminés en 1910, la musique sera trouvée en 1913. Très curieusement, la première mise en scène de la pièce au théâtre de Breslau coïncide avec le come-back de Kandinsky au théâtre de Dessau en 1928.

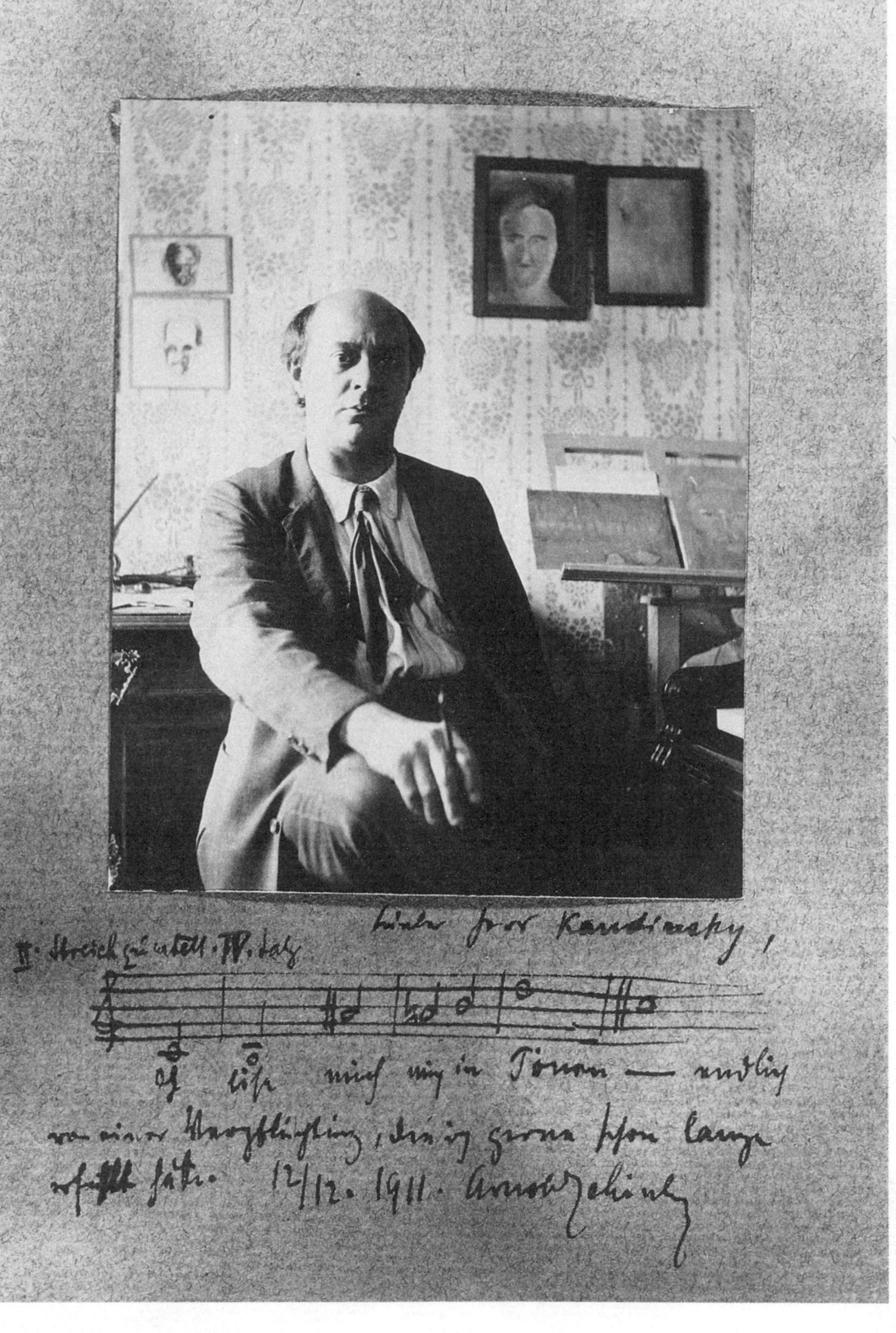

16 Photographie d'Arnold Schönberg, dédicacée à Vassily Kandinsky en 1911.

Lieber Herr Kandinsky

II. Streichquintett, IV. Satz

Ich löse mich auf in Tönen - endlich von einer Verpflichtung, die ich gerne schon lange erfüllt hätte.

12.12.1911
Arnold Schönberg

Cher monsieur,

Deuxième quintette pour cordes, 4e mouvement

Je deviens son - enfin libéré d'un devoir que j'aurais aimé remplir depuis bien longtemps.

le 12 déc. 1911
signé : Arnold Schönberg

Une lettre d'Anton von Webern

Berlin-Zehlendorf, le 29 janvier 1912

Cher Monsieur,

Alban Berg vient de m'apprendre que vous lui avez déjà envoyé votre essai intitulé « La peinture de Schönberg » [1]. Nous vous en sommes très reconnaissants. Nous apprécions particulièrement que vous ayez bien voulu juger notre ouvrage digne de votre contribution. Schönberg sera ravi.

Malheureusement il m'est impossible de vous procurer une photographie de ce portrait en rose (« Alte Frau von Zemlinsky ») [2]. Je ne possède pas d'appareil photographique et je ne connais personne dans mon entourage qui soit équipé de la sorte. En outre, je crains qu'il ne soit pas possible de faire ceci clandestinement. Mais peut-être pourriez-vous vous-même demander à Schönberg de bien vouloir vous céder une photographie de cette œuvre. Il pourrait croire provisoirement que vous en avez besoin pour le *Blaue Reiter*.

Je dois vous présenter mes excuses pour ceci : la partition de mon Lied destinée au *Blaue Reiter* [3] contenait malheureusement quelques erreurs. Je ne l'avais pas révisée assez méticuleusement, ne croyant pas à une publication immédiate. Je n'en ai guère l'habitude. Dans un premier temps je ne comptais vous envoyer la chanson que pour étude.

Quand j'ai reçu les épreuves, j'étais dans l'obligation d'y apporter quelques corrections. Rassurez-vous, il ne s'agit que de détails. De toutes les manières je suis disposé à couvrir tous les frais supplémentaires. J'en suis seul coupable.

Je suis enchanté que vous songiez à publier mon lied. Ceci est une première pour moi. Je vous en remercie beaucoup. Je suis très heureux d'avoir fait la connaissance de Monsieur Marc. Vous serait-il possible d'assister au concert de Schönberg à Prague ? Il aura lieu le 29 février. Ce jour-là nous aimerions offrir notre livre à Schönberg. A cette occasion il dirigera son propre orchestre (Mozart - Symphonie en sol mineur entre autres). Son œuvre : Pelléas et Mélisande. Ce concert fera date.

Il serait merveilleux que vous puissiez y assister. Prague n'est pas très éloigné pour vous. Imaginez seulement la joie de Schönberg !

Je tiens à vous remercier à nouveau pour votre texte. Je suis très impatient de le lire.

Respectueusement vôtre

Anton von Webern

1. L'essai figure sous le titre définitif « Les images » dans le livre intitulé *Arnold Schönberg*, co-édité par Alban Berg, Munich, 1912. Le livre fut offert au compositeur le 29 février à l'occasion d'un concert à Prague. Berg avait demandé une contribution à Kandinsky qui fut envoyée le 16 janvier 1912. Son titre initial fut modifié à la demande de Berg en « Images de Schönberg ». Sur les épreuves, portant la date du 3 février 1912, le titre devint : « Les images ».
2. En 1901, Arnold Schönberg avait épousé en premières noces Mathilde von Zemlinsky, la fille de son professeur. Selon les vœux de son épouse, Schönberg avait peint un jour un portrait de sa mère; c'est ce fameux portrait en rose dont il s'agit ici et que Schönberg refuse de prêter, l'objet n'ayant, à ses yeux, aucune valeur artistique.
3. Le lied pour piano et une voix de Webern qui figure sur les documents annexes de l'Almanach *Der Blaue Reiter* est : « Ihr tratet zu dem Herde » (Vous approchiez du foyer), extrait du cycle « Jahr der Seele » (Année de l'âme) de Stefan George.

17 Fac-similé d'une lettre manuscrite d'Anton von Webern à Vassily Kandinsky, datée du 29 janvier 1912.

Der Sturm

La deuxième exposition du « Blaue Reiter » à Munich chez H. Goltz était encore en cours, quand Herwarth Walden, le 12 mars 1912, ouvrit son extraordinaire activité d'exposition dans sa galerie « Der Sturm » de Berlin avec un accrochage réunissant sur les mêmes cimaises des œuvres des artistes du « Blaue Reiter », de Franz Flaum, d'Oskar Kokoschka et d'autres expressionnistes. « Expressionnisme », explique-t-on dans les manuels, est un terme que Walden utilisa pour désigner, vers 1910, tous les mouvements modernes dans les beaux-arts, allant du fauvisme au futurisme. Le terme d'art expressionniste signifie la « Kunstwende », le grand virage, le passage d'un art représentatif à un art « sans objet ».

Herwarth Walden (1878-1941), de son véritable nom Georg Lewin, écrivain, compositeur, pianiste et critique d'art, est connu depuis 1904 par son activité d'« organisateur de soirées littéraires, hautement significatives d'un point de vue social et culturel » au Verein für Kunst (Association pour l'art), sorte de cercle littéraire où il donna la parole à des écrivains et des musiciens comme Dehmel, Rilke, Else Lasker-Schüler (la première épouse de Walden), Wedekind, H. Mann, Th. Mann et G. Mahler. A partir de 1910, année de parution du premier numéro de son périodique *Der Sturm*, il devint un des plus passionnés défenseurs de l'art nouveau. Il se dressa contre « tout ce qui est pourri, bourgeois et dépassé », mena une lutte farouche contre l'établissement, les académies, les directeurs de musées, les critiques d'art, ainsi que contre les puissants du marché de l'art.

Ce périodique, dont Boccioni déclare en 1912 qu'il est le seul magazine allemand digne d'être lu[1], est ouvert à toutes les tendances de l'art et de la littérature qui cherchent à s'exprimer en idées et formes nouvelles. Les bureaux de rédaction du *Sturm* furent en quelque sorte le quartier général pour tous les artistes qui poursuivirent la réalisation d'une grande mutation de l'art à travers l'expressionnisme. Kandinsky[2] et Marc y publièrent plusieurs articles. Leurs gravures sur bois et leurs dessins figurèrent sur ces très belles pages du journal à côté des textes de Cendrars, de Marinetti et autres.

Walden créera également son propre théâtre (die Sturmbühne), dirigé par Lothar Schreyer (rédacteur en chef du journal avec Walden depuis 1916, travaillant plus tard au Bauhaus), ainsi qu'une école d'art (Sturmschule), à laquelle il convie, parmi d'autres, G. Münter comme enseignante en août 1916.

Cependant c'est son infatigable travail de promouvoir les œuvres des artistes choisis, qui lui vaut leur admiration. « Fabuleux, ce que vous avez fait à Leipzig, écrit Kandinsky le 25 février 1914[3]. Je tiens vraiment à vous remercier pour la *beauté* et la vigueur créatrice de votre travail. C'est toujours une immense joie pour moi que de vous voir agir. »

Cette admiration sans bornes des talents de l'organisateur contraste quelque peu avec l'avis de Kandinsky sur les activités du *Sturm* en général, jugement nuancé, exprimé à Marc le 31 mai 1913 : « En ce qui concerne le Sturm, je dois dire que, dès le début, j'étais plutôt contre que pour. C'est seulement plus tard que je pensais qu'il a une justification, qu'il peut être utile, spécialement à Berlin (comme une fleur typiquement berlinoise) et qu'il remplit une fonction qui est nécessaire »[4].

L'exposition de groupe avec le « Blaue Reiter » fait place aux futuristes. Succède alors une exposition d'art graphique français à laquelle Kandinsky expose cinq de ses fixés-sous-verre. Walden montre ensuite des tableaux que le Sonderbund de Cologne avait renvoyés (et non « refusés »), parmi eux des œuvres de Kandinsky et de Marc. En octobre de cette même année Walden consacre à Kandinsky, premier des artistes du Cavalier Bleu, une exposition personnelle, la première grande rétrospective de l'artiste qui lui assure une célébrité qu'il n'avait pas encore connue. Cette exposition se substitue à celle prévue chez H. Goltz pour septembre 1912, tout en utilisant le catalogue déjà imprimé par la galerie de Munich avec la vignette « Arbre, cavalier, bateau » de Kandinsky, ainsi que les références de cette même galerie. Sur une troisième édition de ce catalogue apparaissent enfin les références du *Sturm*. Cette édition comporte un texte supplémentaire de Kandinsky, daté de 1913. L'exposition réunit 73 œuvres de l'artiste, créées entre 1902 et 1912.

Après l'immense travail de préparation, d'accrochage, et le jour du vernissage même, Walden écrit à l'artiste une lettre qui est d'autant plus parlante si on la compare au style plutôt sec et commercial des autres envois de Walden : « ... Vous êtes un artiste tout à fait extraordinaire. Je suis tellement fier de cette exposition. C'est la chose la plus poignante que l'Europe ait à offrir actuellement. Quelque chose comme la *Composition II* n'a jamais existé auparavant. Quel génie ! Quelle force vitale. Puissance et art. Je suis complètement bouleversé »[5].

Une entreprise de plus grande envergure encore, sans doute la plus importante manifestation consacrée en Allemagne à la jeune peinture contemporaine, est le projet d'un premier Salon d'Automne allemand que Walden réalisera avec le concours de Marc et de Kandinsky pour septembre 1913. 400 envois sont sollicités d'artistes de divers pays pour « faciliter la synopsis du mouvement nouveau dans les arts plastiques, synopsis qui élargira simultanément le champ de vision de nos contemporains »[6].

Franz Marc, qui fut chargé des questions d'accrochage, est stupéfait. « En tous les cas, écrit-il à Kandinsky le 30 septembre 1913[7], j'avais honte devant tous ces tableaux, car je devais me rendre à l'évidence que, dans mon petit bled de Sindelsdorf, je n'avais aucune idée de cette vaste activité de l'esprit aux buts si divers. » Son impression de la salle Kandinsky, qui réunit sept de ses œuvres importantes, mérite également d'être retenue : « Votre salle est tout à fait pure et sereine; en ce qui me concerne, il me fait penser fortement aux maîtres anciens, à leur maîtrise. Aucune autre salle de l'exposition ne mérite pareille épithète »[8].

La contribution de Kandinsky, outre l'envoi de ses tableaux, consista dans l'organisation de la section russe du Salon. Il prit divers contacts au cours de ses voyages, se heurta à l'attitude hostile des modérés, et se détourna de plus en plus de l'avant-garde futuriste, dont il n'aimait guère les méthodes publicitaires. Kandinsky désire monter une section russe qui souligne la multiplicité des manifestations artistiques contemporaines dans ce pays, plutôt que leur radicalité[9]. A. Nakov, de nos jours, trouve cette sélection unilatérale et reflétant trop les goûts de Kandinsky. Selon cet auteur, les véritables cubistes manquent[10].

Comme troisième étape d'une politique systématique de soutien et de défense de Kandinsky, Walden entreprend la publication d'un album comprenant 67 reproductions d'œuvres, dont beaucoup en pleine page. Ces images devaient d'abord être accompagnées de textes de l'artiste, de H. Walden lui-même, de Dr. Franz Stadler, ainsi que de témoignages d'amis, ceux de F. Marc et de Th. von Hartmann. Finalement, et pour des questions de budget, Walden supprime toute autre contribution, exceptés les textes de l'artiste (le texte autobiographique intitulé « Regards sur le passé », et les commentaires de trois de ses tableaux, les *Compositions IV* et *VI* et *Tableau avec bordure blanche)*, qui seront précédés de la traduction d'un poème du poète hollandais Verwey, dédié à l'art de Kandinsky.

Si le contenu de l'album (les bons à tirer sont conservés dans le fonds Kandinsky) posait relativement peu de problèmes, la couverture, y compris ses dimensions, fut très contestée. Après un échange de lettres tumultueux, Kandinsky obtient enfin — le combat se fait centimètre par centimètre — que les dimensions de l'ouvrage s'approchent du carré et, en même temps, du format de *Klänge*[11]. De 24 sur plus de 28 cm d'abord, on transige à 24 sur 27 cm. « Et malgré tout, confesse-t-il à Walden le 18 octobre 1913[12], je ne peux absolument pas m'habituer au format « saucisse ». L'album ressemble à un prospectus d'une ville d'eau ou à « Vedute di Vesuvio »... Il m'est désagréable de penser que de telles saucisses de moi soient également en vente en Russie. »[13]

La déclaration de guerre du 1er août 1914 suspend toutes ces activités et les rend insignifiantes. Le lendemain du 1er août, Kandinsky adresse ce cri désespéré et désenchanté — à travers Walden — à tous[14] : « C'est fait. N'est-ce pas épouvantable ! C'est comme si on m'avait arraché à un rêve profond ! Et puis, où aller ?... »

Mariahalde, près de Goldach en Suisse, sera pour Kandinsky et Gabriele Münter la première halte sur ce chemin de l'exil qui mènera le peintre, seul, dans son pays natal à la fin de 1914.

1. Lettre à Walden du 8 mai 1912, conservée à la Staatsbibliothek, Berlin. Boccioni admet qu'il ne lit pas l'allemand, mais qu'une traduction le renseigne suffisamment.
2. Kandinsky, « Formen und Farbensprache » (Langage des formes et des couleurs), extraits de *Du spirituel dans l'art*, in *Der Sturm*, n° 106, avril 1912; Kandinsky, « Ueber Kunstverstehen » (De la compréhension de l'art), in *Der Sturm*, n° 129, oct. 1912; Kandinsky, « Malerei als reine Kunst » (La peinture en tant qu'art pur), in *Der Sturm*, n° 178-79, sept. 1913.
3. Lettre conservée à la Staatsbibliothek, Berlin.
4. Lankheit, *op. cit*, p. 223.
5. Lettre conservée à la Münter-Eichner-Stiftung, Munich.
6. Texte d'introduction au catalogue de l'« Ersten Deutschen Herbstsalon », 1913, rédigé par H. Walden.
7. Lankheit, *op. cit.*, p. 241.
8. *Ibid.*, p. 240 (Marc utilise le mot « altmeisterlich », difficile à rendre).
9. Lettre à Walden du 20 déc. 1912, conservée à la Staatsbibliothek, Berlin.
10. A. Nakov, essai publié sous le titre : « Cette dernière exposition qui fut 'La Première' » dans le catalogue d'Annely Juda, Londres, sept.-déc. 1983, « *The First Russian Show, a Commemoration of the Van Diemen Exhibition, Berlin, 1922* », p. 8.
11. L'album est reproduit p. 152 du présent catalogue.
12. Lettre conservée à la Staatsbibliothek, Berlin.
13. Dès 1913 exista un projet de publication de cette monographie en Russie par l'éditeur Angart. Voir à ce sujet p. 152 du présent catalogue.
14. Lettre conservée à la Staatsbibliothek, Berlin.

Für Kandinsky

Protest

Das „Hamburger Fremdenblatt" vom 15. Februar 1913 veröffentlicht folgende Kritik:

Kandinsky

Zur Ausstellung bei Louis Bock & Sohn, Hamburg

Bei Louis Bock & Sohn hat wieder einmal

Den letzten Teil dieser Kritik lasse ich fort, weil er wesentlich neue Beschimpfungen nicht mehr bringt. Herr Kurt Küchler braucht nicht widerlegt zu werden. Man ist auch weniger empört über die Dreistigkeit eines Possenautors, als über die Tatsache, daß einem Unwissenden von einer großen Tageszeitung die Gelegenheit gegeben wird, sich an dem hochbedeutenden Künst-

18 FUER KANDINSKY
« Pour Kandinsky » fut le titre choisi par Herwarth Walden dans le numéro 150-51 de son journal en mars 1913 pour une violente campagne de soutien de l'art de cet artiste.
Suite à un article désastreux, paru dans le *Hamburger Fremdenblatt* en février 1913, Walden consacrera plusieurs numéros à la publication d'avis favorables à Kandinsky. Nous y cueillons un échantillon anodin, le témoignage qu'Apollinaire a bien voulu faire parvenir au *Sturm*.
Ce même titre, « Pour Kandinsky », nous servira pour la présentation de ces quelques voix rares qui s'élèvent en France pour parler de l'art du peintre en fonction des œuvres montrées dans les Salons parisiens entre 1908 et 1914.

« Ich habe oft die Werke Kandinskys bei Gelegenheit Ihrer Ausstellung in Paris besprochen. Ich benutze gerne die Gelegenheit, meine ganze Hochachtung für einen Künstler auszusprechen, dessen Kunst mir ebenso ernst wie bedeutend zu sein scheint ».

« J'ai souvent parlé des œuvres de Kandinsky à l'occasion de leur exposition à Paris. Je n'hésite pas d'exprimer à cette occasion toute mon estime pour un artiste dont l'art me semble aussi sérieux que significatif. »

Apollinaire in *Der Sturm*, n° 152-53, mars 1913.

Umfang acht Seiten — Einzelbezug 2o Pfennig

DER STURM

WOCHENSCHRIFT FÜR KULTUR UND DIE KÜNSTE

Redaktion und Verlag Berlin W 9 / Potsdamer Straße 18	Herausgeber und Schriftleiter HERWARTH WALDEN	Ausstellungsräume Berlin W / Königin Augustastr. 51

DRITTER JAHRGANG — BERLIN OKTOBER 1912 — NUMMER 130

Inhalt: H. W.: Kunst und Literatur: Die zertrümmerte Form / Der Engel auf Erden / Der Engel im Himmel / Das literarische Frankfurt / Verlegerdünkel / Verlegerdünkel / Julius Wolff der Romantiker / **Karl Borromäus Heinrich:** Menschen von Gottes Gnaden / **Jacques Rivière:** Baudelaire / **Paul Zech:** Die arabischen Tänze der Yve und Vera Landrin / **Alfred Döblin:** Einakter von Strindberg / **Joseph Adler:** Vom Altphrasenhandel / Empfohlene Bücher / **W. Kandinsky:** Zeichnung / **Richter-Berlin:** Originalholzschnitt

W. Kandinsky: Zeichnung

165

19 Page de titre du numéro 130 d'octobre 1912 du périodique *Der Sturm* avec une reproduction d'un dessin à l'encre de Kandinsky, étude pour *Déluge II*, 1912.

(...) Mais il serait à souhaiter que les peintres russes ne quittassent jamais leur pays, car les œuvres qu'ils produisent alors sont absolument (...) mettons déconcertantes, qui est un mot poli...

(*La Liberté*, 25 octobre 1910)

Je ne veux point m'étendre sur les incidents qui ont marqué le remplacement de l'*Andalouse* de Matine *(sic)* par un intérieur encore tout humide et dont les visiteurs du dimanche ont essuyé la peinture toute fraîche. Je préfère signaler l'arrivée tardive de toiles très curieuses, d'un mouvement hardi et libre de Kandinsky.
On a dû malheureusement les disperser dans plusieurs salles. Leur spectacle m'a confirmé dans mon sentiment à l'égard des peintres russes que je persiste à trouver plus originaux que les imitateurs.

(article signé Roger Allard, dans *La Rue des Arts*, 5 mai 1911)

Le Salon des Indépendants
Salle XVII. Hommage à Picasso du cubisme.

(...) L'auteur de l'*Hommage à Picasso* se nomme Juan Gris. Près de lui M. Kandinsky qui, éclaboussant de taches claires une toile blanche, se prend sans doute pour Odilon Redon. Il se trompe. Diverses obscénités dues à des Slaves, des mosaïques d'érotomanes, des dessins d'aliénés.

(*Gil Blas*, 19 mars 1912)

Le Salon des Indépendants. Parmi les cubistes.

(...) Mais nous avons autre chose que les cubistes, et ce sont les « artichautistes » qui brossent à tort et à travers, très à travers et très à tort. Il en est deux ou trois de cette école. M. *Kandinsky*, par exemple, un Russe qui habite Munich. Nous espérons bien qu'il ne viendra pas habiter Paris...

(article signé Tabarant, dans *Le Siècle*, 20 mars 1912)

Les Indépendants

(...) Le pauvre M. Chagall peint des ânes et des vaches rouges. M. Kandinsky est un futuriste, lui aussi, il ne m'apprend rien en me montrant ses laboureurs à six bras, ses chevaux à vingt pattes : cette multiplication des membres est connue : c'est l'avenir, le cinématographe de l'art !

(article signé Charles-Robert Dumas, dans *L'Humour*, 30 mars 1912)

Le Salon des Indépendants

RADINSKY - Sensation n° 629
Microbe de la peinture (grossi 1 000 000 de fois)

(...) Le docteur Radinsky ayant cherché les causes qui poussaient dans cette voie les jeunes fort bien de chez eux et de leur personne est parvenu à isoler les microbes de cette terrible maladie.

(article signé « L'Aveugle du Pont des Arts », dans *Le Sourire*, 4 avril 1912)

The Exhibition Société des Artistes Indépendants, Paris, Post Impressionnist Work.

(...) another, *Kandinsky,* shows three « Improvisations » which look as if a dog dipped its feet or its tail, or both, in the palette, and walked across the canvas...

Traduction : (...) un autre, Kandinsky, expose trois « Improvisations » qui semblent devoir leur existence à un chien qui, sur la palette, aurait chargé de couleur ses pattes ou sa queue ou le total, et qui se serait promené ensuite sur la toile...

(*Scotsman*, Edimbourg, 27 avril 1912)

Le Salon des Indépendants

(...) Cette Salle XVII est une salle russe. Nous en eûmes déjà l'agrément l'an dernier (...) Kaudinsky *(sic)* m'excusera si je ne dis rien des *Improvisations 24, 25, 26;* je ne m'intéresse qu'aux ouvrages réfléchis, excellents ou détestables.
(article signé A. Salmon, dans *Paris-Journal*, 19 mars 1912)

Le Salon des Indépendants. Suite de la promenade à travers les salles : salle n° XVII.

Kandinski expose les *Improvisations* qui ne sont pas sans intérêt, car elles représentent à peu près seules l'influence de Matisse. Mais Kandinski pousse à l'extrême la théorie de Matisse sur l'obéissance à l'instinct et n'obéit plus qu'au hasard. Mme Münter nous montre ce qui se passe dans le ménage d'un végétarien pauvre de Montparnasse, et ce n'est point réjouissant...
(article signé Guillaume Apollinaire, dans *L'Intransigeant*, 25 mars 1912)

Nous publions ici in extenso l'article de Marcel Herbert, document rare dans la presse francophone de l'époque, paru en mars 1914 dans le numéro 2 de La Société Nouvelle - Revue internationale, *et consacré aux écrits de Kandinsky.*

Les arts et les artistes - Sur Kandinsky

Kandinsky : Uber das Geistige in der Kunst (München, R. Piper und C°). Id. Klänge.

Le peintre russe Kandinsky a exposé en volume ses théories d'art. On se méfie beaucoup des théoriciens et non sans raison. C'est presque une infériorité, en tout cas une déchéance, que de s'expliquer. Il doit importer peu au véritable artiste qu'on le comprenne ou non.
L'artiste n'a pas pour but de démontrer à ses contemporains que sa vision du monde est la seule exacte et qu'ils sont tenus d'y croire.
L'artiste doit créer en vertu d'une nécessité congénitale, d'une poussée d'âme qui le met dans l'impossibilité de ne pas créer — à peu près comme il serait impossible à une fleur de ne pas s'ouvrir. Tâcher de disséquer, de scruter, de mettre au grand jour la mystérieuse élaboration d'une œuvre d'art est une tâche aussi vaine que stérile. L'analyse tue. Il suffit qu'un artiste se comprenne et se voie créer — pour qu'aussitôt cette création, régie par des principes de raison, se paralyse, figée en cette mort qui est inhérente à toute œuvre de raison. L'artiste est le dernier être du monde qui puisse s'expliquer — et qui doive s'y essayer. Son œuvre est belle dans la mesure où il la sent — et non pas dans la mesure où il l'explique.
Le livre de Kandinsky participe de tous les défauts des livres d'art écrits par des artistes : il est lourd, gauche, encombré de demi-science. Il participe aussi des qualités qui justifient leur publication : il secoue les idées admises, il revendique le droit au nouveau, s'efforce de définir ce nouveau, de l'étayer et de l'imposer comme la vérité finale et suprême. Il n'y a qu'un intérêt documentaire qui peut s'attacher aux théories des « correspondances » de la couleur et du son. Le nœud des théories de Kandinsky réside ailleurs. Il réside dans la défense de la vie propre, interne, indépendante d'une œuvre. Le spectateur, assure Kandinsky, est trop habitué de chercher un sens à un tableau. Il devrait se demander seulement si le tableau vit. Qu'importent les formes et les couleurs, les représentations ou les déformations de la nature ? Derrière les paroles, il faut chercher l'âme.
L'argument est assez spécieux. Car quelle âme se traduirait, si elle ne disposait de paroles précises ? Sans doute, on peut obtenir d'admirables effets par le « cri », par la répétition du même vocable, par la suggestion d'une même image qui gagne, à être évoquée avec cette multiplicité, une intensité de vie mystérieuse. Les mystiques le savent bien, eux qui d'habitude balbutient, écrivent des vers incohérents où s'exaspère une sensation paroxyste. Maeterlinck s'est souvent inspiré de ce procédé. Et Kandinsky l'emploie couramment dans ses *Sons* — poèmes en prose, visions violentes, se heurtant, se bousculant, sanglots et triomphes arrachés à l'âme, impressions fugitives qui se coagulent en quelque sorte et semblent se couler en la substance même de l'émotion. Mais un art semblable ne peut agir que par moments interrompus. La durée lui est inconnue et impossible. Il est sans rythme, parce qu'il est la tension suprême.
Ce sont des « moments d'âme » semblables que Kandinsky veut réaliser par ses dessins comme par ses proses.
Il se laisse guider par le souci de l'émancipation de la nature et par la nécessité de l'introspection. Il veut « bâtir sur une base spirituelle ». Forme et couleur existent en elles-mêmes, selon lui, et peuvent, sans aucun modèle matériel, former une œuvre d'art, une symphonie. Kandinsky ne se dissimule pas l'excessivité de cette réaction. Il compare lui-même à un tapis l'œuvre qu'aucun lien ne rattache à la nature. Ici l'on se heurte à la conception actuelle des « genres » dans l'art. Tout art prend son point de départ dans la nature. Mais il s'en écarte et s'en rapproche en une houle régulière.
Dans les arts mineurs cet éloignement s'est cependant maintenu plus longtemps et n'est point encore effacé. La nature s'y est stylisée, symbolisée, perdant toute vie individuelle. Le motif se substitue à l'image. Vit-il plus ? On n'admet point qu'une toile ne présente que des lignes géométriquement régulières; on se révolte devant une théière ornée d'un « tableau ». Le sens esthétique gagne-t-il à ces séparations radicales et se justifient-elles ? Il serait risqué de l'affirmer.
Kandinsky proclame la liberté absolue de l'artiste. L'anatomie, l'observance de la réalité, la reconstruction idéale d'après la matière lui semblent vaines. La toile doit être une transposition d'âme, et il faut que cette âme ait quelque chose à dire.
Kandinsky applique ces principes avec différents degrés de « rigueur ». Tels de ces dessins ont parfaitement un « sens ». Les formes s'y distinguent malgré leur volontaire fantaisie. Tels autres semblent des symphonies de lignes et de taches. Il est assez probable que cette esthétique nouvelle, cet orphisme, sera l'esthétique de demain ou du moins en sera une grande part. Il n'y a aucun principe en vertu duquel ce procédé d'expression ne serait pas de l'art.
Sans doute Kandinsky le présente parfois avec toute l'exagération du procédé. Mais il est nécessaire aux précurseurs de dépasser le but. On ferait bien de s'en souvenir, en appréciant cet effort, qui est méritoire par cela seul qu'il est un effort, c'est-à-dire qu'il tend vers du nouveau, la recherche du nouveau étant peut-être dans l'art la seule vérité.

1908-1914

catalogue

67
[Prosit, 1907-08, carte de vœux pour 1908]
gravure sur bois de couleur, 4,65 × 8,85
monogrammé dans le bois en haut au milieu : K
inscrit et daté dans le bois, en bas : « Prosit 1908 »
exemplaire signé à la mine de plomb dans la marge inférieure : Kandinsky
AM 1981-65-708 (Inv. 879-14)

68

Automne en Bavière, [1908]

huile sur papier collé sur carton, 33 × 44,7
ni signé, ni daté
inscrit au verso (d'une main non identifiée) : « En Bavière (Automne) 1908 ».
AM 1981-65-32 (Inv. 19)

Références :
Grohmann, n° 562, p. 396, « Allée, 1906 ».
Roethel, n° 249.

69

Paysage à la tour, 1908

huile sur carton, 74 × 98,5
signé et daté en bas à gauche : Kandinsky i908
inscrit au verso du carton support : « Landschaft mit Turm, i908 N° 72 ».
donation Mme Nina Kandinsky, 1976
AM 1976-849

Expositions :
Neue Künstlervereinigung, Munich, 1909
Salon Izdebsky, Odessa, 1911.

Références :
Grohmann, repr. coul. (p. 59), « Paysage avec clocher, 1909 ».
Roethel, n° 220, « Murnau-Landschaft mit Turm, 1908 ».

L'œuvre figure également sur le manuscrit Kandinsky I sous le n° 72.

Manuscrit Kandinsky - Münter III, n° 72

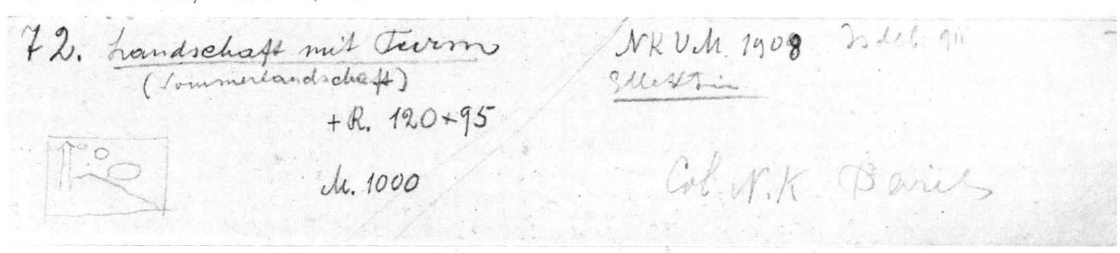

72. Landschaft mit Turm
(Sommerlandschaft)
+ R(ahmen). 120 × 95
M. 1000

N(eue) K(ünstler)-V(ereinigung) M(ünchen)
1908 Isdeb(sky) 1911
Collektion
Col(lection) N(ina) K(andinsky)
Paris

Manuscrit Kandinsky II, n° 72

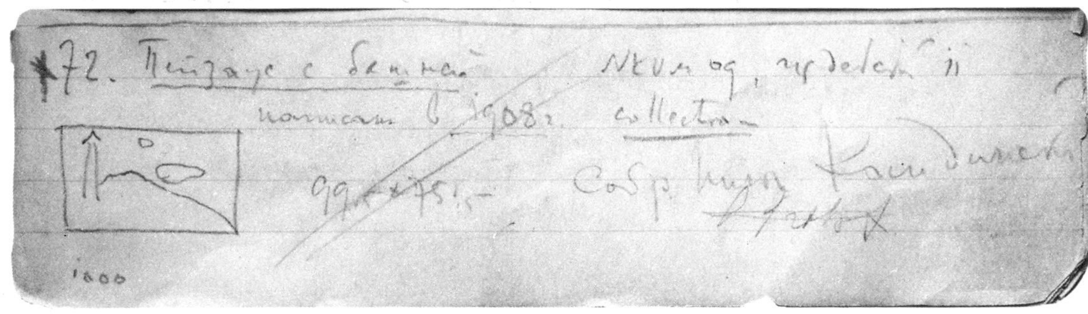

72. Peïzaj s bachneï
napissan v 1908 q.
99,5 × 75,5
i000

NKVM 09 Izdebsky ii
collection
Sobr. Niny Kandinskoï
P. Probst *(mention rayée)*

Devant cette surface peinte aux larges touches multidirectionnelles, laissant apparaître par endroit le support, on ne peut se défendre contre cet assaut sauvage des couleurs. L'œil qui parcourt cette surface qui ne prétend nullement à l'ouverture d'une troisième dimension se laisse capter par un jaune chaleureux, glisse au bleu de nuit profond, est englouti par le noir, et saisit, comme information accessoire, qu'il y a, sous-jacente, une configuration de paysage, avec colline, arbres, bâtiments, nuages et ciel. Voici l'attitude probable du spectateur d'aujourd'hui, habitué aux paysages des Fauves et ceux, plus dramatiques, des expressionnistes allemands. L'effet de choc, qu'exerçait vraisemblablement une telle juxtaposition de couleurs en liaison avec un sujet tel que « paysage d'été » sur un visiteur de l'exposition à la galerie Thannhauser à Munich en 1909 où l'œuvre fut montrée, a disparu. Peut-être ce même spectateur était-il incapable, vu les couleurs exaltées, éloignées déjà d'un paysage peint à la manière naturaliste, d'y reconnaître un paysage. [1]
L'écart est grand entre les paysages post-impressionnistes et sages que Kandinsky peignait entre 1902 et 1908 et l'œuvre en question. Écart qui est encore sensible entre cette dernière et une petite étude à l'huile pour ce même tableau, conservée au S.R. Guggenheim Museum, New York. Là, les rouges éclatants du premier plan sont éteints, plus proches de la couleur de la terre, les jaunes-ocre plus ternes et la tour de la brasserie Pantl sur Lindenburg à Murnau ressemble davantage à ce qu'elle est en réalité, à savoir une triste bâtisse industrielle.
Ce tableau est un des plus beaux spécimens des œuvres de 1908-09 qui illustrent à un degré plus ou moins prononcé cette tendance, cette volonté de détachement de l'habituel. Même si une configuration de paysage sert encore de prétexte à l'œuvre peinte — et Kandinsky peindra des paysages jusqu'en 1913, la couleur est pratiquement libérée de sa fonction descriptive, de sa tâche d'exaltation d'une forme en la suivant scrupuleusement. Les couleurs, pour lesquelles Kandinsky, depuis son enfance, avait une sensibilité exceptionnelle, sont posées pour leur force d'action sur le spectateur et leur pouvoir d'interaction entre elles, signifiant, dans leur cohabitation bigarrée, la force élémentaire, la vigueur et l'archaïsme de ces vallons des pré-Alpes bavaroises et exprimant, d'une manière plus universelle, l'énergie à l'œuvre dans la nature. Cependant, ces diverses forces sont parfaitement maîtrisées et obéissent à la structure imposée par l'artiste, dont l'art de l'époque se tient à égale distance de l'expressionnisme dramatique des peintres de la Brücke, ainsi que des paysages plus lumineux des Fauves.

1. Hanns Flemming, « Kandinskys Entwicklungsstufen », *Kunst und das schöne Heim*, t. 54, 1955-56, p. 130.

70
[Sans titre, 1909-10, étude ou reprise de *Groupe en crinolines*, 1909]
mine de plomb sur feuille de bloc, 10 × 14,8
inscrit dans le dessin même : numérotation des personnages; en bas à droite (à la mine de plomb, de la main de G. Münter) : « 1910 od(er) 1909 »; inscrit au verso (à la mine de plomb, de la main de G. Münter) : « Reifröcke ».
AM 1981-65-175 (Inv. 359)

71
[Sans titre, étude autour de l'*Improvisation I* et *Paradis*, 1909]
mine de plomb sur feuille de bloc, 10 × 14,8
indications en allemand concernant les couleurs
AM 1981-65-176 (Inv. 594-23)

72
[Sans titre, étude autour de l'*Improvisation I,* 1909]
huile sur toile, 40,7 × 50,3
ni signé, ni daté
AM 1981-65-33 (Inv. 291)

73

Improvisation III, 1909

huile sur toile, 94 × 130
signé et daté en bas à droite : Kandinsky i909
inscrit sur le châssis (d'une main non identifiée) :
« Bild mit gelber Wand »,
et sur l'entretoise : « N° 78 ».
Donation Mme Nina Kandinsky, 1976
AM 1976-850

Expositions :
Salon Izdebsky, Odessa, 1911.

Historique :
Acheté par Kluxen en 1912 (600 Mark); échangé contre le n° 101; acheté par Ibach qui le donne au Kunstverein Barmen en 1914; retour chez Mme Ibach en 1937 (époque du national-socialisme); coll. Otto Stangl; racheté par Mme Nina Kandinsky.

Références :
Sturm-Album, repr. pl. 40.
Grohmann, n° 24, p. 351.
Roethel, n° 276.

Manuscrit Kandinsky - Münter III, n° 78

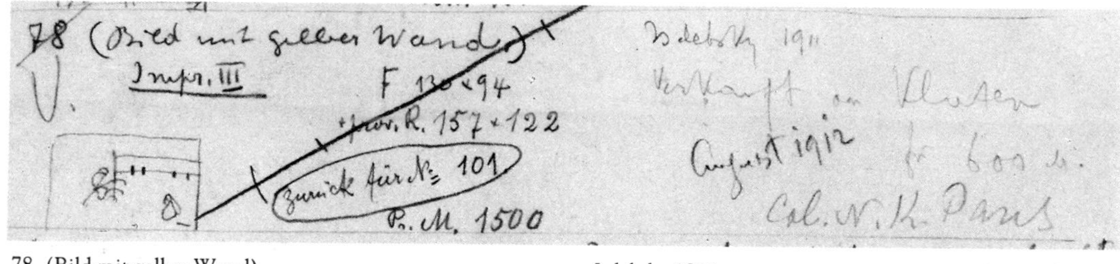

78. (Bild mit gelber Wand)
Impr(ovisation) III
F 130 × 94
prov (isorischer) R(ahmen) 157 × 122
zurück für N° 101
P. Mark 1500

Isdebsky 1911
Verkauft an Kluxen
August i9i2 für 600 M(ark)
Col(lection) N. K(andinsky) Paris

Manuscrit Kandinsky II, n° 78

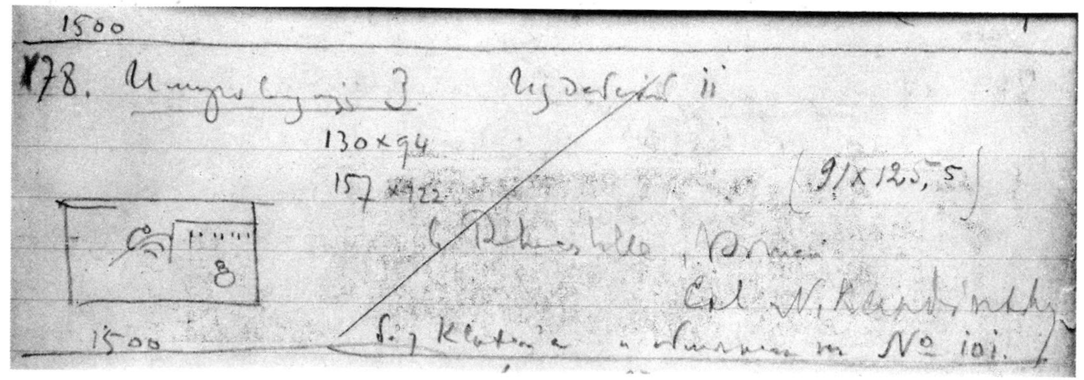

N° 78 Improvizatsïa 3
130 × 94
157 × 122
1500

Izdebsky i9ii
(91 × 125,5)
b. Ruhmeshalle, Barmen
Col(lection) N. Kandinsky
b(yl) ou Kluxen a i obmenial na N° i0i

74
[Sans titre, étude pour *Improvisation VIII,* 1909]
mine de plomb sur feuille de bloc, 16,6 × 10,35
inscrit en bas (à la mine de plomb, de la main de G. Münter) : « Kat(alog) 99, Improv(isation) 8. (Bez(eichnet) Schwert)/B(ild)gr(össe) 73 × 125 mit Rahmen 103 × 155 ».
inscrit au verso (à la mine de plomb) : illisible, puis : « Müllerstrasse 26/III, Frau Frommer ».
AM 1981-65-177 (Inv. 594-22)

75
[Sans titre, étude concernant *Paradis,* 1909]
mine de plomb au revers d'un carton d'invitation de la Berliner Secession 1909, 11,5 × 18,15
AM 1981-65-178 (Inv. 594-12)

76
Composition scénique *Noir et blanc,*
premier Tableau : *Blanc,* vers 1909
gouache sur carton, 33 × 41
ni signé, ni daté
inscrit au verso (au crayon bleu) : « III[1] »; puis (à la mine de plomb, de la main de Nina Kandinsky) :
« Kandinsky 1909[2] »
AM 1981-65-841 (Inv. 294)

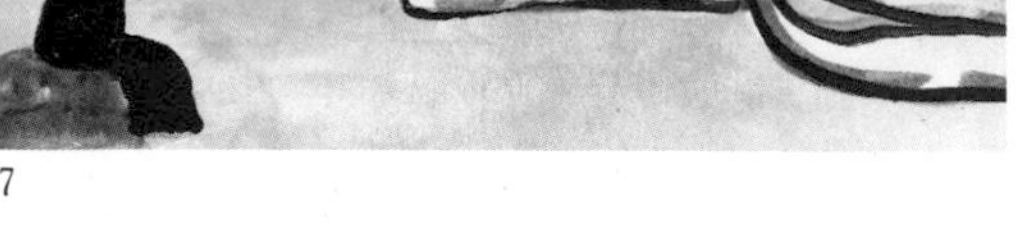

77

78

77
Copie d'après Kandinsky par Th. A. Hartman
pour la Composition scénique *Noir et blanc,*
premier Tableau, vers 1909
mine de plomb et gouache, 11,7 × 15,2
ni signé, ni daté
AM 1981-65-842 (Inv. 774-4)

78
Copie d'après Kandinsky par Th. A. Hartman
pour la Composition scénique *Noir et blanc,*
deuxième Tableau, vers 1909
gouache, 11,7 × 15,4
ni signé, ni daté
AM 1981-65-843 (Inv. 774-2)

79

80

79
Copie d'après Kandinsky par Th. A. Hartman
pour la Composition scénique *Noir et blanc,*
troisième Tableau, vers 1909
gouache, 11,6 × 15,5
ni signé, ni daté
AM 1981-65-844 (Inv. 774-1)

80
Copie d'après Kandinsky par Th. A. Hartman
pour la Composition scénique *Noir et blanc,*
quatrième Tableau, vers 1909
mine de plomb, encre de Chine et gouache,
11,6 × 14,8
ni signé, ni daté
inscrit en russe au verso (à la mine de plomb) :
« 4 copies de Th. A. Hartman d'après Kandinsky ».
AM 1981-65-845 (Inv. 774-3)

81
[Sans titre, étude pour une gravure sur bois non réalisée sur le thème de *Composition I,* 1910]
fusain, crayon bleu et encre
au revers d'un carton d'invitation, daté avril 1910, de la Berliner Secession, 11,75 × 18,2
indications en allemand concernant les couleurs
AM 1981-65-179 (Inv. 353)

82
[Sans titre]
(étude à rapprocher de *Composition I,* 1910)
mine de plomb, feuille irrégulière, 11,3 × 18
indications en allemand concernant les couleurs
AM 1981-65-180 (Inv. 594-13)

83
[Sans titre, étude pour un fragment de *Composition II,* 1910]
mine de plomb sur feuille de bloc, 14,8 × 10
indications en allemand concernant les couleurs
inscrit au verso (à la mine de plomb, de la main de G. Münter) : « Fragment zu Composition II ».
AM 1981-65-181 (Inv. 362)

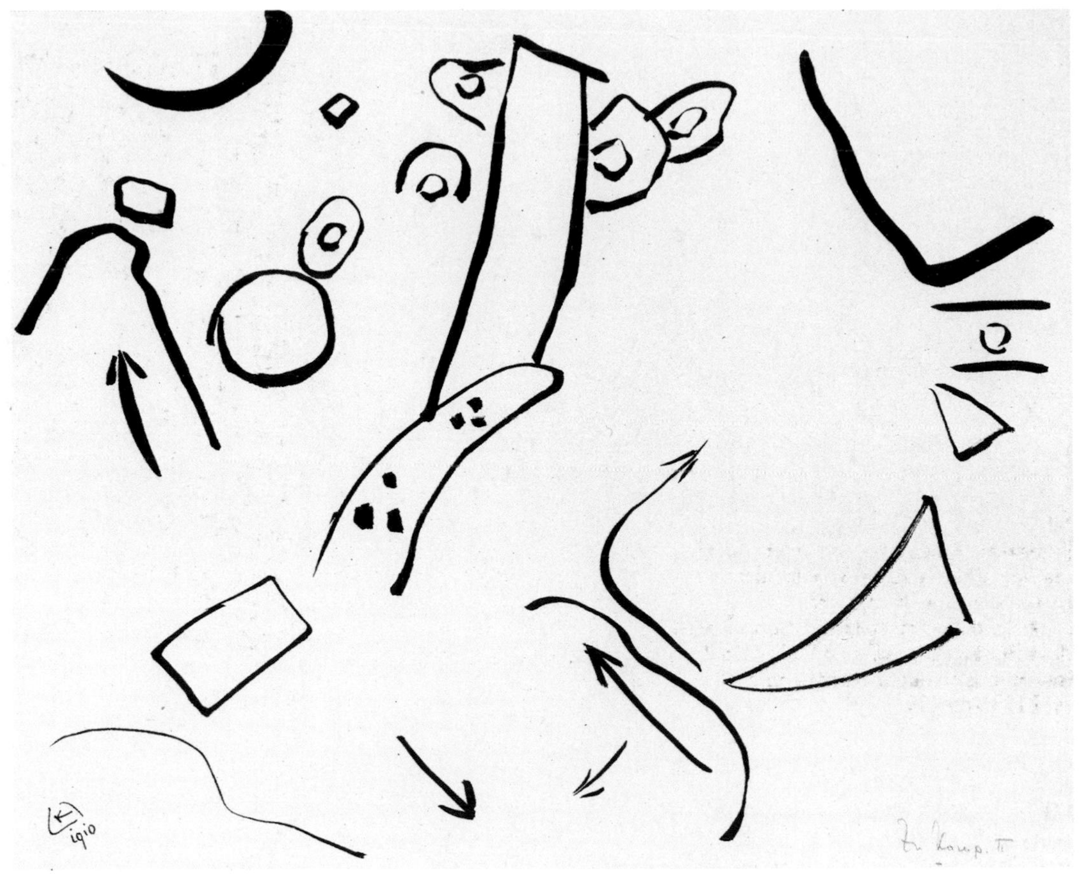

84
Étude pour *Composition II,* 1910
encre de Chine, 23,8 × 30,15
monogrammé et daté en bas à gauche : K i9io
inscrit en bas à droite (à la mine de plomb):
« Zu Komp(osition) II »; inscrit au revers du support
(à la mine de plomb) : « 1910/N° i/Zeichnung zu
Komposition 2, i9i0.
AM 1981-65-182 (Inv. 76)

85
Schéma pour *Composition II* (1910)
mine de plomb, 21,7 × 30,3
inscrit au verso (à la mine de plomb) : « Schema
Komp(osition) II ».
AM 1981-65-183 (Inv. 416)

86
[Sans titre, étude pour *Improvisation IX,* 1910]
mine de plomb, 13,05 × 16,55
inscrit au verso (à la mine de plomb, de la main de G. Münter) : « Kat(alog) 100 Improv(isation) 9/ (Bez(eichnet) Wolke od(er) das Schöne)/ B(ild)gr(össe) 110 × 110/ 1910 ».
AM 1981-65-184 (Inv. 363)

87
[Sans titre, étude pour *Improvisation X,* 1910]
mine de plomb sur carton, 16,1 × 16,5
indications en allemand concernant les couleurs
AM 1981-65-185 (Inv. 594-30)

88
[Sans titre, schéma pour l'*Improvisation XI,* 1910]
mine de plomb au revers d'une enveloppe
de la Neue Künstlervereinigung Munich
adressée à M. Kandinsky
enveloppe 18 × 11,7
indications en allemand concernant les couleurs
daté sous le dessin (à la mine de plomb, de la main de G. Münter) : « Murnau Juli 1910.1. »
AM 1981-65-186 (Inv. 352)

89
[Sans titre, étude pour *Improvisation X,* 1910]
mine de plomb sur feuille de bloc, 10 × 14,8
indications en allemand concernant les couleurs
inscrit au verso (à la mine de plomb, de la main de G. Münter) : « Kat(alog) 101 Improv(isation) 10, Bez(eichnet) Regenbogen/ B(ild)gr(össe) 140 × 120 gem(alt) 27.VI.10 ».
AM 1981-65-187 (Inv. 594-21)

90
[Sans titre, étude pour *Improvisation XIII,* 1910]
mine de plomb, 10,9 × 16,4
inscrit à gauche (à la mine de plomb, de la main de G. Münter) : « Kat(alog) 109 Improv(isation) 13/Bez(eichnet) Steine/ entw(orfen) u(nd) gemalt/ 31.VIII.10 ».
AM 1981-65-188 (Inv. 356)

91
[Sans titre]
mine de plomb, feuille irrégulière, 12,7 × 17,3
recto-verso : études à rapprocher de *Automne I,* 1910
indications en russe concernant les couleurs
AM 1981-65-189 recto-verso (Inv. 594-19)

92
[Sans titre]
(étude à rapprocher de *Automne I,* 1910)
crayon gras, 12,4 × 17,3
indications en russe concernant les couleurs
AM 1981-65-190 (Inv. 349)

86

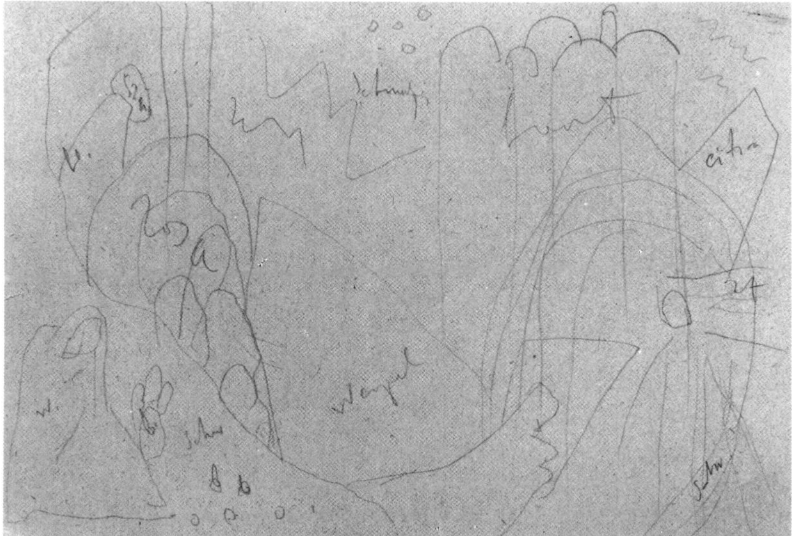
89

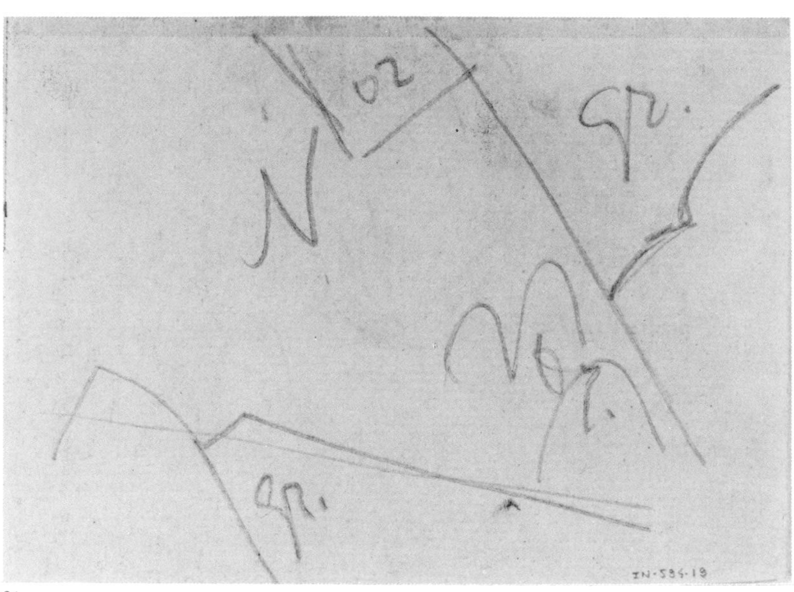
91 verso

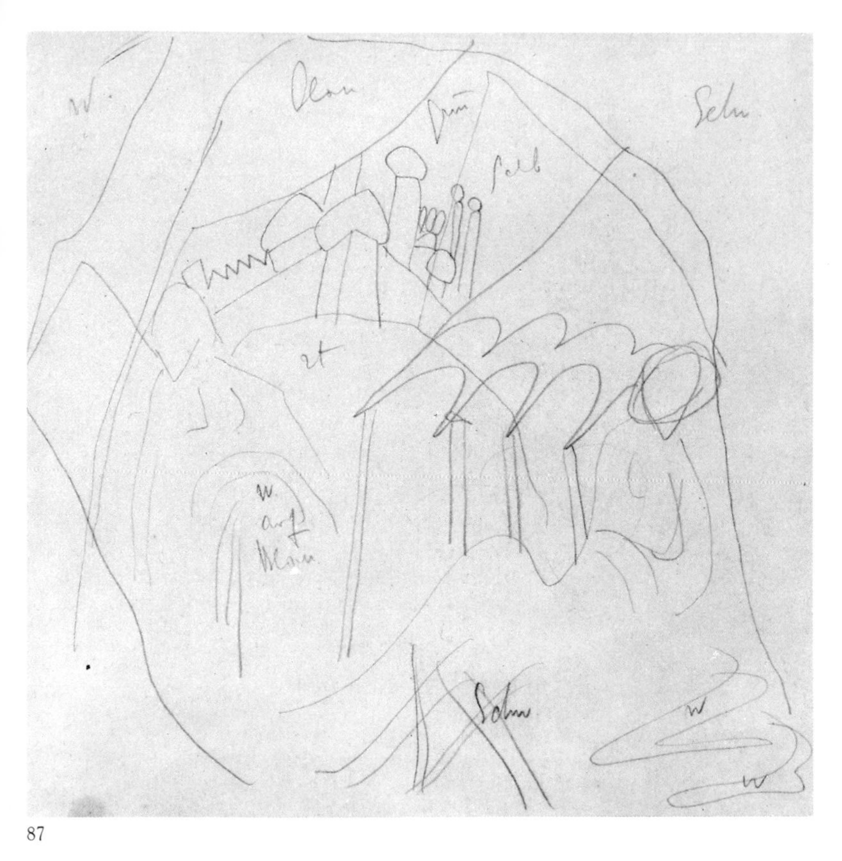

87

88

90

91 recto

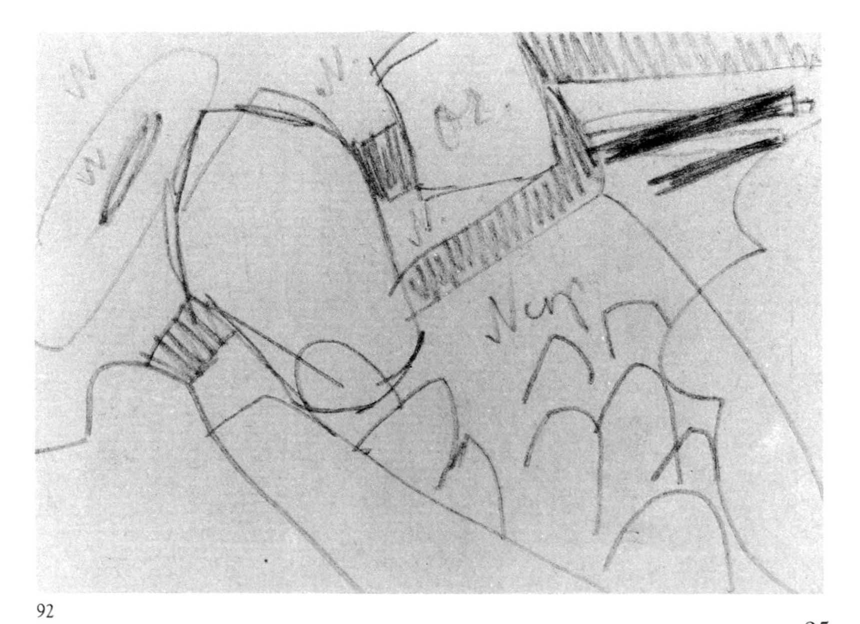

92

93 verso

94

Improvisation XIV, 1910

huile sur toile, 74 × 125,5
signé et daté en bas à gauche : KANDINSKY i9i0
inscrit au verso de la toile : monogramme, suivi de « Improvisation i4 », N° ii0, i9i0
don Mme Nina Kandinsky, 1966
AM 4347

peint à Murnau, 1910

Références :
Grohmann, n° 45, p. 353.
Roethel, n° 356.

93

[Sans titre]
recto (repr. p. 98) : [schéma pour *Composition III*, 1910]
mine de plomb et crayon gras sur page de carnet, 10 × 14,7, support 16,2 × 20,9
inscrit (à la mine de plomb, de la main de G. Münter) en haut à gauche : « 14.IX.10 »; en bas à gauche : « zu Comp(osition) III ».
verso (repr. ci-dessus) : [étude pour *Improvisation XIV*, 1910] mine de plomb, 16,2 × 20,9
indications en allemand concernant les couleurs
AM 1981-65-192 recto-verso (Inv. 594-5)

Nous reproduisons ci-dessus un dessin préparatoire de Kandinsky, à la mine de plomb, qui complète utilement les renseignements contenus dans une autre étude à l'encre de Chine, citée par Grohmann[1]. Le dessin au crayon trace les silhouettes de deux chevaliers armés et leurs montures, se faisant face, immobiles, dans un paysage aux arbres élancés. Derrière eux, une ligne courbe montante. Contour de lac ou montagne? Le statisme extrême de l'affrontement saisi dans le dessin à la mine de plomb, déjà corrigé dans le dessin à l'encre, est entièrement aboli dans l'œuvre finale. La plupart des éléments formels se trouvant à droite de la verticale immuable de l'arbre sont animés par un faisceau de forces convergeant vers ce point où l'impact se fera, annihilant, on le craint, le paysage jusque-là paradisiaque.
Une des préoccupations majeures de Kandinsky à cette époque est justement d'exposer le dynamisme propre aux traits et aux couleurs, de résumer le tableau en un « fait dynamique », de donner expression à ce concept abstrait : le mouvement. Les Improvisations, une des trois catégories de l'œuvre peinte, définie par Kandinsky et rapprochée par lui de la catégorie des Compositions, sont la première étape dans l'évolution vers la forme libre. Comme les Compositions, elles sont régies par les événements d'une « nature intérieure », d'un caractère plus ou moins inconscient et soudain. Comme les Compositions, elles se détournent de la référence au monde visible. Elles s'en distinguent par un degré moindre d'élaboration. Entre 1909 et 1914 Kandinsky peint une série de 35 Improvisations.
La quatorzième de ces Improvisations, créée en 1910, peu de temps avant la *Composition III*, se tient au bord de ce que les uns appellent « le gouffre du pictural pur », les autres, le moment où l'objectif se dissout, devient méconnaissable dans le non-objectif.
Elle peut être décrite comme un agencement pur d'éléments formels colorés dans une dominante de bleus variés. Des cernes noirs suivant les formes-couleur évoquent encore cet effet de cloisonné qui disparaîtra bientôt pour donner aux deux antagonistes, couleur et ligne, leur entière liberté. Ce cloisonnement, ainsi que la transparence de la couleur, ont souvent conduit les spectateurs à comparer certains tableaux de Kandinsky de l'époque aux vitraux des grandes cathédrales[2].
Cette dynamisation des zones de couleur voisinant sur la surface peinte rend difficile une distinction entre figure et fond. Parfois, un élément reconnaissable semble surgir sous le regard du spectateur pour être englouti aussitôt dans son environnement. Lieu de métamorphoses. Brouillage d'une vision établie, conventionnelle, par ce « grand révolutionnaire de la vision ».

1. Grohmann, *op. cit.*, repr. p. 105.
2. Lettre de Franz Marc à Herwarth Walden du 23 octobre 1914, conservée à la Staatsbibliothek, Berlin. Marc était alors sur le front et visita la cathédrale de Strasbourg.

Manuscrit Kandinsky II : N° ii0

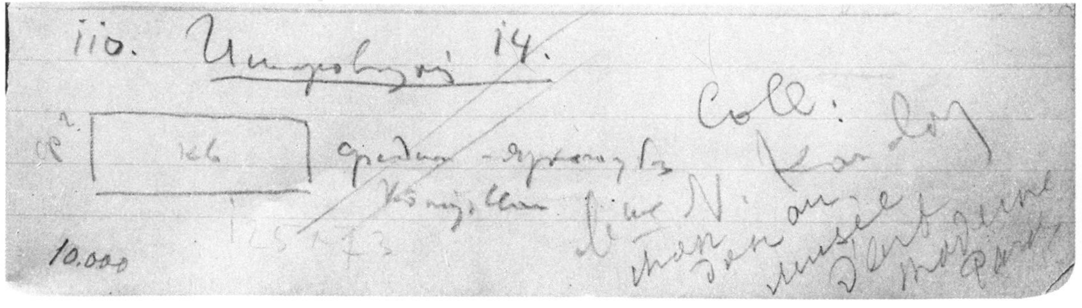

ii0. Improvizatsïa 14
? kv Seredina-iarkogoloubaïa Königsblau
125 × 73
10 000

Coll(ection) Mme N. Kandinsky
Mon don au Musée d'Art Moderne Paris

KANDINSKY 1910

95
Schéma pour *Composition III,* 1910
mine de plomb, 24,8 × 29,7
inscrit en haut à gauche (à la mine de plomb) :
« Komp(osition) III »
AM 1981-65-191 (Inv. 417)

96
[Sans titre, étude pour *Composition III (Improvisation XV),* 1910]
mine de plomb sur feuille de bloc, 10 × 14,8
indications en allemand concernant les couleurs
inscrit au verso (à la mine de plomb, de la main de G. Münter) : « 1/7.IX.1910/Zur Comp(osition) 3 ».
AM 1981-65-193 (Inv. 594-37)

97
Dessin pour *Composition III,* 1910
encre de Chine, 25 × 30,4
monogrammé et daté en bas à gauche : K 10
inscrit au verso (à la mine de plomb) : « Zeichnung zur "Komposition 3", i9i0 ».
AM 1981-65-194 (Inv. 75)

98
[Sans titre, études pour *Composition III,* 1910]
mine de plomb, crayon gras et crayon bleu (mise au carreau), 16,5 × 20,9
recto : inscrit (à la mine de plomb, de la main de G. Münter) en haut à gauche : « 14.IX.10 »; en bas à gauche : « zu Comp(osition)3 ».
indications en allemand concernant les couleurs
AM 1981-65-195 recto-verso (Inv. 345)

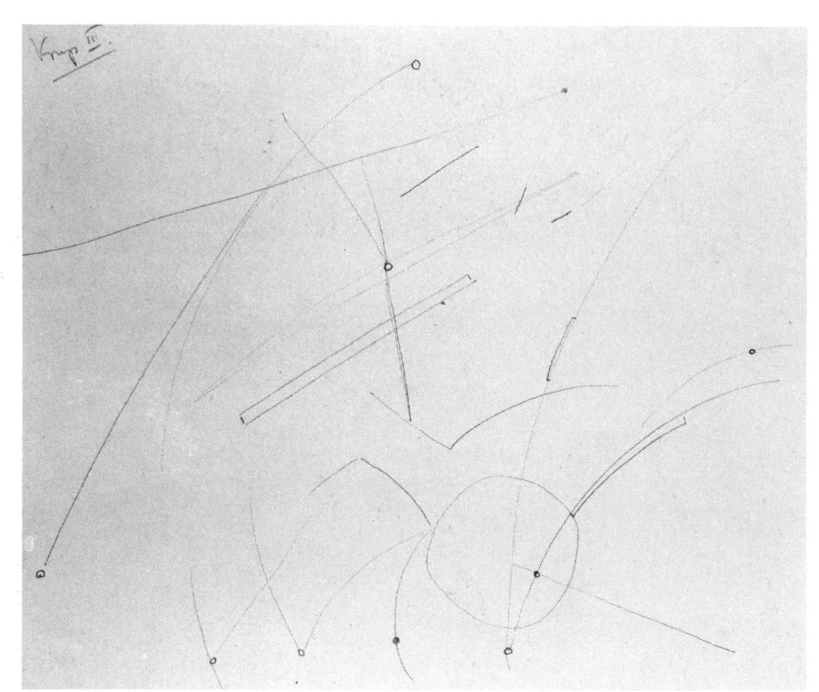

95

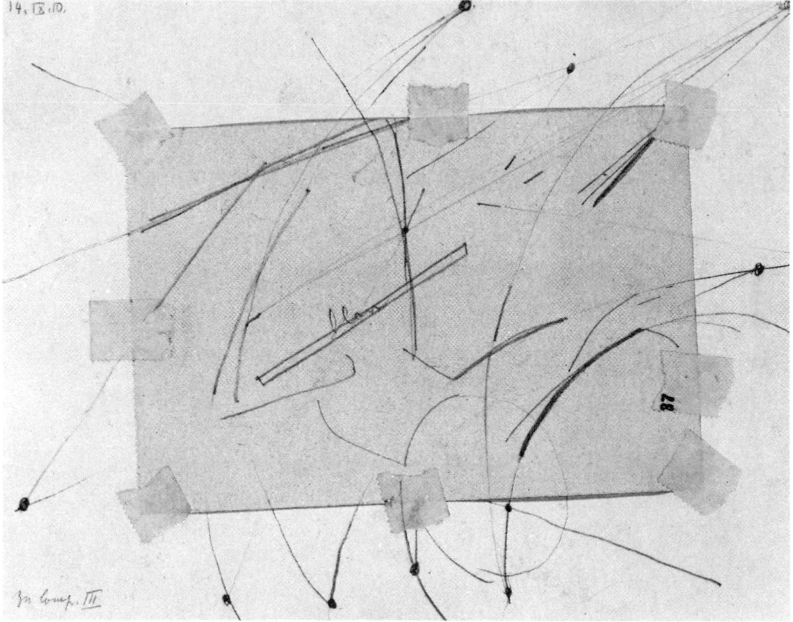

93 recto

96

97

98 recto

98 verso

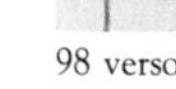

99
[Sans titre], 1910
mine de plomb, aquarelle et encre de Chine
(à vue) 49,6 × 64,8
signé et daté en bas à droite : KANDINSKY i9i0.
inscrit au verso (à la mine de plomb) : « Aquarelle i9i0 (abstraite) »
donation Mme Nina Kandinsky, 1976
AM 1976-864

Références :
Grohmann, repr. coul. p. (101), « Première abstraction, aquarelle, 1910 ».

« Nous ne sommes pas assez avancés en peinture pour être déjà impressionnés profondément par une composition de formes et de couleurs totalement émancipée », est l'avis du peintre en 1910[1]. En 1921, peu avant son départ de Russie, Kandinsky, sensibilisé par les déclarations de priorité dans le domaine de l'abstraction picturale des autres pionniers de la non-objectivité (Mondrian, Malévitch, Kupka et Delaunay), s'exprime de la sorte : « Le premier j'ai rompu avec la tradition de peindre les objets qui existent. J'ai fondé la peinture abstraite. J'ai peint le premier tableau abstrait en 1911 »[2].
Pourtant, il existe de la main de l'artiste, signée et datée par lui, une œuvre magnifique, entièrement abstraite. Elle est exécutée (sur un léger dessin à la mine de plomb), à l'aquarelle et à l'encre de Chine sur un support de papier de dimensions inhabituelles (49 x 64 cm; rarement les aquarelles de l'époque dépassent le format de 30 x 30 cm). Cette œuvre célèbre, très souvent exposée, porte la date de 1910. Il y a également ce qui semble être une inscription tardive[3], surajoutée dans le catalogue manuscrit des aquarelles de Kandinsky, débutant en principe avec des œuvres de 1919. De nombreux spécialistes (K. Rœthel, K. Lindsay, P. Selz, J.P. Bouillon, M. Conil Lacoste, Hideho Nishida) se sont penchés sur ce que Grohmann, le premier, avait désigné comme « première abstraction, aquarelle ». Tous suggèrent plus ou moins une insertion de l'aquarelle dans les nombreux travaux de préparation pour la *Composition VII*, s'échelonnant sur 18 mois. L'œuvre fut achevée le 28 novembre 1913. Le Professeur Nishida, ayant étudié la genèse de cette composition en profondeur, affirme en 1978 que la première aquarelle abstraite de 1910 est la huitième des 11 études pour la *Composition VII*, faite après le mois d'octobre 1913. Dans le livret de famille de la *Composition VII* sera également inscrite l'aquarelle intitulée *Avec tache rouge*, jusque-là libre et indépendante, datée par l'artiste de 1911[4].
L'œuvre en tant que telle, en tant que surface peinte, fut ainsi complètement obscurcie par les écrits savants. Ce que l'on regardait avant tout, c'était les chiffres inscrits par l'artiste. Ce que l'on scrutait, c'était sa manière de signer, quand, sur la feuille de papier même, oubliée par les spectateurs trop avertis, se concrétise — à peine retenue en quelques touches légères du pinceau chargé de couleurs à l'aquarelle, soulignée et accentuée de quelques traits de plume puissants et rapides — une ronde éclatante « d'allégresse et de fraîcheur spontanée »[5], suspendue dans un espace imaginaire.
Intuition prémonitoire pour une œuvre réalisée trois ans plus tard — ou s'intégrant plus fermement dans le cycle de réalisation de cette Composition et se situant donc juste avant son achèvement — ou aquarelle entièrement indépendante, hardie comme le sont quelques dessins au pinceau et à l'encre de Chine qui semblent être aussi atypiques quand on les resitue dans leur contexte respectif ? Des considérations savantes de cet ordre, aussi passionnantes qu'elles puissent être, éloignent de l'œuvre, empêchent la rencontre du spectateur avec celle-ci, seul fait qui importait à l'artiste.

1. Cette phrase est tirée de *Du spirituel dans l'art*, dont la rédaction fut achevée en 1910.
2. On se demande si ce titre d'honneur est à décerner à *Bild mit Kreis*, 1911, Rœthel n° 405, dont on ne connaît qu'une photographie ancienne, ou à *Improvisation XX*, encore sous-titrée *Les Chevaux*, conservée au Musée municipal d'Art de l'Ouest, Moscou.
3. K. Lindsay (*The Art Bulletin*, vol. 41, décembre 1959, p. 350) pense que cette inscription a eu lieu après l'installation de Kandinsky à Paris en 1933, vu la rédaction de certains titres en français.
4. Hideho Nishida, « Genèse de la "Première aquarelle abstraite" », *Art History*, n° 1, 1978, pp. 1 - 19.
5. M. Conil Lacoste, *Kandinsky*, Paris, Flammarion, 1979, p. 46.

Manuscrit Kandinsky V (aquarelles) :

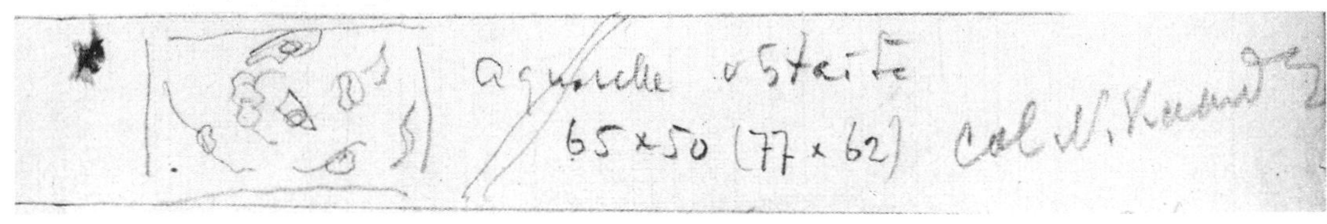

Aquarelle abstraite
65 × 50 (77 × 62)
Col. N. Kandinsky

KANDINSKY 1910

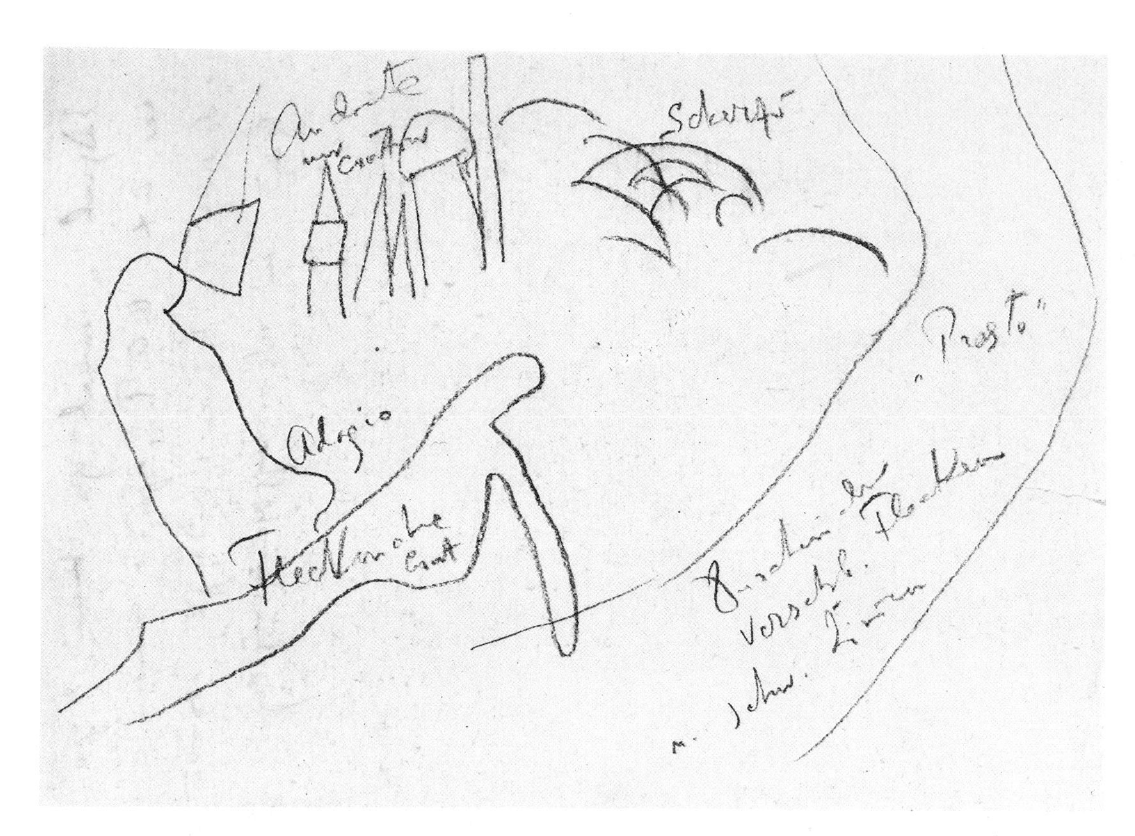

100
[Sans titre, étude à rapprocher de *Peinture sur verre avec soleil,* 1910]
fusain, 13,85 × 19,7
inscrit (au fusain) : « Andante und (illisible) Scherzo 'Presto' Adagio Flecken ohne (illisible) Durcheinander verschd. (?) Flecken u(nd) schw. (?) Linien ».
au verso (à l'encre) texte en russe : « Ayant projeté et décrit ces compositions, je les ai lu à Th. A. H. qui est décidé de bonne grâce de s'en occuper du point de vue musical ce qui m'a fait un grand plaisir ».
AM 1981-65-196 (Inv. 594-36)

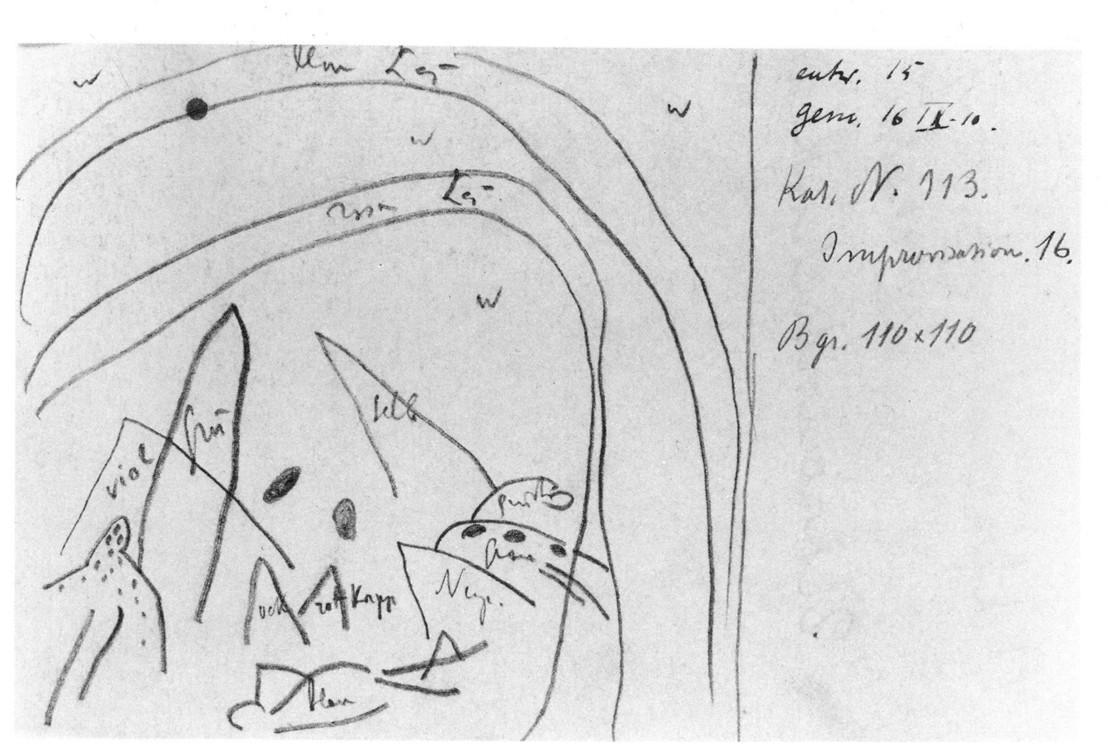

101
[Sans titre, étude pour *Improvisation XVI,* 1910]
mine de plomb, 10,65 × 16,55
indications en allemand concernant les couleurs
inscrit en haut à droite (à l'encre et à la mine de plomb, de la main de G. Münter) : « entw(orfen) 15/ gem(alt) 16 IX. 10/Kat(alog) N. 113/Improvisation 16/B(ild)gr(össe) 110 × 110 ».
inscrit au verso (à la mine de plomb, d'une main non identifiée) : « Adlzreiter-str(asse) N° 29/II. rechts/ Ukraintschuk ».
AM 1981-65-197 (Inv. 360)

102
Les Avirons, 1910
(Étude pour *Improvisation XXVI* (Rudern), 1912)
aquarelle et encre de Chine sur velin, 25 × 32
monogrammé en bas à droite : K
au verso (à l'encre bleue, de la main de Nina Kandinsky) : « Les avirons - 1910 ».
AM 1981-65-88 (Inv. 70)

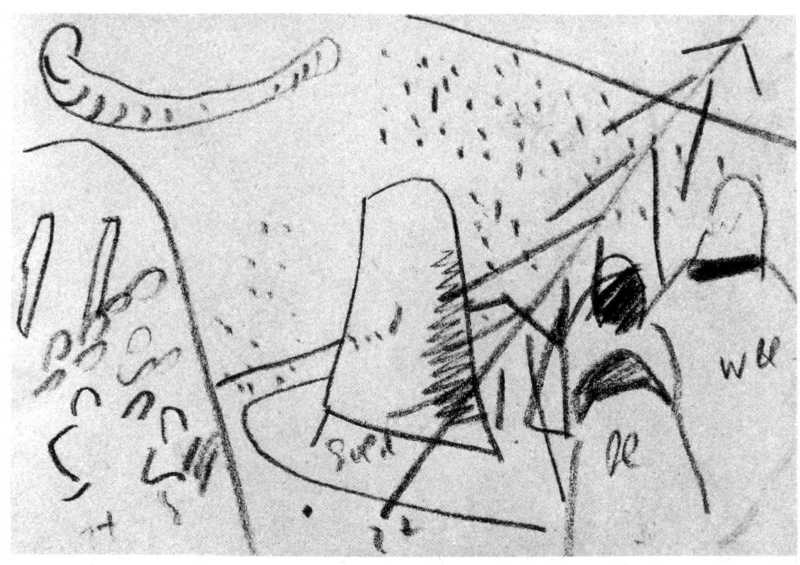

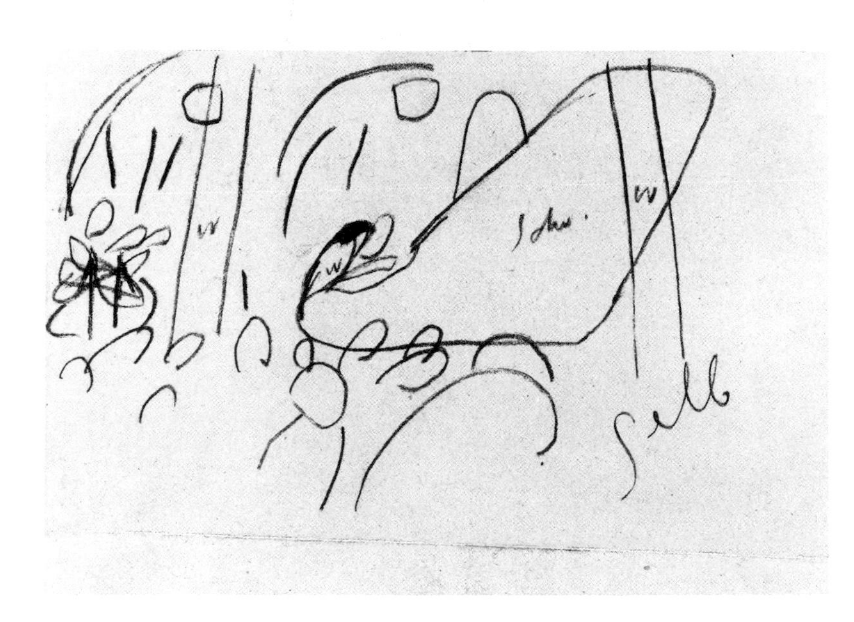

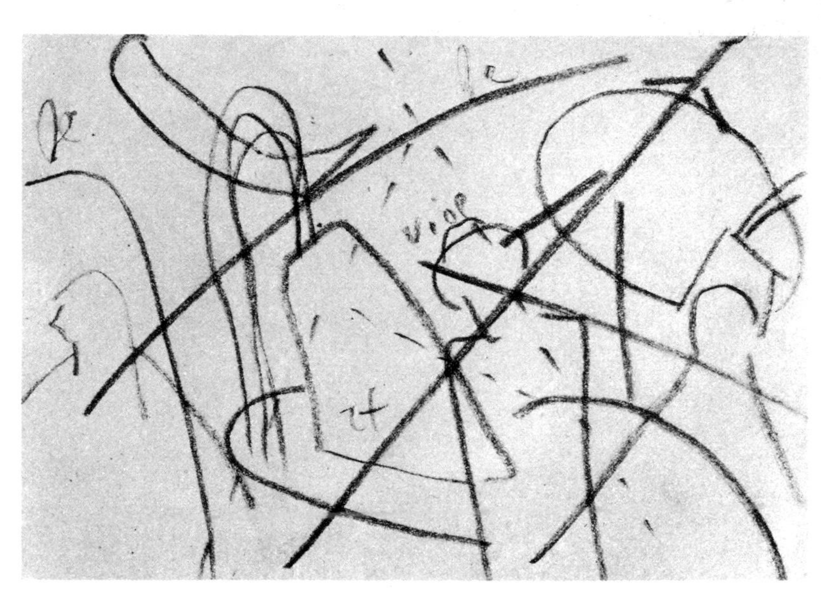

103
[Sans titre, étude pour *Impression III* (Concert), 1911]
fusain sur feuille de bloc, 10 × 14,9
AM 1981-65-198 (Inv. 370)

104
[Sans titre, étude pour *Impression III* (Concert), 1911]
fusain sur feuille de bloc, 10 × 14,8
indications en allemand concernant les couleurs
inscrit au verso (à la mine de plomb, de la main de G. Münter) : « Kat(alog) 116/Impression Concert 3.1.11. ».
AM 1981-65-199 (Inv. 369)

105
[Sans titre, étude pour *Impression I* (Fontaine), 1911]
fusain sur feuille de bloc, 10 × 14,8
indications en allemand concernant les couleurs
AM 1981-65-200 (Inv. 594-31)

106
[Sans titre, étude pour *Impression I* (Fontaine), 1911]
fusain sur feuille de bloc, 10 × 14,9
indications en allemand concernant les couleurs
inscrit au verso (à la mine de plomb, de la main de G. Münter) : « 117. Impression 3 Bez(eichnet) Springbrunnen 10.1.11 B(ild)gr(össe) 130 × 94 ».
AM 1981-65-201 (Inv. 594-28)

107
[Sans titre, étude pour *Saint Georges I,* 1911]
mine de plomb et fusain,
feuille irrégulière 13,7 × 17,7
inscrit au verso (à la mine de plomb, de la main de G. Münter) : « Kat(alog) N° 128 St. Georg 1/Januar 1911/in Murnau ».
AM 1981-65-202 (Inv. 594-16)

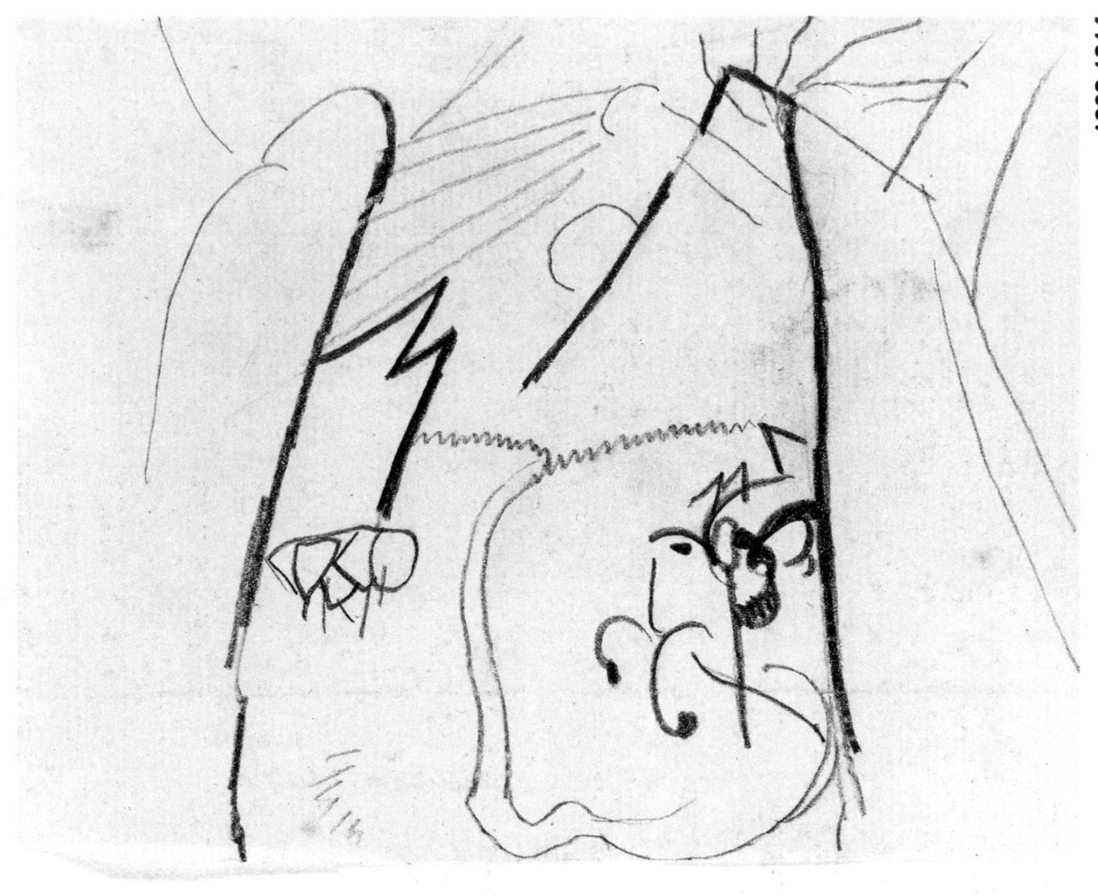

108
[Sans titre, étude pour *Arabes II,* 1911]
fusain sur feuille de bloc, 10 × 14,9
indications en allemand concernant les couleurs
inscrit au verso (à la mine de plomb, de la main de G. Münter) : « Kat(alog) 121 Arabisches N° 2. B(ild)gr(össe) 92 × 70/Verkauft in Köln Dez(ember) 1911 ».
AM 1981-65-203 (Inv. 364)

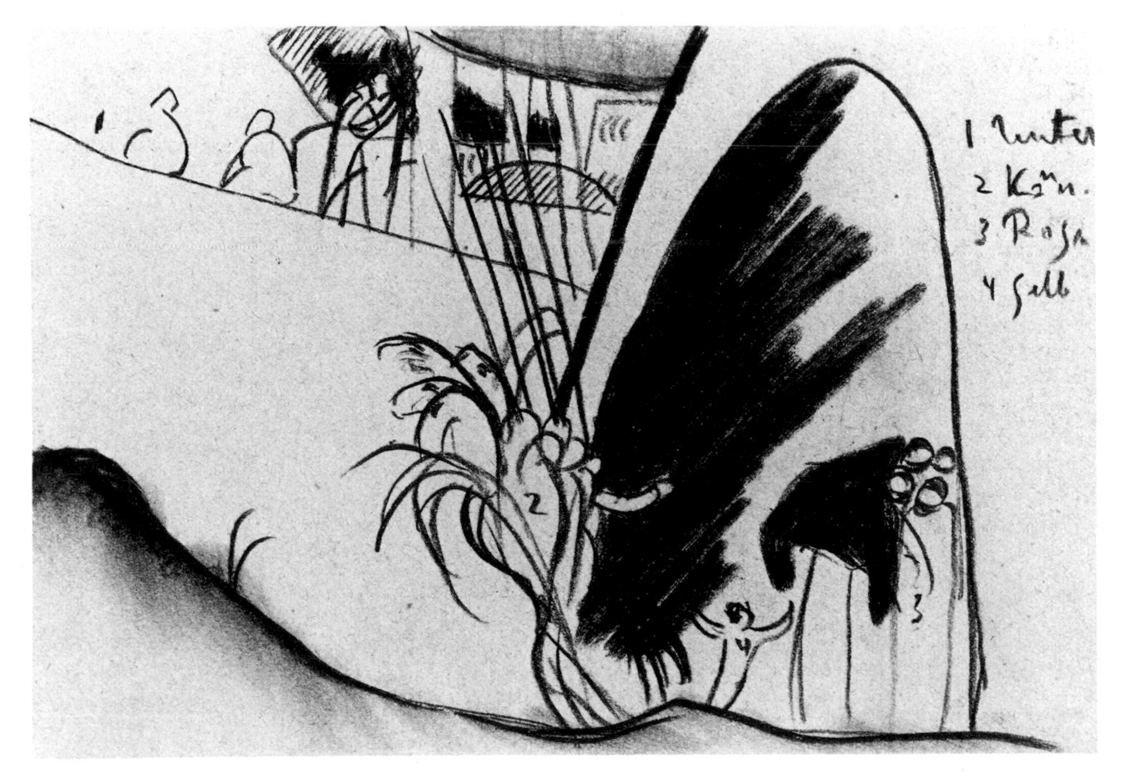

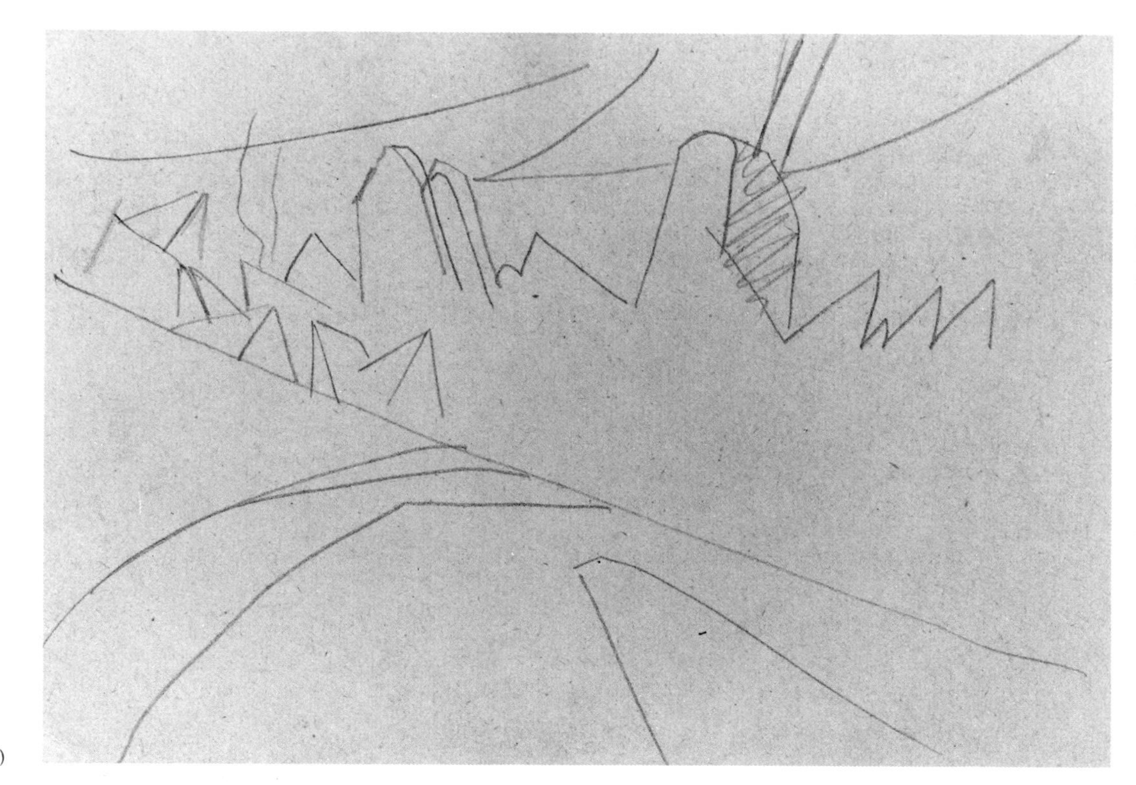

109
[Sans titre, étude pour *Hiver II,* 1911]
mine de plomb sur feuille de bloc, 10 × 14,9
inscrit au verso (à la mine de plomb, de la main de G. Münter) : Kat(alog) N° 122 B(ild)gr(össe) 91 × 67/Winterlandschaft 31.1.11. »
AM 1981-65-204 (Inv. 346)

110
[Sans titre, étude pour *Saint Georges II,* 1911]
mine de plomb sur carton, bords irréguliers, 9,8 × 4,4
AM 1981-65-205 (Inv. 347)

111
[Sans titre, étude pour *Tableau avec Troïka* ou *Nature morte I,* 1911]
crayon lithographique et aquarelle sur feuille de bloc, 10 × 14,9
inscrit au verso (à la mine de plomb, de la main de G. Münter) : Kat(alog) 120/Stilleben 1/18.1.11/ B(ild)gr(össe) 70 × 100 auf Pappe ».
AM 1981-65-89 (Inv. 332)

112
[Sans titre, étude pour *Tableau avec Troïka* ou *Nature morte I,* 1911]
crayon lithographique sur feuille de bloc, 10 × 14,9
inscrit au verso (à la mine de plomb, de la main de G. Münter) : « Kat(alog) 120/0,70 × 100 auf Pappe/ Stilleben 18.1.11. »
AM 1981-65-206 (Inv. 594-24)

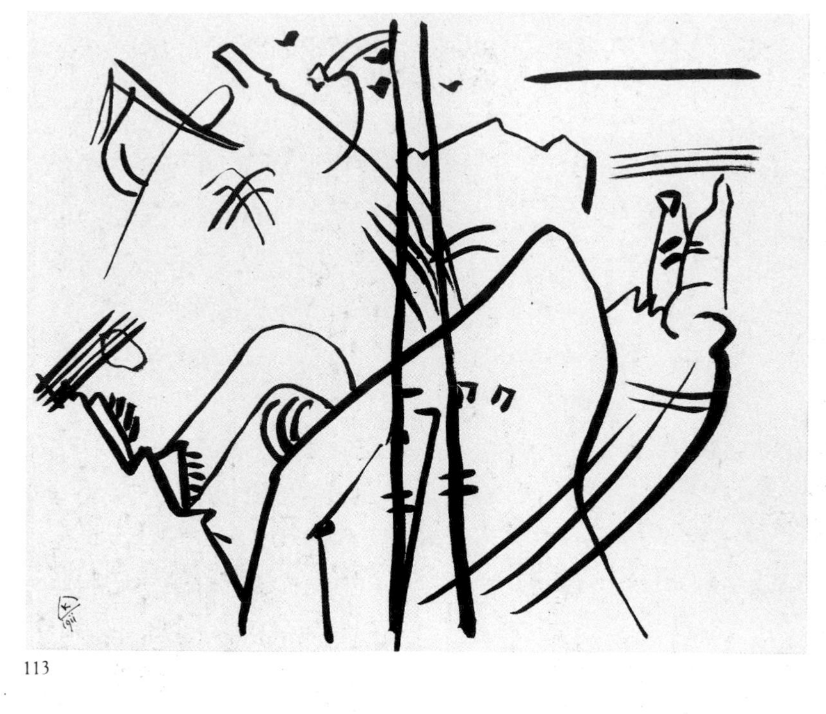

113

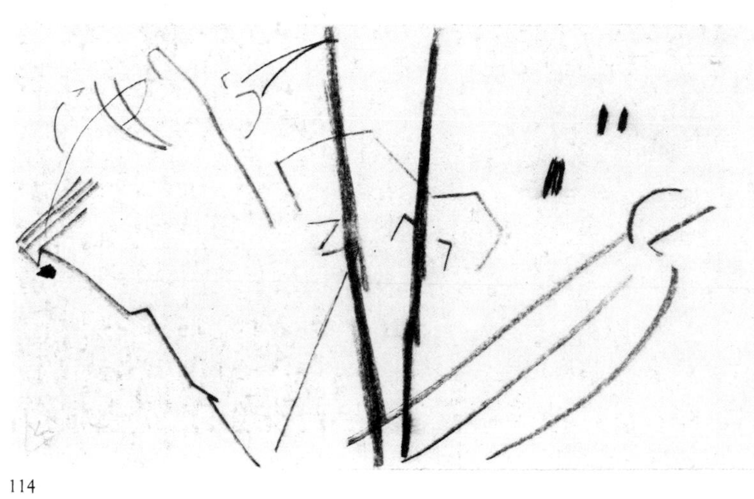

114

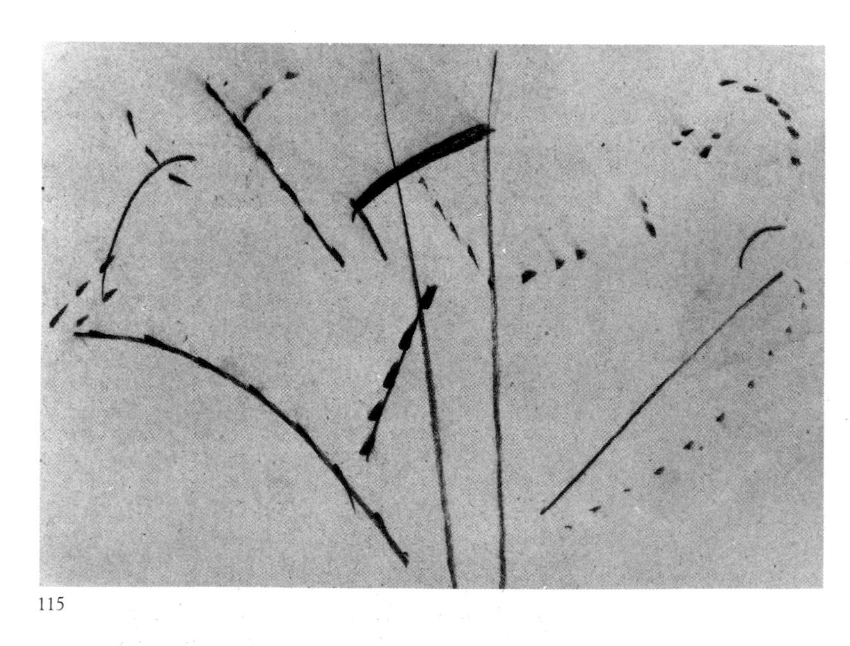

115

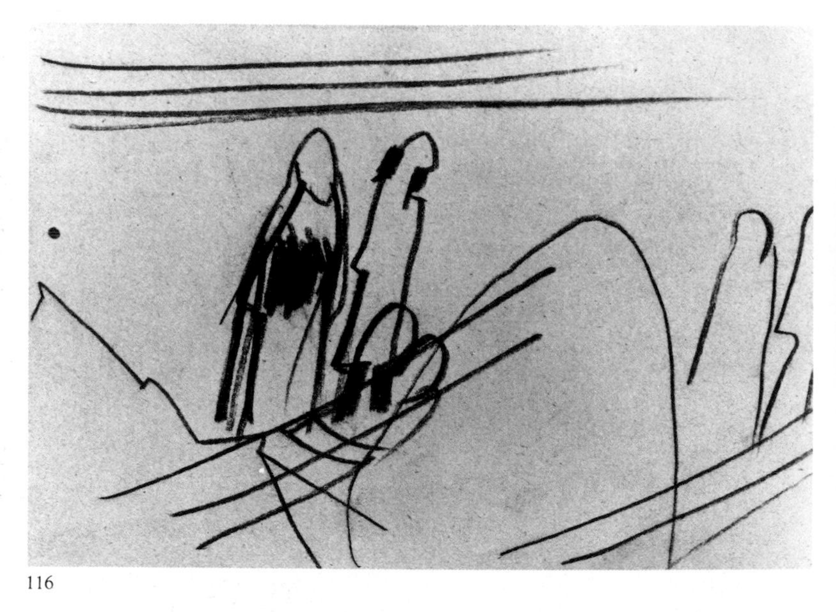

116

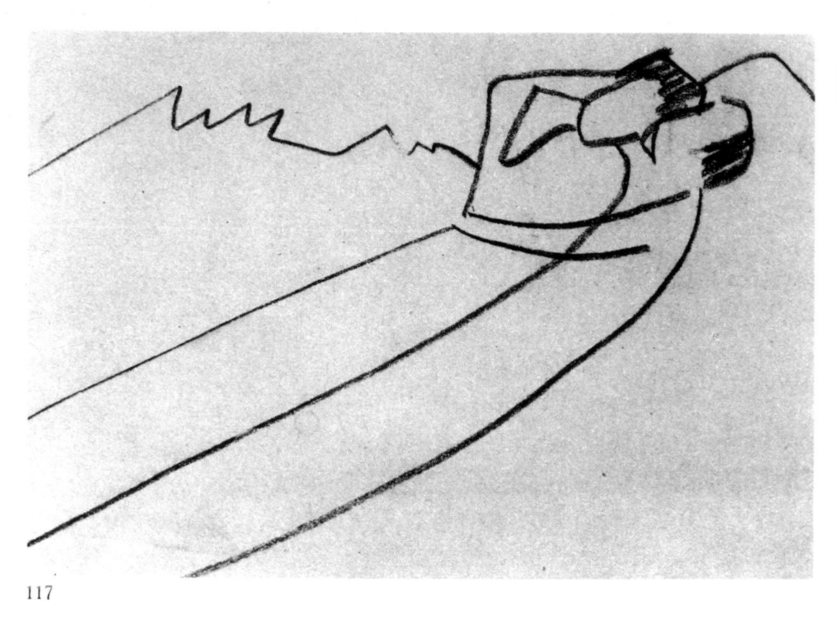

117

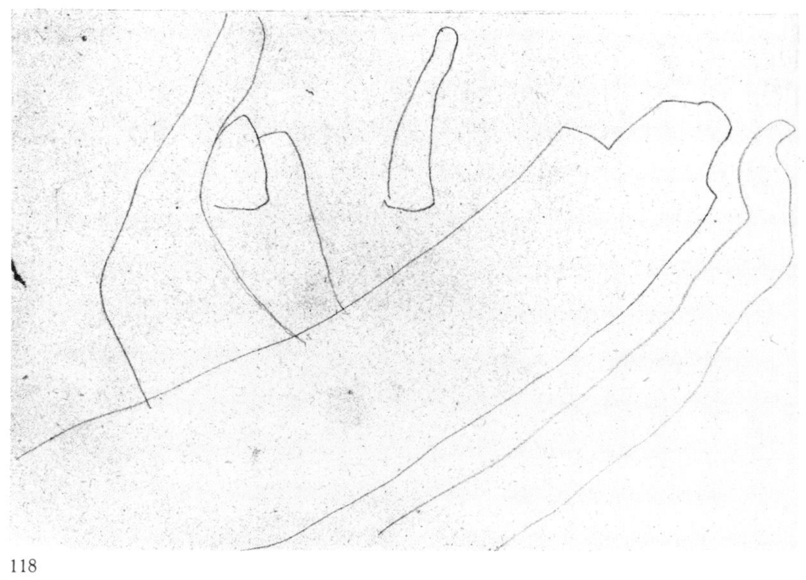

118

119

113
Dessin pour *Composition IV,* 1911
mine de plomb et encre de Chine, 24,9 × 30,5
monogrammé et daté en bas à gauche : K i9ii
inscrit sous le dessin sur le support (à la mine de plomb) : « réduit à 25 cm »
inscrit au verso du support (à la mine de plomb) : « Zeichnung zu 'Komposition 4' i9ii ».
AM 1981-65-207 (Inv. 65)

114
Premier dessin pour *Composition IV,* 1911
mine de plomb, fusain et encre de Chine, (à vue) 10,2 × 20
monogrammé en bas à gauche : K
inscrit au verso (à la mine de plomb) : « i^ste^ Zeichnung zu Komposition 4, i9ii ».
AM 1981-65-208 (Inv. 77)

115
[Sans titre, schéma pour *Composition IV,* 1911]
fusain sur feuille de bloc, 10 × 14,9
AM 1981-65-209 (Inv. 594-29)

116
[Sans titre, étude de détail de *Composition IV,* 1911]
fusain sur feuille de bloc, 10 × 14,9
AM 1981-65-210 (Inv. 348)

117
[Sans titre, étude de détail de *Composition IV,* 1911]
fusain sur feuille de bloc, 10 × 14,9
inscrit au verso (à la mine de plomb, de la main de G. Münter) : « von Comp(osition) 4 ».
AM 1981-65-211 (Inv. 594-18)

118
[Sans titre, étude de détail de *Composition IV,* 1911]
mine de plomb sur feuille de bloc, 10 × 14,8
inscrit au verso (à la mine de plomb, de la main de G. Münter) : « Von Comp(osition) 4 ».
AM 1981-65-212 (Inv. 366)

119
[Sans titre, étude pour *Composition IV,* 1911]
mine de plomb, fusain et aquarelle (mise au carreau), 18,5 × 27,1
monogrammé en bas à gauche : K
inscrit au verso du support (à l'encre, de la main de N. Kandinsky) : « Kandinsky/Skizze zu Komposition N 4, 1910 ».
AM 1981-65-90 (Inv. 60)

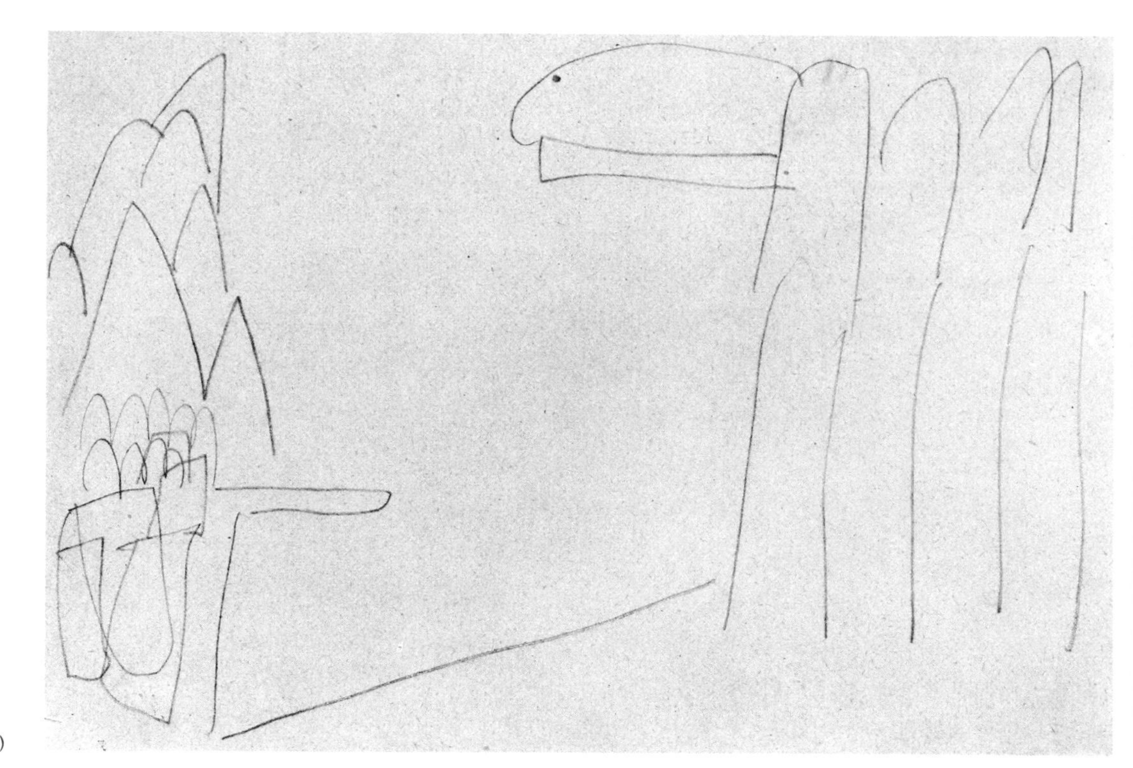

120
[Sans titre, étude pour *Improvisation XIX*, 1911]
mine de plomb sur feuille de bloc, 10 × 14,8
inscrit au verso (à la mine de plomb, de la main de G. Münter) : « Kat(alog) 127/Improv(isation) 19 (Mitte blau) Anf(ang) März 1911/ gem(alt) 13.III ».
AM 1981-65-213 (Inv. 367)

121
[Sans titre, étude pour *Improvisation XIX*^{A}, 1911]
mine de plomb et crayon gras au revers d'une enveloppe, 9,4 × 12
inscrit au verso (à la mine de plomb) :
« Improv(isation) 4 a/88 Murnau i909 ».
AM 1981-65-214 (Inv. 594-26)

Le n° 88 étant inscrit au catalogue manuscrit des peintures de Kandinsky sans croquis, nous avons rapproché ce dessin de l'*Improvisation XIX*^{A}, 1911.

122
[Sans titre, étude et schéma d'un détail de l'*Improvisation XIX*^{A}, 1911]
crayon gras au revers d'une pochette d'opticien, 8,9 × 21,8
indications en allemand concernant les couleurs
AM 1981-65-215 (Inv. 365)

123
[Sans titre, étude pour *Dimanche, Impression VI,* 1911]
mine de plomb sur feuille de bloc, 10 × 14,9
inscrit au verso (à la mine de plomb, de la main de G. Münter) : « Kat(alog) 135/ Sonntag/ 11.II.11 Zum Spaziergang ».
AM 1981-65-216 (Inv. 361)

124
[Sans titre, étude pour *Saint Georges III,* 1911]
fusain au revers d'une lettre de Graphische Kunstanstalten F. Bruckmann A.G. du 11 mars 1911
feuille 28,5 × 21,55, croquis 14,2 × 18,1
indications en allemand concernant les couleurs
inscrit dans la marge droite (à la mine de plomb, de la main de G. Münter) : « H(ei)l(iger) Georg N° 3/ 31/III/1911 ».
un croquis rudimentaire se trouvant sur la deuxième moitié de la feuille n'est pas reproduit.
AM 1981-65-217 (Inv. 594-27)

125
[Sans titre, étude pour *Improvisation XX,* 1911]
encre de Chine au revers d'une enveloppe portant le tampon postal Moscou, 12 mars 1911, 11,05 × 14,5
indications en allemand concernant les couleurs
AM 1981-65-218 (Inv. 594-25)

126
[Sans titre, étude pour *Impression IV* (Gendarme), 1911]
mine de plomb, encre de Chine et aquarelle,
17,6 × 21
indications en allemand concernant les couleurs
inscrit au verso (à la mine de plomb, de la main de G. Münter) : « Impression 5 (Gendarm) Erinnerung an 12.III./ gem(alt) 15.III.11 ».
AM 1981-65-91 (Inv. 334)

128
Impression V (Parc), 1911
huile sur toile, 106 × 157,5
signé et daté en bas à droite : KANDINSKY i9ii.
Donation Mme Nina Kandinsky, 1976
AM 1976-851

peint le 12 mars 1911

Historique :
Coll. Lothar Schreyer.
Coll. Rothenberg, Breslau.
Coll. Mme Nina Kandinsky.

Expositions :
Paris, Indépendants, 1911 (n° 6712).
Basel, Neue Secession, 1912.

Références :
Sturm-Album, pl. 60, « Impression 4 ».
Grohmann, n° 68, p. 355.
Roethel, n° 397, repr. coul. p. 387.

Ici, comme ailleurs semble-t-il, la théorie ne fournit qu'une douteuse introduction à la chose même. Kandinsky, dans son premier livre théorique *Du spirituel dans l'art*, définit la catégorie de l'Impression — créée par lui, pour désigner une série de six œuvres, toutes peintes en 1911 et dont nous présentons la cinquième — comme couvrant des œuvres dans lesquelles l'impression directe de la « nature extérieure » reste visible. Si, munis de ces critères, nous scrutons la surface peinte en zones colorées, vaguement délimitées, ainsi que les traces d'un séisme noir qui la parcourent, nous ne comprenons pas, à moins que le sous-titre nous suffise qui nous rappelle « parc », sujet que Kandinsky a traité avec prédilection au cours de ses migrations (en Russie à Akhtyrka, en France à Saint-Cloud, à Munich au Jardin Anglais). Cependant Kandinsky nous apprend dans une lettre à Jerome Eddy que « ses sous-titres ne sont pas là pour définir le contenu du tableau. Le contenu est ce que le spectateur éprouve sous l'effet des couleurs et des formes ».
La forme et sa couleur, qui dominent et agencent ce tableau, est ce triangle vermillon, situé au centre de la composition. Dans son résumé du tableau, reproduit ci-dessous, Gabriele Münter le désigne d'ailleurs comme la caractéristique dominante de l'œuvre. Son sommet pointu se perdant dans les nuages, la base se confondant avec les couleurs de la « Vie mélangée », cette forme, qui revient dans nombre de tableaux de Kandinsky à l'époque (« puissante comme une montagne parlante » est une formule heureuse de Jean Arp), peut aussi signifier une montagne, peut être interprétée comme symbole de l'élan de l'homme vers l'insondable au-delà.
Il existe pour ce tableau, peint un jour de mars 1911, un dessin préparatoire (reproduit ci-dessous) qui permet de « voir » autrement cette œuvre pour laquelle Kandinsky semblait avoir eu une préférence. Elle est reproduite (sous le titre : *Impression IV*) dans son livre *Du spirituel dans l'art*, publié cette même année, période extrêmement féconde en ce qui concerne la quantité et la qualité innovatrice des œuvres; riche aussi en ce qui concerne l'activité d'organisateur et de théoricien du peintre. Elle figure également parmi les illustrations de l'album du *Sturm*, consacré à Kandinsky en 1913, et elle se trouvait aussi parmi les œuvres que les Français pouvaient voir au Salon des Indépendants à Paris en 1911.
Ce dessin préparatoire confirme une manière de percevoir cette surface peinte qui est rigoureusement décrite par Johannes Langner[1]. Les lignes noires d'une grande spontanéité, tout à fait indépendantes du jeu des taches de couleurs vives à la légèreté de l'aquarelle, ces traces mnémoniques, « soulignées » qu'elles sont en quelque sorte par les traits à la mine de plomb de l'étude, peuvent se lire comme un paysage avec une ligne d'horizon rompue par une montagne, un couple de promeneurs flânant dans un parc, un autre personnage se reposant sur un banc et, surtout, deux cavaliers traversant ce décor de gauche à droite, une amazone précédant légèrement le cavalier, le voile (attribut Biedermeier par excellence des amazones du milieu du 19e siècle) flottant gracieusement derrière elle. Ayant dévoilé de la sorte les rouages du regard porté par Kandinsky sur le monde et la restitution d'une « impression » reçue, ayant démontré, avec pièces à l'appui, les traces de tout un héritage culturel et pictural surgissant dans la conception de cette œuvre, faut-il suivre J. Langner et douter de l'appartenance de l'œuvre à la catégorie des impressions, la définition de ce concept étant, depuis l'impressionnisme, « la reproduction d'un sujet tel qu'il se présente au regard direct en un lieu et en un temps » ?[2]
Deux réflexions s'imposent. Un regard absolu, tel que supposé dans la définition précédente, est-il seulement concevable ? Une impression et la sensation correspondante peuvent-elles être saisies et reproduites dans leur pureté hors de l'atteinte de l'action concertée de la mémoire, de l'habitude, de l'entendement et de la raison ? Et puis, le phénomène de la perception ne doit-il pas être compris d'une manière plus active, comme acte commun du sentant et du sensible, acte qui les confond et dans lequel l'un est modifié par l'autre ?
La configuration peinte par Kandinsky peut se lire justement comme un reflet de la complexité extrême[3] du phénomène de la perception, impossible à analyser à travers les concepts psychologiques traditionnels d'impression, sensation et expression. L'œuvre, dont le premier acquéreur fut Lothar Schreyer, rédacteur du périodique *Der Sturm* à partir de 1916, fut rachetée ultérieurement par Mme Nina Kandinsky.

1. Johannes Langner, « Impression V - Observations sur un thème chez Kandinsky », *Revue de l'Art*, n° 45, 1979, pp. 53 - 65.
2. *Ibid.*, p. 62.
3. « L'impression directe de la nature extérieure » n'est pour le peintre qu'une des composantes « visibles » du tableau.

127
[Sans titre, étude pour *Impression V* (Parc), 1911]
mine de plomb sur feuille de bloc, 10 × 14,9
indications en russe concernant les couleurs
inscrit au verso (à la mine de plomb, de la main de G. Münter) : « Kat(alog) 141 Impression 4 (Park od(er) rotes Dreieck)/ 13.III.11 ».
AM 1981-65-219 (Inv. 594-20)

Manuscrit Kandinsky - Münter III, n° 141

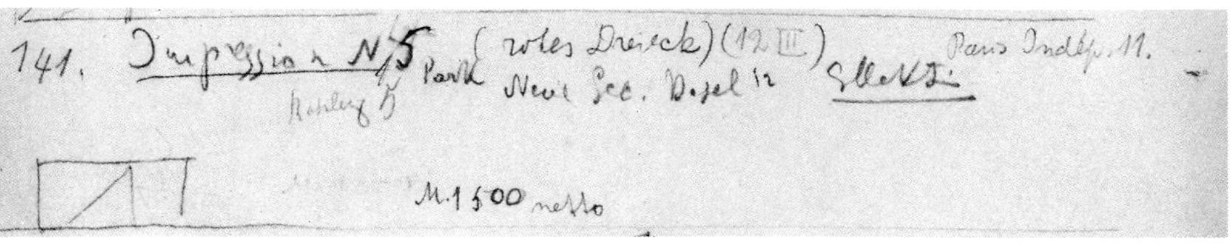

141. Impression N° 5 (rotes Dreieck) (12 III)
Park
(illisible)
M. 1500 netto

Paris Indép(endants) 1911
Neue Sec(ession) Basel 12
Collektion

Manuscrit Kandinsky II : N° i4i

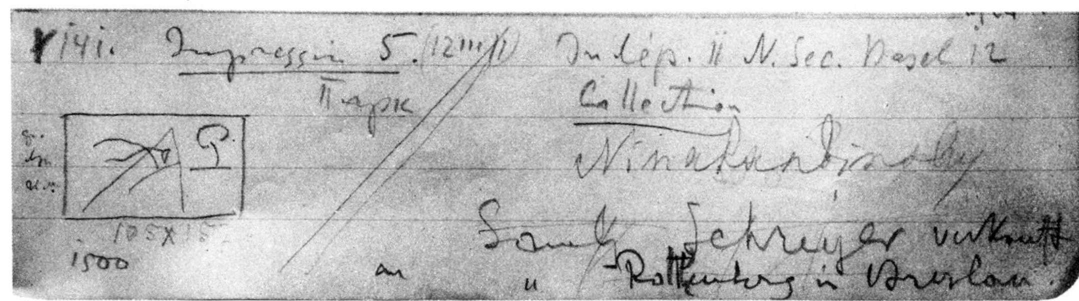

i4i Impression 5 (12 III 11)
Parc
105 × 157
i500

Indép(endants) (19)ii N(eue) Sec(ession) Basel i2
Collection
Nina Kandinsky
Sammlung Schreyer verkauft
an Sammlung Rothenberg in Breslau

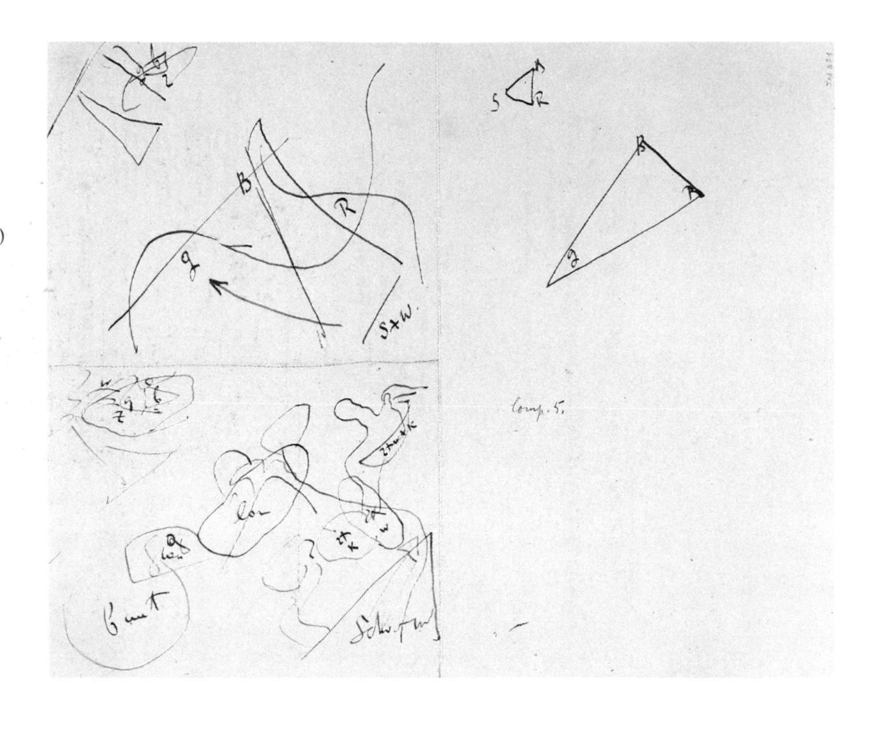

129
[Sans titre, deux schémas pour *Composition V*, 1911]
encre au revers d'une lettre de la Deutsche Bank Filiale München du 31 août 1911, 22,1 × 28
indications en allemand concernant les couleurs
inscrit à droite au milieu (à la mine de plomb, de la main de G. Münter) : « Comp(osition) 5. ».
AM 1981-65-220 (Inv. 371)

130
[Sans titre, étude pour *Toussaint II*, 1911]
mine de plomb, 22,6 × 28,55
indications en allemand concernant les couleurs
AM 1981-65-221 (Inv. 594-32)

131
[Sans titre, étude pour la vignette accompagnant « Der Riss » (1911) du livre *Klänge*, publié en 1913]
mine de plomb et lavis d'encre, 11,2 × 14,3
inscrit au recto (à la mine de plomb) : « Schluss/ 7 i/2 × 8 i/2 »; au verso (à la mine de plomb, de la main de N. Kandinsky) : « Klänge/ (Der Riss) ».
AM 1981-65-222 (Inv. 597-63)

132
[Sans titre, étude pour une vignette, vers 1911]
mine de plomb et encre de Chine, 16,6 × 4,5
AM 1981-65-223 (Inv. 597-60)

131

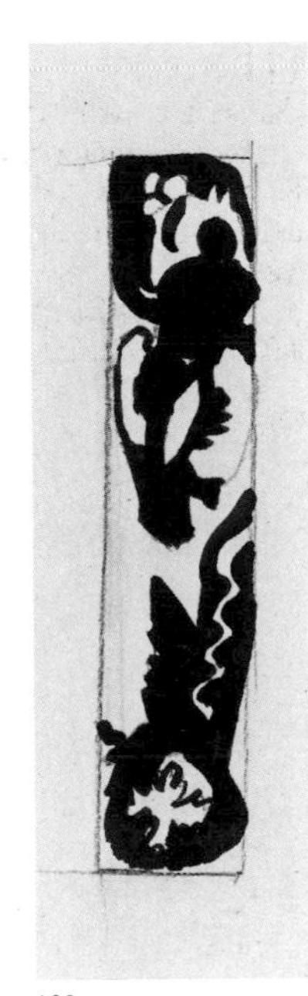

132

133
[Sans titre], 1911
(dessin à rapprocher de l'*Étude pour Improvisation XXXIII (Orient I)*, 1913)
encre de Chine, 18,1 × 27,1
monogrammé et daté en bas à gauche : K i9ii
inscrit au verso du support (à la mine de plomb, de la main de N. Kandinsky) : « Kandinsky 1911 Dessin N 4 (que surcharge N 1)/ 18 1/4 × 27 ».
AM 1981-65-224 (Inv. 81)

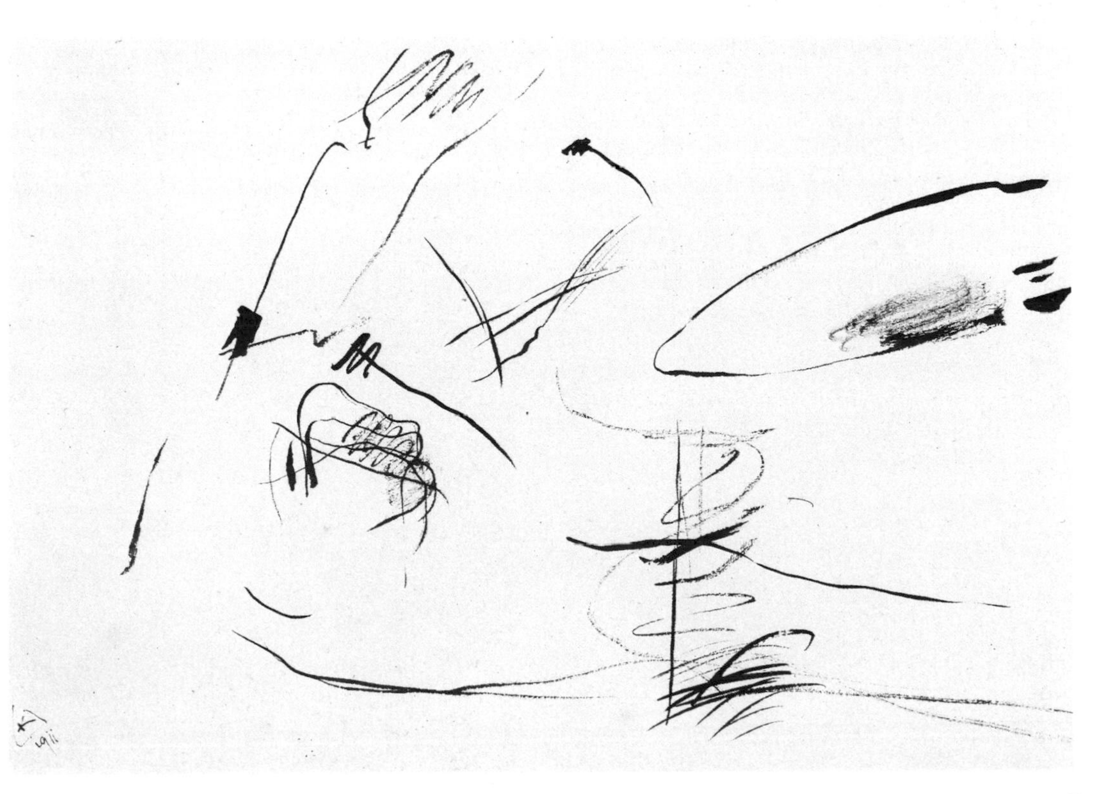

134

Dans le cercle, 1911

aquarelle, gouache et encre de Chine sur papier brun sépia, 48,9 × 48,5
signé et daté en bas à gauche : KANDINSKY i9ii
inscrit au verso du carton de support : « En cercle » 1911 (que surcharge i94i); d'une main anonyme : « Sans N° »; de la main de Nina Kandinsky : « Circonscrit »; tampon : KANDINSKY
AM 1981-65-92 (Inv. 46)

Références :
Grohmann, n° 685, p. 406.

Resituée dans le contexte de l'année 1911, cette œuvre étonne par sa hardiesse, par sa non-objectivité totale. Cependant cette date de création y est inscrite par l'artiste, date qui est répétée également dans le catalogue manuscrit de Kandinsky, même si cette inscription fut réalisée tardivement, peut-être seulement à Paris, vu la rédaction en langue française du titre choisi par Kandinsky, à savoir « En cercle ».
La configuration immobilisée par l'artiste sur cette feuille de papier couleur brun sépia d'assez grandes dimensions est loin de tous les sujets ou motifs qui lui servent de point de départ pour les œuvres réalisées dans le courant de cette année, production qui culmine dans les deux grandes *Compositions IV* et *V*. [1]
Dans toutes ces œuvres nous retrouvons aisément des liens ou avec le paysage (des titres comme *Paysage romantique, Paysage avec cimetière* ou *Paysage avec locomotive* l'indiquent) ou avec l'homme et ses activités (par exemple, *Impression III* [Concert], *Tableau avec troïka, Dimanche, Impression IV* [Gendarme]). Dans l'aquarelle reproduite ci-contre, toutes ces références ont disparu. Ce qui est donné à voir, ce sont des événements purement formels et chromatiques. Une forme circulaire au contour grossier et irrégulier, inscrite dans un carré, tâche de persister dans son être précaire malgré des perturbations provoquées par des tourbillons à l'intérieur des limites tracées, et malgré l'intrusion d'éléments étrangers.
Exécutée avec rapidité à l'encre de Chine et à la plume, accentuée avec fougue au pinceau et à l'aquarelle rehaussée de gouache aux tons stridents, cette œuvre possède des affinités multiples avec une peinture de 1913, intitulée *Improvisation rêveuse*. [2]
Sur un fond ocre aux dimensions carrées s'inscrit une configuration circulaire qui est cependant moins affirmée que dans l'aquarelle présente. Cette inscription supplémentaire d'un événement dans une forme choisie, cercle ou ovale, à l'intérieur d'un cadre tracé par les dimensions du support, n'est pas sans évoquer la présentation dite en cartouche ou en médaillon des fixés-sous-verre des 17e et 18e siècles, encadrement peint qui, parfois, imite en hachures aux traits croisés (que nous retrouvons dans l'aquarelle à plusieurs endroits sur le contour circulaire) une technique des doreurs sur bois dite grain d'orge. En 1914 Kandinsky reprend cette présentation traditionnelle d'un sujet religieux dans une peinture sur verre représentant les cavaliers de l'Apocalypse inscrits dans un médaillon ovale accompagné de quatre médaillons d'angle. [3]

1. La *Composition IV* est conservée à la Kunstsammlung Nordrhein-Westfalen de Düsseldorf; son pendant, la *Composition V*, est dans une collection privée en Suisse.
2. Conservée à la Staatsgalerie Moderner Kunst, Munich.
3. *Cavaliers de l'Apocalypse II*, 1914, conservé à la Städtische Galerie im Lenbachhaus, Munich.

Manuscrit Kandinsky V (aquarelles) :

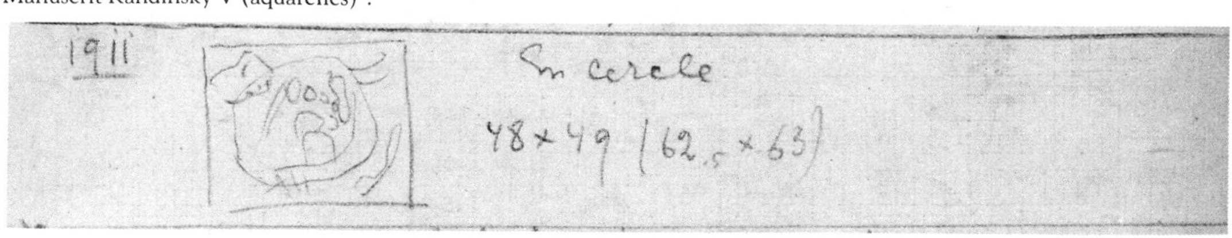

i9ii
En cercle
48 × 49 (62,5 × 63)

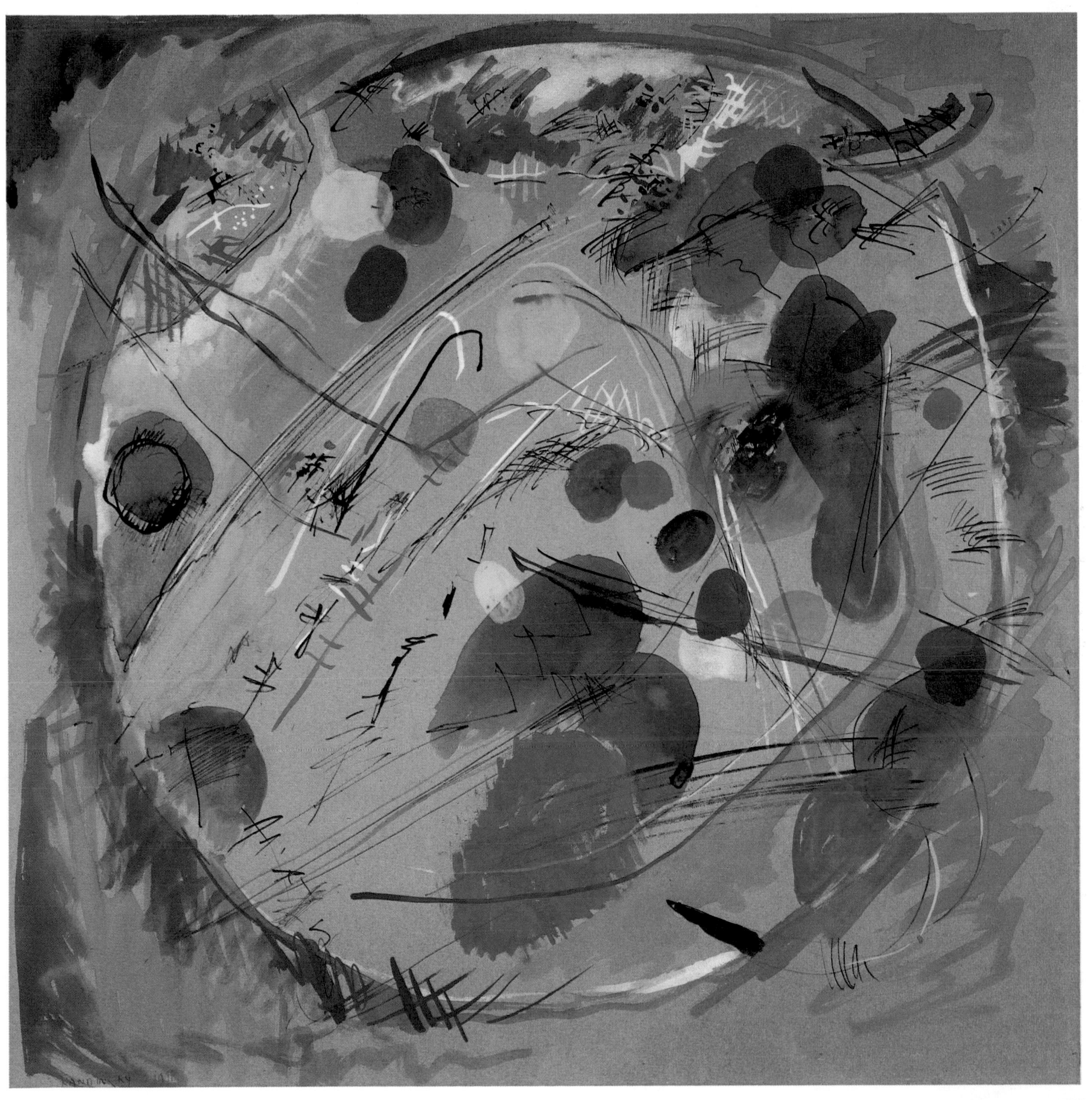

135
[Sans titre, étude pour *Improvisation XXIV* (Troïka II), 1912]
mine de plomb, 10,4 × 16,05
inscrit au verso (à la mine de plomb, de la main de G. Münter) : « für Troïka Jan(uar) 12 ».
AM 1981-65-225 (Inv. 594-17)

136
[Sans titre], 1912
encre de Chine, 29,4 × 21,3
monogrammé et daté en bas à gauche : K i9i2
inscrit au verso du support (à la mine de plomb, de la main de N. Kandinsky) : « N° 5/Kandinsky ».
AM 1981-65-226 (Inv. 74)

137
[Sans titre], 1912
(Projet pour la couverture des deux catalogues du *Blaue Reiter,* 1911 et 1912)
encre de Chine sur carton fin glacé, 14,8 × 12
inscrit en bas (à l'encre de Chine) : « Der Blaue Reiter »
inscrit au verso du support (à la mine de plomb) : « i9i2/N° 7 », puis, de la main de N. Kandinsky : « Kandinsky/ Dessin pour le cavalier bleu (Blaue Reiter) ».
AM 1981-65-227 (Inv. 90)

138
[Sans titre], 1912
(Étude pour la vignette du *Sturm-Album,* 1913)
encre de Chine, 26,8 × 23,4
monogrammé et daté en bas à gauche : K i9i2
inscrit au verso (à la mine de plomb, de la main de N. Kandinsky) : « Kandinsky 1912 N 1 ».
AM 1981-65-228 (Inv. 95)

139

Jugement dernier, [1912]

peinture à l'eau et encre de Chine sous verre
(à vue) 33,6 × 45,3
monogrammé en bas à droite : K
cadre peint par Kandinsky
AM 1981-65-34 (Inv. 128)

Références :
Sturm-Album, pl. 59, « Glasbild, 1911 ».
Grohmann, n° 663, p. 404, « Jüngstes Gericht, 1911 ».
Roethel, n° 447, repr. coul. p. 439, « Jüngster Tag, 1912 ».

La technique de la peinture sous verre, presque entièrement consacrée à la représentation de sujets religieux, d'ex-voto, était restée vivante au sein de l'art populaire allemand jusqu'au début du 20e siècle. Elle fut réintroduite dans plusieurs localités en Haute Bavière dans la deuxième moitié du 18e siècle à partir d'Augsbourg, grand centre d'art et de commerce grâce à l'activité de la puissante famille des Fugger au siècle précédent. Les ateliers municipaux de peinture sous verre avaient pris la relève des monastères italiens, français et allemands qui excellaient dans cet art au Moyen Age. Son origine semble remonter aux « fondi d'oro »[1], technique connue en Syrie au 1er siècle av. J. C. et reprise à Rome aux 3e et 4e siècles ap. J. C. Dans les Alpes bavaroises les ateliers les plus connus se trouvaient autour du lac Staffel, à Seehausen et à Murnau. D'intéressantes collections de pièces de tous les âges furent réunies dans l'église de pèlerinage de Froschhausen ou, et ceci était important pour les artistes de la N.K.V. Munich et du Blaue Reiter, à Murnau même, dans la brasserie Angerbräu.
L'exubérance joyeuse des couleurs vives, rustiques, la naïveté d'expression, la simplification des formes observées dans la nature, tout ceci enchantait non seulement Kandinsky, mais aussi Marc, Klee et Jawlensky. Ce dernier possédait d'ailleurs une très riche collection de ces images.
Comme les habitants de la région qui, pendant l'hiver, fabriquaient ces objets en famille selon les traditions anciennes, pour qu'ils puissent être vendus par les colporteurs au printemps, Kandinsky et Gabriele Münter, auxquels se joignaient Fanny Dengler, l'aide familiale, Franz et Maria Marc, August et Lisbeth Macke, se réunissaient parfois[2] pour la confection de ces images, activité dont Kandinsky dit « qu'il ne connaît presque pas de travail plus réjouissant ».[3]
Parfois un simple passe-temps — la reprise d'un sujet traditionnel (Saint Georges, par exemple) — parfois le point de départ d'une des grandes Compositions[4], ou une variation sur leurs thèmes[5], parfois humoristique jusque dans le titre (*Tableau avec pince-nez*, par exemple, repr. p. 125), ces œuvres sont pourtant d'une richesse d'invention considérable. En l'espace de 4 ans, entre 1909 et 1913, Kandinsky peint environ 33 pièces, dont la majorité est conservée au Lenbachhaus de Munich. Cependant l'artiste reprend cet art pendant son séjour en Russie et il réalisera deux dernières œuvres dans cette technique pendant la période parisienne.[6]
Le peintre qui, à l'époque, s'intéresse beaucoup aux images d'Epinal et possède une collection importante de gravures populaires russes dont il utilise quelques feuillets comme illustrations pour l'Almanach *Der Blaue Reiter* (cf. p. 460-461) ne reste par sur le plan de la pratique pure en ce qui concerne cette manifestation artistique populaire. Le 4 octobre 1911 il demanda à Franz Marc par lettre[7] « de bien vouloir faire une recherche concernant les racines de la peinture sous verre bavaroise dans les Archives du Musée National dans la ville de Munich ».
Ces images n'étaient nullement considérées comme un genre mineur, juste aptes à servir de présent pour les amis les plus proches.[8] Au contraire, Kandinsky les a exposées à l'époque à plusieurs reprises. Le *Tableau avec pince-nez* figura hors catalogue (selon une étiquette se trouvant au revers de l'œuvre) à la première exposition « Der Blaue Reiter » à Munich chez Thannhauser en 1911. Le 8 mars 1912 Walden accuse réception de 7 peintures sous verre qu'il trouve « tout à fait merveilleuses »[9]; il en exposera 5 à l'occasion de la première exposition du *Sturm* à Berlin en 1912. Cette série de fixés-sous-verre fut également montrée au mois de mai à la troisième exposition de cette galerie, consacrée aux œuvres graphiques.
En octobre 1912 Kandinsky semble avoir exposé — hors catalogue à nouveau — deux peintures sous verre chez Hans Goltz, si nous suivons les annotations manuscrites de Gabriele Münter dans un exemplaire du catalogue conservé dans le Fonds Kandinsky.[10] Herwarth Walden fera d'ailleurs reproduire dans l'album qu'il consacrera à l'artiste en 1913 deux peintures sous verre, dont le tableau *Jugement dernier* (repr. en couleur ci-contre), présenté sous le titre générique « Glasbild » et daté de 1911.
Peintes ou à l'aquarelle, à la gouache et à l'huile, ou toute technique mêlée sur le revers d'un support de verre lisse ou ondulé (*Avec cavalier* et *Tableau avec pince-nez* sont peints sur ce que l'on appelle verre lessive), ces œuvres, extrêmement fragiles, furent souvent assorties par les artistes de cadres peints à la main ou de cadres dorés, rehaussés de peinture à l'huile, selon les coutumes traditionnelles. Les trois fixés-sous-verre de 1912 du Fonds Kandinsky se trouvent encore dans ces cadres d'origine, peints par Kandinsky, idée qu'il semble avoir considérée un peu comme son invention et dont il voulait empêcher la divulgation[11], malgré les antécédents historiques. Les effets techniques très spéciaux qui peuvent être obtenus sur une surface de verre lisse ou ondulé avec une peinture à l'eau, à l'huile, ou un mélange des deux — tels que translucidité, miroitement, effet de moiré et structurations diverses obtenues par des pinceaux adéquats — ont enrichi la manière du peintre sur des supports autres (cf. p. 138).

1. Une feuille d'or, incisée, est appliquée sur une plaque de verre et recouverte d'un film de verre fondu.
2. Kandinsky appela cette corporation la « Glasmalco », Compagnie des peintres sur verre.
3. Lettre à Franz Marc du 8 juin 1911, Lankheit, *op.cit.*, p. 38.
4. Selon les commentaires de Kandinsky sur la *Composition VII* (cf. *Sturm-Album*, 1913, p.XXXV), la première idée de cette œuvre avait jailli dans une peinture sous verre, intitulée *Le Déluge*.
5. Notre peinture sous verre, intitulée *Jugement Dernier*, reprend, en 1912, le sujet de la *Composition V* de 1911, conservée dans une collection privée suisse.
6. Il s'agit de *Formes en tension*, 1936, conservé dans le Fonds Kandinsky, et *Stabilité*, également de 1936, collection privée, R.F.A.
7. Lankheit, *op.cit.*, p. 63.
8. Marc offrit à Kandinsky un portrait du Douanier Rousseau, exécuté dans cette technique (actuellement conservé au Lenbachhaus, Munich)
9. Lettre conservée dans les Archives du Lenbachhaus, Munich.
10. Les renseignements contenus dans le catalogue de la 1re exposition générale de Goltz furent complétés et corrigés par G. Münter, qui ajouta, parmi d'autres, ces deux titres : « Glasbild hell », « Glasbild Grüner Reiter ».
11. Lettre de Kandinsky à Marc du 4 décembre 1911 (Lankheit, *op.cit.*, p. 80). Marc semble avoir parlé des cadres peints à Jawlensky, ce que Kandinsky déplore.

140
[Avec cavalier], 1912
peinture à l'eau sous verre ondulé, dit verre lessive,
27,5 × 28
monogrammé en bas à gauche : K
cadre peint par l'artiste
inscrit au verso du fond en carton (à la mine de plomb) : « Glasbild (Hinterglasmalerei)
Murnau i9i2 ».
Roethel n° 444, « Mit Reiter »
AM 1981-65-35 (Inv. 131)

141
Tableau avec pince-nez, 1912
peinture à l'eau et encre de Chine sous verre ondulé, dit verre lessive, 32,5 × 25,5
monogrammé en bas à droite : K
cadre peint par Kandinsky
inscrit au revers du carton de protection (à la mine de plomb) : « Glasbild mit Kneifer, Murnau i9i2 »
AM 1981-65-36 (Inv. 130)

peint à Murnau en 1912

Expositions :
D'après une étiquette qui se trouve au revers, l'œuvre figura hors catalogue et sous le titre « Glasbild » à la première exposition « Der Blaue Reiter », déc. 1911, Munich, galerie Thannhauser.

Références :
Grohmann, n° 670, p. 405, « Bild mit Pincenez, 1912 ».
Roethel, n° 445, « Mit Kneifer, 1912 ».

142

Avec l'arc noir, 1912

huile sur toile, 189 × 198
signé et daté en bas à gauche : KANDINSKY i9i2
donation Mme Nina Kandinsky, 1976
AM 1976-852

peint en automne 1912, Munich

Expositions :
Dépôt au König-Albert Museum, Zwickau, octobre 1926.
Paris, Musée du Jeu de Paume, 30 juillet-31 octobre 1937, n° 148.

Références :
Grohmann, p. 273, repr.
Roethel, n° 436, repr. coul. p. 419, « Tableau avec l'arc noir ».

L'œuvre figure également sur le manuscrit III, n° 154.

Manuscrit Kandinsky II, n° 154

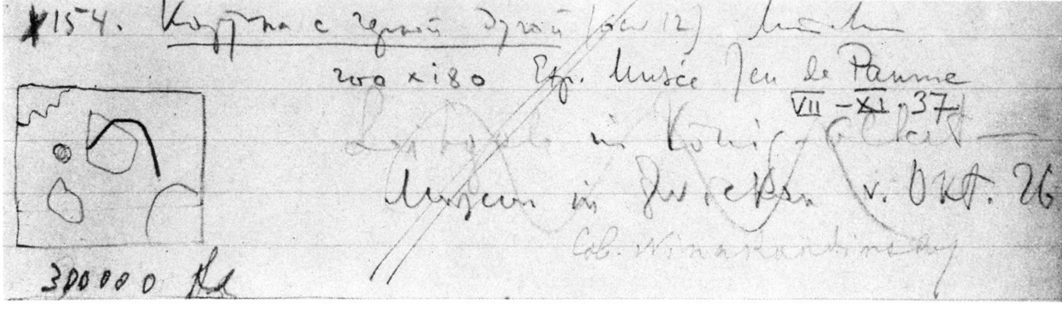

i54. Kartina s tchernoï dougoï (ossen 12) München
200 × 180
300 000 frs.

Exp(osition) Musée Jeu de Paume
VII - XI 1937
Leihgabe im König Albert
Museum, Zwickau, Okt. V, 1926

Kandinsky et Paul Klee. Photographie prise en 1926 dans l'atelier de Kandinsky, installé provisoirement dans les locaux de la Kunsthalle municipale de Dessau. Appuyé au mur, *L'Arc noir.*

Document photographique ancien, du Fonds Kandinsky, montrant le harnachement typique russe avec l'arc de limonière, douga.

Vue d'une des salles de la galerie Charpentier, Paris, à l'occasion de l'exposition « Les réalités nouvelles », avec, à droite, *Avec l'arc noir* de Kandinsky. En face, on aperçoit une œuvre d'Otto Freundlich. Cet ensemble d'œuvres de « peintres étrangers ayant travaillé dans le sens de l'abstraction avant 1920 » fut montré dans ces lieux entre le 30 juin et le 15 juillet 1939 et formait le deuxième volet d'une exposition tripartite, organisée par Mme van Dœsburg, Alfredo Sidés et Yvanhoé Rambosson.

Photographie du tableau à l'envers, prise sur le balcon de l'appartement que Kandinsky occupa à Berlin (après la fermeture du Bauhaus de Dessau et pendant son installation provisoire à Berlin) jusqu'à son départ pour Paris en octobre 1933.

« Par construction, écrit Kandinsky à A. Schönberg le 22 août 1912 — *Avec l'arc noir,* toile éminente et singulière était alors en cours d'achèvement — on comprenait jusqu'à présent une géométrie insistante (Hodler, les cubistes, etc.). Mais ce que je veux montrer, c'est que la construction peut aussi être atteinte — et même mieux — sur le « principe » de la dissonance, qu'elle offre là bien plus de possibilités, et que ces possibilités, il faut à tout prix les montrer dans cette nouvelle époque que nous abordons ». [1]
Ce petit manifeste théorique, qui résume toute une esthétique expressionniste, fournit des indications précieuses pour la lecture de cette œuvre, dont l'arrivée imprévue et tardive à la première exposition personnelle de Kandinsky à la galerie « Der Sturm », Berlin (l'ouverture était prévue pour le 1er octobre et fut retardée d'un jour), fut annoncée par Kandinsky dans une lettre à H. Walden en date du 20 septembre 1912 : « Je fais un petit changement. L'*Improvisation 27* (elle était chez vous l'hiver dernier en tant que supplément de l'exposition « Der Blaue Reiter »), je la laisse ici. A sa place je vous envoie « Bild mit schwarzem Bogen » (*Tableau avec l'arc noir*). Il peut très bien remplacer l'Improvisation dans la salle II, mur gauche ». [2]
Connaissant la minutie extrême avec laquelle Kandinsky prévoyait les moindres détails de ses accrochages, on ne peut que s'étonner qu'une toile de 120 sur 140 cm puisse être remplacée avantageusement par celle d'un format exceptionnel dans l'œuvre de Kandinsky, à savoir une toile presque carrée et mesurant 189 sur 198 cm.
Toujours est-il que l'*Improvisation 27,* ainsi restée chez Hans Goltz à Munich, a pu être sélectionnée ultérieurement pour l'Armory Show. Elle sera acquise par A. Stieglitz et deviendra ainsi en quelque sorte le premier messager de l'art de Kandinsky aux États-Unis.
Les motifs qui servent de point de départ aux deux œuvres en question n'ont également rien en commun. Dans l'*Improvisation 27* Kandinsky reprend le thème ancien du jardin de l'amour, tandis que *Avec l'arc noir* — et tous les commentateurs sont unanimes — met en scène, et suspend, un affrontement violent. « Cette gigantomachie primitive » (K. Rœthel), ces « trois continents qui s'entrechoquent » (W. Grohmann) sont un paradigme éblouissant de toute situation antagonique. De par ses dimensions prétendrait-elle au rang de « composition », titre que Kandinsky réserve à ce qu'il appelle ses symphonies, grands et laborieux développements qui scandent sa production entière ?
De simples considérations d'ordre économique interdisent ce rapprochement. Le prix pour *L'Arc noir* communiqué à H. Walden le 27 septembre 1912 est de 1 500 Mark, quand, à la même époque, Kandinsky n'accepte pas de céder *Vieille ville* (1902), de dimensions beaucoup plus modestes, à savoir 52 sur 79 cm, en dessous de 3 000 Mark, et quand le prix fixé pour la *Composition VII,* achevée enfin le 28 novembre 1913 et conservée aujourd'hui à Moscou, Galerie Tretiakov, est de 30 000 Mark (lettre de Kandinsky à Walden du 12 novembre 1913 [3]).
Le format carré, ainsi que la configuration graphique de trois formes aux contours peu définis (la forme de l'arc est encore absente), sont déjà trouvés dans un croquis au crayon, figurant au verso du premier feuillet de la maquette pour une édition russe de son livre *Klänge* (Sonorités), prévue, mais non réalisée en 1910. K. Rœthel pensait que ce dessin, daté et intitulé par lui : « Avec un cavalier venant d'en bas à gauche (Mit Reiter von links unten), 1911 », était une étude pour une gravure jamais réalisée. Cette petite annotation en forme d'idéogramme d'un affrontement, d'une collision inévitable, est élargie dans le tableau final à des dimensions grandioses. Deux masses de couleurs aux contours vagues, surgissant de nulle part, convergent vers une troisième, bloc menaçant suspendu au sommet d'un agencement triangulaire. Les couleurs bleu - rouge - violet, agissant et réagissant comme des acteurs, poussent au paroxysme le climat général de dissonance, souligné encore par des traits noirs agressifs et chaotiques qui parcourent la zone médiane de l'affrontement, jaillissant comme le vacarme de l'impact des armes et des armures. Une épaisse courbe noire et irrégulière trace ce que, malgré tout, il convient d'appeler un lien, inscrit la ligne de force du combat, la « subjugation » par l'affrontement, l'envoûtement par l'idée d'une lutte inévitable et éternelle.
Joug. Douga. C'est ce mot russe — et, fait non négligeable, Kandinsky rédige son titre original en russe : « Kartina s tchernoï dougoï » — que l'on traduit par « arc » en perdant ainsi des connotations très particulières. *Douga,* pour celui qui l'entend, évoque d'abord une forme millénaire et coutumière du monde russe, cette pièce indispensable à tout harnachement, cet arc de limonière, fait de bois d'orme en forme irrégulière qui tend vers le demi-cercle. Cette forme très évocatrice apparaît à nouveau à la périphérie d'une toile de 1919, *Dans le gris,* dont le premier titre inscrit par Kandinsky et rayé par la suite fut : *Avec l'arc noir.*
L'historique de ce tableau du vivant du peintre est fait de surgissements éclatants et de longues périodes d'oubli. Après l'itinérance organisée par H. Walden à la suite de l'exposition de 1912, cheminement qui se termine en 1916 à Stockholm chez Gummeson, étape que *L'Arc noir* ne semble pas avoir suivie, il est conservé chez Gabriele Münter jusqu'en 1926. Après une mise en dépôt temporaire au Musée de Zwickau [4] cette même année, il ne réapparaîtra qu'en 1937 à Paris à l'exposition « Origines et développement de l'art international indépendant » et en 1939 , à Paris encore, à l'exposition « Les réalités nouvelles », organisée à la Galerie Charpentier. Une ronde interminable d'expositions commencera alors à partir de 1946.
Une étude très approfondie, culminant dans une théorie générale de l'art de Kandinsky de l'époque munichoise, fut consacrée récemment à cette œuvre — d'ailleurs assez négligée des critiques — par Johannes Langner, intitulée « Gegensätze und Widersprüche - das ist unsere Harmonie ». Cet essai fut publié dans le catalogue de l'exposition « Kandinsky und München », Munich, Lenbachhaus, janvier - mars 1982.

1. Lettre conservée à la Library of Congress, Washington, U.S.A.
2. et 3. Lettres conservées aux Archives de la Staatsbibliothek, Preussischer Kulturbesitz, Berlin.
4. A cette époque, quand Zwickau, ville minière, située dans le district de Chemnitz, Saxe (aujourd'hui Karl-Marx-Stadt, D.D.R.), devint un centre d'industrie légère, le Musée du Roi Albert était un musée général, enfermant des reliques de l'histoire locale (Thomas Münzer), ainsi que des objets des collections royales.

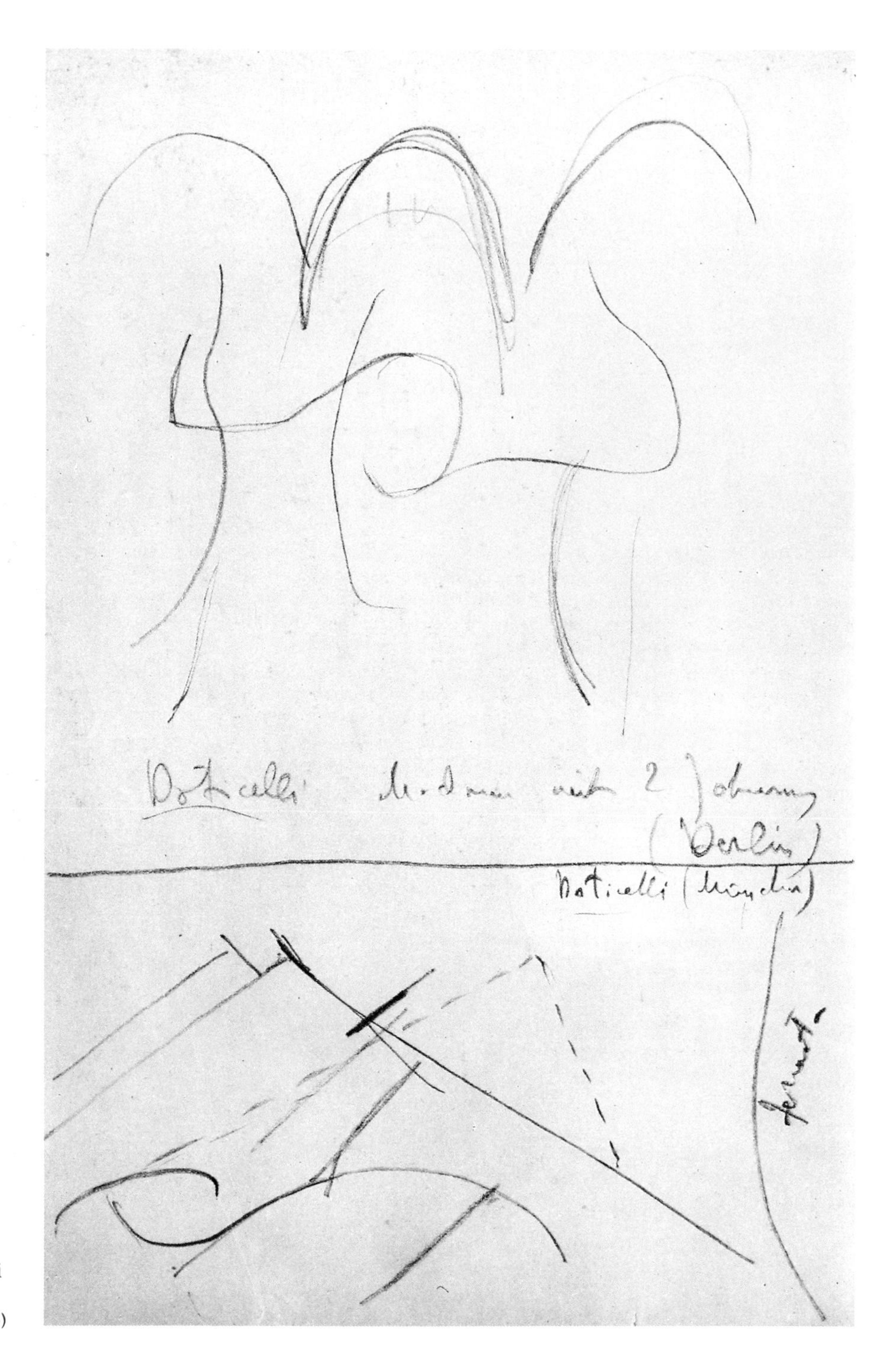

143
[Sans titre, vers 1912, schémas de deux tableaux de Botticelli]
mine de plomb, 22,5 × 14,2
croquis supérieur inscrit en bas (à la mine de plomb) : « Boticelli Madonna mit 2 Johannes (Berlin) ».
croquis inférieur, inscrit en haut à droite : « Boticelli (München) »; à droite dans la marge : illisible.
AM 1981-65-229 (Inv. 879-6)

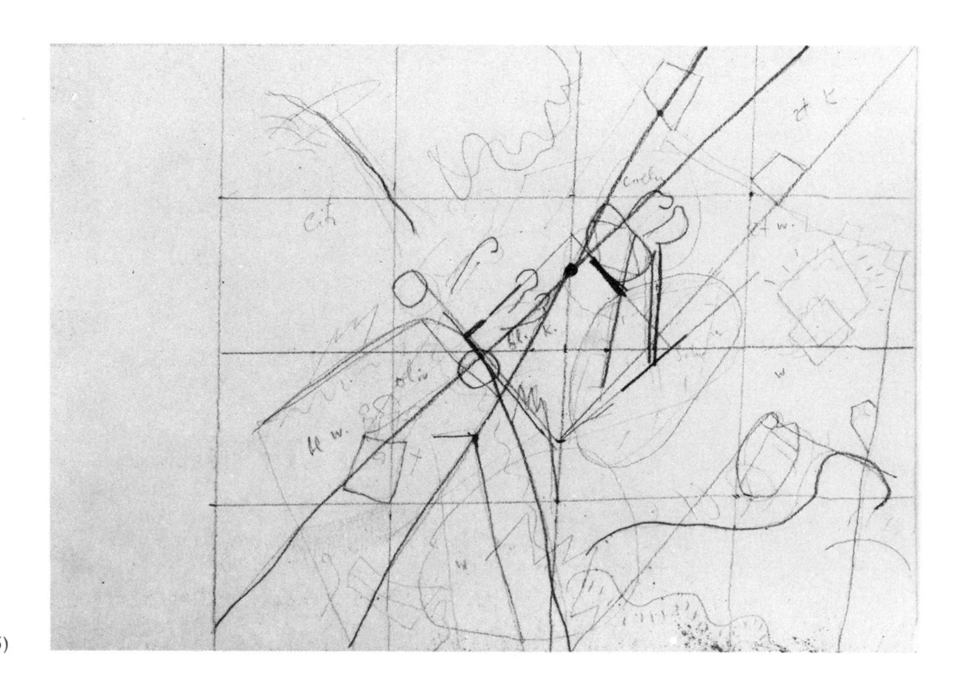

144
[Sans titre, étude pour *Tache noire I,* 1912]
mine de plomb et crayon gras
feuille irrégulière 16 × 24,2
dessin 16 × 18,5 (mise au carreau)
indications en allemand concernant les couleurs
AM 1981-65-230 (Inv. 594-15)

145
[Sans titre]
(étude à rapprocher de *Paysage aux taches rouges*, I et II, 1913)
mine de plomb, encre de Chine et sépia sur feuille de bloc, 14,8 × 10
AM 1981-65-231 (Inv. 594-14)

146
Étude de détail de *Composition VI,* 1913
fusain, 16,4 × 21,5
monogrammé en bas à gauche : K
inscrit au verso du support (à la mine de plomb) :
« Knoten links unten. Zu 'Komposition 6',
i9i3 N° 5 ».
AM 1981-65-232 (Inv. 72)

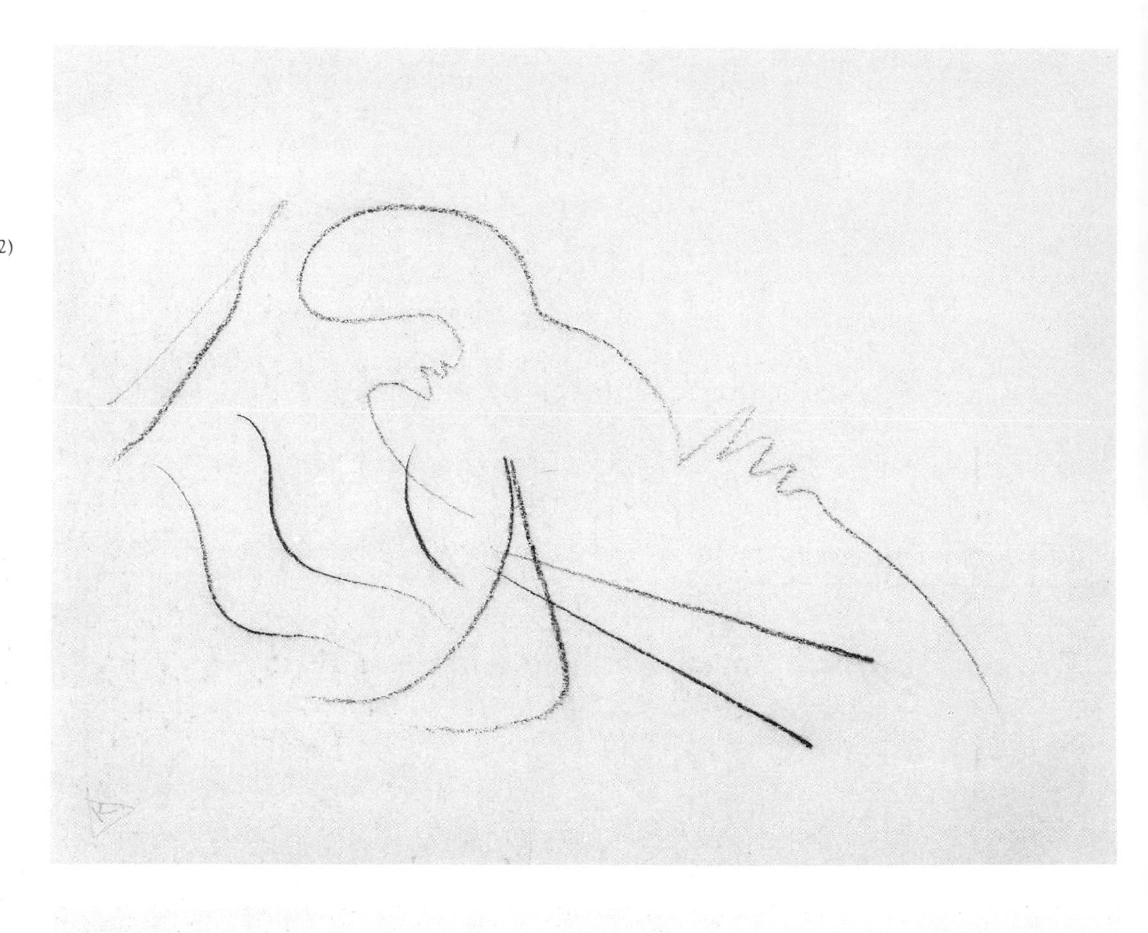

147
Lignes principales de *Composition VI,* 1913
mine de plomb et crayon gras, 19 × 26,9
monogrammé en bas à gauche : K
inscrit au verso du support (à la mine de plomb) :
« Hauptlinien der Komposition 6 », i9i3 / i9i3/
N° 4 », puis (de la main de N. Kandinsky) :
« Kandinsky ».
AM 1981-65-233 (Inv. 78)

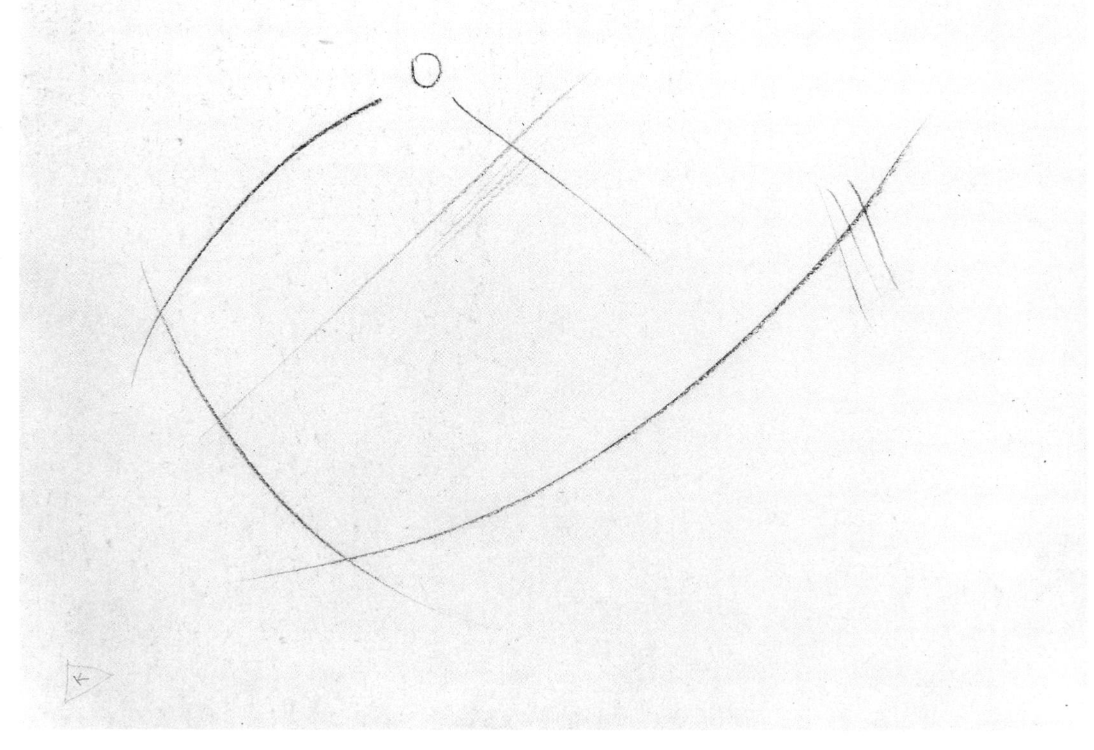

148
Étude pour *Improvisation XXXI,* 1913
mine de plomb, aquarelle et encre de Chine,
34 × 23,7
monogrammé en bas à gauche : K
inscrit au verso du support (à la mine de plomb) :
« Aquarelle pour "Improvisation 3i"/ Entwurf zu
'Improvisation 3i/1913' ».
donation Mme Nina Kandinsky, 1976
AM 1976-866

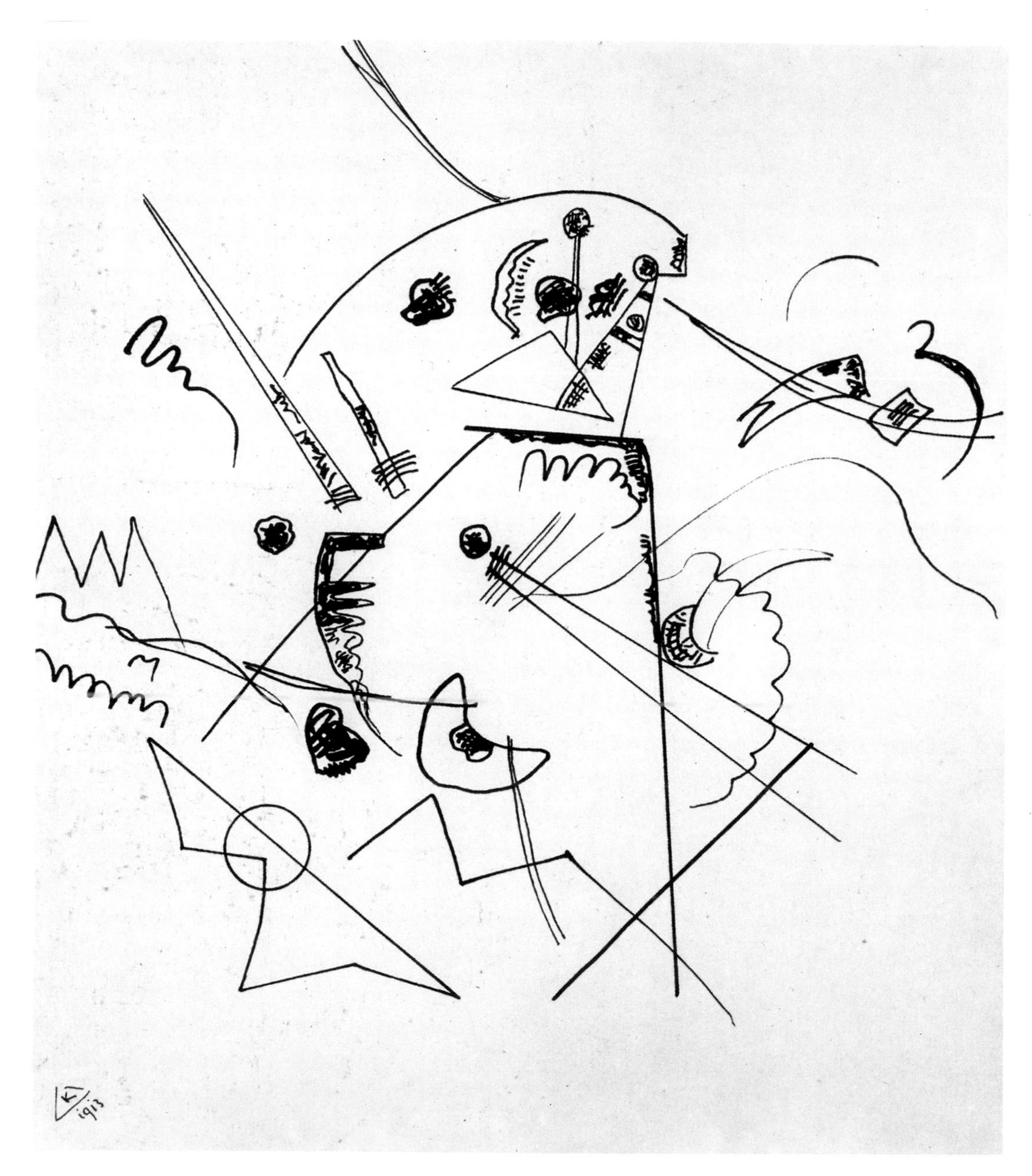

149
Dessin pour *Petites Joies,* 1913
encre de Chine, 35,5 × 30,6
monogrammé et daté en bas à gauche : K i9i3
inscrit au verso du support (à la mine de plomb) :
« Zeichnung zu Kleine Freuden », et de la main de
N. Kandinsky : « N 1, 1913 »
AM 1981-65-237 (Inv. 622)

150
Étude pour *Petites Joies,* 1913
aquarelle et encre de Chine sur papier vergé,
23,8 × 31,5
monogrammé en bas à droite : K
inscrit au verso du carton support (à la mine de
plomb) : « Aquarelle pour "Petites Joies", i9i3 ».
AM 1981-65-843 (Inv. 61)

Manuscrit Kandinsky V (aquarelles) : sans numéro

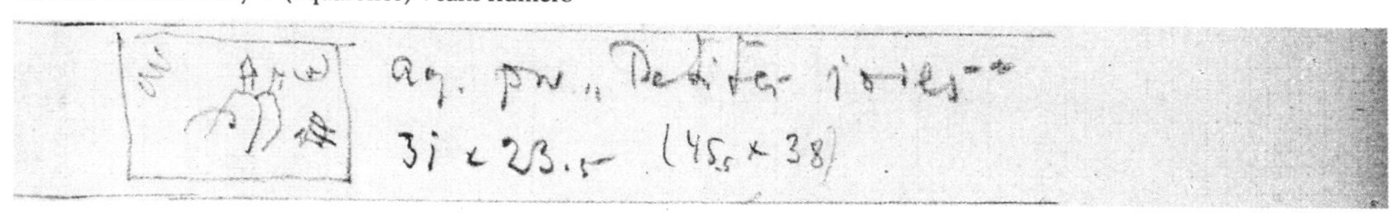

Aq(uarelle) pour « Petites joies »
3i × 23,5 (45,5 × 38)

150

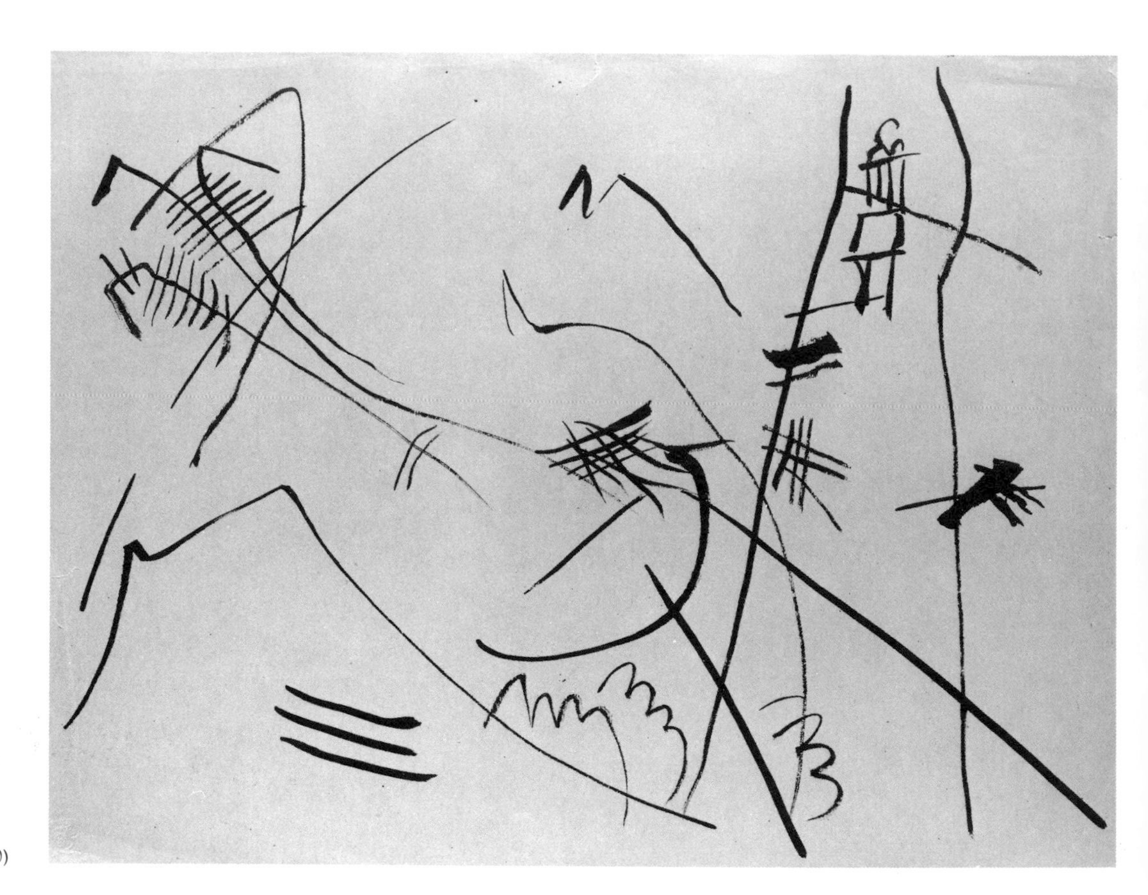

151
[Sans titre]
(dessin à rapprocher de *Tableau avec bordure blanche,* 1913)
encre de Chine sur papier marron (tampon sec),
35,3 × 47,1
AM 1981-65-234 (Inv. 593-30)

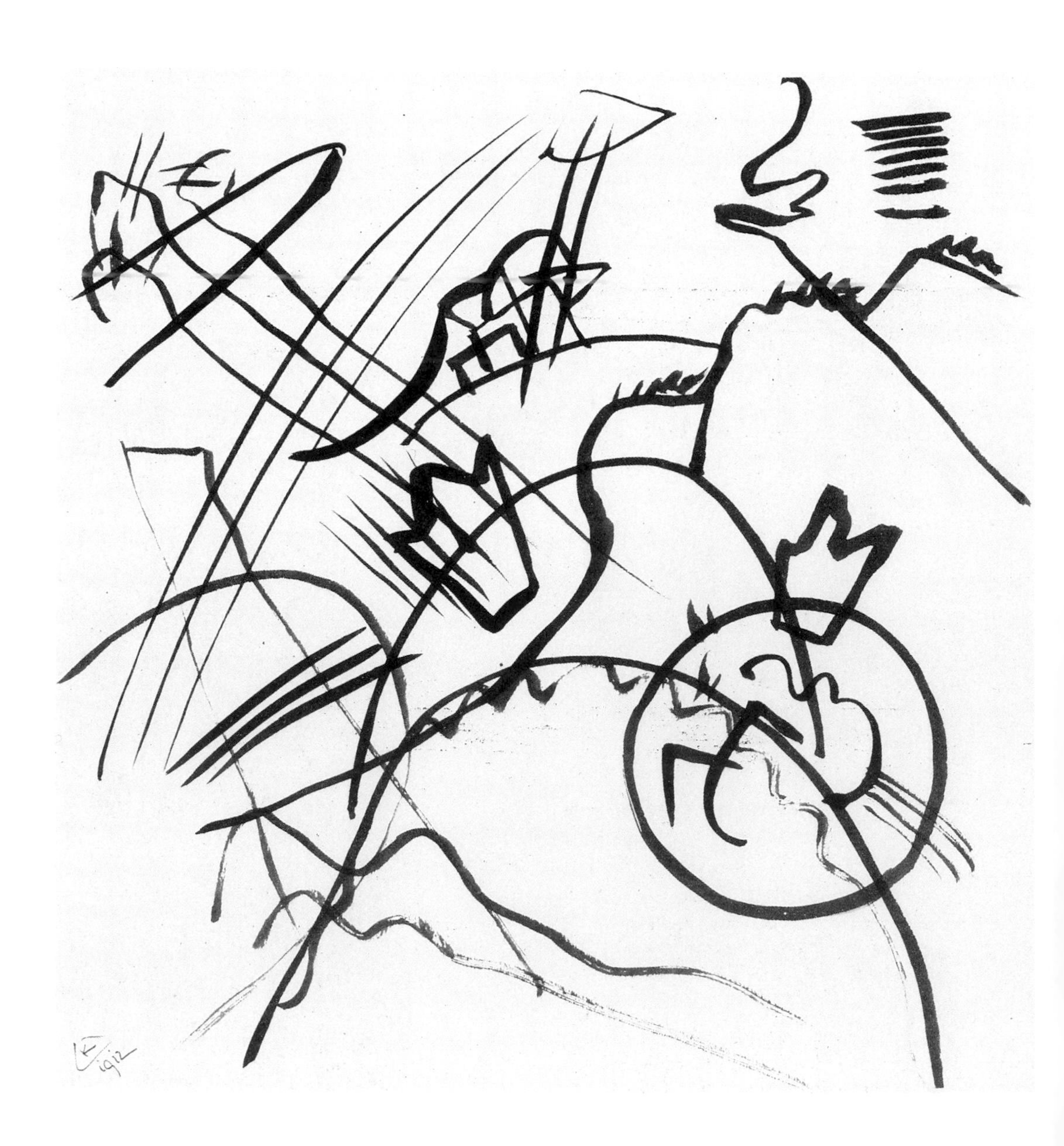

152
[Sans titre], 1912
(étude pour *Tableau avec bordure blanche,* 1913)
encre de Chine, 25,5 × 24,7
monogrammé et daté en bas à gauche : K i9i2
achat des Musées Nationaux, 1968
AM 3725 D

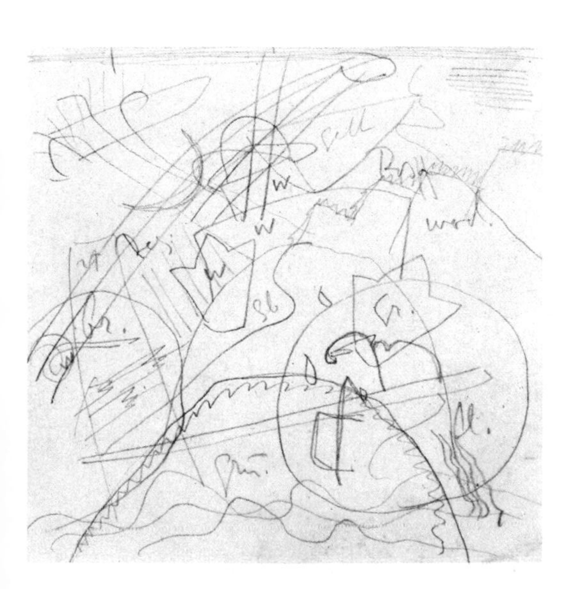

153
[Sans titre, étude pour *Tableau avec bordure blanche*, 1913]
mine de plomb sur carton, 12,8 × 12,2
indications en allemand concernant les couleurs
AM 1981-65-235 (Inv. 358)

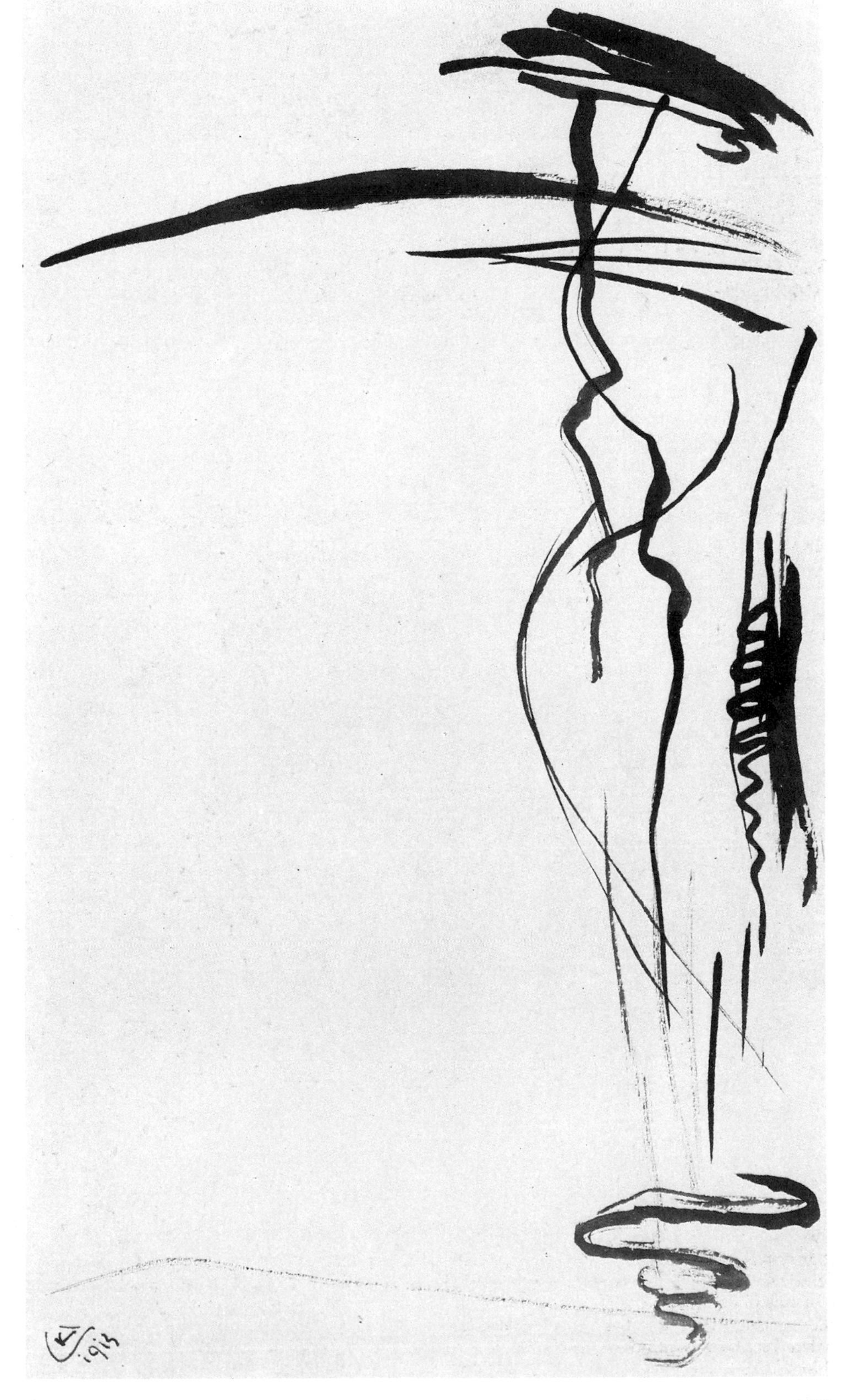

154
[Sans titre], 1913
(étude de détail de l'*Improvisation* XXXIV, 1913)
encre de Chine, 25,8 × 14,7
monogrammé et daté en bas à gauche : K i9i3
inscrit au verso du support (à la mine de plomb) :
« Zeichnung zu 'Improvisation 33' », et d'une main non identifiée : « N° 2 1913 ».
AM 1981-65-236 (Inv. 97)

à rapprocher d'un détail de l'*Improvisation* XXXIV, détail semblable, repris de l'*Improvisation* XXXIII.

155
Tableau à la tache rouge, 1914

huile sur toile, 130 × 130
signé et daté en bas à droite : KANDINSKY i9i4
inscrit sur le châssis : N° 192
donation Mme Nina Kandinsky, 1976
AM 1976-853

peint le 25 février 1914

Expositions :
Amsterdam, mai 1914.
Dresden, Internationale Kunstausstellung, été 1926.
Prêt à la collection Hellerau, Dresden, à partir de mi-juillet 1924 (?).

Références :
Grohmann, repr. coul. (p. 143), « Tache rouge ».
Roethel, n° 486, repr. coul. p. 489, « Bild mit rotem Fleck ».

Les deux catalogues manuscrits indiquent le jour précis de la création de cette œuvre : le 25 février 1914. Dans la production quantitativement faible de cette année (Kandinsky ne peint que 12 toiles par rapport aux 29 œuvres de 1913) elle joue un rôle important. Ce ralentissement dans le rythme de production du peintre ne semble pas exclusivement dû à l'irruption de la guerre au mois d'août de cette année fatidique. Il y a un malaise plus personnel qui est très sensible dans la correspondance avec Franz Marc. Kandinsky tente de se libérer de toutes les tâches concernant les activités secondaires, comme par exemple les pourparlers au sujet de la seconde édition du *Blaue Reiter*. Tout, mêmc la conférence tant attendue du philosophe serbe Mitrinovic[1], est ressenti comme un dérangement. Pour décrire son état. Kandinsky trouve, comme d'habitude, des images très parlantes : « Ma tête est comme une ruche d'abeilles ou, pire encore, comme un manifeste futuriste, bourrée à ras bord et colossalement ! embrouillée », écrit-il à Marc le 17 février 1914[2]. Dans cet état d'inquiétude, d'incertitude grandissante, il préfère même se retirer du projet commun de l'édition du deuxième tome de l'Almanach *Der Blaue Reiter* et il annonce avec gravité sa décision à Marc le 10 mars 1914.
Souvent reproduit, tout récemment sur la couverture de la monographie de M. Conil Lacoste en 1979, le *Tableau à la tache rouge* illustre dans le Dictionnaire encyclopédique Larousse, aux côtés d'une œuvre de Mondrian et d'une autre de Max Bill, le concept d'« abstraction dans les beaux-arts ». Redoutable honneur que d'être réduit au rôle de signifier par son être coloré, d'une richesse extrême, un concept appauvri.

Il est vrai que dans cette œuvre toute référence au monde des objets est abolie. Pour vivre cette toile l'attitude la plus simple et la plus difficile à la fois est exigée : trouver un rapport avec l'image en dehors de toute règle établie, retrouver le regard virginal qui fut celui du peintre au moment de la création. Plonger dans ces nuées irisées qui suivent clairement un mouvement ascendant, accompagner ces formes vagues aux contours tremblés qui se métamorphosent sous nos yeux. Une exception : la forme-couleur rouge dans la partie supérieure gauche qui fournit le titre au tableau. Elle est délimitée avec précision et la seule surface peinte pratiquement en aplat.
Sans commencement ni fin, carré parfait découpé dans le déroulement incessant des sensations chromatiques, tel l'instantané d'un kaléidoscope, l'image devient « un monde pour soi, un organisme rempli de tensions et de forces, planant avec béatitude dans ses propres sphères ».[3]
Le seul pont, l'unique lien entre ce monde créé par le peintre et celui qui nous entoure, le seul souvenir lointain auquel s'accrochent les commentateurs de l'œuvre, est « son arche de pont » (Grohmann lui trouve même de lointaines consonances avec *L'Arc noir*), le double arc trapézoïdal, tracé au sommet du tableau et liant deux des multiples noyaux événementiels; arc qui, pour Hugo Ball, évoque la palanche des porteurs d'eau.[4] Cette œuvre est remarquable en ce qui concerne la technique picturale. Dans le courant de 1914[5] — quelques signes avant-coureurs peuvent être détectés dans certaines toiles de 1913[6] — Kandinsky change complètement sa manière de peindre. Pour peu de temps d'ailleurs. D'une touche fondue, couvrant largement le support sans laisser trop d'empreintes du travail du pinceau, il passe à une division très poussée de celle-ci, à la manière des post-impressionnistes, simulant de la sorte, pensons-nous, le scintillement des peintures sous verre, technique que le peintre a beaucoup pratiquée et étudiée. Ce procédé des touches divisées, distinctement posées l'une à côté de l'autre[7], n'est pas la seule caractéristique de ces œuvres qui évoquent les fixés-sous-verre. Aucun autre support que le verre lisse et dur ne conserve toutes les traces que des pinceaux variés laissent dans la première couche picturale, très fine, peinte à l'eau ou à l'huile et recouverte en dernier lieu d'une couche à l'huile, souvent blanchâtre ou jaune clair, appliquée par pochage, couche qui ferme le tableau et renvoie la lumière. Le résultat obtenu est une animation très grande de la surface peinte par le travail du pinceau qui reste visible; animation que Kandinsky recherche parfois et qu'il appela « technische Unruhe » (agitation technique)[8]. Toutes ces caractéristiques de la peinture sous verre : un fond nébuleux jaune-blanchâtre, des effets de moiré, d'ondé, de moucheté, d'estompage, des lignes tremblées (effet optique dû au verre ondulé), semblent être recréées dans le tableau présent. Enrichir une technique picturale par une autre fait partie des recherches du peintre dans cette période de l'avant-guerre. N'avait-il pas aussi transposé, à la même époque, les effets de la gravure à la pointe sèche sur un support de toile ?[9]

Manuscrit Kandinsky-Münter III : N° 192

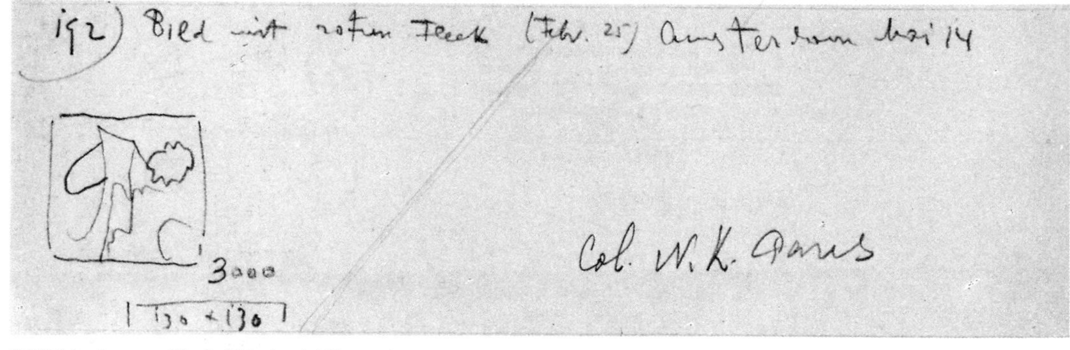

i92 Bild mit rotem Fleck (Febr(uar) 25)
3000
i30 × i30

Amsterdam Mai 14
Col. N. K. Paris

Manuscrit Kandinsky II : N° i92

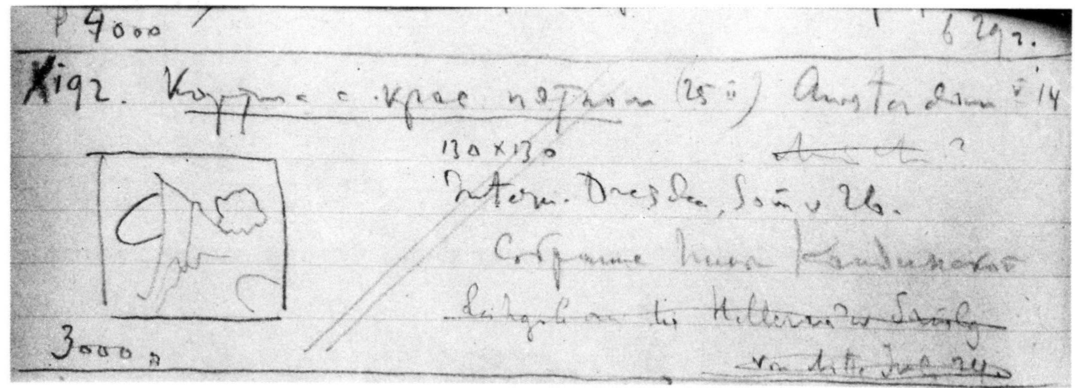

i92 Kartina s kras(nym)piatnom (25 II)
130 × 130
Intern(ationale) Dresden, Som(mer) v(on) 26
Sotranie Niny Kandinskoï

Amsterdam V 14
München ? *(mention rayée)*
Leihgabe an die Hellerauer Sammlung
von Mitte Jul(i) 24 *(mentions rayées)*

1. Dimitri Mitrinovic envisagea à l'époque la publication d'annuaires sous le titre : « Europe arienne - Annuaire international pour une philosophie et une politique culturelle ». Il sollicita pour ceci la collaboration des éditeurs du *Blaue Reiter* (cf. Lankheit, *op.cit.*, p. 254).
2. Lankheit, *op.cit.*, p. 250.
3. Dr. Ludwig Grote, tapuscrit de l'allocution pour l'ouverture de l'exposition Kandinsky à Dessau en 1926 (p. 4) Tapuscrit conservé dans le Fonds Kandinsky.
4. Hugo Ball, *op.cit.*, p. 228.
5. Un autre tableau de 1914 peint dans cette manière est : *Fugue*, conservé au S.R. Guggenheim Museum, New York.
6. Par exemple dans *Petites Joies*, conservé dans ce même musée. Il est à noter qu'une des études pour ce tableau fut exécutée sur verre.
7. Dans la peinture sous verre allemande c'est surtout l'École d'Augsburg qui s'employait à ce genre de recherches.
8. Description par Kandinsky de *Tableau avec bordure blanche*, publiée in *Sturm-Album*, 1913, p. XXXX.
9. Un bon exemple est la peinture à l'huile sur toile intitulée *Lignes noires*, 1913, conservée au S.R. Guggenheim Museum, New York.

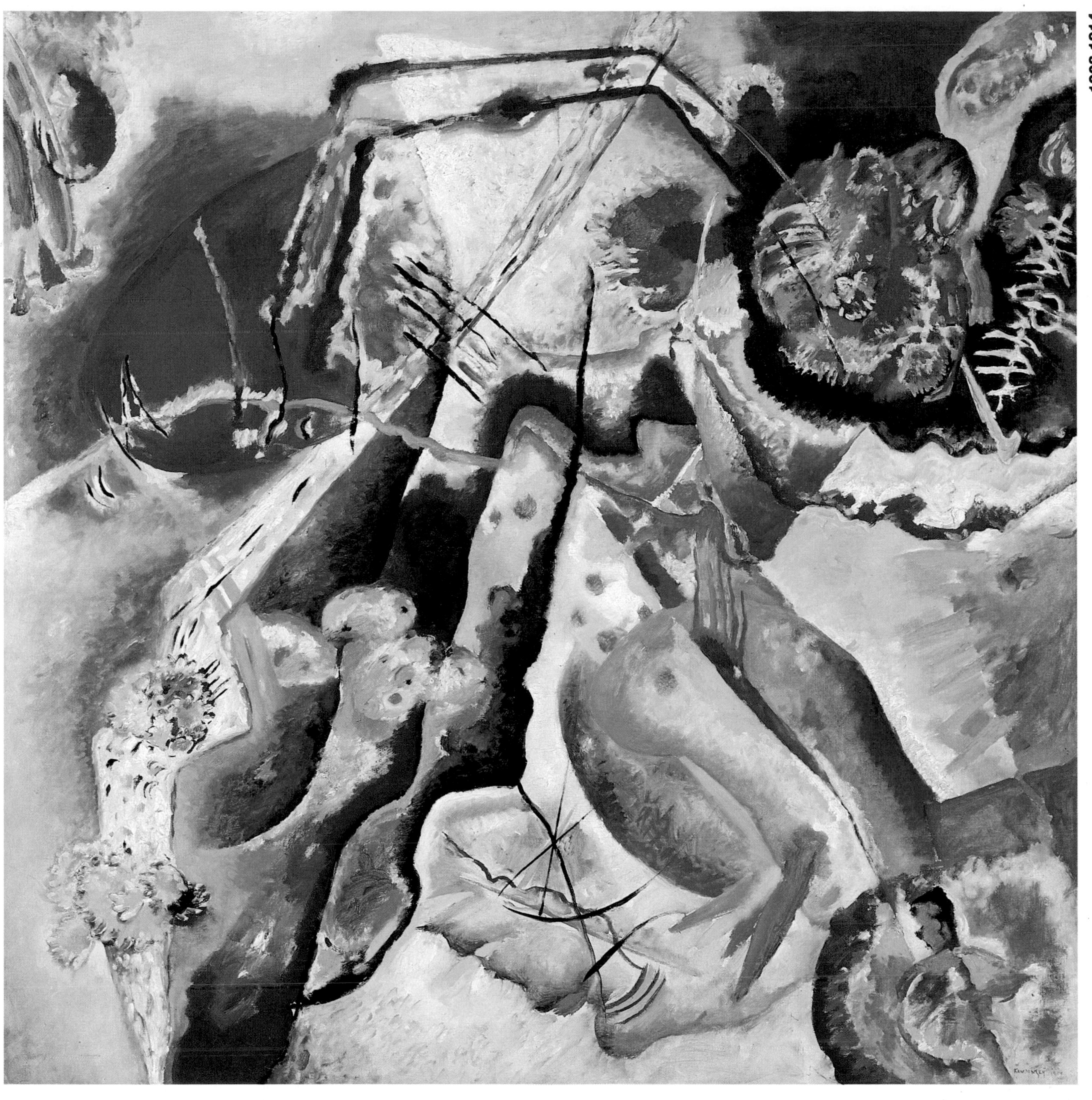

156
[Croquis pour Tableaux I-IV de *Violet,* 1914]
mine de plomb, 22,1 × 14,1
inscrit (à la mine de plomb) :
sous croquis I : « Herr/Dame »
sous croquis II : « Bettler/ Liebende »; à droite : « Die (illisible) muss sehr grün sein ! »
croquis III : indications en allemand concernant les couleurs et la lumière
sous croquis III : « rote Kuh/ ungeschickt/ gemacht/ brüllt », et à droite : « von links beleuchtet »
sous croquis IV : « Herr/ Dame »; et à droite : « 2 × ».
AM 1981-65-238 (Inv. suppl.)

Selon Will Grohmann cette composition scénique aurait été rédigée en 1911.

157
[Croquis pour Tableaux V-VIII de *Violet,* 1914]
mine de plomb, 21,3 × 11
inscrit (à la mine de plomb) :
sous croquis V : « Reiter/Frauen »
sous croquis VI : « Langweilige Strasse/ Begegnungen/ Drehorgel/ Papagei auf grosser Karre/ von vielen Arbeitern geschoben/ Stock wird grün Menschen gelb/ Fort und ».
à droite du croquis VII : « 4 × anfangen »
sous croquis VIII : « Herr/Dame ».
AM 1981-65-239 (Inv. suppl.)

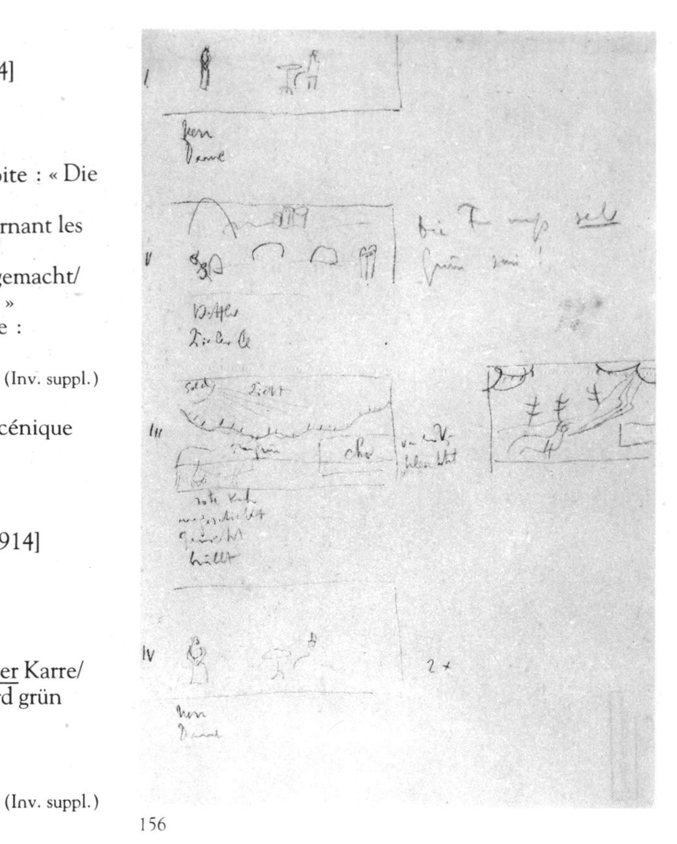
156

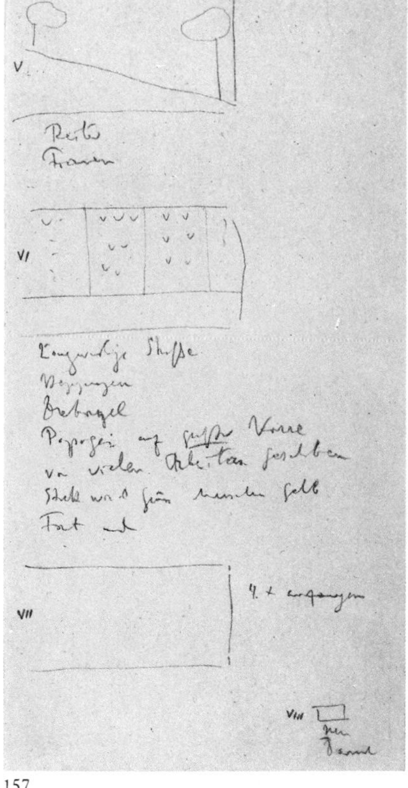
157

158
[Composition scénique *Violet,* Tableau II, 1914]
mine de plomb, encre de Chine et aquarelle, 25,1 × 33,3
inscrit au verso (à l'encre, de la main de N. Kandinsky) : « KANDINSKY 'Violett' 1914 ».
AM 1981-65-93 (Inv. 221 d)

Composition scénique en sept tableaux, deux intermèdes, Apothéose.

Premier manuscrit allemand, incomplet (Inv. 774-43). Format 21 × 16,5, écrit au crayon de la main Kandinsky avec des addenda à l'encre. 19 feuillets détachés, écrits recto seulement. Pagination : 1 - 6, suit une page avec des addenda pour p. 6, 7 et 8; 7 - 10 (il y a deux pages « 10 »); 11 - 17 (manque l'Apothéose).

Deuxième manuscrit allemand, daté Munich - Murnau 1914 (Inv. 774-45). Deux formats : 33,3 × 21 et 27,2 × 21,4 (certaines pages allongées par collage). Écrit à l'encre de la main de Kandinsky. Les pages des intermèdes sont écrites au crayon indélébile. 41 feuillets détachés. Pagination : 1 - 11, suivent 11a, 11b, 12, suit une page sans pagination décrivant l'intermède avant Tableau III; 13 - 16, suivent 16a, 16b, 17 - 20, 21a, intermède avant Tableau V, 21 - 24, suivent 24a, 24b, 24c, 25 - 27. Apothéose 1 - 4. Une page de partition et deux pages intitulées : « Exemple de la répartition sur scène », concernant Tableau II.

Tapuscrit de Dessau, 1926. Format 34,3 × 21,7, 17 feuillets détachés, non paginés, avec une page de préface, datée Dessau, 1926 (Tableaux III, IV et V manquent).

La composition scénique *Violet* (son titre original fut *Rideau violet*[1]) est un autre exemple d'« art monumental ». Kandinsky emploie ce terme dans le sens que lui donna Richard Wagner. Il couvre les œuvres d'art dites synthétiques, résultat du concours simultané de plusieurs arts.[2] Comme les autres travaux expérimentaux de Kandinsky dans ce domaine — si nous exceptons une représentation tardive de *Sonorité jaune* (cf. p. 68, note 4) — cette composition ne s'est jamais déroulée sur scène, n'a jamais déployé son extrême richesse de couleurs barbares devant un public. Dernière des créations de Kandinsky pour un espace théâtral, écrite en 1914 si nous suivons les indications de l'artiste qui a daté un de nos manuscrits, cette pièce reprend des éléments déjà décrits dans les compositions précédentes. Un curieux texte de l'artiste, intitulé « Apothéose » et classé avec ces manuscrits, une sorte de description très imagée d'un tableau abstrait, un grandiose son et lumière auquel assiste la foule assemblée sur scène, semble décrire le tableau final de cette pièce. Car le leitmotiv de la composition (la phrase répétée d'une scène à l'autre et tour à tour par une dame en robe de bal, la foule dite « de toutes les époques, de tous les âges, de toutes les couleurs, de tous les caractères » et surtout par les enfants), cette phrase, ce simple constat : « Le rempart s'est effondré », y est repris une dernière fois dans sa négation, excluant tout espoir : « Jamais ne s'effondrera ».
Cette pièce qui, selon les commentateurs, est la plus réaliste parmi les compositions scéniques de Kandinsky[3] se compose, comme les autres, de mouvements de foule savamment orchestrés, de sons variés produits par le claquement des sabots, par des grelots, des clochettes, des instruments de musique comme le violon et le chalumeau, ainsi que de paroles étranges, incohérentes, parfois dites « incompréhensibles ». Elle se déroule devant un décor de contes de fées russes, bariolé, fantastique et drôle, dont les couleurs sont en constante métamorphose grâce à un jeu de lumières subtil.
Nous possédons deux manuscrits et un tapuscrit fragmentaire en allemand de cette composition, documents dont la description détaillée figure ci-dessus. Le tapuscrit, établi et préfacé à Dessau en 1926, fut préparé pour une publication dans la série des Bauhausbücher, publication qui n'eut pas lieu. En revanche, dans le nº 3 du périodique *Bauhaus* fut publié un extrait de la pièce (le début de Tableau VI), ainsi qu'un extrait d'un essai de Kandinsky concernant la synthèse scénique abstraite, daté entre 1919 et 1923.
Ces textes s'accompagnent de nombreux croquis sur des feuillets détachés, de dessins plus élaborés, ainsi que de quelques pages de partition. Les joyaux de cette collection sont 2 aquarelles (dont une précédée d'un dessin préparatoire reproduit ci-contre), d'une fraîcheur étonnante, évoquant les illustrations très hautes en couleur et pleines d'humour des livres russes pour enfants.
Kandinsky, peintre, déclarait sans valeur toute description littérale d'une œuvre peinte. L'écrivain Kandinsky, dans ses descriptions scéniques, nous fournit un commentaire scrupuleux de ce qui figure sur l'image. L'équivalence est totale et curieuse. Nous laissons le peintre dire un des éléments importants de la pièce (cf. l'aquarelle reproduite p. 143) : « Tout à fait à gauche, près de la rampe, il y a une grande pierre blanche et comme gonflée, sur laquelle est posée une très grande vache, rouge vif (vermillon), exécutée sans art, au cou tendu et la bouche grande ouverte. Son gros pis est de nuance bleuâtre. »[4]
L'animal n'est pas seulement une pièce burlesque du décor, mais participe à l'action. Ses mugissements et « gémissements plaintifs » alternent avec le chant du chœur pendant le déroulement des événements du troisième tableau. Cependant tout ce pittoresque n'est qu'un leurre. Le chœur du sixième tableau renouvelle l'exhortation à une vision autre : « Ne regardez pas les arbres, ni les troncs d'arbres, mais ce qui se trouve entre les troncs, ce qui est sous la table et loin au-dessus du toit ».

1. Cette couleur n'est qu'une des couleurs agissantes de la pièce, mais n'y joue aucun rôle principal.
2. Cette terminologie est employée par Kandinsky dans une conférence (publiée partiellement p. 158), tenue en été 1921 devant l'Académie russe des sciences artistiques, Moscou. Ce texte important montre que la synthétisation des arts, vue ici sous un angle scientifique, reste une des préoccupations majeures du peintre.
3. W. Grohmann, qui date cette pièce de 1911, la compare aux quelques rares tableaux encore figuratifs de la même année.
4. Traduction Ph. Sers, Denoël, *op.cit.*, vol. III, p. 96.

158

159
[Dessin pour Tableau II de *Violet*, 1914]
mine de plomb et encre de Chine, 23,9 × 31,6
inscrit au verso (à l'encre, de la main de N. Kandinsky) : « Kandinsky 'Violett' 1914 ».
AM 1981-65-240 (Inv. 221 b)

160

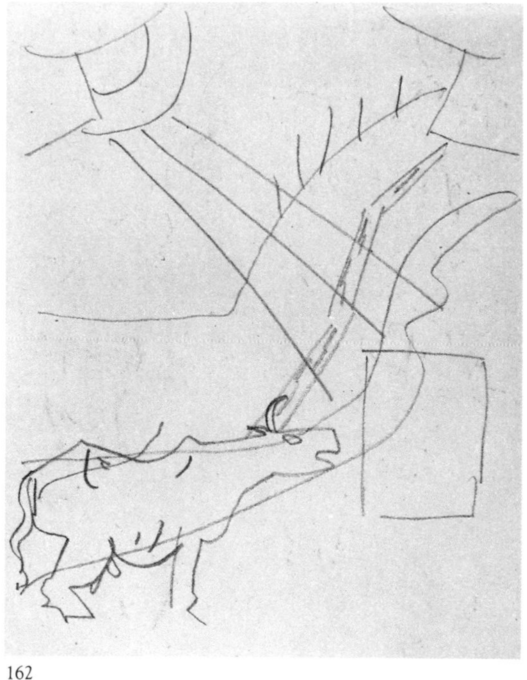
162

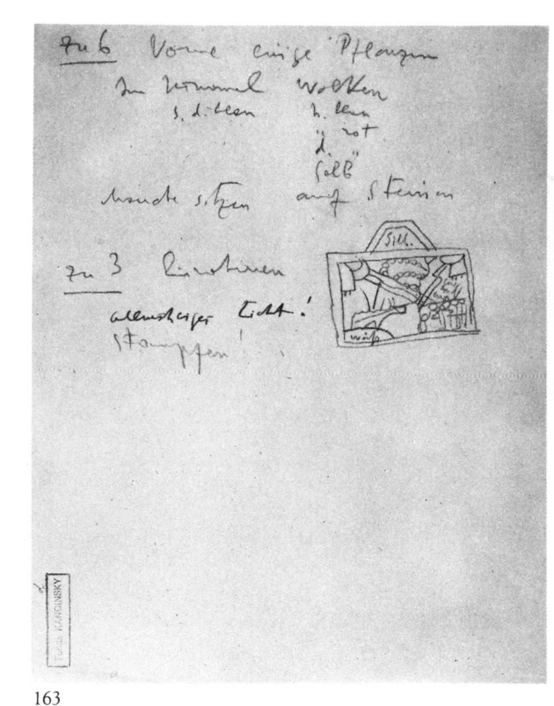
163

160
[Croquis pour Tableau II de *Violet,* 1914]
mine de plomb
feuille 42 × 11,2, croquis 21 × 11,2 (premier volet)
AM 1981-65-241 (Inv. suppl.)

161
[Partition et croquis pour *Violet,* Tableau II ou pour *Sonorité verte,* Tableau II, 1914]
mine de plomb, 17,8 × 19
annotations en allemand concernant les sources sonores
AM 1981-65-242 (Inv. suppl.)

162
[Croquis pour Tableau III de *Violet,* 1914]
mine de plomb, 21 × 11,2 (deuxième volet)
AM 1981-65-241 (Inv. suppl.)

163
[Page isolée d'un manuscrit avec croquis concernant Tableau III de *Violet,* 1914]
mine de plomb et encre, 21 × 16,8
annotations (à la mine de plomb et à l'encre) :
« zu 6 Vorne einige Pflanzen / Im Himmel Wolken / s. (?) d(unkel) blau / h(ell) blau / (hell) rot / d(unkel) rot / gelb / Manche sitzen auf Steinen / zu 3 (illisible) / (illisible) Licht ! / stampfen. »
dans le croquis : indications en allemand concernant les couleurs
AM 1981-65-244 (Inv. suppl.)

164
[Composition scénique *Violet,* Tableau III, 1914]
mine de plomb, aquarelle et encre de Chine, 25,2 × 33,5
ni signé, ni daté
inscrit en haut à droite (à la mine de plomb) : « Bild III ».
inscrit au verso (à l'encre, de la main de N. Kandinsky) : « Kandinsky / 'Violett' 1914 ».
AM 1981-65-94 (Inv. 221-c)

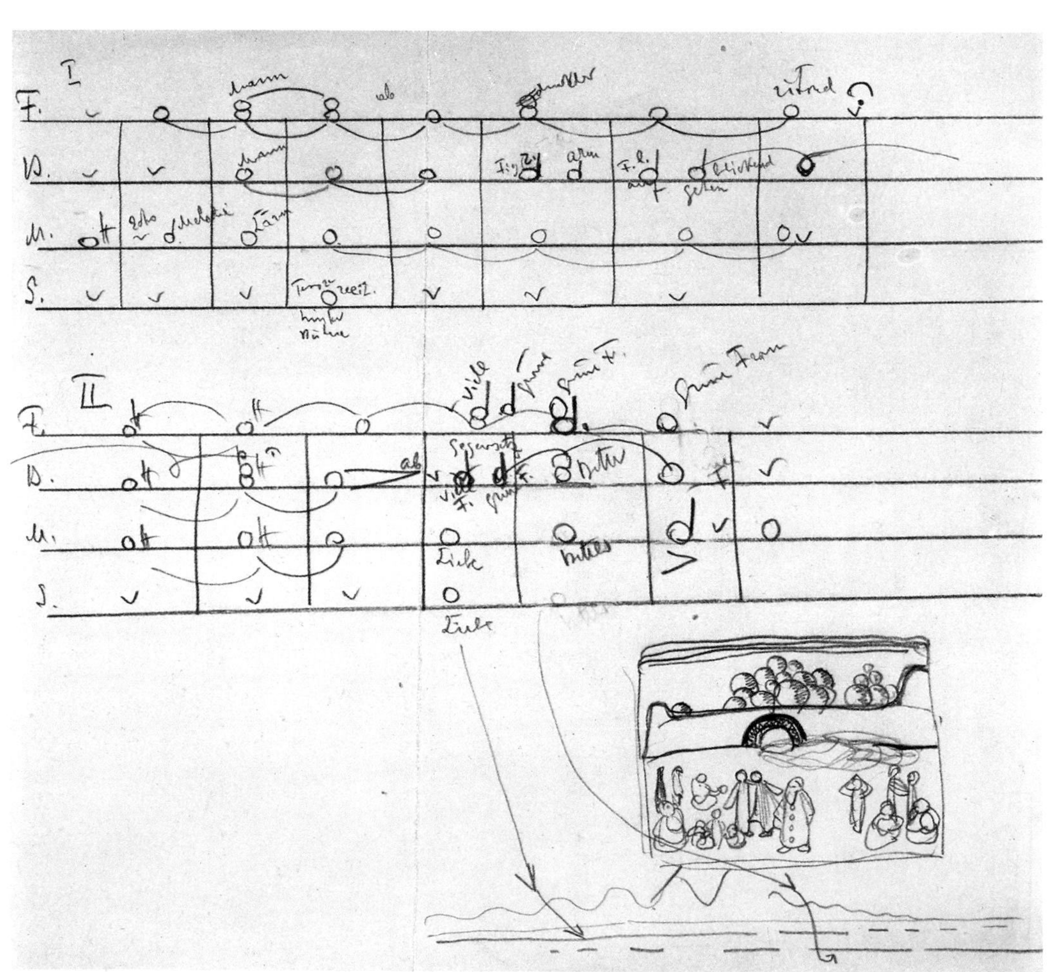
161

164

165
[Croquis pour les compositions scéniques, 1914]
mine de plomb, 21 × 11,2 (troisième volet)
indications en russe concernant les couleurs
AM 1981-65-241 (Inv. suppl.)

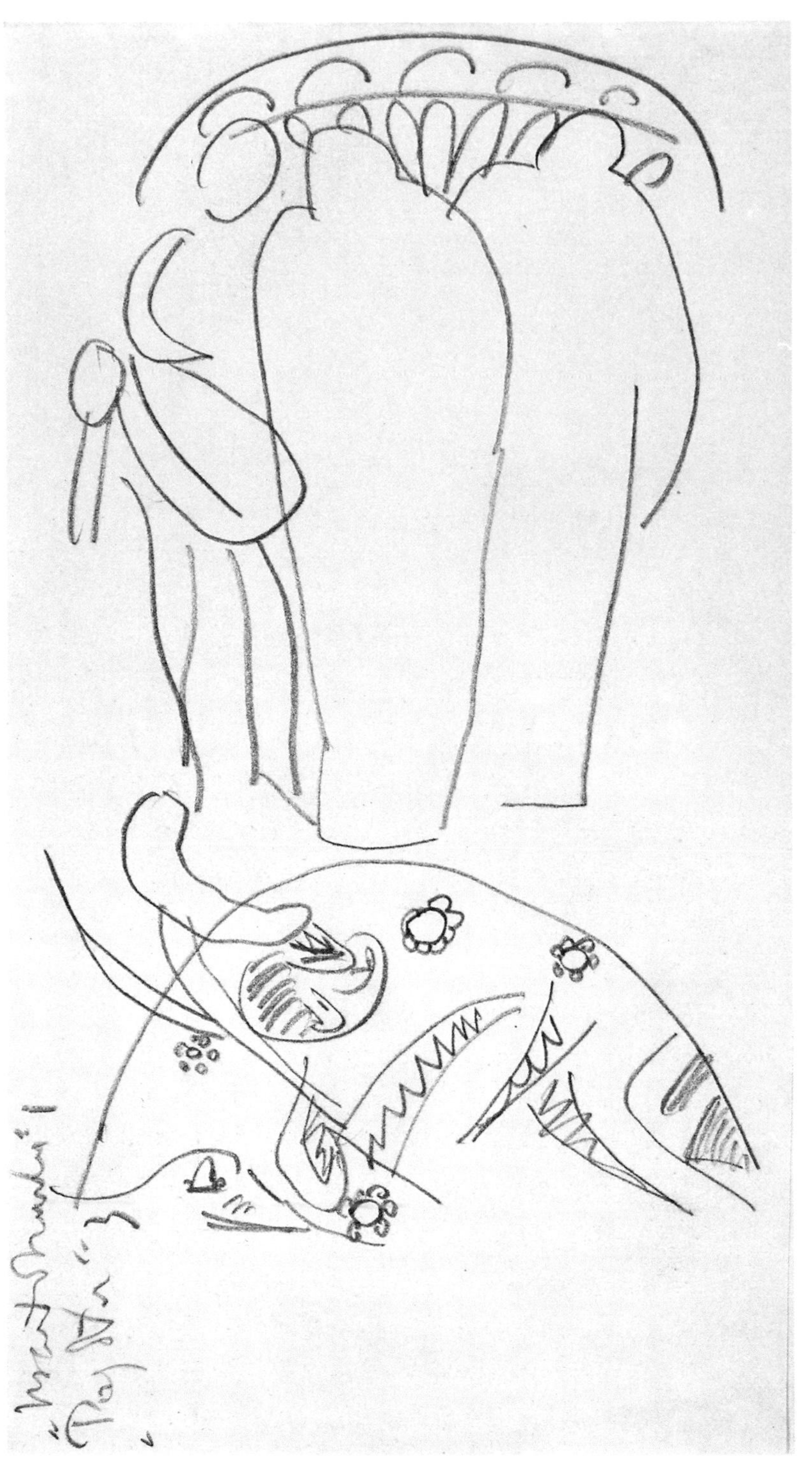

166
[Croquis pour les compositions scéniques, 1914]
mine de plomb, 21 × 11,2 (quatrième volet)
inscription en bas à gauche en russe : (illisible)
« Section 3 ».
AM 1981-65-241 (Inv. suppl.)

Moscou

1915 - 1921

documentation

Le tsar de toutes les Russies, Nicolas II, déclare les hostilités à l'empereur austro-hongrois, François-Joseph, et à son allié l'empereur d'Allemagne, Guillaume II. La guerre « impérialiste » commence en août 1914. Kandinsky, sujet du tsar, doit immédiatement quitter la Bavière. Il est en Suisse le 6 août 1914 et ne rentre dans son pays que le 20 décembre, par Odessa. Il s'établit à Moscou de décembre 1914 à décembre 1921. Au cours de ces sept années, sa vie personnelle est profondément modifiée par la fin de sa liaison avec Gabriele Münter en 1916, son mariage avec Nina Andreevsky et la perte de son aisance financière, compromise par l'inflation consécutive à la guerre et aux revers militaires des troupes tsaristes. Il connaît les espoirs et les angoisses de deux révolutions successives, celles des 10-12 février puis des 24-25 octobre 1917 à Saint-Petersbourg. L'abdication du tsar est suivie de la disparition de toutes les institutions, universités, académies réactionnaires; Kandinsky s'engage avec les réformateurs dans l'adaptation des structures culturelles aux besoins et aux buts d'une société libérée de ses castes. Son expérience de l'étranger l'avantage : après le traité de Brest-Litovsk, le 3 mars 1918, il participe activement à la restauration des relations diplomatiques avec Berlin. Mais sa double appartenance culturelle l'handicape, l'empêchant de comprendre les forces neuves, originales qui se dégagent à Petrograd et surtout à Moscou, qui devient la capitale de la nouvelle fédération des républiques soviétiques. La grande carrière de haut fonctionnaire des beaux-arts entrevue s'évanouit. Il quitte l'Union soviétique avant que la N.E.P. n'ait eu raison des derniers bastions de l'avant-garde. Il arrive à Berlin désespéré d'avoir si peu dessiné, si peu peint au cours de ces années de révolution, de blocus et de guerre civile.

Cette période russe est péjorativement qualifiée d'« intermezzo » par Will Grohmann, qui rédige sa monographie dans le contexte de la « guerre froide ». Vingt ans plus tard, Michel Cosnil-Lacoste, dans son *Kandinsky,* tient compte de tout ce que l'Occident a appris sur l'avant-garde russe (Malévitch, Lissitzky, Rodchenko) et parle avec objectivité du « porte-à-faux de Moscou ». L'image de Kandinsky, comme celle de Chagall et de Gabo, a, en effet, pâli : les artistes russes émigrés apparaissent comme des écrans qui auraient retardé la découverte de ce que l'on considère désormais comme une des contributions essentielles de l'art moderne du 20e siècle : la collusion entre l'avant-garde russe et une des plus grandes révolutions mondiales.

Aujourd'hui, les publications se font moins partisanes. On souligne encore, comme le fait Andrei Nakov dans son *Abstrait/Concret, art non objectif russe et polonais,* le rôle frein, conservateur de Kandinsky dans les divers comités auxquels il participe. Mais d'autres n'excluent plus de l'Histoire de l'art russe les œuvres qui ne relèvent pas de l'orthodoxie constructiviste. On a appris à dissocier le « suprématisme » de Malévitch du « productivisme » de Rodchenko. On réhabilite des œuvres à caractère individualiste et expressionniste, comme celle de Filonov, par exemple. Dans ce rééquilibrage moins sectaire, Kandinsky reprend sa vraie place, celle d'un étranger dans son propre pays, qui prolonge et renouvelle une création déjà ancienne, commencée à Munich. On a tort de présenter celle-ci comme l'épuisement d'une tradition romantique désuète.

Kandinsky considère, lui, cette époque comme un manque à créer. Cette période est étonnamment pauvre en œuvres, mais, paradoxalement, le fonds Kandinsky est riche de 90 pièces, travaux sur papier pour la plupart de grande qualité, et d'un chef-d'œuvre : *Dans le gris,* peint en 1919.

On peut distinguer, dans le séjour moscovite de Kandinsky, deux épisodes nettement distincts : de 1915 à la fin de 1917, il est en proie à des incertitudes personnelles et à de longues errances stériles. Puis, après 1917, sur l'invitation de Tatline, il accepte de prendre des responsabilités dans les structures professorales et administratives que la révolution élabore; ce temps est celui des grandes confrontations théoriques qui vont contribuer au renouvellement complet de la plastique kandinskienne.

1 Catalogue de l'exposition de tableaux de printemps, organisée à Odessa en mars 1914. Kandinsky y publia la traduction en russe de son essai « Über kunstverstehen » (De la compréhension de l'art), écrit en septembre 1912. Il participait à l'exposition avec l'envoi de 5 œuvres dont le *Tableau avec un cercle,* 1911 (tableau que Kandinsky jugeait être sa première œuvre vraiment abstraite) et la *Composition VII,* 1913, une des œuvres majeures de l'artiste.

L'intermède suédois, 1915-1916

Le désengagement de l'Artiste

Kandinsky a des dons pour la négociation et le goût de l'intrigue. Mais il n'est pas armé des qualités nécessaires pour canaliser une manifestation et ne dispose pas d'une éloquence susceptible d'emporter l'adhésion d'un auditoire divisé. Au cours des séances houleuses des instances nouvelles, son urbanité d'un autre âge est soumise à rude épreuve. Il conserve toute sa vie un prudent vouvoiement avec ses amis, y compris Paul Klee; il déteste le vulgaire et le réalisme. A la question du studio Beethoven : « Quelles œuvres d'opéra n'aimez-vous pas en particulier ? », le 3 novembre 1914 il répond : « Tosca »

Dans le même questionnaire il revendique pour l'artiste l'apolitisme : « le vécu de l'art est hors du temps ». Fort de l'expérience acquise pendant les années troubles russes et lors des controverses au Bauhaus, Kandinsky développe à nouveau cette prise de position dans les réponses qu'il donne en 1936 à Eduardo Westerdahl pour la revue espagnole *La Gaceta de Arte* : « La position de l'artiste devant les complexes problèmes politiques, sociaux ou moraux, économiques, est au-dessus de ces problèmes. Le travail artistique demande l'homme entier et un approfondissement entier dans le monde de l'art ».

Il s'en tient au principe de l'art pour l'art et nie à l'artiste et à l'art toute possibilité d'engagement politique : « C'est bien possible de dire, dès demain je ferai de la peinture politique, sociale, marxiste ou fasciste, mais c'est impossible de le faire exprès. Quand j'étais revenu, au commencement de la 'grande guerre' à Moscou, un de mes collègues m'a dit : « Eh bien, nous allons maintenant peindre dans le sens national ? » J'ai demandé pour ma part : « Et après la fin de la guerre ? » On a chanté déjà presque dans tous les pays des 'chansons nationales' mais moi j'étais content de ne pas être un (des) chanteurs. Et je suis encore ainsi aujourd'hui ».

Cette distanciation l'exclut automatiquement de la plupart des clans de l'avant-garde révolutionnaire, tous partisans de la russification des arts. Ceux-ci cherchent leur intégration immédiate auprès des travailleurs dans un grand mouvement collectif. Ils veulent éliminer les restes de comportement individualiste et associent en même temps les méfaits du capitalisme libéral et le principe même de la liberté créatrice individuelle. Kandinsky en tire les conclusions logiques et se prépare à une existence d'apatride et à un exil définitif.

Rupture avec Gabriele Münter

Le conflit impérialiste n'est pas le sien : Kandinsky séjourne à Stockholm du 23 décembre 1915 au 16 mars 1916. La Suède, terre neutre, traditionnellement accueille de larges communautés russes et allemandes; au cours de la guerre, nombreux sont ceux qui s'y réfugient pour échapper à la désorganisation économique des pays en guerre... La galerie Gummeson organise à Stockholm une exposition Kandinsky, en liaison avec la galerie berlinoise Der Sturm, qui défendit l'œuvre de Kandinsky jusqu'en 1914. Kandinsky y retrouve Gabriele Münter qui y vit depuis juillet 1915 et y restera jusqu'en juillet 1916. Gummeson organise également une exposition Gabriele Münter en mars 1916. Les deux artistes essayent de trouver un mécène en la personne d'Arthur Jérôme Eddy, collectionneur à Chicago. Eddy communique avec Kandinsky par l'intermédiaire de Gabriele Münter. Celui-ci a beaucoup d'estime pour cette femme et la mentionne dans *Cubist and Post-Impressionnism* : « Gabriele Münter a sa propre vision des choses, un sens de l'humour et de la vie qui transparaît et qui se manifeste à travers une technique que l'on pourrait qualifier de nonchalant ! »

A l'occasion de l'exposition suédoise de G. Münter, Kandinsky écrit en allemand un long texte : « Über den Kunstler », traduit en suédois « Om Konstnaeren ». Dans cette préface, Kandinsky exprime la plupart des idées qu'il développera par la suite dans des articles russes. Il salue les vertus purgatives du cataclysme dans lequel il se trouve; en cela, il est proche des futuristes. Il rejette la réduction de l'art à une création purement formelle et cite l'exemple de Henri Rousseau dont l'œuvre ne résiste que par la poésie et la logique personnelle qui y sont contenues.

« Quand cessera-t-on de substituer aux questions posées par l'art celles qui s'apparentent à la forme ? Quand comprendra-t-on véritablement que ce n'est pas l'art qui tire son origine de la forme, mais la forme de l'art ? Combien de siècles faudra-t-il attendre encore (les précédents ne nous ayant rien appris) avant que l'on comprenne que tout contenu nouveau exige une forme créée à son image, et qu'une forme sans contenu est un péché contre l'esprit ? Les formes vides ballottent en surface, comme des barils vides, jusqu'au jour où, imprégnées d'eau, elles coulent et disparaissent à jamais dans l'obscurité des bas-fonds ». Mysticisme et métaphore servent de base à l'argumentation kandinskienne. De son manuscrit, Kandinsky retire les quelques commentaires qu'il portait sur les œuvres de Gabriele Münter. Il peint quelques aquarelles dans le ton des peintures sur verre de sa compagne et des « bagatelles » faciles à placer sur le marché; au cours de son séjour suédois, Kandinsky prend la décision de se séparer de Münter. Il copie les listes que Gabriele Münter dressait régulièrement de son travail. Désormais, ce sera lui qui tiendra avec une méticulosité grandissante ce catalogue domestique, dont les originaux sont entrés au Musée national d'art moderne avec le fonds Kandinsky (AM 1981-65-681 à 686). Ces cahiers constituent la source la plus sûre et sont essentiels pour l'étude de l'œuvre de Kandinsky. Le peintre tarde un peu à reprendre le suivi de cet inventaire : on n'y trouve aucune mention du triptyque pour les Abrikosoff, ni des petits paysages réalistes peints en 1916 et 1917.

En mars 1916, lorsque Kandinsky rentre à Moscou, l'épopée du Blaue Reiter est terminée : Gabriele Münter et Vassily Kandinsky se sont séparés et, le 4 mars 1916, le peintre Franz Marc est tué sur le front allemand à Verdun.

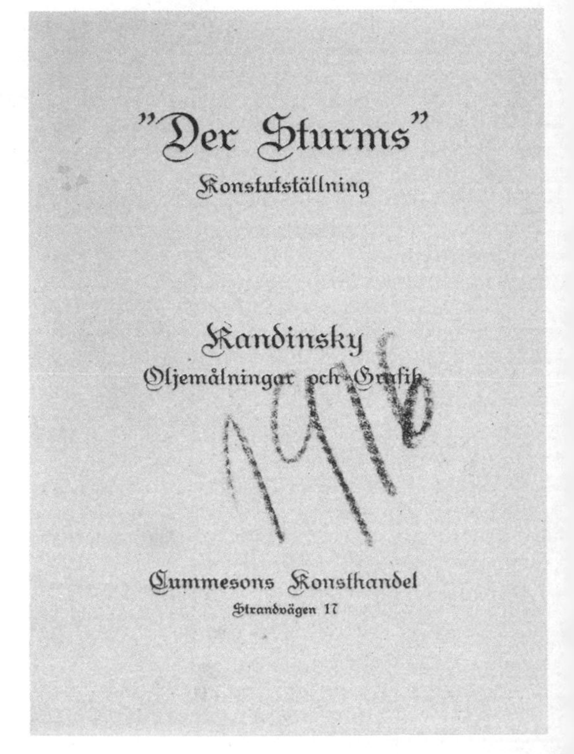
"Der Sturms"
Konstutställning
Kandinsky
Oljemålningar och Grafik
1916
Gummesons Konsthandel
Strandvägen 17

2, 3 Deux publications éditées par la galerie Gummeson à Stockholm à l'occasion de l'exposition Kandinsky. Kandinsky y présentait 19 peintures entre 1909 et 1914, notamment la *Composition VI*, de 1913.

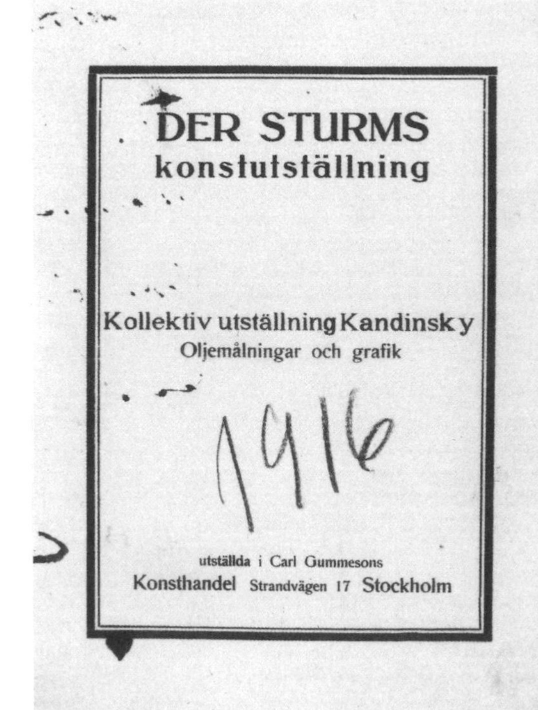
DER STURMS
konstutställning
Kollektiv utställning Kandinsky
Oljemålningar och grafik
1916
utställda i Carl Gummesons
Konsthandel Strandvägen 17 Stockholm

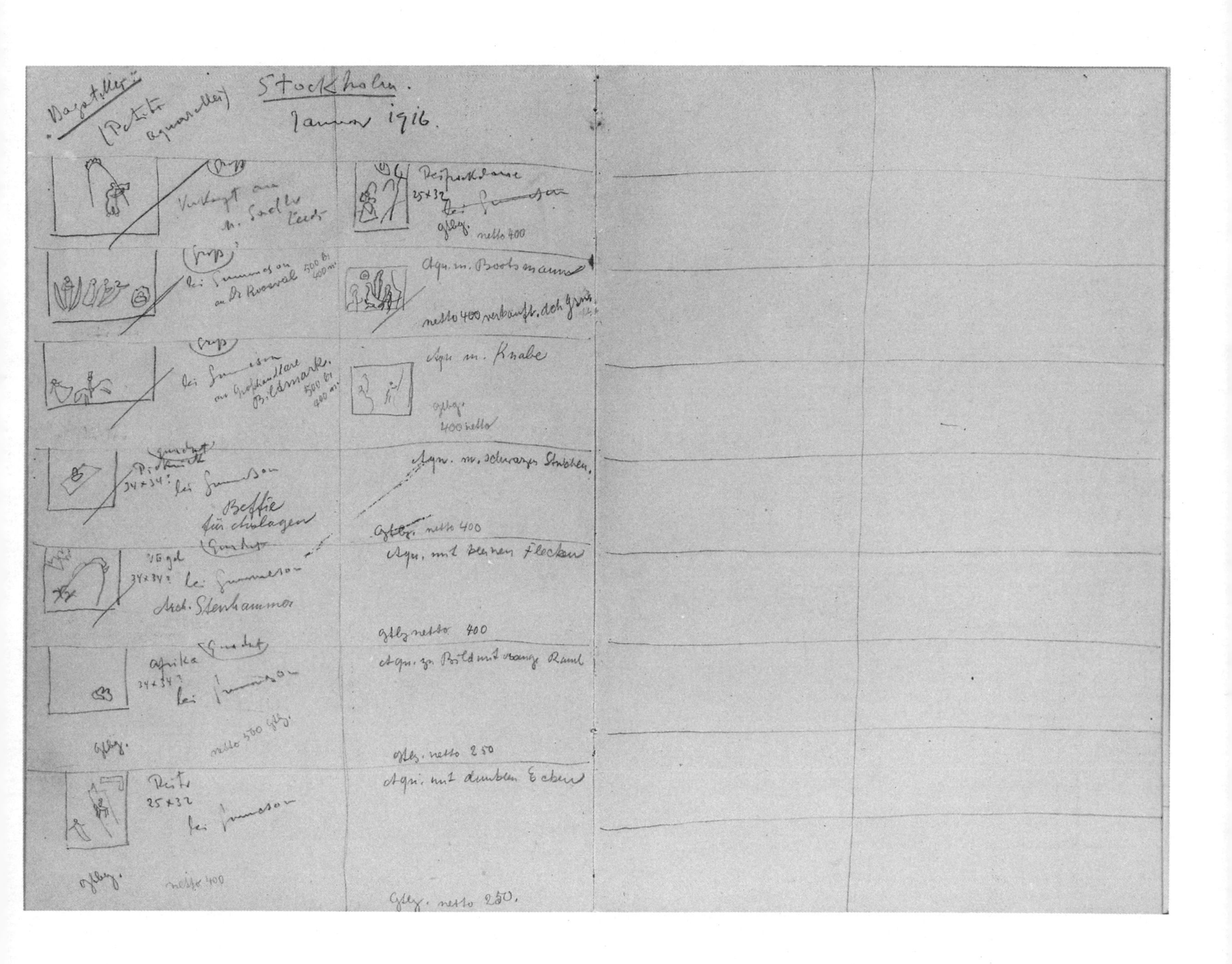

4 Double page du catalogue des œuvres de Kandinsky, tenu par Gabriele Münter (AM 1981-65-683). En surcharge, des annotations de la main de Kandinsky : « Stockholm janvier 1916, Bagatelles (petites aquarelles) ». Kandinsky réalisa une série d'aquarelles achetée par la galerie Gummeson et destinée à la vente immédiate.

Moscou, place Zoubovsky

L'érosion de la monnaie, les hypothèques, les moratoires entraînés par la guerre provoquent la ruine de Kandinsky. Le 8 mars 1916, il en informe par lettre Arthur J. Eddy : « Vraiment la guerre a eu une effrayante conséquence sur mes revenus, le papier (monnaie et actions) a perdu tant de valeur que je suis profondément endetté ». Plus tard, en 1936, repensant à ces années d'inquiétude, il écrit à Hilla Rebay : « C'était à l'époque de la guerre et les premières années de la révolution que je passais à Moscou. Je ne voudrais pas revivre de telles années. A côté de profondes atteintes "morales", j'ai connu aussi de considérables chocs financiers. Juste avant la révolution je pensais avoir assuré mes finances jusqu'à la fin de ma vie. Je n'étais pas riche mais possédais assez de biens pour pouvoir travailler sans me préoccuper de gagner de l'argent. Cela ne dura que quelques mois ». A cette époque, Kandinsky semble avoir investi tout son avoir dans la construction d'un immeuble de rapport dont les travaux commencent à Moscou en 1913. Il ne s'agit pas d'un caprice architectural, ni même d'une commande auprès des architectes de renom que Kandinsky avait pu rencontrer (Henry van de Velde ou Peter Behrens avec qui il avait échangé quelques lettres), mais de ce qu'on entend sous l'expression « un placement de père de famille ». Le peintre avait contracté des emprunts fondés sur des hypothèques qui, rapidement, le conduisirent à la banqueroute. Kandinsky écrit à Gabriele Münter le 21 mai 1916 : « Et quand je pense que je devrais peut-être quitter cette maison, cela me fait bien mal ». Finalement, il vend l'immeuble mais se réserve la possibilité de louer l'appartement qu'il occupe pendant la durée du conflit. Les campagnes d'expropriation qui suivent la Révolution d'Octobre contrarient ces transactions. Kandinsky reste dans cet appartement jusqu'à son départ en 1921

Rœthel signale qu'à son arrivée à Moscou Kandinsky avait dû vivre à l'hôtel en attendant de pouvoir emménager dans le premier appartement de cet immeuble qui se libérerait. Nina Kandinsky corrobore cette information : « A l'origine, Kandinsky voulait s'installer au sixième étage qu'il avait fait aménager exprès pour lui et pour son travail; mais lorsqu'il partit pour l'Allemagne, son beau-frère (s'agit-il de Vladimir Abrikosoff ?), à qui il avait confié la gérance de l'immeuble, loua tous les appartements. (...) Puis le cinquième étage se trouva libéré. (...) Près de cet immeuble se trouvait un terrain à bâtir que Kandinsky acheta pour s'y faire construire une villa. Nous avions déjà fait les plans d'une maison de grand style avec un vaste atelier, mais ensuite vint la révolution qui contrecarra nos projets. La villa ne fut pas construite, pire encore : dans la campagne d'expropriation qui s'ensuivit, Kandinsky perdit tout ce qu'il avait acquis, même son immeuble ».

Les Kandinsky occupent donc l'appartement n° 22 d'un immeuble neuf, dont rapidement les équipements collectifs ne fonctionnent plus. Nina Kandinsky précise que « comme toute tentative de chauffer l'appartement s'était révélée sans espoir, ils avaient fait construire un poêle en briques réfractaires qui leur avait permis au moins de chauffer deux pièces ». Elles ajoute une information qui semble importante pour les premiers temps de l'Inkhuk : « Au sixième étage de son immeuble, Kandinsky installa ce qu'on appela un atelier de reproduction d'art, une sorte de studio graphique dans lequel travaillait aussi, sous sa direction, Alexander Michaïlovitch Rodchenko qui se fit un nom par ses œuvres constructivistes originales. »

Extraits de documents concernant un immeuble appartenant à Kandinsky : construction, 1913 vente, 1917

L'incidence des péripéties de la guerre à propos des spéculations immobilières de Kandinsky à Moscou. Extrait du contrat liant Kandinsky à un entrepreneur pour la construction d'un immeuble de rapport en 1913 :

« Ce jour de l'année 1913, nous soussignés, Vassily Vassilievitch Kandinsky, bourgeois à titre héréditaire et Dimitry Mikhaïlovitch Tchelichtchev, architecte, avons conclu ce présent contrat en ce qui suit : 1) Moi, Tchelichtchev prends à ma charge sur une propriété appartenant à V.V. Kandinsky, dans la ville de Moscou, au quartier de Khamovnitchesk, à l'angle des rues Dolguy et Trety Neopalimovsky, sous les n° 12/17 (...) la construction avec mes moyens, mes matériaux, mes ouvriers, d'une maison de rapport de six étages sur un sous-sol en pierre avec chauffage central, canalisation des eaux usées (...) 2) Commençant ce travail le 15 juillet 1913, moi, Tchelichtchev, je m'engage à définitivement terminer l'extérieur et l'intérieur, et remettre à M. Kandinsky, comme fixé au paragraphe précédent, la maison au plus tard le 15 septembre 1914 (...) D'après un calcul approximatif, le coût général de toute la construction, convenue d'après les plans cités plus haut, s'élève à une somme de 238 000 roubles (...) c) A l'achèvement de la maison dans ces grandes lignes, quand la pose des briques et de la couverture sera terminée, M. Tchelichtchev se voit accorder le droit, d'après procuration donnée par M. Kandinsky, d'hypothéquer la maison à la Société urbaine de Crédit de Moscou pour une somme n'excédant pas soixante-quinze mille roubles (...) de porter la somme ainsi reçue dans le calcul de la somme globale de la rétribution qui lui revient d'après ce contrat. (...) 11) Toutes les démarches indispensables à la construction de la maison avec les administrations et les autorités responsables, la ratification des plans, l'obtention des autorisations et des signatures, etc., sont de la responsabilité de M. Tchelichtchev, à qui M. Kandinsky donne suivant ses demandes les pouvoirs nécessaires. 12) Toutes les constructions anciennes se trouvant dans la propriété de M. Kandinsky sont vendues au tarif de la démolition, et la somme reçue revient à M. Kandinsky en en déduisant le montant de l'enlèvement des décombres provenant de la démolition des constructions. »

(traduit par Olga Makhroff)

Note du traducteur. Citoyen d'honneur : titre de privilège, utilisé en Russie au XIXe et au début du XXe siècle, réservé aux bourgeois et au clergé. Etait attribué par des arrêtés impériaux. Le titre héréditaire était attribué aux descendants des nobles et aux descendants du clergé orthodoxe de naissance et, sur requête spéciale, aux industriels, marchands, savants et artistes.

En 1917, Kandinsky ne peut faire face à ses obligations entraînées par les hypothèques et vend son immeuble de rapport :

« Moscou le vingt-cinq janvier dix-neuf cent dix-sept, le bourgeois à titre héréditaire Vassily Vassilievitch Kandinsky et la femme du médecin Tatiana Andreevna Pokoskaia ont conclu le présent acte de vente : 1) Kandinsky vend à Prokovskaia une propriété qui lui appartient, à lui Kandinsky, comportant une maison avec des dépendances et du terrain, située à Moscou, quartier de Khamovnitchesk, deuxième arrondissement, à l'angle des rues Dolguy et Neopalimovsky (...) pour un prix de quatre cent dix mille roubles comprenant la dette à la Société urbaine de Crédit de Moscou. (...) Au moment du décompte, lors de la ratification définitive de l'acte de vente, l'acheteuse s'engage vis-à-vis du vendeur Kandinsky aux obligations particulières suivantes : conformément au désir de Kandinsky de l'occuper, l'appartement n° 25 de la maison en vente, occupé actuellement par L.A. Beiline et libéré volontairement par lui, Beiline, sera loué à Kandinsky à un prix de location suivant les prix existants pour un délai de deux ans et b) l'appartement n° 15 dans la même maison, occupé actuellement par V.B. Orlov, lui sera accordé en jouissance jusqu'à la fin de la guerre pour un prix de location de cinquante roubles par mois. »

Kandinsky réinvestit immédiatement les sommes perçues de cette vente en achetant une autre parcelle de terrain. Est-ce pour y construire la maison et l'atelier auxquels fait allusion Nina Kandinsky dans ses mémoires ?

« Le vingt-six janvier dix-neuf cent dix-sept ont comparu devant Petr Makhaïlovitch Savitsky, notaire à Moscou, dans son cabinet du quartier de Tver, (...) le bourgeois de Moscou, Mikheï Savelievitch Nazarov, qui a présenté (...) et (...) le fondé de pouvoir du bourgeois à titre héréditaire Vassily Kandinsky en possession de ses droits, l'architecte Vladimir Borrissovitch Orlov, demeurant à Moscou (au 2 rue Dolguy appartement n° 8), Nazarov et Orlov pour le compte de Kandinsky concluent un contrat de vente-achat de la terre (...) aux limites de la rue Neopalimovsky ex-Teply, actuellement Trety, et des propriétés de Popov, Ponomarev et autres. (...) Je soussigné le vendeur Nazarov reçoit, de l'acheteur Kandinsky, dix-huit mille roubles. Enregistré le 22 février 1917. »

5 En 1913 Kandinsky avait entrepris à Moscou l'édification d'un immeuble de rapport de six étages, divisé en 24 appartements, à l'angle des rues Dolguy et Trety Neopalimovsky. Il se réservait le sixième étage et avait fait construire un belvédère à l'angle de la construction pour observer le Kremlin.

6 Vue intérieure sur cour, avec le jardin où posa Nina Kandinsky en 1917 (nº **9**).

7 Photographie prise de l'appartement de Kandinsky à Moscou, vue sur la place Zoubovsky. A rapprocher du dessin à la plume nº 167, daté 1915, mais qui pourrait être de 1916. Kandinsky écrit, en effet, le 21 mai 1916 à Gabriele Münter : « Je travaille beaucoup. Je fais tous ces temps des paysages de mes fenêtres : soleil, nuit, ciel gris. Je trouve cela amusant et surtout j'enrichis ma palette et j'étudie des harmonies différentes. Et quand je pense que je devrais peut-être quitter cette maison, cela me fait bien du mal ... »

5

6

1917 : mariage, séjour à Akhtyrka

On a beaucoup supputé sur les voyages de Kandinsky en Russie avant la révolution, soulignant les rencontres avec d'autres artistes, les prises de contacts avec le monde de l'art; on a peut-être oblitéré ce qui semble n'être que de peu de conséquences pour l'Histoire de l'art : le caractère éminemment familial de ces visites. La mère de l'artiste vit à Odessa, elle meurt avant le départ de Kandinsky pour Berlin; le père disparaît quand les Kandinsky sont installés à Dessau. Mais, plus que de ses parents, Kandinsky semble avoir été très proche du cercle de ses cousins, les Abrikosoff.

En 1892 Kandinsky avait épousé sa cousine Anja Chimiakine dont la sœur était mariée à Abrikosoff, riche fabricant de chocolat à Moscou pour qui Kandinsky dessine une publicité en 1898. Malgré la légalisation de la séparation d'avec Anja, Kandinsky continue à être l'hôte des Abrikosoff. Il peint en 1916 un triptyque pour leur maison de campagne et passe l'été chez eux à Akhtyrka en 1917 avec Nina, sa nouvelle femme. Nina Kandinsky y rencontre Anja Chimiakine : « J'ai fait sa connaissance en 1917, chez les Abrikosoff — Mme Abrikosoff était une sœur d'Anja — c'était une femme aimable, honnête et sensible. Plus tard, lorsque nous étions à Paris, j'ai considéré qu'il était de mon devoir de soutenir Anja matériellement, pendant les années difficiles de Moscou, et je l'ai fait volontiers. Nous lui avons envoyé des vivres qu'elle ne pouvait pas se procurer en Russie. La sœur d'Anja, Mme Mania Abrikosoff, vivait déjà depuis 1932 à Paris. Nous étions également liés d'amitié avec elle ». Kandinsky, dans la correspondance qu'il entretient avec son neveu Kojève, cite plusieurs fois les cousins Abrikosoff; et à Grohmann, pour lui décrire le charme d'un lieu de villégiature, il parle en 1935 de « rivière au courant lent et calme — tout cela nous rappela les environs de Moscou. » Kandinsky peint régulièrement le parc d'Akhtyrka en 1901, 1903, 1907-1908, et une dernière fois en 1917.

Cinq mois seulement après leur première rencontre, le 11 février 1917, Kandinsky épouse Nina Andreevsky, de vingt-huit ans sa cadette. « Nous nous sommes mariés selon le rite orthodoxe russe ... », raconte Nina Kandinsky, « ... il dessina lui-même le motif d'une très jolie broderie pour ma robe de mariée ». L'abdication du tsar coïncide avec leur voyage de noces en Finlande. Un fils, Volodia, naît en septembre 1917. Il meurt en juin 1920. Cette tragédie personnelle explique la sincérité des condoléances qu'adresse dans des circonstances analogues Kandinsky à Pierre Bruguière le 1er mai 1941 : « Nous comprenons bien que cette perte vous provoque une lourde peine. C'est un des plus grands malheurs de la vie que de perdre un enfant ! »

Les Kandinsky mènent discrètement un style de vie confortable et bourgeois. Nina Kandinsky se souvient : « Pendant la révolution et les quelques années qui suivirent à Moscou, jusqu'à notre départ pour l'Allemagne, j'ai eu une bonne qui était chargée d'exécuter les gros travaux. (...) La révolution rendait notre existence à Moscou intenable. Nous avons traversé des périodes très dures. (...) Et nous ne dûmes qu'à notre sobriété d'avoir survécu à la faim et à la misère. (...) A partir de 1919, j'ai travaillé au Narkompros de Moscou, tout d'abord comme secrétaire particulière de mon mari, alors membre du collège d'art au commissariat du peuple et chargé de la réorganisation des musées russes; plus tard, je suis passée chef de service et secrétaire du bureau des fournitures du centre académique ». En automne 1921, les Kandinsky reçoivent des visas pour Berlin. Le Ministère soviétique charge Kandinsky de réunir des informations et de les lui transmettre. Le couple arrive avec douze tableaux récents dans la capitale allemande saturée de réfugiés baltes et russes.

8 L'église d'Akhtyrka, intégrée dans le parc de la propriété des Abrikosoff. Kandinsky a peint en 1917 plusieurs esquisses de paysages avec la tour de cette chapelle.

9 Nina Kandinsky, assise dans le jardin intérieur de la propriété de Kandinsky à Moscou.

10 Nina Kandinsky et Vassily Kandinsky dans leur appartement à Moscou. Sur le mur, l'*Improvisation n° 4*, 1909, de Kandinsky, conservée au Musée de Nijnij-Novgorod, Gorki.

11 Nina Andreevsky (Moscou 1893 - Gstaadt 1980)

12 Vassily Kandinsky (Moscou 1866 - Neuilly-sur-Seine 1944)

9

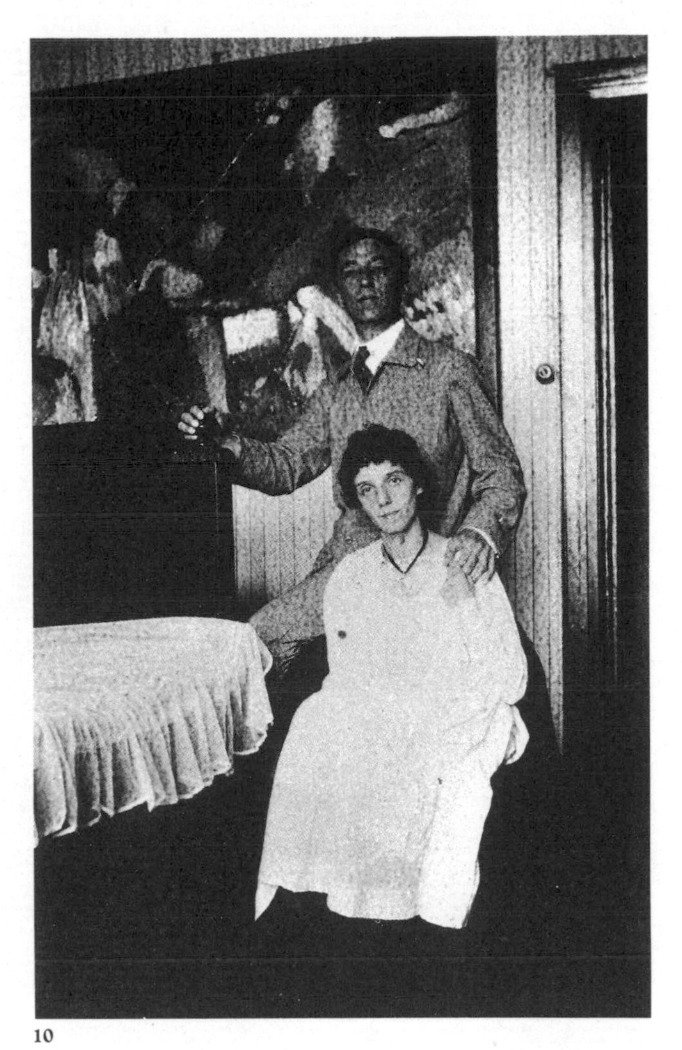
10

11

12

13 *Album Kandinsky, 1901-1913,* édité par la galerie Der Sturm en 1913, couverture bleu et or, comportant un texte autobiographique de Kandinsky « Rücblicke », daté de mai 1913, et 75 reproductions d'œuvres, dont 8 appartiennent au fonds Kandinsky : *Die Alte Stadt (Vieille Ville),* 1902; *Helle Luft Air Clair,* 1902; *Holland,* 1904; *Zuchauer (Spectateurs),* 1905; *Das Volga Lied (Chant de la Volga),* 1906; *Improvisation III,* 1904; *Glassbild (peinture sur verre),* 1911; *Impression 5,* 1911.

14 *Teskt Khudozhnika* (Texte de l'artiste), traduction en russe de « Rücblicke », édité par IZO Narkompros, à Moscou en 1918 (octobre), 58 pages, 29 illustrations, dont une en couleur (la *Composition VI),* une photographie en frontispice, une vignette. Le zinc de la couverture est à rapprocher du dessin n° 231.

Reproduction d'une aquarelle signée et monogrammée K 16, A *une voix,* page 46 de l'édition du texte de « Rücblicke » (*Regards sur le passé*) en russe en 1918. Cette aquarelle est, semble-t-il, la version aboutie des études n° 197, 198 et 205 feuillet 4. Elle est conservée au Musée Pouchkine à Moscou.

1918 : *Texte de l'artiste*

Fin 1918 paraît la traduction en russe de *Regards sur le passé, Teskt Khudozhnika* édité par le Narkompros (commissariat à l'éducation du peuple), où Kandinsky occupe plusieurs fonctions importantes. On s'étonne à la fois de l'énergie dépensée par Kandinsky pour traduire ce texte de l'allemand en russe et pour l'imposer comme texte susceptible d'infléchir et d'orienter l'évolution de l'art moderne à Moscou dans le contexte révolutionnaire. Il détourne à son profit, car le livre ne concerne que sa destinée personnelle, des moyens mis à sa disposition par et pour la collectivité.

De plus, cette traduction n'est que redondance par rapport à l'original allemand. *Rückblicke* avait été édité en octobre 1913 par la galerie berlinoise Der Sturm qui avait entrepris la défense du peintre violemment vilipendé par la presse allemande. Cet ouvrage luxueux, avec sa couverture imprimée or sur carton bleu, était alors un essai polémique; la profusion des illustrations, l'importance des différents textes se voulaient démonstratives. Kandinsky par ce long texte autobiographique rassurait la bourgeoisie allemande sur le bien-fondé de sa découverte en donnant des garanties sur son origine aisée et sur le niveau de formation qu'il avait atteint au cours de ses « humanités ». Dans l'étude critique et comparative menée par Jean-Paul Bouillon à partir des versions allemande et russe, il apparaît à l'exégète que, dès 1913, le sens d'un tel livre est ambigu : « *Regards (sur le passé)* marquera nettement un recul en arrière : l'idéologie mystique des premiers chapitres de *Du Spirituel (dans l'art)* avait une fonction révolutionnaire dans le Munich de 1912, son écho, dans les dernières pages de *Regards,* aura valeur "réactionnaire", à la fin de 1913, par rapport à la situation russe. »

Jean-Claude Bouillon souligne le défi que Kandinsky semble jeter aux tendances collectivistes et matérialistes qui tentent dès les premiers mois de la révolution de régir ou d'assujettir les arts, et plus particulièrement les arts plastiques : « L'irréalisme et la "désactualisation" ne saurait être plus complète qu'à propos de ce livre, écrit dans des conditions et pour des raisons totalement différentes : Kandinsky agit comme si l'épisode révolutionnaire n'avait d'autres conséquences, d'autres raisons d'être que de lui donner à nouveau toutes ses chances pour affirmer les thèses de 1912-1913 ». Ensuite, dans le contexte des années 70, très critique vis-à-vis des transfuges de l'avant-garde russe, Jean-Claude Bouillon énumère les modifications, les biffures de ce qui fait dans le texte allemand un peu trop « ancien régime » et, avec une certaine complaisance, met en lumière la discordance, le décalage avec la réalité contraignante. Les ajouts mènent à cette proclamation essentielle peu recevable à l'époque mais dont l'écho résonne à nouveau maintenant que « l'esprit détermine la matière et non l'inverse », ce qui semble une ultime protestation réactionnaire en septembre 1918.

Le seul point que Jean-Paul Bouillon semble sous-estimer dans son essai critique — le premier réellement entrepris en France sur la théorie de Kandinsky — réside dans les modifications iconographiques de l'édition russe. Les reproductions y sont moins généreuses que dans l'édition allemande mais tiennent compte de l'évolution plastique du peintre au cours des années 1916 et 1917. Il y incorpore des aquarelles, des dessins au graphisme très libre et qui intéressent au premier chef le propos de notre catalogue puisque ces œuvres y sont entrées (n°s 188, 198, 200, 231, 232).

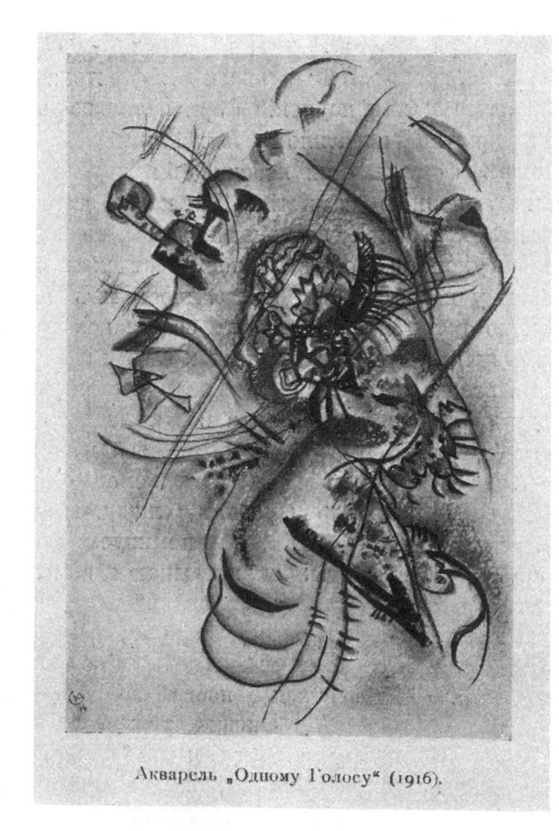

Акварель „Одному Голосу" (1916).

КАНДИНСКІЙ

1920 : Dernière exposition personnelle officielle

La dernière exposition personnelle de Kandinsky ne peut être qu'une illustration polémique de la thèse idéaliste et individualiste exposée, proclamée à contre-courant dans *Regards sur le passé.* Kandinsky y présente une rétrospective de son œuvre, c'est-à-dire qu'il y accroche des œuvres aussi passéistes que *Crinolines*, de 1909, ceci à deux pas des salles où Rodchenko exhibe des œuvres qui se veulent débarrassées de toute trace de romantisme. Rodchenko placarde à l'entrée de sa propre exposition une feuille dactylographiée où dans un style maiakovskien il s'en prend à la tradition du tableau de chevalet (donc à Kandinsky) : « (...) la peinture non objective a quitté le musée; la peinture non objective est dans la rue, sur la place, dans la ville... »
Kandinsky semble avoir délibérément pris le parti de contrer, d'affronter sur la place publique les thèses de ses contestataires, se désignant ainsi comme cible à la vindicte de l'avant-garde : dans sa conférence sur l'art russe donnée en Allemagne en 1922, Lissitzky s'en prend nominalement à Kandinsky : « Apparurent, parallèlement aux mouvements que je viens de citer, des peintres travaillant sans but spécifique. Ils aspiraient à la représentation purement subjective de leurs émotions à travers des combinaisons de couleurs. Si on compare leur travail à celui des suprématistes, il évoque des tas d'immondices à côté de purs cristaux. Au mieux ce sont de beaux papiers peints ou des tapisseries. Leur représentant par excellence est Kandinsky. Il introduisait les formules artistiques de la métaphysique allemande contemporaine et en conséquence n'était en Russie qu'un épiphénomène. »

15 Seconde et dernière exposition personnelle de Kandinsky à Moscou, organisée en octobre 1920, sous l'égide de la XIXe exposition de l'Etat, dans les salles de la Bochaia Dmitrovska. Dans les salles voisines étaient présentés les travaux de David Sterenberg et de Rodchenko.
Cette cimaise est consacrée aux œuvres les plus récentes de Kandinsky, peintes entre 1915 et 1920. Sont entrées au Musée national d'art moderne, avec le fonds Kandinsky, la grande toile *Dans le gris*, 1919 (n° 238) et deux dessins à l'encre de Chine (n° 183 et 245) accrochés sous le *Tableau à la bordure verte.*

Six photographies de l'accrochage de l'exposition posthume des œuvres de Liubov Sergeevna Popova en 1924, conservées dans les archives du fonds Kandinsky :
16 Cimaise des tableaux cubistes.
17 Cimaise des tableaux constructivistes et vue générale.
18 Cimaise de « la dernière période des tableaux de chevalet ».
19 Cimaise des affiches de propagande (lutte contre l'analphabétisation...)
20 Cimaise des travaux pour l'industrie textile et les décors de théâtre.
21 Décor de Popova pour *La Terre dans la tourmente* de Sergei Tretiakov, mise en scène de Meyerhold, mars 1923.
Kandinsky a travaillé avec le groupe dirigé par Rodchenko de 1918 à 1920. Il a donc connu Popova. Il ne partageait pas les thèses matérialistes du groupe, le constructivisme dévié pour son adaptation à une esthétique de production prolétarienne. L'exposition posthume des œuvres de Popova était une des ultimes manifestations du groupe qui avait évincé Kandinsky des institutions artistiques révolutionnaires.

16

17

18

19

20

21

1918-1921 : Kandinsky et les diverses commissions artistiques révolutionnaires

22

23

Après décantation de toutes les polémiques, il reste encore difficile aujourd'hui de connaître les charges qui sont réellement confiées à Kandinsky par Lunartcharsky et les institutions dépendant du Commissariat de l'Education. Kandinsky entre au Commissariat pour la culture populaire ou Narkompros. Il professe dans les ateliers libres de beaux-arts, participe à la création de musées, s'occupe de l'édition de la revue *Iskusstvo*, où il publie plusieurs études. Il établit un plan de refonte ou de reprise en main des ateliers pour l'Inkhuk, Institut de la Culture artistique, plan qui est rejeté par le clan Rodchenko. Il est nommé professeur honoraire de l'Université de Moscou et fonde en 1921 une Académie marginale des arts et des sciences, dont il assure la vice-présidence.
Sa situation flotte ainsi au gré de l'évolution rapide de structures extrêmement changeantes. Le corpus de ses déclarations, de ses participations aux délibérations et de ses publications reste à établir; de plus, il est difficile de mesurer leur impact. Jelena Hall-Koch fixe les grandes lignes de l'action kandinskienne dans un essai, « Kandinsky's role in the Russian avant-garde », mais elle porte l'intérêt de son exposé sur les années antérieures à la révolution. Trœls Andersen, dans son article « Some unpublished letters by Kandinsky », contribue, en dehors de toutes querelles partisanes, à fixer avec objectivité le cadre de son action. Récemment, les précisions apportées par Peter Nisbet dans « Some facts on the organizational history of the van Diemen exhibition » ouvrent de nouvelles perspectives en dégageant l'importance du rôle de Kandinsky dans la reprise des négociations avec l'Allemagne. Malheureusement le fonds Kandinsky du Musée national d'art moderne est actuellement pauvre en documents susceptibles de jeter un jour nouveau sur ces années incertaines.
Il faut se contenter de constater que Kandinsky ne se lie avec aucune des personnalités de l'avant-garde russe. S'il a — selon Nina Kandinsky — de l'estime pour Tatline, il affronte plus qu'il ne rencontre Rodchenko, ignore Marc Chagall qui, lui, selon les informations de Franz Meyer, souffre directement de la parcimonie des subventions et la politique d'acquisition menées à son encontre par Kandinsky. Il évite les constructivistes et il aura pour eux des définitions qui confinent à la malveillance. Il écrit à André Dézarrois le 10 mai 1937 : « Constructivisme (exemples : les deux Russes Malévitch et Tatline). Les constructivistes voient généralement leur origine au cubisme qu'ils ont poussé jusqu'à l'exclusion du sentiment ou de l'intuition et qui cherchent à arriver à l'art exclusivement sur le chemin de la raison, de la calculation (mathématique ... exemple du point de vue : Malévitch avait comme idéal la possibilité de dicter sa nouvelle peinture par téléphone au peintre de bâtiment — mesures exactes, couleurs numérotées) ».
Inversement, les personnes qui se regroupent autour de lui ne marquent pas l'époque. Parmi eux on trouve : Vassily Dmitrievitch Bobrov, un élève qui lui sert de secrétaire; Robert Falk, un peintre qui — selon George Costakis — est très critique vis-à-vis de l'abstraction de Kandinsky; Ludwig Baehr, artiste diplomate allemand chargé de la liaison entre l'Allemagne et l'URSS, qui met en contact Kandinsky avec Adolf Behne et Walter Gropius; Konstantin Umansky qui représente le Narkompros à Berlin et publie en allemand une situation de l'art russe étrangement favorable aux thèses kandinskiennes; Robert Pikelny, qui fréquente l'atelier de Kandinsky pendant deux ou trois semaines, rapporte que la clientèle de l'atelier est principalement féminine et que les corrections données y sont très classiques.
Sur la création d'un Musée de Culture plastique, Kandinsky s'est peu étendu. Par quelques confidences dans sa correspondance adressée à Will Grohmann, on sait qu'il en est directeur en 1919, que le musée ferme une première fois en 1921 et que le but poursuivi par cette institution est globalement analogue à celui que poursuit l'exposition van Diemen à Berlin en 1922.
Les inventaires domestiques de Kandinsky attestent qu'il vend régulièrement ses propres œuvres aux différents musées en cours de création. Grâce à ces acquisitions les musées soviétiques possèdent aujourd'hui des œuvres importantes de Vassily Kandinsky.

24

Celui-ci laisse, de plus, en dépôt les toiles les plus encombrantes, les *Compositions VI* et *VII*, lorsqu'il quitte Moscou pour Berlin. En 1921, il n'emporte avec lui que douze tableaux récents, peints entre 1919 et 1921.
Ce sont ces dernières toiles que le peintre présente à Berlin à la galerie Goldschmidt-Wallerstein en mai 1922. Dans la revue russo-allemande, *Veshch*, El Lissitzky en fait un compte rendu peu sympathique mais important : « Les tableaux sont titrés de façon nouvelle. Au lieu de *Compositions* comme précédemment, ils sont décrits avec plus de précision : *Cercles noirs, Segment bleu, Ovale rouge, Formes avec carré blanc*. Des formes géométriques se mêlent à la végétation qui prolifère sur toute la toile. Mais elles sont tellement saturées de couleur qu'elles sont incapables de rétablir l'ordre dans la confusion. De Russie, Kandinsky a rapporté une scrupuleuse attention à la plénitude colorée de la toile, mais il continue à n'y avoir aucune uniformité, aucune clarté, aucun objet ». Kandinsky, en effet, rapporte de « l'intermezzo » un renouvellement formel complet. Il a acquis aussi une expérience théorique qu'il va mettre à profit dans son enseignement au Bauhaus.

22 Kandinsky et ses élèves aux ateliers d'art avancés (Vkhutemas).

23 Kandinsky et quelques membres de l'association des différents arts, dans le cadre du Rarkhn (Narkompros). De gauche à droite : Robert Falk, peintre; Shor, violoniste; Petr Uzbensky, physicien; Kandinsky; Pavlov, chorégraphe; Alexandre Shenshin, compositeur.

24 Les mêmes, groupés différemment autour de Kandinsky.

De la méthode de travail sur l'art synthétique

Conférence de V.V. Kandinsky à l'Académie russe des Sciences artistiques, été 1921 :

« Habituellement on conçoit par art synthétique l'art dont les œuvres sont créées par l'intermédiaire de disciplines artistiques diverses.
Depuis l'époque de Richard Wagner on utilise le terme d'« art monumental », sous lequel, d'après Wagner lui-même, on comprend les œuvres produites à l'aide de tous les arts — ce qui est conforme à l'art monumental.
Et dans le cas précis, et comme dans toutes les questions concernant l'art sans exception, on observe une imprécision totale des termes, leur inexactitude et leur interprétation différentes. Une telle situation de ce qu'on appelle la théorie de l'art souligne dans le meilleur des cas l'état embryonnaire de cette théorie. On peut affirmer de plein droit qu'actuellement il n'existe pas de science de l'art. En même temps que le terme d' « art monumental » on utilise aussi les termes : peinture monumentale, architecture monumentale, sculpture monumentale, etc. Ces derniers temps, aussi bien en Russie qu'à l'étranger, on rencontre souvent le terme d'art synthétique dans le sens d'œuvres créées par l'architecture, la sculpture et la peinture. C'est justement dans ce sens que le terme d' « art synthétique » a été introduit, d'après ce que je sais, en tant que principe d'enseignement à l'Académie de Weimar nouvellement réorganisée.
Dans ce sens il faut accepter par art synthétique les divers aspects de la réunion des arts — la réunion de deux arts ou plus : mélo-déclamation, danse de chambre, sculpture colorée, expériences sur l'art spatial coloré, ballet, opéra, œuvres architecturales, créées avec le concours de la sculpture et de la peinture.
Dans ce dernier cas, on rencontre constamment des exemples de lien purement superficiel et seulement mécanique entre les éléments de chaque art dans une seule œuvre. Habituellement, dans les autres cas, les procédés utilisés par chaque art s'unissent dans l'œuvre d'après le principe du courant parallèle. Il semble qu'un art soutient l'autre, l'interprète, l'accentue. Le principe de la simple addition arithmétique est appelé à renforcer les procédés propres à chaque art par un procédé parallèle issu d'un autre ou d'autres arts. C'est ainsi que l'art monumental était compris par Wagner, qui dans ses œuvres poussait souvent le principe du parallélisme jusqu'aux dernières limites. C'est sur ce fondement que sont construites les œuvres les plus importantes de ce type apparues ces derniers temps, et en particulier les œuvres de Scriabine. L'importance de ces œuvres du point de vue de la science de l'art apparaît clairement dans l'approche de Scriabine des éléments de l'art. Scriabine ne se limite pas seulement au procédé intuitif de l'addition des éléments, mais introduit le fondement de leur procédé physique. Néanmoins, il s'est arrêté dans le domaine de leur utilisation parallèle.
Une telle situation de l'art synthétique indique d'une façon précise aussi bien la voie de son développement futur possible que la voie que doit suivre, dans ce cas, la science de l'art.

Le développement futur de l'art synthétique voit s'ouvrir les possibilités suivantes :
1. Utiliser les éléments de chaque art sur la base de leur technique propre.
2. Utiliser en dehors du principe du parallélisme ce moyen puissant de construction, qui agit constamment sur chacun des arts dans leurs sphères propres, et plus précisément utiliser le principe de l'opposition.
Les problèmes précis suivants se posent à la science de l'art :
1. L'étude par la voie analytique des propriétés de chaque élément de chacun des arts.
2. L'étude du principe et en fin de compte des lois de réunion des éléments, aussi bien dans l'œuvre qu'en dehors d'elle — c'est-à-dire des problèmes de la construction.
3. L'étude de la subordination aussi bien de chaque élément que du principe de construction au principe général qui régit l'organisation de l'œuvre — c'est-à-dire de la conception de la composition.
Ces problèmes doivent s'étudier aussi bien pour chaque art que pour l'art synthétique. Dans le premier cas, les éléments resteront au niveau d'un seul art, dans le second d'arts différents.
Dans le second cas, on utilisera la méthode de comparaison entre l'essence des élements d'un art et ceux d'un autre. Les éléments doivent être divisés en éléments fondamentaux et accessoires, c'est-à-dire ceux constamment présents dans chaque œuvre d'un art donné et ceux observés accidentellement.
Les uns et les autres doivent être étudiés avec toutes leurs propriétés, divisées en deux groupes : les propriétés des éléments en tant que tels et leurs propriétés dans le cadre de leur influence sur l'homme.
Dans la mesure où les œuvres d'art dans le résultat final sont appelées à avoir telle ou telle autre influence sur l'homme, l'étude des propriétés des éléments en tant que tels a pour but d'établir comme résultat final les influences diverses possibles pour l'homme. C'est ce point de vue qui est utilisé pour l'étude des propriétés physiques des éléments, de leurs actions physiologiques, etc.
Dans le cas donné, la participation de représentants des sciences positives apportera un éclairage déterminant dans ce domaine, dans lequel jusqu'à présent on ne laissait place presqu'exclusivement qu'aux forces intuitives de l'artiste. Ainsi, par exemple, dans la science de la peinture on étudie, comme élément principal, la couleur dans le système de toute une série de ses propriétés : propriétés physiques et son essence, influences physiologiques à travers l'œil et par d'autres voies (bains colorés), émotions psychiques dans les cas normaux et pathologiques, capacités de provoquer des associations dans le domaine des sens et des représentations, etc.
L'étude parallèle des éléments d'un autre art, par exemple la musique, donnera la possibilité de comparer les propriétés des éléments des arts différents. La comparaison permettra de découvrir, d'une part, une identité intérieure, de l'autre, des différences radicales entre les éléments des arts et, par conséquent, entre chacun des arts. Cette question, malgré sa clarté apparente, se caractérise par le vague et l'imprécision propres à tous les problèmes de l'art. De même que, pour la science de l'art, il ne suffit pas d'affirmer que la couleur est quelque chose de différent du son, de même, pour l'art proprement dit, surtout l'art synthétique, cette affirmation est insatisfaisante pour l'artiste. C'est précisément dans le domaine de l'art synthétique qu'une réponse définie est indispensable à la question de savoir, par exemple, si la couleur est quelque chose de différent du son, ou bien, peut-être finalement par l'influence de ces deux éléments sur l'homme, si ces deux éléments sont identiques. En raison de l'évolution future de l'art, l'artiste doit devenir et devient chaque jour de plus en plus théoricien de son art propre. Mais il deviendra aussi théoricien de l'art en général.

Un travail sur tous ces problèmes évoqués est en train d'être effectué de plus en plus systématiquement par un groupe de théoriciens, composé de peintres, de musiciens, de représentants de la danse, des sciences positives et de l'Histoire de l'art. Malheureusement, ce groupe n'a pas eu jusqu'à présent la possibilité de travailler avec le concours de laboratoires.
Par ailleurs, en dehors du moyen, appelé à donner un matériau étendu, il est indispensable d'utiliser la méthode expérimentale en laboratoire, qui est plus souple et plus facilement contrôlable.
L'observation spéciale sur l'influence simultanée et alternée de deux éléments appartenant à des arts différents peut être expérimentée d'une façon plus précise et plus exacte en laboratoire.
De cette façon, dans le domaine de l'art synthétique, l'observation des éléments d'un art doit être suivie de l'observation de l'action simultanée de deux, trois arts et plus. A ce moment-là on doit appliquer systématiquement toute une série de combinaisons possibles : parallélisme de l'action, opposition d'éléments, branchement et interruptions suivies ou fortuites, durée de l'influence et des interruptions, etc. Le travail une fois commencé permettra d'en envisager la progression future.
En dehors d'éléments au caractère plus ou moins abstrait (par exemple, une couleur, un son, un mouvement abstraits), il faut étudier aussi, de la même façon en laboratoire, ces formes plus matérielles, où les éléments naissent dans les mains des artistes (la couleur sous forme de peinture, le son en liaison avec des instruments déterminés, les mouvements de l'homme dans les conditions de l'attraction). On analysera ici la signification, l'essence, l'influence de la matière réelle.
La deuxième partie de l'étude des éléments de l'art sera consacrée à l'étude des œuvres d'art au sens de leur décomposition analytique et des tentatives d'établir pourquoi dans l'œuvre produite sont utilisés tels ou tels autres éléments.
Ce travail est indissolublement lié aux questions de la construction, dans la mesure où les éléments sont employés dans les œuvres non pas isolément, mais inévitablement en combinaisons. Les combinaisons, en dehors de leur influence globale, possèdent encore cette signification d'une importance particulière, qu'elles changent la valeur absolue des éléments et font apparaître leur valeur relative.
Ainsi logiquement et progressivement l'étude de chaque élément se transforme en recherche des influences globales non organisées, puis organisées d'une façon purement théorique et, enfin, organisées par l'exigence du dessein de la composition.
Là, la science de l'art aborde le problème le plus brûlant, le plus mystérieux, le plus discuté et le plus obstiné de la composition. A notre époque particulièrement agitée, bien qu'encore assez dilettante, il n'est pas rare d'entendre des voix à propos du rôle des principes, formel et intuitif, des voix qui nient toute l'importance du principe intuitif.
Abordant ce problème exacerbé et cependant difficile, il faut encore se tourner aussi bien vers la méthode en laboratoire que vers l'analyse des œuvres d'art particulièrement importantes. Les analyses faites jusqu'à présent n'allaient pas au-delà de la spéculation pure et peu fondée, et souvent manifestement d'une approche dilettante. On a toujours trouvé (bien que certains le nient) dans une œuvre d'art, en dehors de ce qu'on appelle des matériaux de construction évidents, encore un certain X, qui apparaissait comme le principe organisateur impropre à toute définition, et qui imperceptiblement transforme l'élément mort en une partie vivante de l'œuvre. Les œuvres construites d'après toutes les données d'une théorie restaient, pour une raison inconnue, des mannequins sans âme. Les œuvres, qui visiblement contredisaient la théorie, apparaissaient comme des êtres vivants répandant autour d'eux une force, une influence incontrôlable. Les opposants au principe intuitif seraient dans le droit de supposer, dans le premier cas, que la théorie n'était pas assez précise et, dans le deuxième, qu'elle n'était pas assez solide pour mettre à jour toutes les forces qui créent une œuvre d'art.
Il faut cependant, supposer — et cela, en vérité, est confirmé par l'Histoire de l'art — que chaque théorie, apparaissant comme le résultat d'une analyse d'œuvres déjà connues, n'est responsable que de ces dernières, qu'elle

regarde toujours en arrière, qu'elle n'est pas capable de se tourner vers l'avenir et, par conséquent, qu'elle n'est pas capable d'indiquer la voie de la création des œuvres futures. Une analyse plus systématique et plus précise, peut-être, apportera plus de clarté dans ce domaine confus de l'art.
Dans le cas présent, il est particulièrement indispensable d'étudier non pas l'objet de l'art, c'est-à-dire celui qui perçoit, mais d'étudier le sujet de l'art, c'est-à-dire le créateur de l'œuvre. Un travail de cette nature est prévu dans le projet de laboratoire du prof. A.A. Sidorov. Le point particulier de ce problème est l'étude de la soumission du matériau à l'artiste et de l'artiste au matériau.
Les enquêtes doivent être conduites aussi bien dans chacun des arts que dans le cadre du principe de leurs combinaisons. De nombreuses questions complexes sur l'art attendent un éclaircissement : quels sont les arts qui possèdent la force d'action la plus importante globalement, qu'est-ce qui influe le plus dans les arts pris séparément, quelles associations éveillent les éléments particuliers et pourquoi, comment ressent-on la loi de la combinaison des éléments, quels sont les éléments d'une forme qui se combinent le mieux aux éléments d'une autre, et le pourquoi de la dépendance de l'influence des diverses conditions — et en particulier de l'espace et du temps, etc.
Par cette voie on aborde l'une des questions les plus difficiles de l'art — la question des œuvres fortuites. Cette question est évidemment étroitement liée à la question du rôle de l'intuition. En réalité, on observe constamment que l'accumulation progressive des connaissances, chez ceux qui étudient, semble tuer cette force primitive qui apportait cette vie originale et particulièrement impulsive dans leurs œuvres non encore touchées par le raisonnement. Le dilettantisme donne souvent des résultats semblables.
D'un autre côté, le hasard qui ne passe pas par l'homme, mais par un appareil de mesure, crée de la même façon contre toutes les attentes des êtres vivants qui exigent l'appellation d'« œuvres ». Des exemples de cet ordre sont donnés par les vues photographiques de la nature, surtout si elles sont passées à travers une grille de zincographie grossière. Ici l'art se rapproche beaucoup de la nature, c'est-à-dire que le principe d'organisation, aussi bien dans l'un et dans l'autre domaine, semble permettre dans ces cas une comparaison particulièrement commode. La valeur de la coopération des théoriciens d'art avec les représentants des sciences positives apparaît ici évidente. On doit associer aux mathématiciens les spécialistes de la mécanique. Il est important d'attirer des spécialistes de la cristallographie, d'une part, et, de l'autre, des ingénieurs. Ces derniers ont à faire aux produits de l'homme dans des conditions dépendant directement des lois de la nature. Les premiers, exclusivement en accord avec les lois de la nature, créent des produits très proches des œuvres d'art. Non moins évidente est la participation indispensable des astronomes au travail commun sur les lois de la construction. Dans les questions de la poésie, le rôle des linguistes apparaît aussi tout à fait déterminant. En un mot, il faut attendre des résultats féconds de la participation au développement de la science de l'art par les représentants de toutes les sciences, dont l'importance se découvrira par la suite.
Un tel travail commun doit permettre de trouver des points de rencontre et d'identité entre la science de l'art et les autres sciences, mais en même temps faire découvrir la différence radicale qui existe entre elles. La dernière circonstance a une signification spéciale en raison des espoirs exagérés que l'on fonde surtout sur les sciences positives, que l'on croit, un peu légèrement, capables de résoudre les problèmes les plus spécifiques de l'art.
Cependant, il faut penser que le travail en commun dans le domaine de la théorie de l'art apparaîtra utile pour les deux parties — pour la science de l'art aussi bien que pour les autres sciences. On découvrira là avant tout la complémentarité réciproque des procédés de recherches.
Jusqu'à ces derniers temps, il semblait que l'art et la science représentaient deux domaines profondément séparés l'un de l'autre, dont les points de rencontre paraissaient problématiques. Il semblait qu'il en était de même pour l'essence des acteurs de tel ou tel domaine représentant l'un pour l'autre une contradiction totale. Il semblait qu'on ne pouvait trouver ni chez les uns, ni chez les autres, de langage commun et que leur incompréhension réciproque était providentielle.
Et là a eu lieu, cependant, un changement radical : presqu'en même temps les représentants de la science et de l'art ont eu cette aspiration irrésistible de trouver pour chacune des parties un langage commun. Pour la première fois, il a été possible de parler de comparaison de procédés de recherches dans les deux domaines. Il est apparu d'abord possible, puis indispensable, de coopérer. Et de là une seule démarche jusqu'à l'aspiration de découvrir une racine commune dans les différentes parts de l'art et de la science. »

(traduit par Olga Makhroff)

О МЕТОДЕ РАБОТ

по СИНТЕТИЧЕСКОМУ ИСКУССТВУ.

Под синтетическим искусством обычно разумеется искусство, произведения которого создаются средствами различных искусств.

Со времени Рихарда Вагнера входит в употребление термин "монументальное искусство", под которым по мысли Вагнера понимаются произведения, созданные средствами всех искусств – идеал монументального искусства.

И в данном случае, как и во всех без из'ятия вопросах искусства, наблюдается полная неопределенность терминов, их неточность и разнообразное их понимание. Такое состояние так называемой теории искусства указывает на в лучшем случае эмбриональное состояние этой теории. Можно с полным правом утверждать, что науки об искусстве пока не существует.

Рядом с термином "монументальное искусство" употребляются термины: монументальная живопись, монументальная архитектура, скульптура и т.д. В последнее время как в России, так и за границей часто встречается термин синтетическое искусство в смысле произведений, созданных архитектурой, скульптурой и живописью. Именно в этом смысле термин "синтетическое искусство" введен, насколько я знаю, в принцип преподавания в реформированной Веймарской Академии.

Синтетическим же искусством нужно признать в этом смысле различные виды сочетаний искусств – сочетания двух искусств и более: мелодекламация, камерный танец, цветная скульптура, опыты цветного пространственного искусства, балет, опера, архитектурные произведения, созданные при участии скульптуры и живописи.

В последнем случае постоянно встречаются примеры чисто внешней и только механической связи элементов отдельных искусств в одном произведении. В других случаях обычно средства отдельных искусств сочетаются в произведении по принципу параллельного течения. Одно искусство как бы поддерживает другое, его интерпретирует, акцентуирует. Принцип простого арифметического сложения призван усиливать средства отдельного искусства параллельным средством другого или других искусств.

Так понимал монументальное искусство Вагнер, в произведениях которого принцип параллельности был нередко доведен до последних пределов. На этой же основе построены и самые значительные произведения этого рода, появившиеся за последнее время, а именно произведения Скрябина. Значительность этих произведений с точки зрения науки об

Mds KANDINSKY

25 Tapuscrit de la méthode de travail sur l'art synthétique, lu en 1921 à l'Académie russe des Sciences artistiques (6 feuillets).

26 Tasse et soucoupe (AM 1981-65-609) décorées d'après un modèle de Kandinsky et éditées sur des porcelaines de Saxe par les ateliers d'Etat à Léningrad. Certains exemples de cette production furent montrés à l'Erste Russische Kunstausstellung, galerie van Diemen, en 1922.

Paris et les artistes russes

La capitale française est fermée aux événements artistiques qui marquent les premières années de la révolution russe. Seuls Maurice Raynal et Waldemar George essaient de faire venir à Paris l'exposition « Erste Russische Kunstausstellung », organisée à la galerie Van Diemen en 1922. L'association des anciens membres de la société « Monde artiste » (Mir Iskusstvo), composée d'émigrés familiers de l'ancien Petrograd et partisans de la guerre d'intervention étrangère contre l'U.R.S.S, est toute puissante dans la capitale française qui ne connaît du monde russe que les ballets organisés par Serge Diaghilev. En 1921 cette association organise une grande manifestation, dont elle exclut toute référence à l'art russe postérieur à 1915. Les animateurs, Loukomsky, Gregoriev, Koiransky, Iakovlev, Remisoff, Sorine, Soudeikine, Schoukaiev, confondent toute forme d'abstraction avec l'art révolutionnaire. Seuls Larionov et Gontcharova sont conviés à participer à cette exposition en tant que décorateurs des Ballets Russes. L'exposition « Mir Iskusstvo » remporte un très large succès à Paris en 1921. Les conservateurs et les critiques éminents, Arsène Alexandre, Léonce Bénédite, Léon Deshairs, Louis Réau, Denis Roche, Louis Vauxcelles, confient de bienveillantes préfaces au catalogue très luxueux. Les Parisiens ne découvrent l'art et la progagande soviétique qu'en 1925, avec le pavillon de Melnikov, d'un modernisme arrogant, dans l'Exposition internationale des Arts décoratifs. Le nom de Kandinsky reste dans l'oubli jusqu'en 1928, date à laquelle il réapparaît dans la presse artistique française avec *Les Cahiers d'art.*

Notes sur la peinture française actuelle

« Du tableau à deux dimensions nous sommes donc allés au tableau-plan, le tableau qui n'est qu'un simple équilibre de lignes et de courbes, qu'une surface à remplir picturalement, à aménager plastiquement, à décorer mais sans éléments décoratifs, suivant des ordonnances intellectuelles; nous marchons de plus en plus vers la conception d'une plastique abstraite. En France le mouvement n'a guère réussi jusqu'à présent — je crois que la « Section d'Or » est le seul groupement qui s'en soit fait le défenseur — alors qu'il a gagné beaucoup de terrain dans les pays nordiques, en Allemagne — où le « Sturm » travaille beaucoup dans cette direction —, en Scandinavie, en Hollande aussi. L'initiateur de ce mouvement « styliste » ou de cet « abstractisme », comme on l'a déjà appelé, fut le Russe Kandinsky. Ses « Improvisations » qui ne rendent plus aucun aspect réel, aucune extériorité existante, ne sont que des compositions basées sur des sensations de lignes et de couleurs; un impressionnisme nouveau en quelque sorte mais au-delà de la nature copiable dans le domaine de l'intuition et de la pensée. Il y a donc là, opposée de la construction réfléchie, organiquement ordonnée et quasi mathématique des cubistes conséquents, une expansion plus fantaisiste de l'instinct. Les Hollandais tirèrent, des théories de Kandinsky, ce qui pouvait être adapté à leur nature plus contemplative et moins sensible; ils se rallièrent donc à la destruction de la forme naturelle, base du mode d'art ancien, mais s'attachèrent davantage à traiter le tableau comme un plan en soi, comme une surface à équilibrer d'après le simple problème des rapports à établir entre les deux éléments constitutifs de tout tableau : la ligne et la couleur. Ils firent de la peinture « pure », tels Mondrian et Van Doesburg, lorsqu'ils divisent leur toile en une série de petits rectangles de dimensions et de tonalités différentes, ou Van der Leck lorsqu'il la remplit de bâtonnets le plus diversement disposés et coloriés; ils parvinrent cependant à nous suggérer, presque ésotériquement, quelque chose de leur état d'âme, à nous communiquer une impression sensible, une disposition intellectuellle assez musicale. L'art français n'a pas encore repris ce mode éminemment abstrait et quelque peu austère de la peinture nouvelle ».

(André de Ridder dans *Sélection,* n° 8, 15 mars 1921)

Chronique d'art allemand

« Tandis que d'autres s'appliquaient de leur mieux à expulser les mauvaises formules, Franz Marc, Kandinsky, et jusqu'à un certain point August Macke et Paul Klee, s'efforçaient de créer quelque chose de positif.
Leur génie ne s'attardait pas à réfuter, mais à créer. Et, somme toute, on vérifie entre Franz Marc et la plupart des expressionnistes — même les plus grands d'entre eux, Ludwig Meidner et (dans la mesure où il appartient à l'expressionnisme) Oskar Kokoschka — la même différence qu'entre Vassili Kandinsky et Marc Chagall.
Art analytique (...) L'art de Franz Marc, comme celui de Kandinsky, comme celui de Lembruck, est peut-être la manifestation la plus spécifiquement expressionniste qu'on puisse imaginer. Et c'est en éliminant des facteurs qu'il arrive non seulement à la concision du style, mais aussi à son relief.
(...) Après la mort de Franz Marc et le départ de Kandinsky pour sa Russie natale, il était fatal qu'un ressac éloignât quelque peu l'expressionnisme du but vers où il tendait.

(Paul Colin dans *L'Amour de l'art,* 1921, p. (290) - 291)

Kandinsky : regard sur la révolution artistique russe, 1921

L'interview accordée par Kandinsky à C.A. Julien le 10 juillet 1921 donne un reflet de l'état d'esprit dans lequel se trouve l'artiste sur le point de prendre la décision de quitter pour toujours Moscou, où son art et sa conception de l'art sont remis en question par ses collègues. Ce témoignage très précieux est resté sous forme d'une note sténographiée jusqu'en 1969, date à laquelle il fut publié et annoté par Françoise Cachin dans *La Revue de l'art,* n° 5, pp. 71-72. Il est corroboré par une interview imprimée en anglais en 1922 dans les *American Art News.*

Les Russes préfèrent l'art moderne mais présentent l'art ancien
Le gouvernement est seul à acheter et répandre les œuvres.
Les écoles sont dominées par les modernités.

BERLIN — Vassili Kandinsky, le célèbre artiste russe, instigateur de la « peinture absolue », est de retour en Allemagne après sept années d'absence. Une exposition à la galerie Goldschmidt-Wallerstein et deux conférences, dans lesquelles il a exprimé ses idées sur la peinture moderne et l'art en général, lui ont regagné tout l'intérêt du public. Beaucoup de ses tableaux sont à la galerie de Mr Eddy à Chicago.
Bien qu'encore épuisé des fatigues d'un long voyage et des privations endurées à Moscou, il m'a fait une description intéressante des innovations artistiques en Russie.
M. Kandinsky y était président d'une Académie des Beaux-Arts et se trouvait également à la tête d'une commission chargée de réformer les écoles d'art. « Ce qu'il y a de plus intéressant », m'a-t-il confié, « c'est qu'en dépit des terribles privations et d'énormes problèmes politiques, l'intérêt pour les arts est toujours très grand en Russie. On a commis l'erreur en Russie de penser que la « révolution » dans les beaux-arts pourrait remplacer « l'évolution ». Ainsi des réformes radicales ont mis en danger le fonctionnement des écoles d'art. Celles-ci ont commencé par être le refuge de personnes qui n'avaient pas le goût du travail, mais se trouvent là parce que le gouvernement fournissait nourriture et vêtements aux élèves. Ensuite, la deuxième année de la révolution, une sélection plus sévère put avoir lieu, et la situation s'est ensuite améliorée d'année en année ».
M. Kandinsky a souligné l'héroïsme des jeunes artistes russes qui doivent travailler sans chauffage et passent parfois toute une journée sans nourriture : leur courage et la noblesse de leurs idéaux sont en tous points remarquables. Ceux qui sont sans ressources travaillent la nuit pour gagner leur vie et vendent souvent leur dernier manteau pour acheter des couleurs et du papier pour leur travail.
M. Kandinsky a rencontré parmi ses élèves des gens très doués, à qui il prédit un avenir remarquable.
Les professeurs de ces écoles sont, bien sûr, tous extrêmement modernistes — à la tête du gouvernement se trouve le groupe le plus politiquement avancé qui soutient leur tendance. Ceci a causé de graves problèmes car une partie des étudiants souhaitait des professeurs aux idées moins extrêmes. M. Kandinsky lui-même, bien que représentatif des extrémités, est conscient de la nécessité de maîtriser les formes naturelles avant de pouvoir inventer des formes abstraites. Son atelier était donc très fréquenté et son départ est profondément regretté de ses étudiants.
Dans un précédent article, j'ai parlé des tendances en Russie à nier l'art pur et à ne vouloir produire pour notre temps que des objets utilitaires — ce serait là le but de l'art que de répondre à des demandes pratiques. Cette fusion des beaux-arts et des arts appliqués ne va, bien sûr, pas sans les protestations de ceux qui veulent préserver « l'art pour l'art ». Il est évident que des réformes aussi profondes ne peuvent s'effectuer sans crise violente. Mais l'extraordinaire énergie de cette nouvelle génération, renforcée par sa mission de créer une époque artistique neuve et prolifique, semble rendre tout possible.
Il est aussi intéressant de savoir qu'en l'espace de deux ans plus de trente musées ont été créés dans différentes villes de Russie. Le gouvernement, qui seul achète des œuvres d'art, doit acquérir des objets nouvellement et constamment produits. Il doit aussi les répartir dans les musées. Les vieux musées sont protégés et contiennent intactes les collections du temps des tsars.
On doit beaucoup à Mme Trotsky qui s'intéresse énormément à l'art : c'est elle qui est à la tête de l'administration des musées et des collections et est chargée de leur sauvegarde.
M. Kandinsky ne s'est pas rendu à Pétrograd, à cause du mauvais état des chemins de fer, mais il affirme que les collections y ont toutes été préservées et sont à l'abri de tout danger. Les gens meurent parfois de faim et de froid, mais ils gardent leurs musées comme un patrimoine inviolable appartenant au peuple.
A une question concernant le développement de l'art moderne, M. Kandinsky a répondu que la tendance actuelle vers les lignes calmes et classiques d'Ingres ne représentait qu'une réaction au déluge de tableaux cubistes et futuristes, mais que, selon lui, l'avenir appartenait à l'art abstrait.

(article signé F.T. dans *American Art News,* New York, 17 juin 1922, vol. XX, n° 36, trad. Claude Grimal)

167
[Sans titre, 1915]
encre de Chine, 16 × 24
inscription en bas à gauche en russe : « Place Zoubovsky »
daté au verso par Mme Nina Kandinsky : 1915
à rapprocher des peintures Roethel n° 607, 608, 609 réalisées en 1916
AM 1981-65-247 (Inv. 336)

168
[Sans titre]
aquarelle et encre de Chine, 22 × 22,5
à rapprocher de l'improvisation *Klamm,* Roethel n° 503
AM 1981-65-95 (Inv. 337)

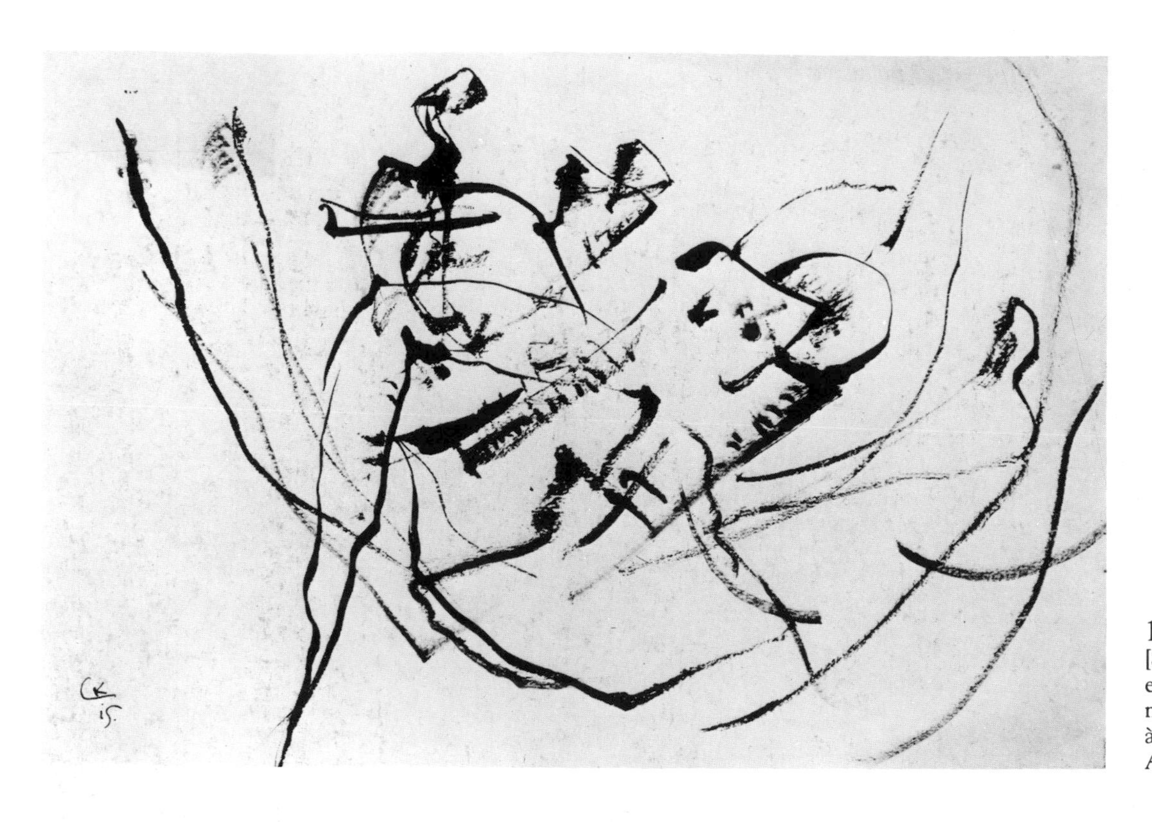

169
[Sans titre], 1915
encre de Chine, 13,4 × 20,8
monogrammé et daté en bas à gauche : K 15
à rapprocher de l'aquarelle n° 171
AM 1981-65-248 (Inv. 596-25)

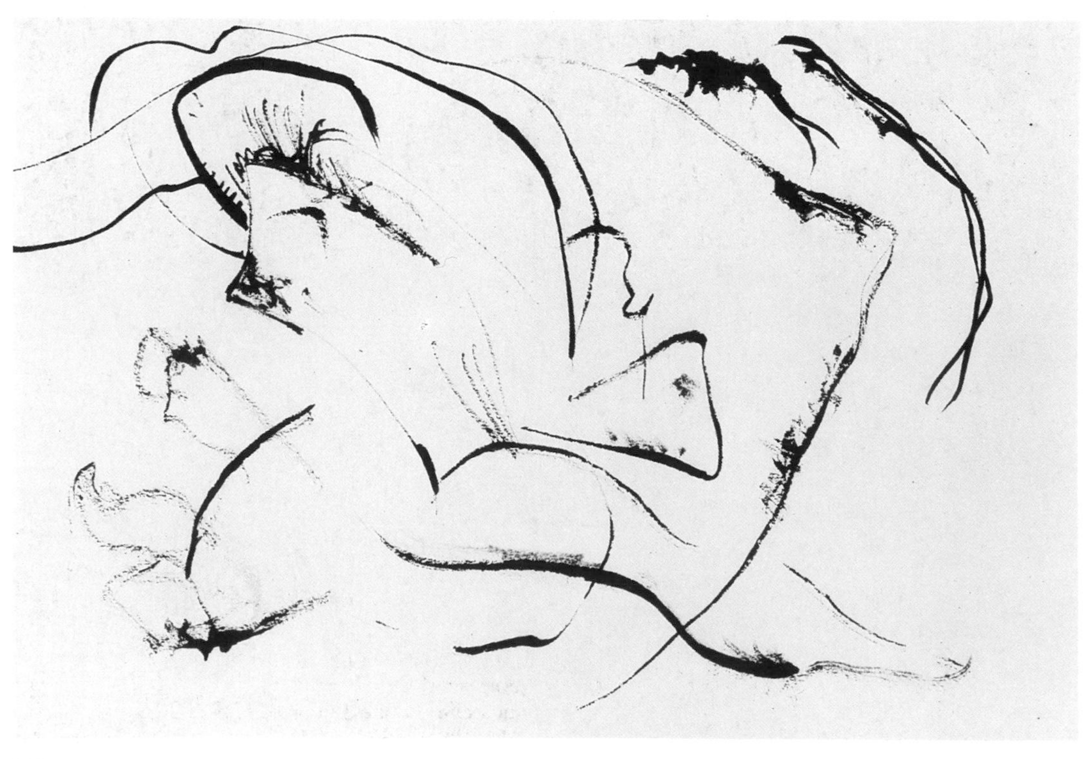

170
[Sans titre]
encre de Chine, 13,9 × 20,9
AM 1981-65-249 (Inv. 594-43)

171
[Sans titre]
aquarelle et mine de plomb, 13,9 × 20,9
AM 1981-65-96 (Inv. 333)

172
[Sans titre], 1915
encre de Chine, 20,8 × 13,9
monogrammé et daté en bas à gauche : K 15
AM 1981-65-250 (Inv. 596-12)

173
[Sans titre], 1915
encre de Chine sur feuillet d'un bloc à dessin,
23,8 × 15,7
monogrammé et daté en bas à gauche : K 15
AM 1981-65-251 (Inv. 596-20)

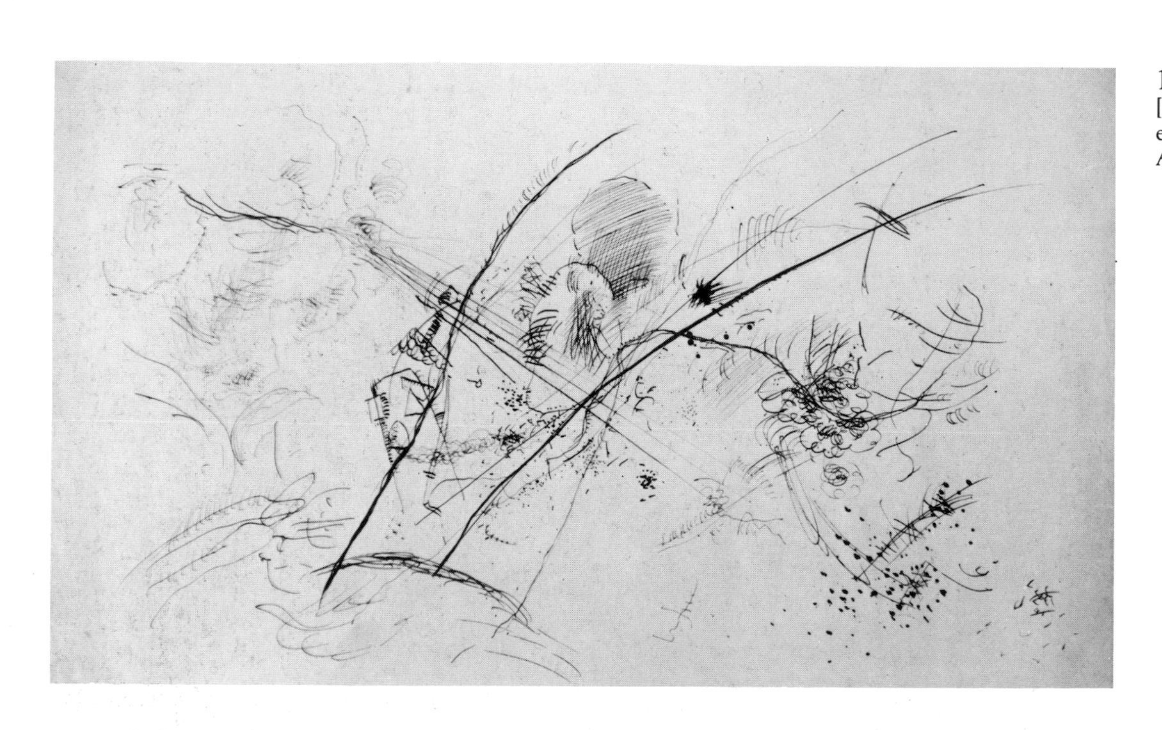

174
[Sans titre]
encre de Chine, 21,9 × 35,7, irrégulier
AM 1981-65-252 (Inv. 594-51)

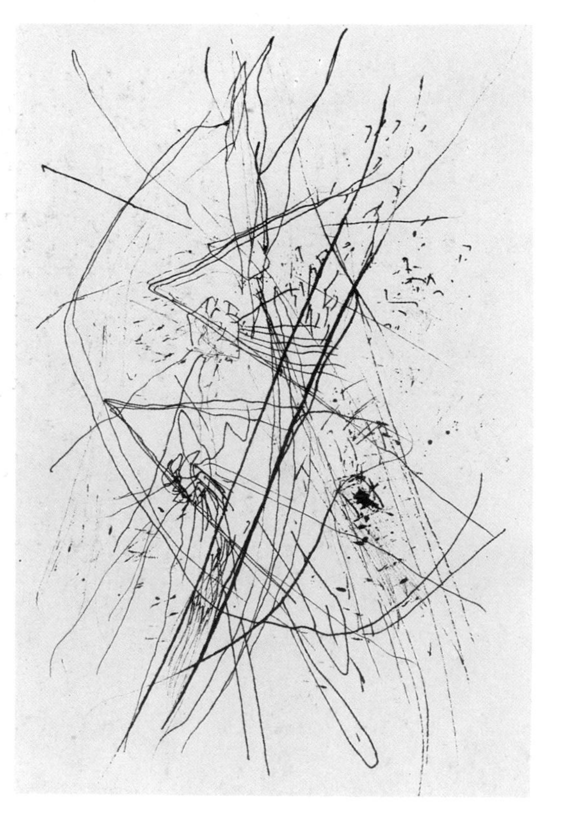

175
[Sans titre]
encre de Chine, 20,8 × 13,9
AM 1981-65-253 (Inv. 594-44)

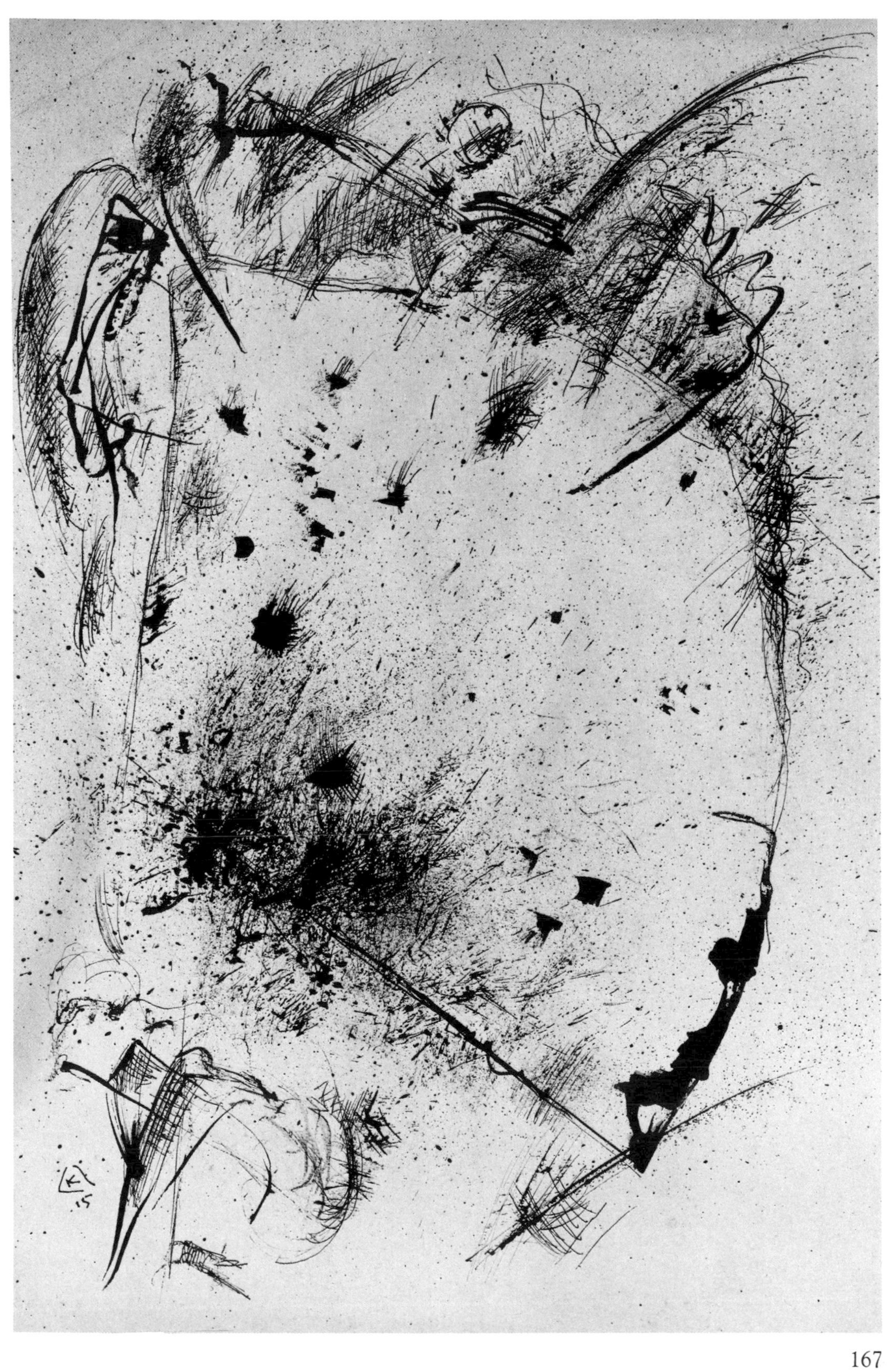

176
[Sans titre], 1915
encre de Chine, 33,4 × 22,8
monogrammé et daté en bas à gauche : K 15
AM 1981-65-254 (Inv. 596-18)

177

179

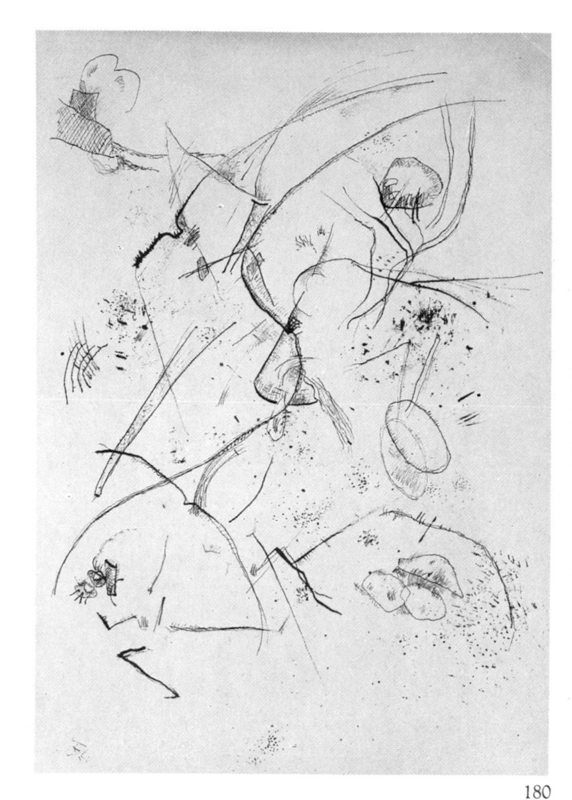

180

178

181

182

177
[Sans titre, 1915]
encre de Chine sur feuillet d'un bloc à dessin,
33,9 × 22,7
daté au verso par Mme Nina Kandinsky : 1915
AM 1981-65-255 (Inv. 596-22)

178
[Sans titre, 1915]
encre de Chine sur feuillet d'un bloc à dessin,
33,9 × 22,7
daté au verso par Mme Nina Kandinsky : 1915
AM 1981-65-256 (Inv. 596-21)

179
[Sans titre], 1915
encre de Chine sur feuillet d'un bloc à dessin,
33,9 × 22,7
monogrammé et daté en bas à gauche : K 15
AM 1981-65-257 (Inv. 596-17)

180
[Sans titre], 1915
encre de Chine sur feuillet d'un bloc à dessin,
33,9 × 22,7
monogrammé et daté en bas à gauche : K 15
AM 1981-65-258 (Inv. 596-19)

181
[Sans titre], 1915
encre de Chine sur feuillet d'un bloc à dessin,
33,9 × 22,7
monogrammé et daté en bas à droite : K 15
AM 1981-65-259 (Inv. 596-23)

182
[Sans titre], 1915
aquarelle et encre de Chine sur feuillet d'un bloc à dessin, 33,9 × 22,7
monogrammé et daté en bas à gauche : K 15
AM 1981-65-97 (Inv. 325)

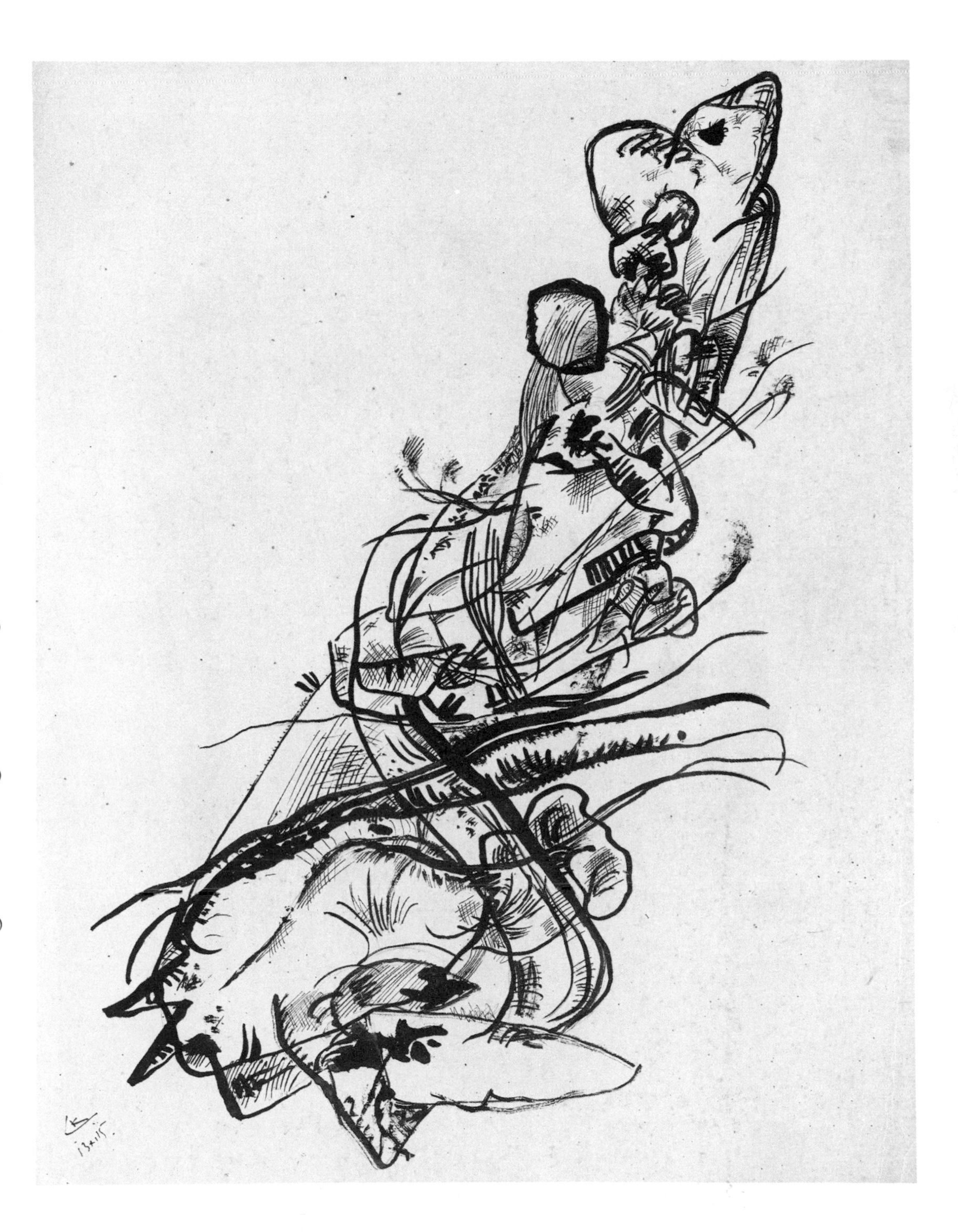

183
[Sans titre], 1915
encre de Chine, 33,5 × 25,4
monogrammé et daté en bas à gauche : K, 13 XI 15
AM 1981-65-260 (Inv. 596-24)

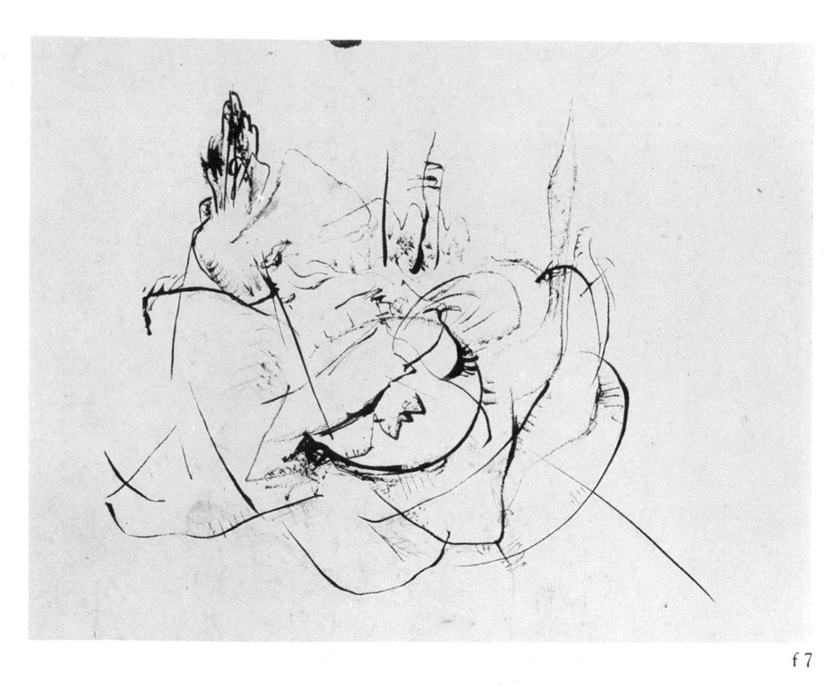

f 7

f 2

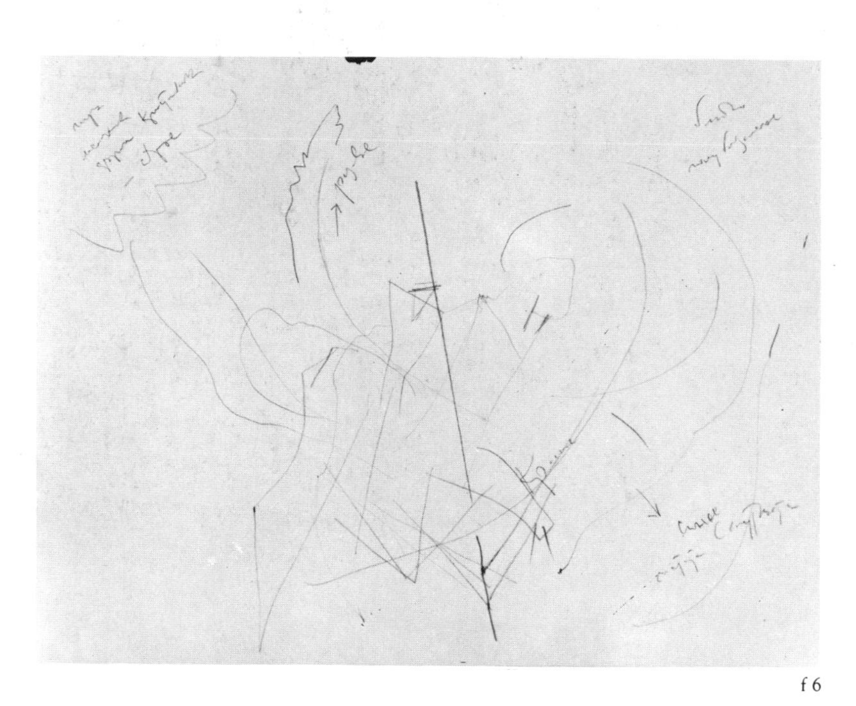

f 6

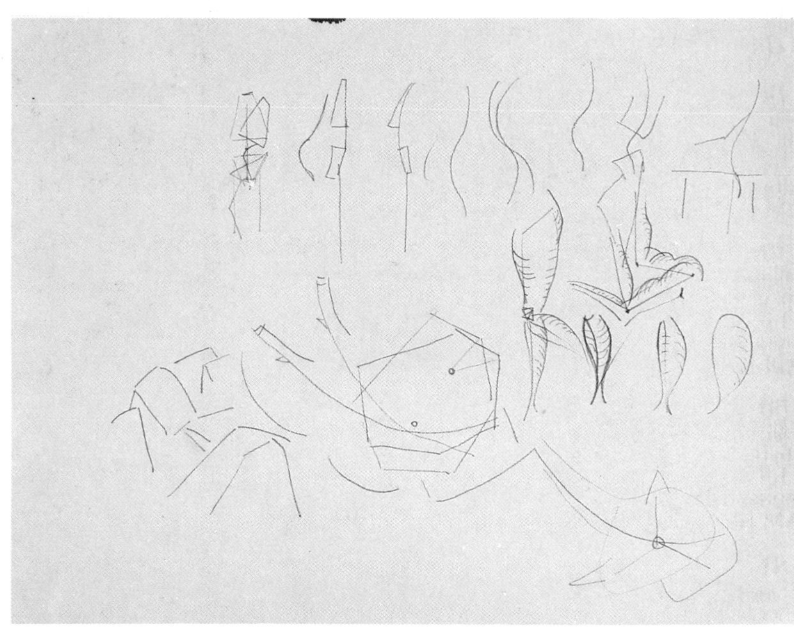

f 4

f 5

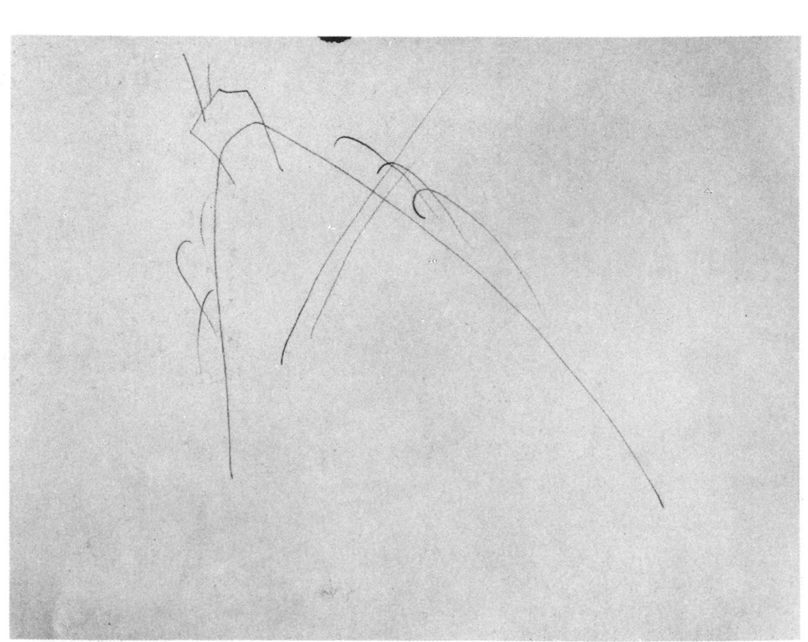

f 3

f 1

184
Bloc à dessin, 1915
couverture cartonnée bleue, portant l'étiquette de la papeterie Mur et Memiliz à Moscou *(repr. ci-contre)* contenant huit feuillets dont deux détachés,
34,4 × 25,5
l'étiquette de la couverture est datée à l'encre de Chine : XI-15
AM 1981-65-672 (Inv. 410)
f. 1 encre de Chine, à rapprocher de la peinture *Sombre,* Roethel n° 615, 1917
f. 2 encre de Chine, deux dames portant des crinolines
f. 3 mine de plomb
f. 4 mine de plomb, étude de jambe (?)
f. 5 mine de plomb
f. 6 mine de plomb, indication sommaire du coloris en russe
f. 7 encre de Chine, à rapprocher de la peinture *Sombre,* Roethel n° 615
f. 8 encre de Chine, inscription à la mine de plomb en bas à droite en russe peu lisible : « condensé... à cause de l'appui des cimes, derrière des formes de plus en plus légères »

f 8

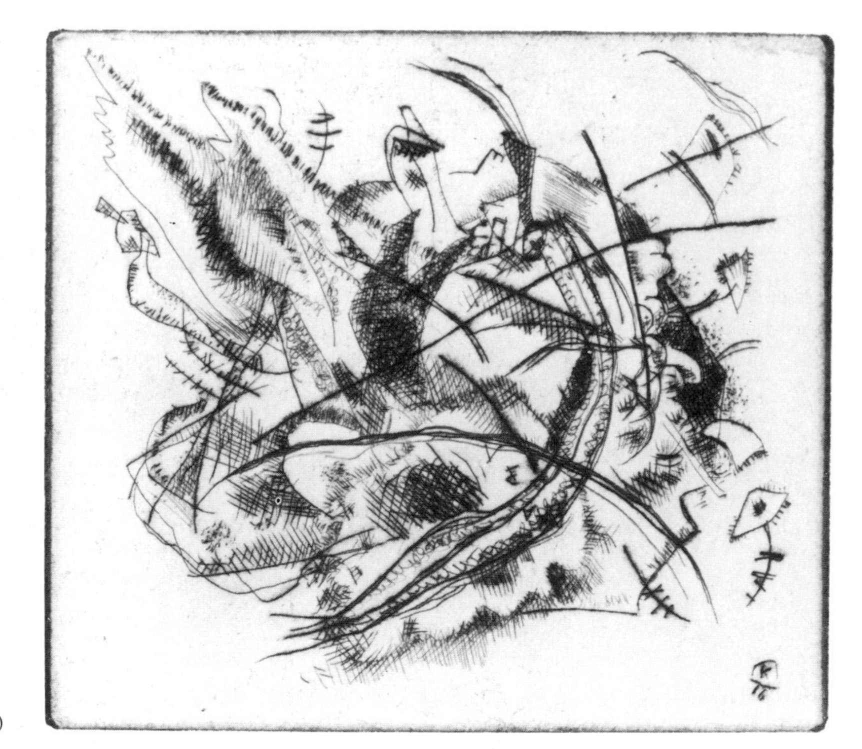

185
Gravure nº I, 1916
pointe sèche, 12,4 × 13,7
monogrammé et daté sur la gravure en bas à gauche :
K 16
signé, daté et numéroté sur la marge à la mine de plomb : « 1916 nº 1 Kandinsky i/io »
Roethel (gravures) nº 153
AM 1981-65-709 (Inv. 148)

186
Gravure nº II, 1916
pointe sèche, 12,7 × 7,9
monogrammé et daté en bas à droite sur la gravure :
K 16
signé, daté et numéroté sur la marge à la mine de plomb : « 1916 nº II Kandinsky 4/io »
Roethel (gravures) nº 154
AM 1981-65-710 (Inv. 150)

187
Gravure n° III, 1916
pointe sèche, 13,5 × 16,1
monogrammé et daté en bas à droite sur la gravure : K 16-3
signé, daté et numéroté sur la marge à la mine de plomb : « 1916 n° III Kandinsky i/i0 »
Roethel (gravures) n° 155
AM 1981-65-711 (Inv. 155)

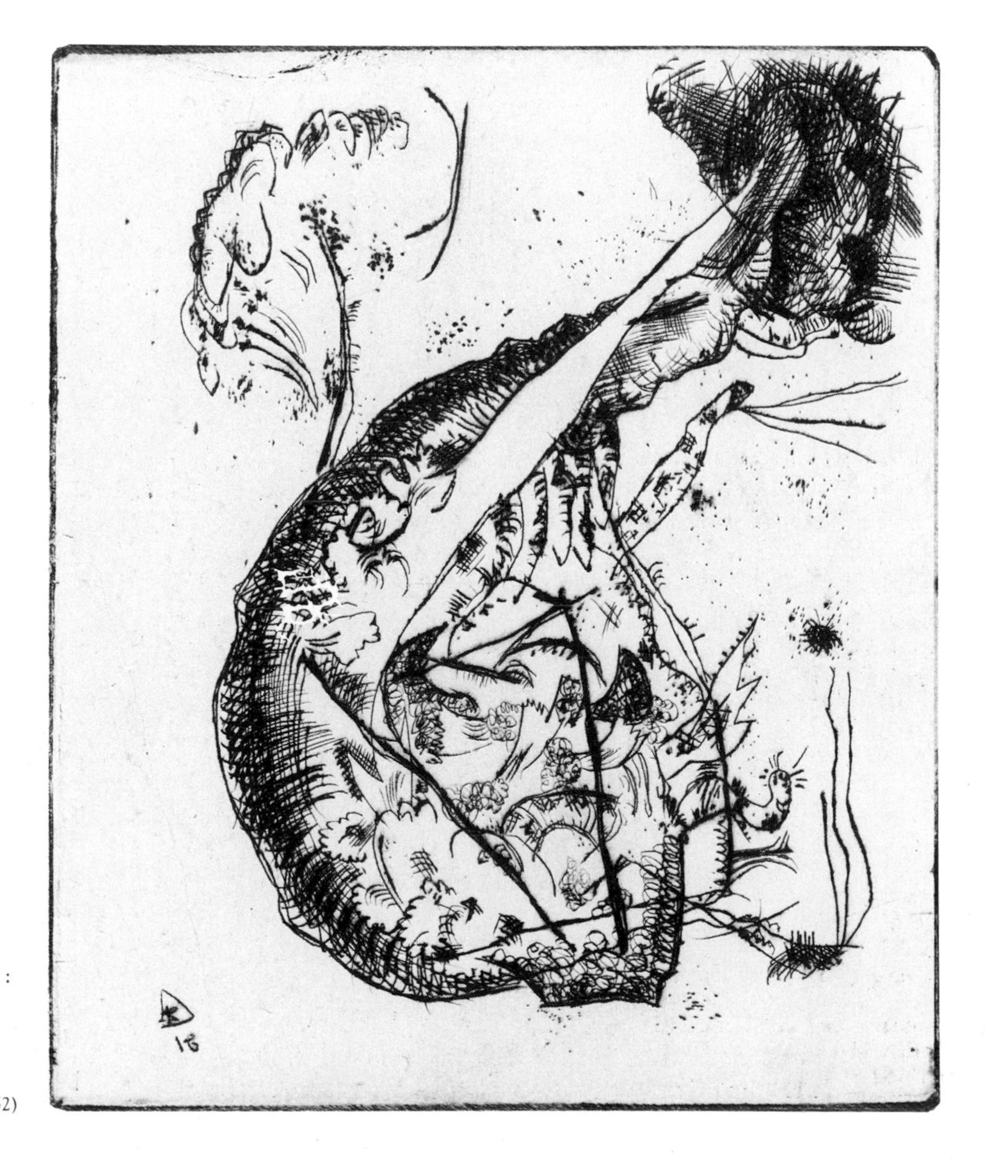

188
Gravure n° V, 1916
pointe sèche, 12,3 × 9,9
monogrammé et daté en bas à gauche sur la gravure : K 16
signé, daté et numéroté sur la marge à la mine de plomb : « 1916 n° V Kandinsky n° i/i0 »
Roethel (gravures) n° 157
AM 1981-65-712 (Inv. 152)

189

191

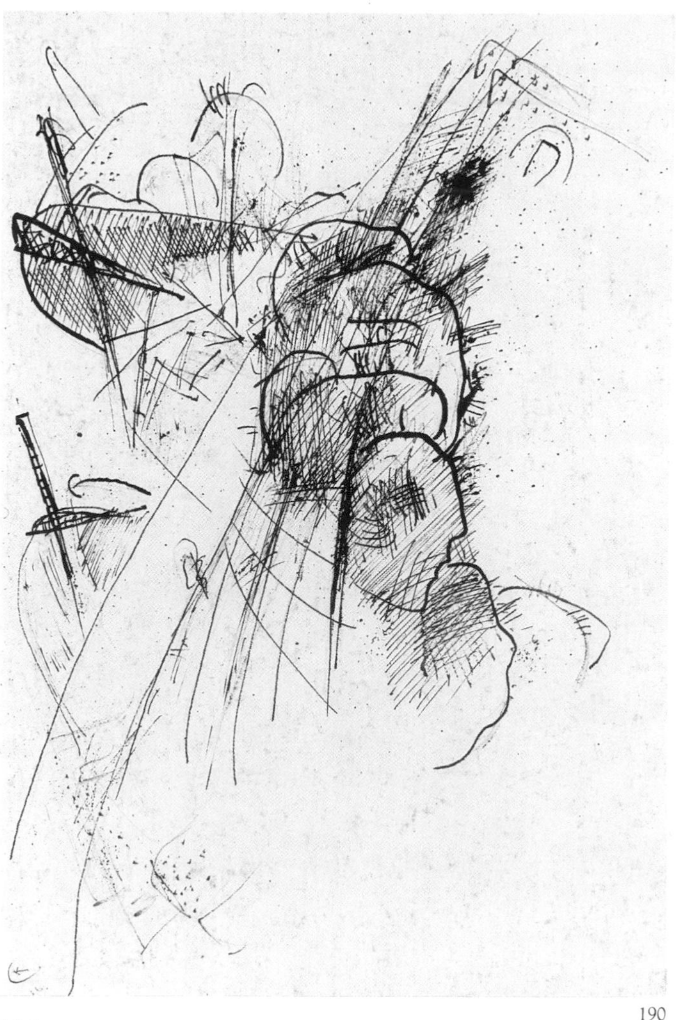
190

192

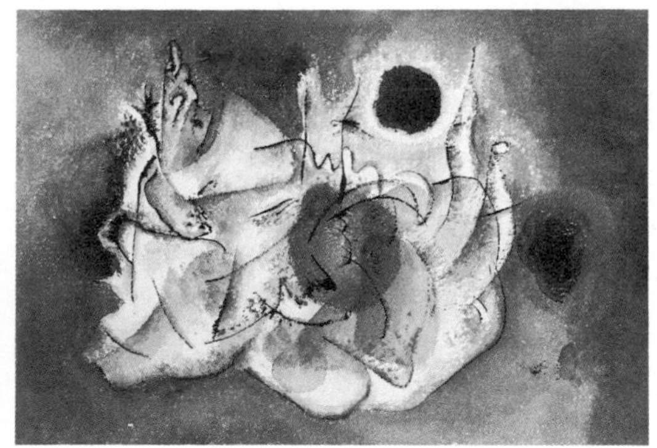

193

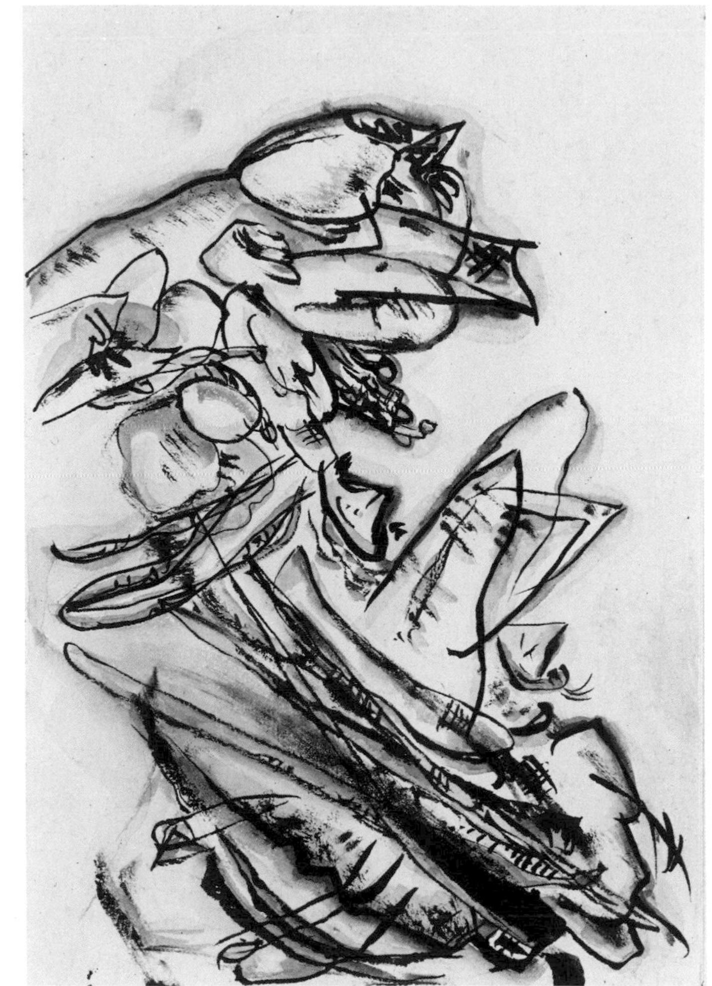

194

189
[Sans titre], 1916
encre de Chine sur feuillet d'un bloc à dessin, 34,1 × 22,8
monogrammé et daté en bas à gauche : K 16
AM 1981-65-261 (Inv. 596-27)

190
[Sans titre], 1916
encre de Chine, 24,2 × 16
monogrammé et daté en bas à gauche : K 16
AM 1981-65-262 (Inv. 596-13)

191
[Sans titre]
encre de Chine sur feuillet d'un bloc à dessin, 33,9 × 22,7
monogrammé en bas à gauche : K (manque l'angle gauche inférieur)
AM 1981-65-263 (Inv. 596-15)

192
[Sans titre], 1916
encre de Chine sur feuillet d'un bloc à dessin, 34 × 22,8
monogrammé et daté en bas à gauche : K 16
AM 1981-65-264 (Inv. 596-16)

193
[Sans titre]
aquarelle et traces de mine de plomb, 30,9 × 21,1
ni signé, ni daté
à rapprocher de la peinture *Sombre,* Roethel n° 615, 1917, et d'une aquarelle de 1916 de technique et de papier analogues
AM 1981-65-98 (Inv. 340)

194
[Sans titre]
aquarelle, mine de plomb et encre de Chine, 20,8 × 13,9
ni signé, ni daté
AM 1981-65-99 (Inv. 331)

195
[Sans titre]
aquarelle et encre de Chine, 30,9 × 21
monogrammé en bas à gauche : K
AM 1981-65-100 (Inv. 342)

195

196
Tableau sur fond clair (Auf hellem Grund), 1916

huile sur toile, 100 × 78
monogrammé et daté en bas à gauche : K 16
inscription au revers en haut à gauche sur la toile :
« K n° 203 i9i6/Auf hellem Grund »

manuscrit Kandinsky II n° 203
manuscrit Kandinsky-Münter III n° 203
(titre en russe) Gummeson
Hannover, II 23 (Kestner)
Eigentum von Frau Nina Kandinsky
Erfurt I 25, Iena III 25

Grohmann n° 108 p. 358
Roethel n° 597 repr. coul. p. 585
donation de Madame Nina Kandinsky, 1976
AM 1976-854

Un des 8 tableaux peints en 1916, un des 4 réalisés au cours des trois mois passés à Stockholm entre décembre 1915 et mars 1916. Nina Kandinsky et Will Grohmann se félicitent de cet heureux effet de la capitale suédoise qui réveille la faculté créatrice de Kandinsky. En effet en 1915 l'artiste n'a rien peint, en 1917 il réalisera peu de toiles et en 1918 aucune. Chacun s'est efforcé de chercher les raisons de ces interruptions, guerre, insécurité matérielle, difficulté de trouver un atelier, etc. Il faut remarquer que ces cassures ne sont pas propres à l'art de Kandinsky, que Fernand Léger dans les années 30 produit très peu de toiles sur châssis, que Miró au cours de la Seconde Guerre mondiale cesse de peindre des tableaux. Ces ruptures sont, semble-t-il, toujours compensées par des foisonnements de recherches sur papier qui portent leurs fruits dans les années qui suivent.
Clark Poling, lui, note à juste titre que non seulement Kandinsky produit peu en 1916 mais que, de tous les tableaux qu'il réalise en cette année, seul le *Tableau sur fond clair* a eu l'immense mérite de ne pas disparaître et de nous parvenir.
Sans vouloir réduire la création picturale de Kandinsky à des vicissitudes de marché, on peut souligner du moins que la raréfaction des œuvres se produit quand l'artiste désespère de trouver de nouveaux débouchés. Kandinsky a, en effet, perdu le contact direct avec la galerie du Sturm que Walden dirige à Berlin; en Russie il ne dispose d'aucun marchand et n'a pas encore de collectionneurs. Gummeson, le directeur de la galerie qui l'accueille à Stockholm, désire des petits tableaux et lui achète une série de fixés-sous-verre biedermeier. Le seul espoir de Kandinsky se trouve dans la lointaine Amérique, auprès de Jérôme Eddy, un amateur-marchand avec qui il est en pourparlers pour se faire régler le prix de la commande de la décoration par Edwin R. Campbell. Il lui propose, dans un échange de lettres datant de mars 1916 et conservées à la Gabriele Münter und Johannes Stiftung à Munich, une sorte de contrat. En échange d'une annuité de 600 dollars, Eddy disposerait de deux toiles ne dépassant pas le format du mètre carré, pour ne pas entraîner de trop lourds frais de transport. Ce marché était proposé par Kandinsky pour les années 1916, 1917, 1918. La réponse de Jérôme Eddy est dilatoire et l'artiste reste à Moscou dans l'insécurité matérielle.

Tableau sur fond clair est une œuvre expérimentale. On connaît deux dessins préparatoires, l'un à la mine de plomb, l'autre à l'encre, conservés dans la collection du Lenbachhaus à Munich. Le peintre intervertit sur la toile l'extériorité et l'intériorité. Il s'agit bien d'un paysage entrevu à travers un trou de format irrégulier qui crève la trop grande régularité de la toile. A la même époque, ou un peu plus tôt, les cubistes Picasso et Braque ont pratiqué des formats ovales; Mondrian dispose vers 1915 ses *Plus-Minus* également dans un format oblong, pour échapper à la tyrannie des formats rectangulaires ou carrés des marchands de couleurs. Dans cette déchirure, Kandinsky inscrit des formes gigognes qui s'emboîtent les unes dans les autres. Le titre *Tableau sur fond clair* nie la qualité de paysage fantastique de la composition. Mais on devine les vestiges des rameurs traditionnels au répertoire kandinskien de Munich dans la tache jaune en bas du tableau. A la différence des paysages fantastiques qu'il dessine à la même époque, qui tournent sur eux-mêmes charriant plusieurs cataclysmes de montagnes, d'arbres, etc., *Tableau sur fond clair* est construit avec un haut et un bas. Il serait classique s'il n'y avait cette profonde modification de la couleur. Les éclats et les fanfares colorés des panneaux peints pour Campbell en 1914 se sont tus. Les tons sont rompus dans une harmonie un peu grise, douceâtre, à peine relevée par des roses carmin pastel. La matière picturale, elle-même, s'est faite plus légère, de simples frottis dans le ton des aquarelles de 1915 et 1916.

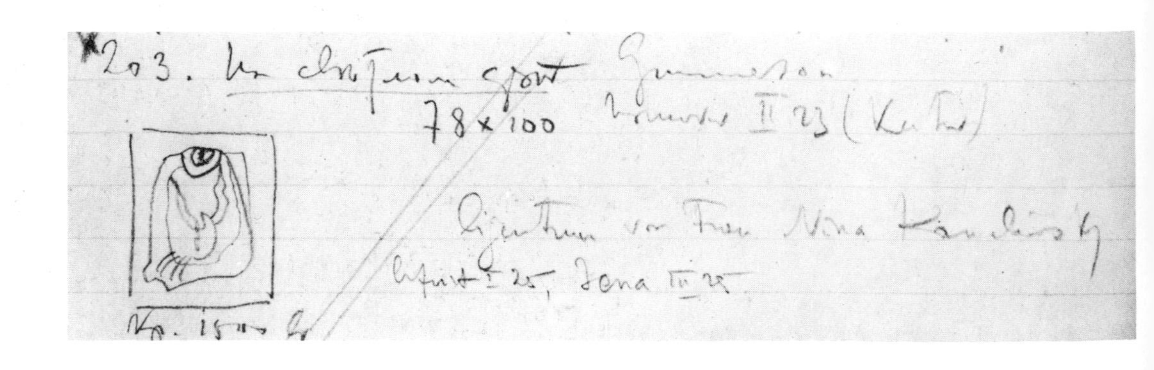

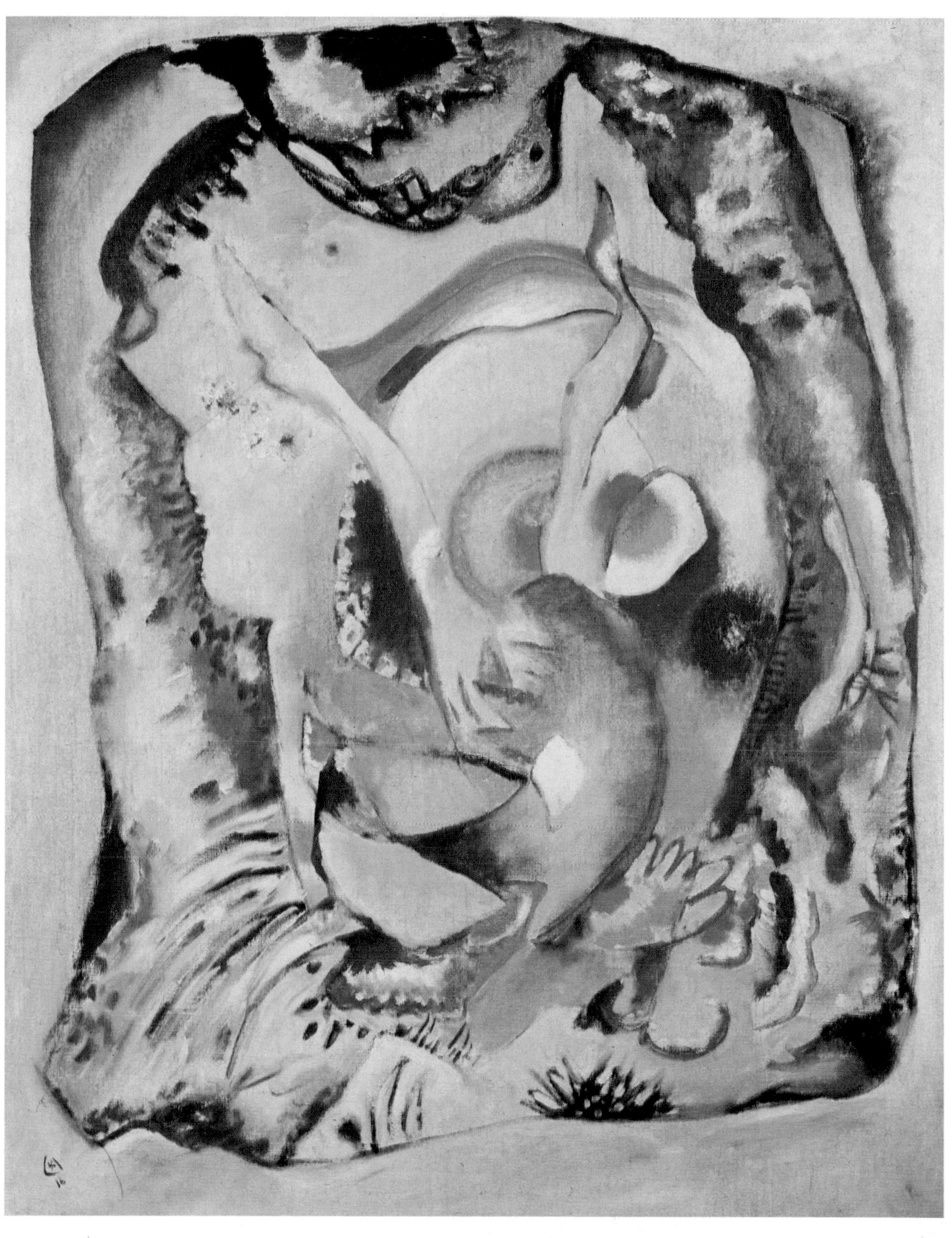

205 f 4

197
[Sans titre]
encre de Chine, 26,7 × 20,4
inscription en russe en bas à gauche à la mine de plomb : « à une voix »
au verso, inscription par Mme Nina Kandinsky : « dessin mai 1916, dédicacé à une voix de sa future femme Nina »
à rapprocher du feuillet 4 du carnet n° 205 et de l'aquarelle n° 198
AM 1981-65-265 (Inv. 596-29)

198
A une voix, 1916
aquarelle et encre de Chine, 23,7 × 15,8
monogrammé et daté en bas à gauche : K IX 16
variante de l'aquarelle reproduite dans le *Texte de l'artiste,* monographie en russe, 1918, p. 46
AM 1981-65-101 (Inv. 122)

A une voix, tel est le titre original de cette aquarelle, titre que compléta Nina Kandinsky par l'ajout de l'adjectif *inconnue.* C'est sous son premier titre *A une voix* que l'aquarelle est entrée dans l'Histoire de l'art en étant reproduite dans le *Texte de l'artiste* en 1918 (p. 6). C'est sous le second *A une voix inconnue* qu'elle s'enlumine de légende et devient un conte de biedermeier.

Nina Andreiev ne connaissait pas encore Kandinsky, quand elle fut chargée par un ami de lui transmettre un message peu avant de se rendre, en septembre 1916, à Esentuki dans le Caucase. Kandinsky peignit une aquarelle en souvenir de cette voix perçue au cours de cette conversation téléphonique et l'appela : *En hommage à une voix inconnue.*

Nina Kandinsky resta toujours très attachée à cette œuvre au point de l'accrocher dans sa salle à manger à Neuilly-sur-Seine. Mais la légende se sépare de l'histoire quand on observe d'un peu plus près l'œuvre reproduite dans la monographie et celle qui est entrée avec le fonds Kandinsky au Musée national d'art moderne. L'œuvre reproduite est plus grande, les traits y sont plus légers, la composition plus sereine et elle est monogrammée d'un K inscrit dans un cercle et porte comme date « 16 ». L'exemplaire de Neuilly est plus petit, la composition y est plus serrée et le délié des traits y est plus épais. Quant au monogramme K il est inscrit entre parenthèses et la date porte mention du mois « IX 16 ». Il semble bien que la présente version ne soit qu'une dernière mise au point avant la réalisation de l'œuvre finale. Le fonds Kandinsky conserve par ailleurs une première ébauche de l'œuvre à la mine de plomb, puis une seconde à l'encre de Chine, enfin cette troisième avec combinaison des effets de l'encre de Chine et de l'aquarelle. S'il s'agit d'une œuvre suscitée par un accident émotionnel, cela n'entraîne pas qu'on puisse parler d'une entière spontanéité et rappelle que les toiles et aquarelles de Kandinsky, aux allures les plus lâchées, sont souvent le fruit de longues préméditations et de prudentes investigations plastiques.

Le mystère du titre pourrait également trouver des compléments d'explication dans la prédilection de Kandinsky à tenter de donner des versions plastiques aux sons. Il lui arrive également fréquemment d'invoquer dans ses textes cette voix inconnue pour exprimer sous forme métaphorique ce qu'il entend par « nécessité intérieure » ou « intuition créatrice ». Dans un de ses derniers essais intitulé « La valeur d'une œuvre d'art concret » publié par *xxe siècle* en 1939, il écrit : « Les artistes connaissent bien cette « voix mystérieuse » qui guide leur pinceau et « mesure » le dessin et la couleur... Il fallait attendre la dictée de la voix mystérieuse ».

199
[Sans titre]
aquarelle, 29 × 23
non signé
inscription au verso à la mine de plomb : « plafond 6-7 X i6 »
AM 1981-65-102 (Inv. 328)

200
Simple (Einfach), 1916
aquarelle, 22,8 × 29,1
monogrammé et daté en bas à gauche : K 16

manuscrit Kandinsky V n° 6
« Einfach » « Simple » 28 × 22
Erfurt I 25

reproduit dans le *Texte de l'artiste*, monographie russe de 1918, p. 47 avec la légende « aquarelle (1916) »
AM 1981-65-103 (Inv. 67)

N° 6 1916 Erfurt I 25
„Einfach" „Simple"
28,-×22
(58,5×45)

Ce n'est pas sous le titre *Simple* mais sous la référence exclusivement technique d'« aquarelle » que Kandinsky publie cette étonnante calligraphie dans sa monographie traduite en russe et imprimée en 1918. Elle est confrontée à une autre aquarelle (aux pages 46 et 47) pourvue d'une appellation plus circonstanciée A *une voix*. Elles portent l'une et l'autre la même date 1916 et, d'après les divers renseignements fournis par les analogies, il y a tout lieu de dater ces deux œuvres de la fin de l'année. A cette époque, Kandinsky ne tient pas encore de catalogue raisonné de ses gouaches et aquarelles mais il n'oubliera pas quelques années plus tard de porter cette aquarelle dans son catalogue rétroactif sous le n° 6, signe qu'il lui accordait une importance certaine. C'est sans doute parce que A *une voix* est très chargée en traits, en couleur, que l'aquarelle qui lui est comparée dans le livre acquiert cette vertu de *simplicité* et de là un nouveau titre *Simple* quand elle est présentée à l'exposition d'Erfurt en 1925.
Simple est un chef-d'œuvre de concision et d'effet, une sorte d'incunable de calligraphie abstraite. Il faut en effet une certaine pratique des dessins et des aquarelles de Kandinsky pour deviner dans les zigzags de la partie droite des vestiges de crête de collines et dans les traits plus petits des souvenirs des nombreux arbustes desséchés dont l'artiste ponctue ses paysages fantastiques. La couleur reste suspendue à quelques taches qui ne respectent pas les indications portées par les traits d'encre de Chine. Peu de taches, peu de traits, c'est à cette sobriété dans les moyens que l'œuvre doit la vivacité de ses accents. Il faut voir cette œuvre, reproduite donc affichée dans le *Texte de l'artiste* publié en russe par le nouvel Institut des Beaux-Arts révolutionnaires, comme une des armes que manipule Kandinsky dans son combat d'arrière-garde pour soutenir et illustrer la défense de l'art pour l'art, de l'expression individuelle, de l'esprit romantique comme éléments de régénération artistique. Dans le magazine de l'Institut, *Iskusstvo*, Kandinsky publie le 22 février 1919 une note sur la ligne : « La ligne se courbe, se casse, court dans toutes les directions et peut se transformer. Aucun outil ne va aussi vite qu'elle. Nous sommes dans un âge dans lequel un moyen d'expression d'un infini pouvoir atteint la perfection. Le plus léger frémissement d'émotion artistique obéira et se réfléchira dans la ligne fine et flexible. Il y a bien sûr des lignes joyeuses, amères, sombres, espiègles, tragiques, obstinées, des faibles et des fortes, etc., pour n'en mentionner que quelques-unes, comme en musique nous distinguons entre l'allegro, le grave, le serioso, le scherzando... selon l'humeur ».
Ce plaidoyer en faveur de la projection du sentiment perd pied en 1919; cet éloge de la ligne dont *Simple* est la plus vibrante illustration ne sera repris que longtemps après, dans les années 1950, avec l'art informel à Paris et l'American Expressionnism à New York.

f 3

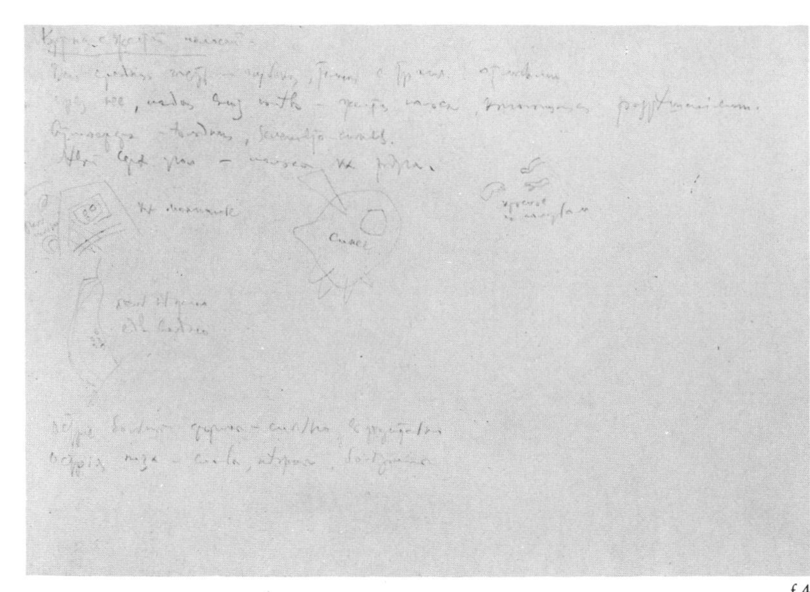

f 4

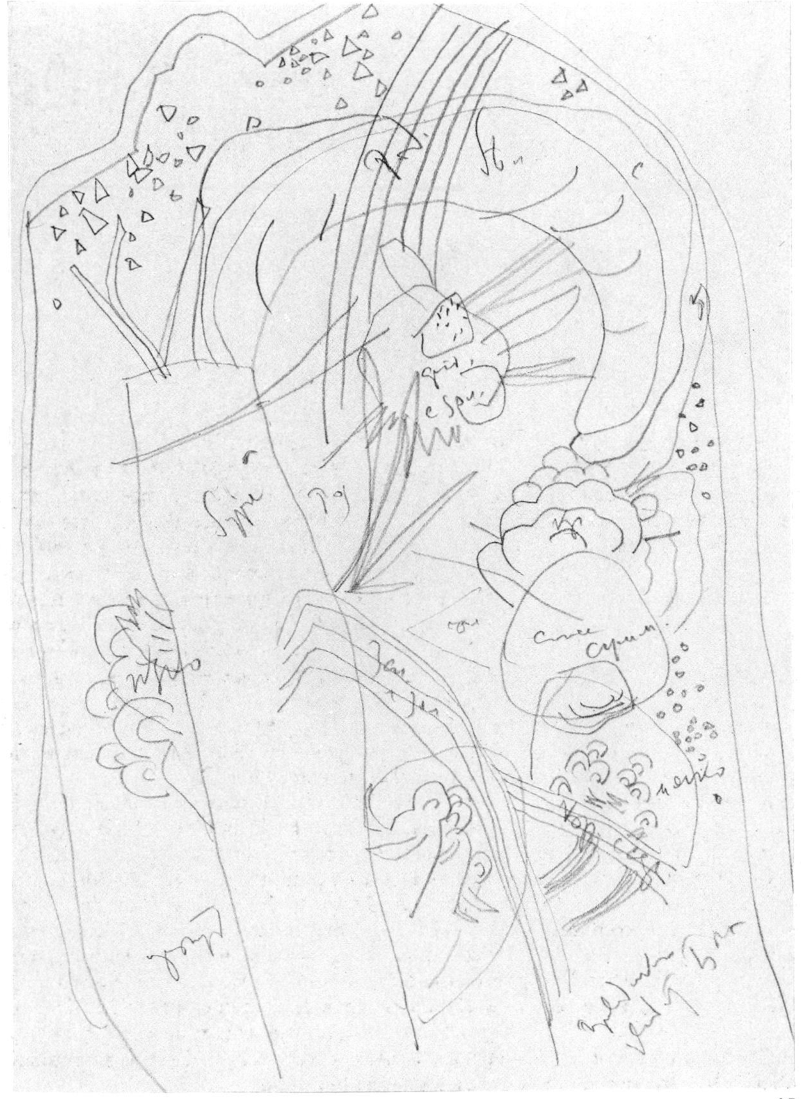

f 7

f 8

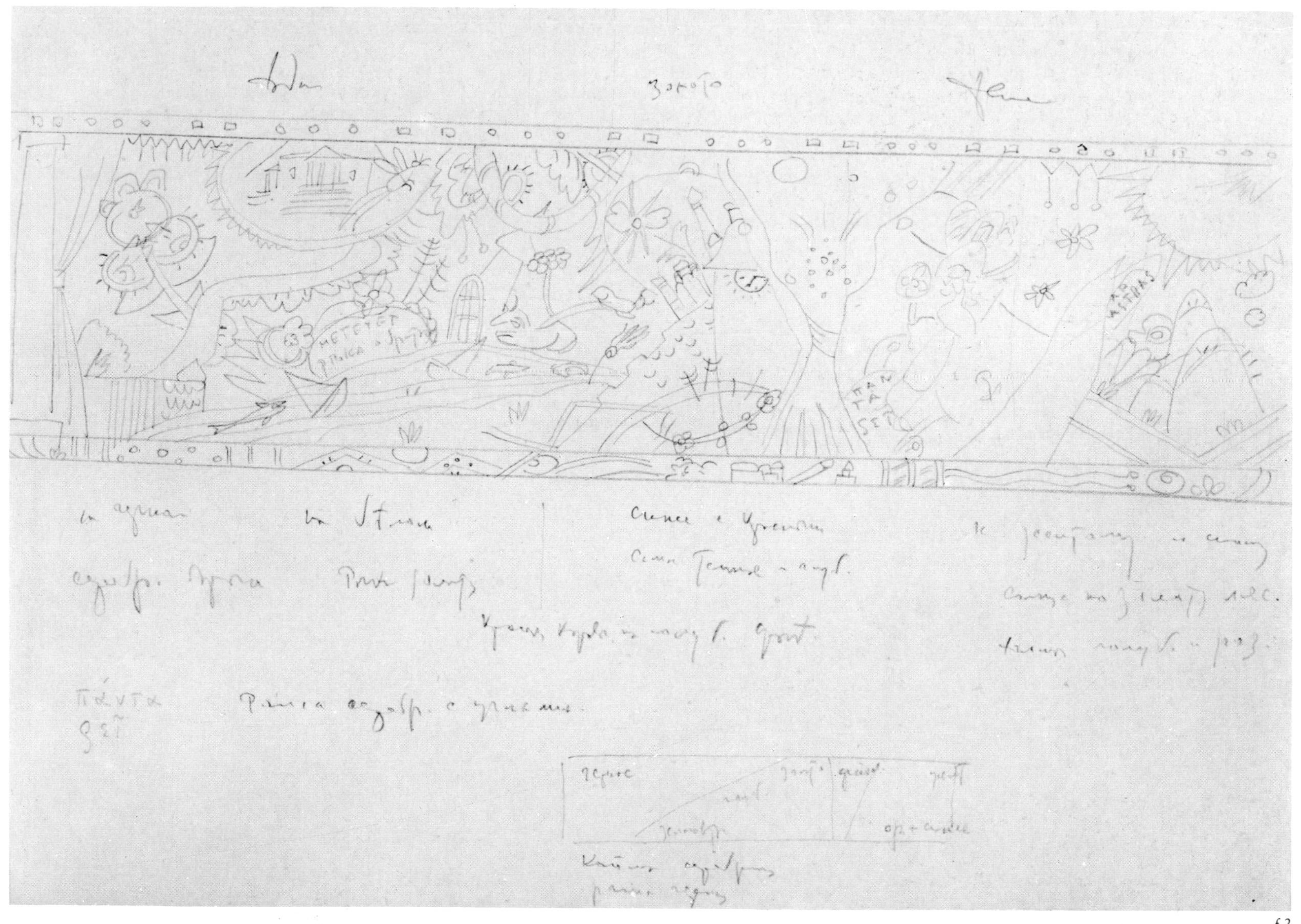

f 2

201
Carnet
couverture brune portant la marque de la papeterie Becker à Stockholm comprenant dix-neuf feuillets dont huit utilisés, onze restés vierges, 18 × 26,3
AM 1981-65-673 (Inv. 594-9)

f. 1 *(repr. p. 188)* mine de plomb, indication sommaire du coloris en russe, étude pour l'aquarelle datée : 1917, n° 207.
f. 2 mine de plomb, indication du coloris et des thèmes traités en russe : « vache rouge sur fond bleu ciel »... « soleil d'or sur la forêt »... Il s'agit là vraisemblablement de la disposition générale du triptyque réalisé en 1916 pour la sœur et le beau-frère de sa première femme, les Abrikosoff (Roethel n° 604)
f. 3 encre de Chine, annotation à la mine de plomb en bas à gauche en russe : « Printemps 1916 »
f. 4 note et croquis à la mine de plomb pour le *Tableau avec bordure orange,* Roethel n° 598
f. 5 *(repr. p. 185)* mine de plomb et crayons de couleur, à rapprocher de la peinture *Moscou I,* Roethel n° 605
f. 6 *(repr. p. 184)* mine de plomb, à rapprocher de la peinture *Moscou I,* Roethel n° 605
f. 7 mine de plomb, indication sommaire du coloris en russe, inscription en russe en bas à gauche « Le juste verra Dieu », à rapprocher de la peinture *Moscou I,* Roethel n° 605
f. 8 encre de Chine, peut être rapproché de l'aquarelle *A une voix* n° 198

Hans Roethel range sous le n° 604 de son catalogue des peintures un hypothétique triptyque, connu uniquement à travers la correspondance échangée entre le peintre et Gabriele Münter et mentionné par Eichner dans sa biographie. Kandinsky a quitté Gabriele à Stockholm le 3 mars 1916 et lui écrit le 2 avril de la même année qu'il vient de peindre un paysage en trois panneaux pour ses anciens beau-frère et belle-sœur, les Abrikosoff. Cette œuvre décorative est destinée à être installée dans leur propriété à la campagne, à Akhtyrka. Kandinsky décrit la composition, avec ses fleurs, la rivière, le Kremlin de Moscou, la jeune fille dans un paysage avec des façades ornées de colonnes, des falaises, des nuages et un large soleil.
De cette composition jusqu'ici inconnue, on retrouve trace à travers le croquis à la mine de plomb du feuillet 2 d'un carnet acheté à Stockholm (AM 1981-65-673). Ce double croquis très annoté présente bien de la gauche vers la droite la maison à colonnades, le Kremlin, la jeune fille et le large soleil en haut à droite. On peut en restituer les couleurs grâce aux annotations en russe, qui ne sont pas encore abrégées. On note la présence très art nouveau de l'or et de l'argent pour rehausser le cadre. La division de la composition en large bandeau en trois parties n'est que suggérée par les trois mots portés en la partie supérieure du croquis et que l'on peut lire : « eau (?) », « or », et « ombre ». Mais rien n'indique le support, les dimensions ou encore les modalités de son installation.
Cette décoration ne développe aucunement les quatre panneaux de la décoration réalisée en 1919 par Kandinsky pour l'amateur d'art américain Campbell et maintenant conservée au Museum of Modern Art. Le triptyque Abrikosoff est dans le ton des « crinolines biedermeier » peintes récemment à Stockholm. Il est exubérant, primesautier, une invitation épicurienne à profiter des plaisirs de la félicité du moment. Il n'y a que la devise d'Héraclite « panta rei », inscrite au beau milieu de l'œuvre, qui apporte à cette décoration hédoniste une touche d'inquiétude existentielle.

Dans le fonds Kandinsky sont entrés plusieurs croquis à la mine de plomb, l'un sur le feuillet d'un carnet, complété aux crayons de couleurs, pour une représentation lyrique de la ville de Moscou. Kandinsky n'en a jamais arrêté la version finale. On connaît une belle esquisse, anciennement dans la collection Vassily Bobrov et Costakis, aujourd'hui conservée à la galerie Tretiakov.
Rœthel cite au sujet de cette peinture un long extrait d'une lettre adressée en français par Kandinsky à son amie Gabriele Münter le 4 juin 1916 : « ... Je voudrais faire un grand paysage de Moscou — prendre des éléments partout et réunir dans un tableau des morceaux de faibles et fortes *(sic)*, tout mêler ensemble comme le monde est mêlé des éléments différents. Ce doit être comme un orchestre. Je sens l'idée générale, mais la forme générale n'est pas encore précise. 8 heures du soir, je suis allé pour le Cremlin pour voir les églises de ce point de vue que j'ai besoin pour le tableau. Et de nouvelles richesses se sont ouvertes devant mes yeux. Après, revenu à Souboskaja, j'ai peint jusqu'à présent une esquisse qui n'est pas mauvaise ». Le 8 juin 1916, il ajoute : « J'ai travaillé tout ce temps à des esquisses pour mon tableau *Moscou* et encore rien réussi comme il faut... » Le 4 septembre 1916 : « (...) Je travaille de nouveau à mon tableau *Moscou*. Peu à peu il se développe dans ma fantaisie. Et ce qui était seulement désir reçoit des formes réelles. Ce qui me manquait dans cette idée c'était la profondeur et le son profond, très sérieux, compliqué et simple en même temps ». Kandinsky a peint une *Impression II* en 1911 qui porte le sous-titre : *Moscou*. Dans *Regards sur le passé*, il associe sa mère et Moscou : « (...) ce Moscou tout à la fois intérieur et extérieur, je le considère comme la source de mes aspirations d'artiste. C'est mon diapason de peintre ». Cette image mythique de Moscou lui échappe en 1917 et croule en miettes après 1921.

201 f 6

202
[Sans titre]
encre de Chine, 29,1 × 22,9
à rapprocher de la peinture *Moscou I,* Roethel n° 605
AM 1981-65-266 (Inv. 594-50)

203
[Sans titre]
mine de plomb, 27,1 × 20,7
indication sommaire du coloris
à rapprocher de la peinture *Moscou I,* 1916, Roethel n° 605
AM 1981-65-267 (Inv. 594-54)

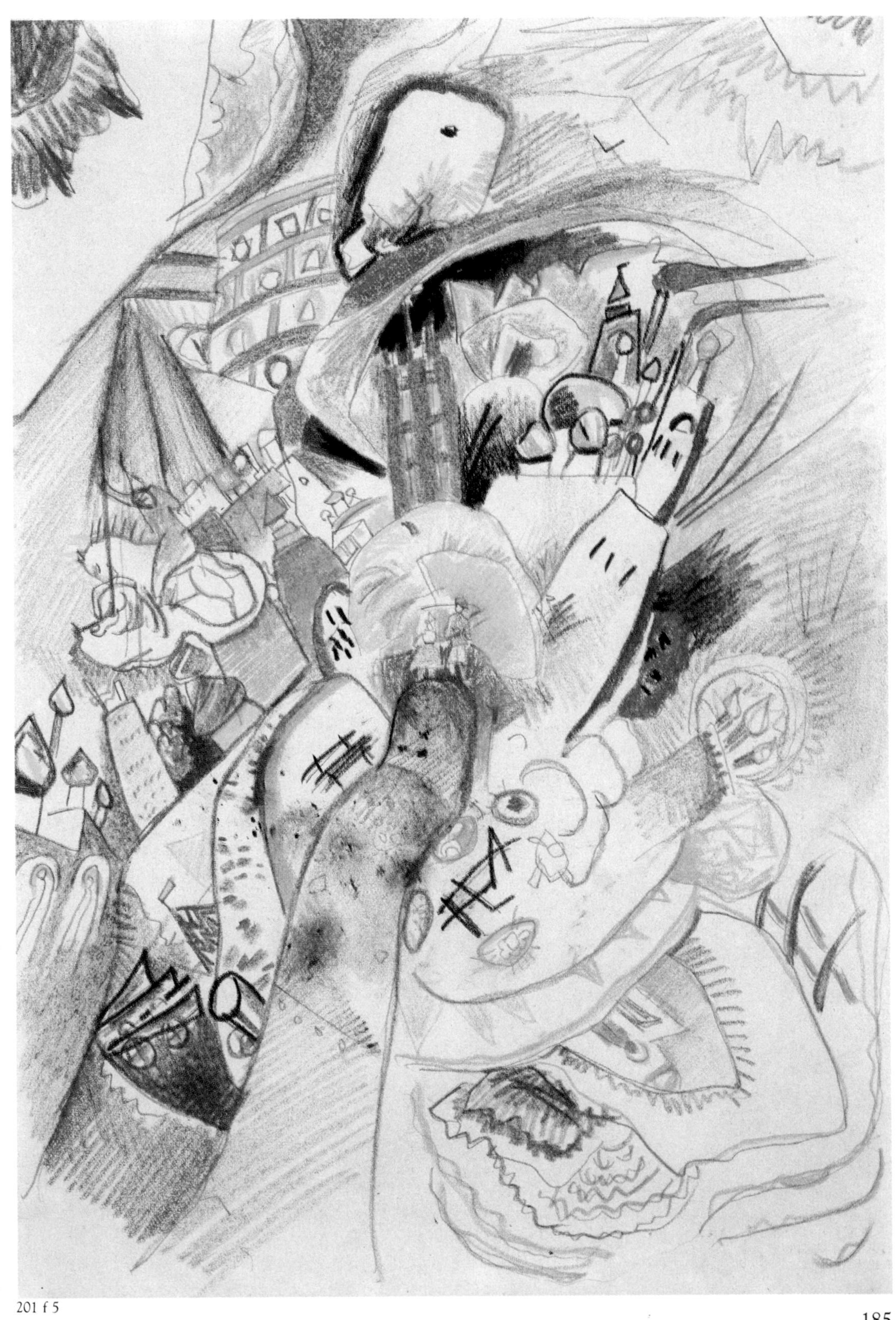

201 f 5

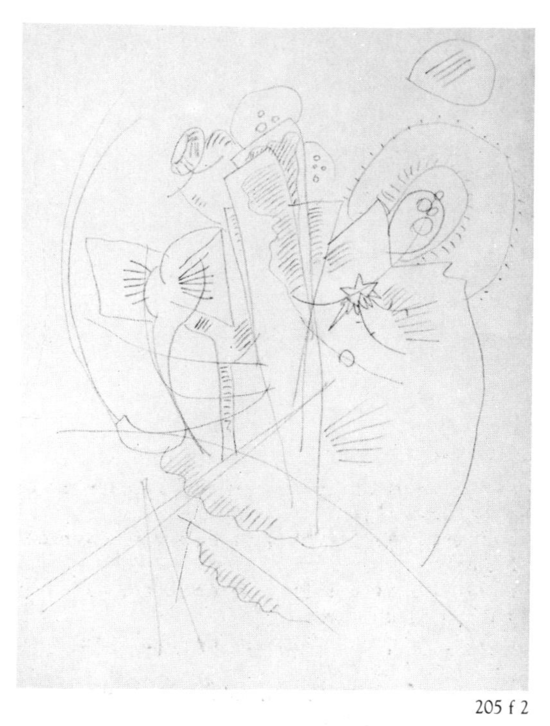

205 f 2

f 5

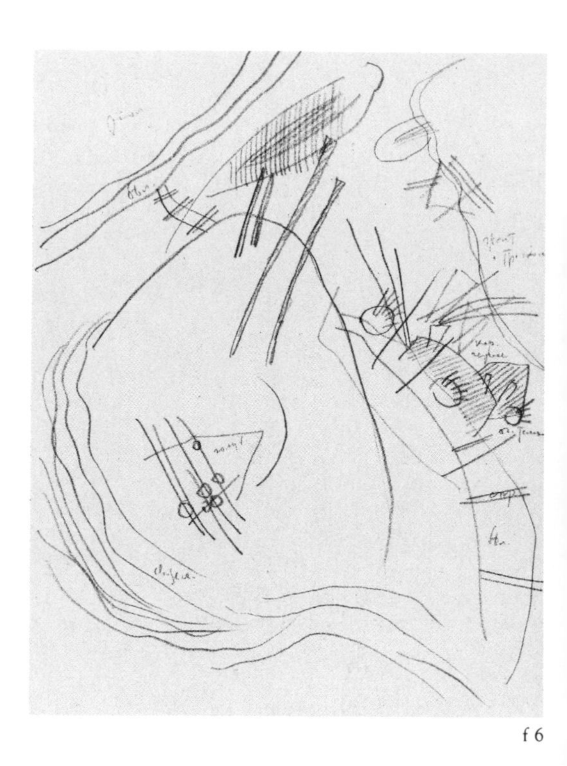

f 6

f 7

f 8

f 10

f 3

f 1

204
[Sans titre], 1916
encre de Chine et lavis, 29 × 23
monogrammé et daté en bas à gauche : K 16
à rapprocher de l'étude préparatoire pour ce dessin, f. 3 du carnet n° 205 (AM 1981-65-674), et d'une aquarelle datée 1916 (collection privée)
AM 1981-65-268 (Inv. 596-28)

205
Carnet
couverture cartonnée bleue portant la date 1916
dix-sept feuillets détachables dont seize dessinés et un portant une inscription, 27 × 20,5
les dix premiers feuillets sont des études préparatoires pour des œuvres dessinées ou peintes, les six derniers feuillets sont une sorte de divertissement figuratif au cours de l'été 1917, lors d'un séjour à Akhtyrka
AM 1981-65-674 (Inv. 594-8)

f. 1 mine de plomb, étude pour le lavis daté 1917 n° 206
f. 2 mine de plomb, esquisse (?) pour la peinture *Moscou II*, 1916, Roethel n° 606
f. 3 mine de plomb, inscription en bas à gauche en russe : « marron rouge », étude pour le lavis n° 204
f. 4 *(repr. p. 178)* mine de plomb, esquisse pour l'aquarelle *A une voix* n° 198
f. 5 mine de plomb, indication sommaire du coloris en bas à droite en russe
f. 6 mine de plomb, indication sommaire du coloris en russe
f. 7 encre de Chine
f. 8 feuillet détaché, encre de Chine, rehauts d'aquarelle, inscription en bas à gauche en russe : « ce jour-là »
f. 9 *(non repr.)* verso : inscription en russe décrivant une composition où « tout est très lourd... »
f. 10 mine de plomb, daté en bas à gauche : 22 XI i6, inscription en russe au verso
f. 11 *(repr. p. 198)* mine de plomb, à rapprocher du fixé-sous-verre
f. 12 verso *(repr. p. 197)* : mine de plomb, portrait de Nina Kandinsky
f. 13 verso *(repr. p. 196)* : mine de plomb, entrée de la datcha
f. 14 verso *(repr. p. 194)* : mine de plomb, vue générale à Akhtyrka
f. 15 verso *(repr. p. 194)* : mine de plomb, vue générale à Akhtyrka
f. 16 verso *(repr. p. 192)* : mine de plomb, vue générale à Akhtyrka
f. 17 verso*(repr. p. 192)* : mine de plomb, vue générale à Akhtyrka

206
[Sans titre], 1917
encre de Chine, 34,4 × 25,6
monogrammé et daté en bas à gauche : K 17
à rapprocher du feuillet n° 1 du carnet n° 205
AM 1981-65-269 (Inv. 596-31)

204

206

207
[Sans titre], 1917
aquarelle et encre de Chine, 22,8 × 29,1
monogrammé et daté en bas à gauche : K 17
à rapprocher du feuillet n° 1 du carnet n° 201
AM 1981-65-104 (Inv. 341)

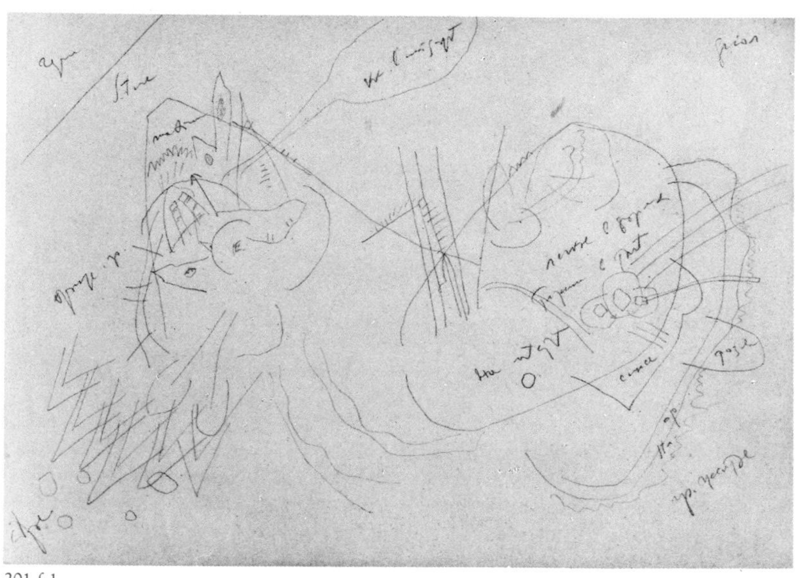

201 f 1

208
[Sans titre]
aquarelle, 27,5 × 38
ni signé, ni daté
peut être rapproché de l'aquarelle *Ovale gris*, 1917
(S.R. Guggenheim Museum, New York)
AM 1981-65-105 (Inv. 343)

209
[Sans titre], 1917
encre de Chine, 25,4 × 34,1
monogrammé et daté en bas à gauche : K 24 X 17
la partie gauche de ce lavis peut être rapprochée de la peinture *Dämmerung,* Roethel n° 617, 1917
AM 1981-65-270 (Inv. 596-10)

210
[Sans titre], 1917
encre de Chine et fusain, 34,5 × 25,5
monogrammé et daté en bas à gauche : K 17
à rapprocher d'une suite de dessins publiés et présentés à la galerie Berggruen en 1972
AM 1981-65-271 (Inv. 596-26)

211
[Sans titre, Akhtyrka, 1917]
huile sur carton entoilé, 21 × 28,7
ni signé, ni daté
à rapprocher du feuillet n° 16 du carnet n° 205
Roethel n° 626, *Paysage à l'église rouge,* 1917
AM 1981-65-37 (Inv. 302)

205 f 16

205 f 17

212
[Sans titre, Akhtyrka, 1917]
huile sur carton entoilé, 23,5 × 33,5
ni signé, ni daté
Roethel n° 632, *Charpente pour un tas de foin et ferme*
AM 1981-65-38 (Inv. 306)

213
[Sans titre, Akhtyrka, 1917]
huile sur carton entoilé, 21 × 28,7
ni signé, ni daté
Roethel n° 624, *Une datcha voisine au bord de l'étang*
AM 1981-65-39 (Inv. 307)

205 f 14

205 f 15

214
[Sans titre, Akhtyrka, 1917]
huile sur toile, 29,5 × 37,5
ni signé, ni daté
Roethel n° 625, *Akhtyrka, étang du parc*
AM 1981-65-40 (Inv. 310)

205 f 13

215
[Sans titre, Akhtyrka, 1917]
entrée de la datcha
huile sur toile, 27,5 × 31,5
ni signé, ni daté
Roethel n° 623, *Entrée principale de la datcha*
AM 1981-65-41 (Inv. 308)

205 f 12

216
[Sans titre, Akhtyrka, 1917]
huile sur toile, 27,5 × 33,6
ni signé, ni daté
Roethel n° 622, *Akhtyrka. Nina et Tatiana sous la véranda*
AM 1981-65-42 (Inv. 309)

205 f 11

217
[Sans titre]
mine de plomb, 22,1 × 28,3
étude pour fixé-sous-verre *Port,* Roethel n° 612
verso : inscription en russe et date 4-11-23 (?)
AM 1981-65-272 (Inv. 594-53)

218
[Sans titre]
mine de plomb, 20,4 × 26,9
étude pour fixé-sous-verre *Bagatelle*
AM 1981-65-273 (Inv. 594-47)

219
[Sans titre]
mine de plomb, 16,8 × 25,7
recto : trois croquis pour des *Bagatelles*
verso : croquis d'attelages
AM 1981-65-274 (Inv. 594-45)

220
[Sans titre]
encre de Chine, 18,1 × 21,1
étude pour une *Bagatelle*
monogrammé en bas à gauche : K
AM 1981-65-275 (Inv. 594-48)

221
[Sans titre], 1917
encre de Chine, 22,2 × 23,2
étude pour une *Bagatelle*
verso : inscription de Mme Nina Kandinsky : « Kandinsky, dessin 1917, nos vacances d'été à Akhtyrka »
AM 1981-65-276 (Inv. 596-30)

222
[Sans titre]
encre de Chine et mine de plomb, 27 × 24,7
indication sommaire du coloris
AM 1981-65-277 (Inv. 594-52)

217

218

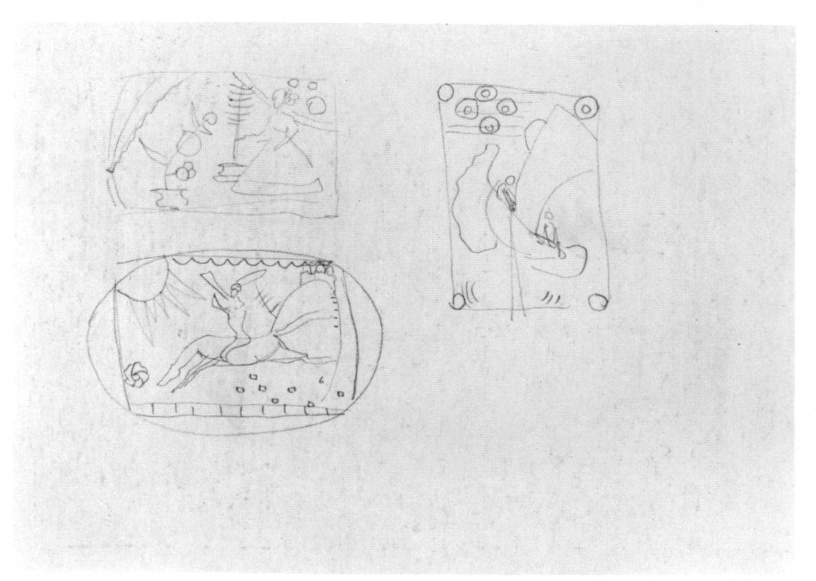

219 recto

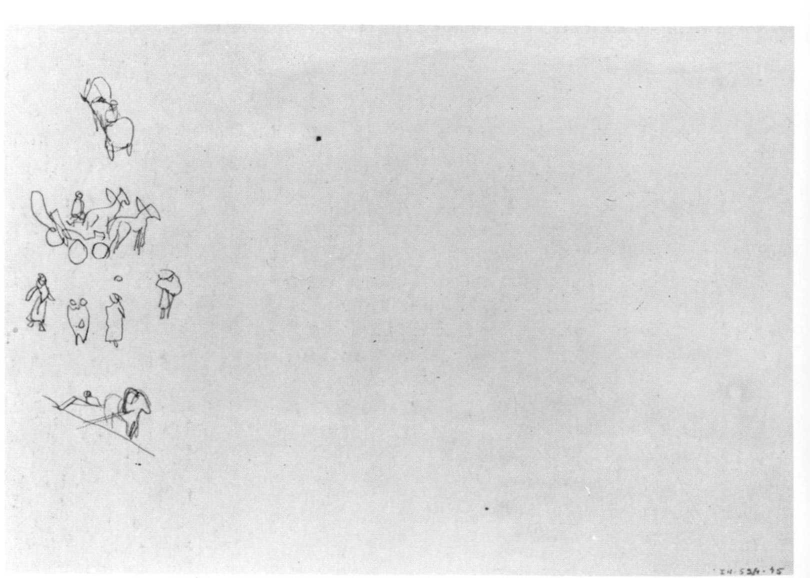

219 verso

222

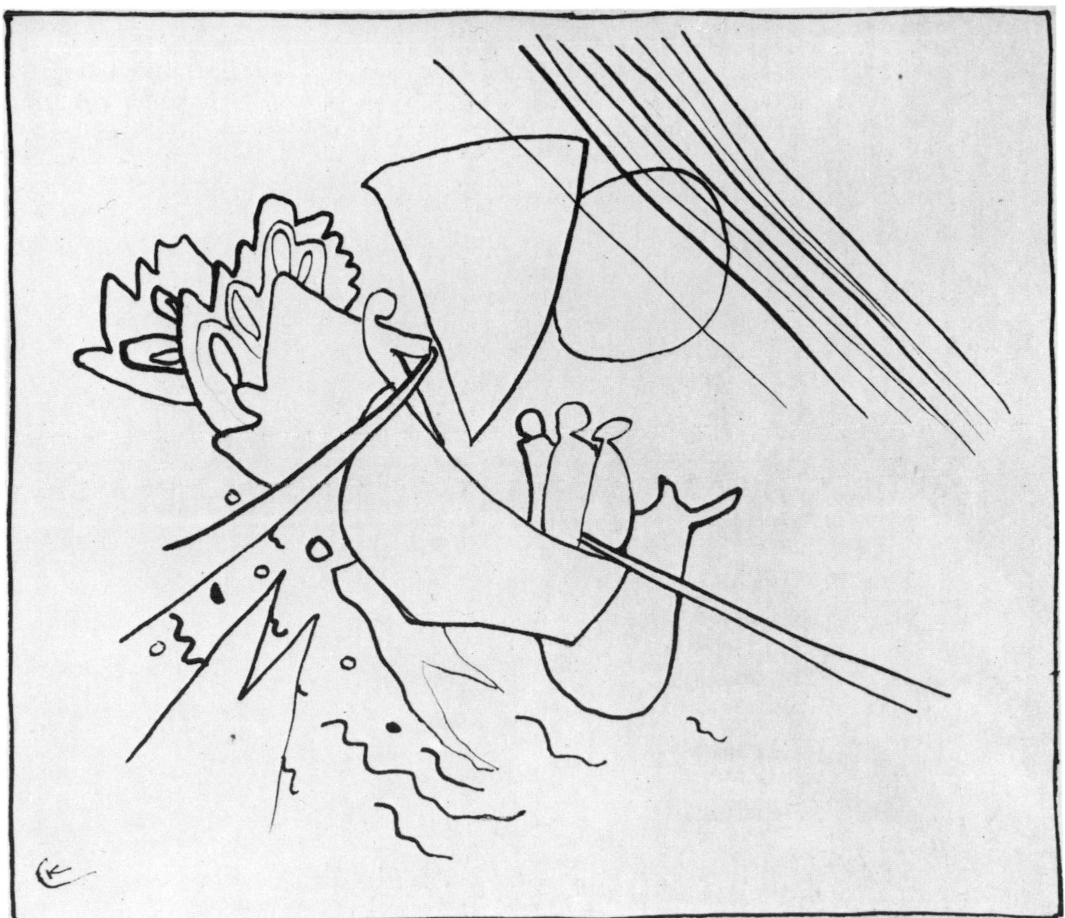

220

Le biedermeier est au début du siècle l'attendrissement d'une société riche sur un aristocratisme romantique désuet. Les courtisans de Saint-Pétersbourg appréciaient l'insignifiance sentimentale de ces poupées sans chair vêtues de crinolines et ces messieurs polis dans leur sombre redingote. C'était la tasse de thé, tasse et soucoupe au plein sens du terme, de tous ceux qui étaient assez cultivés pour supporter ce pâle reflet de l'expansion colonisatrice de la culture germanique. Le mal sévissait partout. Charles Guérin, un peintre français, Somoff, un peintre russe, en exploitaient la veine et Monsieur Chtchoukine achetait Matisse et des « crinolines ». C'était le « kitsch » des riches.

Kandinsky ne pastiche pas ce badinage prude et victorien; il est récurrent comme une maladie russe dans son œuvre. Ses amazones, ses cavaliers russes appartiennent au monde céleste. Cette élégance du travesti, qui frise le ridicule, l'artiste la retrouve dans toutes ses périodes de crises. Crises boursières : il s'agit alors d'une simple concession au goût du temps et d'un expédient pratique pour assainir les finances d'un voyage, à Stockholm par exemple en 1916. Crises affectives : en pleine crise de manque, manque de la mère ou de confiance en soi, Kandinsky s'adonne à ces romances sans paroles et fuit le stress de la situation présente dans l'enluminure d'un amour courtois qui sent les cartes de la Saint-Valentin.

Il appelle bagatelles ces travaux faits souvent sur verre à grand renfort d'argent ou même d'or décoratifs. Contrairement à la plupart des biographes de Kandinsky, Grohmann, Conil-Lacoste, on doit prendre au sérieux ces œuvrettes puisque le peintre les a monogrammées et en a tenu catalogue. Car on s'aperçoit vite que cette concession au chic existe de façon permanente chez Kandinsky sous d'autres manières. Cela se manifeste par une prédilection pour le petit format, et l'amour du chromo-bijou. A la fin de sa vie les crinolines sont devenues des montgolfières. Mais on aurait également tort de ne les considérer que pour le sujet représenté, on y trouve des têtes-à-queue plastiques et chromatiques fulgurants de la plus grande importance pour les compositions sur toile à venir.

221

223
[Sans titre, Couple de promeneurs biedermeier]
aquarelle et encre de Chine, 23 × 29,1
ni signé, ni daté
AM 1981-65-106 (Inv. 372)

224
[Sans titre]
aquarelle et encre de Chine sur feuillet d'un bloc à dessin, 15,7 × 23,7
monogrammé en bas à gauche : K
AM 1981-65-107 (Inv. 329)

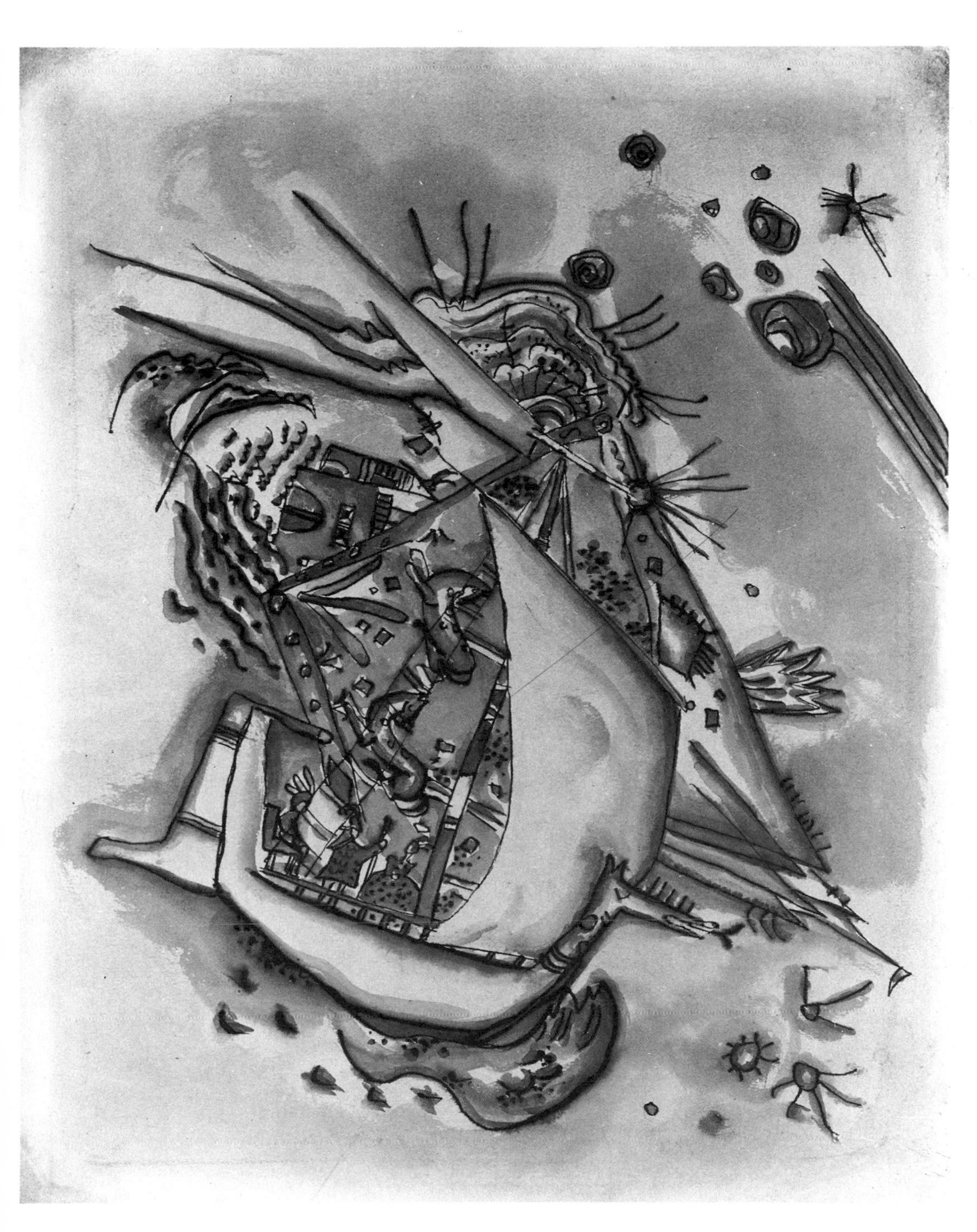

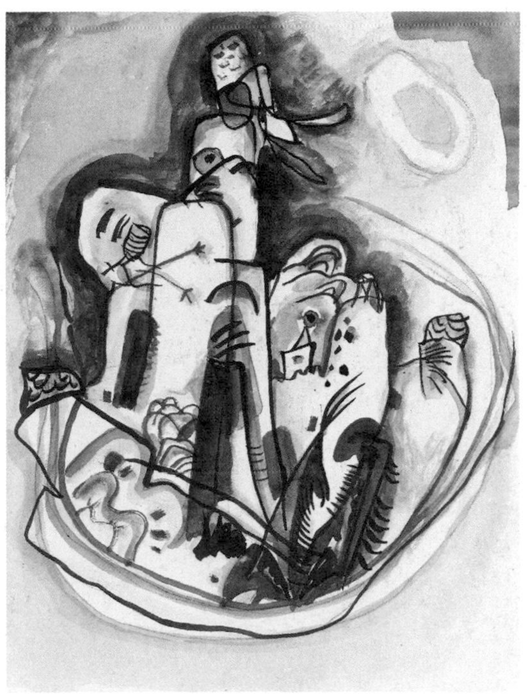

226
[Sans titre]
aquarelle et encre de Chine, 26,7 × 20,5
ni signé, ni daté
AM 1981-65-109 (Inv. 338)

225
[Sans titre]
aquarelle et encre de Chine, 29,1 × 22,9
ni signé, ni daté
AM 1981-65-108 (Inv. 339)

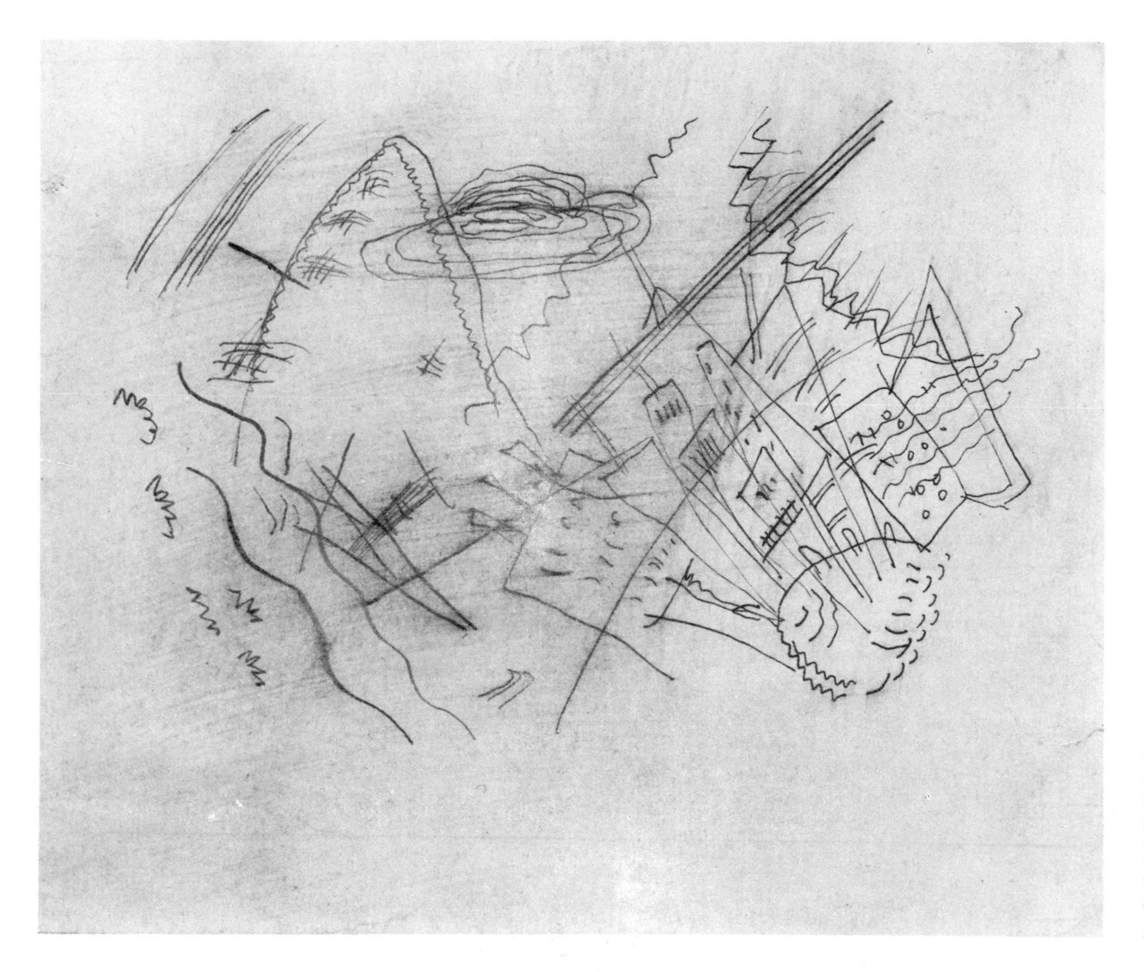

227
[Sans titre, 1918]
encre de Chine, 11,9 × 14,2
étude pour une aquarelle monogrammée et datée K.18 conservée à la Galerie Tretiakov à Moscou
verso : inscription concernant des dépenses de chauffage
AM 1981-65-278 (Inv. 594-40)

228
[Sans titre], 1918
encre de Chine, 34 × 25,5
monogrammé et daté en bas à gauche : K ii 18
verso : inscription par Mme Nina Kandinsky : « Novembre »
AM 1981-65-279 (Inv. 596-36)

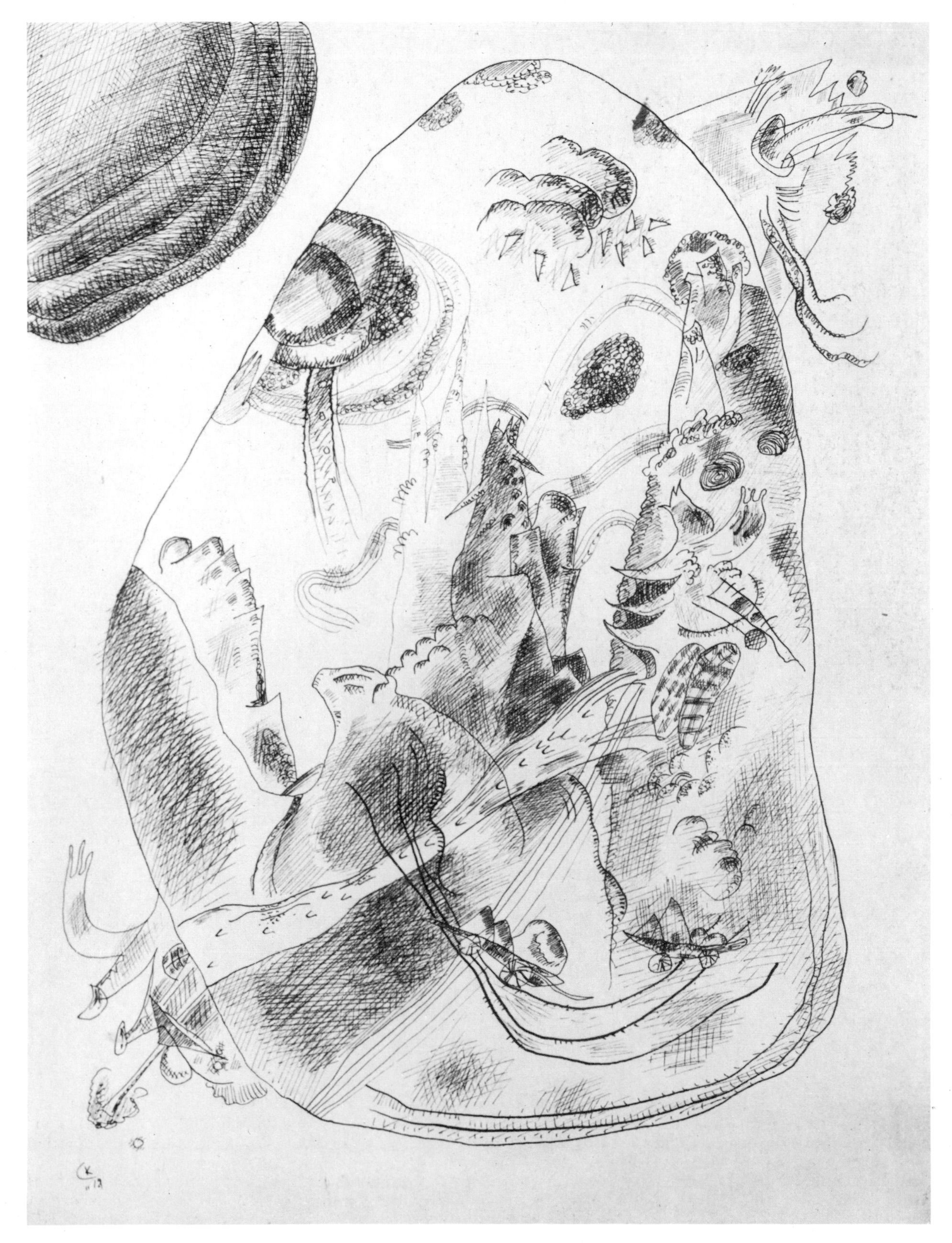

230
[Sans titre, 1920]
encre de Chine et mine de plomb, 17,2 × 25,6
daté au verso par Mme Nina Kandinsky : « 1920 »
proche stylistiquement des vignettes du *Texte de l'artiste*
AM 1981-65-281 (Inv. 596-14)

229 recto

229 verso

229
Bibliographie, 1918
encre de Chine et mine de plomb, 14,9 × 25,6
verso : dessin à la mine de plomb, « bibliographie » en russe
inscription par Mme Nina Kandinsky : « Kandinsky, dessin 1918 pour la monographie russe »
AM 1981-65-280 recto-verso (Inv. 596-34)

231
[Sans titre], 1918
encre de Chine, 30 × 20,6
inscription en haut à gauche à la mine de plomb en russe : « couverture pour ma monographie »
verso : inscription par Mme Nina Kandinsky : « dessin 1918, couverture pour sa monographie russe »
AM 1981-65-282 (Inv. 596-35)

232
[Sans titre], 1918
encre de Chine, 34,4 × 25,6
monogrammé et daté en bas à gauche : K 18
dessin pour l'illustration du *Texte de l'artiste*,
monographie russe, p. 55
AM 1981-65-283 (Inv. 596-11)

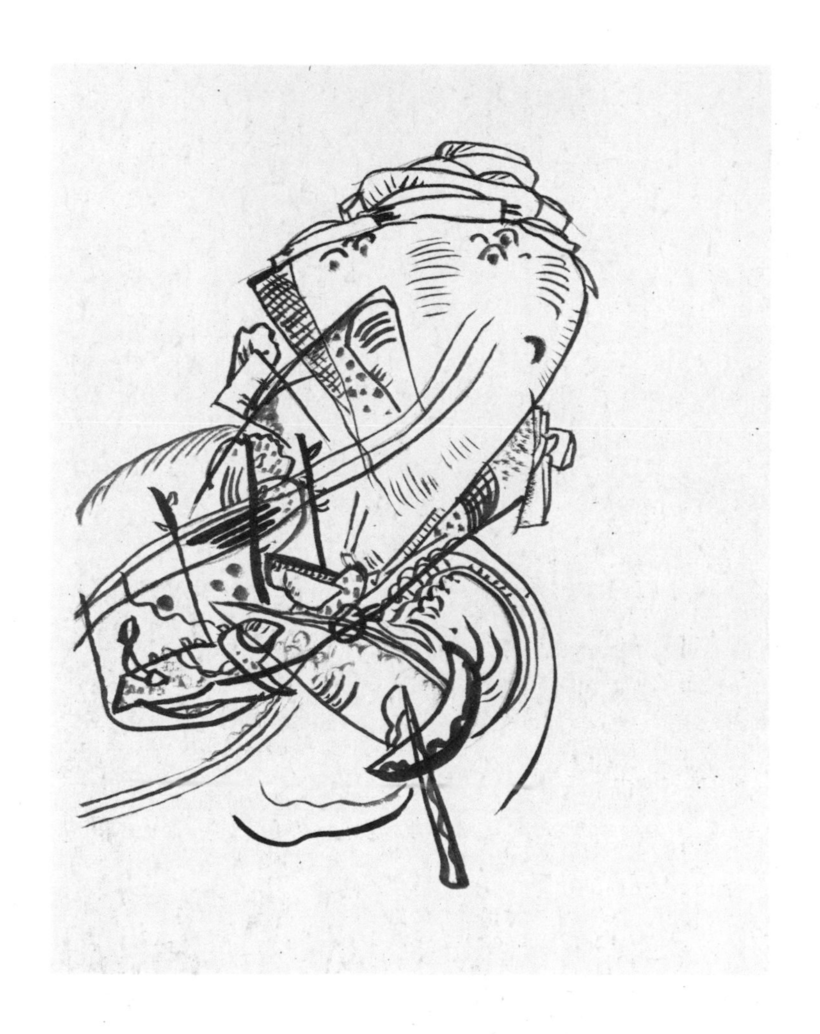

233
[Sans titre]
encre de Chine et mine de plomb, 26,8 × 20,45
AM 1981-65-284 (Inv. 594-49)

234
[Sans titre], 1918
encre de Chine, 31,6 × 22
monogrammé et daté en bas à gauche : K 18
achat du Musée national d'art moderne,
Centre Georges Pompidou, 1976
AM 1976-259

235
[Sans titre], 1919
encre de Chine sur papier calque, 22 × 17,1
monogrammé et daté en bas à gauche : K 19
AM 1981-65-285 (Inv. 596-33)

236
[Sans titre]
mine de plomb sur feuillet d'un bloc à dessin,
20 × 26,9
étude pour la peinture *Dans le gris,* Roethel n° 663
AM 1981-65-286 (Inv. 593-21)

237
[Sans titre], 1919
aquarelle, 25,6 × 34,4
monogrammé et daté en bas à gauche : K 19
étude pour la peinture *Dans le gris,* Roethel n° 663
AM 1981-65-110 (Inv. 326)

238
Dans le gris, 1919
huile sur toile, 129 × 176
monogrammé et daté en bas à gauche : K 19
inscription au verso : « n° 222/i9i9 »

Grohmann n° 117, p. 359
Roethel n° 663, *En gris,* repr. coul. p. 622
AM 1981-65-43

(Inv. 2)

manuscrit Kandinsky II n° 222
« Kartina Tchernoï dougoï » (tableau avec l'arc noir)
« V Serom » (Dans le gris)
exposition XIX B. Dmitrovska, octobre 20
Berlin V 22, Stockholm 22
München 22,
(propriété de Mme Nina Kandinsky)
Hanover II 23 (Kestner) Erfurt I 25
Iena III 25, G. Möller, Basel.

Intérieur de la galerie-musée Das Geistreich Museum de Rudolf Bauer à Berlin, v. 1930.

Dans le gris (Im grau) figure en place d'honneur sur les cimaises lors de la dernière rétrospective de Kandinsky à Moscou dans les salles de Dmitrovka en octobre 1920. Il y occupe le mur avec *Flottements aigus*, une autre toile peinte en 1920 et que Kandinsky avait pensé un moment classer parmi ses œuvres majeures sous le label de *Composition VIII*. D'ailleurs les deux toiles étaient confrontées dans cette même salle à la *Composition VII*, réalisée par Kandinsky en 1913 et qui est non seulement une œuvre majeure de Kandinsky mais une des toiles clés de la peinture du xxe siècle.
Dans le gris (Im grau) s'inscrit donc en mineur puisque Kandinsky ne pense pas devoir la ranger au nombre des Compositions bien que ce soit la toile non seulement la plus grande de l'année 1919, mais aussi une des mieux préparées et des plus réussies et qui a eu l'extraordinaire fortune de nous parvenir, car nombre des peintures de 1919-1920 ont disparu. Le peintre en vendit plusieurs aux collections des différents musées en cours de création dans les républiques soviétiques : *Flottements aigus* est prêtée par la direction des Beaux-Arts à la fameuse « Erte Russiche Kunstausstellung » organisée à la galerie Van Diamen à Berlin en 1922. Depuis, la toile n'est jamais réapparue. Elle reste introuvable comme *La Bordure verte* peinte la même année et présentée également à Moscou en 1920. Ces pertes étant préjudiciables à l'œuvre de Kandinsky, il en résulte que *Dans le gris (Im grau)* est devenu un document rare et capital pour cette période que l'on a trop vite, par commodité, qualifiée de transition.
Will Grohmann, confident de l'artiste à partir de 1923 et auteur de la monographie qui fait encore autorité sur Kandinsky, n'aime pas cette période russe qui lui échappe et qu'il qualifie un peu vite d'intermezzo. Il note qu'en juillet 1919, après une interruption de près d'un an et demi, Kandinsky a recommencé à travailler. « Quelques aquarelles et six tableaux. *Bordure rouge, Ovale blanc, Bordure verte... Deux ovales* (qui a la chance d'être) un tableau très russe. *Dans le gris,* en revanche, est compliqué à l'extrême et troublant dans son exubérance, né sans doute dans un état de recherche ». Pendant très

longtemps le jugement négatif de Grohmann va sévir et porter un préjudice très grave à cette peinture. Récemment, lors de l'exposition « Kandinsky Russian and Bauhaus years 1915-1933 », Clark Poling a réhabilité *In grey*, « un des plus grands Kandinsky des années russes. Il combine un paysage abstrait de collines accumulées dans l'esprit de la période de Munich, de formes allongées, pleines de vie qui flottent sur un fond très complexe, spatial, dans une atmosphère caractérisée par la teinte grise nuancée et peu épaisse ». Il est tout naturel, en effet, d'associer ce tableau à un paysage où les états solides, liquides et gazeux se combineraient en un magnifique naufrage de formes ivres.

Cette toile a été préparée par tous les dessins que Kandinsky a notés dans des carnets au cours de cette période où il n'a pas peint. Il y a pratiqué des exercices calligraphiques à l'encre de Chine et à l'aquarelle, mis au point ce nucléus de paysages imbriqués les uns dans les autres avec leurs rameaux morts, leurs pics pointus, dessins sans haut ni bas, qui tournent sur eux-mêmes. La composition a été mise au point par un dessin et une aquarelle. Le peintre ne procède pas par retrait mais par ajout d'éléments. De l'étude à la mine de plomb, qui s'apparente aux dessins qui ornent le *Texte de l'artiste*, Kandinsky retire les vestiges d'arbres secs, les transforme en éléments plus complexes. L'astre qui écorne l'angle en haut à gauche — un procédé très kandinskien — devient une planète rouge avec un arc noir sur fond d'arc-en-ciel dans l'aquarelle. Dans la préparation colorée, la feuille a jauni, ce qui permet de penser qu'elle fut longuement suspendue dans la lumière de l'atelier, une grande forme blanche diaphane apparaît. Sur cette transparence blanchâtre, Kandinsky peint un grand élément rouge fuselé comme ce qu'il a imaginé dans la partie droite du dessin pour la couverture du *Texte de l'artiste*. Des dégradés de tons lumineux, des déliés dans le trait animent cette composition prise dans un tourbillon et qui devait séduire Alexandre Kojève, le neveu du peintre : tout risque de chanceler à tout instant.

C'est le dernier tableau romantique (le terme n'effrayait pas Kandinsky). En 1936, il écrivait à sa « baroness » protectrice Hilla Rebay : « *Im grau* est la conclusion de ma dramatique période, celle où j'accumulais tellement de formes ». En effet, les formes géométriques commencent à pénétrer son œuvre vers 1920 et s'y épanouissent en 1921, année où il se remet activement à peindre sur toile. En 1922 la mue est terminée, Kandinsky a changé de style. El Lissitzky le souligne sans sympathie dans le compte rendu de l'exposition de Kandinsky organisée à Berlin en 1922 où *Im grau* est présenté : « Kandinsky expose de nouveaux travaux chez Wallerstein. Ils ont de nouveaux titres. Au lieu des traditionnelles compositions, ce sont de plus descriptifs *Cercles sur noir, Segment bleu, Ovale rouge* ou *Avec des formes carrées*. Des formes géométriques, en effet, croissent dans la végétation touffue qui proliférait à la périphérie de ses toiles. Mais ils sont tellement saturés de couleur qu'on a peine à rétablir de l'ordre dans cette confusion. De Russie, Kandinsky a certainement rapporté une scrupuleuse attention à la coloration de la toile, mais il ne parvient pas à l'uniformité, à la clarté de l'objet. »

Dans le gris ne pouvait sur aucun point satisfaire les idéaux des constructivistes. C'est une véritable négation du *Carré blanc sur blanc* peint par Malévitch en 1918. L'apocalypse et la fin du monde, thèmes très symbolistes par excellence dont les *Compositions VI* et *VII* étaient de bonnes prémonitions, s'étaient réalisées : la guerre et deux révolutions bouleversaient le monde russe. Kandinsky revendique l'irrésolution comme une règle quand tout le monde veut mettre l'art au service de l'idéologie prolétarienne triomphante. Il s'en tient à l'expressionnisme décadent venu de l'Occident européen et socialement inutile. En restant fidèle au tableau de chevalet, il encourait la punition pour avoir voulu mesurer l'immensité au moyen de trois queues de vaches : tel est le sort que Lissitzky et Arp réservent dans leur « Die Kunstismen » à tous les métaphysiciens romantiques parasites du monde de l'art.

Malséant dans le contexte de la propagande révolutionnaire, ce tableau — certes individualiste — n'en est pas pour autant réactionnaire. Il ne dénote aucune nostalgie de la Russie d'autrefois comme la plupart des œuvres des artistes du « Monde de l'art ». Il est complexe, plein d'action, produit et conçu avec une sensibilité exquise, équilibré par des contrepoints, il manie les variations de tons, de formes, de texture et reste fascinant comme tous les chefs-d'œuvre du maniérisme.

A Moscou, on trouverait certains points communs entre ce tableau et les toiles labyrinthiques de Filonov. En Europe occidentale, c'est naturellement aux tableaux d'un format analogue et de composition inextricable, ceux de Breughel, et plus précisément à la *Dulle griet* que l'on compare la Composition de Kandinsky. L'astre rouge et l'arc noir de Kandinsky ont remplacé la cage de verre qui occupe l'angle supérieur gauche de la composition que Breughel a peinte en 1564. De telles comparaisons n'émanent pas d'historiens de l'art mais d'artistes qui raisonnent sur les formes commes Georges Vantongerloo en 1924 dans son essai « L'art et son avenir ». Cette effusion, ce pathos incontrôlable et splendide ne pouvaient que séduire les rares suiveurs de Kandinsky. Bauer, le protégé de Hilla Rebay et donc de Solomon R. Guggenheim, présente *Dans le gris* à Berlin dans son Geistreich Museum à Heerstrasse entre 1932 et 1933. Mais Kandinsky ne le mentionne pas dans son catalogue, l'accrochage dans cet écrin de velours lui déplaît. Le tableau *Dans le gris* disparaît dans les années 30. Kandinsky ne le fait pas reproduire et ne l'envoie pas aux expositions et à ses rares rétrospectives. Était-il lié dans l'esprit de l'artiste à des temps trop pénibles ? C'est ce qui semblerait ressortir de la correspondance de Kandinsky et de Hilla Rebay en 1936 : « Je vois dans mon catalogue domestique que je n'ai plus qu'une seule peinture, *Dans le gris*, de cette période 1916-1920. C'était le temps de la guerre et des premières années de la révolution que j'ai vécues à Moscou. Je ne voudrais pas renouveler cette expérience ». D'ailleurs, peut-être, était-il trop tôt pour réévaluer ce qui avait été rejeté à Moscou ? Tout ce qui est russe à l'époque n'a pas bonne presse. Kandinsky préfère envoyer au Jeu de Paume en 1937 et au Salon des Réalités Nouvelles en 1939 *L'Arc noir* peint en 1913 et conserve chez lui cette version rectangulaire et russe du même tableau, car le véritable titre de *Dans le gris (Im grau, In grey)* est en russe *Kartina s tchernoï dougoï*, ce qui signifie « tableau avec arc noir ».

239
[Projet de tasse]
encre de Chine, 20 × 26,8
monogrammé en bas à gauche : K
inscription en bas à gauche en russe : « la tasse elle-même »
signé en bas à droite : Kandinsky
à rapprocher de la tasse et de la soucoupe repr. p. 160
AM 1981-65-287 (Inv. 594-39)

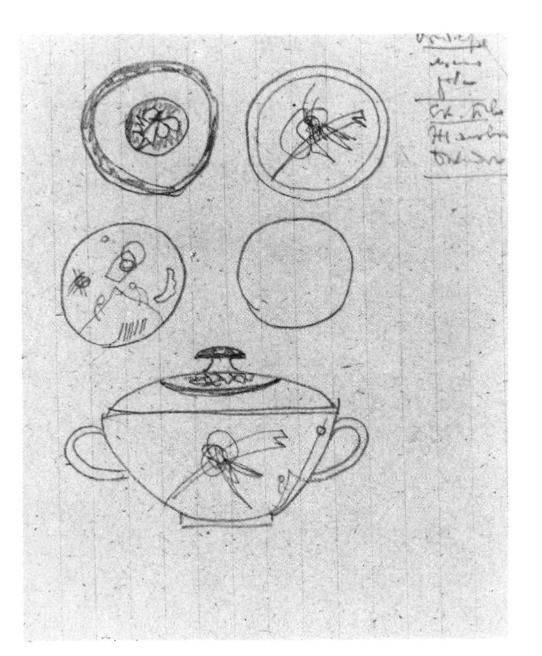

240
[Croquis pour sucrier et soucoupe à réaliser en porcelaine]
mine de plomb, 18,6 × 14,6
inscription en russe illisible en haut à droite et au verso
AM 1981-65-288 (Inv. 594-38)

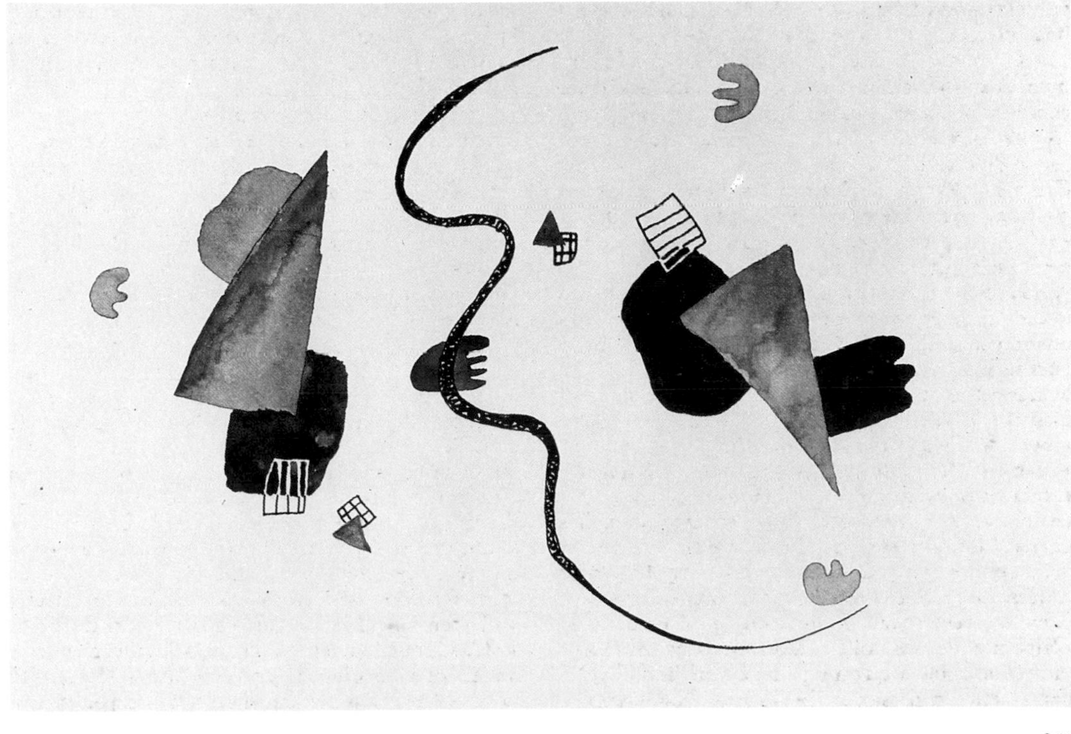

241
[Sans titre]
aquarelle, 29,9 × 46
ni signé, ni daté
AM 1981-65-111 (Inv. 606)

242
Promenade, 1920
aquarelle, 32,2 × 25
monogrammé et daté en bas à gauche : K 20

manuscrit Kandinsky V n° 14, 1920
Erfurt I.25

donation de Madame Nina Kandinsky, 1976
AM 1976-868

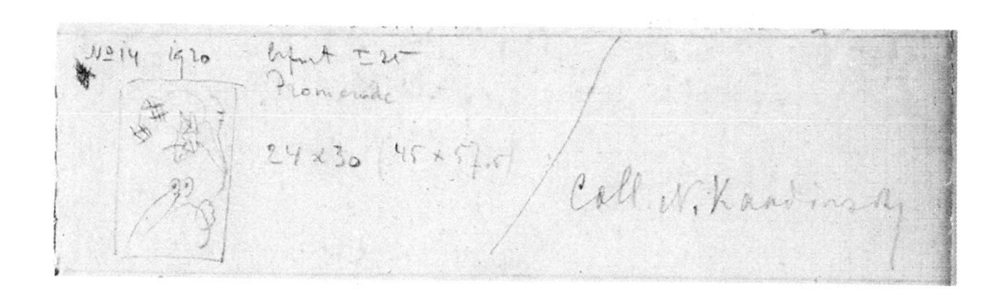

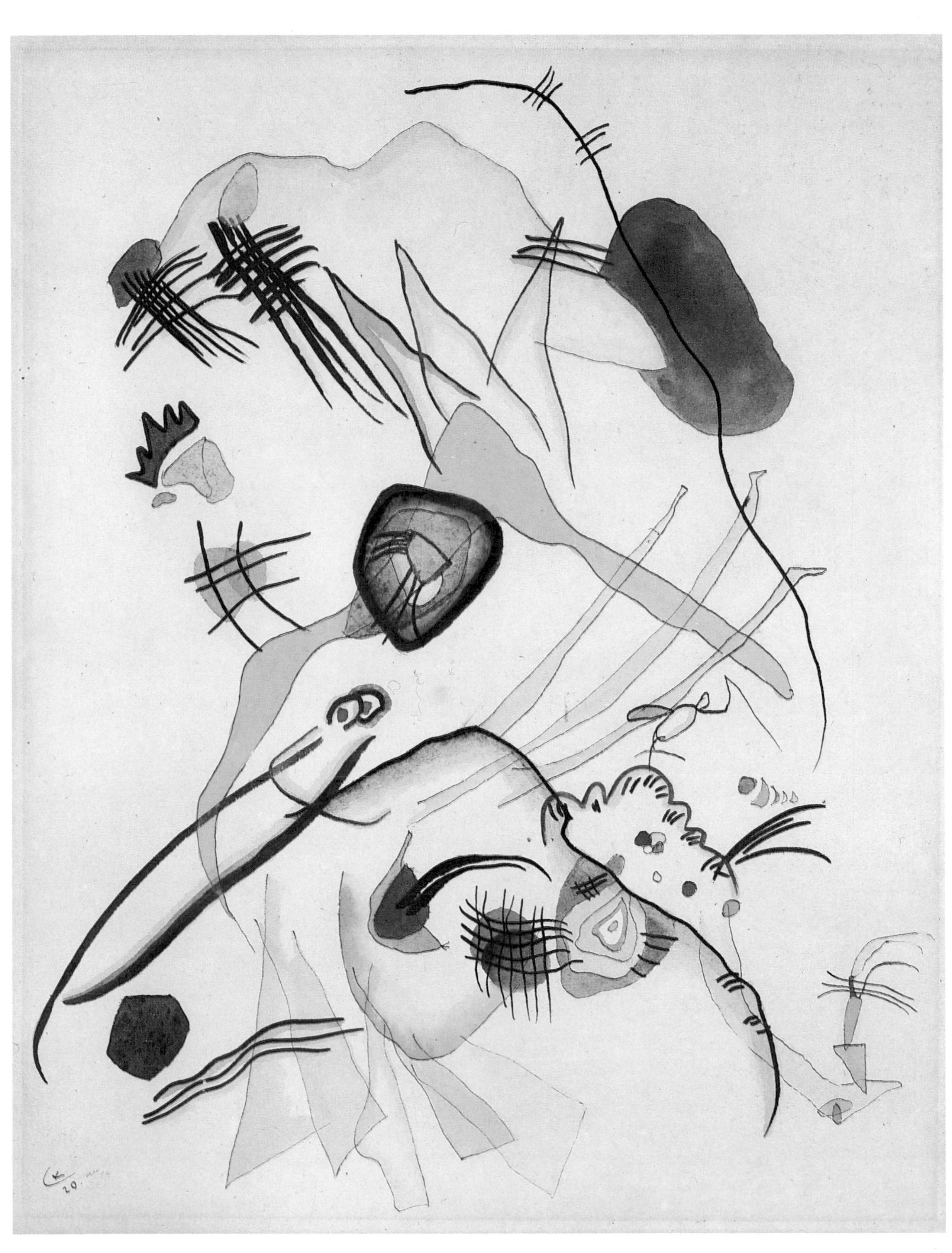

243
[Sans titre]
encre de Chine, 19,4 × 26,3
monogrammé en bas à gauche avec le timbre de l'atelier
AM 1981-65-289 (Inv. 84)

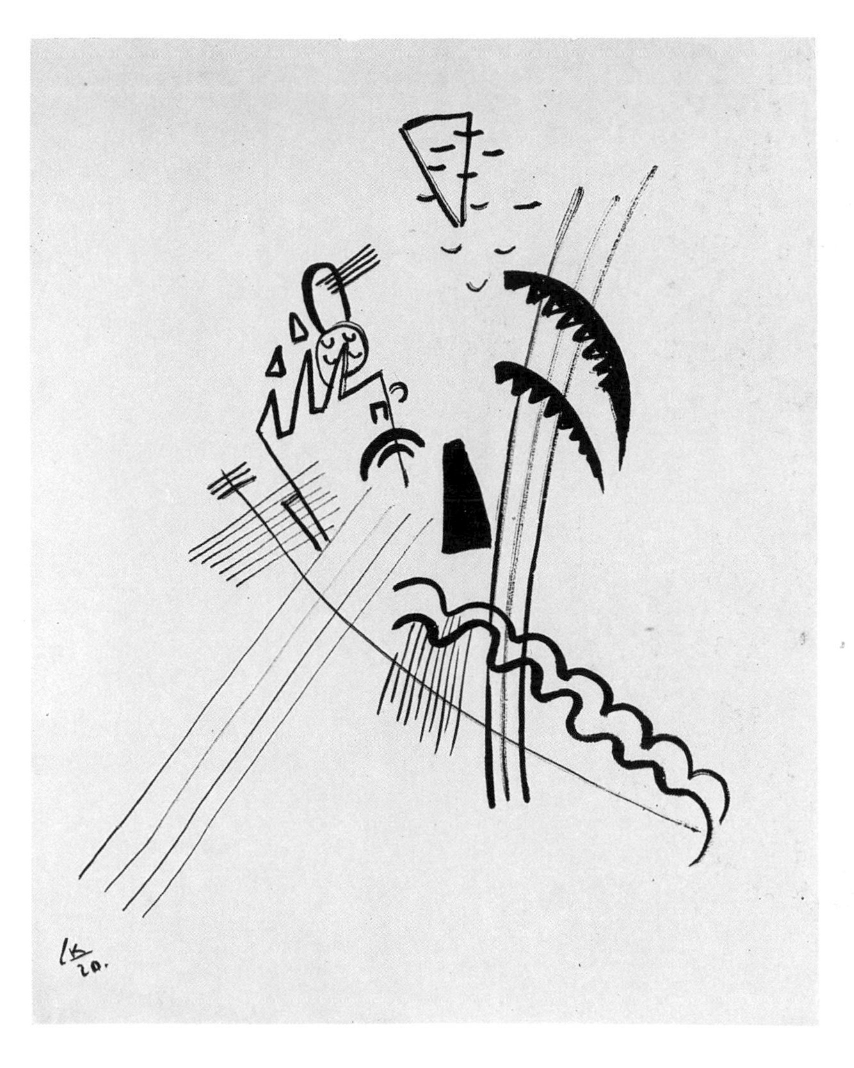

244
[Sans titre], 1920
encre de Chine, 29 × 23
monogrammé et daté en bas à gauche : K 20
AM 1981-65-290 (Inv. 596-32)

245
[Sans titre], 1920
encre de Chine, 34,1 × 25,1
monogrammé et daté en bas à gauche : K 20
AM 1981-65-291 (Inv. 596-9)

246
[Etude pour la *Bordure verte*], 1920
aquarelle et encre de Chine, 26,9 × 36,3
monogrammé et daté en bas à gauche : K 20

manuscrit Kandinsky V n° 11, 1920
Le Bord vert
Erfurt I.25

à rapprocher de la peinture *Der Grüne Rand,* Roethel n° 671
donation de Madame Nina Kandinsky, 1976
AM 1976-869

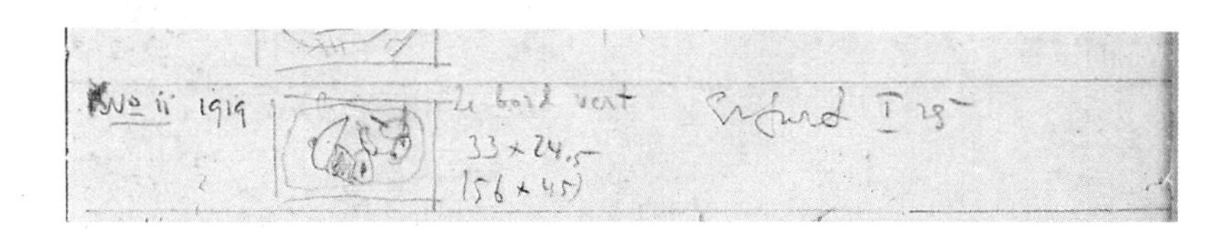

247
[Sans titre]
mine de plomb sur feuillet d'un bloc à dessin,
26,7 × 20
à rapprocher de la peinture *Kreise im Schwarz*,
Roethel n° 682, 1921
AM 1981-65-292 (Inv. 593-20)

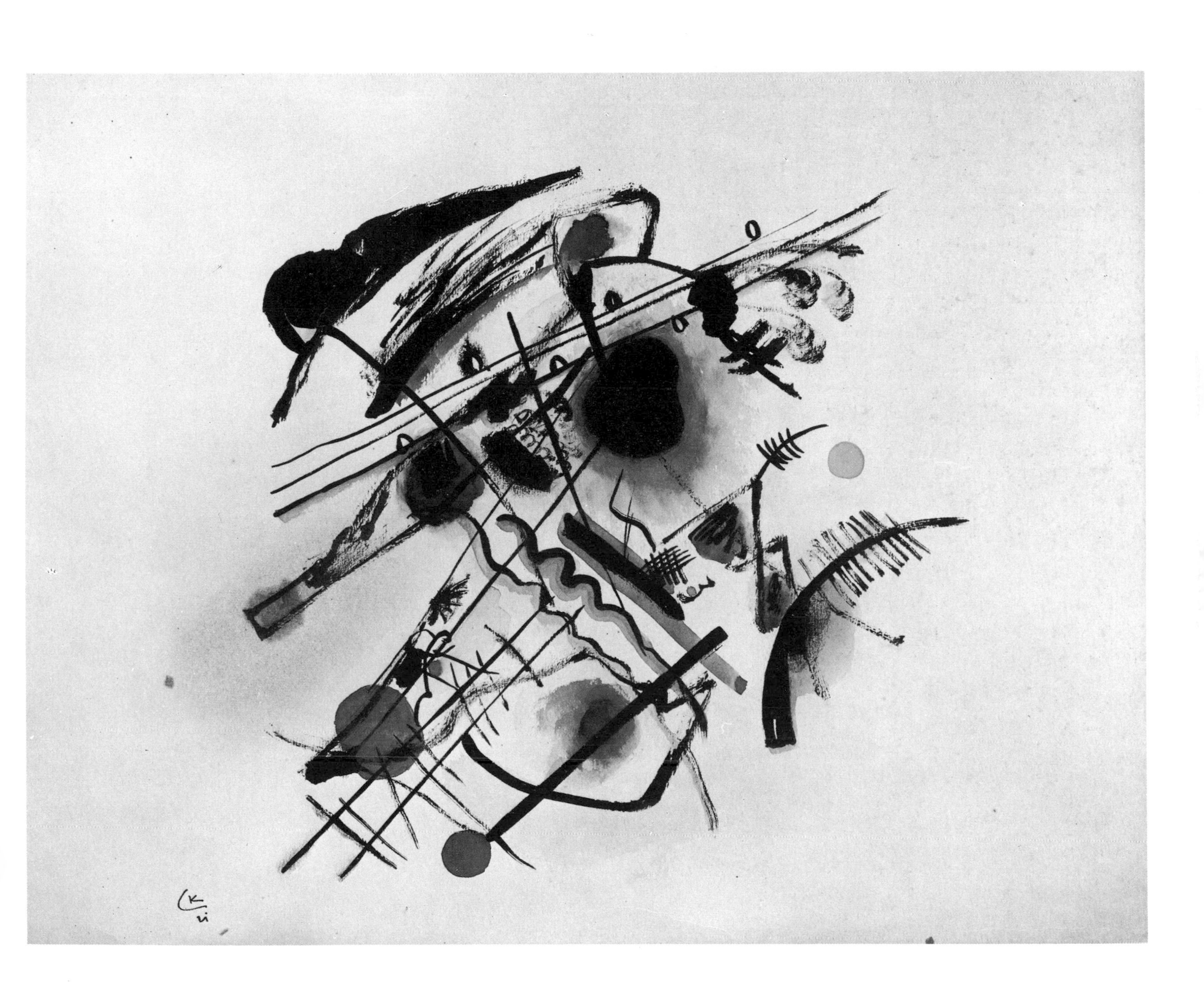

248
[Sans titre], 1921
aquarelle et encre de Chine, 25,5 × 33,2
monogrammé et daté en bas à gauche : K 21
à rapprocher de la peinture *Schwarzer Fleck,* Roethel
n° 681, 1921
AM 1981-65-112 (Inv. 327)

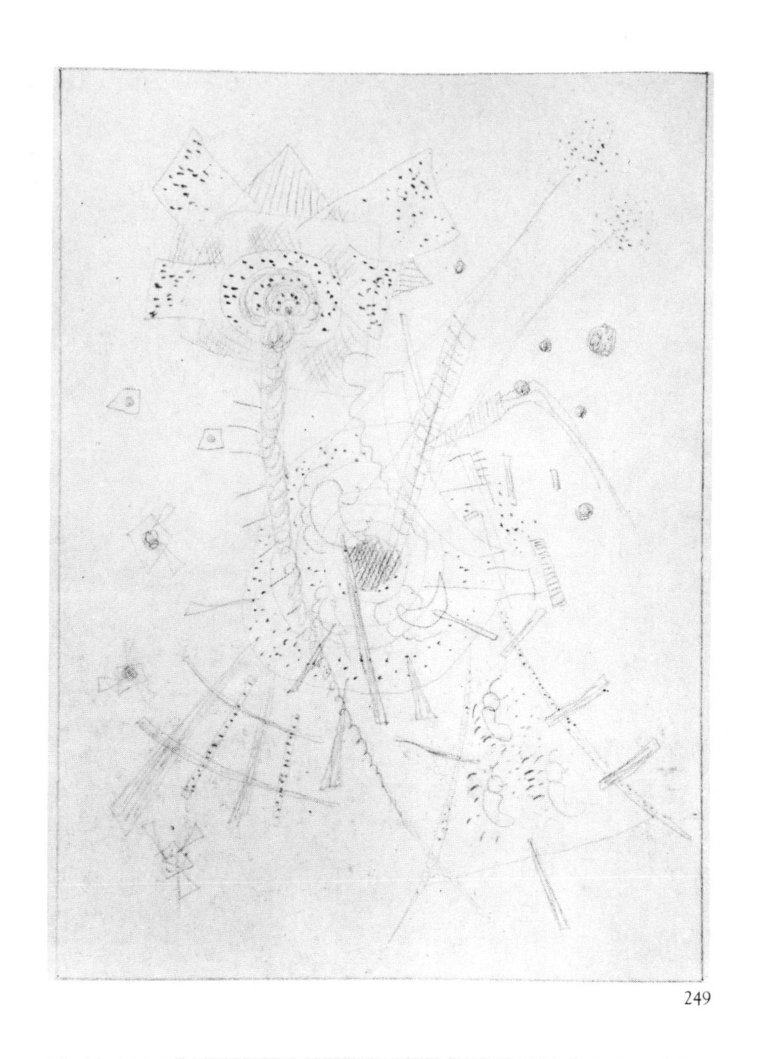
249

250

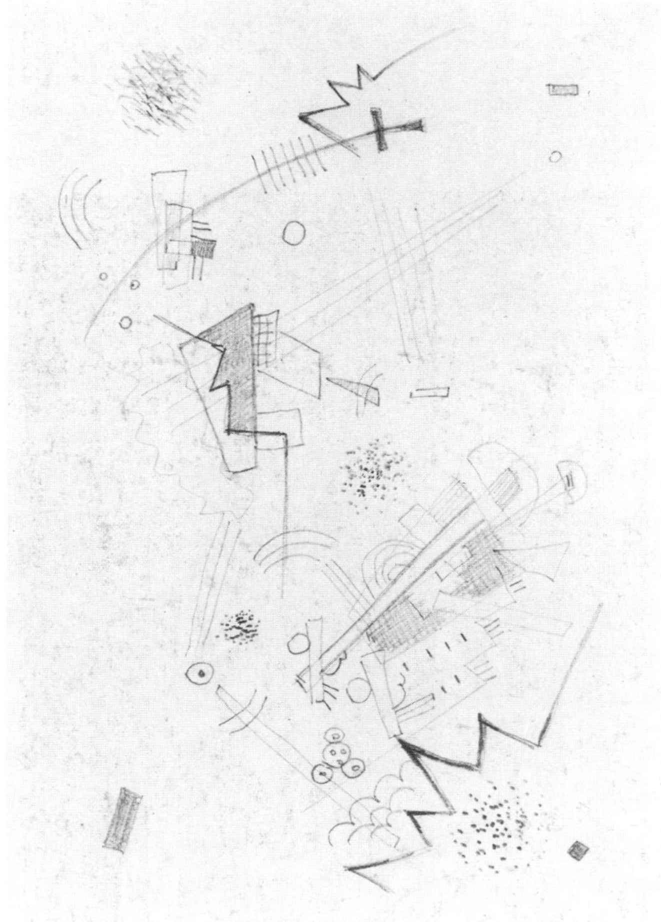
251

252

249
[Sans titre]
mine de plomb, 36 × 27,6
AM 1981-65-293 (Inv. 593-8)

250
[Sans titre]
mine de plomb, 31,6 × 23,7
peut être rapproché de la peinture *Bunter Kreis*, Roethel n° 679, 1921
AM 1981-65-294 (Inv. 593-25)

251
[Sans titre]
mine de plomb sur feuillet d'un bloc à dessin, 10,6 × 15,4
AM 1981-65-295 (Inv. 368)

252
[Sans titre]
encre de Chine, 17,7 × 22,1
AM 1981-65-296 (Inv. 594-46)

253
[Sans titre]
aquarelle et encre de Chine, 11 × 10,4
AM 1981-65-113 (Inv. 330)

254
[Sans titre]
mine de plomb et aquarelle, 19,1 × 21,1
AM 1981-65-297 (Inv. 626-24)

255
[Sans titre]
gouache sur papier teinté, 20,9 × 26,1 (irrégulier)
à rapprocher d'une aquarelle de la collection Costakis, 1921
d'après les informations recueillies par Roethel auprès de Nina Kandinsky, il s'agirait d'un projet de broderie
AM 1981-65-114 (Inv. 323)

253

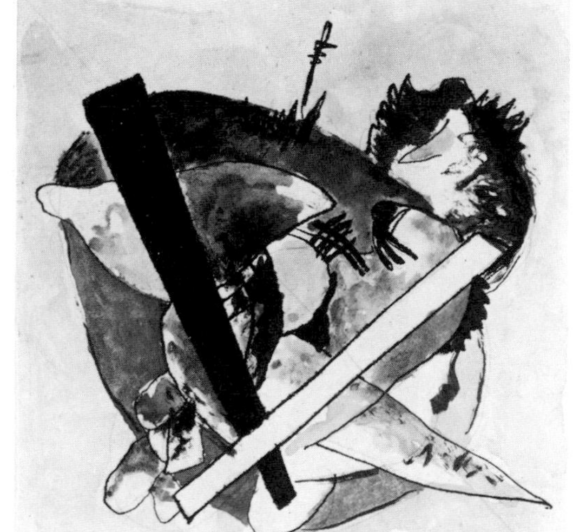

254

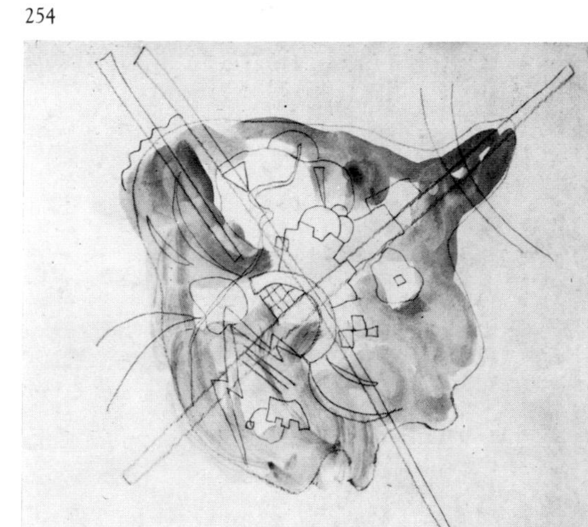

255

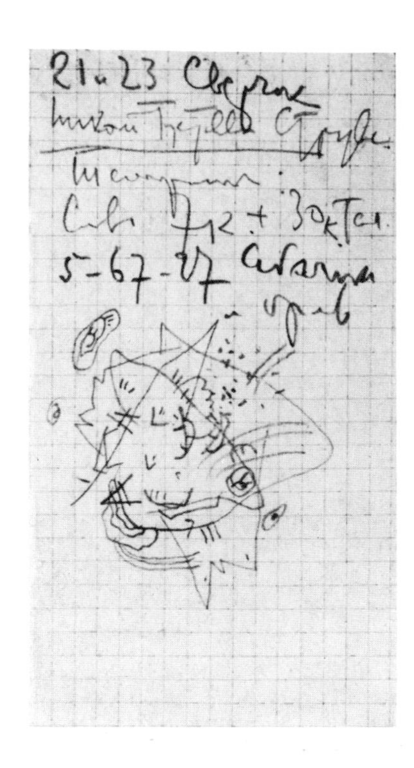

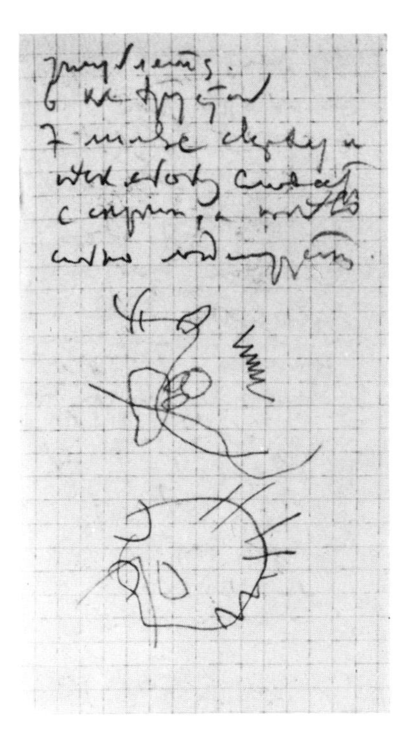

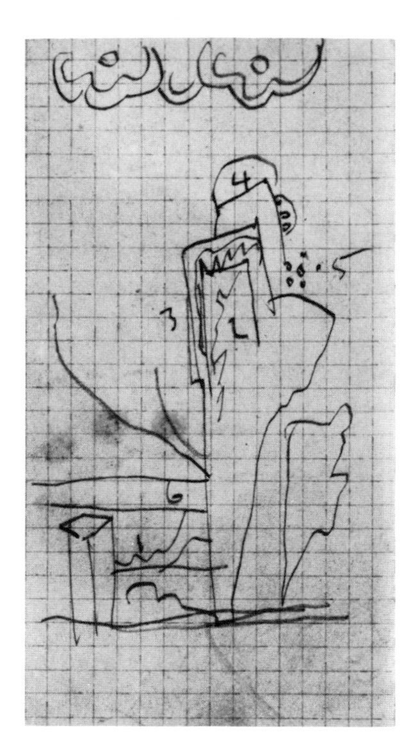

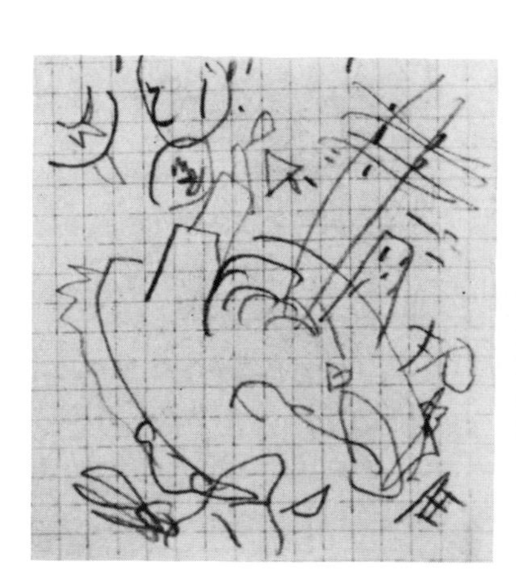

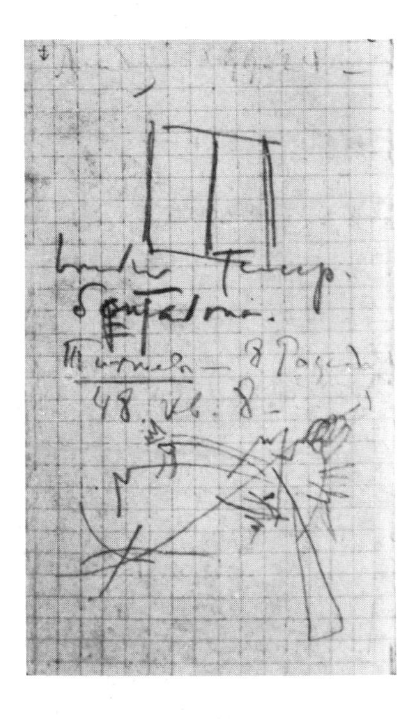

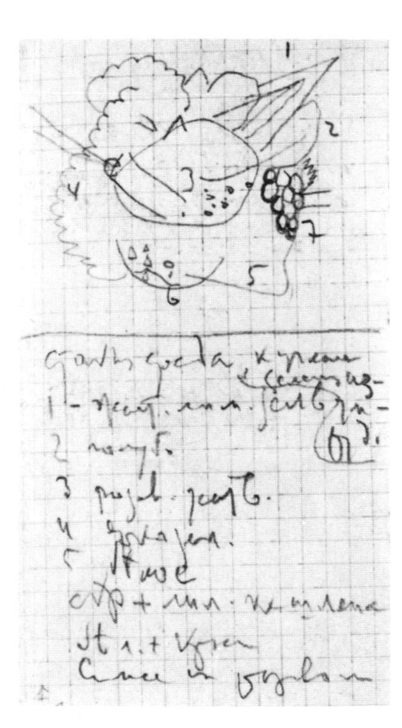

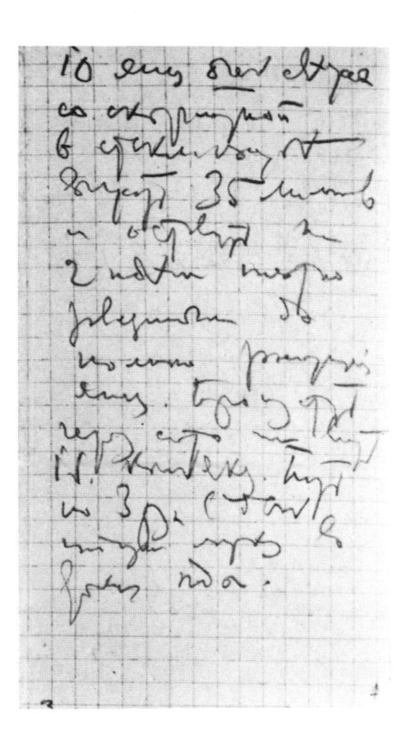

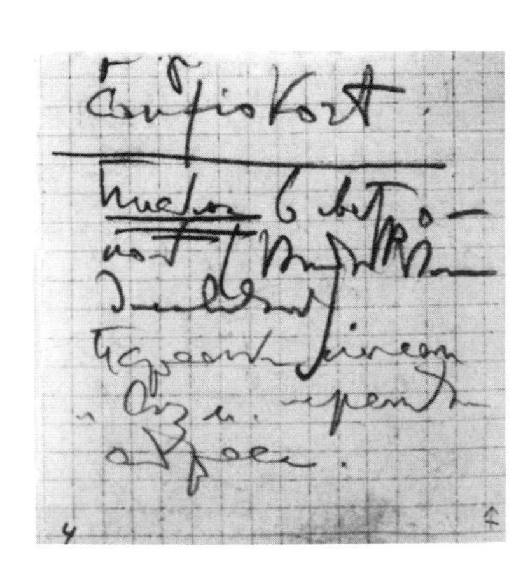

257
[Sans titre]
trois feuillets et un demi feuillet, détachés d'un carnet de note, papier quadrillé, 12,1 × 6,9
croquis et notes en russe concernant des œuvres de la période moscovite
AM 1981-65-299 (Inv. 885-1 à 4)

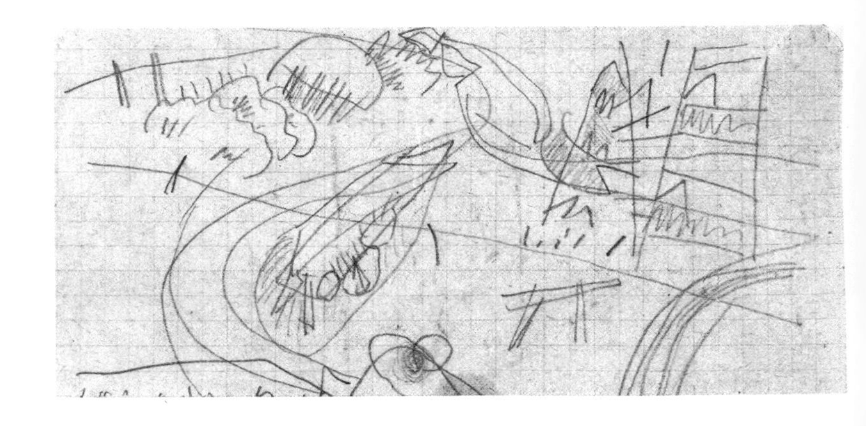

256
[Sans titre]
mine de plomb sur papier quadrillé, 6,3 × 13,1
annotations illisibles au verso
AM 1981-65-298 (Inv. 884)

Bauhaus

Weimar-Dessau-Berlin

1922-1933

documentation

Malender Egoismus, senkrecht einbrechend; centripetale Inzucht.
Carl Einstein[1]

Un jour d'automne de 1921 Kandinsky reçut une convocation lui demandant de se présenter au Kremlin auprès de Karl Radek[2]. En l'absence de toute précision, l'artiste s'y rendit, non sans inquiétude, selon les souvenirs de son épouse[3]. On transmit à Kandinsky une invitation à enseigner, émanant de la direction du Bauhaus[4]. Etant donné que les autorités russes semblaient appuyer le projet, Kandinsky accepta l'invitation et quitta avec sa jeune épouse la Russie via la Pologne, emportant dans ses bagages une douzaine de tableaux. D'autres sources nous apprennent[5] que Kandinsky fut autorisé à quitter la Russie en 1921 pour trois mois sur l'invitation du Bureau international des Artistes russes en vue de relancer l'Internationale artistique.
Après un voyage très éprouvant et fatigant, les Kandinsky arrivent à Berlin la veille de Noël 1921. Ils découvrent avec émerveillement une ville de conte de fées qui se pare et se prépare pour les fêtes de fin d'année. Décor traditionnel d'une grande ville allemande (depuis 1920, Berlin était devenue, grâce à une campagne d'intégration des communes limitrophes, la ville la plus peuplée d'Europe après Londres, et comptait 4 000 000 d'habitants) avec ses étalages étincelants, regorgeant de denrées de provenances multiples. Des visages souriants dans la rue. Ce furent les premières impressions des voyageurs de Moscou. Après une installation provisoire à l'hôtel, ils louent une chambre meublée, et un ami met son atelier à la disposition du peintre. Activité quelque peu délaissée, car pendant tout son séjour berlinois Kandinsky ne peint que deux tableaux, dont le second ne sera achevé qu'à Weimar[6].
Après la pénurie de Moscou, la faim, le froid, le manque des choses les plus élémentaires, leurs regards se délectent de cette abondance réservée aux seuls nantis. Ils fréquentent les cinémas, reprennent contact avec des compatriotes vivant en Allemagne, Archipenko et Jawlensky. Ils renouent avec l'écrivain Carl Einstein (1885-1940). Ils participent à l'effervescence culturelle de cette ville, devenue un véritable carrefour artistique européen, où les contacts entre l'art d'avant-garde russe et l'art allemand sont établis depuis 1919. Ilia Ehrenbourg (1891-1967) publia sous forme de livre en 1922 une sorte de manifeste d'un deuxième départ du constructivisme[7]. La même année parurent les deux uniques numéros du magazine trilingue *Vesc/Objet/Gegenstand*, édité par El Lissitzky (1890-1941)[8] et Ilia Ehrenbourg. Mais la manifestation la plus remarquée, discutée et discutable de l'art russe fut celle tenue à Berlin à la galerie van Diemen en automne 1922. Après le blocus entre l'Est et l'Ouest on tente un rapprochement. Par cette exposition à but non lucratif — car « le produit entier est destiné aux Russes souffrant de la faim » — on veut montrer à l'Europe de l'Ouest (ainsi parle D. Sterenberg dans l'introduction du catalogue au nom du Commissariat du peuple pour l'art et la science) *tout* ce qui est apte à renseigner sur les exploits de l'art russe pendant les années de la guerre et de la Révolution. On visait de la sorte, dit un critique contemporain[9], « une récupération polyesthétique ». « Sous le masque de la tolérance pluri-stylistique, le nouveau pouvoir essaie de récupérer l'élément troublant de la nouveauté (non objective) ».
Kandinsky y participe avec trois toiles et quelques dessins (on y montre également les produits de la manufacture de Léningrad, décorés selon ses idées). Dans la préface au catalogue une tentative est faite pour situer l'art du peintre : tout en partageant la conception du monde des tenants de la peinture non objective qui englobe le suprématisme (on cite Malévitch, Exter, El Lissitzky), son propre chemin au sein de la peinture non objective est autre, formulation qui cache à peine l'embarras du préfacier resté anonyme.
Reprise d'un dialogue entre la Russie et une Allemagne qui, en ce qui concerne sa situation politique et économique, traverse une des périodes les plus sombres de son histoire. Reprise d'un dialogue aussi entre un peintre russe, Kandinsky, et les manifestations culturelles des années 20, un âge d'or, une des périodes les plus libres et fécondes dans le domaine de la création artistique et scientifique. La science allemande avec Einstein, Planck et Heisenberg atteint son apogée. Weber, Scheler, Husserl, Heidegger, Buber et Ernst Bloch font la gloire des sciences humaines.

Dans les arts picturaux, l'expressionnisme, célébré par Ernst Bloch comme la plus grande révolte artistique moderne, est combattu par le réalisme brutal de la Neue Sachlichkeit (Nouvelle Objectivité). Dada-Berlin, grâce au dynamisme de Raoul Hausmann (1886-1971), va de manifestation en congrès (dont un des sommets est la grande foire berlinoise de 1920), publie manifeste sur almanach. Plus dans le lointain, se tiennent le deuxième futurisme italien, le surréalisme français et le néoplasticisme du groupe De Stijl. Cependant, Theo van Doesburg (1883-1931), sur l'invitation de Gropius et à la recherche de disciples, siégera devant Weimar et la forteresse du Bauhaus au début des années 20.
Même si, selon l'avis étrange du biographe, « tout ceci n'intéresse pas Kandinsky »[10], il n'en reste pas moins qu'il participe activement à ces événements culturels. L'évolution de son art depuis la période munichoise sera montrée aux critiques hésitants en mai 1922 à la galerie berlinoise de Goldschmidt-Wallerstein, où Ludwig Hilberseimer[11] revèle aussitôt son évolution vers l'art constructif. Toutefois, ajoute-t-il dans son résumé de l'exposition, la tendance constructiviste est atténuée par le style très personnel de l'artiste. Le critique de *Das Kunstblatt*[12], en revanche, estime l'art de Kandinsky inchangé. Il indique, cependant, une « dissimulation plus prononcée de la note extatique », ainsi qu'un refroidissement de la gamme. Pendant la durée de cette exposition, Kandinsky donne deux conférences, comptes rendus d'un examen « de laboratoire » des éléments fondamentaux de la création, à savoir point, ligne et « Fleck »[13], selon les souvenirs du critique d'art.

1 Couverture du catalogue de l'exposition de Kandinsky à Stockholm à la galerie Gummeson en octobre 1922. La même image, invertie, figure sur le catalogue d'une exposition de 1923, suite de celle de Stockholm, première exposition personnelle de l'artiste aux États-Unis que Katherine S. Dreier organisa à la Société Anonyme, New York, du 23 mars au 4 mai. L'image orne également le livre de K.S. Dreier, intitulé *Western Art and the New Era*, paru chez Brentano à New York en 1923.

Deux mois plus tard, Kandinsky participe par l'envoi de six œuvres et la rédaction d'une préface à la première exposition d'art international à Düsseldorf. Si son art a évolué, le vocabulaire de la préface concise reste inchangé depuis les écrits de Munich. Les deux mots-clé y reviennent : « nécessité intérieure » et « la grande synthèse », résultat de l'union de l'analyse et de la synthèse. En octobre, Kandinsky renoue avec la galerie Gummeson à Stockholm, dernier lieu en Europe où il avait montré ses œuvres en 1916. Ce retour est salué avec une certaine réserve par la presse suédoise. On reproche à ses œuvres une trop grande froideur, un manque d'humanité.

Une dernière importante manifestation à laquelle Kandinsky participe en 1922 est la Juryfreie Kunstschau de Berlin. L'envoi de Kandinsky (œuvre collective, réalisée avec ses élèves) est traité pp. 250-254 de ce catalogue.

Berlin, l'alpha et l'omega des années 20, est aussi en quelque sorte la première et la dernière lettre d'un vocabulaire de la géométrisation élaborée par l'artiste. Berlin qui l'accueille en 1921 (même si Einstein dit cette ville hostile aux lyrismes, c'est-à-dire fermée à l'art de Kandinsky), Berlin qui le voit partir vers son ultime exil, la France, en 1933. Entre ces deux jalons se déroulera la période d'activité dite du Bauhaus, abondante en créations dans tous les domaines de recherche que le peintre, le graveur, le théoricien, l'enseignant s'était déjà ouverts. Les œuvres du fonds Kandinsky en fournissent une abondante illustration : de la toile *La Trame noire* de 1922 à *Développement en brun*, dernière œuvre réalisée en Allemagne en 1933, du portefeuille « Kleine Welten » aux gravures pour les *Cahiers d'Art*, des dessins préparatoires pour les œuvres peintes aux dessins isolés, traces d'une idée achevée dans cette technique ou d'une intuition jamais poursuivie, partout, jusque dans ces innombrables croquis qui, tel un sténogramme, retiennent, varient et reprennent les pensées-clé ou les contours prégnants et obsédants, on voit à l'œuvre une force créatrice intarissable. Les reproductions sur les pages qui suivent illustrent parfaitement le chemin parcouru par le peintre pendant son deuxième séjour dans ce pays.

1. Carl Einstein, « Kandinsky - zum 60. Geburtstag » (Pour le 60e anniversaire de Kandinsky), écrit le 5 octobre 1926 (*Das Kunstblatt*, 1926, p. 372). Tentative de traduction de cette description hautement personnelle de l'art de Kandinsky : « Egoïsme dans l'acte de peindre, frappant verticalement; inceste qui tend vers le centre. »
2. Karl Berngardovich Radek (1885-1939) fut actif dans les mouvements socialistes et communistes européens; envoyé en Allemagne après la révolution de novembre 1918; emprisonné; autorisé en janvier 1920 à retourner en Russie; secrétaire au Comintern; s'occupa en particulier des relations avec l'Allemagne; expulsé du parti en 1936 et arrêté; mourut en déportation en 1939.
3. A défaut d'autres renseignements sur ce moment crucial dans la carrière du peintre, nous suivons les souvenirs de Nina Kandinsky (*Kandinsky und ich*, Munich, Kindler Verlag, 1976, p. 89).
4. Il s'agissait peut-être d'une simple invitation pour visiter cette institution.
5. Eberhard Steneberg, *Russische Kunst - Berlin 1919 - 1932*, Berlin, Gebr. Mann, 1969, p. 30.
6. Il s'agit de *Cercle bleu*, acquis par K.S. Dreier, aujourd'hui au Solomon R. Guggenheim Museum, New York, et de *Croix blanche*, conservé à la Peggy Guggenheim Collection, Venise.
7. Ilia Ehrenbourg, *Et pourtant elle tourne*, Berlin, 1922.
8. El Lissitzky avait fait des études d'architecture à Darmstadt. Il visita le Bauhaus en 1922 à l'occasion de la rencontre Dada. Pour cet artiste le constructivisme est un relais vers l'architecture.
9. Andrei Nakov, *The First Russian Show*, catalogue cité, 1983, p. 4.
10. W. Grohmann, *op. cit.*, p. 172.
11. Ludwig Hilberseimer (1885- 1967), architecte, membre de la Novembergruppe en 1919, professeur au Bauhaus entre 1928 et 1932. Sa critique a paru in *Sozialistische Monatshefte*, vol. I, juillet 1922, p. 699.
12. Critique anonyme in *Das Kunstblatt*, 1922, p. 269.
13. « Fleck » et « Fläche » sont phonétiquement très proches; leurs traductions respectives sont : tache et surface.

2

3

Weimar

« Hommes et femmes de Weimar », disait un tract qui invitait toute la population à une réunion le 20 janvier 1920, « notre École des Beaux-Arts, célèbre depuis longtemps[1] et dont l'évolution réfléchie nous tient tous à cœur, est en danger. »

« Le danger » consista en la signature d'un contrat entre la direction d'un organisme qui sera nommé « Bauhaus »[2] et les autorités de Saxe, signature du 1er avril 1919 qui scellait en même temps la fusion d'une école grand-ducale des arts décoratifs, dirigée depuis 1902 par l'architecte belge Henry van de Velde (1863 - 1957), et l'Académie grand-ducale des Beaux-Arts de Weimar, installée dans un bâtiment conçu par ce même architecte en 1905. Van de Velde, qui avait commencé sa carrière artistique comme peintre à Paris, fut un des membres-fondateurs du Werkbund[3], organisme qui, depuis 1907, cherchait à réaliser une véritable coopération, d'abord entre artistes et artisanat, puis entre les artistes d'un côté et l'industrie et le commerce de l'autre. Le véritable architecte de notre modernité est l'ingénieur, disait van de Velde. Une autre idée fondamentale des hommes du Werkbund, puisée probablement dans les écrits du poète anglais William Morris (1834-1896), précurseur du design contemporain, est le rétablissement d'une unité perdue entre art, éthique, politique et religion, telle qu'elle existait dans les grandes périodes de l'humanité, unité dont le symbole le plus magnifique est la cathédrale gothique. Une version de ce symbole, rebaptisée « La cathédrale du socialisme », sera réalisée par Lyonel Feininger dans la vieille technique de la gravure sur bois, chère aux artistes de la Brücke et du Blaue Reiter, pour la première publication du Bauhaus naissant, le célèbre manifeste d'avril 1919.

Le peintre Lyonel Feininger[4] (1871 - 1956), appelé à Weimar en même temps que le sculpteur Gerhard Marcks (1889 - 1981) et quelque temps après le peintre Johannes Itten[5] (1888 - 1967), fut donc un des premiers (et des moins assidus) enseignants du Bauhaus, dont la direction avait été confiée à l'architecte Walter Gropius (1883 - 1969) sur l'entremise de van de Velde.

Gropius est non seulement membre actif du Werkbund, mais participe avec Feininger et les deux frères Taut — Bruno Taut (1880 - 1938) et Max Taut (1884 - 1967) —, architectes également, aux publications de l'éphémère Arbeitsrat für Kunst, mouvement socio-critique, né dans les remous de la révolution allemande[6].

Imprégnés des idées du romantisme expressionniste renaissant après la guerre, décidés à tirer un enseignement positif de l'effondrement du monde d'avant-guerre, à trouver un mode de vie entièrement nouveau, encouragés dans ce sens par la jeune République de Weimar (1919 - 1933), croyant en l'établissement d'une société meilleure et plus égalitaire, utopie que l'on songeait réaliser à l'aide de tous les arts, Gropius et ses amis formulent dans ce premier manifeste du Bauhaus les buts à atteindre à travers leur activité : l'unité de tous les arts sous la primauté de l'architecture, ainsi qu'une démocratisation de l'art. Les artistes sont des artisans au sens premier. Il faut faire tomber la « barrière arrogante »[7] entre artisan et artiste. L'appel lancé fut le suivant : « Dessinons et créons ensemble le nouveau bâtiment du futur ».

Pour accomplir cette tâche il fallait donc « former » une nouvelle génération d'architectes-créateurs-artisans. Il fallait une école avec un enseignement révolutionnaire, sans programmes rigides, sans dogmes stériles à la manière des académies traditionnelles, sans spécialités enseignées de façon isolée. Il est curieux de noter que pendant les huit premières années de l'existence de cette institution on enseigne beaucoup, sauf l'architecture, section qui ne fut fondée qu'en 1927 sous la direction de l'architecte Hannes Meyer (1889 - 1954). Cette école, dirigée pendant les quatorze années de sa brève existence par des hommes qui comptent parmi les plus grands architectes modernes, Gropius, Meyer et Ludwig Mies van der Rohe (1886 - 1969), confie la majeure partie de son enseignement à des peintres : Itten, Feininger, Georg Muche (né en 1895), Paul Klee (1879 - 1940; Klee était maître de l'atelier de vitrail), Oskar Schlemmer (1888 - 1943), Kandinsky, Laszlo Moholy-Nagy (1895 - 1946) et Josef Albers (1888 - 1976). Cependant, le Bauhaus ne fut pas une école de peinture. Mais la peinture, depuis le début du siècle, dominait les autres arts et avait créé une esthétique nouvelle qui devait fournir les principes d'une architecture nouvelle[8].

1. Elle fut fondée en 1860 par le grand-duc Charles Alexandre.
2. Déjà dans les textes de l'Arbeitsrat figure parfois le nom de *Bauhof*, chantier, dérivé comme *Bauhaus* de *Bauhütte*, quartier général des bâtisseurs de cathédrales.
3. Le Deutsche Werkbund fut fondé à Munich en 1907 par Hermann Muthesius.
4. L'amitié de Kandinsky et de Feininger est évoquée p. 475 de ce catalogue. Voir également la lettre manuscrite de Feininger, reproduite p. 234-35.
5. Grand pédagogue, Itten est le premier enseignant en charge du cours préliminaire (auparavant, il enseignait dans une école privée de Vienne); il se sert des idées de Hölzel et de Cizek en la matière; son enseignement de la couleur emprunte aux théories de Gœthe et de Hölzel.
6. Le Arbeitsrat für Kunst fut fondé en novembre 1918. Son but : l'union des arts sous l'égide du grand art, l'architecture. La Novembergruppe, mouvement moderniste, s'y trouve en germe.
7. Walter Gropius, *Premier manifeste du Bauhaus*, 1919.
8. Ludwig Grote, « W. Gropius et le Bauhaus », in catalogue d'exposition *Bauhaus 1919-1969*, Paris, Musée national d'art moderne et Musée de la Ville de Paris, 2 avril-22 juin 1969, p. 9. (Reprise d'une formule utilisée par Kandinsky in *Bauhaus*, n° 1, 1926.)
9. Lettre de Kandinsky à Schönberg du 15 avril 1923, conservée à la Library of Congress, Washington.

2 L'Académie des Beaux-Arts à Weimar, construite en 1905 par Henry van de Velde. Ce bâtiment fonctionnel, utilisant des matériaux modernes, porte cependant un décor discret Jugendstil. Le Bauhaus en fera sa demeure.

3 Devant le théâtre de Weimar, reconstruit en 1907 sur les plans de Littmann, se trouve, réalisé en bronze d'après Rietschel en 1857, un monument symbolisant la réconciliation de Gœthe et de Schiller, moment historique, imité avec un peu d'humour en 1929 sur la plage de Hendaye par Kandinsky et Klee et photographié par Lily Klee.

Après une présentation schématique des principes philosophiques ambitieux vint le passage à l'acte. Car cette philosophie devait se déployer et évoluer dans l'action même. Les élèves que ce foyer communautaire accueille — sans discrimination de classe, sans exigences en ce qui concerne les diplômes scolaires antérieurs, sans limite d'âge — assisteront pendant six mois au cours dit préliminaire, conception pédagogique révolutionnaire, dont la visée était le développement de l'homme total, le mûrissement de l'intelligence, de la sensibilité, de l'imagination, bref, la libération de la créativité de tout un chacun, maître et élève. Essentiellement conçu en tant que travail pratique dans les ateliers, ce cours permettait aux étudiants de se familiariser avec des notions de proportion, d'échelle, de rythme, de couleur, en passant en même temps par tous les stades d'une expérience élémentaire des matériaux et outils de toutes sortes.

Chaque élève choisissait ensuite un des nombreux ateliers existants (peinture murale, céramique, tissage, typographie, ameublement), où il était suivi pendant trois ans par deux maîtres : un maître artisan et un maître des formes. A l'issue de cette période d'études en artisanat et création, l'étudiant passait un examen devant les maîtres du Bauhaus et devant la chambre des métiers pour obtenir son diplôme de compagnon. Après le départ d'Itten en 1923, Moholy-Nagy, en tant que directeur, et Albers en tant que chargé de cours, se partagèrent la tâche du cours préliminaire. Ce dernier, entré au Bauhaus en tant qu'élève en 1920, devint maître du Bauhaus en 1925. On lui confia alors un professorat dans l'enseignement du cours préliminaire, qu'il dirigera pendant la dernière année du Bauhaus à Berlin.

Toutes ces innovations avaient de quoi inquiéter quelques citoyens de Weimar. Cette ville, quelque peu endormie sous la couverture de son glorieux passé, avait perdu le contact avec le présent. Centre de la culture classique allemande du 19e siècle — on peut en effet y visiter encore aujourd'hui les demeures de Gœthe et de Schiller (la première étant transformée en musée), celles de Herder, de Wieland, écrivain et précepteur du grand-duc Charles Auguste, ainsi que celles de Liszt et de Nietzsche — Weimar était attachée aux valeurs traditionnelles, aussi bien dans le domaine des idées que dans celui des arts. Académiciens et bourgeois honorables dépendent d'une production artistique qui les confirme dans leur goût et qui les rassure dans leur idéologie. La nouveauté que Gropius comptait installer avec ses amis dans cette ville est attaquée dès 1920 et combattue sans relâche jusqu'à la fermeture du Bauhaus et son transfert à Dessau en 1925.

La résistance de la ville de Weimar ne fut qu'une partie minime des difficultés que Gropius devait affronter pendant ses années de direction du Bauhaus. Il y avait aussi la situation économique désastreuse de l'Allemagne d'après-guerre. Bientôt les premières oppositions se feraient sentir dans les rangs mêmes des enseignants.

En mars 1922, les Kandinsky reçoivent la visite de Walter Gropius et d'Alma Mahler à Berlin, et une invitation officielle pour enseigner au Bauhaus est faite à l'artiste. Ses qualifications pour un tel poste paraissent excellentes : il est un des pionniers de l'art abstrait, un théoricien de renom, il a participé pendant des années décisives aux innovations dans le domaine de l'éducation et de la recherche dans les arts en Russie.

En mai 1922, avec un certain soulagement semble-t-il, Kandinsky laisse Berlin derrière lui. Après avoir participé à la vie particulièrement agitée de cette ville — fébrilité qui, selon Kandinsky, s'apparente à celle de Moscou — l'artiste espère pouvoir retrouver dans la petite ville de Weimar une vie de travail calme et réglée. Mais ce fut un leurre, selon son propre témoignage, transmis à Schönberg dans une lettre de 1923[9]. Après une installation provisoire dans l'appartement de Gropius qui se trouvait en vacances, Kandinsky aménage dans la Cranachstrasse et débute sa nouvelle carrière d'enseignant au Bauhaus en tant que maître des formes à l'atelier de peinture murale. Comme son ami Paul Klee, il sera chargé d'un des cours de la théorie de la forme (Formlehrekurs) faisant partie du cours préliminaire. On célèbre sa venue avec un accrochage de ses récentes peintures de chevalet dans les locaux du Bauhaus.

Le problème crucial de Kandinsky pendant les années du Bauhaus est ainsi posé : comment concilier une activité d'enseignant dans une vie communautaire déjà très prenante en soi avec ce qu'il a toujours considéré comme sa vocation, à savoir peindre ?

L'enseignement de Kandinsky, les dilemmes créés par cette activité, seront traités en relation avec la reproduction d'un travail d'élève sélectionné parmi les 44 travaux conservés par Kandinsky (cf. p. 495 de ce catalogue.

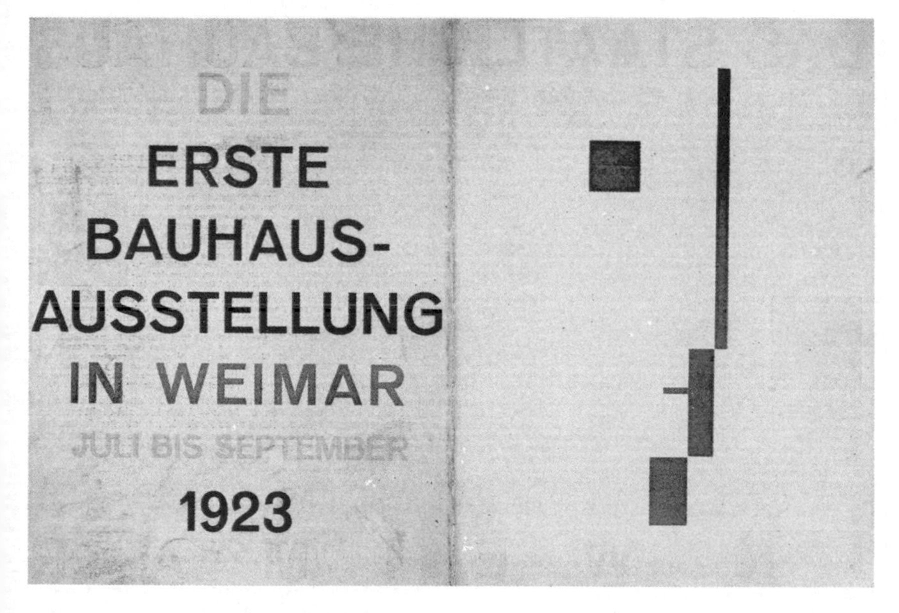

4 Dépliant (feuillet double, dim. : 20,2 × 30) prévu pour la première exposition du Bauhaus de Weimar en 1923. Imprimé en trois couleurs, jaune, gris, rouge, sur une mise en page de Schlemmer et portant le fameux profil créé par cet artiste, adopté dès janvier 1922 comme emblème officiel du Bauhaus, ce chef-d'œuvre de la typographie du Bauhaus ne fut jamais mis en circulation.

« Art et technique, une nouvelle unité »

« Le Bauhaus, fondé après la catastrophe de la guerre, dans le chaos de la Révolution et au moment de la floraison extrême d'un art explosif, débordant de sentiment, devient d'abord le point de rencontre de ceux qui, confiants dans le futur, se ruant vers les cieux, veulent construire la cathédrale du socialisme ».

Cette phrase, emphatique et plus expressionniste que l'art qu'elle présente et représente, est à l'origine d'une querelle qui éclata autour de ce document très rare, élaboré par Oskar Schlemmer en 1922. Il avait été prévu initialement de le distribuer en tant que dépliant publicitaire à l'occasion de la semaine du Bauhaus en 1923 (du 15 août au 30 septembre, annonce l'affiche réalisée par Herbert Bayer). Il fut en fin de compte supprimé et il n'en subsiste actuellement que de très rares exemplaires, dont un dans le fonds Kandinsky.

En 1923, les autorités du Land de Thuringe pressèrent Gropius — qui aurait aimé réunir des preuves plus probantes — d'organiser une exposition qui montrerait au grand public les fruits de la production du Bauhaus depuis son ouverture à Weimar en 1919. Une période de trois ans d'existence est peu, en effet, si on considère les difficultés que les Bauhäusler devaient affronter pendant cette période. Problèmes purement matériels d'abord : on manquait d'outils dans les ateliers, faute de crédits, et ces ateliers n'avaient rien produit au cours de l'année 1922. En outre, les conditions pédagogiques s'élaborèrent au fur et à mesure. C'est uniquement après la réinstallation à Dessau que le Bauhaus disposa d'une nouvelle génération d'enseignants qui furent à la fois maîtres-artisans et maîtres des formes[1].

L'exposition de 1923[2], événement capital pour la vie du Bauhaus à Weimar, cette semaine du Bauhaus — car le cadre d'une exposition traditionnelle fut largement dépassé — fut l'œuvre de tous et donnait à voir, à entendre, à vivre les principales activités du Bauhaus, telles que les espaces décorés de peinture murale (la célèbre cage d'escalier dans le bâtiment des ateliers, œuvre d'O. Schlemmer), les travaux réalisés dans les divers ateliers, les événements théâtraux (entre autres, l'extraordinaire ballet triadique d'Oskar Schlemmer). Il y avait une exposition sur l'architecture internationale contemporaine, une exposition didactique sur le cours préliminaire, organisée dans les salles de classe, une autre consacrée aux œuvres peintes et sculptées des Bauhäusler (« œuvres individuelles, liées et unifiées par l'architecture », ajoute et explique le dépliant de Schlemmer, afin que nul n'en doute), installée au Musée de Weimar. Kandinsky expose *La Trame noire*, l'une des cinq toiles réalisées en 1922. Gropius, Kandinsky et J.J.P. Oud donnent des conférences[3], une activité à laquelle d'ailleurs Kandinsky consacre beaucoup de temps et d'énergie pendant la période de Weimar et de Dessau. Les journaux allemands (surtout ceux de 1924) ne cessent de parler de ce « peintre pensant, une nécessité pour l'époque » (*Dresdner Nachrichten* du 24 septembre 1924).

Les concerts consacrés aux œuvres de Hindemith, Busoni et Stravinsky alternent avec des projections de films, des retraites aux flambeaux, des bals avec l'orchestre de jazz du Bauhaus et des jeux de lumière de Hirschfeld-Mack. La totalité de ces manifestations devait aider à l'élaboration d'une nouvelle idée de la fête, une fête intimement liée à la vie.

Le carton d'invitation n'était pas moins original : vingt cartes postales, inventées et réalisées par les maîtres et élèves du Bauhaus. Il fut une manifestation magnifique de l'esprit qui régnait alors dans cet ensemble. La série complète de ces cartes est reproduite p. 460 de ce catalogue. Environ 15 000 visiteurs répondirent à l'appel. Certains dirent leur déception, tel le critique Walter Passarge qui, après son voyage à Weimar, donna un récit très détaillé de cette manifestation dans le périodique *Das Kunstblatt*.[4].

Si les réalisations pratiques des ateliers font encore défaut, l'importance de cet événement sur un plan théorique et philosophique est indubitable. Gropius, dans la conférence citée, définit la nouvelle orientation de l'entreprise, résumée dans la formule : « Art et technique, une nouvelle unité ». De son idée initiale de formation d'un artisan-compagnon, quelque peu anachronique face à l'industrialisation accélérée, Gropius et le Bauhaus évolueront vers un enseignement de plus en plus tourné vers la technique et l'industrie « et en somme de plus en plus étroitement associé à la structure sociale (économique) qui l'autorise et qui est amené à l'utiliser ».[5]

Pour la formation de ce nouveau type de « collaborateur industriel, unissant les qualités de l'artiste, du technicien et du commerçant », un nouveau secteur doit être intégré à l'enseignement. Les « meilleurs » élèves feront des stages en usine et la collaboration avec l'industrie se fera plus étroite après la transformation en 1924 de l'entreprise de production du Bauhaus en société à responsabilité limitée.

La nouvelle devise du Bauhaus, « Art et technique comme unité nouvelle » ne trouvait guère l'approbation de tous les membres du corps enseignant. Feininger ne s'en déclarera jamais solidaire et le départ d'Itten (en 1923), fervent adepte du travail individuel, y est étroitement lié.

1. En 1925, six anciens étudiants sont nommés directeurs d'atelier, réunissant ainsi les fonctions de maître-artisan et de maître des formes. Il s'agit de : Albers, Bayer, Breuer, Scheper, Joost Schmidt, Gunta Stölzl. L'artiste s'était recyclé, avait repris le contact primordial pour toute créativité véritable avec un métier manuel, avec la matière, avec la réalité.
2. En même temps se tenait dans la ville un congrès du Werkbund.
3. Les titres des conférences sont les suivants : Gropius, « Art et technique, une nouvelle unité »; Oud, « Une nouvelle manière de construire en Hollande » (« nouveau » devient un mot très à la mode); Kandinsky, « De l'art synthétique ».
4. W. Passarge, « Die Ausstellung des Staatlichen Bauhauses in Weimar », in *Das Kunstblatt*, 1923, pp. 309 - 313.
5. Marcelin Pleynet, *L'enseignement de la peinture*, Paris, éd. du Seuil, 1971. Essai : « Le Bauhaus et son enseignement », p. 130.

5 Carte de service de « Herr Professor Kandinsky » au Bauhaus de Dessau, portant le tampon orné du célèbre emblème créé par O. Schlemmer. Changement en ce qui concerne la désignation des enseignants : on revient au titre de professeur, rejeté à Weimar.

Dessau : « Des cathédrales aux machines à habiter »[1]

En 1924 se créa autour de Galka (Esther Emmy) Scheyer, artiste et marchand, ou marchand et artiste, le groupe portant le titre « The Blue Four » — donc les couleurs du cavalier cher à Kandinsky et Marc — associant Klee, Kandinsky, Feininger et Jawlensky.

Là-bas, outre-Atlantique, réception chaleureuse et gloire; ici, à Weimar, les hostilités seront accentuées. Kandinsky, accusé d'être un « agitateur » (son épouse reçoit dans le même journal, la *Braunschweigische Landeszeitung* du 5 août 1924, l'épithète de « mal famée ») voit sa défense publiée dans le numéro du 17 août du même quotidien sous le titre « Le cas Kandinsky ». Il y rejette les accusations lancées contre lui en soulignant qu'il n'a jamais été mêlé à aucune activité politique où que ce soit. A cette attaque personnelle, « risible » selon les termes employés par Otto Ralfs[2], contre l'étranger, le non-Allemand, s'ajoute une véritable campagne de haine, instiguée contre le Bauhaus en tant qu'institution par les extrémistes de droite de Thuringe. En septembre 1924, le gouvernement envoie un préavis de licenciement aux maîtres. Le 1er avril 1925, Gropius ferme le Bauhaus de Weimar et trouve asile dans la ville de Dessau, dont le maire, Fritz Hesse, sera un vaillant protecteur du Bauhaus jusqu'à la prise du pouvoir par le parti national-socialiste. Il l'hébergera dans sa ville sur les recommandations du jeune historien d'art, Ludwig Grote, qui devient ami de Kandinsky.

Dessau, sur la rivière Elbe, au nord de Leipzig et au sud de Magdebourg, à deux heures de train de Berlin, est une ville riche en traditions à la manière de Weimar. Cependant, elle ne s'est point fermée au progrès — douteux — symbolisé par les usines d'aviation Junkers, figurant justement sur un des dépliants du Bauhaus, édités dans cette ville.

Ce transfert imposé — la majorité des étudiants se déclare d'ailleurs solidaire de Gropius et le suit à Dessau — se transforme en un projet grandiose de création d'un environnement, conforme aux idées révolutionnaires de Gropius en la matière. Car la ville de Dessau confia à Gropius la construction d'un bâtiment d'école et de sept maisons de maître. Ce projet, financé et supporté par la ville, est assez mal reçu par l'ensemble des contribuables qui, dans un contexte économique de pauvreté généralisée, ressentit cette implantation comme une provocation. Une grande partie du public n'avait que faire de l'avant-gardisme culturel de cette institution.

La construction de ces bâtiments, achevée dans l'été de 1926, fut une tâche idéale pour toute l'équipe du Bauhaus. En partant des maquettes réalisées par maîtres et étudiants sur les plans de Gropius, les bâtiments divers prenaient forme et furent équipés et aménagés par les ateliers concernés. Du très important atelier de métal, dont la charge fut confiée à Moholy-Nagy en 1923, et surtout de l'atelier d'ameublement, dirigé depuis 1921 par Marcel Breuer (1902 - 1981)[3], sortirent ce que l'on appela plus tard les « incunables du fonctionnalisme ». « Form follows function » (la forme suit la fonction), la célèbre formule de Louis Henri Sullivan[4], déjà adoptée en tant qu'objectif (non réalisé) par les membres du Werkbund, devint un des principes créateurs du Bauhaus. Il s'agissait avant tout de « produire des choses simples et vraies, en accord avec leurs lois propres » et répondant à des exigences précises. Leur « beauté » (le mot, dans beaucoup de textes du Bauhaus, est accompagné de ces guillemets honteux, seule ornementation superflue dans ce domaine et dernière concession à l'esthétique traditionnelle) était le résultat — naturel, pourrait-on dire — de leur fonctionnement adéquat. Etre capable de donner à l'objet une forme « belle » suppose, selon Gropius[5], que l'on possède « une maîtrise absolue de tous les éléments économiques, techniques et esthétiques qui conditionnent cet objet et dont il résulte organiquement ». Une recherche de formes nouvelles à tout prix, ainsi que l'emploi de formes purement ornementales étaient exclus.

A cette époque, et avant tout, le Bauhaus, en tant qu'entreprise de production, conçoit, réalise et vend à l'industrie des prototypes d'objets nouveaux. Dans le domaine de l'enseignement, il poursuit la constante élaboration des méthodes du cours préliminaire. Un cours d'architecture sera enfin ajouté au programme en 1927, après l'arrivée de Hannes Meyer. Une autre nouveauté de 1927, contrepoids nécessaire dans une évolution générale de l'ensemble vers des objectifs techniques et utilitaires : des séminaires de peinture et de sculpture libres, étonnamment bien suivis par les étudiants, que l'on confiait alors à Klee et Kandinsky, en ce qui concerne la peinture, et à Joost Schmidt pour la sculpture, en plus des autres tâches pédagogiques que ces artistes remplissaient déjà. De temps à autre, maîtres et élèves exposaient ensemble leurs travaux sur les cimaises du Bauhaus.

Cette activité purement picturale et esthétique — sans utilité apparente, diront les fonctionnalistes — était très importante pour Kandinsky. L'étudiant devait recevoir plus qu'une éducation professionnelle. Le but à atteindre à travers ces années d'études et d'apprentissage, l'idéal lointain de Kandinsky était toujours « l'être nouveau », et non pas le créateur qui, grâce à sa science des matériaux et des procédés de fabrication, exercerait une influence sur la production industrielle de son époque.

L'enseignant n'effaçait guère le peintre, ni le théoricien et le metteur en scène, d'ailleurs. La « production » picturale de l'artiste pendant la période de Dessau est d'une extraordinaire abondance et variété; une quarantaine de peintures par an parmi lesquelles l'artiste choisira celles qui seront montrées dans un programme d'expositions très chargé, surtout en 1926, à l'occasion du 60e anniversaire du peintre.
En ce qui concerne les expositions en Allemagne, il est important de signaler la contribution de Kandinsky à l'exposition d'architecture de Berlin en 1931. Pour la section dirigée par Mies van der Rohe et consacrée à l'habitat contemporain, Kandinsky créa une dernière œuvre unissant la peinture à l'architecture, un salon de musique exécuté en céramique selon ses projets. A noter également une extension de l'activité d'exposition vers la France, pays où Kandinsky expose à plusieurs reprises vers la fin des années 20 et au début des années 30.
Il y a aussi les conférences, les articles publiés dans la revue du *Bauhaus - Zeitschrift für Gestaltung* ou dans d'autres périodiques importants, et surtout, en 1926, la publication du deuxième livre théorique du peintre. Cet ouvrage, en tant que produit matériel, fut réalisé en étroite collaboration avec Herbert Bayer (né en 1900), enseignant de typographie et de publicité, chargé des publications du Bauhaus à l'époque, ainsi qu'avec le concours de Moholy-Nagy, créateur de la couverture de l'édition entoilée.
Cependant, les signes d'une crise intérieure se font de plus en plus insistants. Elle concerne l'esprit du Bauhaus lui-même, dit-on[6], qui commence à stagner et à se figer en une série de formules doctrinaires et mécaniques, symptômes de toute académisation. Muche partira en 1927. Le 31 mars 1928, Gropius démissionnera et avec lui partiront Breuer, Moholy-Nagy et Bayer. Hannes Meyer dirigera le Bauhaus jusqu'en 1930, date à laquelle il sera remplacé par Mies van der Rohe. La tendance sous Hannes Meyer, partisan d'un matérialisme doctrinaire, est essentiellement pratique, technique et productiviste. Les premiers critères sont la rentabilité et l'efficacité immédiate des objets créés. Le concept de fonction est défini d'une manière plus étroite et mécanique. Tout ce qui concerne l'art est relégué au second plan. Sous Mies van der Rohe un retour à un postulat de qualité devient sensible. On recherche la perfection de formes réalisées dans des matériaux précieux et durables. Quantitativement, la production sera très réduite, en vue de concentrer toutes les forces disponibles sur l'enseignement.
A partir de 1929 Schlemmer enseignera à Breslau et Klee quittera son poste au Bauhaus en 1931, année où les attaques contre cette institution par le parti national-socialiste s'intensifieront. Le Bauhaus fermera ses portes à Dessau le 30 septembre 1932 et survivra à Berlin quelque temps encore, sous la direction de Mies van der Rohe, en tant qu'institution privée.

1. L'expression « machines à habiter » de Le Corbusier est utilisée par O. Schlemmer dans un passage (p. 132) de son livre *Briefe und Tagebücher* (éditeur Tut Schlemmer, Munich, Albert Langen, 1958) : « Au lieu des cathédrales, les machines à habiter — tournons donc le dos au Moyen Age et même à la conception médiévale de l'artisanat qui n'était qu'un apprentissage et un instrument au service de la création... »
2. En 1925, Otto Ralfs, commerçant de Braunschweig, fonda la Société Kandinsky, associant huit collectionneurs allemands, parmi lesquels Ida Bienert et Rudolf Ibach. Quelques exemplaires des cinq gravures réalisées par Kandinsky en tant que dons annuels pour les sociétaires sont reproduites p. 277, 296, 306 et 324 de ce catalogue.
3. Quelques spécimens du mobilier créé par Breuer sont reproduits p. 459. Breuer réalisa, sur les idées de Kandinsky, le mobilier de la salle à manger du peintre à Dessau.
4. Louis Henri Sullivan (1856 - 1924), un des pionniers de l'architecture américaine contemporaine.
5. W. Gropius, in *Cercle et carré*, n° 3, 1930, s.p.
6. Mischa Grünwald, in *Der Querschnitt*, n° 10, fin octobre 1930, pp. 681-683.

Une page du Livre d'or

Katherine S. Dreier (1877 - 1952) fut peintre et surtout celle qui, infatigable, promut à New York les nouveaux langages artistiques, élaborés dans l'ancien monde au début de ce siècle et montrés pour la première fois aux Etats-Unis à l'Armory Show en 1913 où, dit-on, elle fut profondément impressionnée par l'œuvre de Marcel Duchamp (1887 - 1968) intitulée : *Nu descendant un escalier, N° 2, 1912*[1].

Miss Dreier, alors étudiante des Beaux-Arts, revenait de son voyage d'études — obligatoire à l'époque — en Europe. En dehors de son séjour à Paris, elle avait passé en 1911-12 une année studieuse à Munich, où elle avait pu voir des spécimens de l'art de Kandinsky. A son retour, elle traduisit en anglais les mémoires de la sœur de van Gogh, Elisabeth du Quesne-van Gogh, et publia en 1920 le récit de son voyage (« d'un point de vue féminin ») en Argentine. Depuis son séjour à Munich, elle avait suivi l'évolution de Kandinsky[2], mais ne le rencontrera personnellement à Weimar qu'en 1922 et verra à Berlin l'envoi de Kandinsky à l'exposition de la Juryfreie (cf. pp. 250-254 de ce catalogue). Une autre rencontre aura lieu en 1924[3].

6

7

8

9

Immer komme ich mit grosser
Freude wieder – und immer gehe
ich fort bereichert im Raum der Kunst
Katherine S. Dreier
d. 11ten Mai 1929
M. Duchamp
avec mon bon souvenir
11 mai 1929 –

10

6 Nina et Vassily Kandinsky devant le chantier du bâtiment d'école du Bauhaus à Dessau. Photographie conservée dans le fonds Kandinsky, prise vraisemblablement au printemps de 1926, le gros œuvre étant terminé en été de cette même année.

7 Vue d'une des maisons d'habitation double, toujours sous échafaudage, construite pour le Bauhaus à Dessau en 1925-26 sur les plans de Gropius. A partir de juin 1926, les Kandinsky (des photographies de leur appartement sont reproduites p. 459 et 470) partageront une de ces maisons avec Lily et Paul Klee, leurs amis proches depuis les jours de Weimar. Leur fils Felix, né en 1907, assistait aux cours du professeur Kandinsky et il sera son assistant lors des travaux de mise en scène de la suite pour piano de Moussorgsky, « Tableaux d'une exposition », présentée au Friedrich-Theater de Dessau en 1928 (cf. p. 307).

8 Pendant leurs vacances à Hendaye-Plage en 1929 les Kandinsky reçoivent la visite de Lily et Paul Klee. La photographie, prise probablement par Nina Kandinsky, montre Lily Klee, Kandinsky et Paul Klee réunis à une terrasse de café. L'amitié de Kandinsky et de Paul Klee est évoquée p. 476 de ce catalogue.

9, 10 En mai 1929, après un voyage en Espagne en février-mars, K. Dreier et M. Duchamp rendirent visite aux Kandinsky à Dessau. Une page du Livre d'or de Nina Kandinsky témoigne de cette visite : « Je reviens toujours avec la plus grande joie et je repars toujours très enrichie dans le domaine de l'art » (signé K.S. Dreier, daté du 11 mai 1929), puis : « M. Duchamp, avec mon bon souvenir, 11 mai 1929 ».

Grâce à son travail prodigieux d'organisatrice d'expositions — elle fait circuler à travers les Etats-Unis des œuvres de Malévitch, Mondrian, Brancusi, Schwitters, Pevsner et Duchamp —, grâce aux monographies, aux articles publiés, aux conférences innombrables données pour une meilleure compréhension de l'art « moderne », ce pionnier de l'art abstrait[4] joua un rôle prépondérant dans l'évolution de l'art aux Etat-Unis.
Elle est admirablement secondée dans cette tâche par des artistes exceptionnels. Elle écrit, en collaboration avec Echaurren Matta, sur *Le Grand Verre* de Duchamp[5]; elle travaille avec David Burliuk; mais elle est surtout conseillée et assistée depuis 1917 par Marcel Duchamp (dont elle peint le portrait, intitulé *Triangles*, en 1918), un des membres fondateurs (avec Man Ray) de la Société Anonyme[6], dont Kandinsky sera nommé vice-président en 1923. Marcel Duchamp entretient également des liens amicaux avec Kandinsky. C'est sur les conseils de Duchamp que Kandinsky s'installera à Neuilly en 1933.
A partir de juillet 1926, K.S. Dreier et Kandinsky sont en contact épistolaire au sujet de la traduction du livre *Punkt und Linie zu Fläche*, tâche qui sera abandonnée, reprise et ajournée à nouveau. En 1929 la traductrice informe Kandinsky que ses recherches d'un éditeur ont été vaines jusqu'alors. Deux ans plus tard, et dans le but d'accélérer les démarches, elle conseille vivement à Kandinsky d'accepter l'invitation d'une des meilleures et plus anciennes écoles d'art new-yorkaises, The Art Students League, projet d'enseignement qu'il déclina[7].
Il faudra attendre 1947 pour qu'une première traduction de son livre en langue anglaise, avec une préface de Hilla von Rebay, soit publiée aux Etats-Unis, par les soins du S.R. Guggenheim Museum, New York. Les premiers contacts entre l'artiste et M. et Mme Solomon Guggenheim, grands collectionneurs de l'art de Kandinsky, datent de la fin des années 20. C'est en 1929 que Hilla von Rebay — premier directeur à partir de 1937 de la Fondation qui, en 1939, deviendra la « S.R. Guggenheim Collection of Non-Objective Paintings » — rendit visite à Kandinsky à Dessau en la compagnie des époux Guggenheim.

1. *Nu descendant un escalier*, une des quatre œuvres exposées par Duchamp à l'Armory Show, fut d'abord acquise par Frederick C. Torrey, puis par les grands collectionneurs Arensberg qui la léguèrent au Museum of Art, Philadelphie.
2. Dans une lettre du 19 août 1930, conservée dans le fonds Kandinsky, K. Dreier affirme que l'Histoire montrera que Kandinsky était la personnalité artistique la plus éminente du début (le mot « début » fut rajouté à la main) du siècle.
3. A l'occasion de cette visite, elle envoie à Kandinsky une photographie dédicacée, prise à Bremen.
4. A. Pevsner, dans le catalogue d'exposition des œuvres de K. Dreier à New York en 1933, lui rend hommage avec ces mots : « Toi, tu étais avec nous, Toi, combattant et artiste véritables. ».
5. *La mariée mise à nu par ses célibataires, même (Le Grand Verre)*, 1915-23, d'abord la propriété des Arensberg, fut acquis par K. Dreier, pour rejoindre ensuite au Museum of Art de Philadelphie les autres chefs-d'œuvre de la collection Arensberg.
6. Après avoir fondé en 1914 les « Cooperative Mural Workshops », mélange d'école d'art et d'ateliers d'artisanat (dans la tradition de Ruskin et Morris), K.S. Dreier participa en 1916 à la fondation d'une société d'artistes indépendants, la Société Anonyme, dont le modèle fut la Société française des Artistes indépendants.
7. Ces cours seront finalement assurés par Georg Grosz.

Point-Ligne-Plan

Point-Ligne-Plan[1] est le neuvième volume paru dans la série des Bauhausbücher qui développe, sur une base plus large que le périodique *Bauhaus, Zeitschrift für Gestaltung*, les tendances de cette institution dans le domaine des arts et des sciences de l'esprit. Le projet initial de cette série, élaboré avec l'éditeur Albert Langen, Munich, comprenait 50 volumes, dont ne sortiront que 14 ouvrages aux titres devenus célèbres. Gropius, qui, assisté par Moholy-Nagy, dirige cette publication, ouvre la série avec un texte sur l'architecture internationale; Klee y ajoute son « Pädagogisches Skizzenbuch » (Carnet d'études pédagogiques), Schlemmer écrit sur le théâtre, Moholy-Nagy signe plusieurs ouvrages. D'autres théoriciens, appartenant à des noyaux divers, ont également voix au chapitre, et la série se complète avec des textes exceptionnels de Mondrian, van Dœsburg, Malévitch et Gleizes.
L'enseignement de Kandinsky au Bauhaus a sûrement aidé beaucoup à la systématisation de ses idées concernant les éléments picturaux les plus simples, à savoir le point, première trace de l'impact d'un outil sur un support, la ligne et le plan. Selon la méthode déjà employée par le physiologue Hermann von Helmholtz (1876), Kandinsky déduit un élément de l'autre à l'aide du mouvement. Cependant, les premières idées, développement organique des pensées exprimées dans *Du spirituel dans l'art*, furent notées par l'artiste pendant les jours d'attente difficiles passés à Goldach au lac de Constance vers la fin de 1914, juste avant son retour en Russie. De Suisse, Kandinsky écrit à Franz Marc le 8 novembre 1914 : « Ici j'ai commencé à écrire la théorie picturale pour laquelle je me suis préparé lentement dans le cours des dernières années. En gros, j'en ai bâti les lignes principales et les fondements. Quand trouverai-je le temps pour une élaboration plus poussée ? Dieu seul le sait. »[2]
Neuf ans plus tard, ces notes — déjà réactualisées dans les deux conférences tenues à Berlin en 1922 (cf. p. 225) — seront reprises et le manuscrit prendra forme pendant l'été et l'automne de 1925 après le déménagement de Weimar.
Il paraissait urgent à l'époque de soumettre la peinture, art qui avait connu une évolution si extraordinaire depuis le début du siècle, à un examen purement scientifique de ses moyens picturaux. En d'autres mots — Kandinsky les emploie dans un article de 1928[3] — « la peinture abstraite », qui avait marqué de son sceau l'art du début du siècle, était appelée à formuler enfin sa propre théorie, à la hauteur de celle du néo-impressionnisme. Le projet était plus ambitieux encore : cette théorie devait fournir à la précédente une méthode de la création et de la réalisation. Un rappel à l'ordre, en quelque sorte, entendu par certains artistes, qui tentèrent alors d'élaborer une théorie de la peinture découvrant ses principes et aboutissant à un traité de la composition. Une fois de plus, Kandinsky se lancera dans l'entreprise périlleuse d'une réflexion théorique, redoutée et rejetée, il l'avoue lui-même, par la plupart des artistes qui y voient un danger pour l'inspiration, pour la créativité pure.
Cette entreprise non sans envergure se fera en deux étapes : une première partie analytique, analyse pédante et microscopique des éléments primaires, ainsi que la désignation de ceux, plus complexes et plus différenciés, qui en dérivent. Ils seront étudiés d'une façon isolée d'abord, « abstraits » de la surface matérielle, puis rapportés à celle-ci et examinés dans leurs possibilités infinies d'interaction, dont on déterminera les lois dans la deuxième partie dite synthétique. Cette mise en ordre est comparée par Kandinsky à l'« établissement d'un vocabulaire méthodique de tous les mots (à savoir les éléments plastiques), actuellement éparpillés et privés de leurs sens »[3], suivi de la constitution d'une grammaire fournissant les règles de construction de l'œuvre d'art. Car la création, selon la conception voisine de Gropius, n'est point liberté absolue, mais « un libre jeu des formes et des moyens d'expression à l'intérieur de règles strictes ». Kandinsky, l'artiste « pensant », devient, selon une légère exagération amicale proposée par Schlemmer : « artiste législateur ». Cependant, celui qui prononce les lois ne les a point imposées. Il les lit dans le livre de l'art et constate que l'art « travaille » comme la nature avec ses moyens propres.
En ce qui concerne la conception du livre, les observations personnelles de Kandinsky y sont habilement étayées par des théories de la perception et du faire artistique, répandues au tournant du siècle. La validité des principes avancés en art pictural est prouvée par des exemples choisis dans le domaine des sciences naturelles et de la technologie : une autre tentative de dénuder la racine commune des arts et des sciences, vérification d'une hypothèse à laquelle devait être consacré le deuxième volume du *Blaue Reiter*.
L'ouvrage de Kandinsky fut comparé tour à tour au « Trattato della Pittura » de Léonard de Vinci[4] et aux recherches tout à fait contemporaines des théoriciens de la Gestalt-psychologie qui, dans les années 20, publièrent des travaux importants concernant la psychologie de la perception. Outre les considérations concernant une éventuelle priorité des idées de Kandinsky sur celles de Köhler, Koffka et leurs collaborateurs[5], on peut signaler un point que les écrits des Bauhäusler, surtout ceux de Kandinsky et de Klee, ont en commun avec les publications des psychologues de la Gestalt-théorie[6] : il concerne la transcription de la pratique picturale avant-gardiste des uns, des découvertes psychologiques révolutionnaires des autres. Aucun n'a su prendre en considération l'évolution des disciplines qu'ils étaient amenés à utiliser. Le champ de référence philosophique qu'ils utilisent pour la transcription de leurs théories reste celui des XVIIIe et XIXe siècles, sans tenir compte des transformations fondamentales dans ce domaine, opérées par Feuerbach et Marx[7], et surtout par Edmund Husserl.
L'ouvrage *Point-Ligne-Plan* est abondamment illustré. 38 dessins de la main de l'artiste furent conservés dans ses archives. L'ensemble, y compris quelques dessins présentant un lien avec les recherches autour de ce traité, est reproduit pp. 284-288 de ce catalogue.

1. La traduction littérale en français du titre allemand serait : « Point et ligne rapportés au plan ». Il existe deux versions en langue française : la première, effectuée par Christine Boumeester pour la galerie de Beaune, publiée en 1963; la seconde, traduite par S. et J. Leppien pour Denoël-Gonthier et publiée en 1970.
2. K. Lankheit, *op. cit.* p. 265.
3. V. Kandinsky, « Analyse des éléments primaires de la peinture », *Cahiers de Belgique*, 1928, repris in : éd. Max Bill, *Kandinsky - Essays über Kunst und Künstler*, Stuttgart, Verlag Gerd Hatje, 1955, p. 100.
4. David L. Carleton, « A Comparison of the Artistic Theories of Leonardo da Vinci and of Wassily Kandinsky », *Leonardo*, vol. 7, 1974, pp. 33-35.
5. La controverse concerne L.D. Ettlinger, *Kandinsky's 'At rest'*, London, Oxford University Press, 1961, et P. Overy, *Kandinsky : The Language of the Eye*, New York, Praeger, 1969, p. 142.
6. Maurice Merleau-Ponty étudia ce problème dans *La structure du comportement*, Paris, P.U.F., 1942.
7. Marcellin Pleynet, *op. cit.*, p. 137.

11

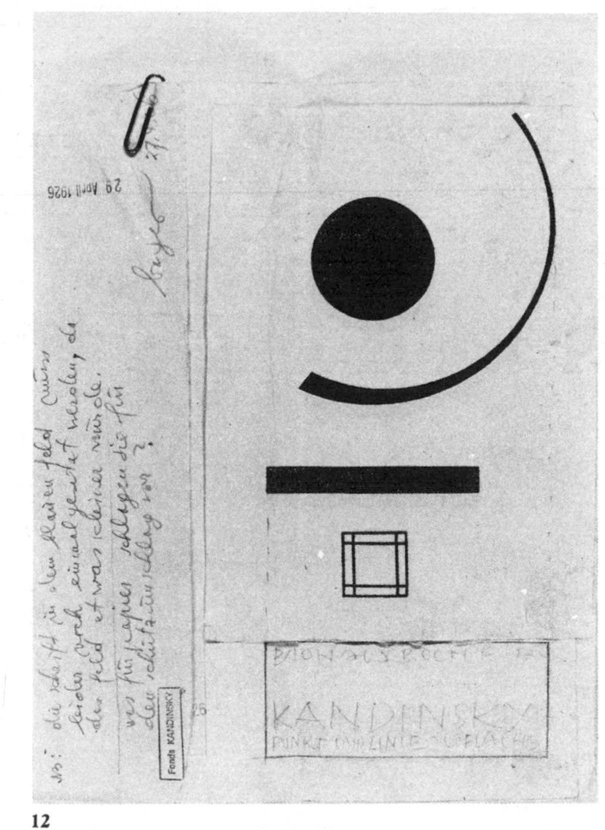

12

11 Cette affiche, une variante de la couverture de *Point-Ligne-Plan*, fut publiée à l'occasion d'une conférence que Kandinsky donna le 15 décembre pendant la durée de son exposition à Nuremberg du 28 novembre 1928 au 29 janvier 1929. Le titre, choisi par les organisateurs, fut : « Chemins vers l'art abstrait ». Le sous-titre, presque plus parlant, lie l'événement au vocabulaire de l'époque : « Kandinsky est le "Führer" (le guide) nécessaire à une nouvelle compréhension de la forme et de la couleur ».

12 Maquette de la couverture pour la première édition cartonnée, publiée en 1926, de *Punkt und Linie zu Fläche : Beitrag zur Analyse der malerischen Elemente* (Point-Ligne-Plan : Contribution à l'analyse des éléments picturaux), portant les annotations manuscrites de Herbert Bayer, en charge des publications du Bauhaus.
Inscription à l'emplacement réservé au titre : « Livres du Bauhaus/Kandinsky/Point-Ligne-Plan ».
Inscription à gauche : « L'écriture dans le champ bleu doit malheureusement être recomposée, étant donné une petite réduction des dimensions de ce champ. Quel genre de papier proposez-vous pour la jaquette ? (signé Bayer et daté du 27 avril 1926; tampon du 29 avril 1926).
Le même dessin figure sur la jaquette de l'édition entoilée, dont la couverture fut créée par Moholy-Nagy.

Eine große nach oben strebende Gerade auf eine einfache Gebogene gestützt. Anfang – unten Fuß, Schluß – oben Hand laufen in einer Richtung.

Paralleler Aufbau aus einem Punkt unten. Allmähliche Entwicklung von unten unter immer spitzer werdenden Winkeln.

2

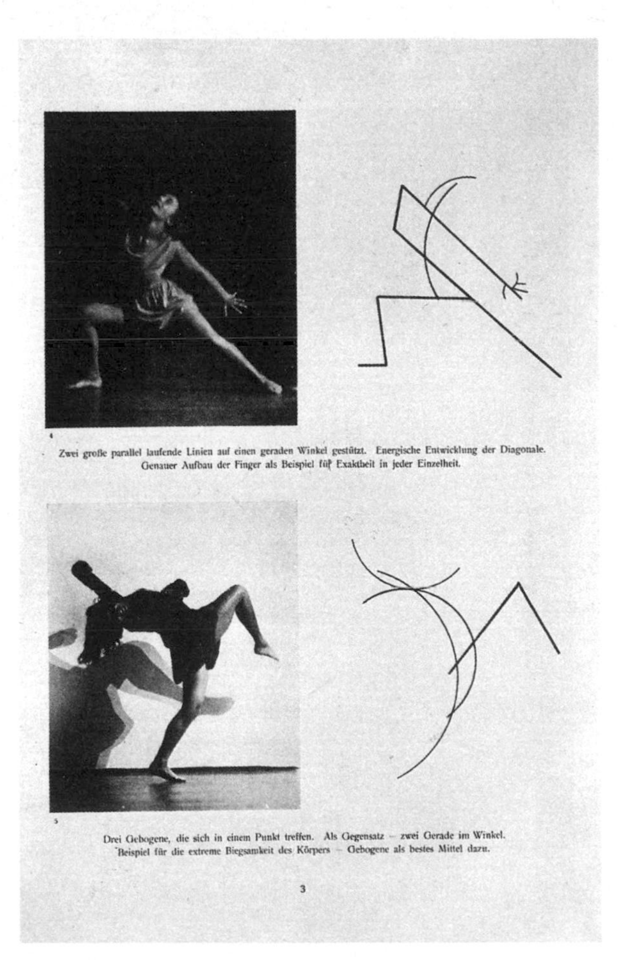

Zwei große parallel laufende Linien auf einen geraden Winkel gestützt. Energische Entwicklung der Diagonale. Genauer Aufbau der Finger als Beispiel für Exaktheit in jeder Einzelheit.

Drei Gebogene, die sich in einem Punkt treffen. Als Gegensatz – zwei Gerade im Winkel. Beispiel für die extreme Biegsamkeit des Körpers – Gebogene als bestes Mittel dazu.

3

13 Contre toute évidence, il existe un lien « intérieur » entre les images de la danseuse Gret Palucca, saisies par la caméra et reproduites ci-contre, et le savant ouvrage du théoricien Kandinsky, ouvrage qui partage l'espace de cette page avec elles. En effet, un des sauts de La Palucca, exécuté sur les airs de musique populaire, les mélodies de Debussy, de Prokofiev, Bartok ou R. Strauss, est reproduit dans « Punkt und Linie zu Fläche » (figs. 9 et 10, p. 51-52 de l'édition Denoël, 1970), accompagné de son schéma graphique, réalisé par Kandinsky.
La série d'attitudes avec leurs schématisations graphiques que nous reproduisons sont extraites d'un ouvrage publicitaire que La Palucca distribuait à l'occasion de l'ouverture de son école de danse à Dresde en 1925. Charmé par l'exactitude, la simplicité et l'expressivité de son travail qu'il considérait comme essentiel à l'aube de la constitution d'une science de l'art, Kandinsky écrit la préface élogieuse à cette brochure.
Gret Palucca, née à Munich en 1902, fut une des vedettes de la danse expressive (Ausdruckstanz) allemande dans les années 20 et 30. Elle venait au Bauhaus à plusieurs reprises. Le double numéro 2/3 de 1928 de la revue *Bauhaus* annonce son passage pour le 6 mai 1928. A cette occasion, une séance spéciale, composée d'exercices techniques et d'improvisations fut prévue exclusivement pour les étudiants de l'école.
Une série de photographies du travail de la danseuse, avec les résumés linéaires de Kandinsky, furent également publiés dans *Das Kunstblatt*, 1925, pp. 117-120, ainsi que dans *Der Sturm*, n° 1-12, 1928-29.

« Tableaux d'une exposition »

L'enseignement, les créations picturales, ainsi que les activités d'édition et de conférencier n'ont pas su éclipser un domaine toujours très cher à Kandinsky : le théâtre, lieu par excellence d'une synthèse des arts. Il y revient — en théorie — dans un article publié en 1923, traitant de la « Synthèse abstraite sur scène »[1], essai dans lequel il dénonce vigoureusement les formes d'art théâtral traditionnelles : « Les vieilles formes théâtrales — drame, opéra, ballet — ne sont plus que des figures de musée pétrifiées et l'action qu'elles peuvent exercer n'est plus que celle d'un musée ».

En 1928, le Friedrich-Theater de Dessau, sous la direction de G. Hartmann, prévoyait une présentation de la version orchestrée par M. Ravel des « Tableaux d'une exposition » de Moussorgsky, idée qui fut abandonnée en faveur de l'adaptation pour la scène de la suite originale pour piano. On invita « l'aimable Monsieur le Professeur Kandinsky, aussi spirituel que modeste, de bien vouloir se charger de la difficile mise en scène »[2]. Ce fut une occasion exceptionnelle et unique pour l'artiste de réaliser son vieux rêve de synthèse scénique.

Cette initiative de collaboration entre le théâtre municipal (dont les crédits venaient d'être réduits considérablement) et le Bauhaus fut acclamée par la presse avec enthousiasme. Les deux représentations furent amplement commentées dans les journaux locaux[3]. Les périodiques spécialisés rendirent hommage surtout à l'équipe technique du théâtre qui sut maîtriser parfaitement les difficultés pratiques énormes de cette mise en scène.

Au sein du Bauhaus, Kandinsky n'était pas lié directement au théâtre, activité qui, grâce à la personnalité exceptionnelle d'Oskar Schlemmer, secondé admirablement par Xanti (Alexander) Schawinsky (né en 1904), a toujours joué un rôle de premier plan dans cette institution. Schlemmer, peintre, sculpteur et chorégraphe, avait débuté au Bauhaus en tant qu'apprenti-ébéniste. Après l'atelier de sculpture sur pierre, on lui confie en octobre 1925 la section théâtrale qui ne limite pas ses activités aux fêtes du Bauhaus : en 1928, Oskar Schlemmer emmenait sa troupe en tournée à travers toute l'Europe Centrale.

Un des buts principaux du travail de simplification de Schlemmer fut de créer des spectacles qui n'auraient besoin d'aucune culture livresque pour être vus, qui se passeraient aussi de toute narration. Un spectacle, donc, au sens premier du terme, un *Schau-spiel*, un jeu à regarder qui serait « une fête pour les yeux » selon l'expression de Delacroix, souvent citée par Oskar Schlemmer.

L'influence de ses recherches dans ce domaine est indéniable et son nom est souvent cité dans les critiques écrites au sujet de « Tableaux d'une exposition », dont la première eut lieu le 4 avril 1928. Pour cette tentative de transposition dans la sphère visuelle d'une œuvre appartenant à la sphère musicale — une re-transcription en réalité, puisque Moussorgsky part d'une expérience visuelle — Kandinsky réalisa une série d'éclatantes aquarelles et de dessins au crayon[4] en tant que projets pour

14

15

16

l'éclairage, les décors fixes, ainsi que le mouvement à travers la scène de certains éléments géométriques mobiles. Les costumes mêmes des deux danseurs, rappelant dans leur géométrisation les costumes du ballet triadique de Schlemmer, sont imaginés par Kandinsky. Hormis la double apparition de ces deux danseurs, tout le décor est « abstrait », fait de formes qui se sont présentées à Kandinsky en écoutant et réécoutant la musique de Moussorgsky. A ces formes et leurs couleurs s'ajoute l'action de la couleur de l'éclairage « en tant que peinture approfondie », ainsi que « le jeu indépendant de la lumière colorée »[5].

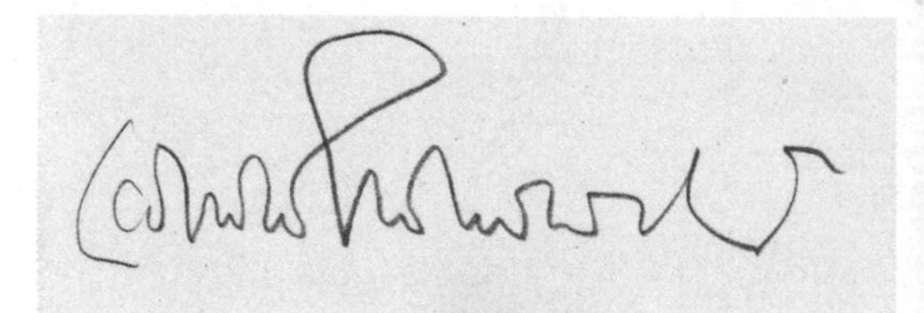

Signature de Leopold Stokovsky dans le Livre d'or de Nina Kandinsky.

1. Bauhausbuch, publié à l'occasion de l'exposition de 1923, intitulé : *Staatliches Bauhaus, Weimar, 1919-23*, Weimar-München, Bauhaus-Verlag (en collaboration avec K. Nierendorf, Cologne).
2. Prof. Dr. Arthur Seidl, « Bauhaus und Friedrich-Theater », *Deutsche Tonkünstlerzeitung*, n° 478, 1928, p. 206.
3. De nombreuses coupures de presse commentant cette présentation furent conservées par Kandinsky.
4. Ces œuvres sont commentées et reproduites pp. 307 - 314 de ce catalogue.
5. V. Kandinsky, « Modeste Moussorgsky : Bilder einer Ausstellung », *Das Kunstblatt*, août 1930; repris *in* éd. Max Bill, *op. cit.*, p. 111.

14 Page de titre de la partition « Tableaux d'une exposition » de Modest Moussorgsky, suite de 10 morceaux pour piano, annotée et datée (du 21 avril 1928) par Felix Klee, qui assista alors Kandinsky dans la mise en scène. Partition de 35 pages paginées, format 30,1 × 23,2. Une page avec croquis et indications scéniques est reproduite p. 307. Les archives du fonds Kandinsky comprennent également trois tapuscrits de longueur différente contenant des indications scéniques détaillées avec des annotations manuscrites de Kandinsky, ainsi que quelques croquis.

15 Joseph Szigeti (1892-1973) et Béla Bartók (1881-1945) en 1927. Le grand violoniste américain Szigeti, d'origine hongroise, commença sa carrière de violoniste à l'âge de 10 ans. En 1925 il fait ses débuts aux États-Unis à Philadelphie avec Leopold Stokovsky. Une grande amitié le lia avec son compatriote Bartók. Szigeti fut le partenaire de Bartók au cours de nombreux récitals. Cette carte postale fut éditée à l'occasion de leur concert à Budapest en 1927. Bartók dédia à son ami la première Rhapsodie pour violon, ainsi que le trio « Contrastes », dont existe un célèbre enregistrement avec Bartók, Szigeti et Benny Goodman. Les Kandinsky qui accueillirent Szigeti et Stokovsky à plusieurs reprises ont reçu d'eux des disques rares.

16 Instantané de Leopold Stokovsky (1882-1977), pris probablement en 1929 près des maisons des maîtres à Dessau. Le célèbre chef-d'orchestre dirige ici un orchestre (imaginaire) sans baguette, méthode qu'il adopta dès 1929. Ce musicien, né en Angleterre de parents polonais et irlandais, dirigera à partir de 1912 et pendant 25 ans l'orchestre philharmonique de Philadelphie. Le 4 juin 1930 Kandinsky nota l'envoi d'un tapuscrit de six feuillets à Stokovsky, comportant les indications scéniques pour « Tableaux d'une exposition » de Moussorgsky en vue d'une mise en scène éventuelle à Philadelphie. Une lettre de Stokovsky en date du 18 novembre 1930, conservée dans le fonds Kandinsky, apprend au peintre que la League of Composers de New York s'est prononcée contre une mise en scène de l'œuvre de Moussorgsky.

17 Affiche publiée par le Friedrich-Theater Dessau, annonçant la première reprise de « Tableaux d'une exposition » de Modest Moussorgsky pour le 11 avril 1928 (la première ayant eu lieu le 4 avril). Mise en scène et décor par le professeur Wassily Kandinsky, avec la participation des deux danseurs Lore Jentsch et Günter Hess. Le même soir (la suite de Moussorgsky ne dure que 30 minutes) aura lieu une représentation d'un opéra bouffe de Georg Kaiser, intitulé : « Le tsar se fait photographier », sur une musique de Kurt Weill, compositeur né à Dessau. Le chef d'orchestre fut Arthur Rother.

18 Portrait du Dr. Georg Hartmann, directeur du Friedrich-Theater à Dessau en 1928. Sous son égide furent mis en scène par Kandinsky les « Tableaux d'une exposition » de Modest Moussorgsky. Cette photographie fut publiée dans un dépliant intitulé « Die Blätter des Dessauer Friedrich-Theaters » (Cahier du Friedrich-Theater, Dessau), n° 19, 1927-28, conservé dans le fonds Kandinsky.

18

17

Friedrich-Theater Dessau

26. Volksvorstellung (Gruppe I)

Mittwoch, den 11. April 1928

Zum ersten Male wiederholt:

Bilder einer Ausstellung

Musik von Modeste Moussorgsky

mit

Lore Jentsch und Günter Hess

Regie und Bühnenbild: Prof. Wassily Kandinsky als Gast — Dirigent: Arthur Rother

Hierauf zum ersten Male wiederholt:

Der Zar läßt sich photographieren

Opera buffa in einem Akt von Georg Kaiser

Musik von Kurt Weill

mit

Ada Hartenstein, Charlotte Schumann,
Herta von Türk-Rohn, Hilde Voth,
Alfred Ernesti, Heinrich Fix, Theodor Heydorn,
Walter Menge, Dr. Hanns Nietan, Alfred Paulus,
Walter Puck, Heinrich Patsche, Kurt Starke,
Fritz Weber, Paul Zimmermann.

Regie: Dr. Georg Hartmann — Dirigent: Artur Rother

Bühnenbild: Julius Hahlo

Technische Leitung: Max Meyer — Kostümausführung: Otto Brückmann
Dekorationsausführung: Sebastian Wimmer — Beleuchtung: Hans Trittler
Szenische Inspektion: Max Bellers

Anfang 8½ Uhr — Ende gegen 10½ Uhr

Pause nach „Bilder einer Ausstellung" — Zuschauerraumöffnung 8 Uhr

Kein Kartenverkauf.

Weniger & Co. G.m.b.H., Dessau.

Une lettre de Lyonel Feininger

19 Fac-similé d'une lettre manuscrite de Lyonel Feininger en date du 12 août 1932 sur un papier à lettres orné de gravures sur bois de l'artiste. Rédigée quelques semaines avant la fermeture définitive du Bauhaus à Dessau qui interviendra le 30 septembre, cette lettre dessine en quelques traits l'image piteuse d'une Allemagne en délire, succombant à une psychose collective.
Ci-dessous la transcription et une traduction en français de cette lettre.
Concernant les relations Feininger-Kandinsky, cf. p. 475 de ce catalogue.

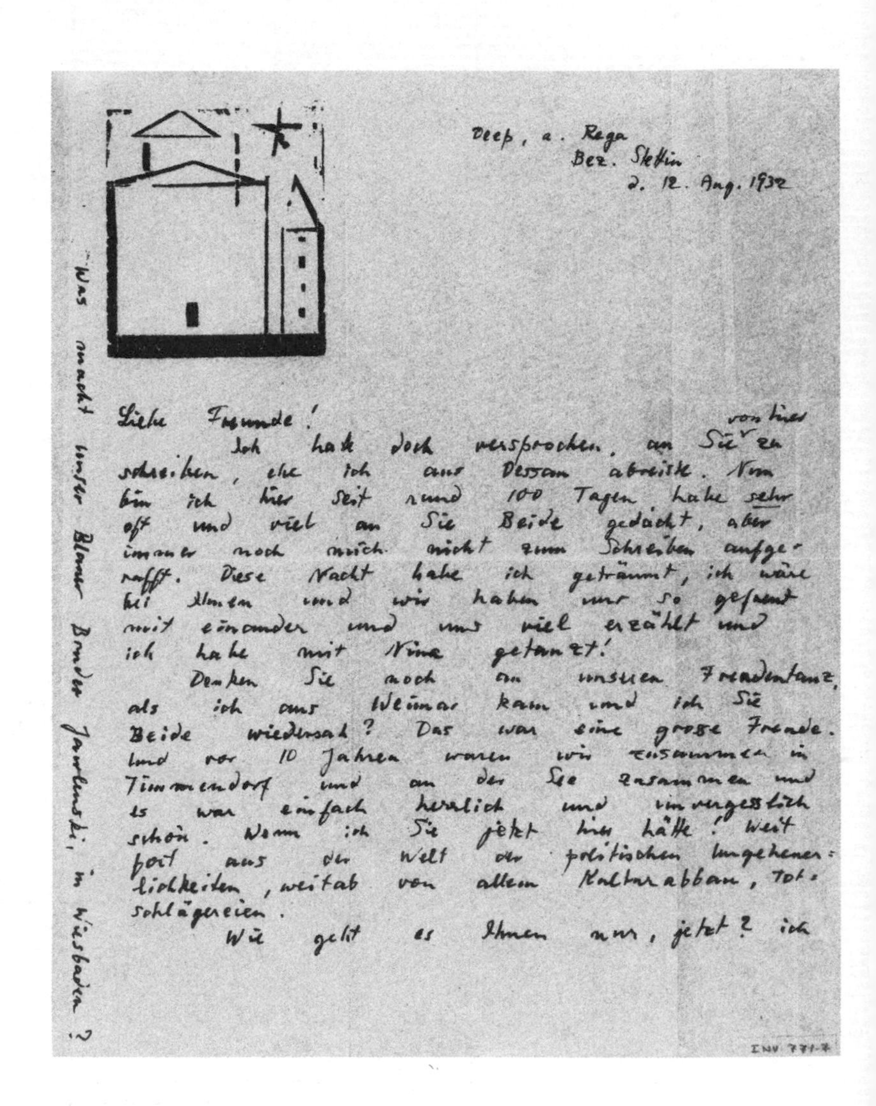
Deep, a. Rega
Bez. Stettin
d. 12. Aug. 1932

Liebe Freunde!
Ich habe doch versprochen, an Sie von hier zu schreiben, ehe ich aus Dessau abreiste. Nun bin ich hier seit rund 100 Tagen habe sehr oft und viel an Sie Beide gedacht, aber immer noch mich nicht zum Schreiben aufgerafft. Diese Nacht habe ich geträumt, ich wäre bei Ihnen und wir haben uns so gefreut mit einander und uns viel erzählt und ich habe mit Nina getanzt!
Denken Sie noch an unseren Freudentanz, als ich aus Weimar kam und ich Sie Beide wiedersah? Das war eine grosse Freude. Und vor 10 Jahren waren wir zusammen in Timmendorf und an der See zusammen und es war einfach herrlich und unvergesslich schön. Wenn ich Sie jetzt hier hätte! Weit fort aus der Welt der politischen Ungeheuerlichkeiten, weitab von allem Kulturabbau, Totschlägereien.
Wie geht es Ihnen nur, jetzt? ich

Was macht unser Blauer Bruder Jawlensky, in Wiesbaden?

INV 771-7

Deep, am Rega, Bez (irk) Stettin,
d(en) 12. Aug(ust) 1932.

Liebe Freunde!
Ich habe doch versprochen, an Sie von hier zu schreiben, ehe ich aus Dessau abreiste. Nun bin ich hier seit rund 100 Tagen, habe sehr oft und viel an Sie Beide gedacht, aber immer noch mich nicht zum Schreiben aufgerafft. Diese Nacht habe ich geträumt, ich wäre bei Ihnen und wir haben uns so gefreut mit einander und uns viel erzählt und ich habe mit Nina getanzt!
Denken Sie noch an unseren Freudentanz, als ich aus Weimar kam und ich Sie Beide wiedersah? Das war eine grosse Freude. Und vor 10 Jahren waren wir zusammen in Timmendorf und an der See zusammen und es war einfach herrlich und unvergesslich schön. Wenn ich Sie jetzt hier hätte! Weit fort aus der Welt der politischen Ungeheuerlichkeiten, weitab von allem Kulturabbau, Totschlägereien. Wie geht es Ihnen nur, jetzt? ich
(page 2) : muss so sehr oft in Sorge an Euch denken.
Hier ist er aber schön, wenn auch viele Erwachsene sich nicht versagen können, in der herrlichen Natur mit ihren Hakenkreuz-Fahnen herumzulaufen, sie über und neben Einem zum Fenster herauszubammeln und mit mannvoller Ueberzeugung am Strande, angesichts des Meeres, stolz auf die Sandburgen auf langen Stangen, aufzupflanzen. Zwar ist die Hakenkreuzfahne schön, und belebt das Bild; aber ich habe stets mich vor Parteimenschen etwas gescheut, besonders vor der nach aussen gekehrten Zurschaustellung von Emblemen. Sonst aber ist hier alles friedlich und friedfertig. Jetzt erst recht, nachdem der grosse Ferienbesuch vorüber ist, wird's ganz still von störenden « Komplexen ». Montag wollen unsere Söhne wieder nach Dessau mit dem Auto fahren. Wir bleiben noch bis gegen Mitte September. Wie mag die Heimkehr in Dessau aussehen?... Zwecklos, jetzt schon Pläne zu machen — aber das muss man doch wohl einsehen, dass die Stadt, ohne das Bauhaus, für uns Alle leer wird. Es gibt so viele andere, schönere Städte!... noch schönere! ich bleibe dabei!
(page 3) : Andreas und Lux wollen Ende September nach Paris fahren und sich dort umsehen, in der Absicht, dauernd dort zu bleiben. Ein Atelier haben wir schon auf ein Jahr für sie fest gemietet, durch unseren Freund Simson, der dort wohnt. Er war einmal bei Ihnen, im Januar 1927, ein grosser, langer, magerer Engländer. Laurence ist in Heidelberg, an der Universität; und also sind wir beiden Eltern ganz allein im Hause, im kommenden Winter!
Arbeiten Sie, lieber Kandinsky? haben Sie Ruhe und Zeit für Ihre Malerei, jetzt? Ich habe viele Zeichnungen, Kompositionen und Aquarelle (wie hier jedes Jahr) gemacht, und freue mich auf eine gute Arbeitszeit im Herbst, vor der Staffelei, im stillen Hause.

Nun seien Sie Beide herzlichst gegrüsst! von
Ihrem getreuen Papileo u(nd) Familie.

P.S. Was macht unser Blauer Bruder Jawlensky, in Wiesbaden?

Deep sur Rega, district de Stettin[1],
le 12 août 1932.

Chers amis,
Je sais bien, avant de quitter Dessau j'avais promis de vous écrire d'ici. Depuis, environ 100 jours ont passé. J'ai souvent pensé à vous deux, mais je n'ai pas pu me résoudre à prendre la plume. Cette nuit, j'ai rêvé être auprès de vous. Notre joie fut grande. Nous avons beaucoup parlé et j'ai dansé avec Nina!
Vous souvenez-vous encore de notre danse d'allégresse quand, venant de Weimar, je vous revoyais tous les deux? Quelle joie ce fut! Et il y a dix ans de cela, quand nous étions ensemble à Timmendorf[2] et ensemble à la mer et ce fut magnifique et d'une beauté inoubliable. Si vous pouviez être avec moi actuellement! Très loin du monde des monstruosités politiques, aussi loin que possible de toute « déconstruction » culturelle, de tout homicide? Comment allez-vous en ce moment? je

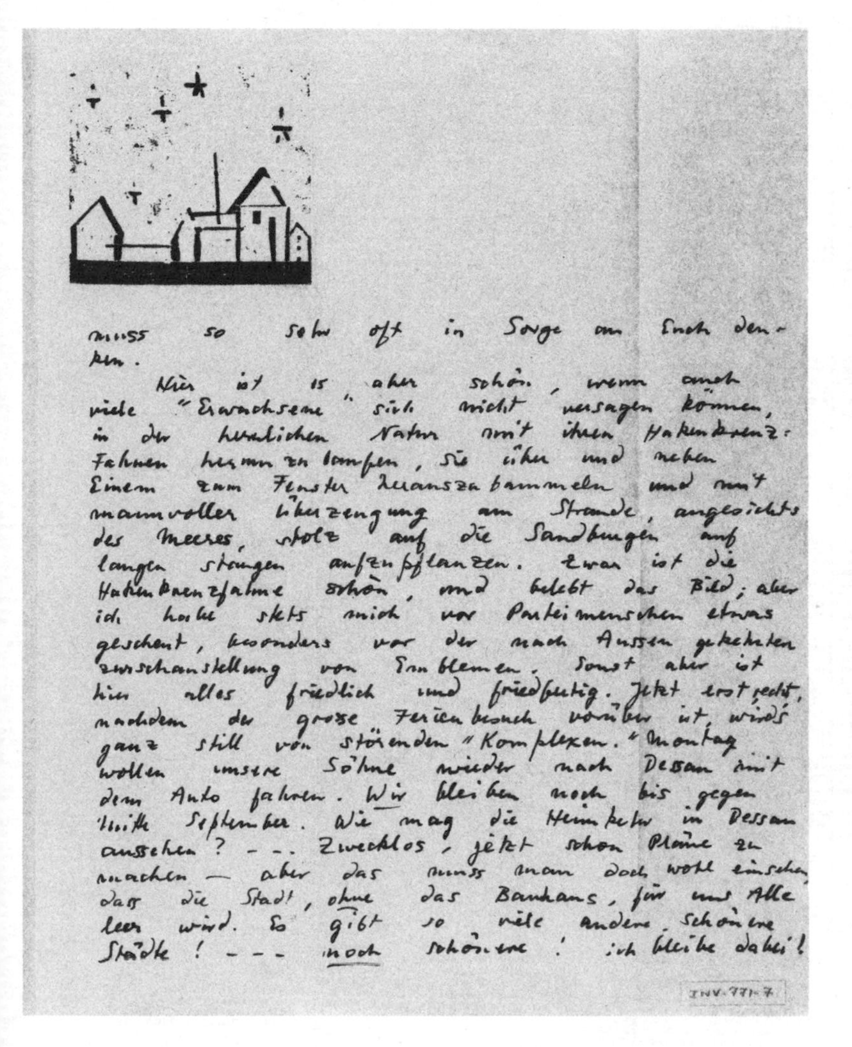

muss so sehr oft in Sorge um Euch denken.
Hier ist es aber schön, wenn auch viele "Erwachsene" sich nicht versagen können, in der herrlichen Natur mit ihren Hakenkreuz-Fahnen herumzulaufen, sie über und neben Einem zum Fenster herauszubammeln und mit mannvoller Überzeugung am Strande, angesichts des Meeres, stolz auf die Sandburgen auf langen Stangen aufzupflanzen. Zwar ist die Hakenkreuzfahne schön, und belebt das Bild; aber ich habe stets mich vor Parteimenschen etwas gescheut, besonders vor der nach Aussen gekehrten Zurschaustellung von Emblemen. Sonst aber ist hier alles friedlich und friedfertig. Jetzt erst recht, nachdem der grosse Ferienbesuch vorüber ist, wird's ganz still von störenden "Komplexen." Montag wollen unsere Söhne wieder nach Dessau mit dem Auto fahren. Wir bleiben noch bis gegen Mitte September. Wie mag die Heimkehr in Dessau aussehen? -- Zwecklos, jetzt schon Pläne zu machen — aber das muss man doch wohl einsehen, dass die Stadt, ohne das Bauhaus, für uns Alle leer wird. Es gibt so viele andere schönere Städte! --- noch schönere! ich bleibe dabei!

INV-771-7

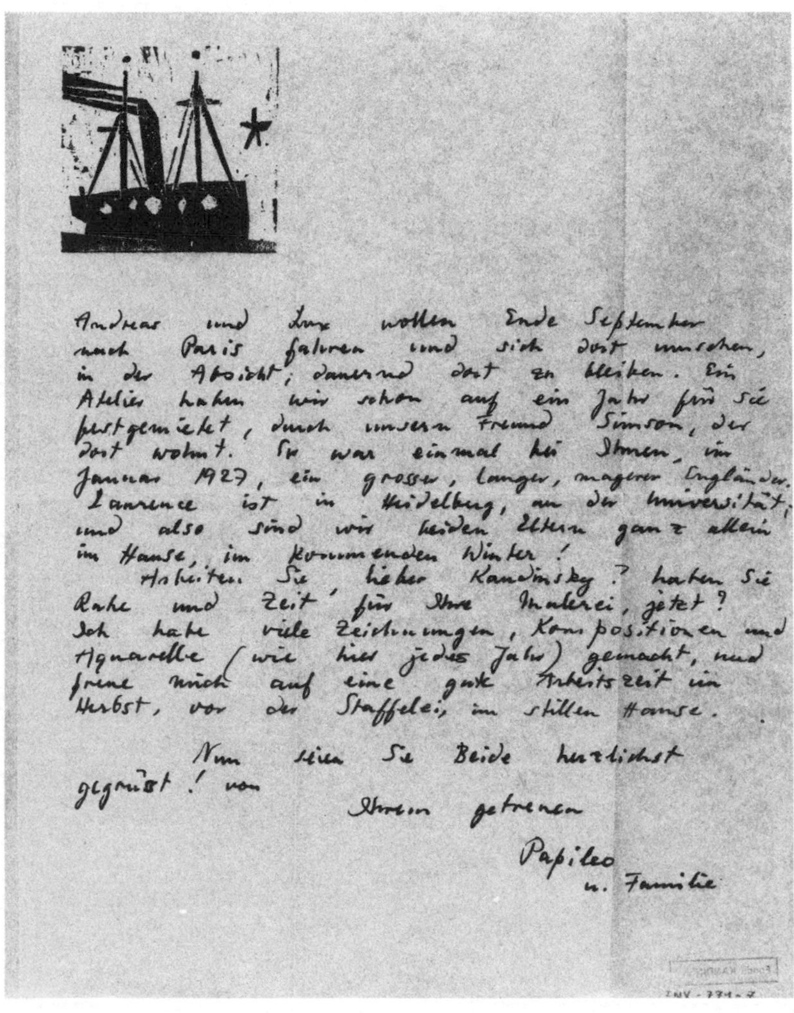

Andreas und Lux wollen Ende September nach Paris fahren und sich dort umsehen, in der Absicht, dauernd dort zu bleiben. Ein Atelier haben wir schon auf ein Jahr für sie festgemietet, durch unsern Freund Simson, der dort wohnt. Er war einmal bei Ihnen, im Januar 1927, ein grosser, langer, magerer Engländer. Laurence ist in Heidelberg, an der Universität, und also sind wir beiden Eltern ganz allein im Hause, im kommenden Winter!
Arbeiten Sie, lieber Kandinsky? haben Sie Ruhe und Zeit für Ihre Malerei, jetzt? Ich habe viele Zeichnungen, Kompositionen und Aquarelle (wie hier jedes Jahr) gemacht, und freue mich auf eine gute Arbeitszeit im Herbst, vor der Staffelei, im stillen Hause.

Nun seien Sie Beide herzlichst gegrüsst! von

Ihrem getreuen

Papileo
u. Familie

INV-771-7

(page 2) : me fais beaucoup de soucis pour vous.
Ici il fait bon vivre, même si beaucoup « d'adultes » ne peuvent s'empêcher d'arpenter la belle nature avec leurs drapeaux garnis de croix gammées, de pavoiser autour de nous, à droite, à gauche, au-dessus de nos têtes et de planter leurs étendards avec fierté et sur des bâtons très longs dans leurs châteaux de sable face à la mer. Et tout ceci avec une conviction toute virile. Il est vrai que le Svastika est beau et anime le paysage; mais en ce qui me concerne, je me suis toujours méfié un peu de tout homme de parti. En particulier j'ai toujours eu horreur de cette exhibition d'emblèmes. A part ceci, tout est paisible ici et pacifique, surtout après le départ des vacanciers. Nous sommes débarrassés de tout agitateur gênant. Lundi, nos fils retourneront à Dessau en voiture. Quant à nous, nous resterons ici jusqu'à la mi-septembre. Comment sera le retour à Dessau ? Inutile de faire des projets maintenant. Mais il est évident que la ville sera très vide pour nous tous sans le Bauhaus. Il y a tant d'autres belles villes... et des villes beaucoup plus belles ! Je persiste à le croire.

(page 3) : Andreas et Lux[3] ont l'intention de se rendre à Paris à la fin de septembre en vue d'une installation définitive là-bas. Nous avons déjà loué un atelier pour eux pour un an par l'entremise d'un de nos amis qui y habite. Je crois que vous avez rencontré Simson en janvier 1927. C'est un Anglais grand, long et maigre. Laurence[3] est à l'Université de Heidelberg. Alors, nous, les parents, nous nous retrouverons seuls à la maison l'hiver prochain.
Arrivez-vous à travailler, cher Kandinsky ? Trouvez-vous actuellement le calme et le temps nécessaires à votre peinture ? J'ai fait ici beaucoup de dessins, de compositions et d'aquarelles (comme tous les ans) et j'espère pouvoir faire du bon travail en automne devant le chevalet dans une maison calme.

Meilleurs souvenirs à vous deux,
votre fidèle Papileo[4] et famille.

P.S. *(dans la marge gauche de la première page)* : « Que fait notre frère bleu Jawlenski à Wiesbaden ? »[5]

1. Deep, sur la rivière Rega, est situé dans le district de Stettin sur l'Oder, chef-lieu de Poméranie.
2. Timmendorf est situé à l'est du district de Holstein sur la Baltique. La mère de Gropius y possédait une maison qui était ouverte à tous les Bauhäusler. En septembre 1922 Kandinsky y rédigea la préface pour le catalogue de son exposition à la galerie Gummeson de Stockholm, exposition qui ouvrit en octobre.
3. Les trois fils de Feininger nés d'un second mariage sont Andreas, Lux et Laurence. Lux, né en 1910, fait des études au Bauhaus (comme son frère aîné d'ailleurs) sous Schlemmer, Klee et Kandinsky. Il est photographe et peintre.
4. En ce qui concerne l'appellation de Papileo, ses origines sont obscures. Peut-être un simple jeu de mots, une de ces déformations humoristiques que Feininger pratiquait souvent. Peut-être un nom inventé par un des enfants, car « Papi », en allemand, est une expression d'enfant pour père, et « Leo », le diminutif de « Lyonel ».
5. Jawlensky participait avec Klee, Kandinsky et Feininger au groupe *The Blue Four* de Galka Scheyer.

La fermeture du Bauhaus

20

« Heureusement » — exclamation qui ne rassure peut-être que les auteurs de l'encart publié dans les *Cahiers d'Art* (n° 6-7, 1932), annonçant la fermeture de « la grande Ecole d'Art moderne de l'Allemagne » par le gouvernement national-socialiste d'Anhalt — « heureusement, le directeur de l'Ecole (...) et les professeurs, nullement découragés (...) vont bientôt ouvrir une nouvelle école d'art moderne à Berlin même »[1].

En octobre 1932, un mois seulement après la fermeture définitive de Dessau, les activités d'enseignement reprennent dans une usine de matériel téléphonique désaffectée, située dans la banlieue sud de Berlin, sans que cessent pour autant les perturbations apportées par les extrémistes de droite qui n'hésitent pas à désigner ce lieu comme « un foyer dangereux du bolchévisme ». La situation générale s'aggrave. « Tout est bancal en Allemagne, écrit Kandinsky à son ancien élève Werner Drewes, installé aux Etats-Unis, pas seulement le Bauhaus ».[2]

Un an plus tard, environ cent étudiants[3] assistent aux cours des quelques enseignants qui persévèrent dans leurs tâches, malgré les attaques renouvelées surtout à l'égard de Hilberseimer, Kandinsky, Mies van der Rohe et Albers. Avec un certain humour noir, Kandinsky résuma sa situation personnelle dans ses lettres à Galka Scheyer de 1933 : « J'avais tout pour déplaire : j'étais Russe (malgré la nationalité allemande), donc un étranger et suspecté d'être communiste, un artiste abstrait et, qui plus est, professeur au Bauhaus ».

Un document hautement confidentiel, daté du 21 juillet 1933 et émanant de la Geheime Staatspolizei (Gestapo), exige la cessation des activités de Hilberseimer et de Kandinsky et leur remplacement par des enseignants « imprégnés des idées du national-socialisme »[4]. Déjà trois mois auparavant, l'usine avait été fouillée. Motif de la perquisition : la publication et distribution de tracts communistes. En juillet, le corps enseignant décide de dissoudre le Bauhaus. Une dernière lettre circulaire, adressée par Mies van der Rohe aux étudiants et datée du 10 août 1933[5], parle des difficultés économiques qui nécessitent la fermeture de l'école, même si, entre-temps, des conditions acceptables furent proposées par le Ministère de la Culture en vue d'une réouverture de celle-ci.

Quelques semaines de vacances dans le Var préparent les Kandinsky à l'idée de se fixer en France, dernière étape de leur exil.

21

22

20 Kandinsky entre Josef Albers et — probablement — Anni Fleischmann (née en 1899), devenue l'épouse de Josef Albers en 1925. Cette photographie, prise à Dessau en 1932, fut annotée de la sorte par une main non identifiée. Les liens amicaux entre les Albers et Kandinsky seront évoqués p. 483.

21 Villa construite par l'architecte Henning (qui y vit encore aujourd'hui), située dans la banlieue sud de Berlin, Bahnstrasse (l'actuelle Buhrowstrasse). C'est ici que Kandinsky loua un appartement à partir d'octobre 1932 jusqu'au jour de son départ pour la France en octobre 1933.

22 La pause : Josef Albers et Kandinsky au Bauhaus de Dessau.

1. *Cahiers d'Art*, n°s 6-7, 1932, p. 308.
2. Lettre du 14 mars 1932, conservée au Bauhaus-Archiv, Berlin.
3. Lettre de Kandinsky à W. Drewes du 1er oct. 1932.
4. Document conservé dans les Archives J. Albers à Yale University, New Haven, U.S.A..
5. *Ibid.*

23 Portrait de Kandinsky réalisé par Josef Albers. Photographie dédicacée au verso : « Herrn Kandinsky zum 2. XII. 29, signé Albers » (A Monsieur Kandinsky pour le 2. XII. 29).

Argus de Presse 1922-1933

Les articles de la presse francophone, reproduits sur ces pages dans leur intégralité ou en forme d'extrait, donnent un aperçu de la réception en France de l'art de Kandinsky vers la fin des années 20 quand il est exposé — après une longue interruption de presque 15 ans — dans quelques galeries parisiennes. Ce « Delaunay perdu dans des formules périmées », ce « peintre doublé d'un savant », ce « géomètre sous lequel se cache un artiste d'une grande noblesse », cette incarnation « du vent tumultueux qui vient périodiquement de l'Est — après avoir traversé le dynamisme musical de l'Allemagne — pour nous remplir de rêves » (Léopold Lévy), ce peintre, ayant acquis une réputation ailleurs, vient-il « dans une sorte d'hommage, comme le croit E. Tériade, demander à Paris la consécration pour son œuvre » ?

Expositions à l'étranger

Kandinsky, de retour de Russie où il fut commissaire du Département des Beaux-Arts, sous le règne de la république bolchéviste, exposa à Berlin des œuvres des dernières années; il ne semble pas avoir renoncé à sa manière rythmique, bien que la généralité de la critique d'avant-garde ne se montre pas ravie de son œuvre nouvelle. Entre-temps il a été nommé professeur au « Staatliche Bauhaus » à Weimar. L'éditeur Kaemmerer (Dresde) publie sur lui une importante étude de Hugo Zehder, avec 12 illustrations.

(*Sélection*, Chronique de la vie artistique, 2e année, n° 9-10, 15 décembre 1922, p. 300)

Kandinsky

A Berlin a eu lieu une grande exposition des œuvres de Kandinsky, à l'occasion du 60e anniversaire du peintre. Cette manifestation paraît avoir été une déception pour les admirateurs de cet artiste qui fut avec Chagall et Franz Marc un des principaux promoteurs de la peinture expressionniste. La revue d'art *Der Cicerone* écrit notamment : « On aimerait dire quelque chose d'agréable pour fêter le peintre qui fit montre de tant de caractère et de fermeté, mais — tout comme à la récente exposition de Kirchner, on a l'impression d'une chose qui se survit — personne ne songera à nier la signification de Kandinsky aux environs de l'année 1913. A ce moment décisif, alors qu'il s'agissait de dépasser l'impressionnisme, échoué dans une impasse et devenu incapable de fournir des possibilités d'expression aux nouvelles générations, le manifeste pictural de Kandinsky fut une délivrance, un soulagement. Avec le temps son œuvre est devenue toujours plus riche. L'amour des belles couleurs, des contrastes sonores est resté, mais le passage du peintre à travers le cubisme leur a enlevé toute fraîcheur. Au lieu de le soutenir, la géométrie l'a bien plutôt entravé et il ne lui a pas été donné de réaliser une synthèse vraiment satisfaisante ».
Ainsi, quelques années de recul ont suffi pour établir un classement parmi ces pionniers de l'art nouveau, qu'au plus fort de la bataille on avait coutume de citer tout d'une haleine et d'englober dans une même admiration. A l'heure où Kandinsky n'est déjà plus qu'un nom qui prend place dans l'Histoire, l'art de Chagall est plus vivant que jamais et s'épanouit en toute plénitude. On pourrait d'ailleurs faire des réflexions analogues à propos du cubisme français : là aussi Picasso, Braque et Léger ont éclipsé depuis longtemps leurs autres frères d'armes.

. . . .
A la fin de l'année passée, on a inauguré à Dessau, en Allemagne, les nouveaux locaux du célèbre *Bauhaus* (Ecole d'architecture et d'art décoratif modernes) antérieurement établi à Weimar.

(*Le Centaure*, n° 6, mars 1927, p. 121-122)

Les expositions à Paris et ailleurs

Wassily Kandinsky. Aquarelles (Galerie Zak)

Une des plus intéressantes expositions de ces derniers mois et qui fait honneur à Mme Zak, qui a bien voulu me faire confiance en cette occasion ainsi qu'à Tériade qui a écrit la préface du catalogue. L'œuvre de Kandinsky était peu connue chez nous. Les plus âgés se rappelaient vaguement quelques toiles exposées dans les Salons parisiens bien avant 1914. Quant aux plus jeunes, ils se montraient hostiles envers une œuvre qu'ils ignoraient totalement. Pour eux, Kandinsky était quelque chose comme un Delaunay perdu dans des formules périmées.
Personnellement, je ne connaissais l'œuvre de Kandinsky que par des reproductions parues dans des revues allemandes et par son livre *Punkt und Linie zu Fläche* qui résume ses théories enseignées aux étudiants du « Bauhaus ».
Aussi ce fut pour moi une véritable surprise lorsque, l'hiver dernier, lors de mon voyage en Allemagne, j'au eu le plaisir de voir à Dessau les œuvres de Kandinsky.
Je venais de rendre visite à son voisin Paul Klee, professeur lui aussi au « Bauhaus » de Dessau. J'avais vu chez Klee des toiles admirablement peintes, qui m'avaient révélé certaines origines du surréalisme en France. Chez Kandinsky je retrouvais le complément de ces origines. Ainsi, ce qu'on admirait chez nous comme une création originale n'était, somme toute, que la continuation des recherches de Klee et de Kandinsky. L'œuvre de Klee, grâce au jeune Jacques Bernheim qui a bien voulu, à mon retour d'Allemagne, partager mon enthousiasme pour cet artiste, nous sera bientôt montrée à la galerie Georges Bernheim. Il serait souhaitable qu'une grande galerie parisienne se décidât à nous montrer aussi les toiles de Kandinsky. Déjà, l'exposition d'aquarelles organisée par Mme Zak nous laisse voir certains côtés de l'œuvre de ce peintre.
En 1909 Kandinsky s'approche, mais dans une manière toute personnelle, des recherches des fauves. On trouve déjà chez lui un lyrisme fougueux qui s'accentuera par la suite, notamment en 1911. Deux ans plus tard, c'est le triomphe du cubisme en France. Pour Kandinsky, c'est la tension à l'extrême des formes, une sorte de romantisme dynamique qui se prolongera, mais plus équilibré, jusqu'en 1916. Entre ces œuvres et celles de 1921, il y a une évolution complète. Les représentations de la réalité immédiate tendent à disparaître. Des cercles et des lignes font leur apparition, disposés sur des surfaces savamment organisées. 1923, c'est la prédominance des éléments et des figures géométriques groupés et reliés par des grandes diagonales qui traversent toute la toile. 1924 voit ces éléments réunis avec plus de cohésion et on aboutit en 1926 à une simplification extrême. Une tendance très marquée vers la statique s'y fait également jour. C'est une belle période de l'œuvre de Kandinsky dont j'ai vu quelques spécimens remarquables dans son atelier à Dessau. En 1927, les lignes dominent absolument entourées de quelques taches pour finir, en 1928, par un jeu savant de carrés, de rectangles, de triangles et de diagonales inscrits cette fois dans des taches colorées.
Telle est, en quelques mots, l'évolution de l'œuvre picturale de Kandinsky. Les aquarelles que nous venons de voir s'apparentent aux dernières recherches de l'artiste. Elles s'échelonnent entre les années 1925 et 1928. Elles sont pour la plupart d'une extrême délicatesse. On y sent cette sensibilité russe qui distingue l'œuvre de Kandinsky des œuvres essentiellement occidentales. Il s'en dégage une impression de poésie très subtile et très prenante. Il se dégage aussi un sentiment d'équilibre. Certaines de ces aquarelles laissent nettement l'impression d'un effort cérébral. Et cependant l'élément pictural compense par sa sensualité l'austérité cérébrale. Il faut dire aussi qu'il n'y a pas de pauvretés picturales susceptibles de nous laisser voir le système. Le système, qui existe incontestablement dans l'œuvre de Kandinsky, ne se laisse jamais saisir. On y sent sa présence sans pouvoir en expliquer le mécanisme.
Les aquarelles de Kandinsky me font croire que l'œuvre de cet artiste n'est pas sans rapport avec la musique. Je ne saurais expliquer pourquoi plusieurs de ces aquarelles m'ont laissé l'impression d'une audition musicale, mais il est incontestable que les rapports des formes et tout particulièrement les rapports des tons rappellent à chaque instant une musique tout en lyrismes contenus et disciplinés.
Je m'excuse de n'avoir pas mieux exposé l'œuvre de Kandinsky. Notre collaborateur Willi Grohmann nous donnera une explication détaillée dans une prochaine livraison de ces « Cahiers ».

(article signé Christian Zervos dans *Cahiers d'Art*, n° 10, 1928, p. 451-452)

Exposition Kandinsky (Galerie Zak) place Saint-Germain-des-Prés

(...) C'est un peintre doublé d'un savant. Ses longues recherches, teintées souvent d'esprit scientifique et qui remontent aux années d'avant-guerre, aboutirent à l'établissement d'un langage pictural fait des symboles abstraits au moyen duquel le peintre parvient à s'exprimer. Avec Paul Klee il pourrait être considéré comme le chef de ce que l'on appelle le surréalisme pictural. C'est pourquoi son exposition est très sympathique. Les aquarelles qu'on y voit serviront à faire connaître les origines d'une tendance qui garde chez lui une authenticité raciale, pourrait-on dire, la franchise d'un problème difficile qu'on a le courage de se poser.

(article signé E. Tériade dans *L'Intransigeant*, 22 janvier 1929)

La France ignore Kandinsky, ce précurseur de l'art surréaliste. Qui donc lui révèlera ce peintre impénétrable, dont l'œuvre a une portée mondiale ? A l'heure où ces lignes paraissent dans *Jazz*, sous la signature de notre ami Waldemar George, M. Tériade nous présente Kandinsky à la galerie Zak. Et devant cet ensemble, nous nous demandons si c'est bien la révélation attendue. Il nous importe en somme assez peu de savoir qui, de Kandinsky ou de Klee, a inventé cet art dépouillé de tout lien avec le réel, et qui ne nous touche guère que par l'extrême subtilité de sa couleur, la forme se réduisant souvent à un simple schéma linéaire.
Les aquarelles de Kandinsky qui nous sont montrées aujourd'hui sont toutes datées de ces trois dernières années. Il se peut que, dans le passé, le peintre germano-russe ait réalisé des œuvres plus caractéristiques, car on ne s'explique guère que ces constructions abstraites aient pu avoir sur l'évolution de la peinture allemande une profonde action, et l'influence de Wassily Kandinsky a même passé les frontières, puisque certains de nos surréalistes semblent fortement tributaires du peintre de Munich et de Dessau.

Cet ensemble peut être divisé en deux parties : l'une comprend des œuvres d'une grande discrétion et toutes enveloppées de mystérieux halos; elles ressortent plutôt, semble-t-il, de la musique que de la plastique. Les autres présentent des formes plus précises, plus nettement délimitées. Ce sont des constructions d'une extrême complication et à propos desquelles on pourrait irrévérencieusement évoquer — couleur à part — les dessins de Robinson dans le *Punch,* tous remplis de poulies, d'engrenages et de bizarres mécaniques.
En somme, cette exposition, dont on pouvait beaucoup attendre, ne nous renseigne guère sur l'état actuel de la peinture allemande qui continue à nous rester à peu près inconnu.

(article signé G. Charensol dans *L'Art Vivant,* 1er février 1929)

W. Kandinsky (Galerie Zak)

Il paraît que Kandinsky est un peintre « doublé d'un savant ». Pour moi, j'en doute fort; car ce qu'il nous montre ne prouve ni sa science de savant, ni son talent de peintre. Avec un kaléidoscope de quelques francs, le premier venu peut s'offrir des spectacles, « libérés de toute représentation extérieure » et dont l'intérêt dépasse de beaucoup les monotones recherches de Kandinsky. « Ce n'est pas laid de couleur », me dit quelqu'un. N'oublions pas qu'à notre époque, lorsqu'on dit cela d'une œuvre d'art, c'est que vraiment il n'y a rien d'autre à dire.

(article signé François Fosca dans *L'Amour de l'Art,* n° 3, mars 1929, p. 110)

Kandinsky (Galerie de France)

Le succès que vient d'obtenir l'exposition d'œuvres récentes de Kandinsky à la Galerie de France justifie ce que je disais lors de mon retour d'Allemagne, que Kandinsky est un peintre et qu'il suffirait de voir ses peintures pour s'en convaincre.
Généralement on portait sur son œuvre des jugements arbitraires du fait que, depuis le Salon des Indépendants de 1912, Kandinsky n'avait plus occupé la curiosité du public parisien. Des circonstances fortuites l'avaient empêché jusqu'à l'année dernière de produire ses toiles chez nous (...) Mais ce qu'il y a de plus précieux dans les tableaux de Kandinsky, c'est la parfaite ordonnance des tons qui, pour être souvent intenses, ne sont pas moins d'une parfaite logique. La couleur de Kandinsky ne vise jamais au pittoresque et à l'effet. Souvent même, par la plus simple concurrence de petits moyens, elle laisse l'impression d'extrême sobriété et de tenue. C'est que l'artiste est préoccupé au plus haut degré de l'harmonie totale du tableau et qu'il connaît mieux que personne la nécessité d'une couleur générale. Attentif aux superficies de ses toiles, Kandinsky évite le danger de laisser ses intentions de détail se contredire dans l'effet d'ensemble. Il en résulte que sa couleur ne manque jamais de mélodie. A regarder un de ses tableuax d'assez loin pour ne plus distinguer les signes qui s'y trouvent inscrits pas plus que les relations établies entre ces signes par l'artiste, on s'aperçoit que ce tableau dégage un effet mélodieux très sûr. Et cela suffit pour classer Kandinsky parmi les bons peintres d'aujourd'hui en dépit des objections de tous ceux qui postulent un idéal pictural digne de leur insuffisance et approprié à leurs instincts.
(article signé Christian Zervos dans *Cahiers d'Art,* 1930, 5e année, n° 2, p. 104)

24 Page de titre du n° 1 de 1928 de la revue *Bauhaus-Zeitschrift für Gestaltung,* réalisée par Herbert Bayer. Ce travail obtint le premier prix à l'Art Center de New York en 1931 à l'occasion d'une exposition consacrée à la photographie publicitaire à l'étranger.
Le premier numéro de ce périodique, sorti en 1926, fut conçu en hommage à Kandinsky, pour son 60e anniversaire. La revue cessera de paraître en 1931. A l'exception du n° 2 de 1927, Kandinsky a conservé la série complète.

25 Vue de salle de la première exposition de Kandinsky consacrée exclusivement à l'art du dessin et de l'aquarelle, organisée en février 1932 par la galerie Ferdinand Moeller à Berlin. « Aujourd'hui », écrit Kandinsky à F. Moeller le 23 janvier 1932 (cette lettre est reproduite dans le catalogue de Berlin), « j'ai sélectionné des dessins presque toute la journée. Et ce fut dur. Comme je n'ai jamais encore exposé de dessins (une exception : en automne dernier au Bauhaus), il m'importe de souligner leur très grande variété ». Kandinsky choisit 53 pièces, réalisées entre 1910 et 1931, démonstration éclatante des « possibilités pures du "trait" dans ce que l'on appelle la peinture abstraite ». Cette exposition, dans une galerie où Kandinsky avait exposé à plusieurs reprises au cours des années précédentes, est complétée par un grand nombre d'aquarelles, toutes de 1931, ainsi que des gravures. Un résumé de cette exposition par W. Grohmann, publié dans *Cahiers d'Art*, n°s 1-2, 1932, est reproduit ci-dessous.

Kandinsky (Galerie de France - 2 bis rue de l'Abbaye)

Il existe en France deux passages ouverts au traditionnel et irrésistible « appel de l'Orient ». Les brises de la Méditerranée d'abord. Puis le vent tumultueux qui vient périodiquement de l'Est pour nous remplir de rêves, ce vent qui nous emporte après avoir traversé avec profit la mystérieuse humanité russe et le dynamisme musical de l'Allemagne. Le vent d'Est a soufflé ces dernières années sur la France. Certaine peinture s'en est bien ressentie.
Nous avons connu Klee et ses pages nuancées, couvertes d'une écriture super-sensible. L'année dernière, nous avons vu les aquarelles de Kandinsky. Il nous montre aujourd'hui ses peintures récentes. Kandinsky est incontestablement un précurseur. Il est un des responsables de cet élan romantique qui vint disperser les fragiles constructions post-cubistes pour instituer, à la place d'un ordre vidé, la poétique entraînante d'un langage musical fait de signes, de symboles et de correspondances géométriques.
Espérons que la signification de cet effort apparaîtra clairement pour situer l'œuvre de Kandinsky dans son ambiance légitime.

(article signé E. Tériade dans *L'Intransigeant*, 18 mars 1930, p. 6)

La Quinzaine artistique

Quant à Kandinsky, qui fait, paraît-il, en Allemange et en Russie figure de gloire internationale, son exposition de peinture de la Galerie de France pas plus que les aquarelles qu'il nous montra l'an dernier à la Galerie Zak ne parviennent à nous convaincre de son génie.

(article signé Charensol dans *L'Art vivant*, n° 128, 15 avril 1930, p. 342)

(...) Galerie de France : peintures de Kandinsky, où le grand géomètre, presque sans le vouloir, revient au « sujet », à la modulation colorée telle que la comprenait un Cézanne. Kandinsky a fait un pas de plus vers la peinture pure. C'est bon signe. Kandinsky a maintenant un grand respect pour la belle matière qu'il s'efforce d'obtenir. Son coloris n'a pas la finesse, l'incantation de celui de Paul Klee, mais il est souvent sonore et d'une blanche fraîcheur. Cette exposition, dont nous reparlerons, complète fort heureusement l'idée que nous nous faisions du peintre russe; elle montre que sous le géomètre se cache un artiste d'une grande noblesse.

(article signé P.C. (Pierre Courthion) dans *Le Centaure*, Bruxelles, mai 1930, 4e année, n° 8, p. 166)

Chroniques - Kandinsky (Galerie de France)

Des ronds, des carrés, des triangles. Dans une des préfaces du catalogue (il y en a quatre, ou trois et demie), Christian Zervos affirme que l'art de Kandinsky n'est nullement abstrait. Mais deux pages plus loin, la notice biographique nous dit : « 1910 passe à la peinture abstraite, 1911 premier tableau abstrait, 1912 série de gravures abstraites ». Il doit y avoir quelqu'un qui se trompe.

(*L'Amour de l'Art*, n° 6, juin 1930)

Kandinsky et la peinture abstraite
A Paris, Galerie de France

(...) Le Russe Kandinsky est d'une impeccable logique : le rythme court dans le trait, la teinte est mesurée avec un sens mathématique des dosages. Les couleurs, le vert, le rouge et le blanc, sont des enfants auxquels le peintre permet de s'amuser dans de petits jardins de forme triangulaire, dont les limites sont nettement tracées (le blanc a le moins d'espace, le vert en a le plus). Des baguettes tracées comme des flèches dans plusieurs directions donnent à l'œuvre son chant en la situant dans un espace imaginaire. Et tout semble finir par le « quod erat demonstrandum » (...)

(article signé Pierre Courthion dans *Le Centaure*, juin-juillet 1930, n° 9-10, 4e année, pp. 195-197)

(...) En 1928, Kandinsky crée une composition scénique faite de couleurs et de mouvements pour les « Tableaux d'une Exposition » par Moussorgsky. En suivant le rythme musical, les formes colorées, la couleur de l'éclairage et le libre jeu de la lumière colorée paraissent et disparaissent. Des raies s'illuminent dans le fond, des coulisses rouges, vertes interviennent, des cercles reluisent, ce n'est pas une œuvre d'art complexe au vieux sens du mot, mais une synthèse faite d'harmonie et de contrepoint, de coordination et de subordination mutuelle, une fugue triple pour ainsi dire, où tous les moyens d'art sont minutieusement observés dans leur caractère originel (...)

(*Cahiers d'Art*, décembre 1930)

Berlin
Dessins de Kandinsky (Galerie F. Mœller)

C'est la première exposition que Kandinsky fait de ses dessins, et elle offre une grande surprise. Elle nous permet de comprendre toutes les possibilités du dessin abstrait, lesquelles ne sont point moins nombreuses que celles de la peinture abstraite. La prétendue absence du sujet va de soi dans l'art graphique. L'ensemble offre une espèce d'ingénieuse écriture qui naît de signes clairs et dont les combinaisons permettent des significations bien variées. Nous voyons des études préliminaires pour les grandes compositions d'autrefois, des esquisses d'expérience pour les travaux plus récents et des conceptions notées d'un crayon si hardiment libre que l'on se demande si elles seraient, comme peinture à l'huile, réalisables avec une liberté aussi parfaite. Ce qui nous frappe dans les ouvrages des dix dernières années, c'est que ces dessins manifestent d'une manière presque plus évidente que les tableaux la continuité du style et de l'esprit. Nous assistons point par point au travail qui s'empare de la dimension spirituelle, dimension qui se trouve actuellement encore si profondément incorporée dans le génie particulier de cet artiste unique que nous ne sommes guère capables de la circonscrire. Il paraît que Kandinsky éprouve aujourd'hui un vif plaisir à fixer au crayon ses trouvailles, soit qu'il ait été séduit par les chances que lui offre cette technique, soit que dans l'état actuel de son évolution l'abondance de ses conceptions ne lui permette pas d'autre moyen de les retenir. Peu d'amis avaient connu ce domaine de ses créations aujourd'hui offert au grand public chez qui il ne peut qu'éveiller un immense intérêt.

(article signé Grohmann dans les *Cahiers d'Art*, n° 1-2, 1932)

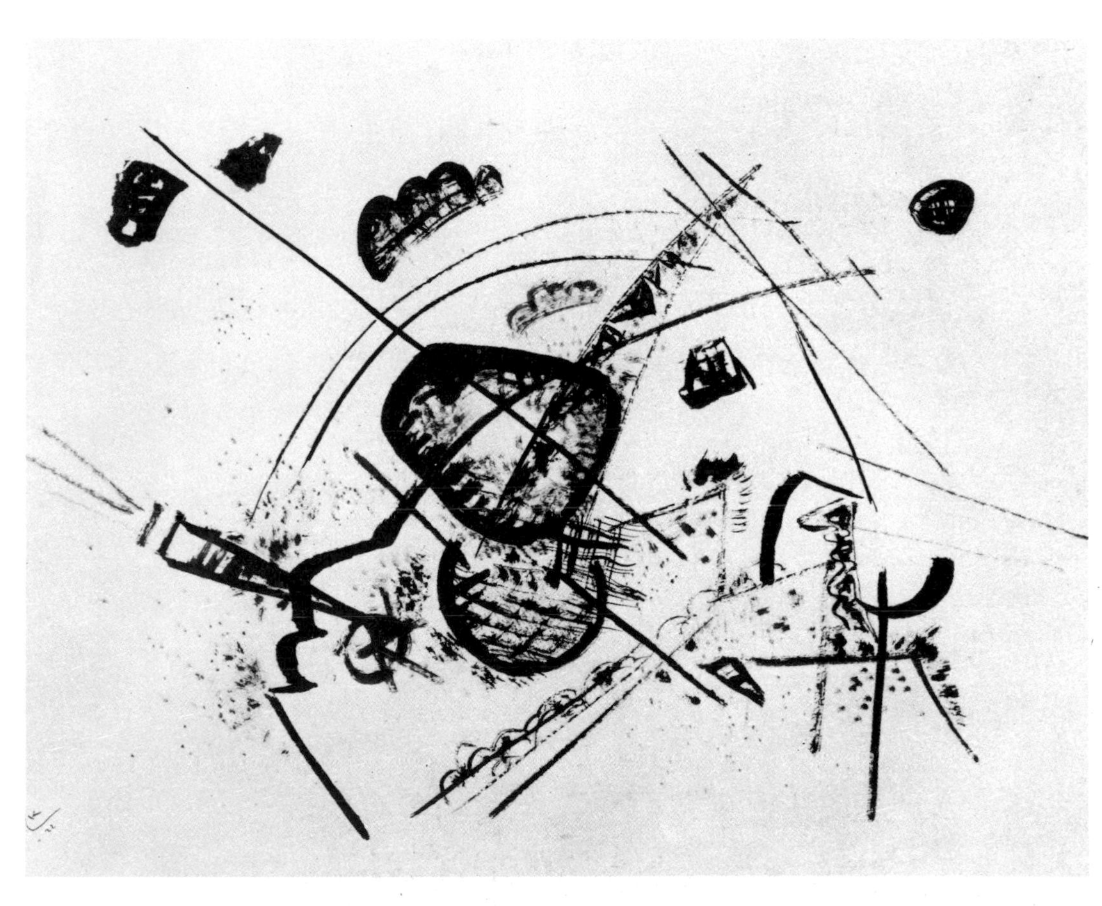

258
[Sans titre], 1922
encre de Chine, 33 × 43,3
monogrammé et daté en bas à gauche : K 22
inscrit au verso du support (à la mine de plomb, de la main de Nina Kandinsky) : « N° 1/Zeichnung zu einem Aquarell/unverkäuflich. »
AM 1981-65-300 (Inv. 119)

259

Aquarelle n° 23, 1922

crayon, aquarelle et encre de Chine, 33 × 47,8
monogrammé et daté en bas à gauche : K 22
inscrit au verso du carton support (à la mine de plomb) : « N° 23, 1922 ».
AM 1981-65-115 (Inv. 47)

Manuscrit Kandinsky V (aquarelles) : n° 23

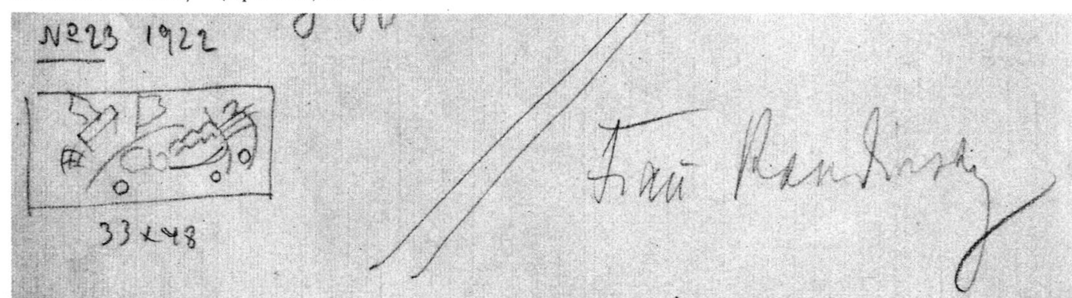
№ 23 1922
33 x 48
Frau Kandinsky

260

Trame noire, 1922

huile sur toile, 96 × 106

monogrammé et daté en bas à gauche : K 22

AM 1981-65-44 (Inv. 1)

peint à Weimar en 1922

Références :

Grohmann n° 137, p. 360

Roethel n° 687

Manuscrit Kandinsky IV : n° 246

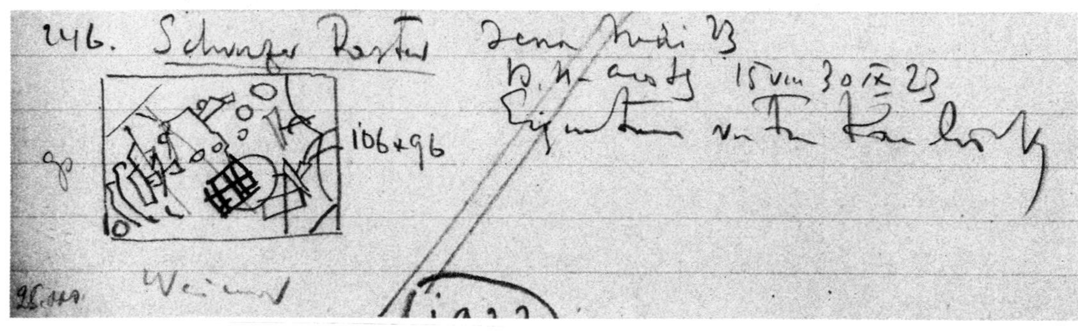

246. Schwarzer Raster

i06 × 96

Weimar

Jena Mai 23

B(au)h(aus) Ausst(ellun)g 15 VII - 30 IX 23

Eigentum von Frau Kandinsky

261
Vignette pour la couverture de l'édition de luxe du portefeuille *Kleine Welten* (Petits Mondes), 1922
gravure, 25,2 × 16,7
AM 1981-65-713 (Inv. 879-15)

Pendant les premières années du Bauhaus de Weimar, caractérisées par une activité exubérante et une féconde collaboration entre les divers ateliers, maîtres et étudiants (cf. la réalisation du décor mural pour la Juryfreie Kunstschau de 1922, pp. 250-54 ci-après), Kandinsky renoue avec les techniques de la gravure et crée un portefeuille de 12 gravures (se composant d'un nombre égal de gravures sur bois, de lithographies et de pointes sèches) avec le concours de l'atelier d'imprimerie du Bauhaus. Les tirages furent achevés en octobre 1922 pour la maison d'édition Propyläen, Berlin, d'après les bois, pierres et plaques de cuivre gravés par l'artiste lui-même en l'espace de quelques semaines pendant l'été de cette année. Le tirage était de 230 exemplaires numérotés, dont 30 exemplaires d'une édition de luxe, réalisés sur papier japon. L'édition normale était tirée sur papier vergé.
Dans ces images d'une richesse inventive étonnante on retrouve des éléments formels figurant dans les peintures de la Juryfreie Kunstschau, ainsi qu'un remaniement de motifs rappelant certaines peintures de la période russe ou munichoise de l'artiste. Ces quelques réminiscences sont accompagnées des premiers signes de l'évolution du style du peintre vers une géométrisation plus sévère.
Le titre du portefeuille fait allusion à l'individualité de chaque œuvre, ne serait-ce qu'une modeste gravure sur bois en noir et blanc. Toute organisation, graphique ou picturale, d'une surface par le peintre fait naître un monde unique, qui est un organisme, un être vivant aux yeux de Kandinsky.
Un curieux poème en prose, rédigé en allemand (le manuscrit est conservé dans le fonds Kandinsky) porte ce même titre : « Microcosme », « Kleine Welt ». Ce poème qui se lit comme la description poétique — avec énumération — des éléments formels et picturaux rencontrés au cours de l'exploration d'un tableau abstrait, serait à rapprocher des poèmes du cycle de *Klänge*. La version russe de ce poème fut griffonnée par Kandinsky sur le revers d'une lettre de Hugo Ball, datée du 12 juillet 1914, et conservée dans le fonds Kandinsky.

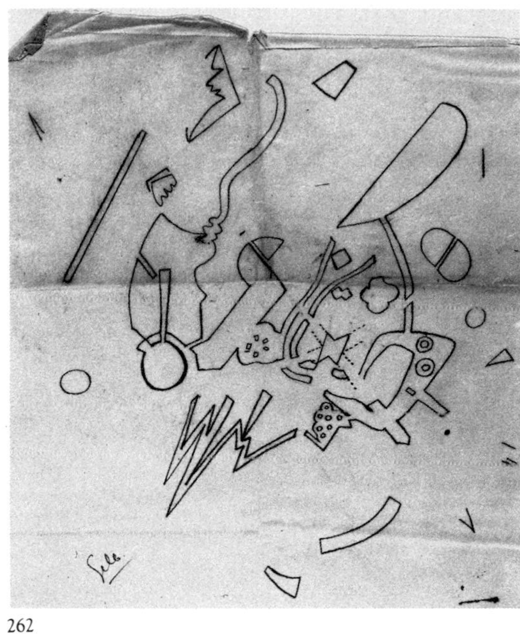
262

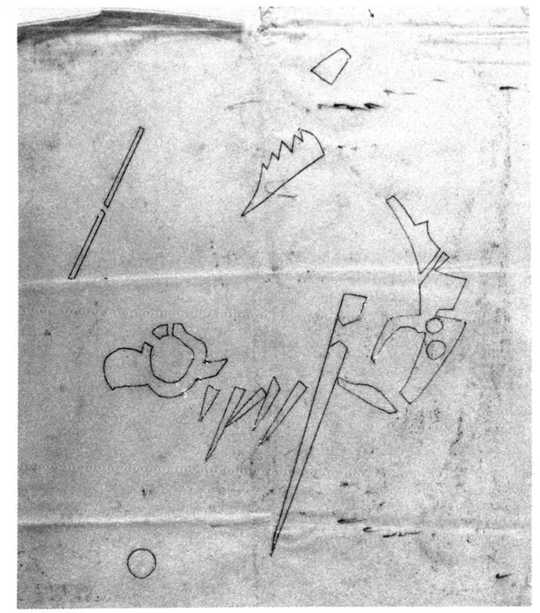
263

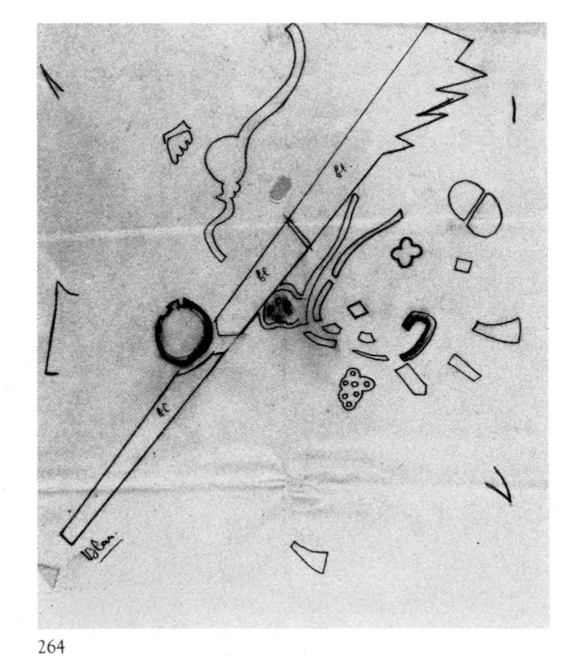
264

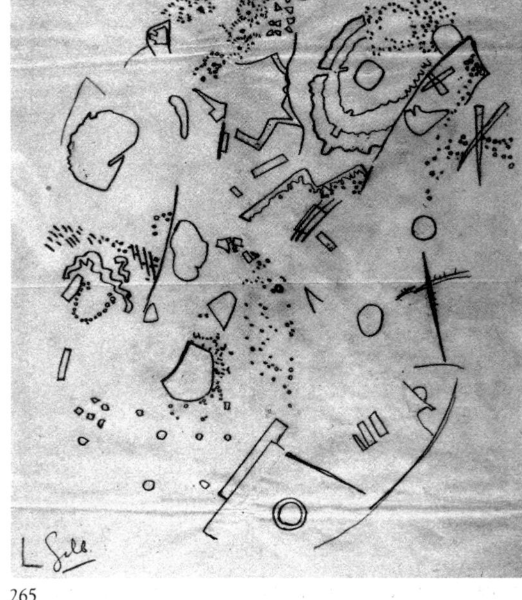
265

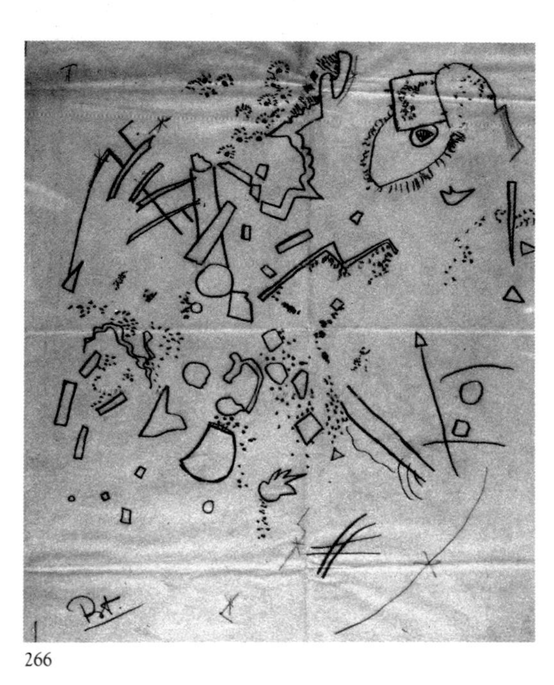
266

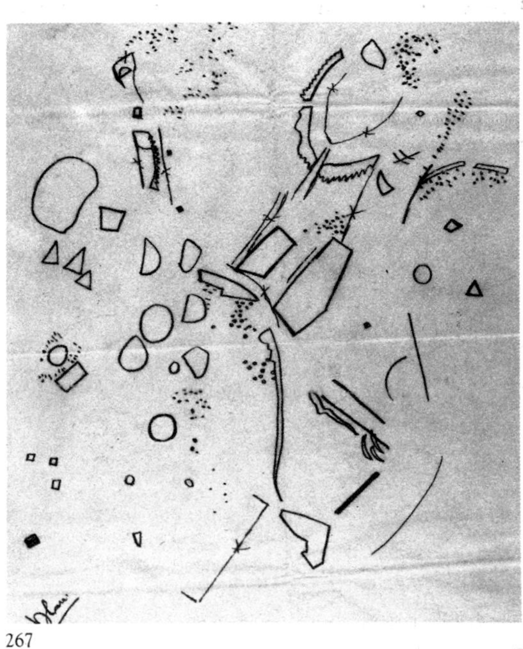
267

262
Dessin pour le passage du jaune dans la lithographie
Kleine Welten (Petits Mondes) *I*, 1922
mine de plomb sur papier calque, 26,8 × 23,4
inscrit en bas à gauche (à la mine de plomb) :
« Gelb »
AM 1981-65-301 (Inv. suppl.)

263
Dessin pour le passage du rouge dans la lithographie
Kleine Welten (Petits Mondes) *I*, 1922
mine de plomb sur papier calque, 28,1 × 24,2
AM 1981-65-302 (Inv. suppl.)

264
Dessin pour le passage du bleu dans la lithographie
Kleine Welten (Petits Mondes) *I*, 1922
mine de plomb et crayon gras sur papier calque,
25,1 × 22,8
inscrit en bas à gauche (à la mine de plomb) :
« Blau »
indications supplémentaires concernant cette
couleur
AM 1981-65-303 (Inv. suppl.)

265
Dessin pour le passage du jaune dans la lithographie
Kleine Welten (Petits Mondes) *III*, 1922
mine de plomb sur papier calque, 31,6 × 24,1
inscrit en bas à gauche (à la mine de plomb) :
« Gelb »
AM 1981-65-304 (Inv. suppl.)

266
Dessin pour le passage du rouge dans la lithographie
Kleine Welten (Petits Mondes) *III*, 1922
mine de plomb et crayon gras sur papier calque,
31,8 × 22,7
inscrit en bas à gauche (à la mine de plomb) : « Rot »
AM 1981-65-305 (Inv. suppl.)

267
Dessin pour le passage du bleu dans la lithographie
Kleine Welten (Petits Mondes) *III*, 1922
mine de plomb sur papier calque, 31,7 × 22,5
inscrit en bas à gauche (à la mine de plomb) :
« Blau »
AM 1981-65-306 (Inv. suppl.)

268
Kleine Welten (Petits Mondes) I, 1922
lithographie de couleur, 24,7 × 21,8
monogrammé et daté en bas à gauche sur la pierre noire : K 22
inscrit en bas à gauche (à la mine de plomb) :
« Épreuve d'artiste/tirage manuel »
Roethel (gravures) n° 164
AM 1981-65-714 (Inv. 586-21)

269
Kleine Welten (Petits Mondes) II, 1922
lithographie de couleur, 25,4 × 21,1
monogrammé et daté en bas à gauche sur la pierre noire : K 22
exemplaire signé en bas à droite (à la mine de plomb) : Kandinsky
Roethel (gravures) n° 165
AM 1981-65-715 (Inv. 142)

270
Kleine Welten (Petits Mondes) III, 1922
lithographie de couleur, 27,8 × 23
monogrammé et daté en bas à gauche sur la pierre noire : K 22
exemplaire signé en bas à droite (à la mine de plomb) : Kandinsky
Roethel (gravures) n° 166
AM 1981-65-716 (Inv. 590-25)

271
Kleine Welten (Petits Mondes) IV, 1922
lithographie de couleur, 26,7 × 25,6
monogrammé en bas à gauche sur la pierre noire : K
exemplaire signé en bas à droite (à la mine de plomb) : Kandinsky
Roethel (gravures) n° 167
AM 1981-65-717 (Inv. 590-26)

272
Kleine Welten (Petits Mondes) V, 1922
lithographie de couleur, 27,5 × 23,5
monogrammé en bas à gauche dans le bois : K
exemplaire signé en bas à droite (à la mine de plomb) : Kandinsky
Roethel (gravures) n° 168
AM 1981-65-718 (Inv. 590-27)

273
Kleine Welten (Petits Mondes) VI, 1922
gravure sur bois, 27,5 × 23,4
monogrammé en bas à gauche dans le bois : K
épreuve d'artiste, signée en bas à droite (à la mine de plomb) : Kandinsky
inscrit en bas à gauche (à la mine de plomb) :
« Probedruck »
Roethel (gravures) n° 169
AM 1981-65-719 (Inv. 590-22)

268

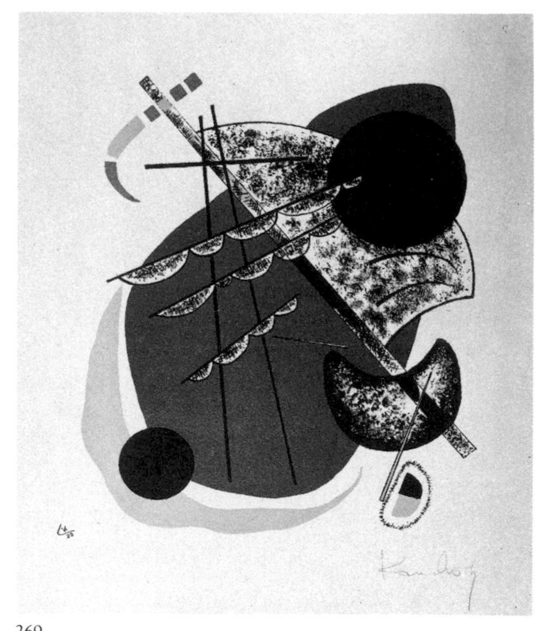
269

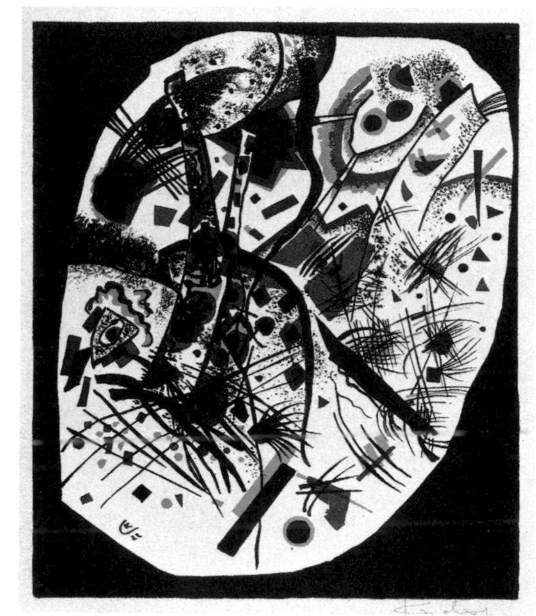
270

271

272

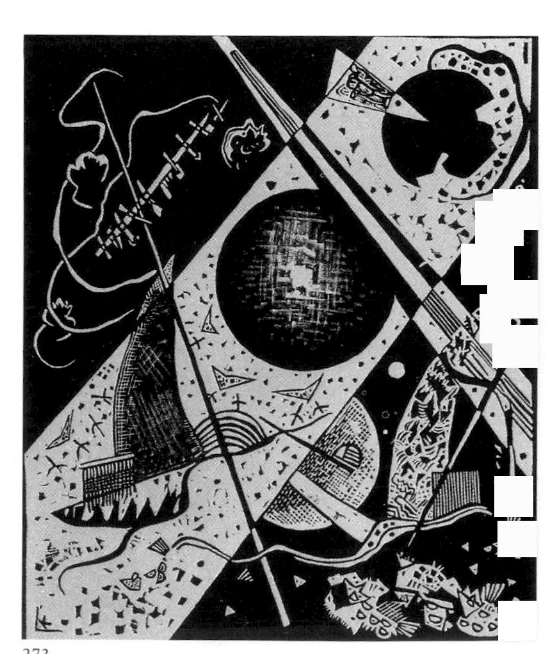
273

274
Kleine Welten (Petits Mondes) VII, 1922
lithographie de couleur, 27,1 × 23,3
monogrammé en bas à gauche dans le bois : K
inscrit au verso (à l'encre) : « Bois gravé/Kandinsky/ épreuve d'artiste 'Kleine Welten' 1922 »
Roethel (gravures) n° 170
AM 1981-65-720 (Inv. 140)

275
Kleine Welten (Petits Mondes) VIII, 1922
gravure sur bois, 27,3 × 23,3
monogrammé en bas à gauche dans le bois : K
épreuve d'artiste, signée en bas à droite (à la mine de plomb) : Kandinsky
inscrit en bas à gauche (à la mine de plomb) : « Probedruck »
Roethel (gravures) n° 171
AM 1981-65-721 (Inv. 590-23)

276
Kleine Welten (Petits Mondes) IX, 1922
pointe sèche, 23,7 × 20
monogrammé en bas à gauche sur la plaque : K
exemplaire signé en bas à droite (à la mine de plomb) : Kandinsky
inscrit au verso (à la mine de plomb) : « Radierung aus Kandinsky-Mappe 'Kleine Welten' 1922/ Propyläen Verlag, Berlin; Handdruck Bauhaus Weimar »
Roethel (gravures) n° 172
AM 1981-65-722 (Inv. 590-19)

277
Kleine Welten (Petits Mondes) X, 1922
pointe sèche, 23,9 × 20
monogrammé en bas à gauche sur la plaque : K
exemplaire signé en bas à droite (à la mine de plomb) : Kandinsky
Roethel (gravures) n° 173
AM 1981-65-723 (Inv. 590-20)

278
Kleine Welten (Petits Mondes) XI, 1922
pointe sèche, 23,8 × 19,9
monogrammé en bas à gauche sur la plaque : K
exemplaire non signé
Roethel (gravures) n° 174
AM 1981-65-724 (Inv. 586-8)

279
Kleine Welten (Petits Mondes) XII, 1922
pointe sèche, 23,7 × 19,7
monogrammé en bas à gauche sur la plaque : K
exemplaire signé en bas à droite (à la mine de plomb) : Kandinsky
inscrit au verso (à la mine de plomb) : « Aus der Mappe : 'Kleine Welten' von Kandinsky, Propyläen Verlag, Berlin 1922 »
Roethel (gravures) n° 175
AM 1981-65-725 (Inv. 590-17)

274

275

276

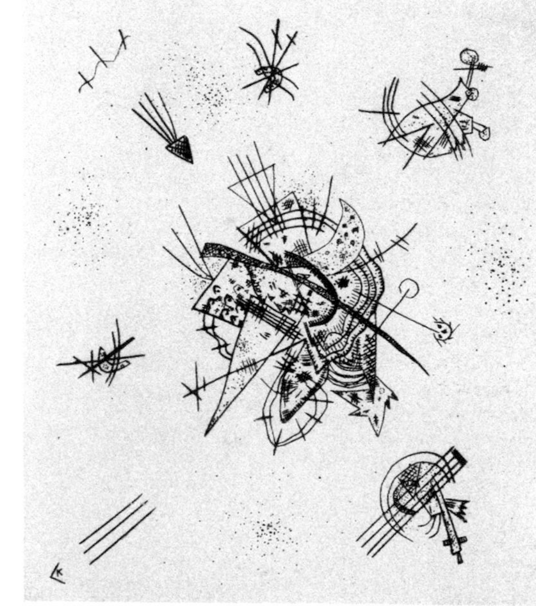

277

278

279

280

Maquette de panneau pour l'exposition de la Juryfreie, 1922
gouache sur papier noir, 34,7 × 60
ni signé, ni daté
inscrit au verso en bas à droite : B
donation Mme Nina Kandinsky, 1976
Grohmann n° 641, p. 402
AM 1976-885

« Berlin en parle. Et de quoi donc ? Des nouveaux décors muraux créés par Kandinsky et exécutés par ses étudiants à l'Académie de Weimar ».
C'est ainsi (la traduction prend quelques libertés) que Katherine S. Dreier ouvre la préface de son catalogue pour l'exposition de Kandinsky en 1923 à la Société Anonyme, New York. Miss Dreier ne se contentait pas de rumeurs. Elle a vu ces « grandes tentures noires », installées dans un espace octogonal simulant, dans les salles d'exposition de la Juryfreie Kunstschau, le hall d'entrée d'un musée du nouvel art, grand projet des Berlinois qui ne fut jamais réalisé.
Un autre témoignage, celui de Willi Wolfradt, alors critique d'art de *Das Kunstblatt*, mérite également d'être retenu. Son compte rendu de cette gigantesque manifestation, noyant beaucoup de talents dans la foule des envois, culmine dans une poignante juxtaposition des images d'Otto Dix (1891-1969) — terrifiantes dans leur cynisme, dans la brutalité de leur démystification — et des peintures murales de Kandinsky. Son rejet tient en une phrase : « On a fait couvrir d'images par Kandinsky un papier noir pour revêtement mural. Le résultat : une chinoiserie, dans laquelle l'artiste, un talentueux décorateur dès le début, semble se sentir enfin à l'aise »[1].
Ces peintures, exécutées en collaboration avec ses élèves au Bauhaus au cours de l'été 1922 (Kandinsky est enseignant au Bauhaus depuis le mois de juin de cette année) sur des immenses panneaux de toile étendus sur le sol du grand auditorium du Bauhaus de Weimar, ont disparu. Il ne subsiste de cet ensemble que les maquettes des quatre parois (dont trois rompues par une porte) et des quatre panneaux d'angle, maquettes exécutées à la gouache sur papier noir ou brun. Elles ont servi pour plusieurs tentatives de reconstitution, dont la première fut celle de la Biennale de Venise en 1976.
En 1977 fut inauguré au Centre d'Art et de Culture G. Pompidou un espace de réception, à l'identique de la salle octogonale pour laquelle les peintures avaient été destinées, tendu de toile marouflée sur des cloisons spéciales. Sur cette toile avait été peint, à l'acrylique et à l'aide de procédés photographiques de transfert d'image et d'agrandissement, le décor imaginé par Kandinsky en 1922.
A nouveau, les visiteurs peuvent faire l'expérience d'une immersion complète dans un univers de couleurs et de formes, expérience que Kandinsky cherchait à recréer pour le spectateur depuis 1889 quand, en voyage d'études dans la région de Vologda (Russie), il était entré pour la première fois dans « ces mondes magiques faits de couleurs bariolées » que sont ces intérieurs paysans russes.
Resitué dans la production picturale de Kandinsky pendant les premières années de Weimar, ce décor doit être considéré comme une œuvre-pivot. Il emprunte aux deux styles qui se superposent alors dans l'esthétique du peintre. D'abord, et cet aspect est parfaitement résumé par W. Grohmann[2], « ces peintures sont comme un dernier souvenir de Moscou qu'il (Kandinsky) a quitté, une combinaison très individuelle d'une mélodie orientale de couleurs et de formes, rappelant Moussorgsky plutôt que Strawinsky. Populaires et infiniment riches de sons, et d'une élévation de passion qui tient au mysticisme ». Cependant, semblables aux images du portefeuille *Kleine Welten* (cf. p. 246), elles annoncent déjà « la décantation des formes qui marquera l'enseignement du Bauhaus et que *Point-Ligne-Plan* viendra bientôt codifier »[3].
Vue à l'échelle de la production du Bauhaus, cette réalisation de 1922 est remarquable, car elle est le premier travail collectif de l'atelier de peinture murale dont Kandinsky était depuis peu maître des formes. Elle constitue la mise en pratique d'un des buts que W. Gropius et ses premiers collaborateurs s'étaient fixés : abandon de la peinture de chevalet au profit d'une peinture intégrée dans l'ensemble architectural. Deux autres réalisations dans cet esprit par les maîtres et les étudiants du Bauhaus furent le théâtre de Iéna, construit par Gropius, et les maisons Sommerfeld et Otte à Berlin.
Herbert Bayer, étudiant au Bauhaus depuis 1921, a participé au projet de la Juryfreie, car il avait choisi de travailler dans l'atelier de peinture murale. Plus tard, il résume ses souvenirs de l'enseignement de Kandinsky à Weimar[4] : « Le cours reposait sur des exercices pour la peinture murale à l'intérieur et à l'extérieur des bâtiments. Le but était de développer le sens de l'intégration de la couleur dans l'architecture. Le travail pratique était complété par des discussions sur la nature de la couleur et ses rapports avec la forme. Les deux éléments s'interpénétraient : théorie et pratique. Les connaissances théoriques étaient mises à l'essai dans des peintures murales exécutées à l'aide des matériaux et des techniques les plus variés. Les idées de Kandinsky sur la psychologie des couleurs et leurs rapports avec l'espace déclenchaient des discussions particulièrement vives. Pour autant que je puisse m'en souvenir, la peinture propre de Kandinsky ne jouait aucun rôle dans son enseignement et dans les discussions, encore qu'elle n'y restât pas entièrement étrangère. »
Quand, vers 1929-30, un purisme exagéré s'introduit au Bauhaus qui, après la subordination de la peinture à l'architecture et après la tendance fonctionnaliste, exige le mur nu, vide, Kandinsky écrit un texte très cynique, intitulé « Die kahle Wand », persiflant les tendances diverses de l'esprit du temps. Les lignes suivantes sont extraites de ce texte : « ... Certains nous demandent (aux peintres abstraits) de ne peindre que les murs, et seulement à l'intérieur. D'autres souhaitent que nous ne peignions que l'extérieur des maisons. D'autres encore désirent que nous servions l'industrie, que nous dessinions tissus, cravates, chaussettes, vaisselle, parasols, cendriers, tapis. Exclusivement de l'artisanat. On nous demanderait même de ne plus faire de tableaux du tout... » Peu perturbé par ces vents contraires, on retrouvera l'artiste de temps à autre devant son chevalet.

1. Willi Wolfradt, « Juryfreie Kunstschau », *Das Kunstblatt*, 1922, p. 543.
2. W. Grohmann, « Kandinsky », Paris, *Les Cahiers d'Art*, 1931, p. XXVI.
3. M. Conil Lacoste, *op. cit.*, p. 63.
4. H. Bayer, cité *in* Nina Kandinsky, *op. cit.*, p. 121-22 de la version française.

281
Maquette de panneau pour l'exposition de la Juryfreie, 1922
gouache sur papier noir, 34,7 × 60
ni signé, ni daté
inscrit au verso en bas à gauche : A
donation Mme Nina Kandinsky, 1976
Grohmann n° 643, p. 403
AM 1976-889

282
Maquette de panneau pour l'exposition de la Juryfreie, 1922
gouache sur papier brun, 34,7 × 60
ni signé, ni daté
inscrit au verso en haut à droite : C
donation Mme Nina Kandinsky, 1976
Grohmann n° 644, p. 403
AM 1976-886

283
Maquette de panneau pour l'exposition de la Juryfreie, 1922
gouache sur papier brun, 34,9 × 60
ni signé, ni daté
inscrit au verso, en haut à droite : D
donation Mme Nina Kandinsky, 1976
Grohmann n° 642, p. 402
AM 1976-888

284
Maquette des quatre panneaux d'angle pour l'exposition de la Juryfreie, 1922
gouache sur papier noir, 34,8 × 57,8
ni signé, ni daté
inscrit au verso, en haut à droite : D-A
donation Mme Nina Kandinsky, 1976
Grohmann n° 645, p. 403
AM 1976-887

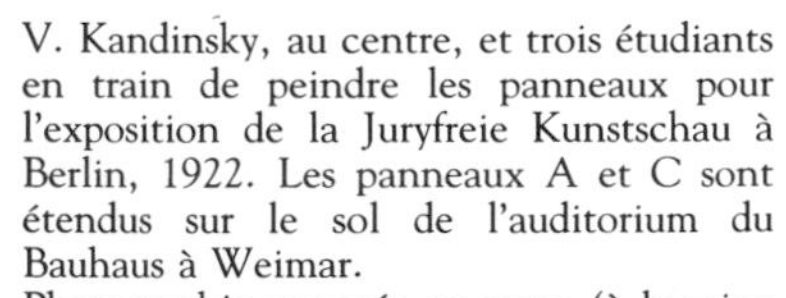

V. Kandinsky, au centre, et trois étudiants en train de peindre les panneaux pour l'exposition de la Juryfreie Kunstschau à Berlin, 1922. Les panneaux A et C sont étendus sur le sol de l'auditorium du Bauhaus à Weimar.
Photographie annotée au verso (à la mine de plomb, de la main de V. Kandinsky) : « Ausführung der Schüler Kandinsky's/der Ausmalung eines Empfangsraumes für die Juryfreie Ausstellung in Berlin 1922./ Für ein geplantes Museum der neuen Kunst » et annotée en bas (à la mine de plomb) : « Habe ich aufgenommen am 25. Oktober 1923 *(sic)* zu Weimar/ Prof(essor) Dr. N. von Hildenbrandt ».

Photographie des panneaux C et D, ainsi que du panneau d'angle CD en place dans les salles de l'exposition de la Juryfreie Kunstschau, Berlin, 1922. Au premier plan, un bronze de H. Garbe (photographie conservée dans les Archives du Blue Rider Research Trust, États-Unis).
Photographie annotée au verso (à la mine de plomb, d'une main non identifiée) : « Wandmalerei in die *(sic)* "Juryfreie" Kunstschau 1922, Berlin/ Seitenwand, Grohmann s. 403, Abb(ildung) 644 ».

285
[Sans titre, 1922]
crayon gras sur papier transparent, 30,5 × 23,5
recto : à rapprocher d'un fragment du panneau A du décor pour la Juryfreie, 1922
verso : dessin à rapprocher d'un détail de *Kleine Welten VII*
AM 1981-65-307 recto-verso (Inv. 626-3)

recto

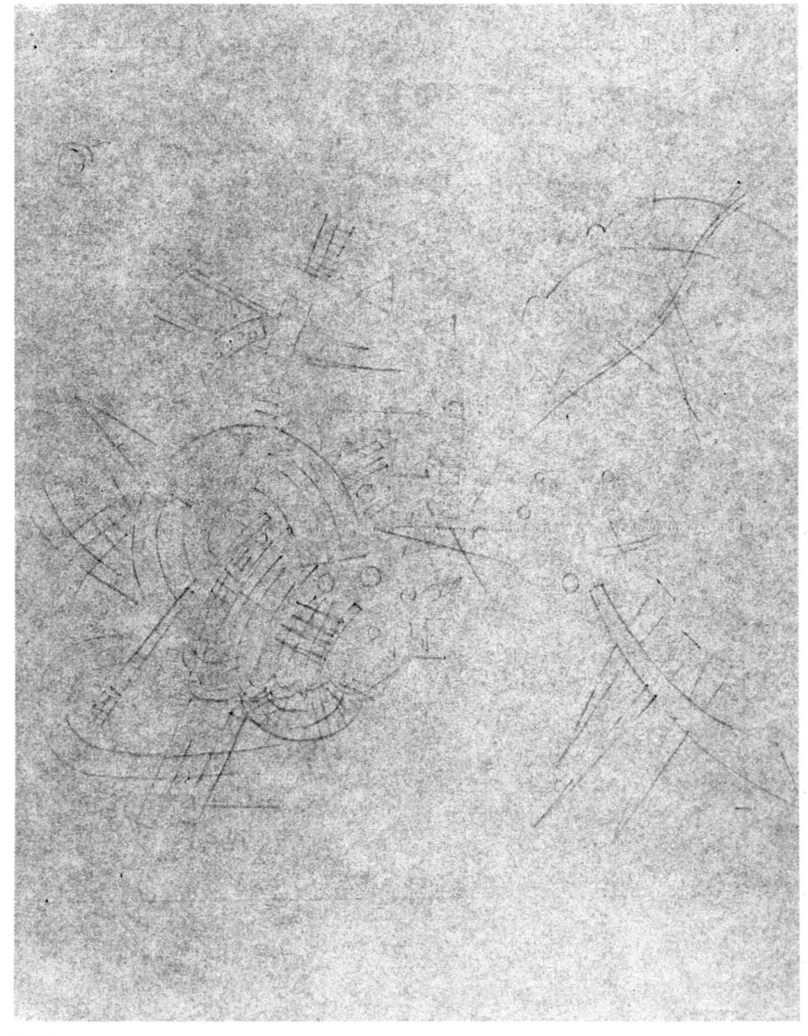

verso

286

287

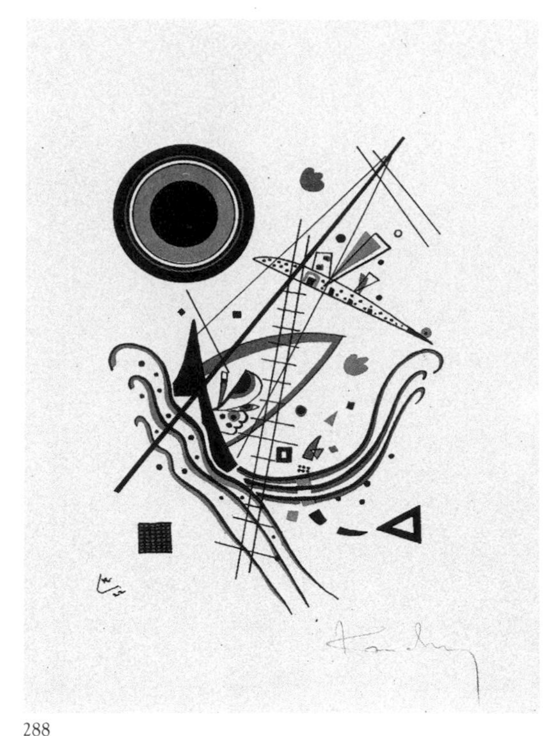

288

286
[Sans titre, étude pour *Gravure avec cinq diagonales*, 1922]
encre de Chine, 25,1 × 21,3
AM 1981-65-308 (Inv. 413)

287
Gravure avec cinq diagonales, 1922
pointe sèche, 17,6 × 12,9
monogrammé et daté en bas à gauche sur la plaque : K 22
exemplaire signé en bas à droite (à la mine de plomb) : Kandinsky; numéroté en bas à gauche : 2/20
Roethel (gravures) n° 161
AM 1981-65-726 (Inv. 614)

288
Bleu (Blau), 1922
lithographie de couleur, 21 × 14,3
monogrammé et daté en bas à gauche sur la pierre noire : K 22
exemplaire signé en bas à droite (à la mine de plomb) : Kandinsky; numéroté en bas à gauche : N° 3i
Roethel (gravures) n° 163
AM 1981-65-727 (Inv. 145)

289
Lithographie pour la quatrième Bauhausmappe, 1922
lithographie de couleur, 27,8 × 24
monogrammé et daté sur la pierre noire : K 22
exemplaire signé en bas à droite (à la mine de plomb) : Kandinsky
inscrit en bas à gauche (à la mine de plomb) : « Aus der 'Europ(äischen) Mappe Bauhausverlag' » (cf. n° 823, p. 456-57)
Roethel (gravures) n° 162
AM 1981-65-728 (Inv. 138)

289

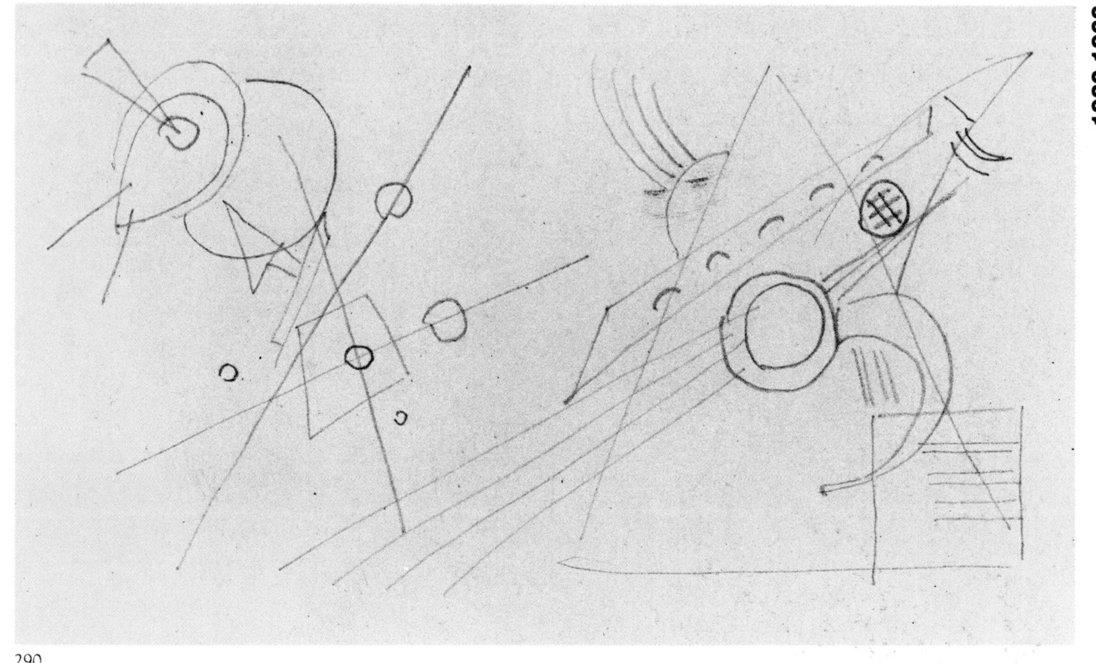

290

290
[Sans titre, 1922-23]
mine de plomb, 7,3 × 12,3
à rapprocher de *Ohne Stütze,* 1923, Roethel n° 706
AM 1981-65-309 (Inv. 594-11)

291
[Sans titre, 1922-23]
mine de plomb, feuille irrégulière, 8,75 × 12,4
partie gauche : à rapprocher des numéros 293 et 294
partie droite : à rapprocher de l'aquarelle n° 32, 1922
AM 1981-65-310 (Inv. 594-10)

292
[Sans titre, 1922-23]
mine de plomb, 10,3 × 15
à rapprocher de *Schwarz und violett,* 1923, Roethel n° 698
AM 1981-65-311 (Inv. 350)

293
[Sans titre, 1922-23]
(étude pour une gravure non réalisée)
mine de plomb, 14,9 × 10,2
à rapprocher de *Rotes Viereck,* 1923, Roethel n° 695
AM 1981-65-312 (Inv. 355)

294
[Sans titre, 1922-23]
(étude pour une gravure non réalisée)
encre de Chine, 16,8 × 10,2
à rapprocher de *Rotes Viereck,* 1923, Roethel n° 695
AM 1981-65-313 (Inv. 623-1)

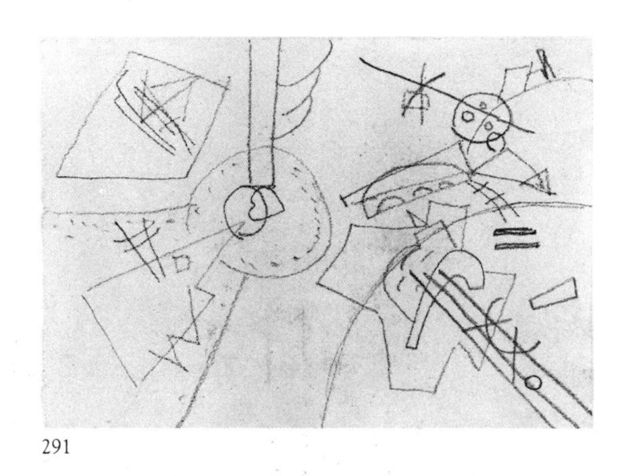

291

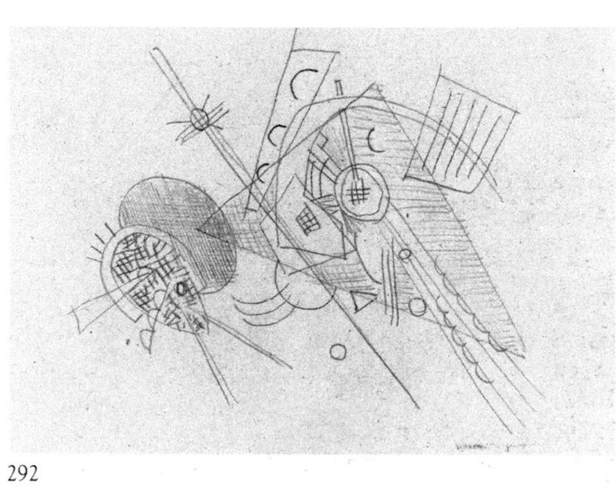

292

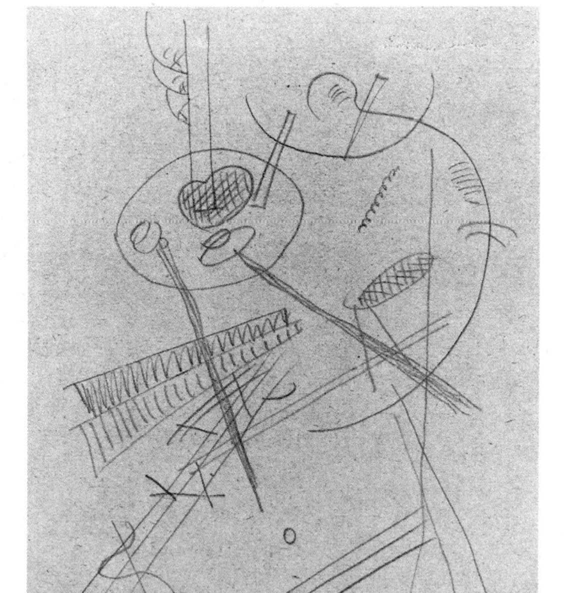

293

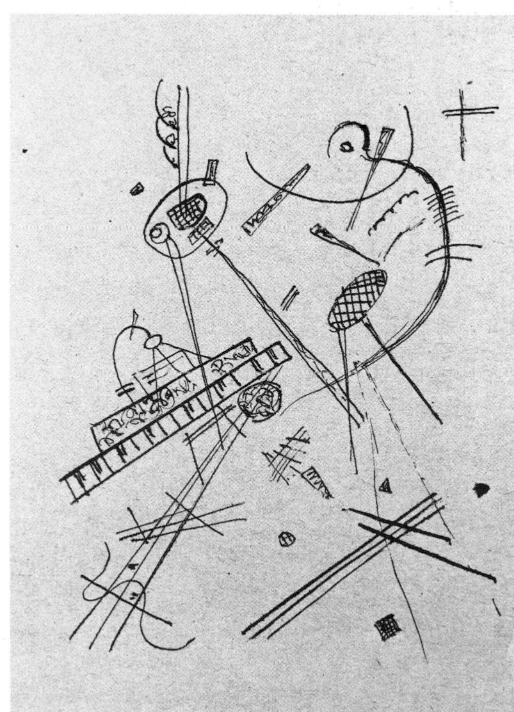

294

295
Fin d'année (Jahresschluss), 1922
mine de plomb, aquarelle et encre de Chine,
26,9 × 36,5
monogrammé et daté en bas à gauche : K 22
AM 1981-65-116 (Inv. 55)

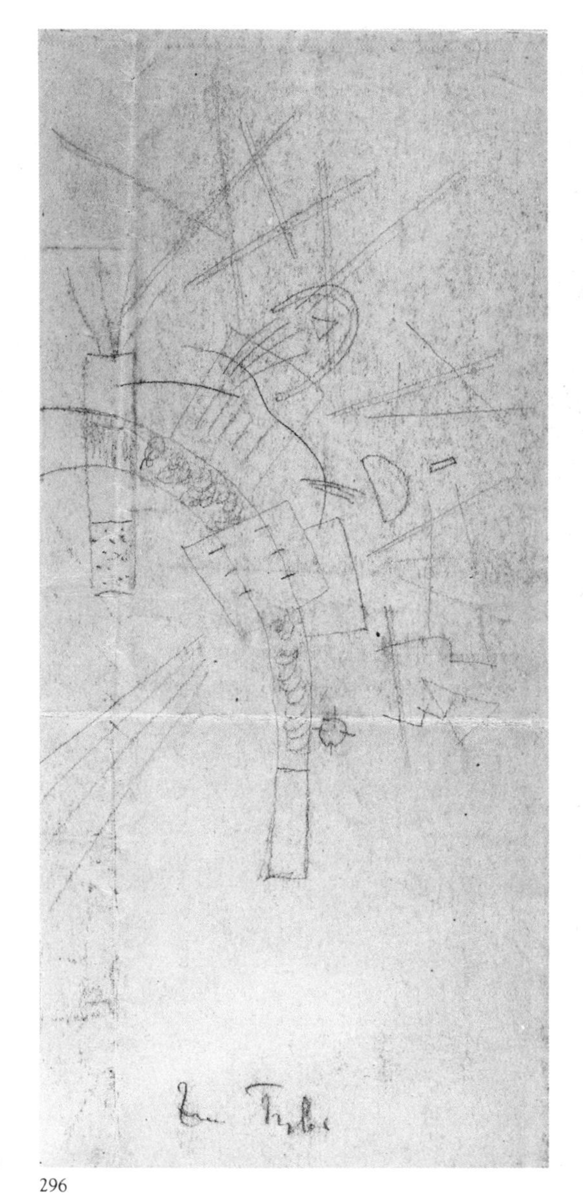

296

1923 où il se lie avec les peintres du *Sturm*, avant de s'installer définitivement en France — un projet d'illustration de quelques rêves aux titres étranges, mis en mots par Remizov, tels que : *Le diable et les larmes*, *Sulky*, *Macaroni*, et *Chou rouge*. Certains de ces contes, sans les illustrations de Kandinsky, furent publiés en langue française en 1947 sous le titre « Où finit l'escalier » (Paris, édition du Pavois).
Toute sa vie, Remizov a noté des rêves vécus ou imaginés et les a dédiés aux enfants, car ils ne sont pas encore « cartésiens ». Il crée également une Grande Chambre Libre des Singes dont il est le « cancellarius », et dont seront membres presque tous les écrivains, philosophes, peintres et musiciens qu'il connaît.
Sur les pages suivantes sont reproduits neuf dessins à l'encre, ainsi qu'un dessin préparatoire à la mine de plomb pour une série d'illustrations des contes de Remizov, projet auquel Kandinsky travaille probablement pendant les premières années de son séjour à Weimar. De cette époque, aucune correspondance entre les deux artistes ne fut retrouvée. Une lettre très originale de Remizov, datée du 3 février 1937, véritable petit chef-d'œuvre de calligraphie, est reproduite p. 362 de ce catalogue.

296
[Sans titre, étude pour une illustration d'un conte d'Alexis Remizov : « Sulky », vers 1923]
mine de plomb, 18,8 × 8,9
inscrit en bas (à la mine de plomb) : « Zum Traber »
AM 1981-65-314 (Inv. 883)

297
[Sans titre, illustration pour un conte d'Alexis Remizov : « Sulky », vers 1923]
mine de plomb et encre de Chine, 19 × 15,1
monogrammé en bas à gauche : K
inscrit à droite et en bas (à la mine de plomb) : « Ganzseitig » et « Zu Traber »
AM 1981-65-315 (Inv. 596-6)

« A l'exposition, en regardant de près vos tableaux », écrit le calligraphe, écrivain et dessinateur Alexeï Remizov (1877-1957) à Kandinsky le 23 décembre 1936, « je me suis arraché l'œil, mais je tenais absolument à *perce-voir* comment vous faisiez tout cela ». Admiration et curiosité partagées. Pour Remizov, l'art de son compatriote lui est proche « à travers ses rêves », dit-il, et son amour pour les mots-sons et les mots-lettres. Kandinsky ne se sent point dépaysé sur les « Iles Joyeuses » que Remizov rend accessibles à ses lecteurs — rares. Le peintre collectionne les contes et romans étranges de son ami et élabore, vraisemblablement dès son retour de Russie — Remizov quitte sa patrie également au début des années 20 et séjourne à Berlin jusqu'en

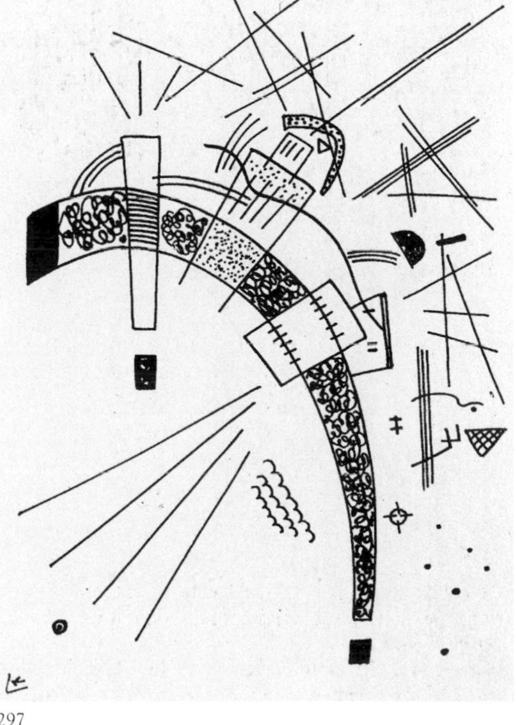

297

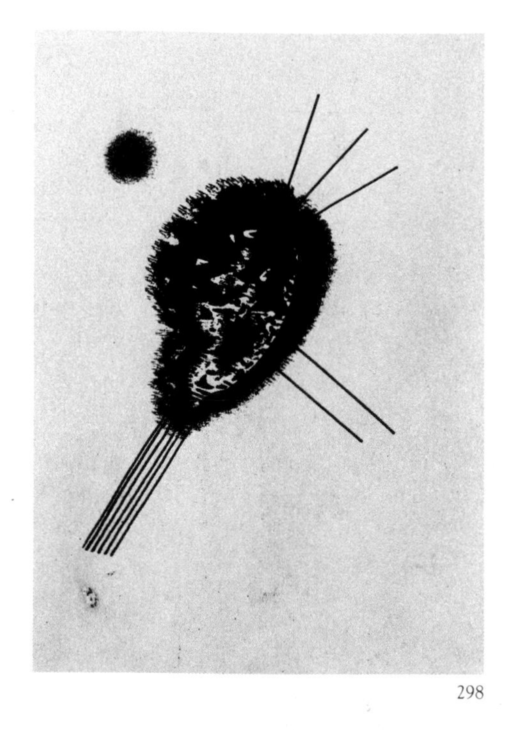

298

299

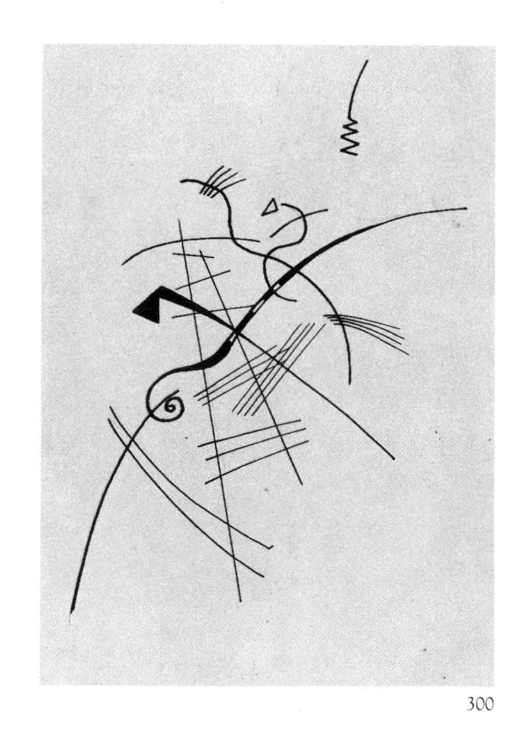

300

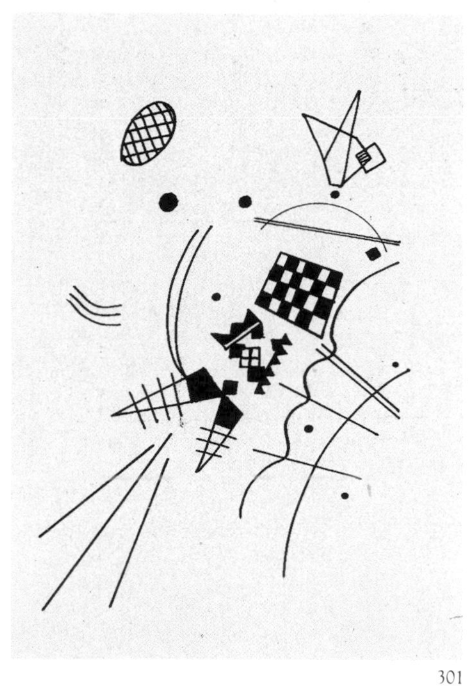

301

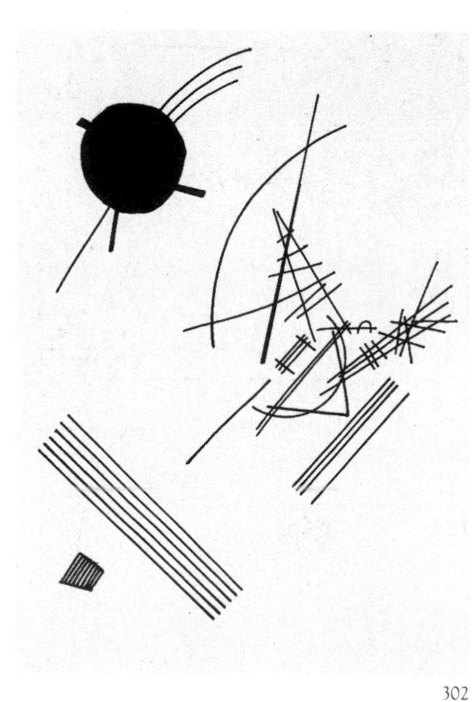

302

303

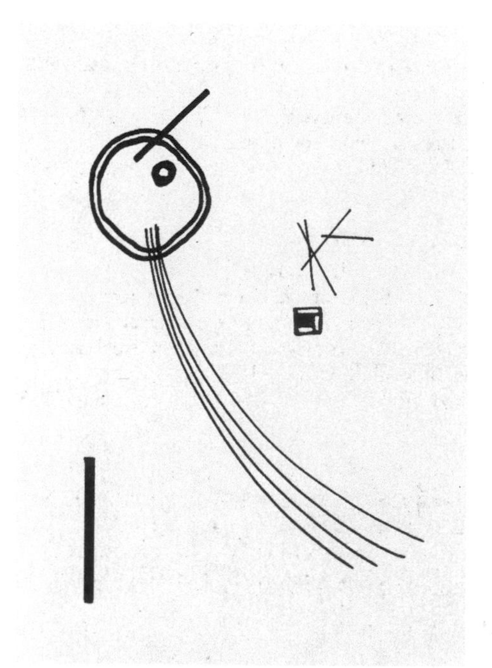

304

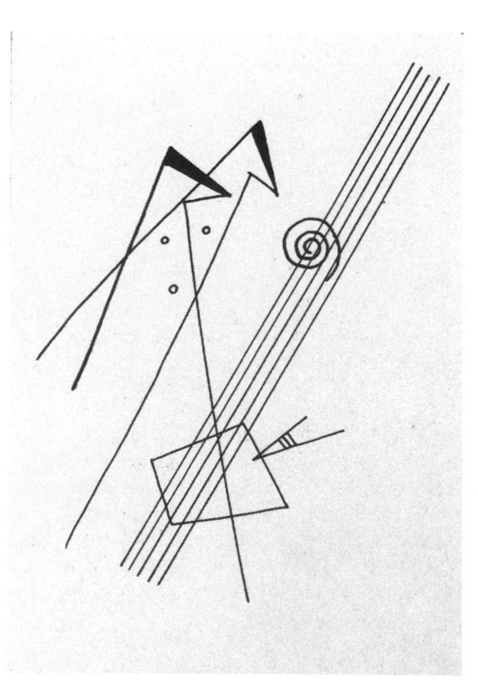

305

298
[Sans titre, illustration pour un conte d'Alexis Remizov : « Makkaroni », vers 1923]
mine de plomb et encre de Chine, 19 × 15,8
inscrit à droite et en bas (à la mine de plomb) : « Ganzseitig » et « Makkaroni/238 »
AM 1981-65-316 (Inv. 596-4)

299
[Sans titre, illustration pour un conte d'Alexis Remizov : « Sans chapeau » (?), vers 1923]
mine de plomb et encre de Chine, 18,9 × 15,4
inscrit à droite et en bas (à la mine de plomb) : « Ganzseitig - ohne Rand - in die Mitte stellen » et « Ohne Hut » (?)
AM 1981-65-317 (Inv. 596-5)

300
[Sans titre, illustration pour un conte d'Alexis Remizov : « Singes », vers 1923]
mine de plomb et encre de Chine, 23 × 17,6
inscrit à droite et en bas (à la mine de plomb) : « i2 cm/verkleinern; AFFEN/S(eite) 2i2 »; d'une main anonyme en haut à droite : « 3/4 »
AM 1981-65-318 (Inv. 596-3)

301
[Sans titre, illustration pour un conte d'Alexis Remizov : « La fleur », vers 1923]
mine de plomb et encre de Chine, 20,1 × 14,5
inscrit en bas à droite (à la mine de plomb) : « Die Blume (rechte/Ecke unten) »; d'une main anonyme et à droite : « ganzseitig »
AM 1981-65-319 (Inv. 596-2)

302
[Sans titre, illustration pour un conte d'Alexis Remizov : « Diable et larmes », vers 1923]
mine de plomb et encre de Chine, 18,9 × 14,8
inscrit à droite et en bas (à la mine de plomb) : « Ganzseitig; Zu Teufel u(nd) Tränen »
AM 1981-65-320 (Inv. 596-1)

303
[Sans titre, illustration pour un conte d'Alexis Remizov : « Chou rouge », vers 1923]
encre de Chine, 18,7 × 14,6
inscrit à droite et en bas (à la mine de plomb) : « Ganzseitig; Rotkohl »
AM 1981-65-321 (Inv. 623-2)

304
[Sans titre, illustration pour un conte d'Alexis Remizov : « La sorcière », vers 1923]
mine de plomb et encre de Chine, 19 × 13,55
inscrit à droite et en bas (à la mine de plomb) : « Ganzseitig; Die Hexe »
AM 1981-65-322 (Inv. 596-7)

305
[Sans titre, illustration pour un conte d'Alexis Remizov : « La tour », vers 1923]
mine de plomb et encre de Chine, 18,9 × 13,05
inscrit à droite et en bas (à la mine de plomb) : « Ganzseitig; Der Turm »
AM 1981-65-323 (Inv. 596-8)

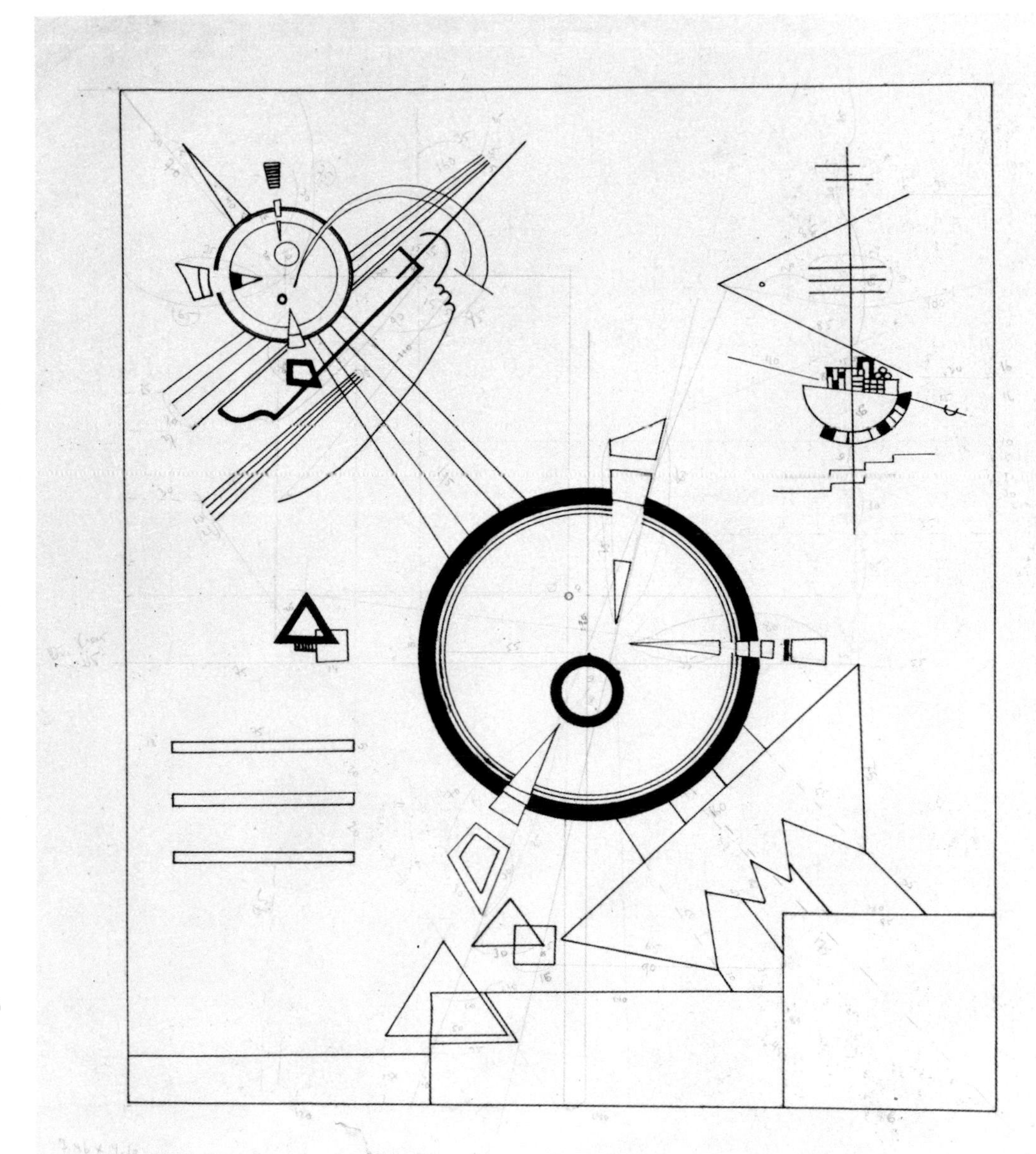
306

307

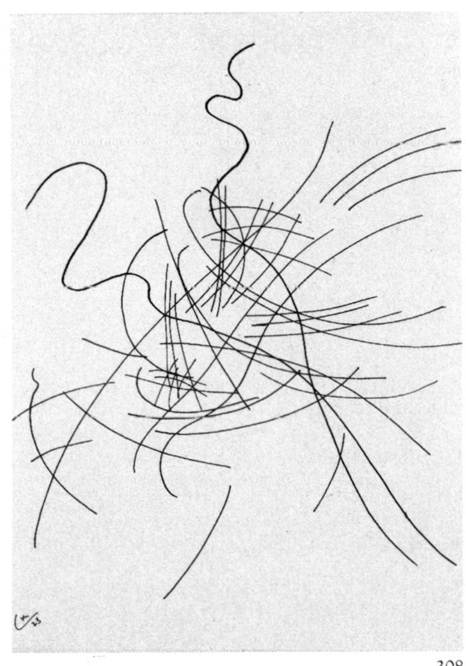
308

306
[Sans titre, étude pour l'aquarelle *Pfeilform nach links*, K 73, 1923]
mine de plomb et encre de Chine, 47,1 × 42,6
annotations à la mine de plomb
AM 1981-65-324 (Inv. 593-33)

307
[Sans titre, vers 1923]
encre de Chine, 38,1 × 31,6
inscrit en bas (à la mine de plomb) en partie illisible : « ... der gem. u(nd) freien Formen im exzentrisch... (... von Senk-u(nd) Wagerechten, Diagonale u(nd) Zentrum »).
AM 1981-65-325 (Inv. 593-3)

308
[Sans titre], 1923
mine de plomb et encre de Chine, 30,3 × 23,1
monogrammé et daté en bas à gauche : K 23
inscrit au verso du carton support (à la mine de plomb, d'une main non identifiée) : « Kandinsky, 1923, N° 12, 30 × 23 ».
AM 1981-65-326 (Inv. 118)

309
[Sans titre, vers 1923]
mine de plomb, 32,6 × 27,2
à rapprocher de *Sur blanc II*, 1923, n° 311, et de la lithographie *Violet*, 1923, n° 309 bis
AM 1981-65-327 (Inv. 593-28)

309 bis
Violet, 1923
lithographie de couleur, 29 × 19
monogrammé et daté en bas à gauche sur la pierre : K 23
exemplaire signé en bas à droite (à la mine de plomb) : Kandinsky et numéroté en bas à gauche : N° 6/50
Roethel (gravures) n° 178
AM 1981-65-847 (Inv. 615)

310
Étude pour *Sur blanc II*, 1922
aquarelle et encre de Chine, (à vue) 45,4 × 40,4
monogrammé et daté en bas à gauche : K 22
inscrit au revers du carton support (à la mine de plomb) : « On white »/N° 42/i922/« Auf weiss ».

manuscrit Kandinsky V (aquarelles) : n° 42, 1922
Entwurf zu 'Auf weiss', N° 253, i923
Eigentum von Frau Kandinsky/Dresden 6. Erfurth II 25/Erfurth IV 25
(de la main de Nina Kandinsky) : Em(my) Scheyer

donation Mme Nina Kandinsky, 1976
AM 1976-1324

mns Kandinsky

311

Sur blanc II, 1923

huile sur toile, 105 × 98
monogrammé et daté en bas à gauche : K 23
inscrit au verso du carton de protection (à l'encre, d'une main non identifiée) : « K 253 'Sur blanc' »
donation Mme Nina Kandinsky, 1976
AM 1976-855

peint en février-avril 1923

Références :
Grohmann, repr. p. 287
Roethel n° 694, repr. coul. p. 634

Dans cette toile majeure, peinte vers la fin de sa première année à Weimar, Kandinsky ne reprend pas seulement un titre que porte déjà une toile de 1920 (Roethel n° 665), mais il inscrit également sur cette surface blanche très proche du carré (105 × 98 cm) l'élaboration plus poussée d'un motif traité à plusieurs reprises en 1923, à savoir un croisement de diagonales accentuant les angles de la surface, configuration qui est lisible dans *Schwarze Form* (Roethel n° 692), *Sur gris* (Roethel n° 693) et *Angles accentués* (Roethel n° 688), peinture achevée au début de l'année. Une comparaison de ces deux toiles montre clairement la tendance suivie par Kandinsky : épuration et géométrisation poussée de l'événement se déroulant sur la toile. Un seul détail est particulièrement parlant : les trois lignes droites épaisses, qui soulignent dans *Sur blanc* la diagonale aiguë dirigée vers l'angle inférieur droit, sont encore, dans *Angles accentués,* une triple ligne ondulée libre, soutenant poissons et bateaux.
La pensée principale à traduire reste identique : sous l'impact de forces centrifuges les formes géométriques aux angles aigus volent en éclat. Ce mouvement est amorti en un seul endroit à droite par une forme en demi-cercle, portant un des échiquiers (élément constructiviste) et qui se recourbe vers le centre. Tout est tracé au tire-ligne, sauf une triple ligne fine en haut à gauche et les formes courbes tachetées en bas, réminiscences d'un tableau de 1921, *Cercles dans le noir* (Roethel n° 682), le dernier que Kandinsky peignit en Russie. Cette singularité n'est pas le seul détail qui évoque les années russes du peintre. Le constat des commentateurs est assez net à ce sujet : dans aucun autre tableau Kandinsky n'a été aussi proche de certaines tendances suprématistes (cf. C. Poling, p. 50 du catalogue cité, *Kandinsky, Russian and Bauhaus Years,* New York, 1983-84). Cette œuvre avec ses aplats nets, avec ses formes triangulaires et trapézoïdales suspendues sur un fond blanc, avec ses éclats qui s'éloignent du centre, est proche des œuvres que Malévitch et Popova peignirent entre 1915 et 1919.
Une étude très poussée de cette œuvre, à l'aquarelle, fait partie de la donation de Mme Nina Kandinsky de 1976. Un travail didactique remarquable fut réalisé principalement autour de cette aquarelle lors de l'exposition des œuvres de Kandinsky réalisée en 1973 à la Kunsthalle de Bielefeld.
Une configuration très proche de *Sur blanc II* figure, en tant que tableau dans le tableau, dans une œuvre de 1923, intitulée *Ligne transversale* (Roethel n° 696).
Fait divers : cette toile servait également de *pré-texte* au peintre Erro qui, en 1965, peignit un double portrait de *La Pérouse sur blanc,* empruntant certains détails à la toile de Kandinsky.

Manuscrit Kandinsky IV : n° 253

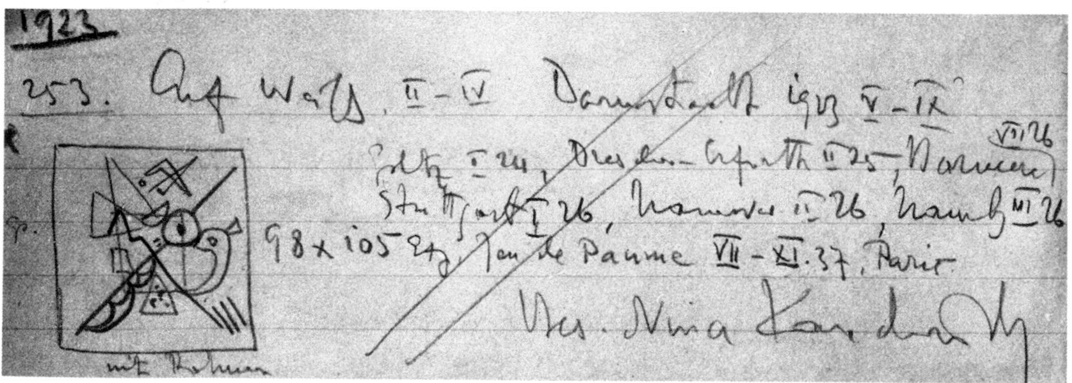

253. Auf weiss II-IV
98 × i05
mit Rahmen

Darmstadt i923 V-IX
Goltz I 24, Dresden, Erfurth II 25, Barmen VII, 26
Stuttgart I 26, Hannover II 26, Hamburg III 26
Exp(osition) Jeu de Paume VII-XI, 37, Paris
Bes(itz) Nina Kandinsky

312
[Sans titre], 1923
(réminiscence de *Tableau avec bordure blanche*, 1913, Roethel n° 465)
encre de Chine, 25,2 × 36,45
monogrammé et daté en bas à gauche : K 23
inscrit au verso du support (à la mine de plomb, de la main de Nina Kandinsky) : « Kandinsky 1923 », et (d'une main non identifiée) : « N° 8 »
AM 1981-65-328 (Inv. 105)

315
[Sans titre, 1923]
mine de plomb et encre de Chine, 37,6 × 36,7
à rapprocher de *Composition VIII*, 1923, Roethel n° 701
AM 1981-65-330 (Inv. 593-4)

313
[Sans titre], 1923
crayon Conté et encre de Chine, 32,15 × 23,2
monogrammé et daté en bas à gauche : K 23
AM 1981-65-329 (Inv. 117)

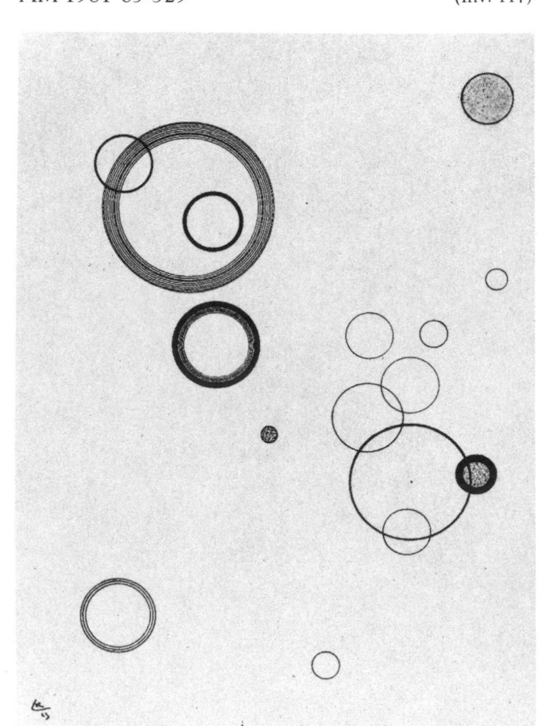

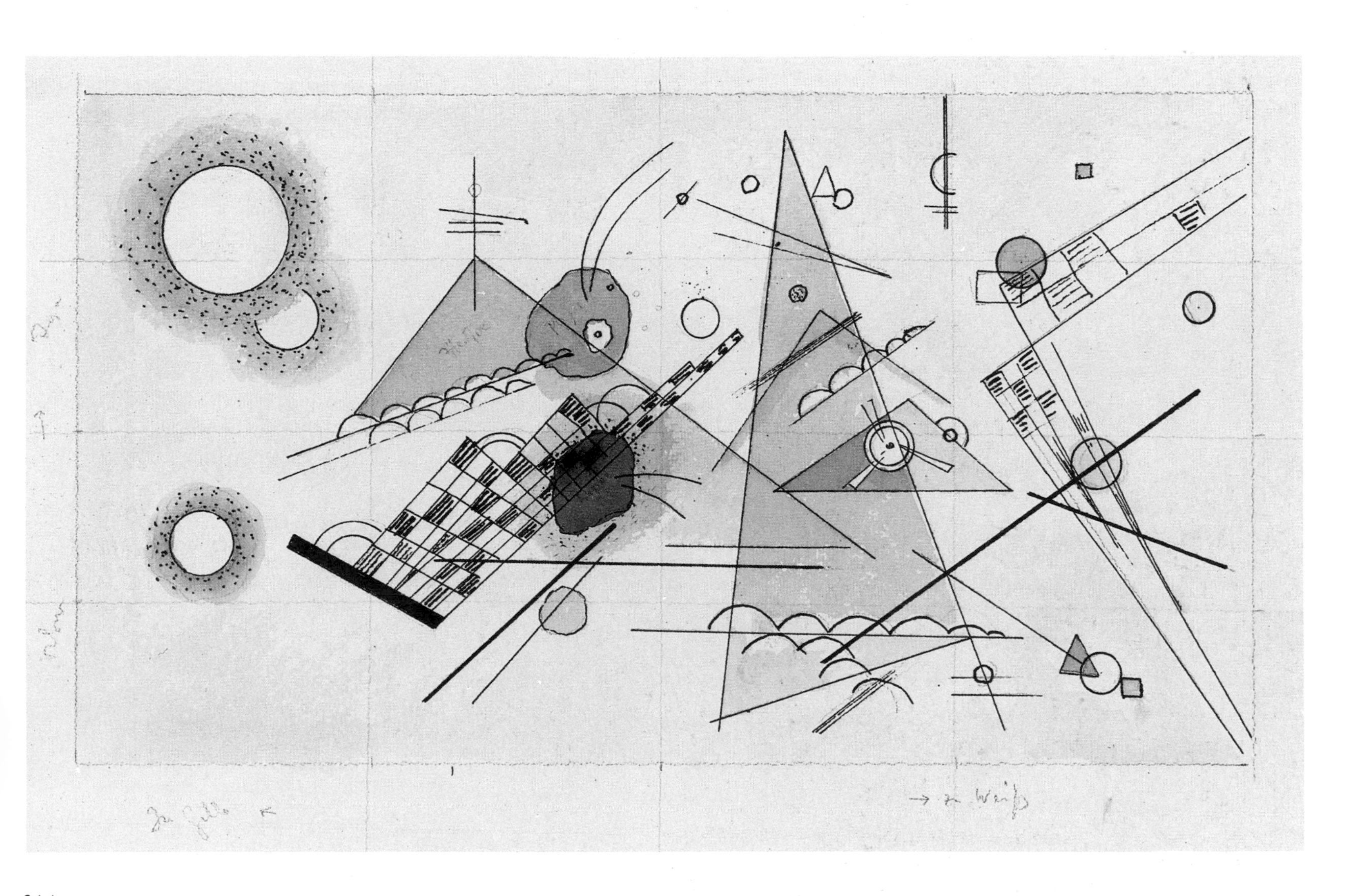

314
[Sans titre, étude pour *Composition VIII*, 1923]
mine de plomb, encre de Chine et aquarelle
(mise au carreau), 27,8 × 37,7
indications en allemand concernant les couleurs
AM 1981-65-117 (Inv. 593-26)

316
Étude pour *Repos mouvementé*, 1923
aquarelle, encre de Chine et lavis d'encre de Chine, 23,4 × 32,2
monogrammé et daté en bas à gauche : K 23
inscrit au verso du carton support (à la mine de plomb, de la main de Nina Kandinsky) :
« Kandinsky/Aquarell/Skizze (zur "Bewegte Ruhe")/ N° 105/1923 »
manuscrit Kandinsky V (aquarelles) : N° i05, décembre 1923/Entwurf/zu Bewegte Ruhe / Goltz Mitte Dez(ember) 23/ Sammlung Frau Nina Kandinsky
donation Mme Nina Kandinsky, 1976
AM 1976-1325

mns Kandinsky

317 verso

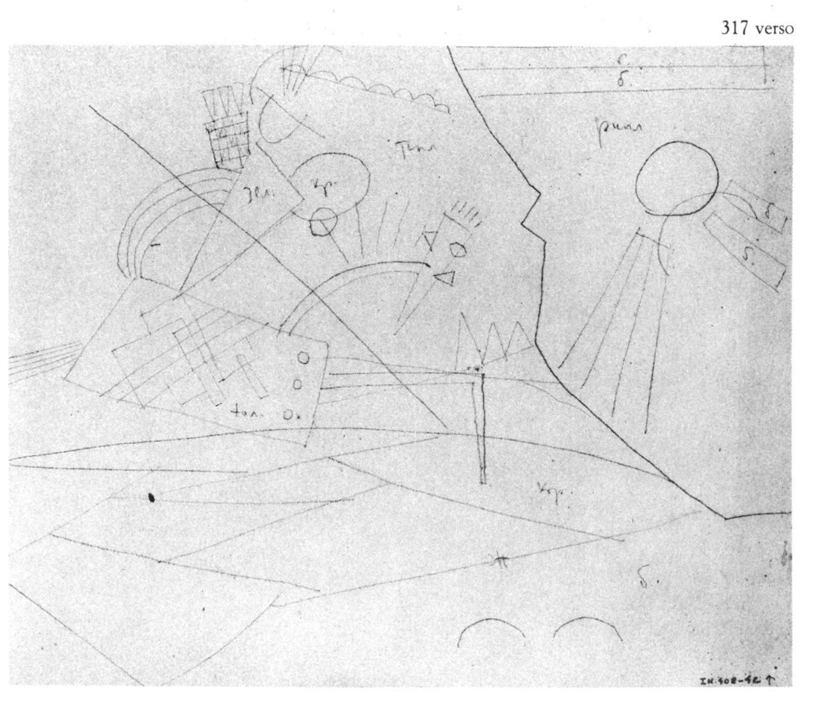

317
verso : [Sans titre, étude pour *Repos mouvementé*, 1923, Roethel n° 703]
mine de plomb, 18 × 22,5
indications en russe concernant les couleurs
recto (repr. p. 270) : [Sans titre, étude pour *Heiteres*, 1924, Roethel n° 707]
mine de plomb, 18 × 22,5
indications en russe concernant les couleurs
AM 1981-65-331 recto-verso (Inv. 408-42)

318
Orange, 1923
lithographie de couleur, 44,3 × 48,2
monogrammé et daté en bas à gauche sur la pierre noire : K 23
exemplaire signé en bas à droite (à la mine de plomb) : Kandinsky, et numéroté en bas à gauche : 35/50
Roethel (gravures) n° 180
AM 1981-65-729 (Inv. 136)

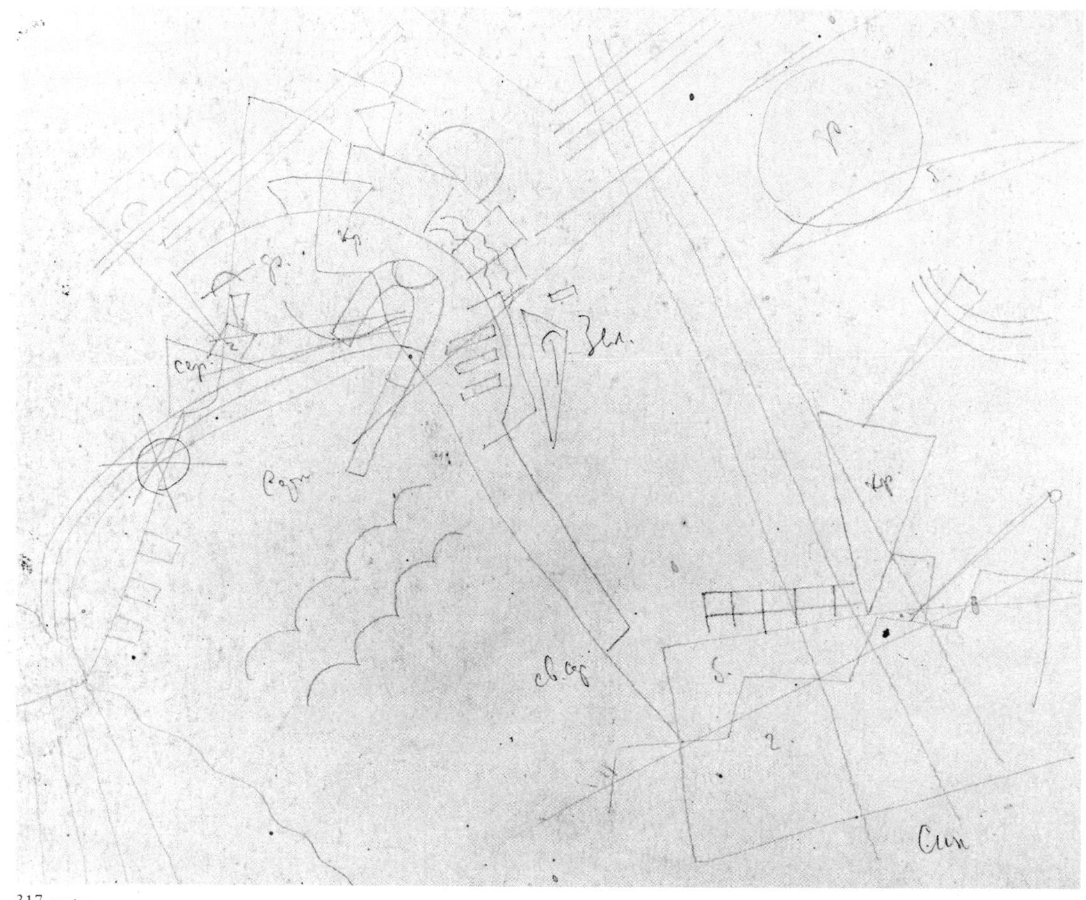

317 recto

319

Tension en hauteur, 1924

mine de plomb, encre de Chine, encre brune et aquarelle, 48,7 × 33,7
monogrammé et daté en bas à gauche : K 24
inscrit au verso du carton support (à la mine de plomb) : « Kandinsky / n° i68/i924 / 'Spannung nach oben' »
manuscrit Kandinsky V (aquarelles) : n° i68 novembre 1924/ 'Spannung nach oben'/ Barmen VII 25 Stuttgart I 26; (*mentions rayées*) : Hannover II 26, Hamb(ur)g III 26 Chicago i93i »
donation Mme Nina Kandinsky, 1976
AM 1976-872

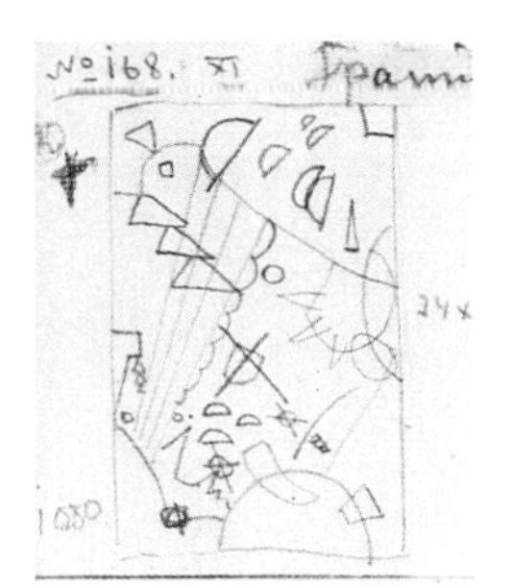

mns Kandinsky

320
Action élémentaire, 1924
encre de Chine et aquarelle sur papier préparé au lavis brun, 34,5 × 22,7
monogrammé et daté en bas à gauche : K 24
inscrit au verso sur le carton support (à la mine de plomb) : « n° 177/1924/ « Elementare Wirkung ».
manuscrit Kandinsky V (aquarelles) : n° i77 décembre 1924/ 'Elementare Wirkung I'/Erfurt I 25 Jena III 25
donation Mme Nina Kandinsky, 1976
AM 1976-1326

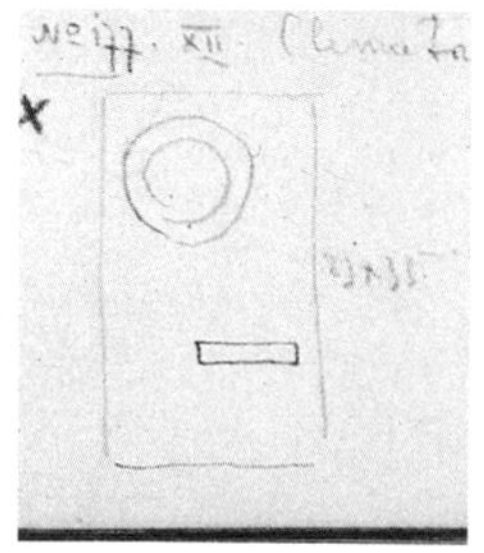
mns Kandinsky

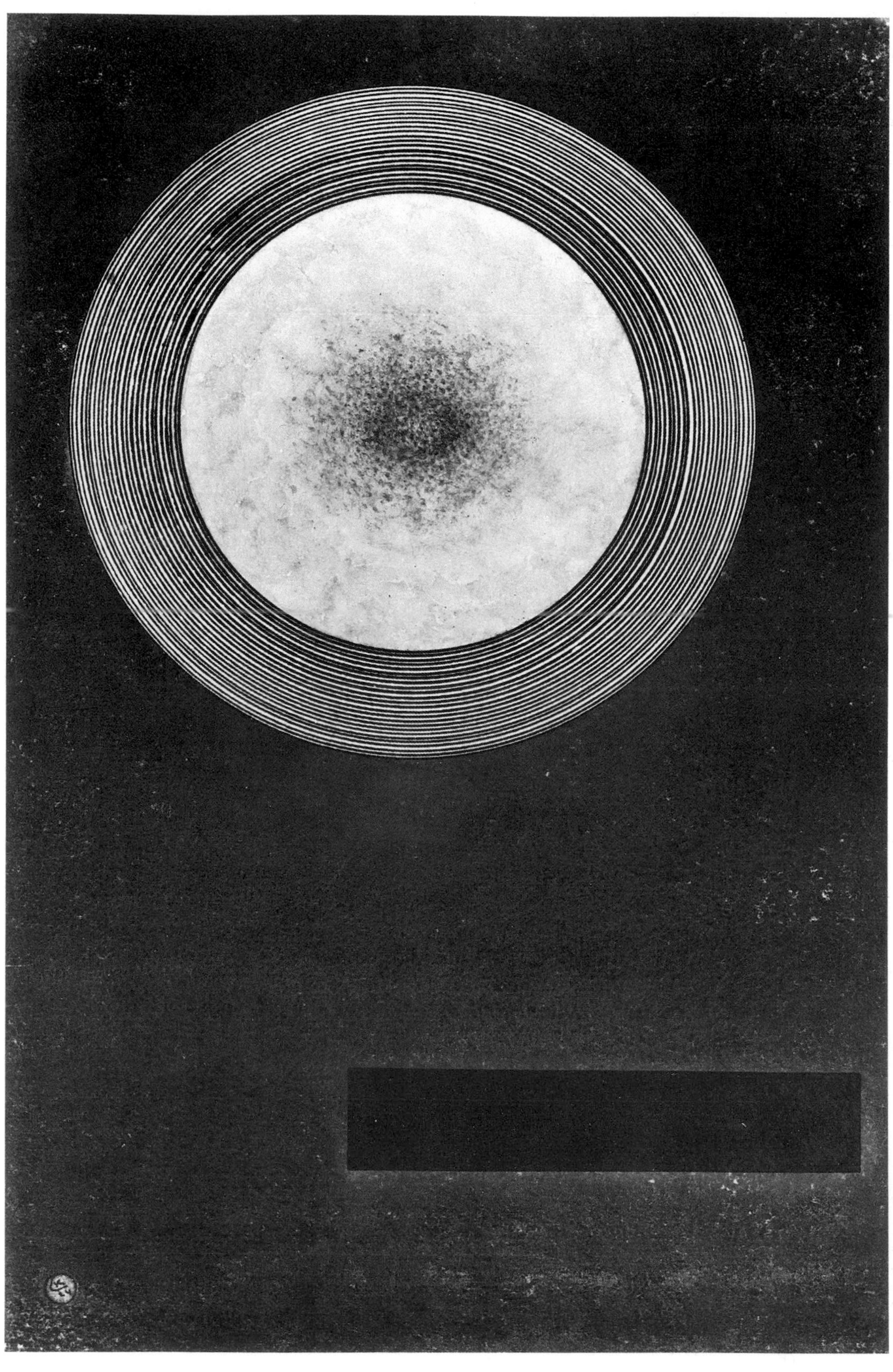

321
Accords opposés, 1924
huile sur carton, 70 × 49,5
monogrammé et daté en bas à gauche : K 24
inscrit au revers (à l'encre de Chine) :
« (monogramme) n° 28i/i924/'Gegenklänge' »

manuscrit Kandinsky II : N° 28i, novembre 1924, 'Gegenklänge', Erfurt I 25, Jena III 25 Jub(iläums) Ausst(ellun)g Braunschweig V 26 / coll(ection) Mme N. Kandinsky

Références :
Grohmann n° 169, p. 363
Roethel n° 724
AM 1981-65-45 (Inv. 134)

mns Kandinsky

322

Les Deux, 1924

encre de Chine, encres de couleur et aquarelle sur papier préparé au lavis, 21,5 × 34,5
monogrammé et daté en bas à gauche : K 24
inscrit au verso du carton support (à l'encre de Chine) : « n° *(manque)* /i924 / 'Zwei' », suivi d'une inscription en russe : « A ma chère Ninoussia/Noël 1924 »
AM 1981-65-118 (Inv. 127)

peint en décembre 1924 et offert à Nina Kandinsky pour Noël

Manuscrit Kandinsky V (aquarelles) : n° 179

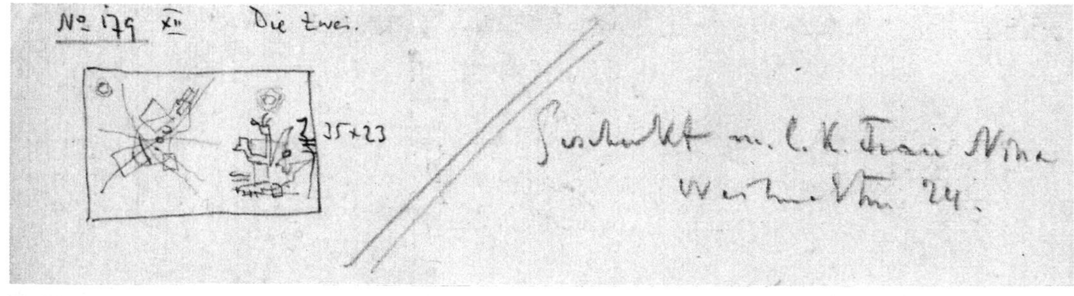

N° i79 XII Die Zwei
35 × 23

Geschenkt m(einer) l(ieben) k(leinen) (?)
Frau Nina an Weihnachten 24.

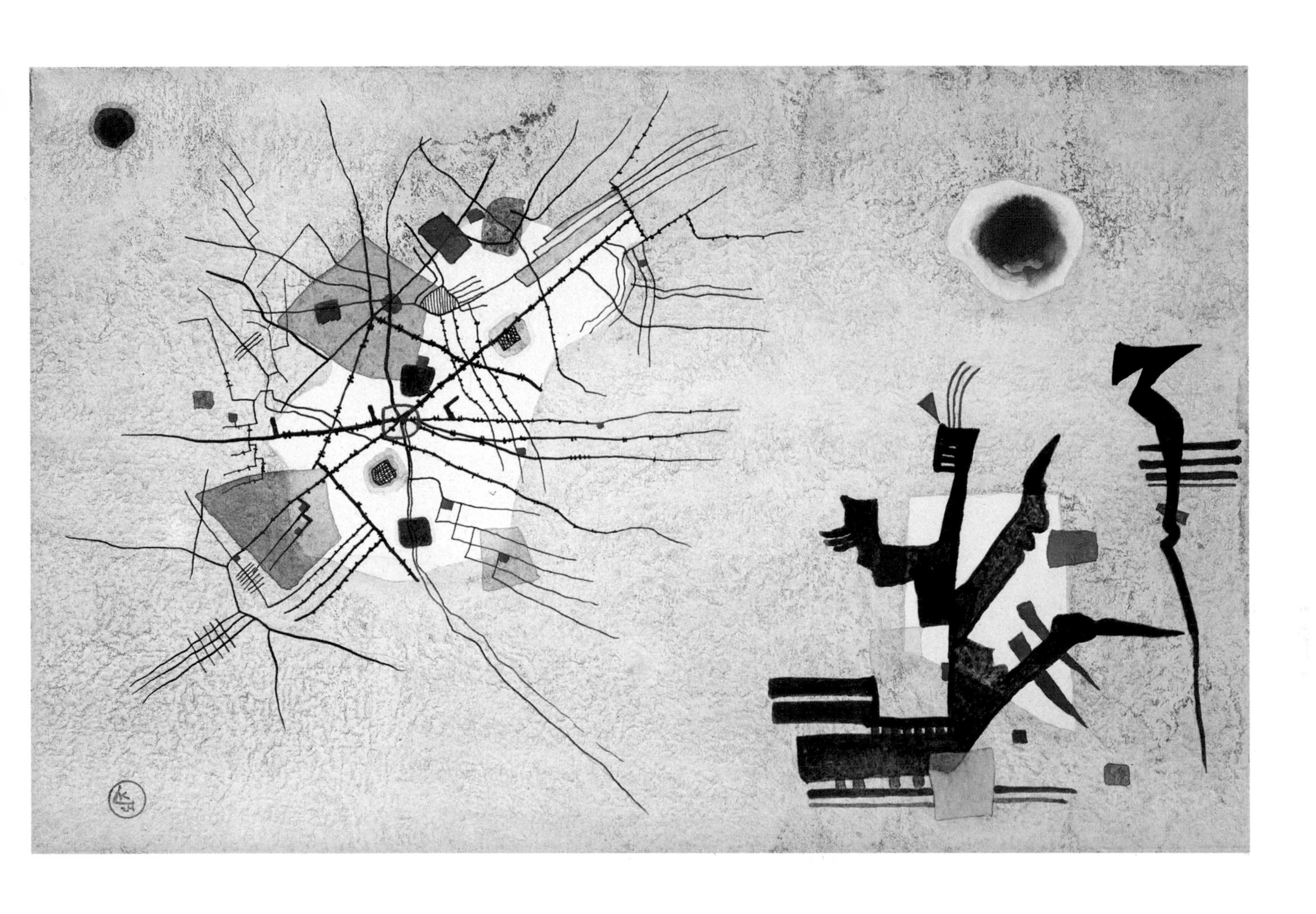

323

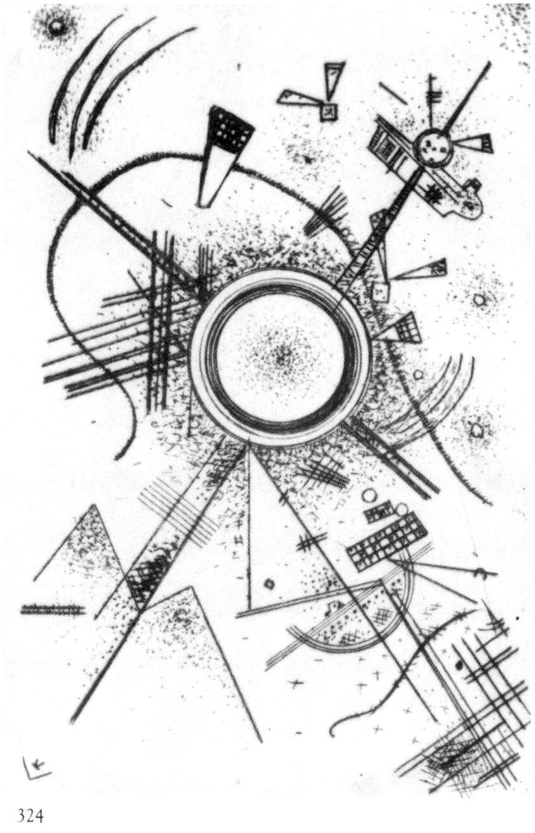
324

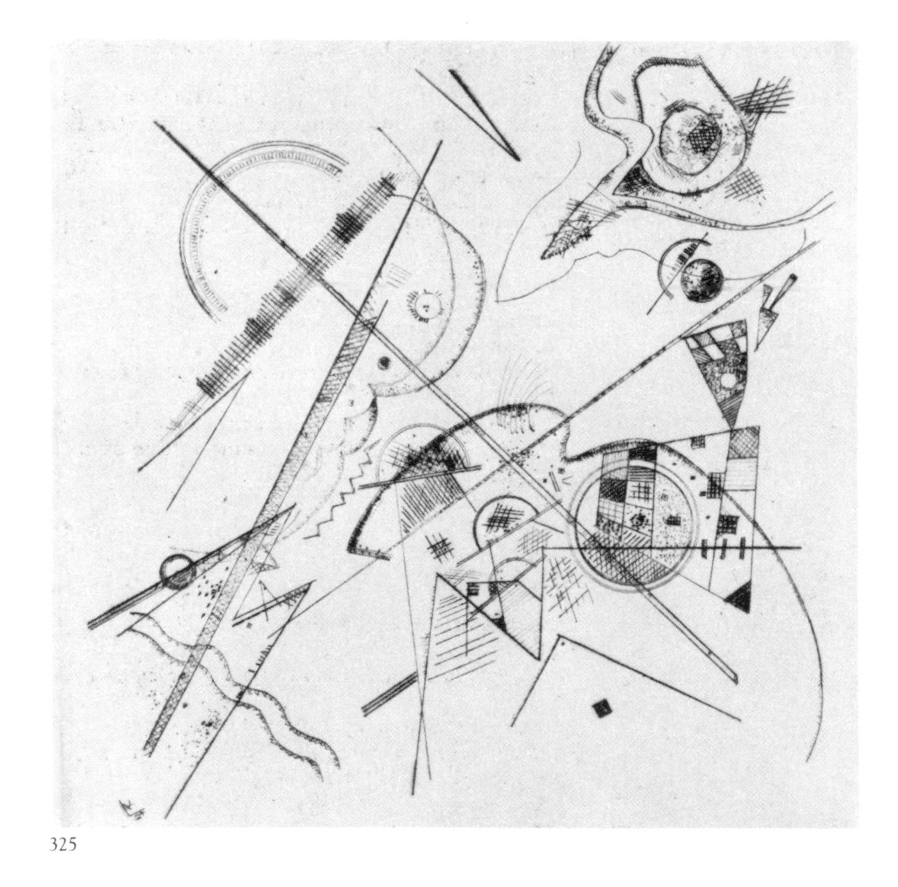
325

326

327

328

329

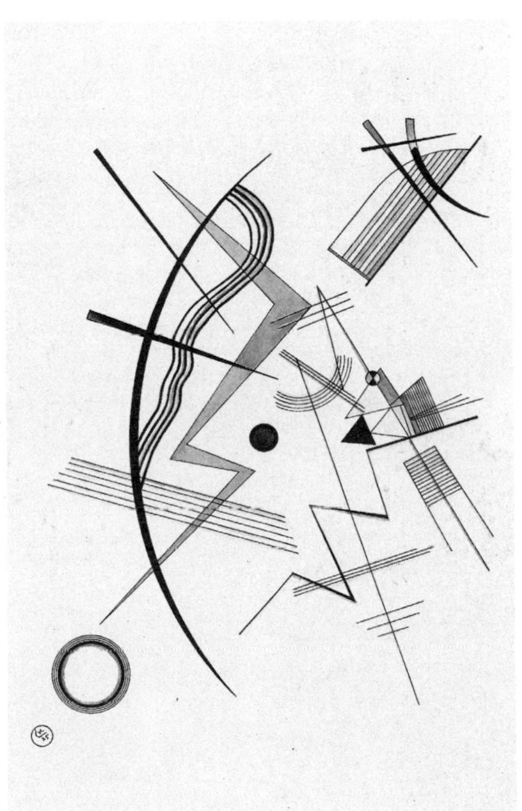

330

323
Gravure sur bois pour le portefeuille *Ganymed*, 1924
gravure sur bois, 15 × 19,9
monogrammé en bas à gauche dans le bois : K
exemplaire signé en bas à droite (à la mine de plomb) : Kandinsky
inscrit au verso (à la mine de plomb) : « Piper »
Roethel (gravures) n° 181
AM 1981-65-730 (Inv. 612)

324
Gravure pour la maison d'édition Piper, 1924
pointe sèche, 14,9 × 10
monogrammé en bas à gauche sur la plaque : K
épreuve d'artiste n° 1
inscrit en bas à gauche (à la mine de plomb) : « Probedruck N° i, März 1924 ».
Roethel (gravures) n° 182
AM 1981-65-731 (Inv. 586-78)

325
[Sans titre], 1924
pointe sèche, 21,2 × 20,3
monogrammé et daté en bas à gauche sur la plaque : K 24
exemplaire signé en bas à droite (à la mine de plomb) : Kandinsky; numéroté en bas à gauche : N° 13/30
Roethel (gravures) n° 183
AM 1981-65-732 (Inv. 154)

326
Lignes noires, 1924
lithographie, 24,7 × 21,8
monogrammé en bas à gauche sur la pierre : K
exemplaire signé en bas à droite (à la mine de plomb) : Kandinsky; numéroté en bas à gauche : N° 9/50
Roethel (gravures) n° 184
AM 1981-65-733 (Inv. 147)

327
Lithographie n° 1, 1925
lithographie, 33,1 × 20,7
monogrammé et daté en bas à gauche sur la pierre : K 25
exemplaire signé en bas à droite (à la mine de plomb) : Kandinsky; intitulé et numéroté en bas à gauche : 1925 N° I/N° 43/50
Roethel (gravures) n° 185
repr. pl. 23 in *Point-Ligne-Plan*
AM 1981-65-734 (Inv. 590-41)

328
Lithographie N° II, 1925
lithographie, 34 × 20,5
monogrammé et daté en bas à gauche sur la pierre : K 25
exemplaire signé en bas à droite (à la mine de plomb) : Kandinsky; intitulé et numéroté en bas à gauche : 1925 N° II/ N° i/50
Roethel (gravures) n° 186
AM 1981-65-735 (Inv. 143)

329
Lithographie n° III, 1925
lithographie, 26,5 × 19,1
monogrammé et daté en bas à gauche sur la pierre : K 25
exemplaire signé en bas à droite (à la mine de plomb) : Kandinsky; intitulé et numéroté en bas à gauche : 1925 N° III/38/50
Roethel (gravures) n° 187
AM 1981-65-736 (Inv. 146)

330
Premier don annuel pour la Société Kandinsky, 1925
lithographie aquarellée, 35,5 × 25,4
monogrammé et daté en bas à gauche sur la pierre : K 25
inscrit en bas à gauche (à la mine de plomb) : « Probedruck » (épreuve d'artiste) et au verso (d'une main non identifiée) : « Lithographie colorée à la main 1925 »
Roethel (gravures) n° 188
AM 1981-65-737 (Inv. 586-108)

331

Jaune - Rouge - Bleu, 1925

huile sur toile, 128 × 201,5
monogrammé et daté en bas à gauche : K 25
inscrit au revers de la toile en haut à gauche :
« (monogramme) N° 3i4 / i925 / GELB - ROT - BLAU »
donation Mme Nina Kandinsky, 1976
AM 1976-856

peint en mars-mai 1925

Références :
Grohmann repr. coul. p. (197)
Roethel n° 757, repr. coul. p. 711

La première phase du Bauhaus, celle de Weimar, s'achève le 1er avril 1925. Trois mois plus tard, les maîtres s'installent à Dessau dans des logements provisoires. En novembre de la même année, Kandinsky termine la rédaction des manuscrits de *Point-Ligne-Plan.* Ces quelques repères dessinent le contexte trouble, mouvementé, débordant d'activité, malgré tout, dans lequel fut créée cette toile, un des chefs-d'œuvre de la période de Weimar, œuvre dont les dimensions et l'importance permettent un rapprochement avec les grandes compositions de Kandinsky.

Il existe pour cette toile deux études préparatoires à l'encre de Chine, dont l'une est reproduite dans la monographie de W. Grohmann[1]. La seconde, aquarellée, est plus épurée et se rapproche de la configuration finale choisie par l'artiste. Une comparaison des détails de ces études et de la toile achevée permet de suivre la transformation de certains éléments figuratifs en signes abstraits.

Comme beaucoup d'œuvres de l'époque, cette toile est composée autour de deux centres d'un poids très inégal qui s'inscrivent sur un fond blanc, atmosphérique, légèrement voilé de bleu ciel, violet et vert-jaune. La partie gauche, où le jaune domine, est claire, rayonnante, jusque dans son graphisme agressif. Les éléments de la partie droite, suivant une ligne oblique montante, déploient leur poids sombre. Le chevauchement des formes, dominé par un grand cercle bleu, produit un effet dramatique, obscur, souligné par une ligne courbe épaisse, très proche d'un des exemples de lignes libres, représenté p. 149 de *Point-Ligne-Plan* (éd. Denoël, 1970). Ce livre contient également les conclusions de l'enquête menée par Kandinsky auprès de ses collègues et les étudiants du Bauhaus au sujet d'une coordination possible des formes et des couleurs élémentaires. Un questionnaire fut établi qui demandait aux sujets d'assortir triangle, cercle et carré à celle des trois couleurs primaires susceptible de rehausser les qualités de la forme correspondante. La plupart des sujets, à l'exception de P. Klee, semble-t-il, s'accordèrent pour assortir le cercle au bleu, le carré au rouge et le triangle au jaune. En accord avec cette théorie testée « scientifiquement », le bleu s'inscrit sur cette toile dans un cercle parfait, quelque peu perturbé par une agglomération de formes plus libres qui occupent la partie médiane de la surface, où sourd un rouge indistinct, hésitant.

Selon certains commentateurs, Paul Overy[2] et Johannes Langner[3], ce tableau énonce clairement une situation conflictuelle, symbolisée par la présence du jaune et du bleu, opposition fondamentale déjà commentée dans la « Farbenlehre » de Gœthe. Si Overy et Langner s'accordent en ce qui concerne l'antagonisme, ils émettent des avis contraires au sujet de l'issue du combat, n'attribuant pas le trophée au même protagoniste.

Quelques notes de cours de Kandinsky, probablement plus tardives (Denoël/Sers, vol. III, p. 199), permettent une interprétation autre. Il y est question dans ce passage des couleurs et de leur naissance : « Jaune et bleu par rapport au rouge... Phébus et la Lune s'évitent et se retrouvent quand même entre jour et nuit comme l'aurore et le couchant. Naissance mystérieuse du rouge par la tendance simultanée à l'éloignement et à l'ascension du jaune et du bleu ».

Cette version de Kandinsky, mystérieuse et surdéterminée, du programme des néoplasticiens, décrétant dans leurs manifestes que les couleurs en peinture doivent être limitées aux trois couleurs primaires et aux trois non-couleurs : blanc, noir et gris, sans mélange aucun ni superposition (cette détestable cuisine !), peut être comparée à une série de quatre toiles que B. Newman (1905-1970) peignait entre 1966 et 1969 sous le titre : « Qui a peur de jaune-rouge-bleu ? » Reprise du thème des trois couleurs primaires sous un angle qui évoque l'attitude de Kandinsky en 1925 et qui est exprimé par Newman de la façon suivante : « Pourquoi céder à ces puristes et formalistes qui ont hypothéqué le rouge, le jaune et le bleu, en transformant ces couleurs en une idée qui les détruit en tant que couleurs ? »[4] Il s'agissait donc pour Newman de rendre tout simplement aux couleurs en question leur expressivité, leur mystère.

1. W. Grohmann, *op. cit.*, p. 198.
2. Paul Overy, « The Later Painting of W. Kandinsky », *Apollo*, LXXVIII, août 1963, p. 119.
3. J. Langner, *op. cit.*, p. 110.
4. T.B. Hess, *Barnett Newman*, New York, The Museum of Modern Art, 1971, p. 132.

Manuscrit Kandinsky IV : n° 314

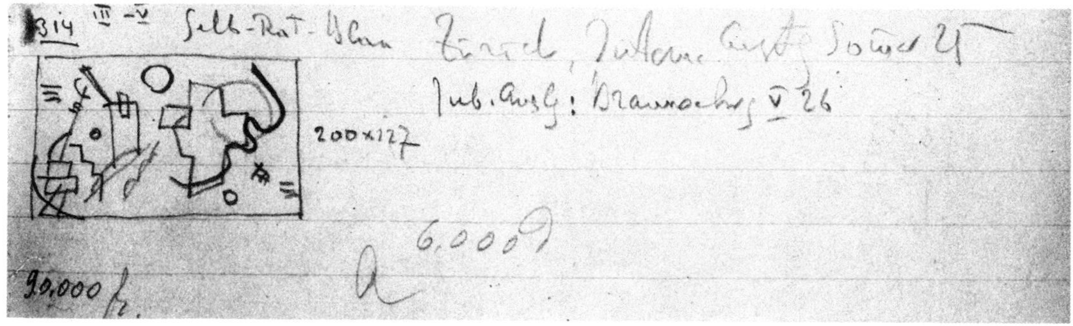

3i4 III-V Gelb-Rot-Blau
200 × i27

Zürich, Intern(ationale) Ausst(ellun)g
Sommer 25
Jub(iläums)-Ausst(ellung) : Braunschweig V 26

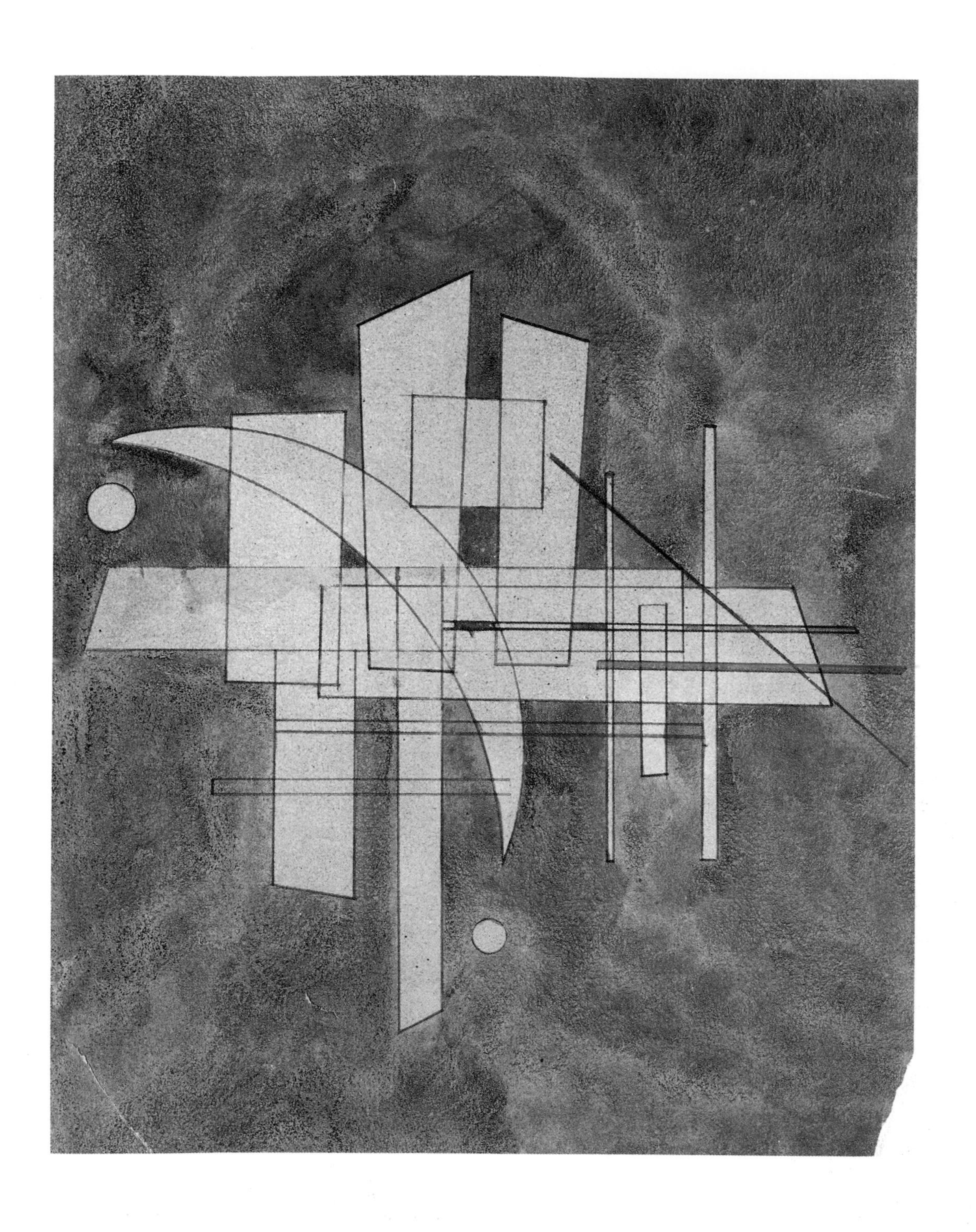

332
[Sans titre, vers 1925]
encre de Chine et aquarelle sur papier préparé au lavis brun, feuille irrégulière, 30,8 × 24,8
inscrit au verso (à la mine de plomb, de la main de Nina Kandinsky) : « Kandinsky 1930 »
AM 1981-65-119 (Inv. 321)

333
Message intime, 1925
huile sur carton, (ovale) 36,7 × 31,4
monogrammé et daté en bas au centre : K 25
inscrit au revers du carton (à l'encre de Chine) :
« (monogramme) N° 3i0/i925 » et (à la mine de plomb) : « Oval N° 1 »
manuscrit Kandinsky II : n° 3i0, avril 1925, 'Intime Mitteilung' (Oval N° i), Sammlung Nina Kandinsky
Grohmann n° 196, p. 365
Roethel n° 753
AM 1981-65-46 (Inv. 132)

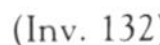

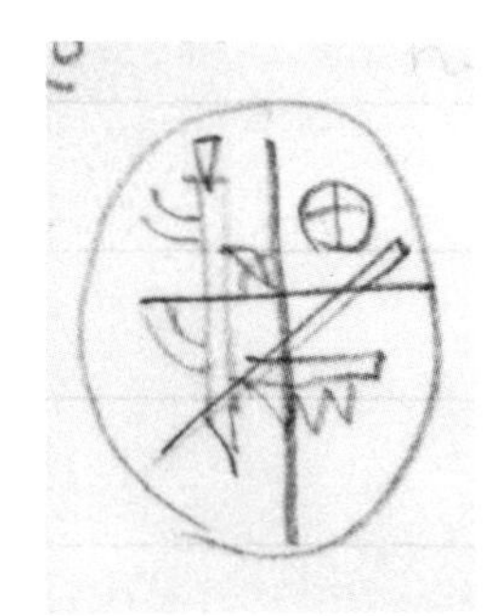

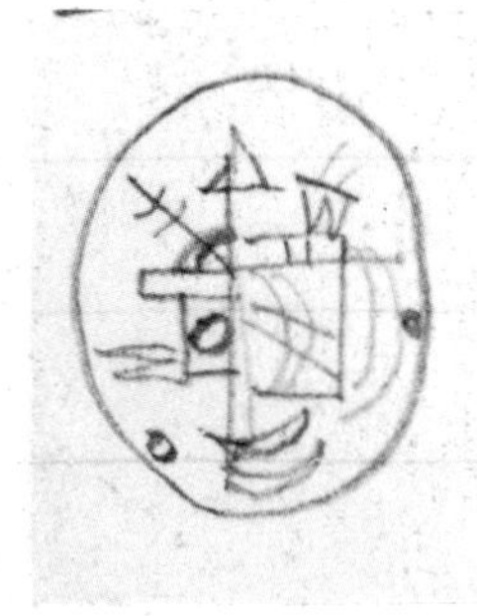

334
Ovale N° 2, 1925
huile sur carton, (ovale) 34,5 × 28,7
monogrammé et daté en bas au centre : K 25
inscrit au revers du carton (à l'encre de Chine) :
(monogramme) « N° 3i2/i925 » et (à la mine de plomb) : « Oval N° 2 »
manuscrit Kandinsky II : N° 3i2, mai 1925, 'Oval N° 2', Sammlung Nina Kandinsky
Grohmann n° 197, p. 365
Roethel n° 755
AM 1981-65-47 (Inv. 133)

335

Chuchoté, 1925

huile sur carton, 29 × 27,5
monogrammé et daté en bas au milieu : K 25
inscrit au verso du carton (à l'encre de Chine) :
(monogramme) « N° 3i5/i925 »
AM 1981-65-48 (Inv. 305)

peint en mai 1925

Références :
Grohmann n° 199, p. 366
Roethel n° 758

Ce tableau ovale est une des cinq peintures de cette forme exceptionnelle. Quatre (nos 333, 334, 335, 356) sont restés dans la collection de Nina Kandinsky, le dernier a été offert à Paul Klee (Roethel n° 864). Il s'agit d'œuvres intimes commémorant la Pâque russe :

« A Dessau fut créé *Œuf de Pâques pour Nina*, un tableau de forme ovale dont il me fit cadeau à Pâques 1926. Le titre se trouve sur le verso de l'image. En 1938, à Paris, il m'offrit un autre *Œuf de Pâques pour Nina*, de grand format rectangulaire, mais, en réalité, cette toile s'appelle *Ensemble multicolore [Entassement réglé*, n° 648]. C'est un merveilleux océan de couleurs qui s'écoule sur la toile en une centaine de tonalités de couleurs différentes. Il n'y a pas un peintre qui dispose de couleurs aussi belles. Sur ce tableau, je ne cesse de découvrir de nouvelles teintes. »

Kandinsky et moi, Paris, Flammarion, 1978 (p. 246)

Manuscrit Kandinsky II : n° 3i5

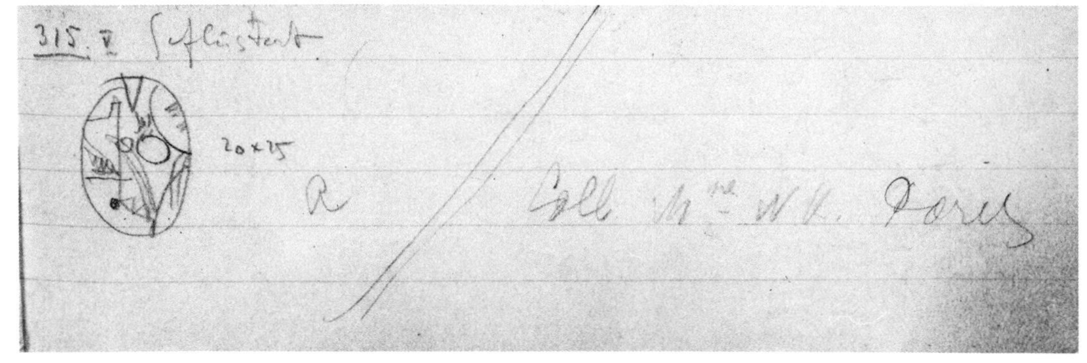
3i5. V Geflüstert
20×25
R
Coll. Mme N.K. Paris

3i5 V Geflüstert
20 × 25

Coll(ection) Mme N. K(andinsky),
Paris

ENSEMBLE DE 46 DESSINS

Cet ensemble de 46 dessins (n°s 336-381) à la mine de plomb ou à l'encre de Chine est étroitement lié à l'élaboration du deuxième ouvrage théorique de Kandinsky, intitulé en français *Point-Ligne-Plan*. Autant que possible ces dessins furent identifiés à l'aide de la première édition allemande (Langen, 1926), les indications manuscrites de Kandinsky concernant la numérotation ayant subi des modifications. Les titres figurant entre crochets sont ceux de la traduction française, Denoël, 1970. 37 dessins correspondent directement aux figures illustrant le livre, exception faite d'un changement de sens de présentation que subissent les n°s 369 et 370.
Un cas intéressant est le dessin sur le thème des courbes libres (n° 373). Par rapport à la planche 19 qui semble en être le prototype, il présente des variations légères. Avec cet ensemble concernant directement la préparation du livre furent groupés : l'étude de Kandinsky pour la couverture de l'ouvrage, feuille sur laquelle, en raison du vieillissement du papier, les retouches à la gouache blanche sont devenues très lisibles, ainsi qu'un dessin à la mine de plomb, dont la date est incertaine, représentant la triade géométrique fondamentale. Dans le texte russe *Du spirituel dans l'art*, lu par Koulbine en 1911, ce dessin est associé aux trois couleurs primaires.
Les n°s 375-381, ayant des affinités avec certaines illustrations de l'ouvrage, pourraient aussi bien être des notes de cours ou de conférences, difficiles à situer dans le temps.

336
Dessin pour la couverture de *Point-Ligne-Plan*, 1925
encre de Chine sur feuillet de bloc détaché, retouches à la gouache blanche, 25,6 × 18,5, inscrit en bas (à la mine de plomb) : « i/i / Titelblatt für Punkt u(nd) Linie zu Fläche »; au verso (à la mine de plomb, d'une main non identifiée) : « retusche »
AM 1981-65-332 (Inv. 412-21)

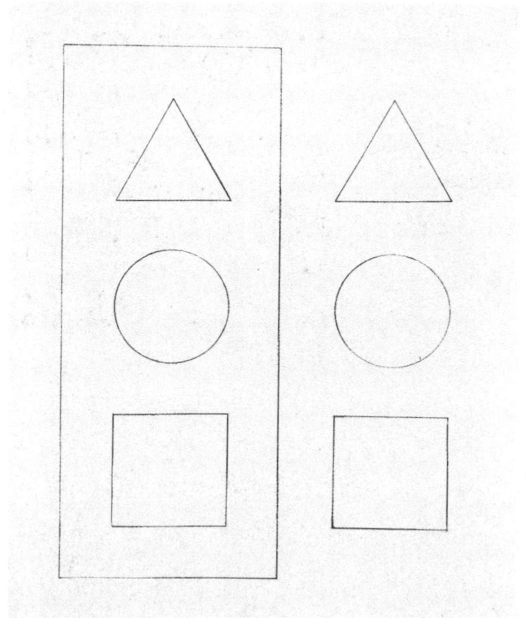

337
[Sans titre, vers 1925]
mine de plomb, 33,9 × 25,7, probablement une reprise de l'illustration n° 4 du texte russe de *Du spirituel dans l'art*, lu par Koulbine les 29 et 31 décembre 1911 à St-Petersbourg
AM 1981-65-333 (Inv. 727)

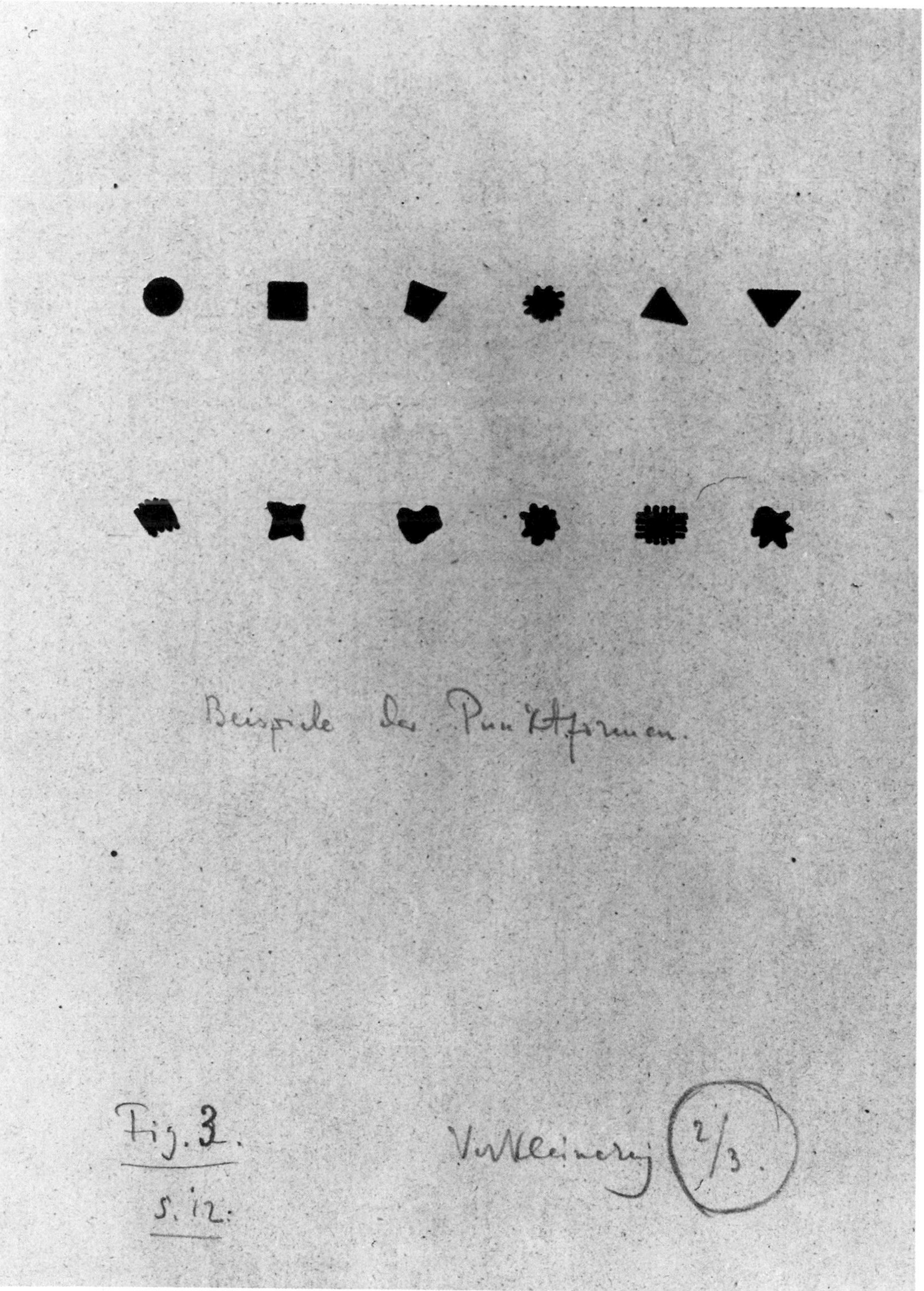

338

37 dessins (datés 1925) pour le livre de Kandinsky intitulé *Point-Ligne-Plan*, 1re éd., Munich, Verlag A. Langen, 1926
(les références aux illustrations suivent la pagination de cette édition) :

338
Figure 3, p. 25 [Exemple des formes de points]
mine de plomb et encre de Chine sur feuillet de bloc détaché, 25,5 × 18,45, inscrit (à la mine de plomb) au milieu : « Beispiele der Punktformen », en bas : « Fig. 3/s. i2 / Verkleinerung 2/3 »
AM 1981-65-334 (Inv. 626-66)

339
Figure 6, p. 33 [Formation de nitrite]
encre de Chine sur papier calque, 9,6 × 9,8, inscrit (à la mine de plomb) sur le dessin : « i/1 », sous le dessin : « Fig. 6/s. i8 / Nitritbildner i000 fach vergr(össert), T. III, Abt(eilun)g IV_3, (s. 7i) »
AM 1981-65-335 (Inv. 412-4)

340
Figure 7, p. 34 [Ling-ying-si, portail extérieur]
mine de plomb et encre de Chine sur papier calque, 11,9 × 14,15, inscrit en bas (à la mine de plomb et à l'encre de Chine) : « Ling-ying-si, Aussentor / 7 cm/x/ 7'5 » (*mention rayée*)
AM 1981-65-336 (Inv. 412-3)

341
Figure 8, p. 35 [Pagode de la Beauté du Dragon]
encre de Chine sur papier et papier calque, 16,4 × 7,4 (dessin à gauche), 20,4 × 16,5 (dessin à droite), inscrit (à la mine de plomb) dans la marge droite du dessin sur papier calque : « i4 cm »; au verso : « 'Pagode der Drachenschönheit', i4ii erbaut. Schanghai / 38 m(e)t(er) hoch »
AM 1981-65-337 (Inv. 412-2 et 412-22)

342
Figure 11, pages 37, 38 et 39 [Représentation schématique des premières mesures de la Cinquième Symphonie de Beethoven]
encre de Chine et papier collé, partie inférieure : 12,1 × 67, partie supérieure (feuille irrégulière) : 13,4 × 69,8, annotations à la mine de plomb concernant les instruments de musique, inscrit (à la mine de plomb) en haut à gauche : « 1. Thema der 5. Symphonie »; au verso : « Länge i3 cm »
AM 1981-65-338 (Inv. 412-25 et 412-30)

343
Figure 11^{1}, p. 39 [2e thème de cette symphonie traduit en points]
mine de plomb et encre de Chine, 23 × 37, inscrit (à la mine de plomb) en haut à gauche : « II. Thema d(er) V. Symphonie », en bas à droite (d'une main non identifiée) : « 13,5 »
AM 1981-65-339 (Inv. 412-32)

344
Figure 12, p. 45 [Complexe central de points libres]
encre de Chine, 13,2 × 13,1, monogrammé et daté en bas à gauche : K 25, inscrit au verso (à la mine de plomb) : « Aus Punkt und Linie zu Fläche, N° 1 a »
AM 1981-65-340 (Inv. 89)

345
Figure 15, p. 53 [Schéma des archétypes]
mine de plomb et encre de Chine, retouches à la gouache blanche, 14,7 × 18,5, inscrit en haut à gauche (au crayon rouge) : « $^{+}4$ », en bas à gauche (à la mine de plomb) : « Schema der Geraden »
AM 1981-65-341 (Inv. 412-23)

346
Figure 16, p. 54 [Schéma des variations de température]
mine de plomb et encre de Chine, 18,3 × 10,6, inscrit en bas (à la mine de plomb) : « 1/2 / Zu S(eite) 27, Fig. 14 »
AM 1981-65-342 (Inv. 412-19)

347
Figure 17, p. 54 [Densification]
mine de plomb et encre de Chine, 20,8 × 14,4, inscrit en haut à gauche (au crayon rouge) : « $^{+}5$ », en bas à gauche (à la mine de plomb) : « Flächenbildung », inscrit au verso (à la mine de plomb, d'une main non identifiée) : « retusche : zentrum »
AM 1981-65-343 (Inv. 412-18)

348
Figure 19, p. 55 [Lignes droites libres avec centre commun]
encre de Chine, traces de retouches, 15,5 × 12,5, inscrit en bas (à la mine de plomb) : « Fig. 17 / i/2 / S(eite) 28 »
AM 1981-65-344 (Inv. 626-77)

349
Figure 20, p. 55 [Lignes droites libres sans centre commun]
mine de plomb et encre de Chine, retouches à la gouache blanche, 13,4 × 15,4, inscrit (à la mine de plomb) à droite : « 1/2 », en bas : « Fig. i8 »
AM 1981-65-345 (Inv. 412-15)

350
Figure 38, p. 76 [Paire de surfaces originellement opposées]
encre de Chine, 10,9 × 12,5, inscrit (à la mine de plomb) en bas à gauche : « Fig. 32 », à droite : « i/i / S(eite) 43 »
AM 1981-65-346 (Inv. 412-12)

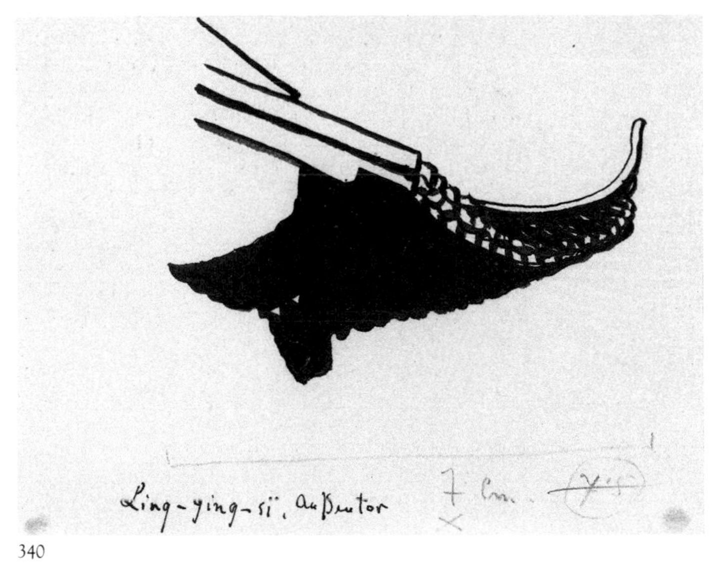

340

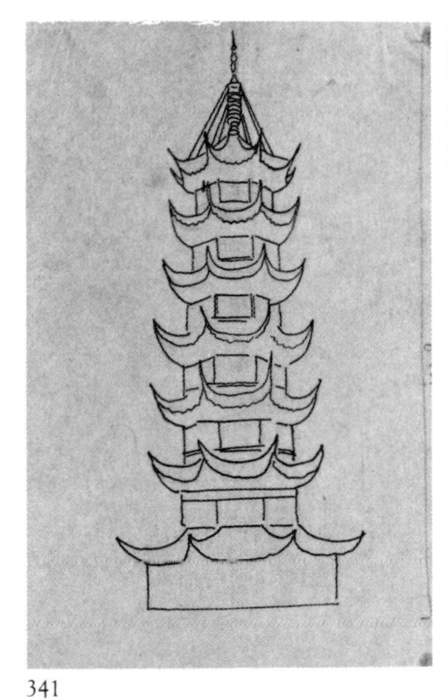
341

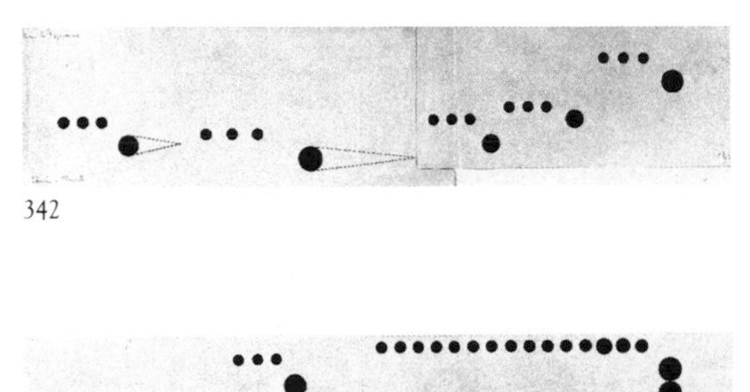
342
342

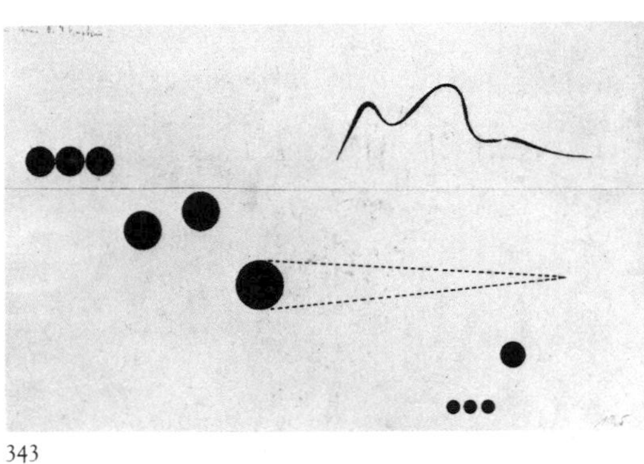
343

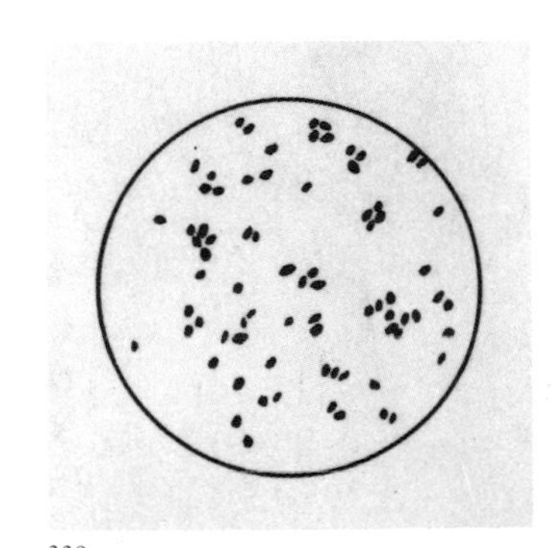
339

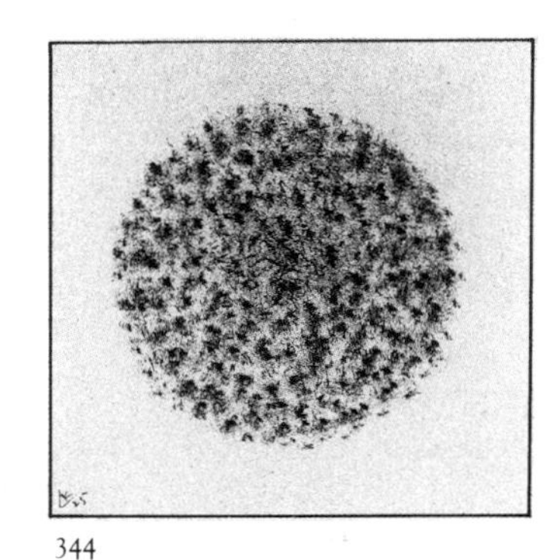
344

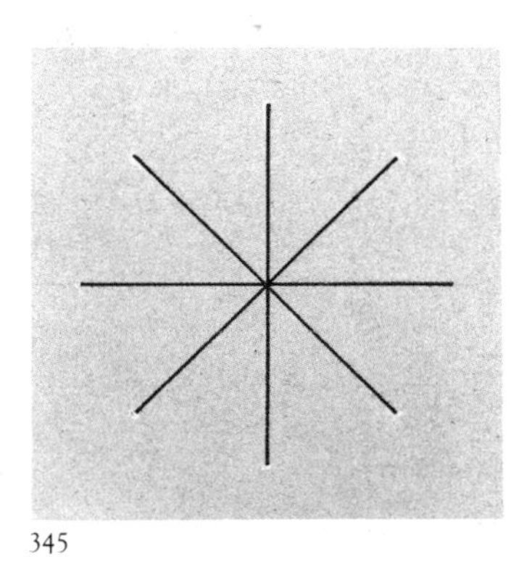
345

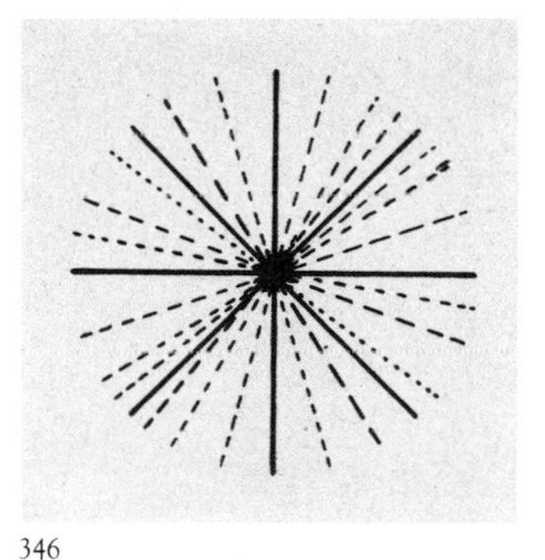
346

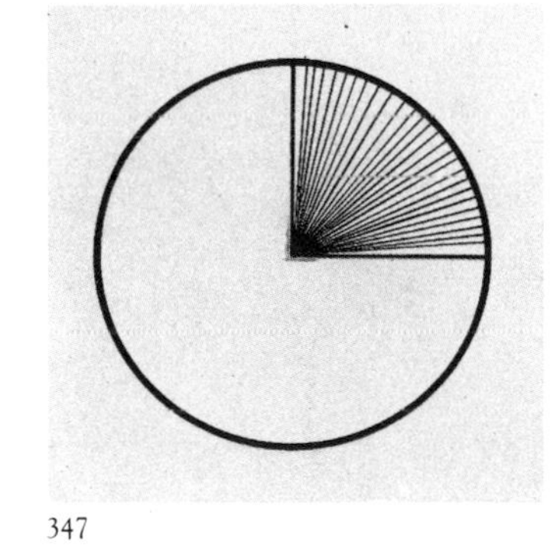
347

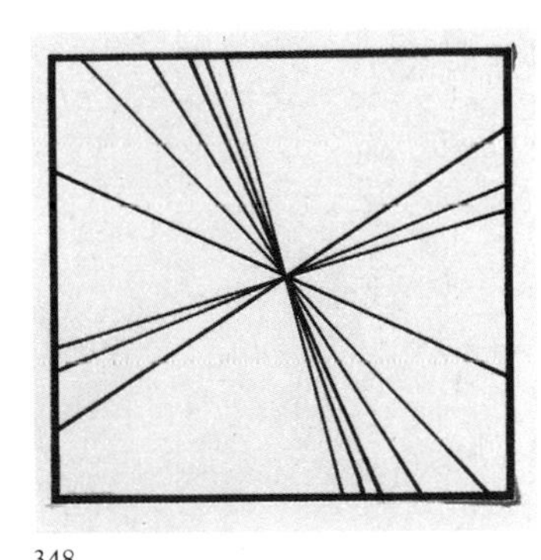
348

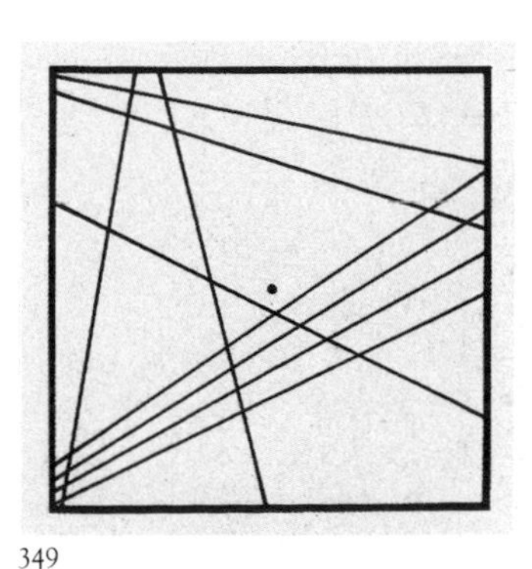
349

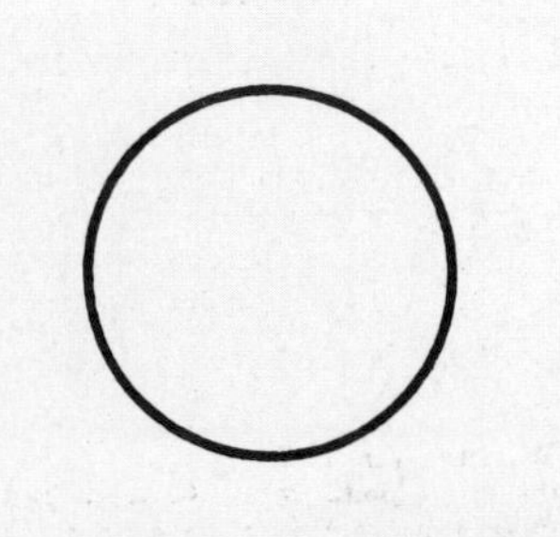
350

351
Figure 41, p. 79 [Ligne courbe - ondulée - géométrique]
encre de Chine sur feuillet de bloc détaché, retouches à la gouache blanche, 18,5 × 25,6, inscrit (à la mine de plomb) en haut à gauche : « zu S(eite) 46 », en bas : « Fig. 35 Geometrisch-wellenartige gleichmässige Abwechslung des positiven-negativen Druckes / i/3 », inscrit au verso (à la mine de plomb, d'une main non identifiée) : « retusche : pfeile u(nd) wellenlinie »
AM 1981-65-347 (Inv. 412-8)

352
Figure 44, p. 81 [Ligne courbe - librement ondulée]
encre de Chine et sanguine sur feuillet de bloc détaché, retouches à la gouache blanche, 18,55 × 25,6, inscrit (à la mine de plomb) en haut à droite : « Zu S(eite) 46 », en bas : « Fig. 38 / s(eite) 46 / i/3 »
AM 1981-65-348 (Inv. 412-10)

353
Figure 43, p. 80 [Ligne courbe - librement ondulée]
encre de Chine sur feuillet de bloc détaché, retouches à la gouache blanche, 18,55 × 25,6, inscrit (à la mine de plomb) en haut à droite : « zu S(eite) 46 », en bas : « Fig. 37 / S(eite) 46 / i/3 »
AM 1981-65-349 (Inv. 412-6)

354
Figure 45, p. 82 [Ligne courbe - librement ondulée]
mine de plomb et encre de Chine sur feuillet de bloc détaché, retouches à la gouache blanche, 18,4 × 25,5, inscrit en bas (à la mine de plomb) : « zu S(eite) 47 / Fig. 39 / i/3 »
AM 1981-65-350 (Inv. 626-65)

355
Figure 46, p. 82 [Ligne courbe - ondulée - géométrique; affaiblissement soudain des vagues]
encre de Chine sur feuillet de bloc détaché, retouches à la gouache blanche, 25,6 × 18,5, inscrit (à la mine de plomb) en haut : « Zu S(eite) 47 / i/2 », au milieu : « Fig. 40 », en bas : « Plötzliche Abschwächung bei Wellen bei in der Höhe abnehmendem Radius 4-4-4-2-i / i/3 / Resultat (?) - erhöhte Spannung der Vertikalen », et au verso (d'une main non identifiée) : « retusche : wellenlinie punktlinie »
AM 1981-65-351 (Inv. 626-67)

356
Figure 47, p. 83 [Ligne courbe géométrique montante]
mine de plomb et encre de Chine sur feuillet de bloc détaché, retouches à la gouache blanche, 18,5 × 25,6, inscrit (à la mine de plomb) en haut à gauche : « Zu S(eite) 48 », en bas : « Fig. 41 / i/3 », et au verso (d'une main non identifiée) : « retusche rechtes ende »
AM 1981-65-352 (Inv. 412-9)

357
Figure 48, p. 83 [Décroissance continue de l'épaisseur de la ligne]
encre de Chine sur feuillet de bloc détaché, retouches à la gouache blanche, 18,5 × 25,6, inscrit (à la mine de plomb) en haut à gauche : « Zu S(eite) 48 », en bas : « Fig. 42 / i/3 »
AM 1981-65-353 (Inv. 412-7)

358
Figure 49, p. 84 [Épaississements spontanés d'une ligne courbe libre]
encre de Chine, 20 × 13, inscrit en bas (à la mine de plomb) : « Fig. 43/S(eite) 48 / i/2 »
AM 1981-65-354 (Inv. 412-5)

359
Figures 50 - 58, p. 88 et 89 [Quelques exemples de rythmes simples]
encre de Chine sur feuillet de bloc détaché, traces de retouches, 16 × 36,7, inscrit (à la mine de plomb) : numérotation des figures de 44 à 52, en bas : « 9 / Einzelne Klischees / i/2 / Tabelle zu S(eite) 51 », et au verso (d'une main non identifiée) : « retusche »
AM 1981-65-355 (Inv. 626-70)

360
Figure 65, p. 96 [Schéma d'un bateau à voiles]
encre de Chine sur papier calque collé sur feuillet de bloc détaché, 14,05 × 11,8, inscrit en bas (à la mine de plomb) sur la feuille support : « Fig. 60 / Schema der Takelage / i /i / S(eite) 54 »
AM 1981-65-356 (Inv. 412-27)

361
Figure 71, p. 98 [Trichites - cristaux filiformes]
encre de Chine, 19,8 × 12,4, inscrit en bas (à la mine de plomb) : « Fig. 65 / i/i / i. Trichiten-haarförmige Kristalle. / 2. Kristallskelett / S(eite) 56 »
AM 1981-65-357 (Inv. 412-16)

362
Figure 73, p. 99 [Mouvements vibratoires végétaux]
encre de Chine sur papier calque, 10,45 × 9,85, inscrit en bas sur la feuille support (à la mine de plomb) : « Fig. 67 / i/i / Pflanzliche Schwimmbewegungen durch Geisseln. / 1000 fach vergrössert / T(eil) III Abteilung IV_3 (S(eite) 165) »
AM 1981-65-358 (Inv. 412-26)

363
Figure 76, p. 100 [Tissu conjonctif d'un rat]
encre de Chine sur papier calque collé sur feuillet de bloc détaché, 12,8 × 13,4, inscrit (à la mine de plomb) dans la marge droite : « 7 cm », en bas : « S(eite) 56, Fig. 69 / Lockeres Bindegewebe v(on) d(er) Ratte / Ab(teilung) IV^2 / D(ie) Kult(ur) d(er) Gegenw(art), T(eil) III, (S(eite) 75) »
AM 1981-65-359 (Inv. 412-11)

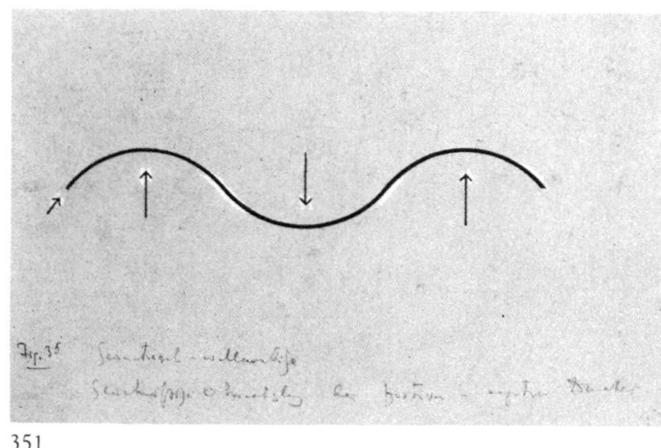
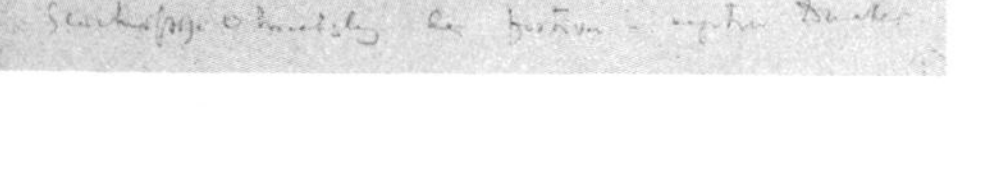
351

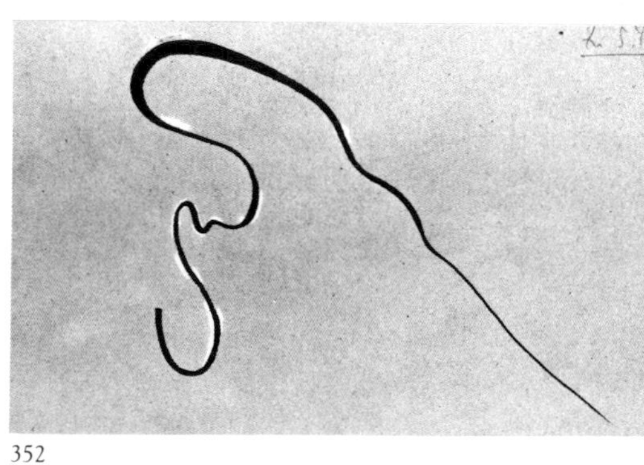
352

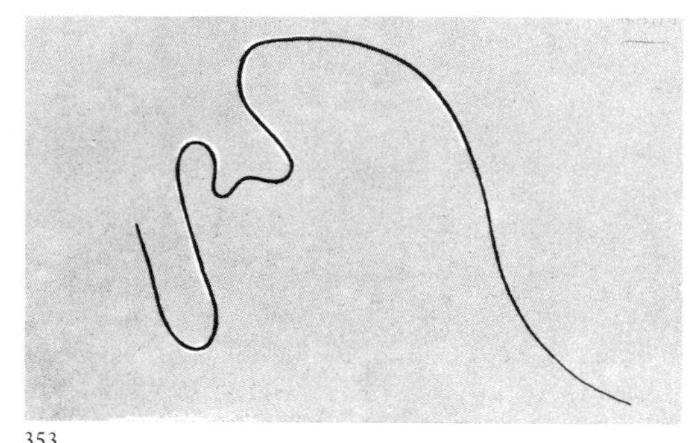
353

354

355

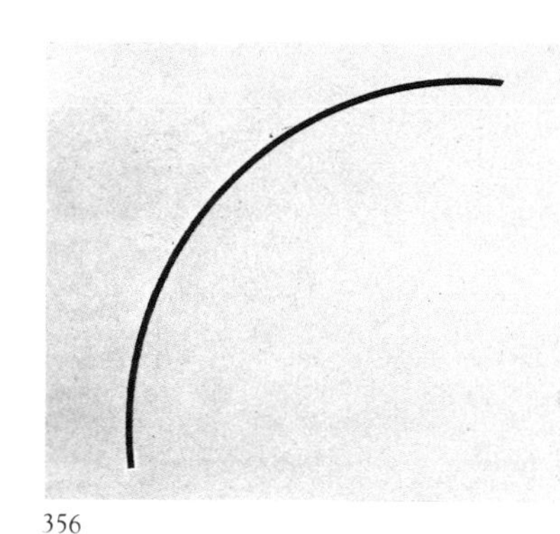
356

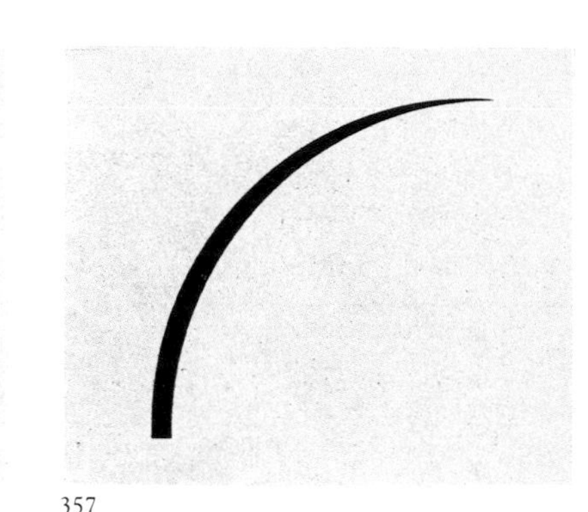
357

358

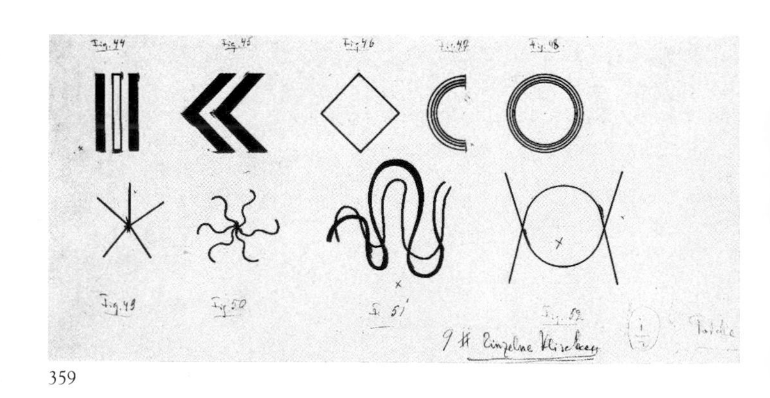
359

360

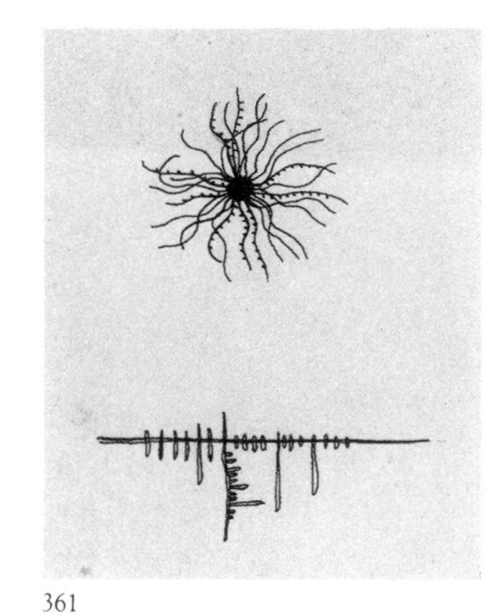
361

362

364
Figure 77, p. 116 [Forces de résistance des 4 côtés du carré]
mine de plomb, crayon rouge et encre de Chine sur feuillet de bloc détaché, 26,3 × 24,75, inscrit (à la mine de plomb) dans la marge droite : « 5 cm », en bas : « Widerstandskräfte der 4 Seiten des Quadrats »
AM 1981-65-360 (Inv. 412-1)

365
Figures 78 et 79 p. 117 [Tensions d'une surface]
encre de Chine et sanguine sur feuillet de bloc détaché, retouches à la gouache blanche, 13,6 × 24,8, inscrit en haut à gauche (au crayon rouge) : « + 2 », en bas (à la mine de plomb) : « Spannungen einer Grundfläche »
AM 1981-65-361 (Inv. 412-20)

366
Figures 85 et 86, p. 124 [Parallèle extérieur - contrastes]
encre de Chine sur feuillet de bloc détaché, 30,6 × 24,6, inscrit (à la mine de plomb) dans la marge gauche : « Fig. 78 et Fig. 79 », en bas : « Aeussere Paralelle — 2 Paare des Gegensatzes / zu S(eite) 72, G (rund)F(läche) (*mention rayée*), 4 einzelne Klischees, jedes 1/2 », et au verso (d'une main non identifiée) : « retusche »
AM 1981-65-362 (Inv. 626-69)

367
Figures 97 et 98, p. 132 [Lignes diagonales centrales et lignes décentrées]
mine de plomb et encre de Chine sur feuillet de bloc détaché, retouches à la gouache blanche, 25,6 × 18,4, chaque dessin 8,2 × 8,2, inscrit (à la mine de plomb) au milieu : « Fig. 90 / 2 Klischees/jedes –i/2 », en bas : « Fig. 9i/ zu S(eite) 79 der G(rund)F(läche) » (*mention rayée*), et au verso (d'une main non identifiée) : « retusche »
AM 1981-65-363 (Inv. 412-14)

368
Figure 102, p. 136 [Triangles et carrés inscrits dans un cercle]
encre de Chine sur papier avec collage des lettres majuscules, 30,9 × 12,7, inscrit en bas (à la mine de plomb) : « 1/1 / 1 = AD / 2 = ABDC / 3 = ABECD / 4 = ABD + AE / u(nd) s(o) w(eiter)/ Fig. 95 / S(eite) 81/ A.S. Puschkin 'Werke' / B.V. Petersburg 1855/ (zu...) Verlg Annenkov, S(eite) i6 »
AM 1981-65-364 (Inv. 412-24)

369
Planche 1, p. 142 [Tension tempérée vers le centre]
encre de Chine et sanguine sur feuillet de bloc détaché, retouches à la gouache blanche, 25,6 × 18,5, inscrit en bas (à la mine de plomb) : « Kühle Sp(annun)g zum Zentrum / G(rund)F(läche) (*mention rayée*) /i/i », et au verso : « retusche »
une comparaison avec l'illustration du livre montre une inversion de cette image, l'image suivante n'étant tournée que de 90° à gauche
AM 1981-65-365 (Inv. 412-28)

370
Planche 2, p. 144 [Dissolution progressive]
mine de plomb et encre de Chine sur feuillet de bloc détaché, retouches à la gouache blanche, 25,6 × 18,5, inscrit en bas (à la mine de plomb) : « Vorsichgehende Auflösung / G(rund)F(läche) (*mention rayée*) / i/i », et au verso (d'une main non identifiée) : « etwas retusche »
AM 1981-65-366 (Inv. 412-17)

371
Planche 3, p. 146 [Point]
encre de Chine et lavis d'encre de Chine, 32,2 × 21,3, monogrammé et daté en bas à gauche : K 25, inscrit au verso (à la mine de plomb, d'une main non identifiée) : « N 1 / Aus 'Punkt und Linie zu Fläche' ».
Achat des Musées Nationaux, 1968
AM 3726 D

372
Planche 4, p. 148 [Point]
encre de Chine sur feuillet de bloc détaché, retouches à la gouache blanche, 25,6 × 18,5, chaque dessin 8,2 × 8,2, inscrit dans la marge droite (à la mine de plomb) : « Linien /.../ auf Punkten / U-V-D/ G(rund)F(läche) (*mention rayée*)/ Dasselbe ohne Linien (Gerüst) U-V-D / i/2 », et au verso (d'une main non identifiée) : « retusche »
AM 1981-65-367 (Inv. 412-13)

373
Variante de la planche 19, p. 178 [Ligne]
encre de Chine, (à vue) 38,4 × 24,8, monogrammé et daté en bas à gauche : K 25
AM 1981-65-368 (Inv. 104)

374
Planche 24, p. 188 [Ligne]
mine de plomb, crayon rouge et encre de Chine sur feuillet de bloc détaché, 38,6 × 30,8, inscrit en bas (à la mine de plomb) : « Horizontal-vertikaler Aufbau mit gegensätzlicher Diagonale », à droite : « i7 cm », et au verso (d'une main non identifiée) : « 1/2 1411/45 »
à rapprocher de *Message intime*, 1925, n° 333
AM 1981-65-369 (Inv. 593-5)

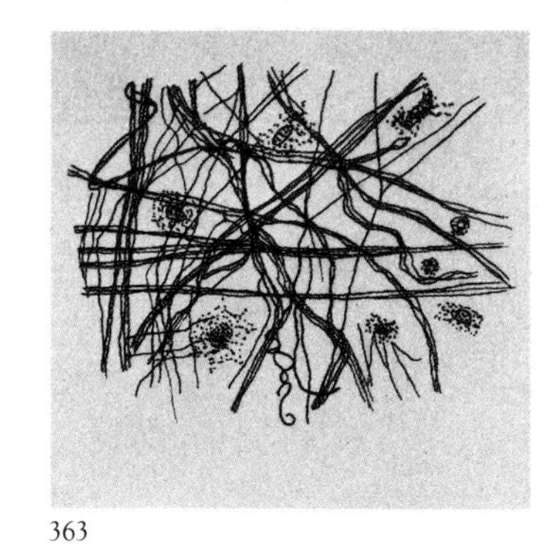
363

364

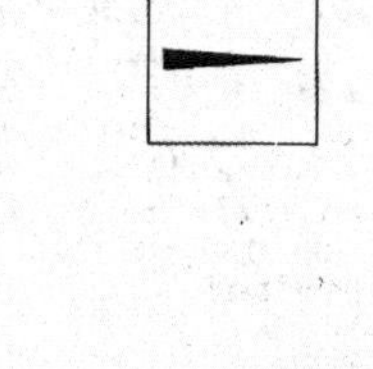
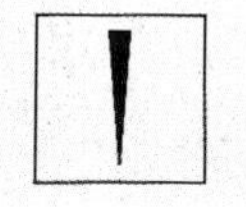
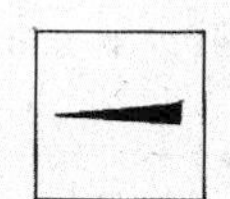
366

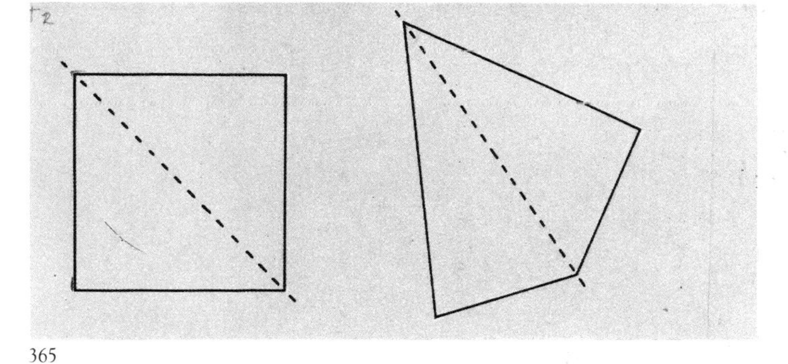
365

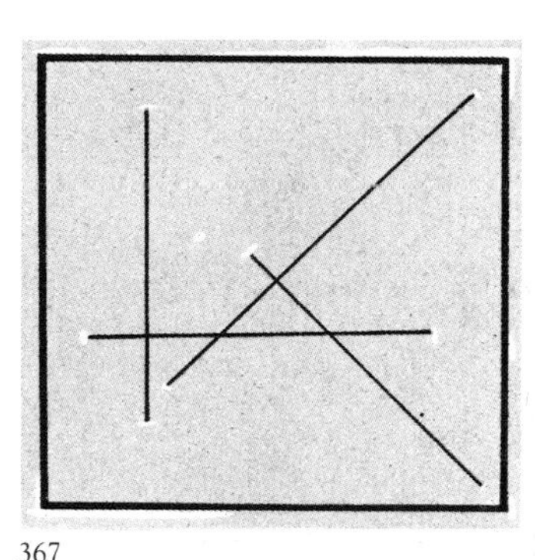
367

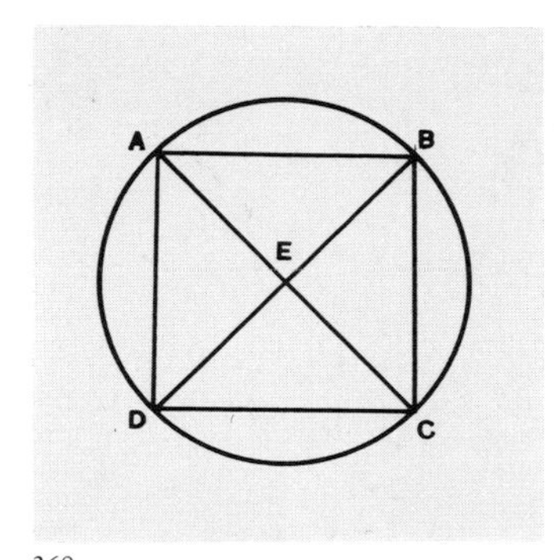

368

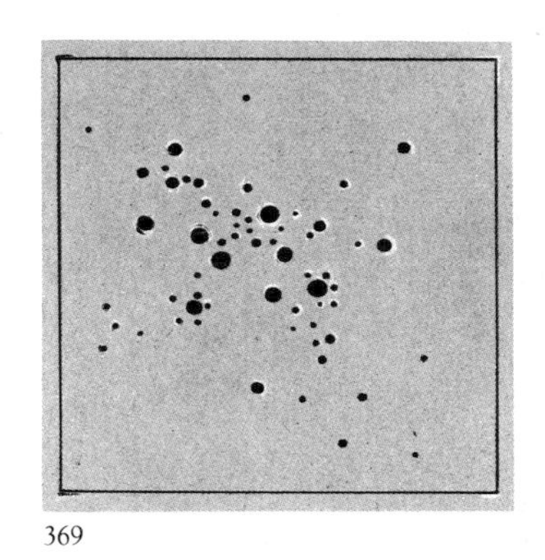
369

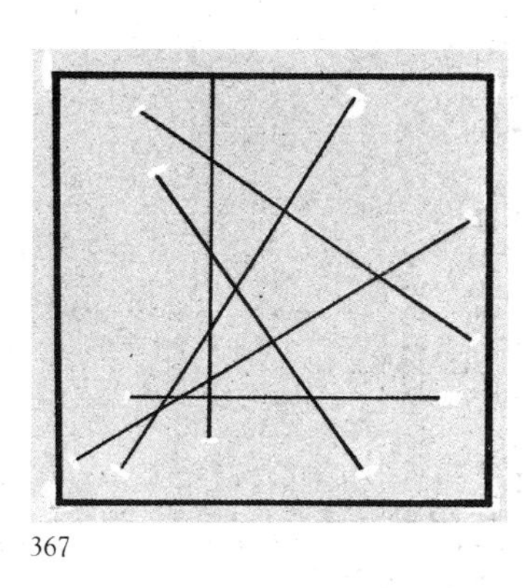
367

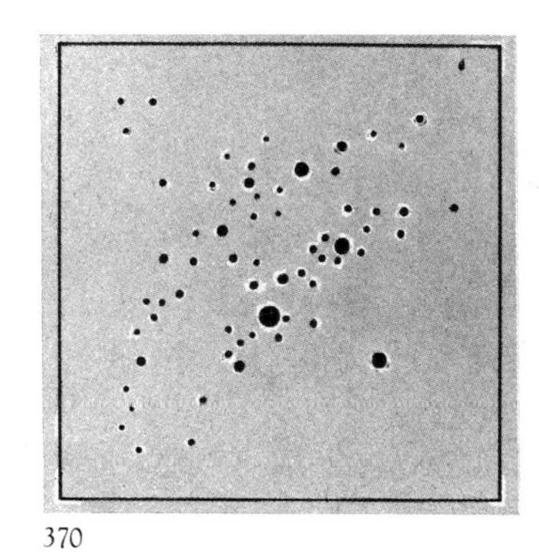
370

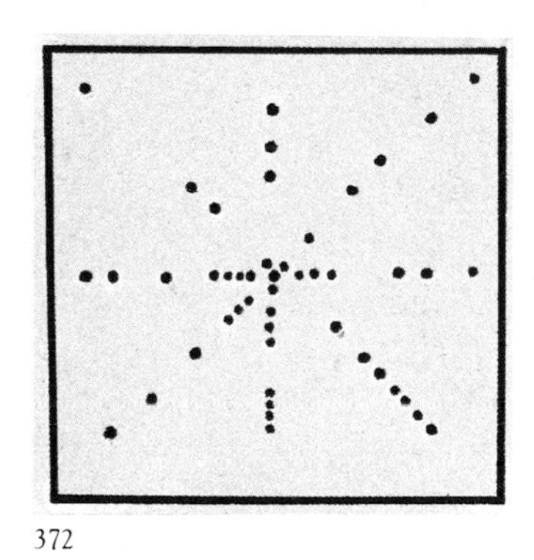
372

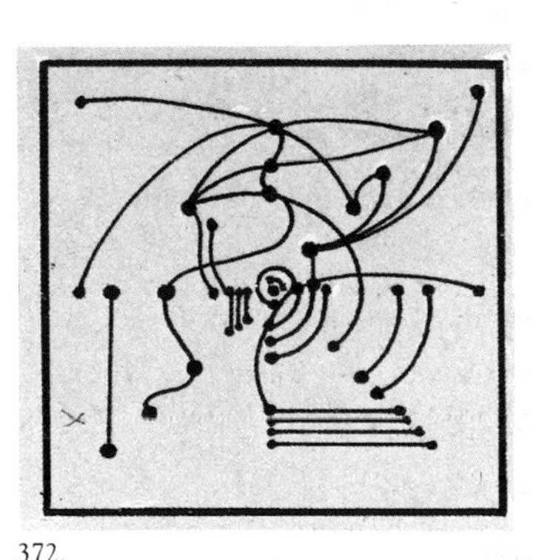
372

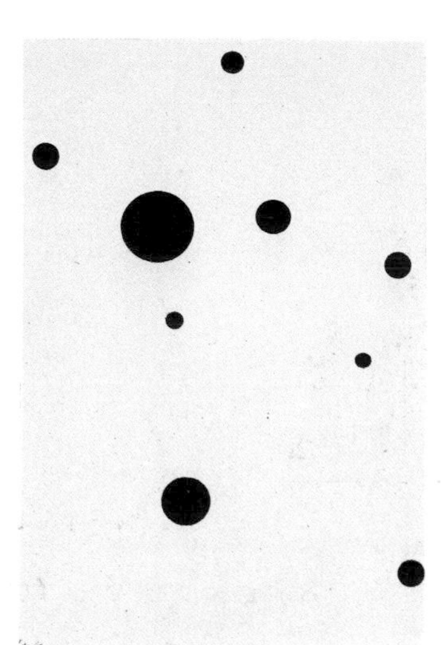
371

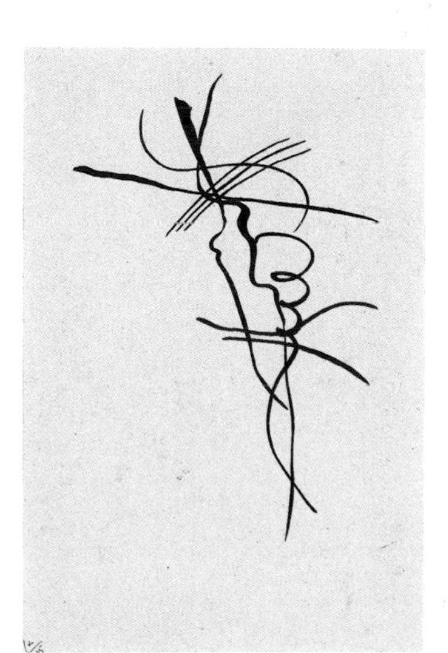
373

374

375
[Sans titre, vers 1925]
mine de plomb et encre de Chine sur feuillet de bloc détaché, traces de pulvérisation, 18,5 × 25,6, inscrit en bas à droite (à la mine de plomb) : « i/3 »
à rapprocher de la figure 33 (p. 72) de *Point-Ligne-Plan*, représentant une ligne libre à angles multiples
AM 1981-65-370 (Inv. 626-63)

376
[Sans titre, vers 1925]
mine de plomb et encre de Chine, 31 × 22,4, à rapprocher des figures 33 et 40 de *Point-Ligne-Plan*, donnant des exemples d'une ligne libre à angles multiples et d'une ligne librement ondulée, variantes qui sont combinées ci-dessus
AM 1981-65-371 (Inv. 412-31)

377
[Sans titre, vers 1925]
mine de plomb sur feuillet de bloc détaché, 31,8 × 38,1 (chaque croquis : 8,5 × 8,5), inscrit (à la mine de plomb) au milieu : « Komp(osition) D./ Versch(iedene) Exzentrische der... Elemente / Komp(osition) A. / Konzentrische in drei einfachsten Elementen (Grund-) / Komp(osition) in Punkten (23) / Fusionsschema des Prinzips Komp(osition) A / An die Bildgrenze gehen : i. aller Elemente, 2. mancher Elemente, 3. keines der Elemente / Sinn « an die G(renze) gehen / (Kalt = sichzurückhaltend) / überschäumend (?) (weiss) »; et en bas : « Komp(osition) C / .../ von Diagonalen und exzentrisch der wage- senkrechten / Komp(osition) B / ... bei konzentrischer Komp(osition) ».
certains de ces croquis sont à rapprocher des figures 95, 96, 97 (p. 132) et de la planche 4 (p. 148) de *Point-Ligne-Plan*
AM 1981-65-372 (Inv. 414)

378
[Sans titre, vers 1925]
mine de plomb et encre de Chine, 38,6 × 30,9, inscrit dans la marge gauche (à la mine de plomb) : « I.1 Eckige geom(etrische)/ I.2 Eckige freie/ II. ...geom(etrisch) versch(iedene) R(undung) (?)/ II. Geb. freie/ III. Kombinierte geom(etrische)/ III. Komb(inierte) freie »
à rapprocher des différentes formes de lignes reproduites dans *Point-Ligne-Plan* (fig. 33, 40, 41, 42)
AM 1981-65-373 (Inv. 626-71)

379
[Sans titre, vers 1925]
mine de plomb sur feuillet de bloc détaché, 31,9 × 38,1, inscrit à droite au milieu (à la mine de plomb) : « b. = a in weiterer Entwicklung »
à rapprocher des formes de lignes reproduites dans *Point-Ligne-Plan* (figures 41-43 et 33)
AM 1981-65-374 (Inv. 415)

380
[Sans titre, vers 1925]
encre de Chine, 31,9 × 18,4, inscrit (à la mine de plomb) en haut : « a - unbewegt/ b - fällt/ rechts unten », à gauche : « Zusammenhänge von a u(nd) b/ ihre Betonung überklingt die anderen », et en bas : « a - fällt/ b - unbewegt/ links unten / unbegrenzte G(rund)f(läche) »
à rapprocher de la planche 20 de *Point-Ligne-Plan*
AM 1981-65-375 (Inv. 412-29)

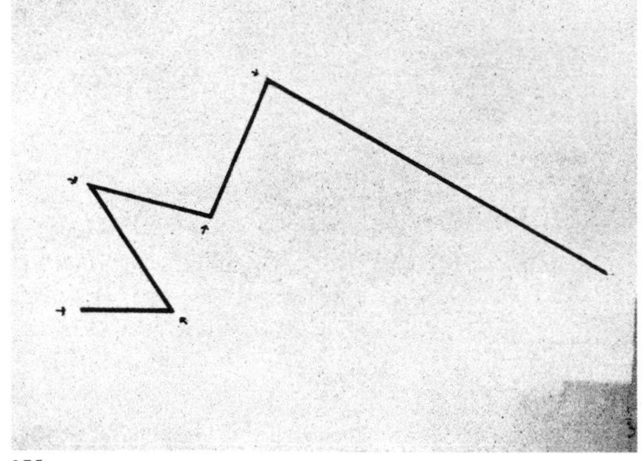
375

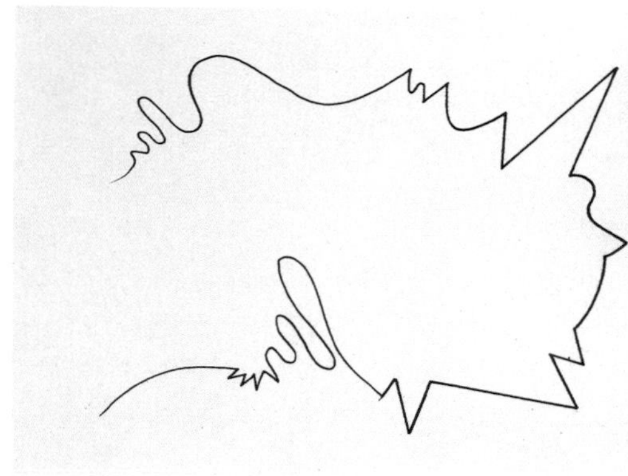
376

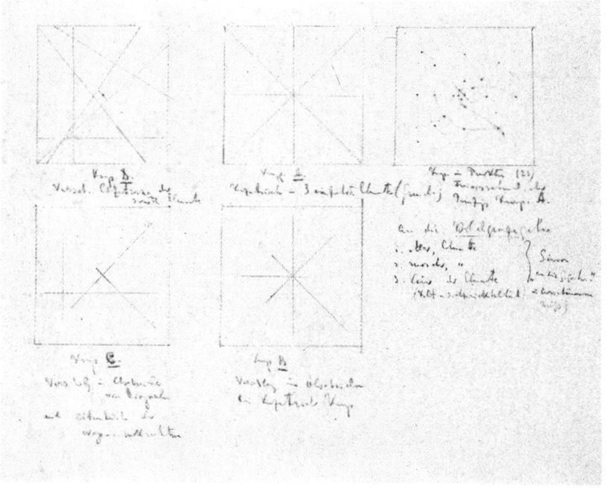
377

378

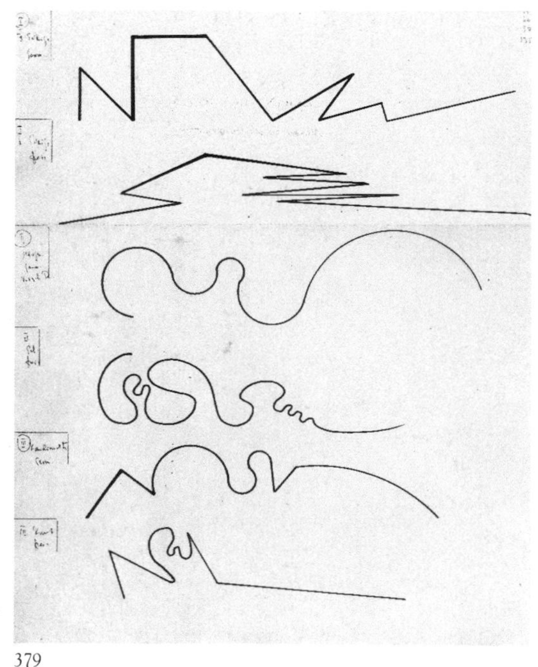
379

380

381
[Sans titre, vers 1926]
encre de Chine sur carton, 32,5 × 23,5
à rapprocher de la figure 12 de *Point-Ligne-Plan* : démonstration d'un complexe central de points libres
AM 1981-65-376 (Inv. 593-29)

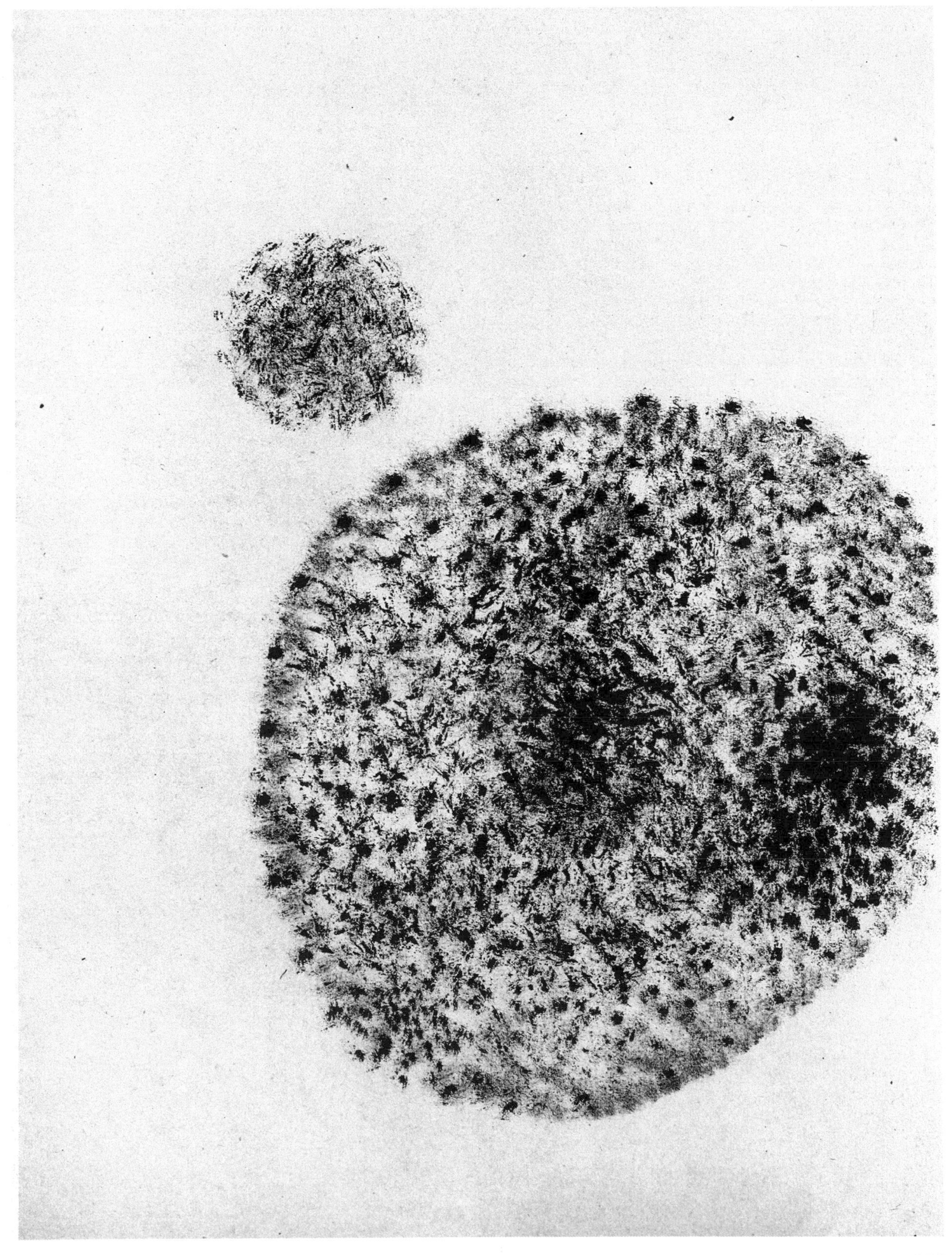

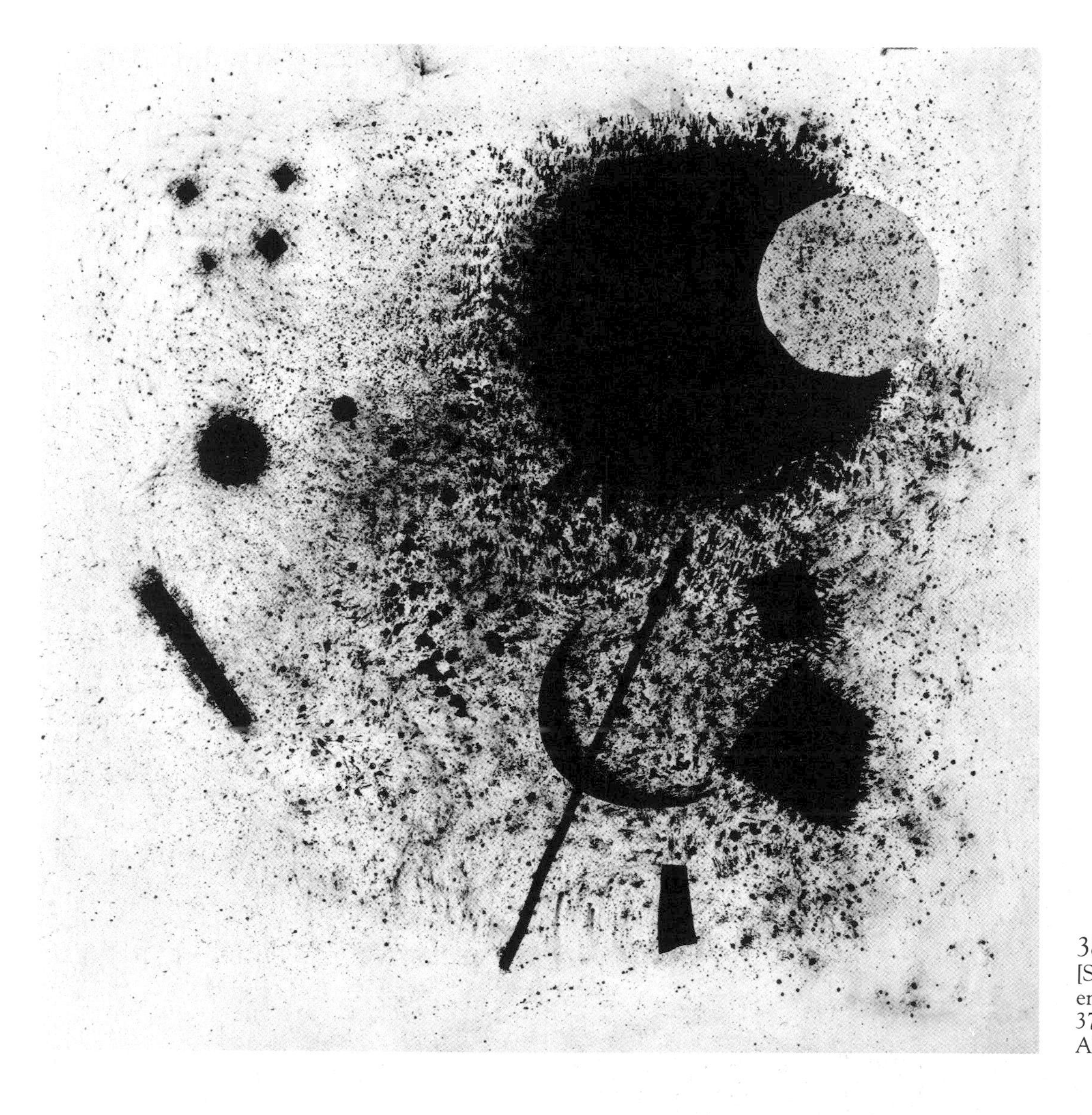

382
[Sans titre, vers 1926]
encre de Chine et lavis d'encre de Chine,
37,2 × 36,4
AM 1981-65-377 (Inv. 593-32)

383
Esquisse sans numéro, [1925-26]
aquarelle, encre de Chine et lavis d'encre de Chine,
32,1 × 23,3
ni signé, ni daté
inscrit au verso du carton support (à la mine de plomb) : « (monogramme) Skizze ohne N°, i924 »
à rapprocher de *Druck*, 1926, Roethel n° 795
AM 1981-65-120 (Inv. 69)

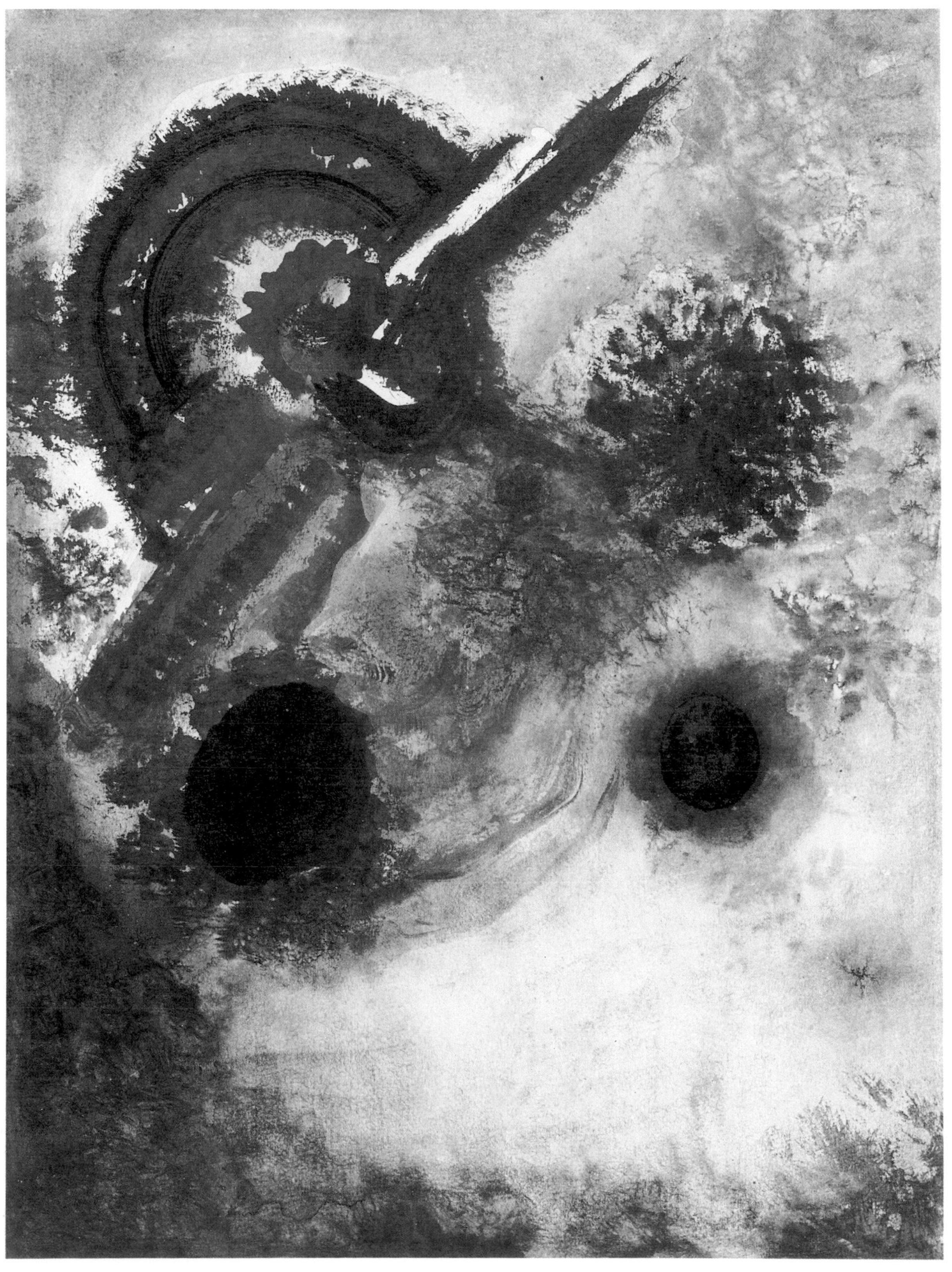

384
Première étude pour *Quelques cercles*, 1926
mine de plomb et encre de Chine, 36,6 × 37,4 (mise au carreau)
inscrit au verso (à la mine de plomb) : « Erster Entwurf des 'Einige Kreise', 1926/ Das Bild ist in der Staatl(ichen) Gemäldegalerie Dresden »
AM 1981-65-378 (Inv. 593-6)

385
Accent en rose, 1926
huile sur toile, 100,5 × 80,5
monogrammé et daté en bas à gauche : K 26
inscrit au revers sur la toile en haut à gauche : « (monogramme) N° 325 / i926 Akzent in Rosa »
donation Mme Nina Kandinsky, 1976
AM 1976-857

offert à Mme Nina Kandinsky le 27 janvier 1930 pour sa fête

Références :
Grohmann n° 207, p. 366
Roethel n° 769

Manuscrit Kandinsky IV : n° 325

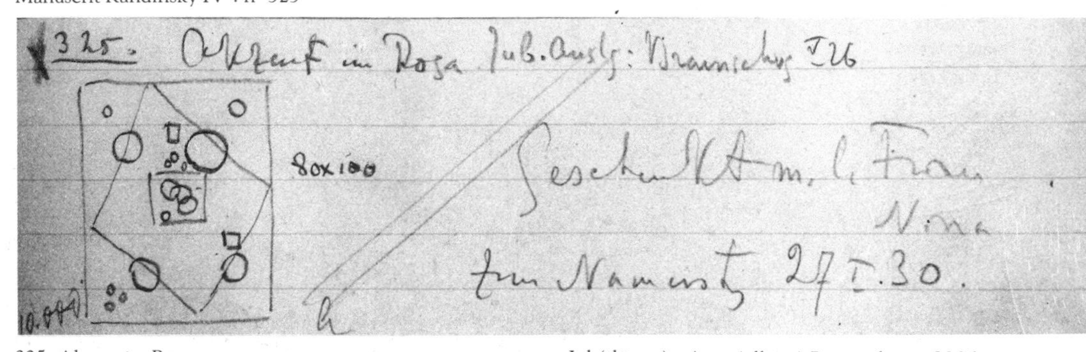

325. Akzent im Rosa
80 × 100

Jub(iläums) - Ausst(ellung) Braunschweig V 26
Geschenkt m(einer) l(ieben) Frau Nina
zum Namenstag 27 I. 30.

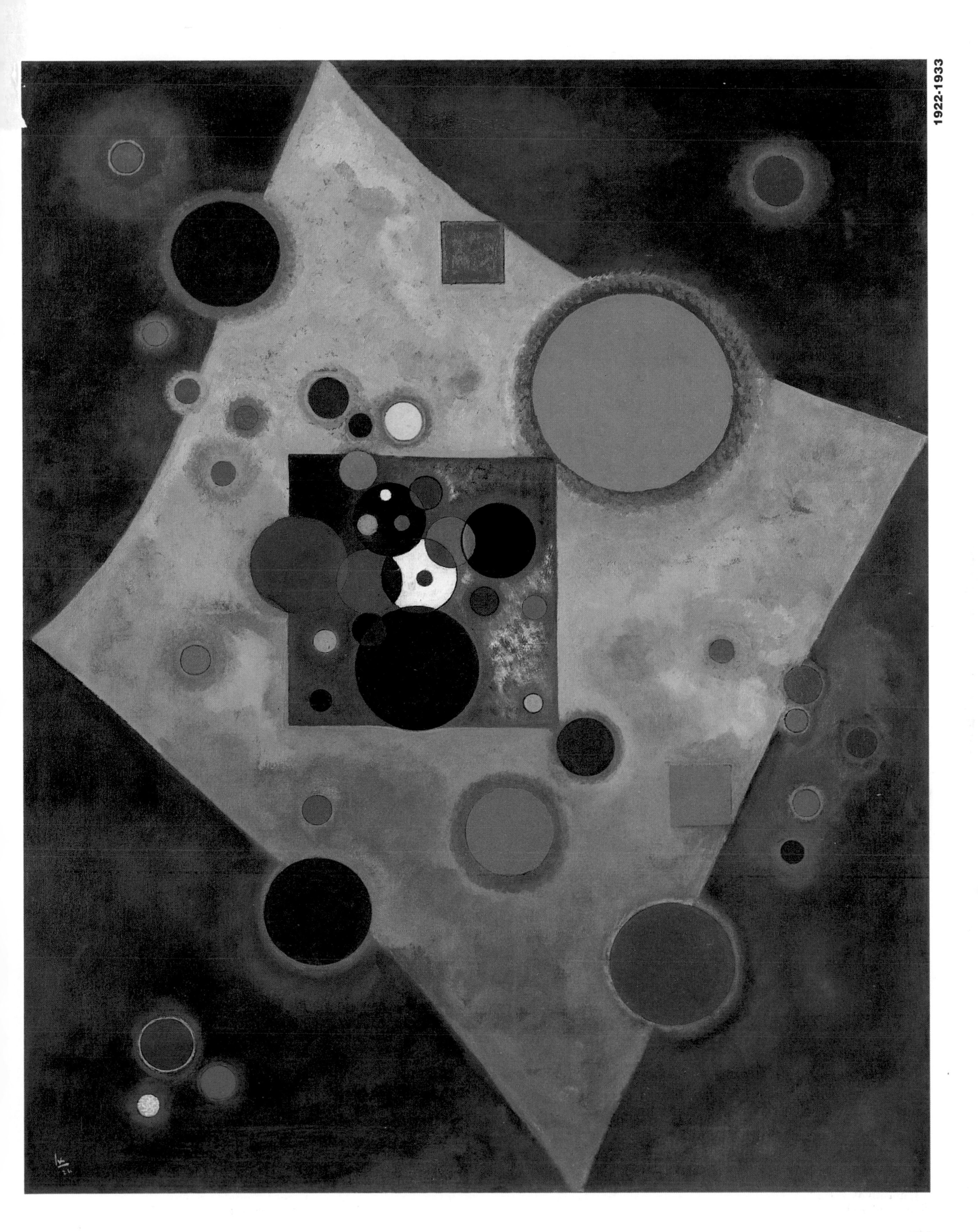

386
Œuf de Pâques, 1926
huile sur carton, (ovale) 26,5 × 22
monogrammé et daté en bas au centre : K 26
inscrit au revers (à l'encre de Chine) :
« (monogramme) N° 327/i926 »
manuscrit Kandinsky II : n° 327, 'Osterei', 1926,
(en russe) : « A Ninoussia pour Pâques 1926 »
Grohmann n° 322, p. 376
Roethel n° 771
AM 1981-65-49
(Inv. 300)

mns Kandinsky

mns Kandinsky

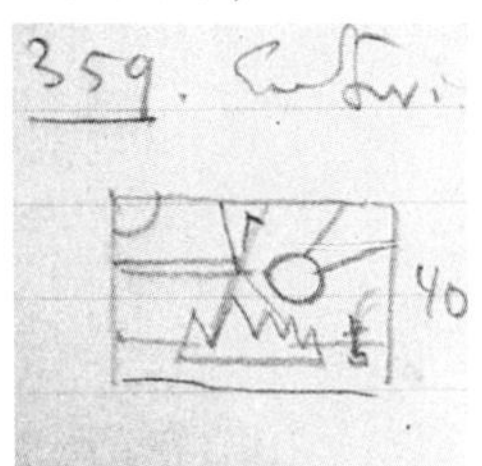

387
Développement, 1926
huile sur carton, 32 × 40
monogrammé et daté en bas à gauche : K 26
inscrit au revers du carton (à l'encre de Chine) :
« (monogramme) N° 359/i926 / 4i × 33 »
manuscrit Kandinsky II : n° 359, 'Entwicklung', 1926
Grohmann n° 234, p. 368
Roethel n° 802
AM 1981-65-50 (Inv. 44)

mns Kandinsky

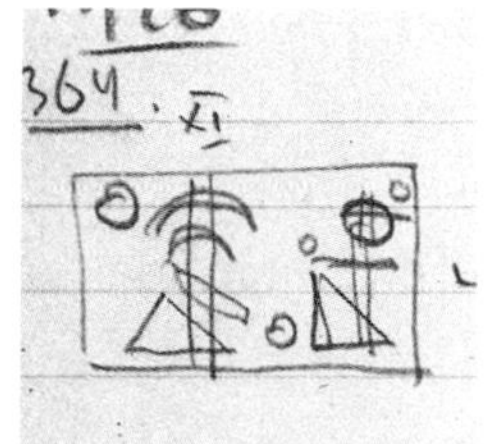

388
[A Nina pour Noël], 1926
huile sur carton, 32,8 × 44,6
monogrammé et daté en bas à gauche : K 26
inscrit au revers (à l'encre de Chine) :
« (monogramme) N° 364/i926 / 45 × 33; (en russe) : A ma petite Ninoussia la veille de Noël 1926 Dessau »
manuscrit Kandinsky II : n° 364, novembre 1926, aucun titre, « Nina zu Weihnachten i926 ».
Grohmann, repr. p. 292
Roethel n° 807, repr. coul. p. 746
AM 1981-65-51 (Inv. 311)

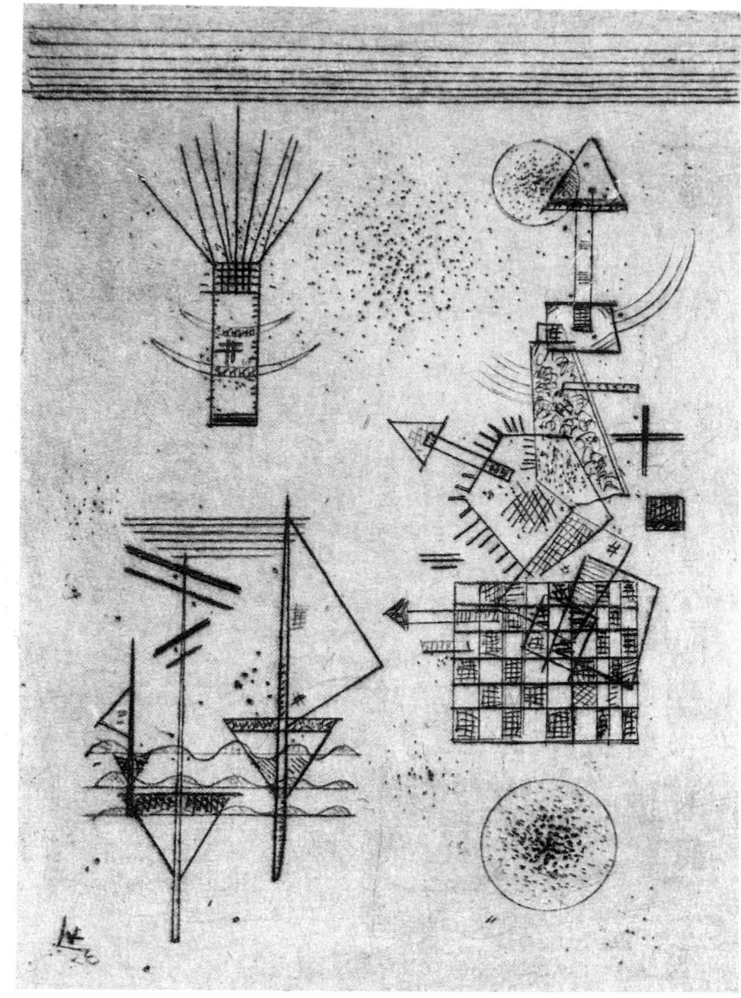

389
[Sans titre, 1926]
encre de Chine, 9,5 × 8,4
monogrammé et daté en bas à gauche : K i6
inscrit au verso (à la mine de plomb, de la main de Nina Kandinsky) : « Kandinsky 1916 / N° 1 / 9 × 8 1/2 »
à rapprocher de *Kreuzform* (Forme de croix), 1926, Roethel n° 797
AM 1981-65-379 (Inv. 411-2)

390
Deuxième don annuel de la Société Kandinsky, 1926
pointe sèche, 12,1 × 8,9
monogrammé et daté en bas à gauche sur la plaque : K 26
Roethel (gravures) n° 189
AM 1981-65-738 (Inv. 586-83)

391
Gravure pour la « Deutsche Kunstgemeinschaft », 1926
pointe sèche, 15,9 × 12
monogrammé et daté en bas à gauche sur la plaque : K 26
Roethel (gravures) n° 190
AM 1981-65-739 (Inv. 586-79)

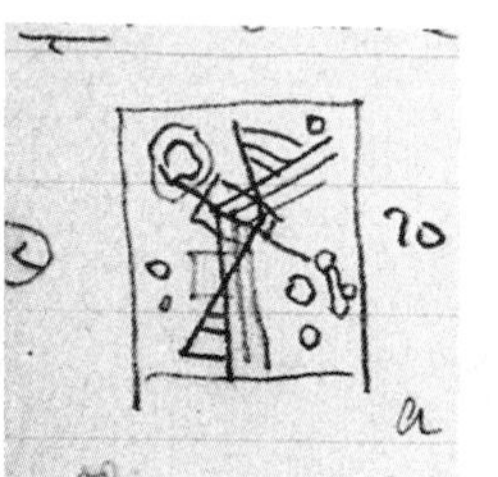

mns Kandinsky

392
Fraîcheur sombre, 1927
huile sur toile marouflée sur bois,
26,1 × 19,7 × 1,15
monogrammé et daté en bas à gauche : K 27
au revers du bois (à l'encre de Chine) :
« (monogramme) N° 380/i927 / 'Dunkle Kühle'
20 × 26 »
manuscrit Kandinsky IV : n° 380, janvier 1927,
'Dunkle Kühle' / Sammlung Nina Kandinsky
Grohmann n° 248, p. 370
Roethel n° 823
AM 1981-65-52 (Inv. 37)

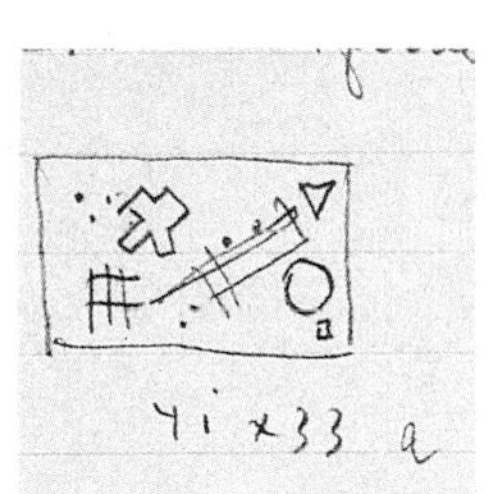

mns Kandinsky

393
Sons isolés, 1927
huile sur carton, 33,1 × 40,9
ni signé, ni daté
inscrit au revers du carton (à l'encre de Chine) :
« (monogramme) N° 39i/i927 'Einzelne Klänge'
4i × 33 »
manuscrit Kandinsky IV : n° 391, avril 1927,
'Einzelne Klänge', (de la main de Nina Kandinsky) :
Galerie Maeght
Grohmann n° 256, p. 370
Roethel n° 834
AM 1981-65-53 (Inv. 299)

mns Kandinsky

394
Noir-Rouge, 1927
huile sur toile, 44,8 × 55,8
ni signé, ni daté
inscrit sur le châssis (à l'encre de Chine) :
« (monogramme) N° 405 1927 / 'Schwarz-Rot' »
manuscrit Kandinsky IV : n° 405, 'Schwarz-Rot'
Grohmann n° 268, p. 371
Roethel n° 848
AM 1981-65-54 (Inv. 21)

395
Jaune tendre, 1927
aquarelle, gouache et encre de Chine sur papier-carte préparé à la gouache jaune, 32,3 × 48,1
monogrammé et daté en bas à gauche : K 27
au verso (au crayon noir) : « n° 233/i927/'Zartes Gelb', (en russe) : « A ma chère Ninoussia pour le 16 IV 28/ Vaka (?)/ Dessau »
manuscrit Kandinsky V (aquarelles) : n° 233, novembre 1927, 'Zartes Gelb' / Geschenkt Nina zum Geburtstag 28
AM 1981-65-121 (Inv. 52)

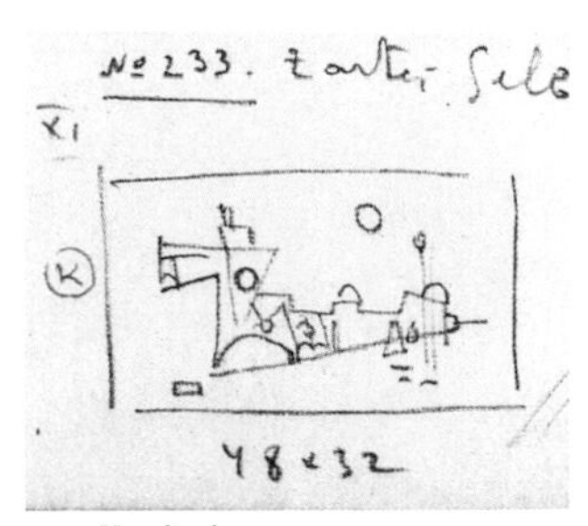

mns Kandinsky

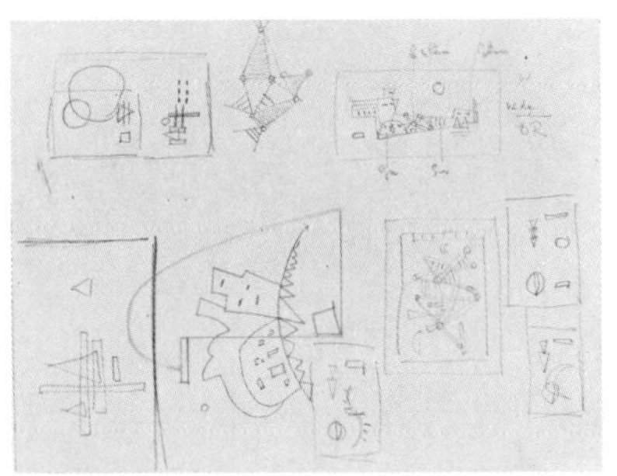

396
recto : Page de croquis, [vers 1927]
mine de plomb, 14,8 × 19,4
en haut à gauche : croquis pour *Jaune tendre*, 1927, avec indications en allemand concernant les couleurs
verso (non reproduit) : cf. p. 348
AM 1981-65-380 recto-verso (Inv. 357)

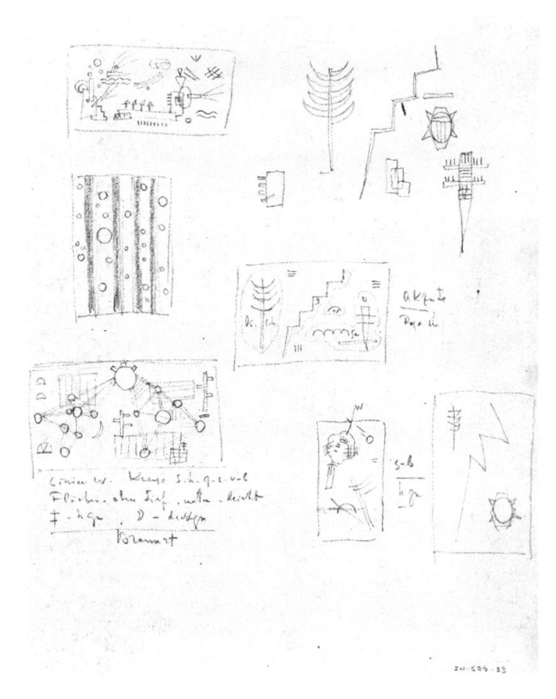

397
recto : Page de croquis, [1927-28]
mine de plomb, 28,55 × 22,5
en haut à gauche : croquis pour *Evénement doux,* 1928; en haut à droite et en bas : *Roteckige,* 1928, Roethel n° 861
verso : repr. p. 349
AM 1981-65-381 recto-verso (Inv. 594-33)

398
Evénement doux, 1928
huile sur carton, 38,6 × 67,8
monogrammé et daté en bas à gauche : K 28
cadre peint par Kandinsky
inscrit au revers du carton (à l'encre de Chine) : « (monogramme) 'Milder Vorgang', N° 4i9/i928 / 39 × 68 », et (à la mine de plomb) : « Coll(ection) de Mme N. Kandinsky »
AM 1981-65-55 (Inv. 15)

peint en janvier 1928
offert à Mme Nina Kandinsky pour Pâques 1930

Références :
Grohmann n° 280, p. 372
Roethel n° 862

Manuscrit Kandinsky IV : n° 419

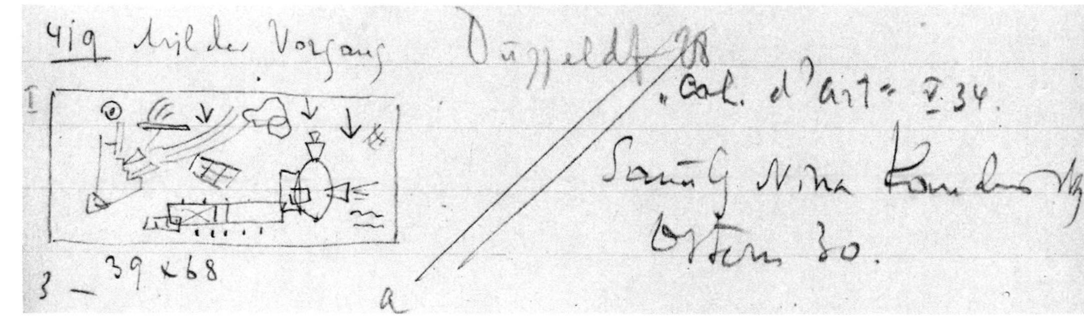

4i9 Milder Vorgang
39 × 68

Düsseldorf 28
« Cah(iers) d'Art » V 34
Sammlung Nina Kandinsky
Ostern 30.

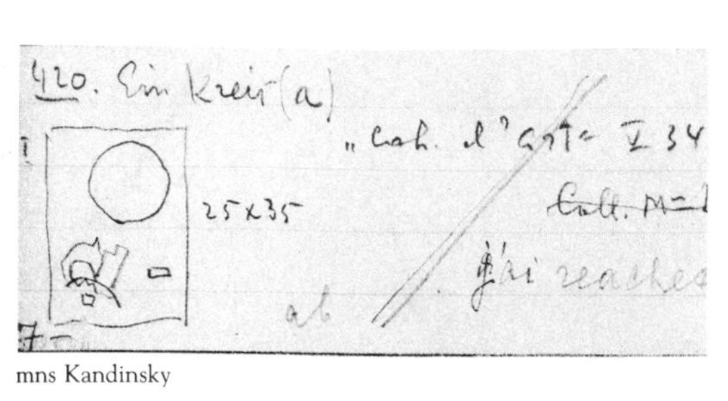

mns Kandinsky

399
Un cercle a, 1928
huile sur toile, 35 × 25
monogrammé et daté en bas à gauche : K 28
inscrit au revers de la toile (à l'encre de Chine) :
« (monogramme) 'EIN KREIS a', N° 420/i928 »
manuscrit Kandinsky IV : n° 420, janvier 1928, 'Ein Kreis (a)', Cah(ier) d'Art, V 34
Grohmann n° 281, p. 372
Roethel n° 863
AM 1981-65-56 (Inv. 42)

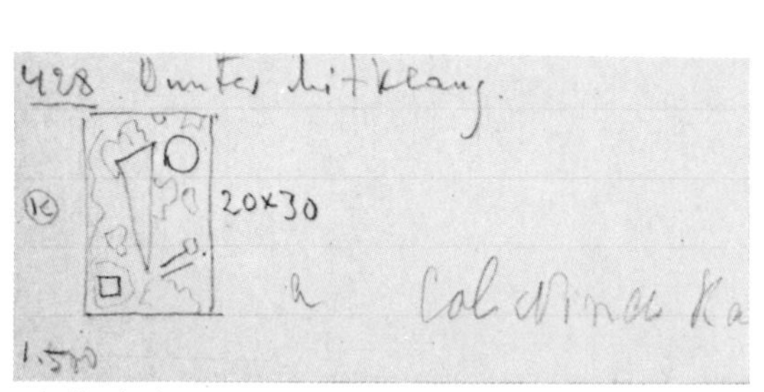

mns Kandinsky

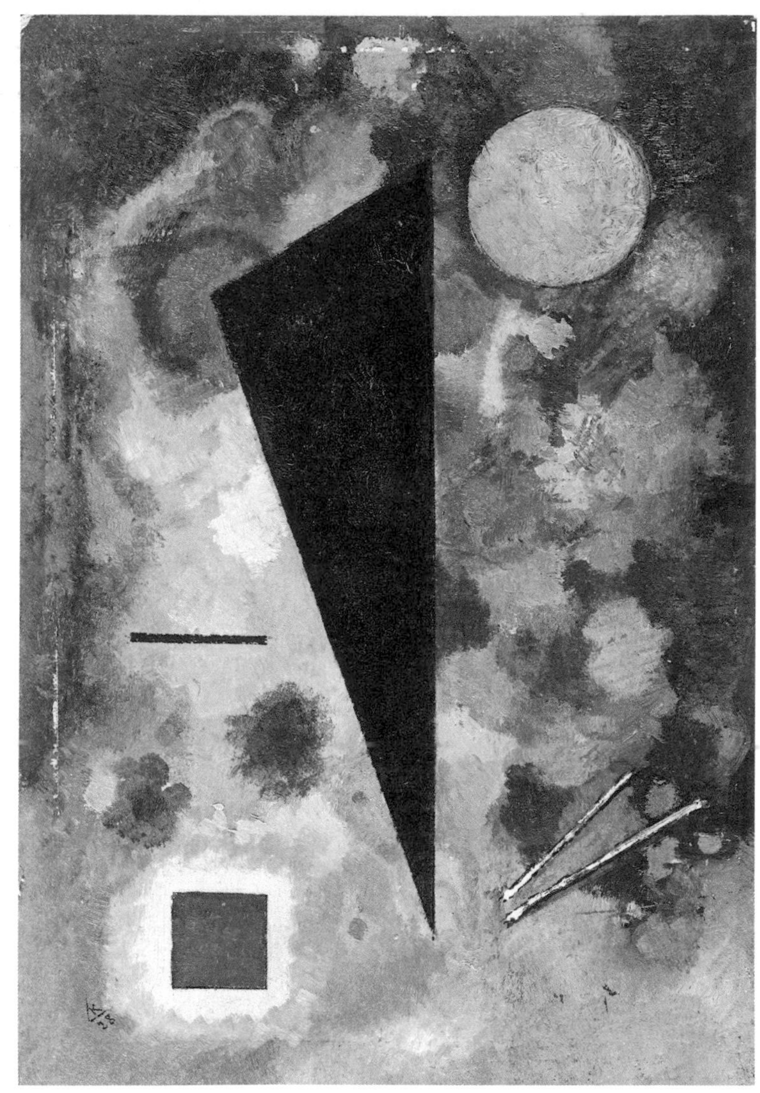

400
Résonance multicolore, 1928
huile sur carton, 32,9 × 21,3
monogrammé et daté en bas à gauche : K 28
inscrit au revers du carton (à l'encre de Chine) :
« (monogramme) N° 428/i928 / 20 × 30 »
manuscrit Kandinsky IV : n° 428, 1928, 'Bunter Mitklang'
Grohmann n° 288, p. 373
Roethel n° 871
AM 1981-65-57 (Inv. 32)

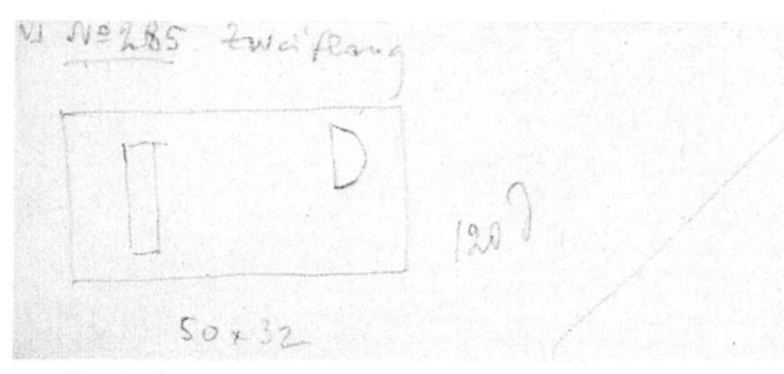

mns Kandinsky

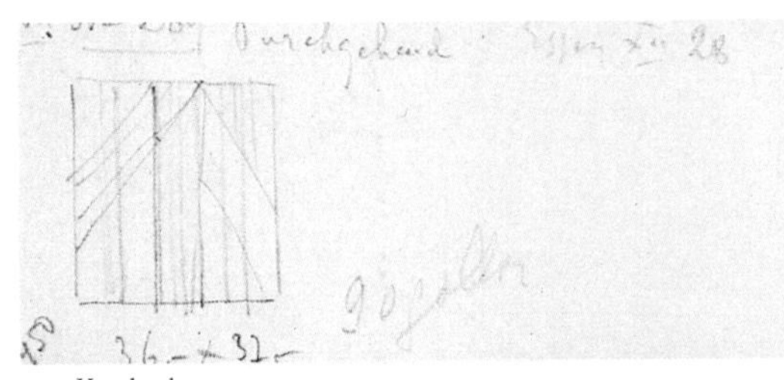

mns Kandinsky

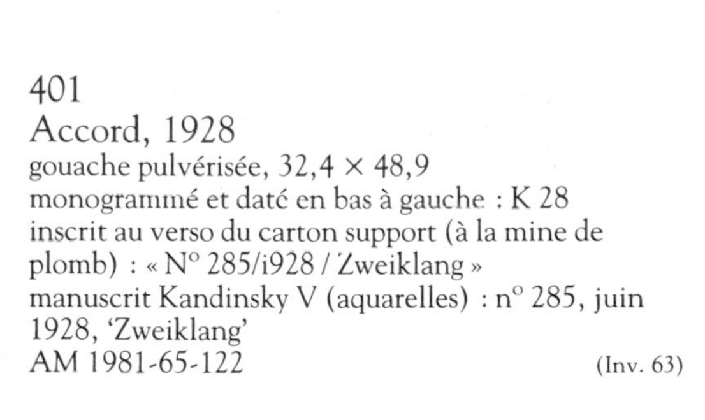

401
Accord, 1928
gouache pulvérisée, 32,4 × 48,9
monogrammé et daté en bas à gauche : K 28
inscrit au verso du carton support (à la mine de plomb) : « Nº 285/i928 / Zweiklang »
manuscrit Kandinsky V (aquarelles) : nº 285, juin 1928, 'Zweiklang'
AM 1981-65-122 (Inv. 63)

402
En traversant, 1928
aquarelle pulvérisée et encre de Chine, 37,4 × 36,7
monogrammé et daté en bas à gauche : K 28
inscrit au revers du carton support (à la mine de plomb) : « Nº 289/i928 - 'Durchgehend'
manuscrit Kandinsky V (aquarelles) : nº 289, juillet 1928, 'Durchgehend' / Essen XII 28
AM 1981-65-123 (Inv. 51)

403
Sur les pointes, 1928
huile sur toile, 140 × 140
monogrammé et daté en bas à gauche : K 28
inscrit au revers de la toile en haut à gauche :
« (monogramme) Auf Spitzen N° 433/i928 »
donation Mme Nina Kandinsky, 1976
AM 1976-858

Références
Grohmann, repr. p. 297
Roethel n° 876, repr. coul. p. 798

A la fin des années 20, quand Kandinsky peint cette œuvre aiguë et dépouillée, géométrie vibrante, John D. Graham (Ivan Dabrowsky, 1881-1961), artiste russe né à Kiev et émigré aux États-Unis au début des années 20, familiarise Willem de Kooning avec les *Improvisations* de Kandinsky de la période munichoise, rencontre qui n'est pas sans traces dans les œuvres de de Kooning de cette époque[1]. Curieux déphasage de l'Histoire de l'art.
Le format choisi par l'artiste pour cette œuvre — pour laquelle existe une étude aquarellée — est à nouveau un carré parfait (140 × 140 cm), selon Kandinsky la forme la plus objective d'un plan originel. « Ses limites, formées de deux groupes de lignes couplées, possèdent la même intensité de son. Froid et chaud sont relativement équilibrés » (p. 129-30)[2]. « Tout plan originel est un être vivant dont le peintre sent la respiration » (p. 131). « L'artiste féconde cet être et il sent que c'est docile et “comblé” que le plan originel reçoit les éléments justes dans la juste ordonnance » (p. 131). « A l'approche de chacun des quatre côtés du plan originel des forces de résistance deviennent sensibles et isolent l'entité du plan originel de façon définitive de son entourage. C'est pour cela qu'une forme approchant des limites subit une influence spécifique, ce qui est d'une importance décisive pour une composition. Les forces de résistance des limites ne diffèrent que par leur degré d'intensité » (p. 136-37). La plus grande force de résistance est rencontrée vers la base, elle diminue contre le côté droit, elle est plus faible à gauche et moins sensible en haut. Tout ceci n'est pas à prendre à la lettre, mais traduit les tensions intérieures du plan originel d'une manière analytique.
Sur une surface animée de la sorte par Kandinsky, le peintre inscrit en l'occurrence la configuration linéaire suivante : une triple barre, trois horizontales grises d'une épaisseur décroissante, accentue la résistance rencontrée à l'approche du bord inférieur de la toile. Sur ces horizontales prennent appui obliquement les angles aigus de plusieurs triangles très allongés, supportant à leur tour d'autres triangles orientés dans le sens inverse, le tout servant d'infrastructure (base de lancement ?) à un grand cercle posé d'une manière excentrique dans la partie supérieure gauche, prédestinée à offrir la moindre résistance à un envol. Le cercle est une forme qui a toujours fasciné Kandinsky. Modeste et précis, d'une variété inépuisable, stable et instable à la fois, calme et violent, le cercle est ressenti comme une tension qui en enferme d'innombrables autres[3].
Un vocabulaire graphique très sobre, donc, se limitant aux lignes droites et aux formes élémentaires : cercle, carré, triangle.
En dehors d'une seule couleur primaire, le jaune (très nuancé), l'artiste n'emploie sur cette toile que des couleurs secondaires ou la non-couleur : l'orangé, le pourpre, le violet, le gris et le noir. Ces couleurs suivent peu les formes dessinées au compas et au tire-ligne. Elles ne sont là que pour créer une atmosphère dans toutes les acceptations du terme, une transparence. Grâce à elles le complexe linéaire se détache du plan. Elles métamorphosent ce plan matériel en un espace imaginaire, indéfinissable, tendance générale de la peinture de Kandinsky, observable dans les dernières années à Dessau. La dématérialisation du plan originel est le chemin qui mène de l'extérieur à l'intérieur, le but de tout l'art du peintre.
Dans cet espace, la structure, comparable à un ballon encore fermement ancré au sol, pourrait suivre un mouvement ascensionnel à tout moment. Le thème de la montgolfière revient d'ailleurs à plusieurs reprises dans l'œuvre de Kandinsky vers 1929 et 1930 (cf. *Fidel*, 1930, Rœthel n° 936 et *Flachtief*, 1930, Rœthel n° 935).
Une deuxième interprétation se fonde sur quelques notes de cours de Kandinsky, accompagnées de croquis et datées de 1929[4]. Il parlait alors à ses élèves d'un projet de l'architecte Ivan Leonidov de 1927 pour l'Institut Lénine à Moscou, comportant une construction sphérique qui ne reposait au sol que par la pointe d'un cône inversé. Ainsi serait rendu à la surface présente la valeur symbolique que Malévitch attribua au carré : le plan originel sur lequel s'élèvera l'architecture du futur.
L'utilisation faite ici du vocabulaire et des principes dégagés dans *Point-Ligne-Plan* ne signifie à aucun moment que Kandinsky est avant tout théoricien et que le peintre en lui n'est qu'un exécutant de théories préétablies, accusation souvent prononcée contre lui. Cependant, ce vocabulaire étrange et déroutant, lieu du refoulement du délire, s'applique à cette œuvre, la déchiffre, et ouvre ainsi à une vision autre, hautement personnelle.

Manuscrit Kandinsky IV : n° 433

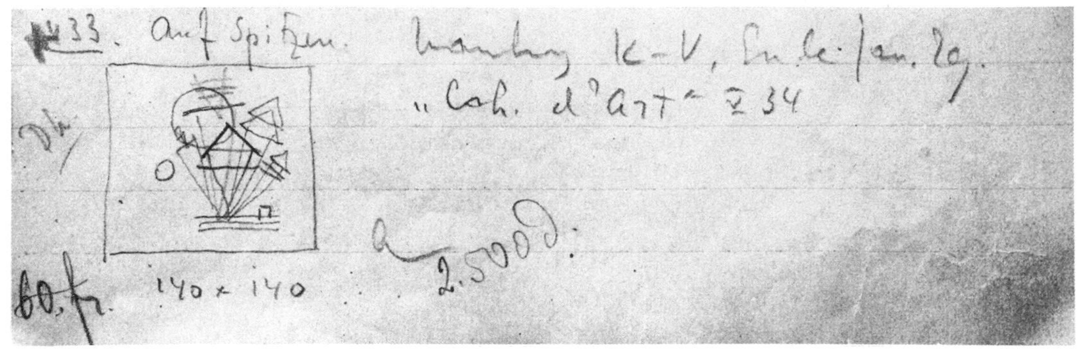

433. Auf Spitzen
140 × 140

Hamburg K(unst) V(erein), Ende Jan(uar) 29
« Cah(iers) d'Art » V 34

1. Yves Michaud, « De Kooning, la soupière et le grand style », pp. 16-30 du catalogue de l'exposition « W. de Kooning », Musée national d'art moderne, Centre G. Pompidou, Paris, 28 juin-24 sept. 1984, p. 19.
2. Toutes les pages indiquées entre parenthèses renvoient à la version française (édition Denoël, 1970) de *Point-Ligne-Plan*.
3. Lettre de Kandinsky à W. Grohmann du 21 novembre 1925, citée *in* Grohmann, *op. cit.*, p. 190.
4. Denoël/Sers, *Écrits complets*, *op. cit.*, vol. III, p. 349.

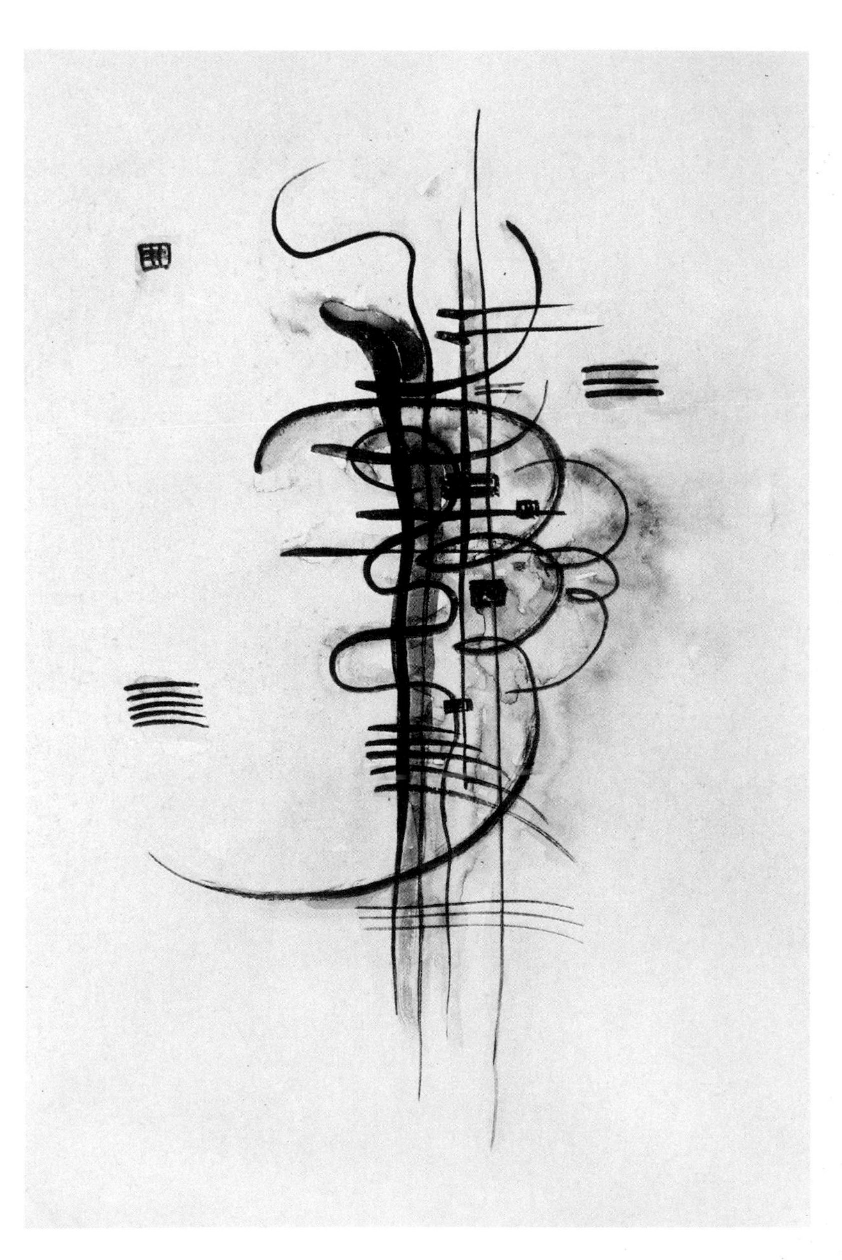

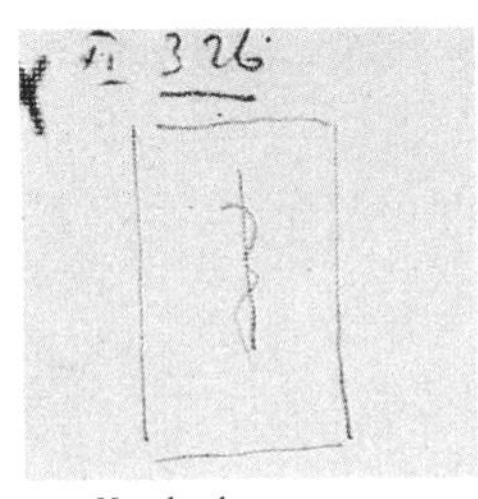

mns Kandinsky

404
Aquarelle n° 326, 1928
aquarelle et lavis d'encre de Chine, 48,3 × 32,1
ni signé, ni daté
inscrit au verso (à la mine de plomb) : « Kandinsky / 326 / i928 », et (à l'encre de la main de Nina Kandinsky) : « Je certifie que cette aquarelle est de/ Kandinsky. Elle es (*sic*) enregistrée dans / le catalogue de Kandinsky/ par lui-même. (signé :) Nina Kandinsky. Le N° et la date sont/ écrits par Kandinsky même (monogramme) N.K. »
manuscrit Kandinsky V (aquarelles) : n° 326, novembre 1928
donation Mme Nina Kandinsky, 1976
AM 1976-1327

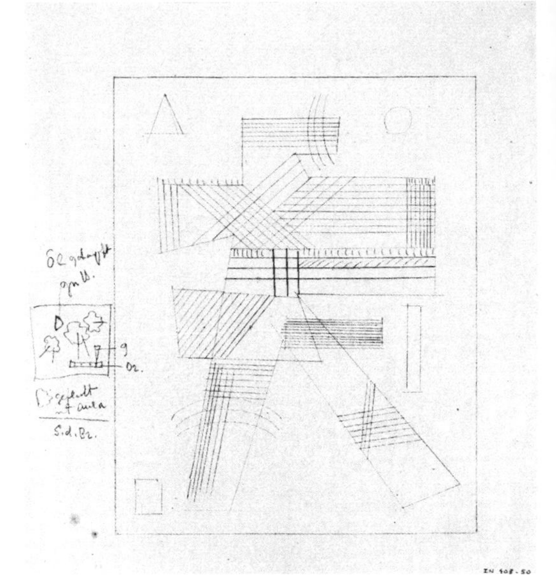

405
recto : [Sans titre, dessin pour *Bâtonnets multicolores*, 1928]
mine de plomb, 23,9 × 21,1
indications en allemand concernant la technique
verso : repr. p. 349
AM 1981-65-382 recto-verso (Inv. 408-50)

406
verso : Page de croquis, [vers 1928]
mine de plomb, 26,7 × 22,9
en haut à droite : croquis concernant *Bâtonnets multicolores*, 1928
en bas : des variations sur *Obscur-clair*, 1928, K 425
recto : repr. p. 349
AM 1981-65-383 recto-verso (Inv. 594-6)

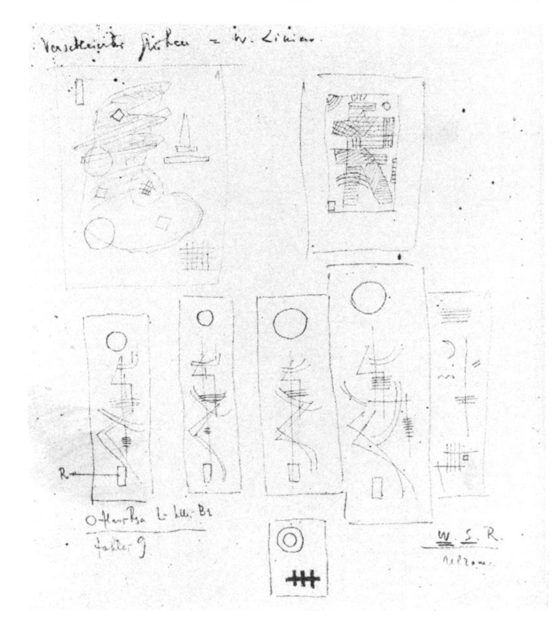

407
Troisième don annuel de la Société Kandinsky, 1928
pointe sèche, 14,1 × 18,2
monogrammé et daté en bas à gauche sur la plaque : K 28
exemplaire signé en bas à droite : Kandinsky
Roethel (gravures) n° 191
AM 1981-65-740 (Inv. 613)

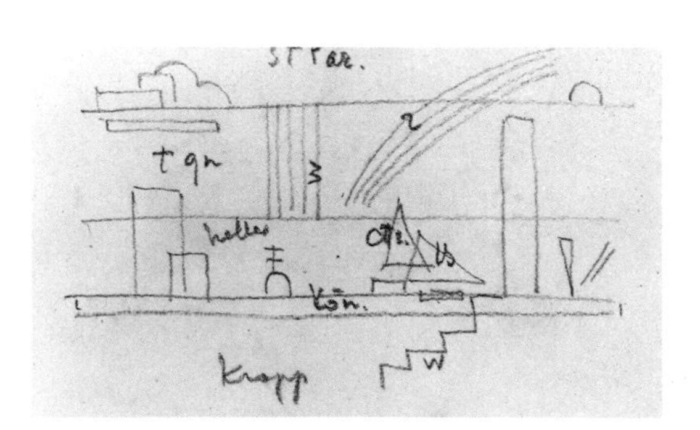

408
[Sans titre, étude pour *Ruhe*, 1928, Roethel n° 860]
mine de plomb, 6,45 × 10,7
indications en allemand concernant les couleurs
AM 1981-65-384 (Inv. 351)

409 verso

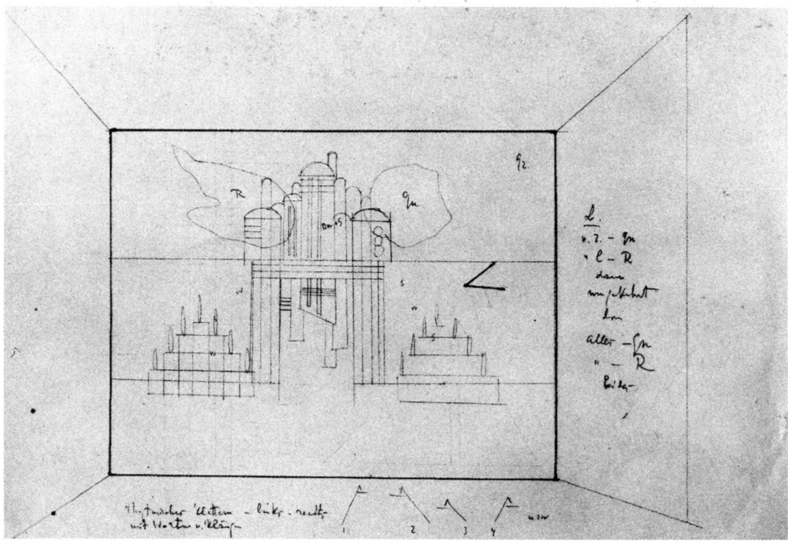
409 recto

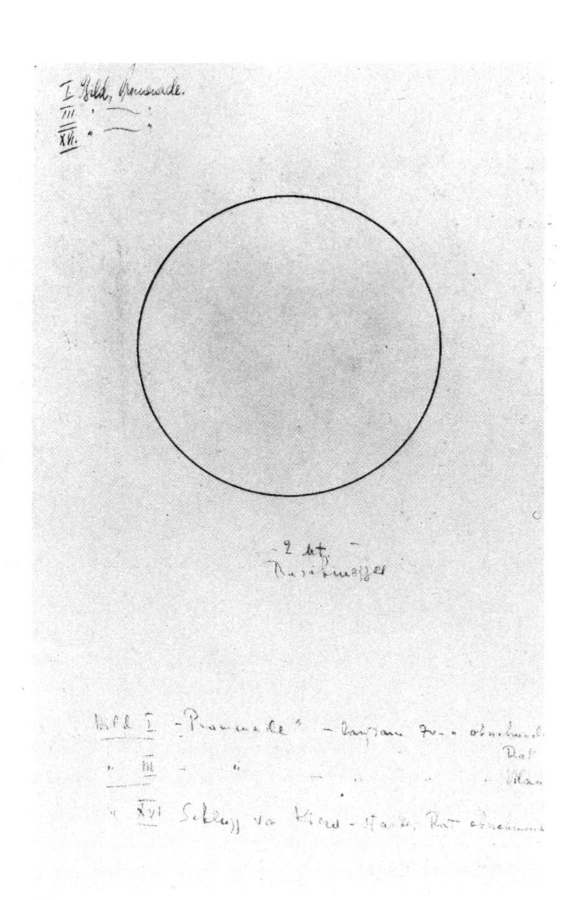
410

409
Page de dessins, [vers 1928]
verso : Premières esquisses pour *Tableaux d'une exposition* de Moussorgsky, 1928
mine de plomb, 34,4 × 47,7
inscrit en haut à gauche (à la mine de plomb) : « Erste Skizzen zu Moussorgsky's « Bilder einer Ausstellung »; sous les croquis : les titres des tableaux : « Hexe, Katacomben, Juden, Markt, Küchlein, Schloss, Grosses Tor »
recto : [Dessin pour décor scénique, vers 1928]
mine de plomb et encre de Chine
indications en allemand concernant les couleurs
inscrit (à la mine de plomb) en bas : « Rhytmisches Klettern - links - rechts mit Worten u(nd) Klängen...u(nd) so w(eiter) », à droite : « L(icht) (?)/ v(on) r(echts) - g(rü)n/ v(on) l(inks) - R(ot)/dann/umgekehrt/dann/alles g(rü)n/ R(ot)/ beides »
AM 1981-65-385 recto-verso (Inv. 593-9)

16 dessins et aquarelles pour la mise en scène de la suite pour piano (en 16 tableaux) de M. Moussorgsky : *Tableaux d'une exposition*, réalisée à Dessau en 1928

410
Tableaux I, III et XVI, Promenade
encre, 30 × 17,4
inscrit (à la mine de plomb, d'une main non identifiée) en haut à gauche : « I. Bild Promenade / III. id. / XVI. id. » (de la main de Kandinsky) au milieu : « 2 mt / Durchmesser », en bas : « Bild I - « Promenade » - langsam zu - und abnehmendes Rot/ Bild III - (Promenade - langsam zu- und abnehmendes) Blau / Bild XVI - Schluss von Kiew - starkes Rot abnehmend »
AM 1981-65-386 (Inv. 190)

411
Tableau II, Gnomus
encre de chine, aquarelle et gouache, 20,6 × 36,1
intitulé en bas à gauche : « Bild II - Gnomus »
inscriptions (à la mine de plomb) en bas à gauche : « (Bühnenöffnung = 6 × 4 mt) »; en bas à droite : « i mt = 6 cm »; dans le dessin même, de gauche à droite : « II. V. klappbar (?) III, klappbar (?) VI IV. I »; (indications effacées, devenues illisibles).
AM 1981-65-124 (Inv. 200)

412
Tableau IV, Le vieux château
crayon, encre de chine et aquarelle, 30 × 40
intitulé en bas : « Bild IV - 'Das alte Schloss' inscriptions (à la mine de plomb) : en haut à droite : « von innen / stark leuchtend »; dans la marge droite : « i mt = 3 cm / Reihenfolge s. Partitur »; en bas au milieu : « (Bühnenöffnung = 9 × 4 mt) »; (inscriptions effacées, devenues illisibles).
AM 1981-65-125 (Inv. 204)

411

412

413
Tableaux V et XI
encre, 30 × 14,2
inscrit (à la mine de plomb) : (annotations concernant dimensions et échelle), « Bild V Promenade von rechts nach links/ Bild XI Promenade von links nach rechts »
AM 1981-65-387 (Inv. 189)

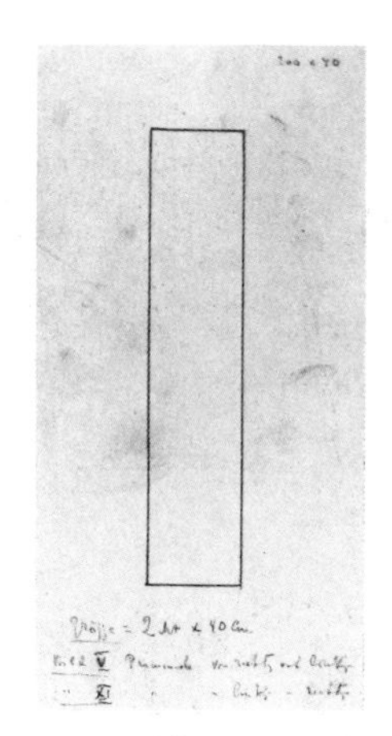

414
Dessin pour *Tableau VII*
mine de plomb sur papier calque, 29,7 × 35,3
AM 1981-65-388 (Inv. 194)

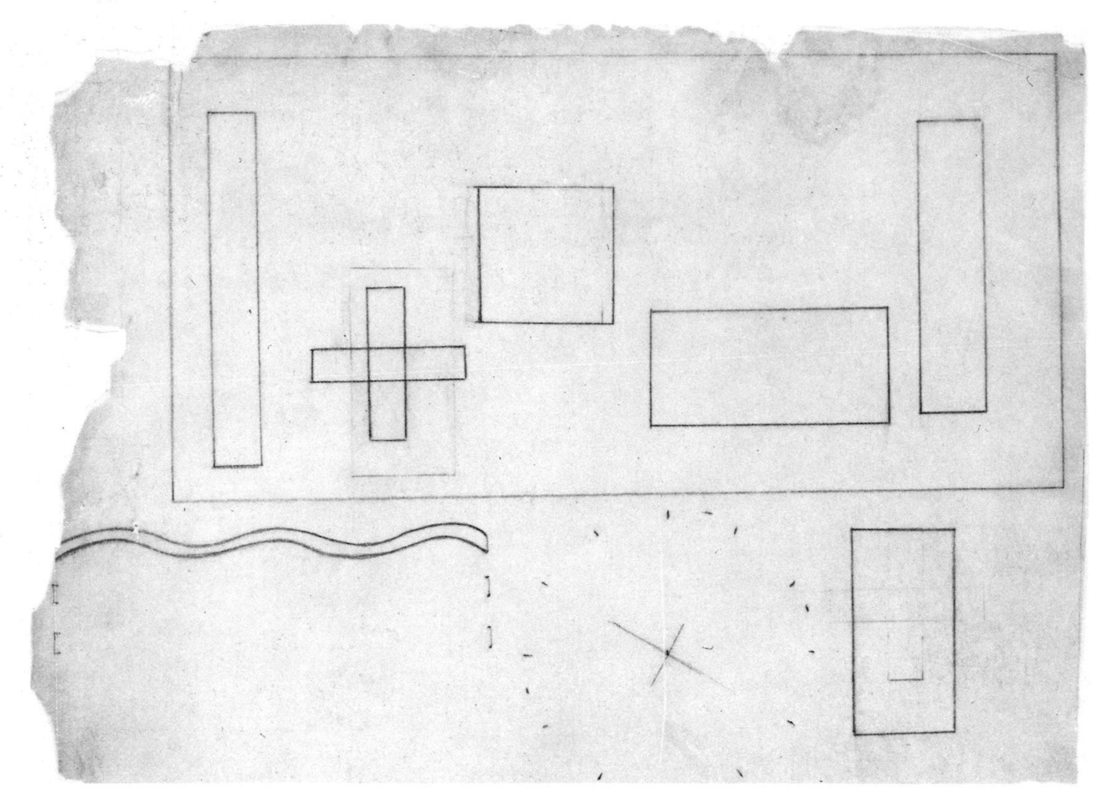

415
Tableaux VIII et IX
encre, 30 × 40
inscrit (à la mine de plomb) en haut à droite : « Breite des Streifens i0-i5 cm »; en bas à gauche : « Bild VIII « Promenade » und / Bild IX « Küchlein », et à droite : « Bild VIII/ « Promenade »/ein blaues Licht wandert duch/den mittleren Streifen (3)/ Bild IX/ 3-5 Lichter von unten/rechts - 5,4,3,2,i (im Anfang 3 Lichter auf 5,/ dann i auf 4, i auf 5, u.s.w.) »
AM 1981-65-389 (Inv. 196)

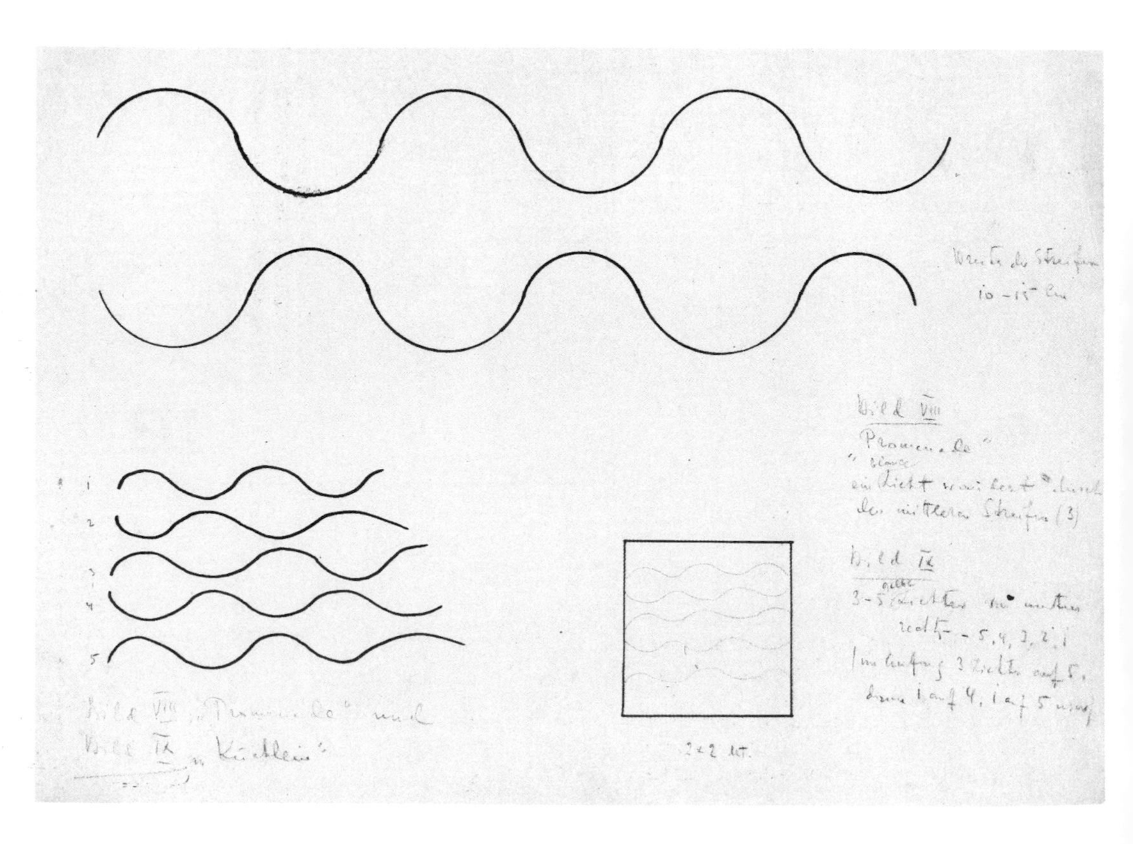

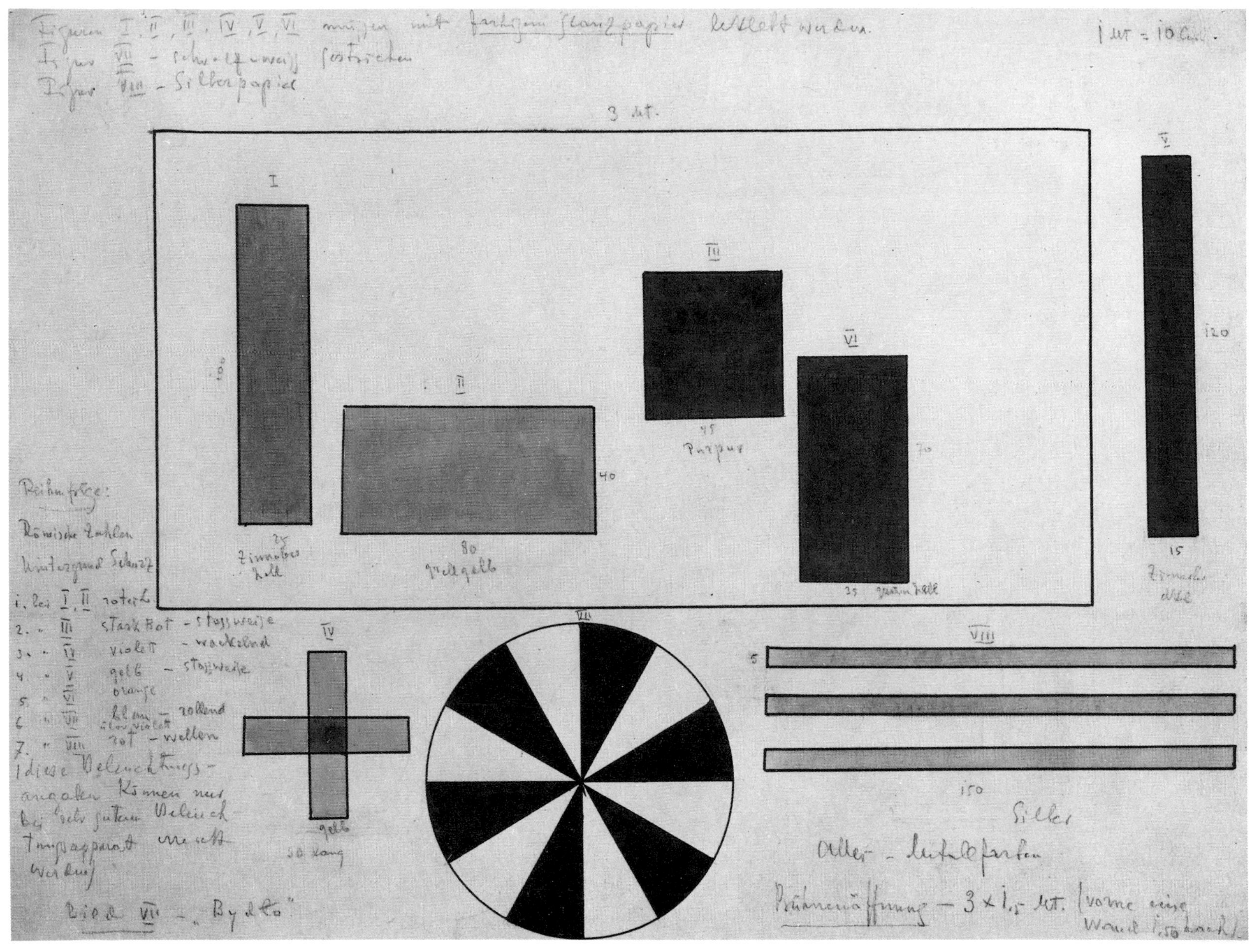

416
Tableau VII, Bydlo
encre de Chine et aquarelle, 30 × 40
inscrit (à la mine de plomb) : (numérotation des pièces et indications en allemand concernant les couleurs, exclusivement des couleurs métalliques), en haut à gauche : « Figuren I, II, III, IV, V, VI müssen mit farbigem Glanzpapier beklebt werden/ Figure VII - schwarz-weiss gestrichen/ Figur VIII - Silberpapier » ; en bas à gauche : « Reihenfolge :/ Römische Zahlen/Hintergrund schwarz/i. bei I, II rotes Licht/2. III stark Rot - stossweise/ 3. IV violett - wackelnd/ 4. V gelb - stossweise/ 5. VI orange/ 6. VII blau-rollend/ 7. VIII über violett rot - Wellen/ (diese Beleuchtungsangaben können nur/bei sehr gutem Beleuch-/tungsapparat erreicht/ werden) », et à droite : « Bühnenöffnung - 3 × i,5 mt (vorne eine/ Wand i,50 hoch) »
AM 1981-65-126 (Inv. 201)

417
Tableau X, Samuel Goldenberg
encre de Chine et aquarelle, 30 × 40
inscrit (à la mine de plomb) en bas à gauche : « Bild X/ Samuel Goldenberg/ Schmuyle », et à droite : « i mt - 6 cm/ Reihenfolge : i. i 1/2 takte Musik/ 2. Roter Kreis - die Zeiger/bewegen sich/ von links nach rechts/ 3. Tänzer/beides aus/ 4. i takt Musik/ 5. Gelber Kreis - die Zeiger/ von rechts nach links/ 6. Tänzer/ beides aus/ 7. Sofort - alles zusammen »
AM 1981-65-127 (Inv. 199)

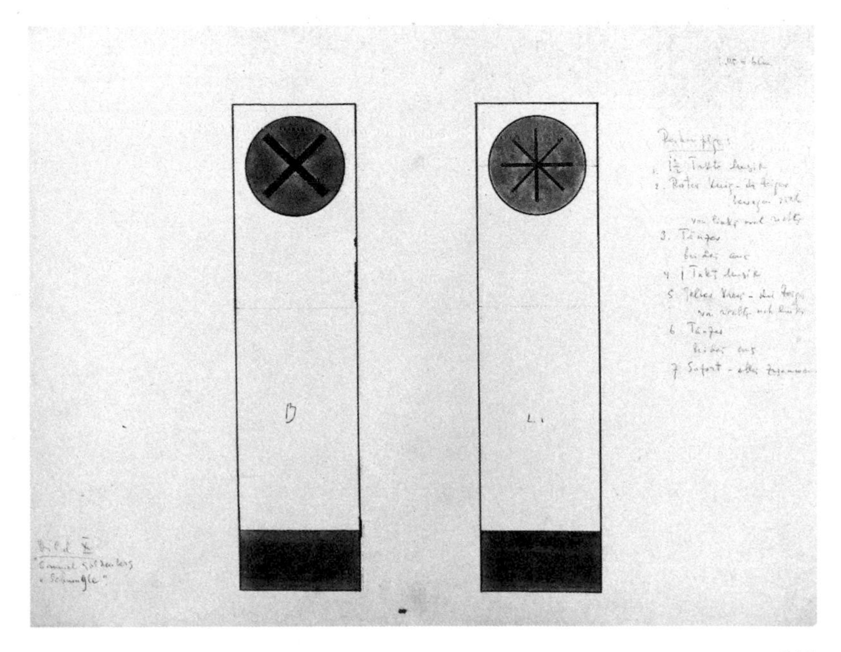

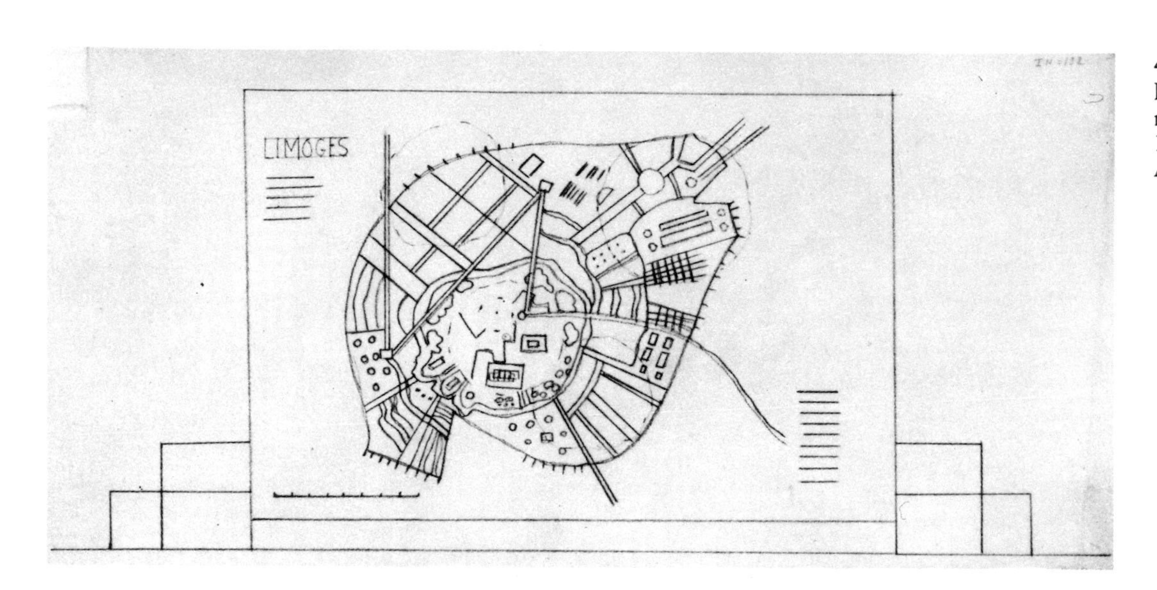

418
Dessin pour *Tableau XII, La place du marché à Limoges*
mine de plomb sur papier calque (feuille irrégulière), 18,5 × 37,7
AM 1981-65-390 (Inv. 192)

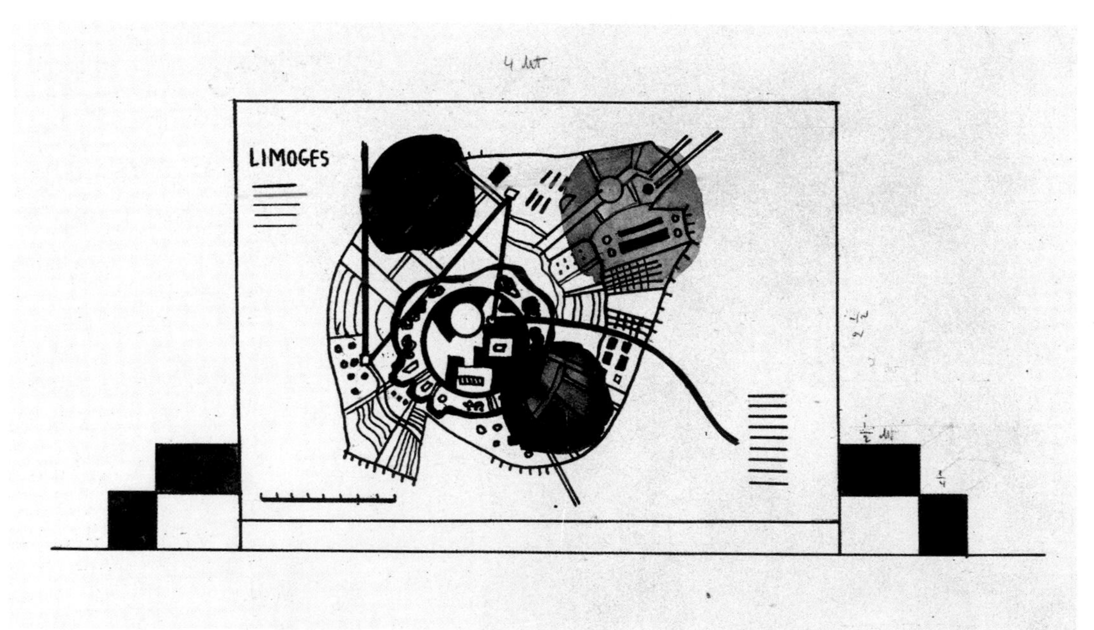

419
Tableau XII, La place du marché à Limoges
encre de Chine et aquarelle, 30 × 40
inscrit (à la mine de plomb) : (indications concernant dimensions et échelle) en bas : « Bild XII - Der Marktplatz zu Limoges - Bühnenöffnung = 4 × 2,50 mt »
AM 1981-65-128 (Inv. 203)

420
Figurine (marchande) pour *Tableau XII (La place du marché à Limoges)*
encre de Chine et aquarelle, 30 × 22,5
intitulé en bas : « zu Bild XII (Marktfrauen von Limoges) »
inscriptions (à la mine de plomb) en haut : rote Kugeln/ Metall/Metallröhre/ Goldener Stoff/Silberner Stoff (auch / Mieder, Rock und Korb); à gauche au milieu : Gürtel - rot (matter Stoff) / Goldene Stäbe / werden bei Streit / wie bei Fechten/ verwendet; à droite au milieu : gold(ener) Stoff / silb(erner) (Stoff)/ braune Strümpfe/ Metallkugeln; en bas au milieu : « Blau = Silber glänzend/ Gelb = Gold (glänzend)/ Gesicht, Arme - weiss leuchtend ».
AM 1981-65-129 (Inv. 214)

rote Kugeln
Metall
Metallröhren
Gürtel - rot (matter Stoff)
Goldene Stäbe werden bei Streit wie bei Fechten verwendet.
gold. Stoff
silb. "
braune Strümpfe
Metall Kugeln
Blau = Silber
Gelb = Gold
glänzend
Gesicht, Arme - weiss - leuchtend
zu Bild XII (Marktfrauen von Limoges)

En 1874 Modest Moussorgsky (1839-1881) écrit ce qui deviendra son œuvre la plus populaire, intitulée « Tableaux d'une exposition », une suite de dix morceaux pour piano qui décrit et transcrit, par la voie du son, les impressions d'un visiteur — qui est le compositeur même — d'une exposition des dessins aquarellés du peintre Victor Hartmann. Cette exposition ne nous est pas décrite, mais restituée psychologiquement. Le compositeur entretient les auditeurs de son émotion; tout exprime ce spectateur qui se promène dans l'exposition. « Si la musique reflète quelque chose, ce ne sont sûrement pas les tableautins peints, mais les expériences de Moussorgsky qui dépassent de loin le contenu de la chose peinte »[1], est l'avis de Kandinsky qui est repris dans le dépliant[2] édité à l'occasion d'une mise en scène de cette œuvre — sur les indications de Kandinsky de 1928 — à Berlin le 22 décembre 1983, à l'intérieur des manifestations accompagnant l'exposition « Der Hang zum Gesamtkunstwerk » (Tendance vers l'œuvre d'art totale). Martin Rupprecht qui, il y a quelques années, avait travaillé sur une autre composition scénique de Kandinsky, *La sonorité jaune*, se chargea de la reconstitution de cette œuvre avec le concours des étudiants de l'Académie des Beaux-Arts de Berlin. L'équipe berlinoise, assistée dans cette tâche par Felix Klee, a travaillé sur un ensemble de dessins aquarellés et les indications scéniques conservées au Theatermuseum de l'Université de Cologne. Un jeu complet de 16 dessins, parfois aquarellés, tous abondamment annotés de la main de Kandinsky, et servant pour la fabrication et la manipulation des pièces diverses du décor, sont conservés dans le fonds Kandinsky.
La documentation pour cette série de travaux autour des « Tableaux d'une exposition » est complétée par la reproduction d'un dessin à la mine de plomb (est-il lié à l'adaptation théâtrale ?), sur le revers duquel Kandinsky jeta les premières idées pour les 16 tableaux de cette mise en scène, ainsi que par la reproduction d'une double page de la partition pour cette suite pour piano, annotée par Felix Klee.

1. V. Kandinsky, « Modeste Moussorgsky : Bilder einer Ausstellung », *Das Kunstblatt*, août 1930.
2. Dépliant de la Hochschule der Künste, Berlin, nov.-déc. 1983, n° 8123, (HDK INFO).

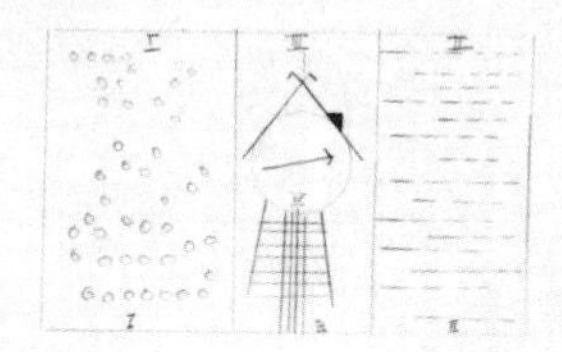

Pages 24 et 25 de la partition de la suite pour piano de Modest Moussorgsky, *Tableaux d'une exposition*, créée en 1874. Partition de 35 pages paginées, format 30,1 × 23,2. Ces pages, concernant le Tableau XV, intitulé « La cabane de Baba-Yaga », furent annotées par Felix Klee, assistant de Kandinsky pour la mise en scène de cette suite à Dessau, Friedrich-Theater, le 4 avril 1928. Les croquis du décor sont également de la main de Felix Klee.

421
Tableau XIII, Catacombae
encre de Chine et aquarelle, 30 × 40
inscrit (à la mine de plomb) à droite : « i mt = 6 cm/ Reihenfolge :/ i. Form i von links/ 2. Form 2 von rechts/ 3. Form 3 von links/ 4. Form 4 von rechts/ 5. Form 5 von oben/ 5. Rotes Quadrat/ 7. Grünes Quadrat », et en bas : « Bild XIII, « Catacombae »,/ weiss-grünlicher Hintergrund »
AM 1981-65-130 (Inv. 198)

422
Tableau XV, La cabane de la Baba-Jaga
encre de Chine et aquarelle, 30 × 40
inscrit (à la mine de plomb) : (indications en allemand concernant les couleurs), à droite : « 1 mt = 5 cm/ Reihenfolge :/i Bunte Lichter an Seiten/ 2 Hütte allein/ 3 Zeiger bewegt sich/ 4 Seiten schwarz/ Mitte fabrig/ 5 alles zusammen », et en bas : « Bild XV, Hütte der Baba-Jaga ».
AM 1981-65-131 (Inv. 197)

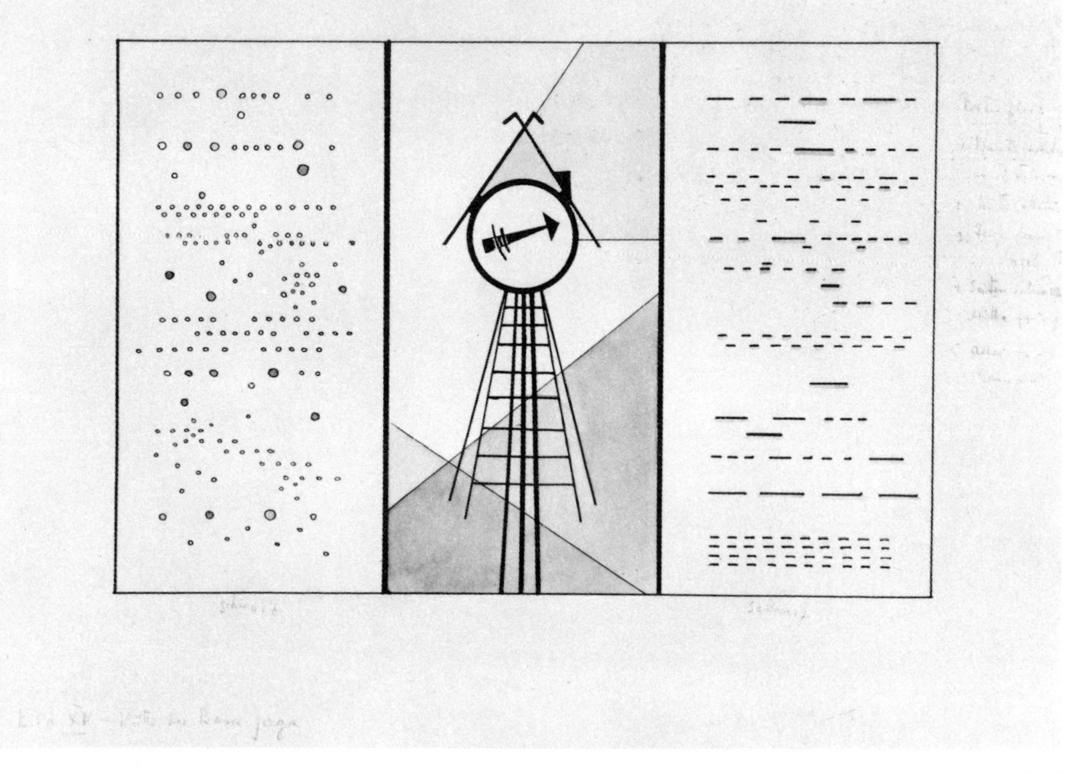

423
Dessin pour *Tableau XVI, La grande porte de Kiev*
mine de plomb sur papier calque, 23,8 × 35,9
AM 1981-65-391 (Inv. 193)

424
Figurines pour Tableau XVI (Kiev)
encre de chine et aquarelle, 30 × 40
intitulé en bas à gauche : « Figurinen zu Bild XVI (Kiew) »
recto : inscriptions (à la mine de plomb) : en haut à gauche : « Kräftige Bemalung ! »; en haut à droite : « i mt = 6 cm »; à gauche dans la marge : « i. Kreis links I - 1, 2, 3, 4/ II - 5, 6, 7, 10; au milieu : « Diese Figurinen werden auf eine/ Kreisscheibe links aufgebracht »; à gauche dans la marge en bas : « 2. Kreis rechts ! / I - 8, 9, i0 / II - 11, i0, i2, i0; en bas au milieu : « Diese ebenso rechts »; (indications effacées, devenues illisibles).
verso : inscriptions (d'une main non identifiée) : les indications concernant les cercles sont répétées
AM 1981-65-132 (Inv. 202)

425
Tableau XVI, La grande porte de Kiev
aquarelle et encre de Chine, 21,3 × 27,1
intitulé en bas : « Bild XVI Das grosse Tor von Kiew »
recto : inscriptions (à la mine de plomb) dans la marge droite : « i mt = 3 cm / 9 × 7 / gelb-glänz(endes) Metall / weisser Turm - mattglas / lamp(e) weiss / gelb(er) kreis matt / gläs(erne) lampen gelb / - blaues glas »; en bas : « (Bühnenöffnung = 9 × 7 mt) / Breite des blauen Bogens (innen) = 6 mt » (indications effacées, devenues illisibles).

traduction :
« Tableau XVI La grande porte de Kiev »
1 m égale 3 cm / métal d'une brillance jaune / Tour blanche - verre dépoli / lampe blanche / cercle jaune mat / lampes en verre jaunes / - verre bleuté / (ouverture scénique = 9 × 7 m) / largeur de l'arc bleu (à l'intérieur) = 6 m

verso : inscriptions (à la mine de plomb) : « Die Masse sind für eine kleine Bühne gedacht. / Könnten aber auf grösserer Bühne um die 1/2 ver-/grössert werden - bis doppelt (sehr grosse Bühne).
Einzelteile : / Helles Gelb - glänzendes Metall / Gelber Kreis - Mattglas, hinten gelbe Lampen / Weisser Turm - Mattglas (hinten) weisse (Lampen) / Blauer Bogen (Mattglas hinten) tiefblaue (Lampen) / Hellblauer Halbkreis - hellblaues Glas, hinten / weisse Lampen.
Vorgang (Aenderung) : Blauer Bogen - von oben herab / Aufbau mit Turm - von unten heraus / Uebriges : s. Partitur.

Traduction :
Les dimensions indiquées conviennent pour une petite scène. Elles peuvent être 1/2 fois plus grandes pour une scène plus grande et peuvent atteindre le double pour une scène très grande.
Les détails : / jaune clair - métal brillant / cercle jaune - verre dépoli, au fond des lampes jaunes / tour blanche - verre dépoli, (au fond des lampes) blanches / arc bleu - (verre dépoli, au fond des lampes) bleu-nuit / demi-cercle bleu ciel - verre bleu ciel, derrière - des lampes blanches.
déroulement (modification) : Arc bleu- abaisser d'en haut / montage avec tour - monter d'en bas / le reste : voir la partition.

AM 1981-65-133 (Inv. 191)

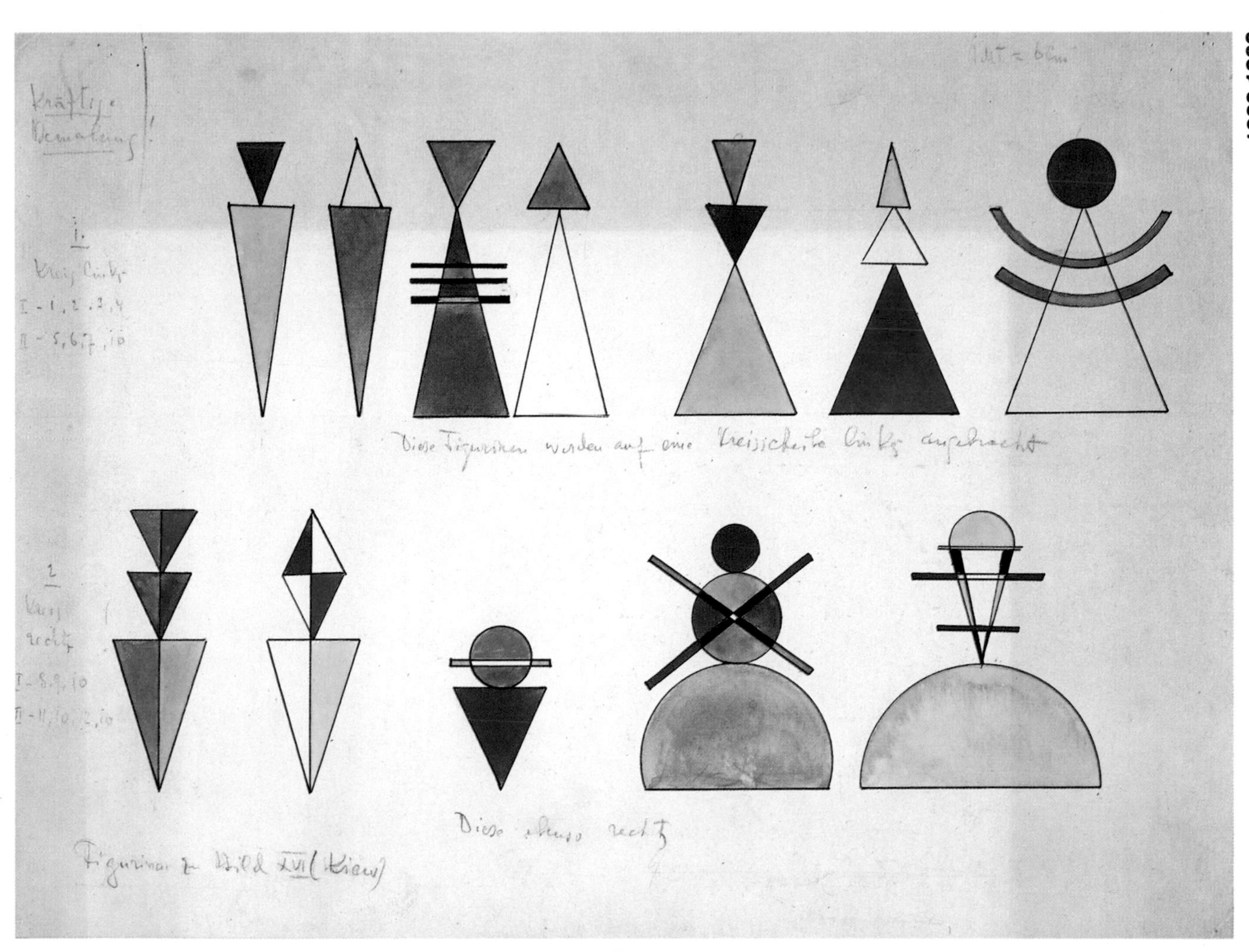
Diese Figurinen werden auf eine Kreisscheibe links angebracht
Diese ebenso rechts
Figurinen zu Bild XVI (Kiew)

Bild XVI

426
[Sans titre, vers 1929]
mine de plomb, encre de Chine et gouache, 31,4 × 29,4
à rapprocher de *Roteckige*, 1928, Roethel n° 861, ou de *Stich in violett*, 1929, Roethel n° 930
AM 1981-65-134 (Inv. 593-27)

427
[Sans titre], 1929
encre de Chine, 25,5 × 18,15
monogrammé et daté en bas à gauche : K 29
inscrit au verso du carton support (à la mine de plomb, d'une main non identifiée) : « 1923 N° 7 / 16 »
AM 1981-65-392 (Inv. 83)

428
recto : [Sans titre, vers 1929]
mine de plomb, 11,3 × 6,2
à rapprocher de *Empor*, 1929, Roethel n° 914
verso : croquis à rapprocher de la partie gauche de *Mit und gegen*, 1929, Roethel n° 905
verso : repr. p. 318
AM 1981-65-393 recto-verso (Inv. 408-64)

429
[Sans titre, vers 1929]
huile sur carton, 11,4 × 33
ni signé, ni daté
Roethel n° 934, *Un fragment*, 1929
AM 1981-65-58 (Inv. 304)

430
Vert odorant, 1929
aquarelle (pulvérisation) et encre de Chine, 41,9 × 31,9
monogrammé et daté en bas à gauche : K 29
inscrit au verso (à la mine de plomb) : « (monogramme) N° 350/i929 / 'Grüner Duft' 32 × 42 », et dédicacé (à l'encre et en russe) : « A ma chère Ninoussia pour Noël 1929 (monogramme) »
manuscrit Kandinsky V (aquarelles) : n° 350, mai 1929, 'Grüner Duft'/ Cassirer-Flechth(eim) i932/3 / Samml(un)g Nina Kandinsky XII 29
AM 1981-65-135 (Inv. 50)

431
verso : [Sans titre, croquis pour l'aquarelle *Structure peu colorée*, K 362, 1929]
mine de plomb sur une lettre dactylographiée en date du 17 septembre 1929, 29,7 × 21
recto : repr. p. 351
AM 1981-65-394 recto-verso (Inv. 408-7)

432
Structure peu colorée, 1929
encre de Chine, pulvérisation d'encre de Chine et d'aquarelle sur papier préparé à l'aquarelle, 36 × 27,5
monogrammé et daté en bas à gauche : K 29
inscrit au verso (à la mine de plomb) : « N° 362 / i929 / Farbkarger Aufbau »
manuscrit Kandinsky V (aquarelles) : n° 362, novembre 1929, « Farbkarger Aufbau »
donation de Mme Nina Kandinsky, 1976
AM 1976-1328

433 (feuillet 31)
[Sans titre, étude pour l'aquarelle *Vert odorant*, K 350, 1929, tirée d'un carnet de dessins]
mine de plomb, 16 × 9,1
AM 1981-65-675

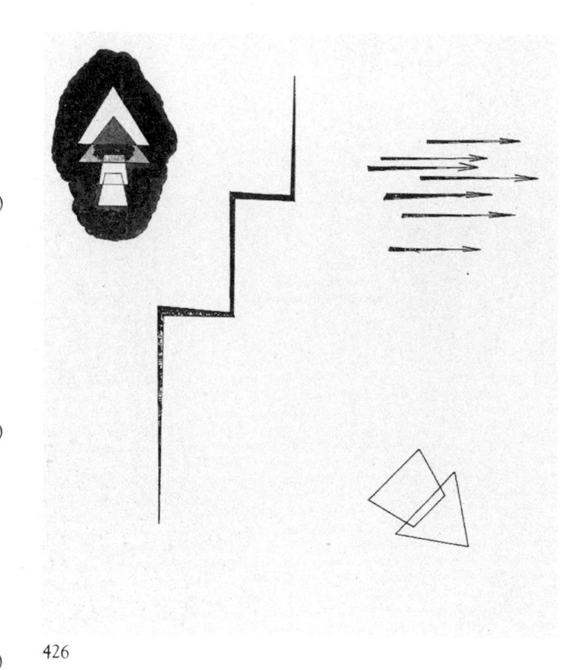
426

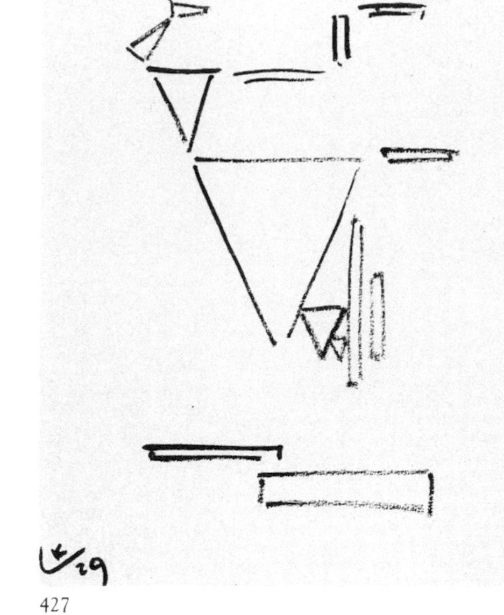
427

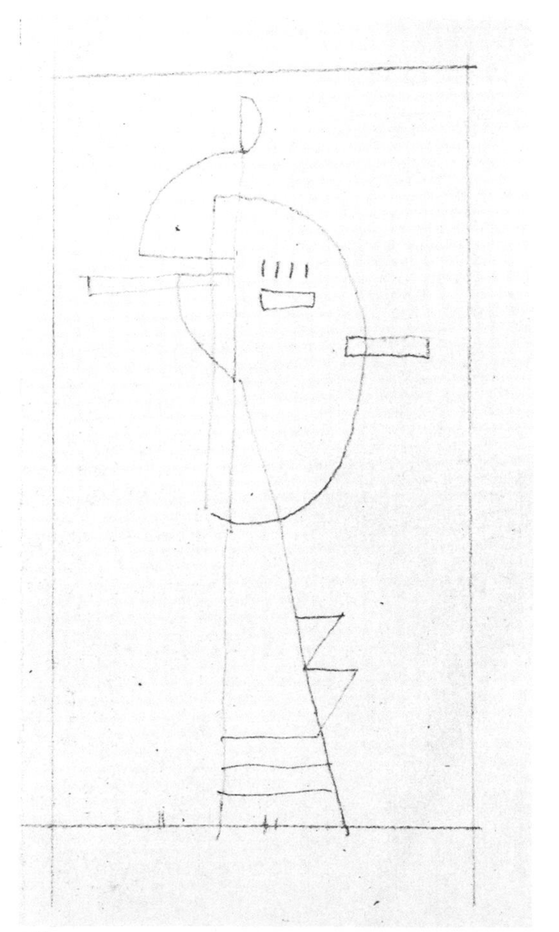
428 recto

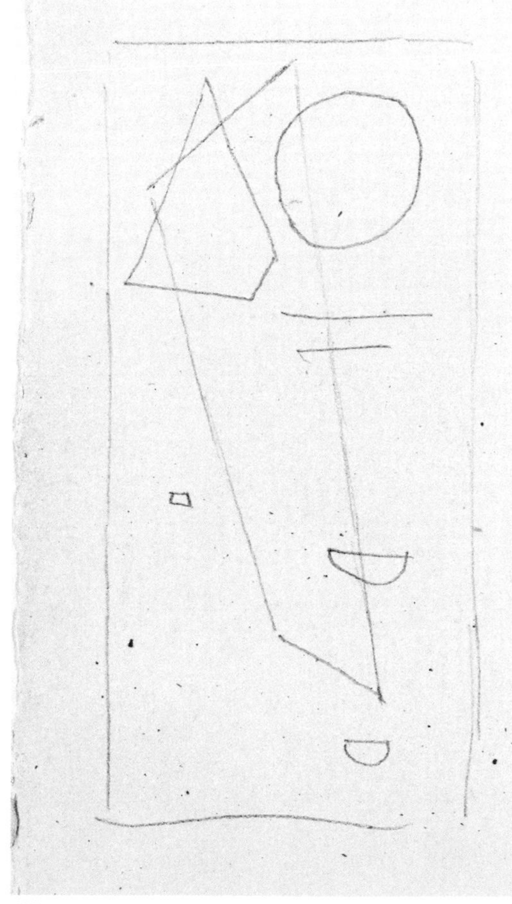
428 verso

429

mns Kandinsky

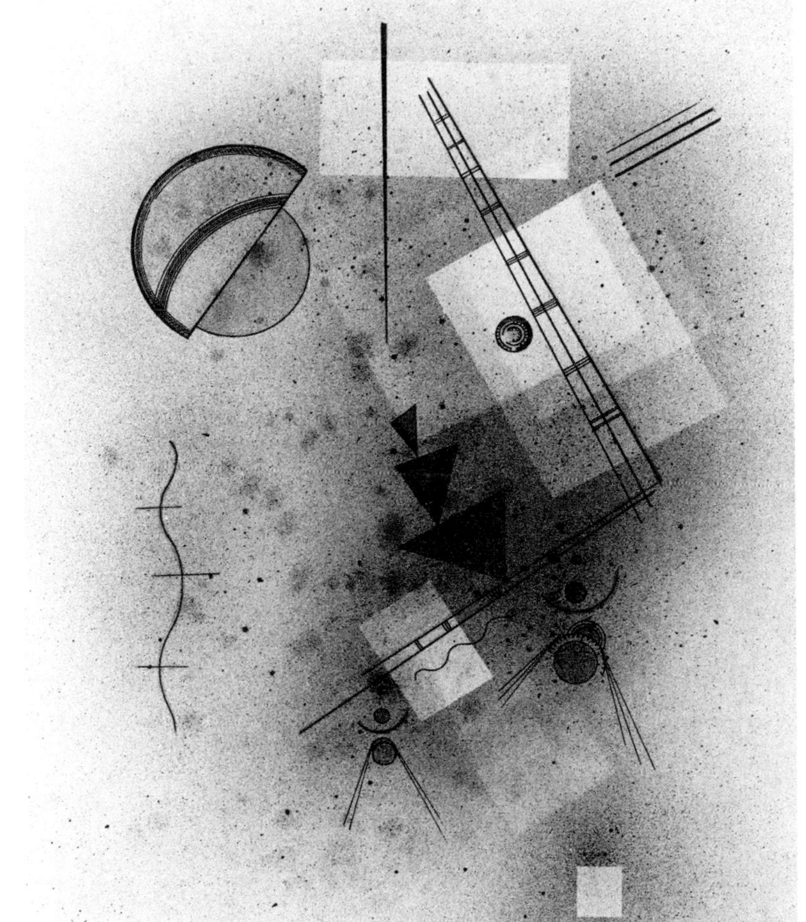
430

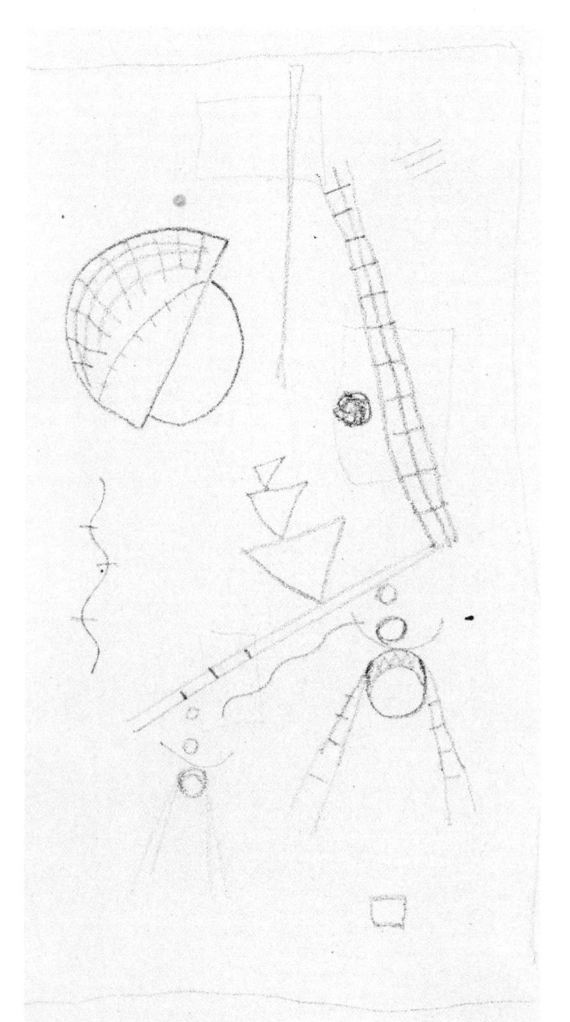
433 f 31

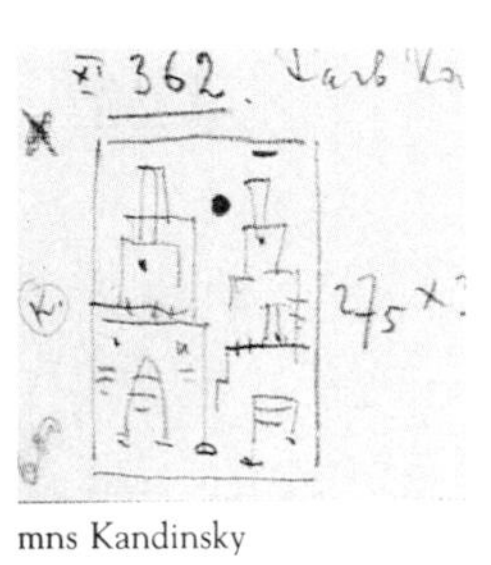
mns Kandinsky

432

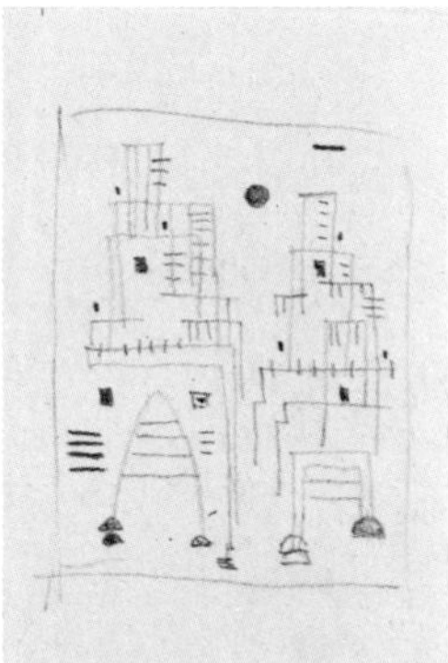

431 verso

433
Carnet de dessins, [1929] (Sennelier, Paris, Quai Voltaire), à couverture bleu foncé, 16 × 9,1
44 feuillets, dont 43 portent des croquis à la mine de plomb, utilisés parfois recto-verso (quelques feuillets arrachés)
AM 1981-65-675 (Inv. 206)

f 1 croquis non identifié
f 2 croquis à rapprocher de *Kühle Rede*, K 349, 1929; inscrit en russe : « Sheherazade R(imsky) - Kors(akoff) »
f 3 recto : croquis à rapprocher de *Leiterform*, 1929, Roethel n° 893; inscrit en bas en russe : « acte » (forme abrégée)
f 3 verso : croquis non identifié (*non reproduit*)
f 4 croquis à rapprocher de *Bunte Reihe*, K 300, 1928; indications en allemand concernant les couleurs
f 5 croquis non identifié (*non reproduit*)
f 6 croquis non identifié (*non reproduit*)
f 7 repr. ci-après p. 322
f 8 croquis non identifié; inscrit au verso : quelques chiffres
f 9 repr. ci-après p. 342
f 10 croquis pour l'aquarelle *Schwacher Bogen*, K 335, févr. 1929
f 11 croquis non identifié (*non reproduit*)
f 12 recto : croquis pour l'aquarelle *Sachte*, K 340, mars 1929; annotations
f 12 verso : croquis pour l'aquarelle *Gespannt*, K 353, mai 1929; annotations (*non reproduit*)
f 13 croquis pour l'aquarelle *Nach rechts*, K 337, février 1929 (*non reproduit*)
f 14 recto : croquis non identifié; annotations
f 14 verso : croquis à rapprocher de l'aquarelle *Tragende Runde*, K 346, avril 1929
f 15 recto : croquis supérieur : pour l'aquarelle *Fremd*, K 338, mars 1929; croquis inférieur : à rapprocher de l'aquarelle *Tragende Runde*, K 346, avril 1929
f 15 verso : croquis à rapprocher de l'aquarelle *Fremd*, K 338, 1929 (*non reproduit*)
f 16 recto : croquis supérieur : pour la peinture *Haltend*, 1929, Roethel n° 902; croquis inférieur : à rapprocher de *Herunter*, K 476, 1929
f 16 verso : croquis pour la peinture *Dicht*, 1929, Roethel n° 899
f 17 recto : croquis supérieur : pour la peinture *Leiterform*, 1929, Roethel n° 893; croquis inférieur : non identifié
f 17 verso : croquis à rapprocher de *Wanderschleier*, K 396, 1930; indications en allemand concernant les couleurs
f 18 croquis pour la peinture *Im freien Blau*, 1929, Roethel n° 898; annotations

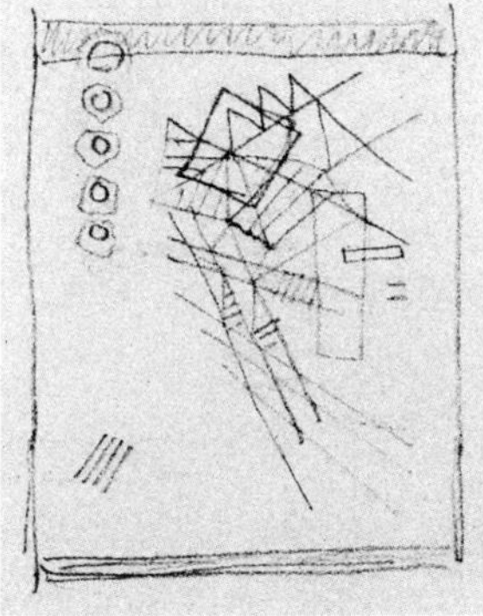

f 1

f 2

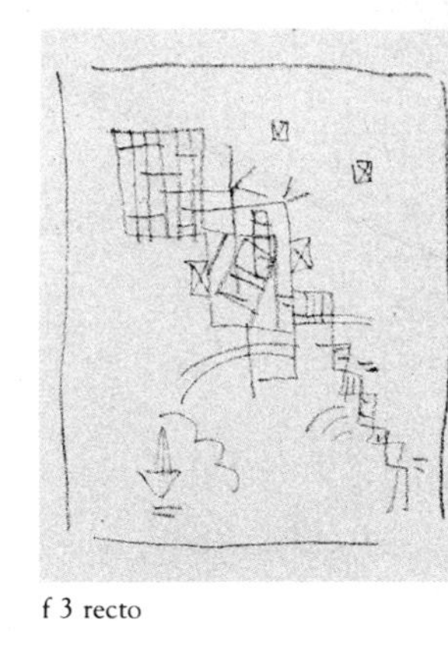
f 3 recto

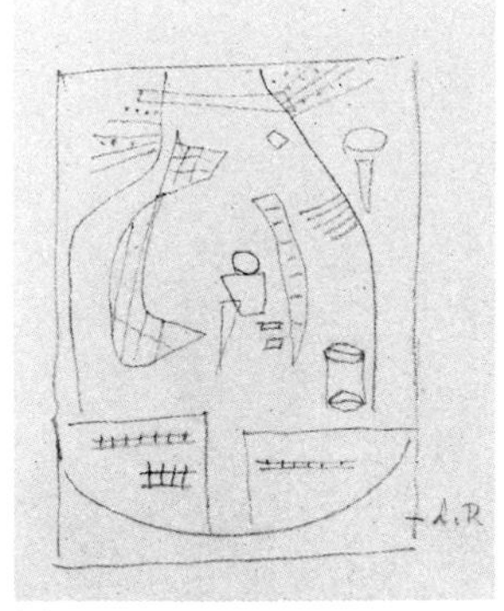
f 4

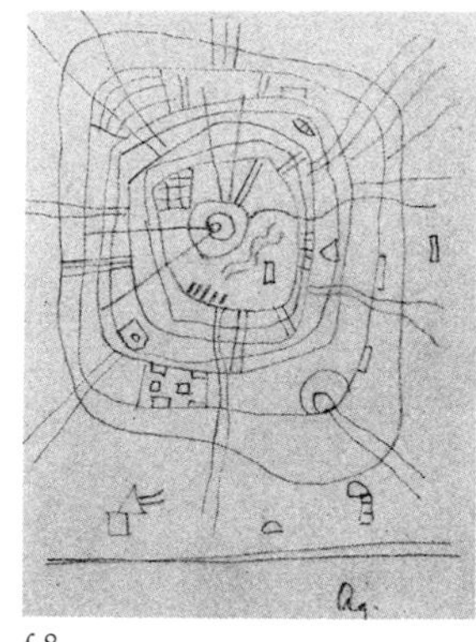
f 8

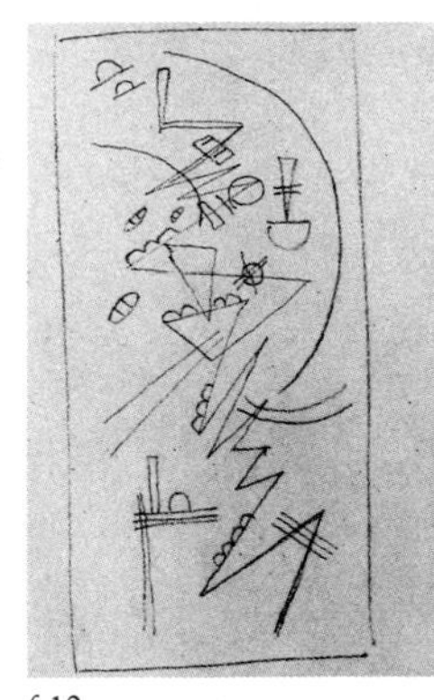
f 10

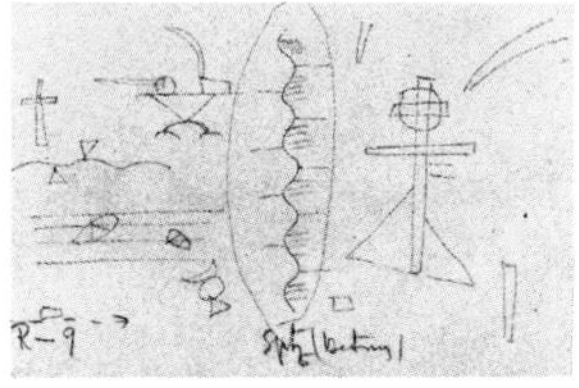
f 12 recto

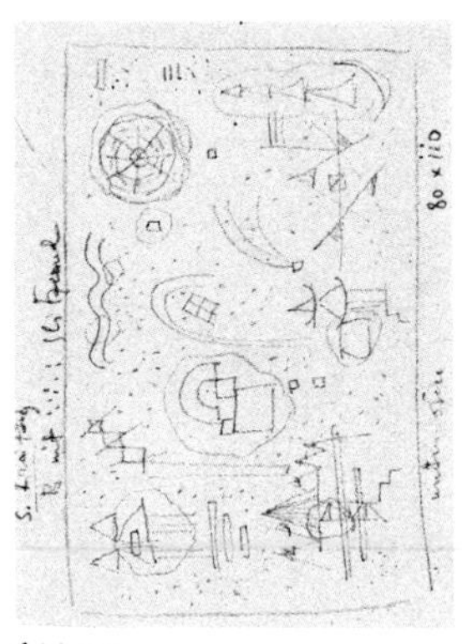
f 14 recto

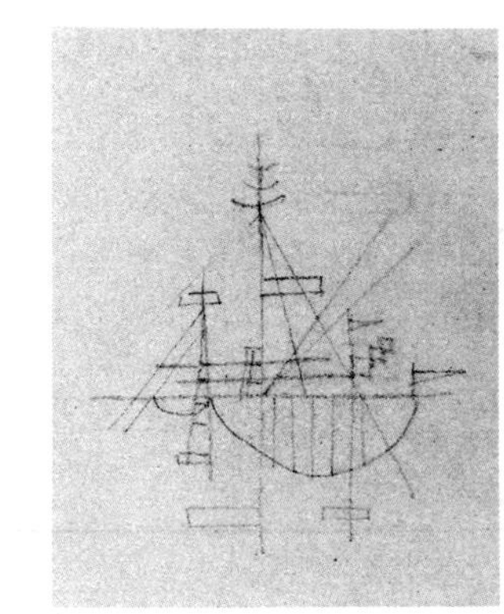
f 14 verso

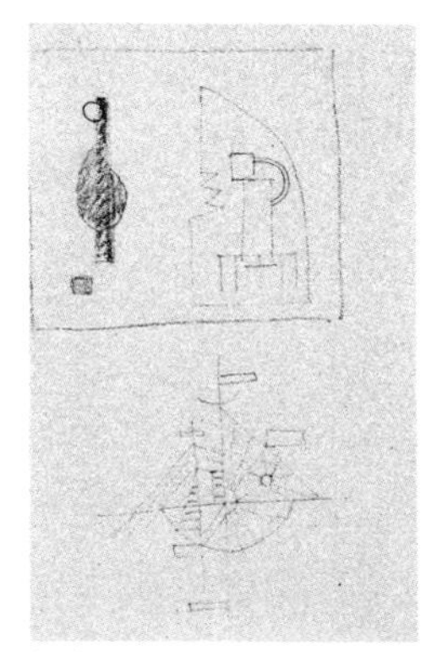
f 15 recto

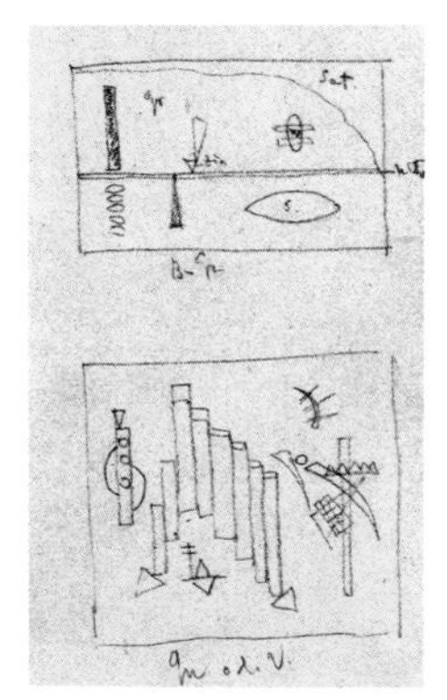
f 16 recto

f 16 verso

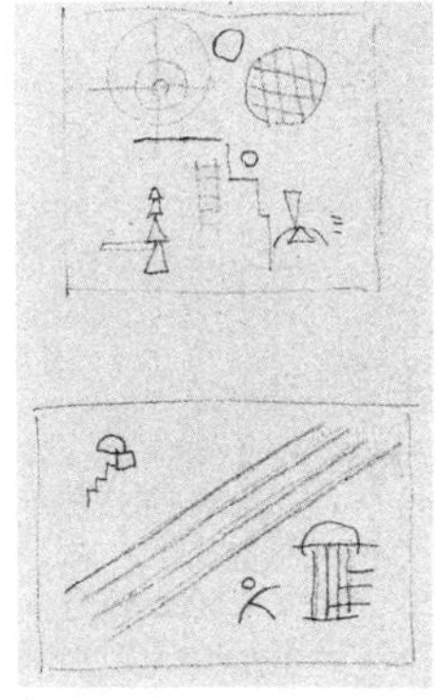
f 17 recto

f 17 verso

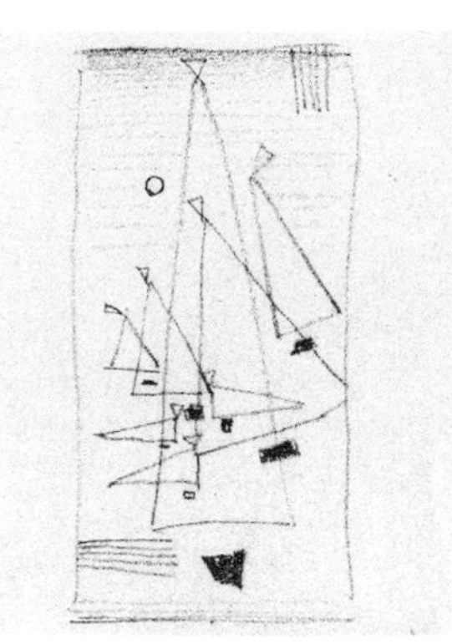
f 18

f 19 recto : croquis à rapprocher de *Linie*, K 344, 1929; annotations
f 19 verso : croquis non identifié (*non reproduit*)
f 20 croquis supérieur : pour l'aquarelle *Variierte Rechtecke*, K 347, avril 1929; annotations; croquis inférieur : pour la peinture *Kurz*, 1929, Roethel n° 906
f 21 recto : croquis supérieur : pour la peinture *Weissgebunden*, 1929, Roethel n° 895; croquis inférieur non identifié
f 21 verso : croquis pour la peinture *Grün*, 1929, Roethel n° 904; annotations
f 22 recto : croquis pour l'aquarelle *Steigende Glut*, K 339, mars 1929 (*non reproduit*)
f 22 verso : croquis pour l'aquarelle *Strahlen*, K 343, avril 1929 (*non reproduit*)
f 23 recto : croquis non identifié (*non reproduit*)
f 23 verso : croquis pour l'aquarelle *Und oben*, K 351, mai 1929 (*non reproduit*)
f 24 croquis pour l'aquarelle *Aufstieg*, K 345, avril 1929
f 25 recto : croquis supérieur : à rapprocher de l'aquarelle *Tragende Runde*, K 346, 1929, et de la partie droite de la peinture *Mit und gegen*, 1929, Roethel n° 905; croquis inférieur non identifié; annotations
f 25 verso : croquis non identifié (*non reproduit*)
f 26 recto : croquis non identifié; annotations
f 26 verso : croquis à rapprocher de la peinture *Fixierte Spitzen*, 1929, Roethel n° 907
f 27 croquis pour la peinture *Fixierte Spitzen*, 1929, Roethel n° 907; annotations
f 28 deux croquis non identifiés; annotations
f 29 croquis non identifié; annotations
f 30 croquis non identifiés
f 31 repr. p. 319
f 32 croquis non identifié
f 33 croquis non identifié (*non reproduit*)
f 34 recto : croquis non identifié (*non reproduit*)
f 34 verso : repr. ci-après p. 333
f 35 recto-verso : repr. p. 322
f 36 recto : croquis pour peinture *Bild im Bild*, 1929, Roethel n° 911
f 36 verso : croquis non identifié (*non reproduit*)
f 37 recto : croquis non identifié; annotations
f 37 verso : croquis non identifié (*non reproduit*)

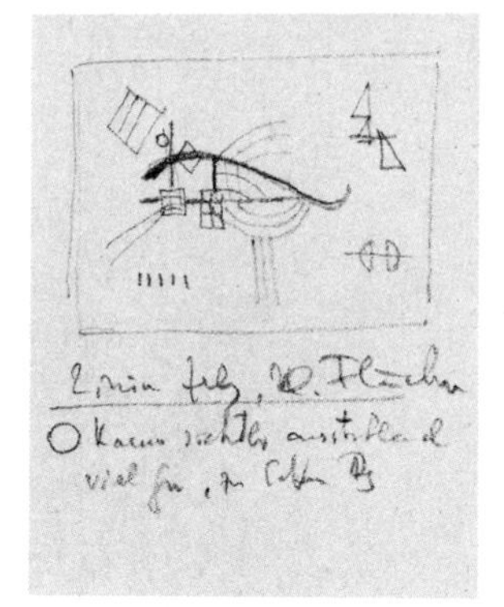
f 19 recto

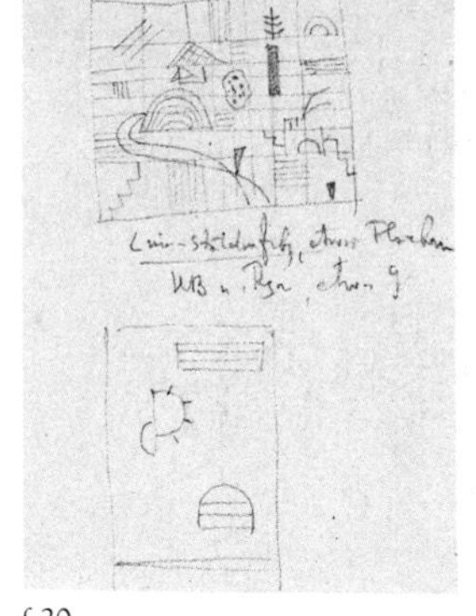
f 20

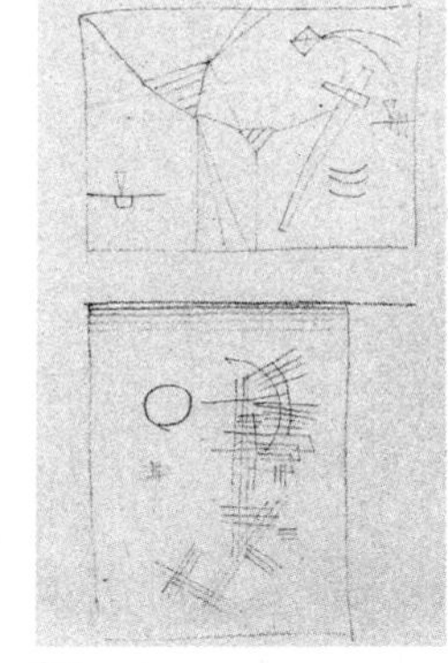
f 21 recto

f 21 verso

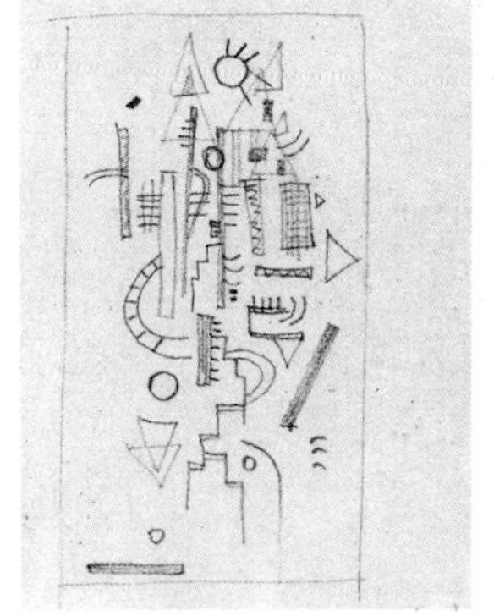
f 24

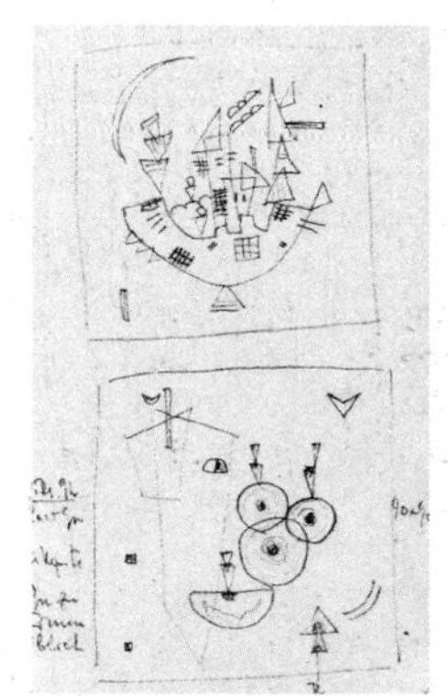
f 25 recto

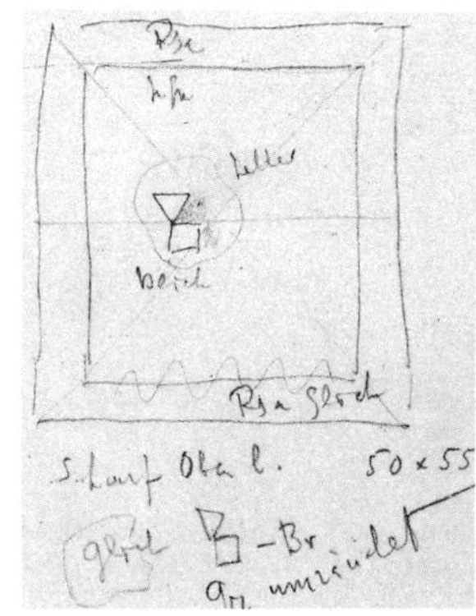
f 26 recto

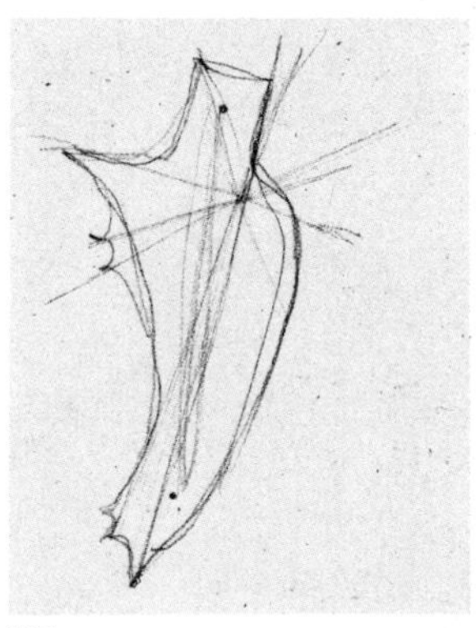
f 26 verso

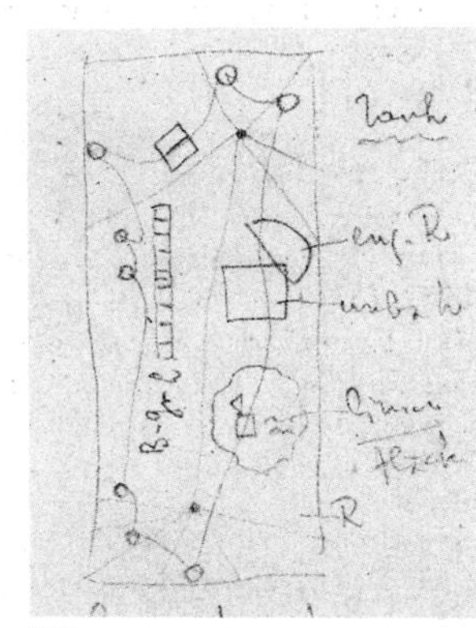
f 27

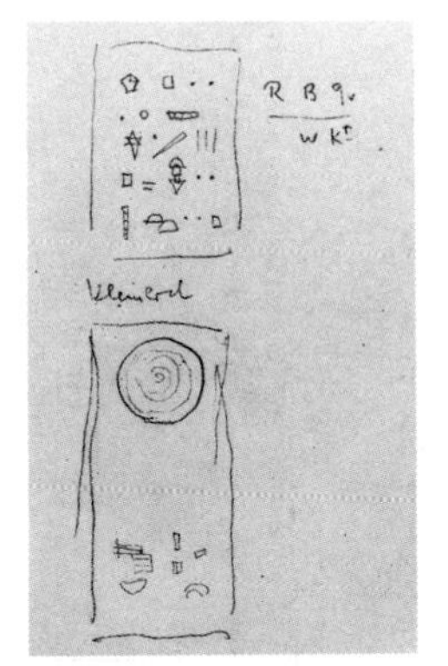
f 28

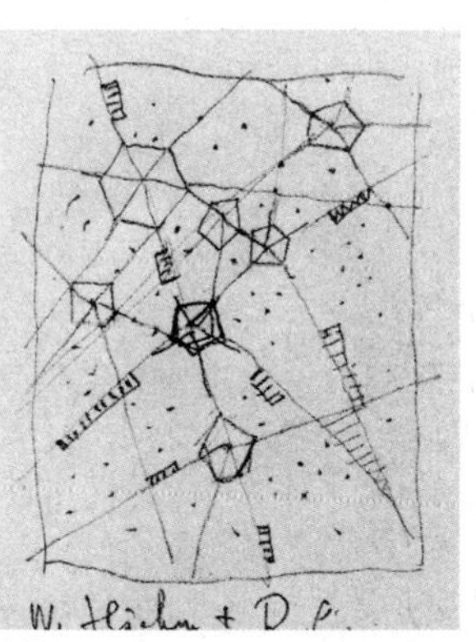
f 29

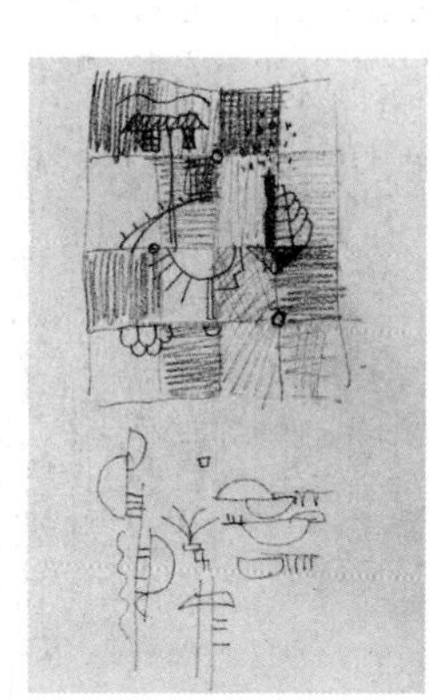
f 30

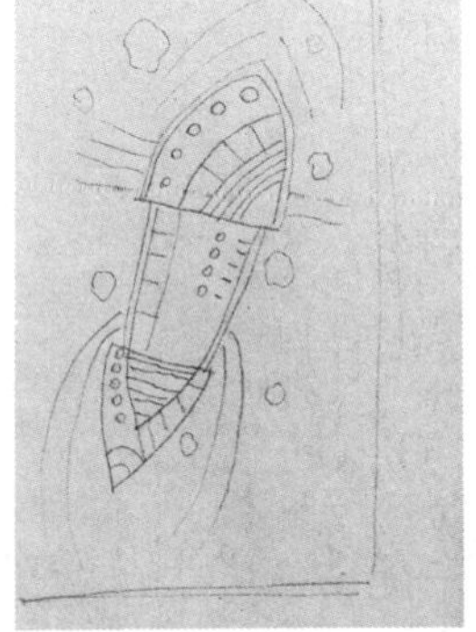
f 32

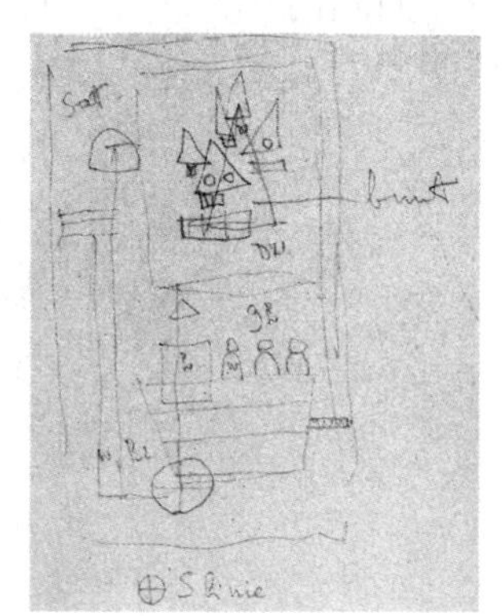
f 36 recto

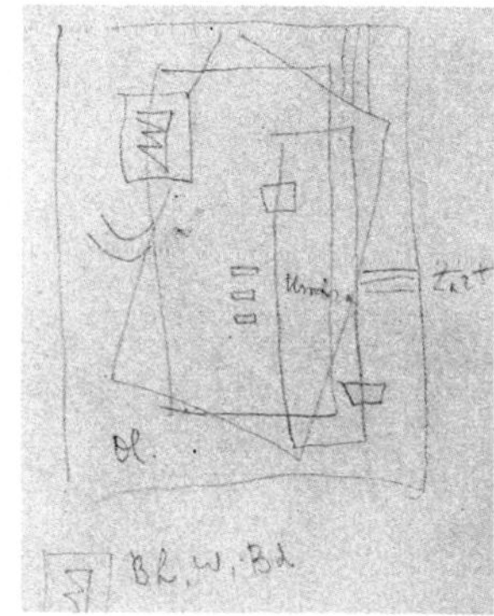
f 37 recto

f 38 recto : croquis pour l'aquarelle *Machtlose Fessel*, K 354, 1929; annotations
f 38 verso : croquis non identifié; annotations
f 39 croquis non identifié
f 40 recto : croquis non identifié; annotation
f 40 verso : croquis non identifié; annotations
f 41 recto : croquis non identifié; annotations
f 41 verso : croquis non identifié (*non reproduit*)
f 42 croquis non identifiés; annotations
f 43 croquis supérieur à rapprocher de l'aquarelle *Matte Tiefe*, K 412, 1931; croquis inférieur pour la peinture *Kreise im Braun*, 1929, Roethel n° 921

433 (feuillet 7)
Page (non détachée) d'un carnet de dessins, [1929]
mine de plomb, 16 × 9,1
annotations
croquis à rapprocher de la peinture *Etagen*, 1929, Roethel n° 896
AM 1981-65-675

434
[Sans titre, vers 1929]
mine de plomb, 21,1 × 14
à rapprocher de la peinture *Etagen*, 1929, Roethel n° 896, ainsi que des croquis précédents, n° 433 (f. 7)
AM 1981-65-395 (Inv. 626-35)

435
[Sans titre, vers 1929]
mine de plomb, 14 × 21,1
recto : à rapprocher de la peinture *Etagen*, 1929, Roethel n° 896, ainsi que des croquis précédents, n° 433 (f. 7) et n° 434
verso : repr. p. 377
AM 1981-65-396 recto-verso (Inv. 626-30)

433 (feuillet 35 recto-verso)
Page (non détachée) d'un carnet de dessins, [1929]
mine de plomb, 16 × 9,1
croquis supérieur à rapprocher de *Froid*, juin 1929, Roethel n° 908
croquis inférieur non identifié
AM 1981-65-675

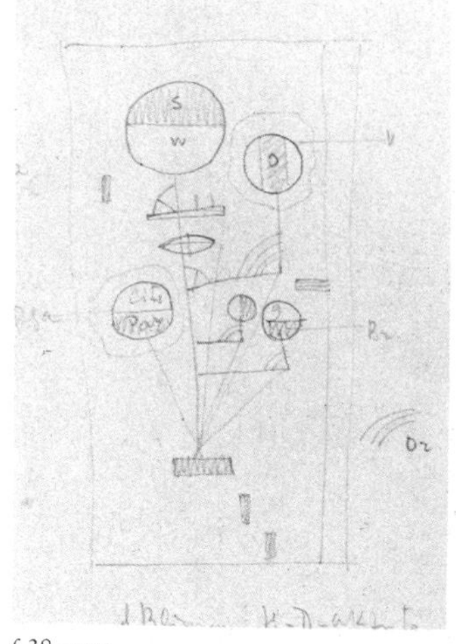
f 38 recto

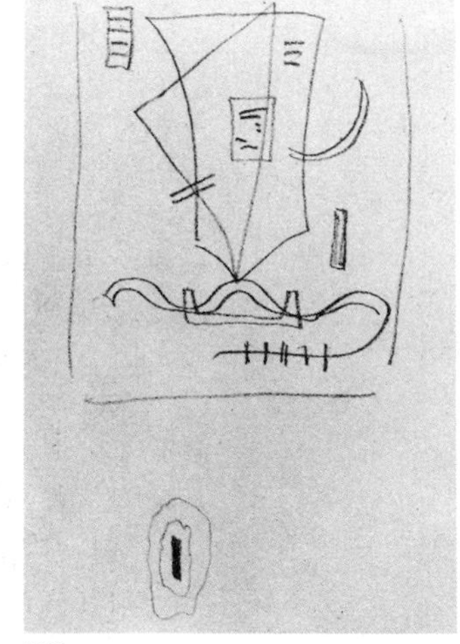
f 38 verso

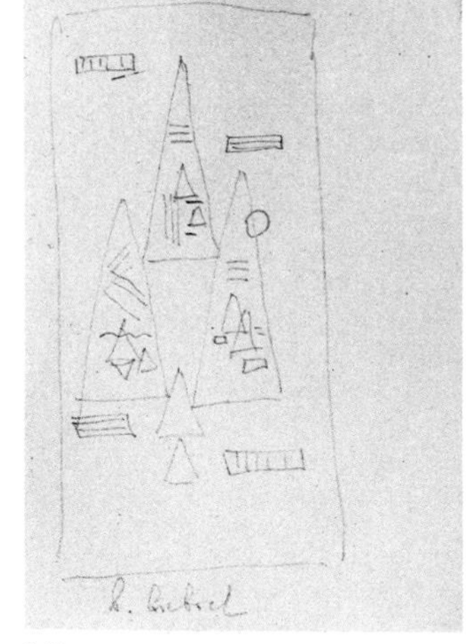
f 40 recto

f 40 verso

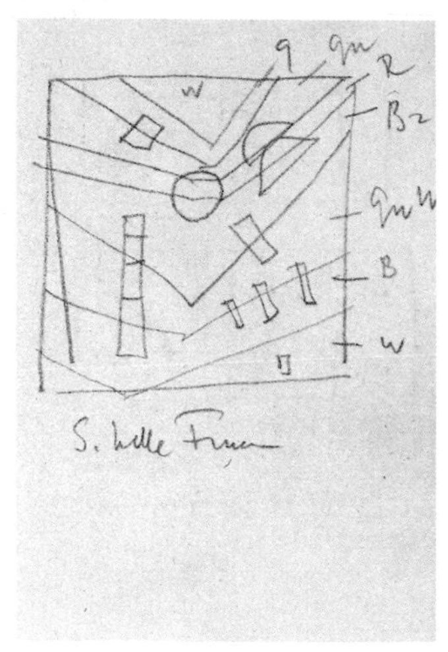
f 41 recto

f 42

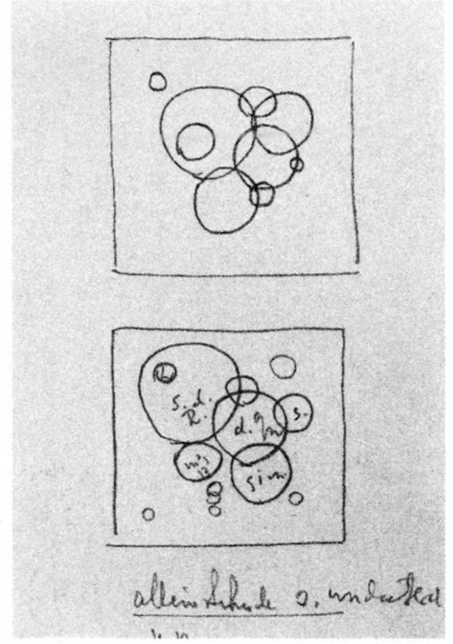
f 43

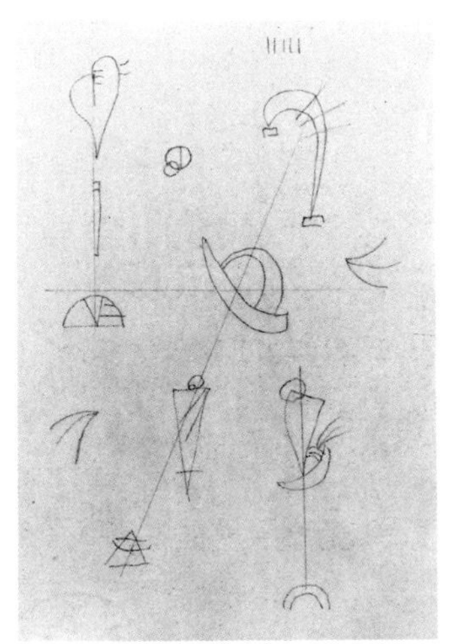
434

435 recto

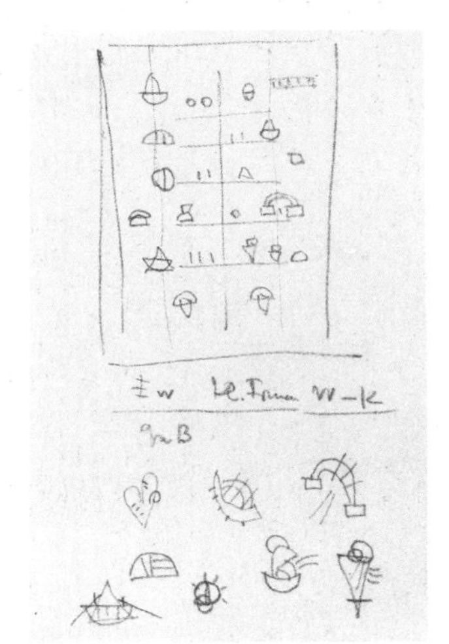
433 F 7

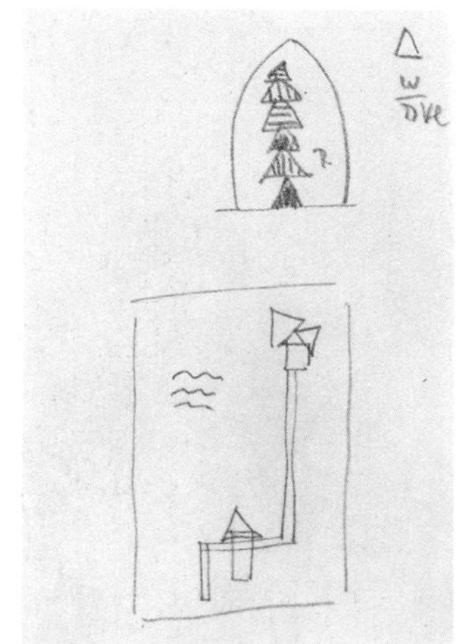
433 F 35 recto

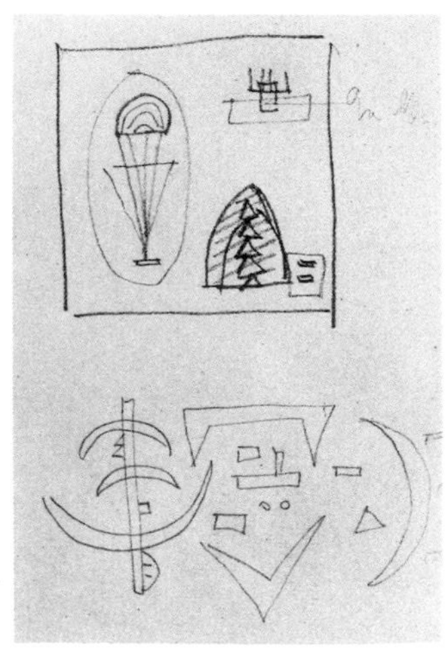
433 F 35 verso

436
Froid, 1929
huile sur carton, 48,5 × 48,5
monogrammé et daté en bas à gauche : K 29
inscrit au revers du carton (à l'encre de Chine) :
« (monogramme) N° 464/i929 'Kalt' / 49 × 49 »
manuscrit Kandinsky IV : n° 464, juin 1929, « Kalt »
Grohmann n° 318, p. 375
Roethel n° 908
AM 1981-65-59 (Inv. 20)

437
Page de croquis, [1929]
mine de plomb, 9,3 × 20,9
recto : croquis de droite : à rapprocher de *Huit fois*, 1929, Roethel n° 933
croquis de gauche non identifié; annotations
verso : croquis à rapprocher de *Flatternd*, 1930, Roethel n° 939
AM 1981-65-397 recto-verso (Inv. 408-32)

438
Huit fois, 1929
huile sur préparation granitée sur contreplaqué, 24,3 × 40
monogrammé et daté en bas à gauche : K 29
inscrit au revers (à l'encre de Chine) :
« (monogramme) N° 489/i929/'Acht mal' / Huit fois / 40 × 24,5 »
manuscrit Kandinsky IV : n° 489, décembre 1929, 'Acht mal' / « Cah(iers) d'Art » V 34/ (*mention rayée*) b(ei) Nierendorf
Grohmann n° 340, p. 377
Roethel n° 933
AM 1981-65-60

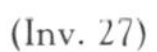
(Inv. 27)

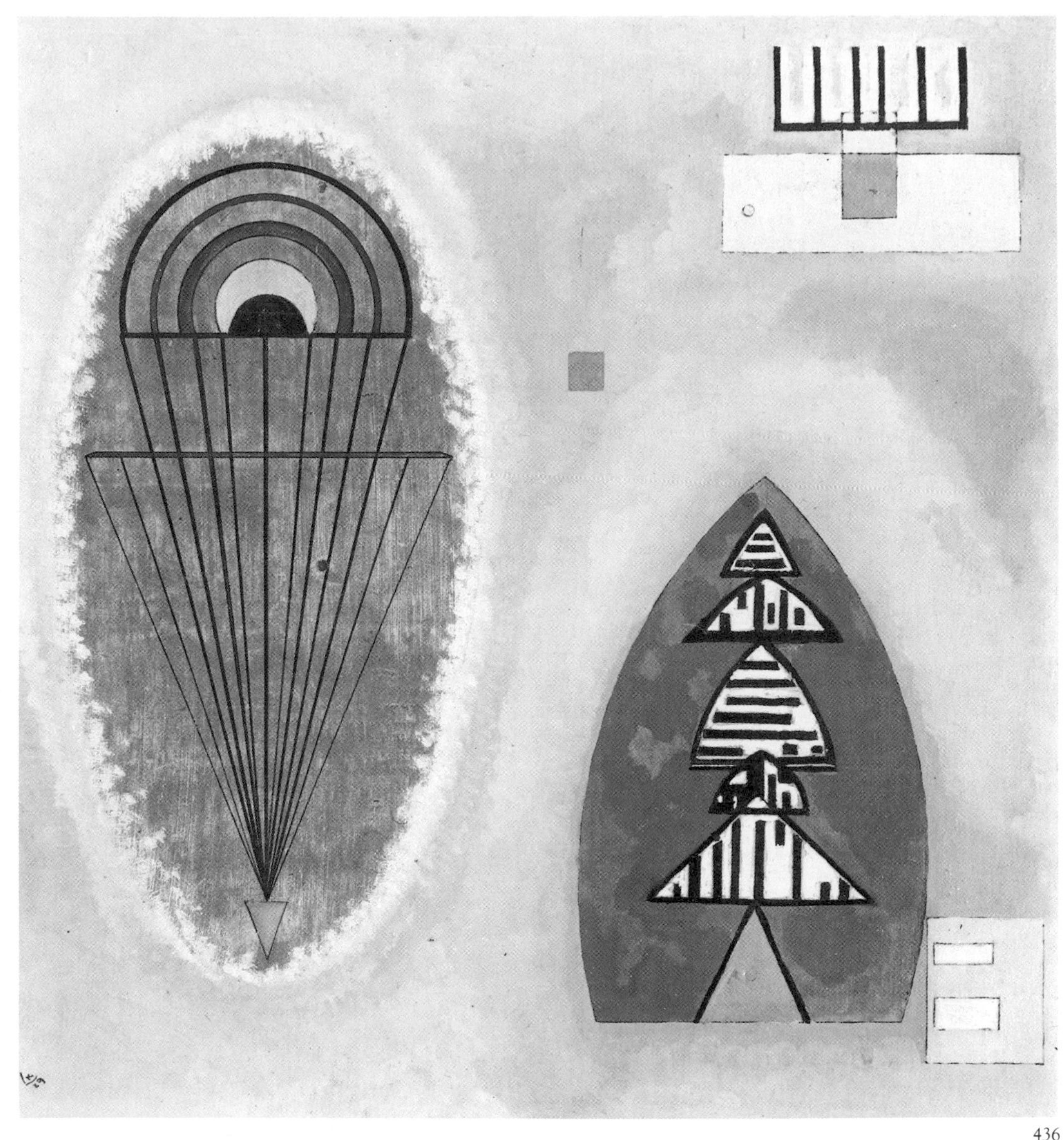
436

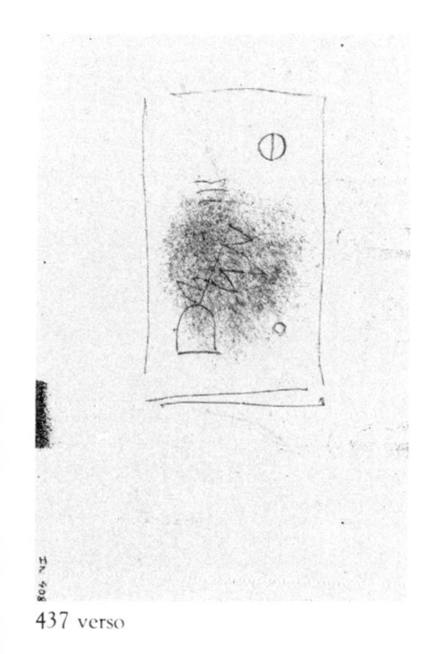
437 verso

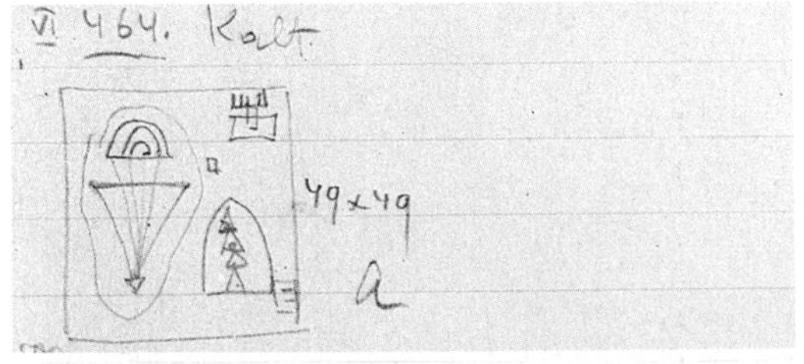

mns Kandinsky

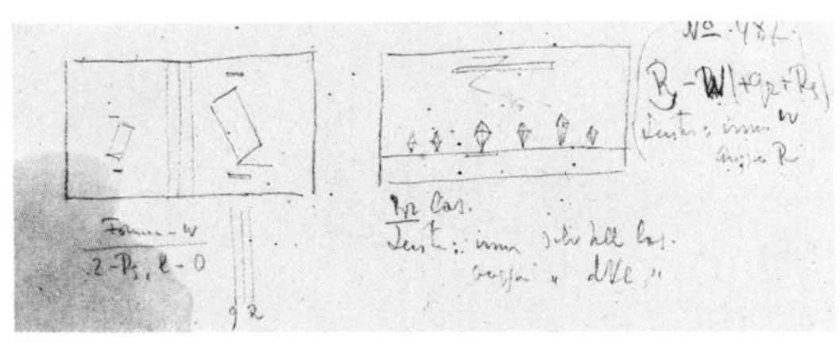
437 recto

438

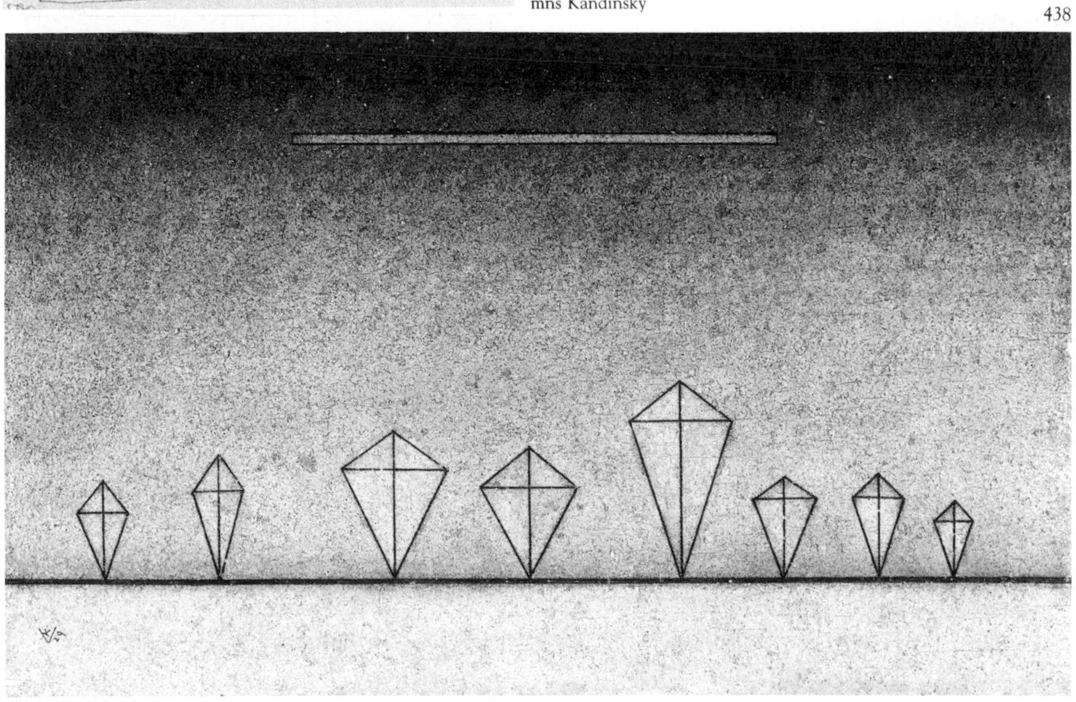

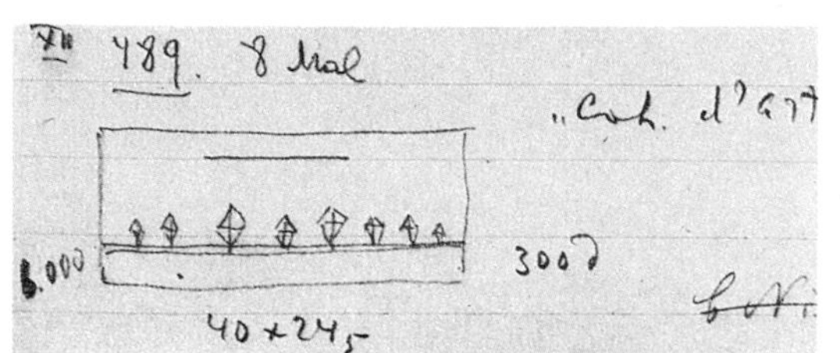

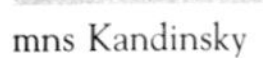
mns Kandinsky

439
Rayé, 1930
encres de couleur sur papier préparé à l'aquarelle, 26,9 × 18,1
monogrammé et daté en bas à gauche (à l'encre rouge) : K 30
inscrit sur le verso du carton support (à la mine de plomb) : « N° 37i/i930 », et (à l'encre, de la main de Nina Kandinsky) : « Gestrichen »
manuscrit Kandinsky V (aquarelles) : n° 371, janvier 1930, 'Gestrichen'
AM 1981-65-136 (Inv. 68)

440
verso : Page de croquis, [vers 1930]
mine de plomb, 23,1 × 14,5
les deux croquis supérieurs à rapprocher du n° 439 : *Rayé*, K 371, janvier 1930
recto : repr. p. 352
AM 1981-65-398 recto-verso (Inv. 408-22)

441
[Sans titre, étude pour *Fixiert-Locker*, 1930, Roethel n° 955]
mine de plomb, 18,1 × 22,5
indications en allemand concernant la couleur
AM 1981-65-399 (Inv. 408-15)

442
[Sans titre, 1930]
encre de Chine et aquarelle sur papier préparé à l'aquarelle, 36,5 × 37,5
à rapprocher de la peinture *Diagonal*, 1930, Roethel n° 956
AM 1981-65-137 (Inv. 593-31)

443
Page de croquis, [1930]
mine de plomb, 14,3 × 11,8
verso : croquis supérieur à rapprocher de la peinture *Diagonal*, 1930, Roethel n° 956
croquis inférieur à rapprocher de la peinture *Beruhigt*, 1930, Roethel n° 977
recto : réminiscence d'*Improvisation XI*, 1910, Roethel n° 338
AM 1981-65-400 recto-verso (Inv. 408-12)

444
Vide vert, 1930
huile sur carton, 35 × 40
monogrammé et daté en bas à gauche : K 30
inscrit au revers (à l'encre de Chine) : « N° 508/i930 'Grünleer' 49 × 35 »
cadre peint par Kandinsky
AM 1981-65-61 (Inv. 29)

Manuscrit Kandinsky IV : n° 508

V 508 Grünleer
49 × 35

peint en mai 1930

Références :
Grohmann n° 357, p. 379
Roethel n° 953

445
Page de croquis, [vers 1930]
mine de plomb sur un carton d'invitation pour la Neue Galerie (Autriche) le 3 mai 1930, 16,6 × 10,95
indications en allemand concernant les couleurs
les trois premiers croquis : études pour *Vide vert*, 1930, Roethel n° 953
croquis inférieur non identifié
AM 1981-65-401 (Inv. 408-17)

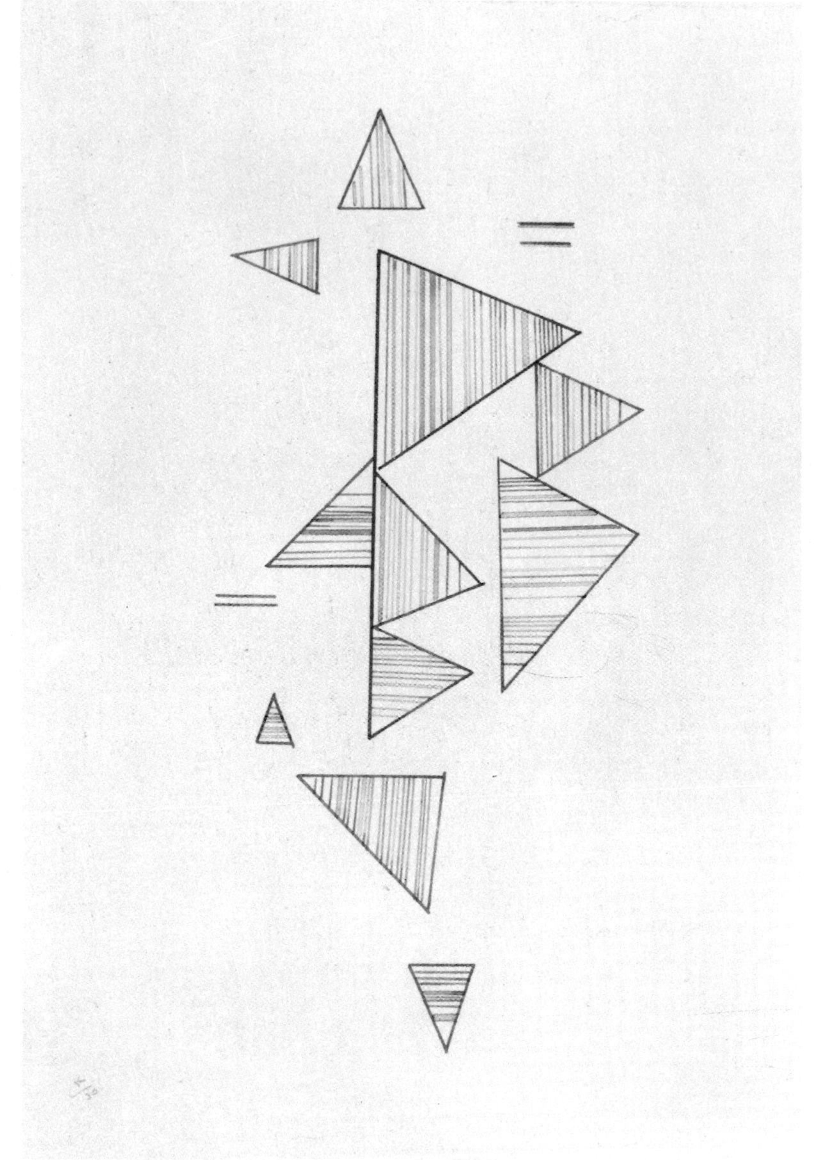

439

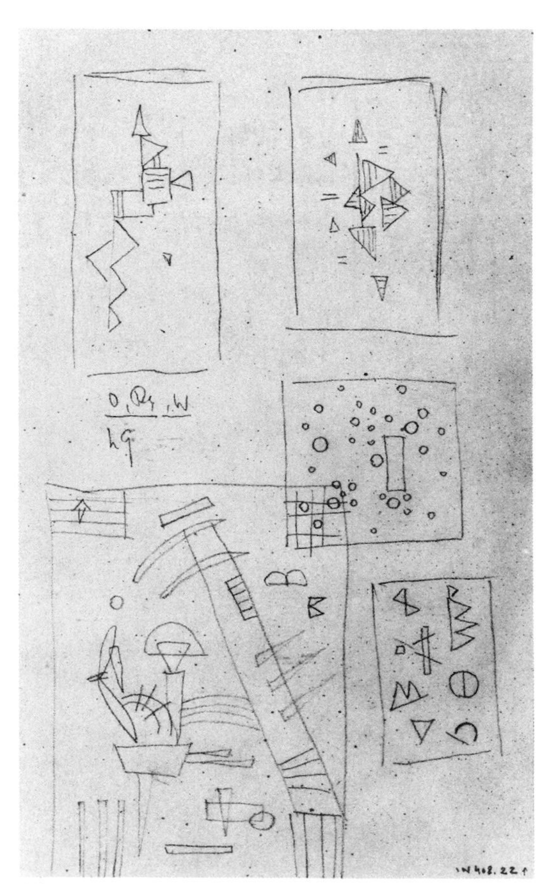
440

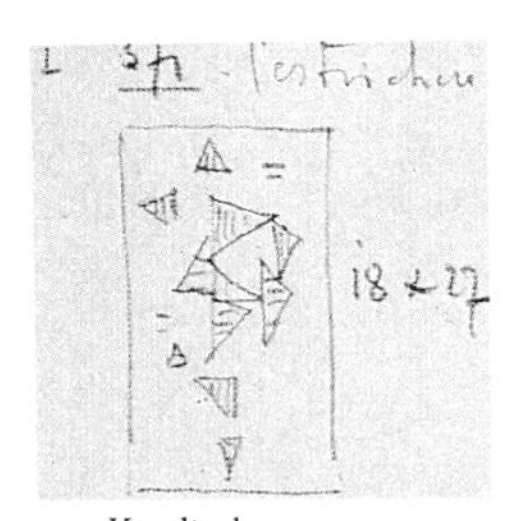

mns Kandinsky

442

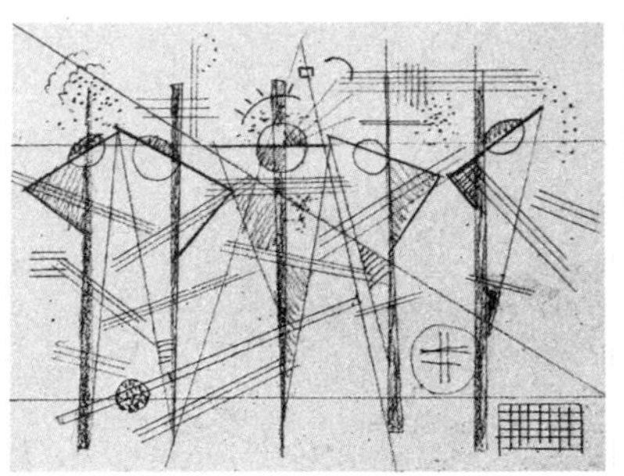

441

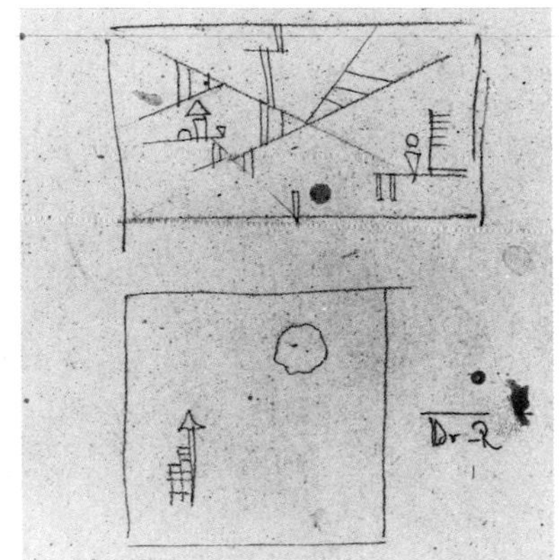

443 verso

443 recto

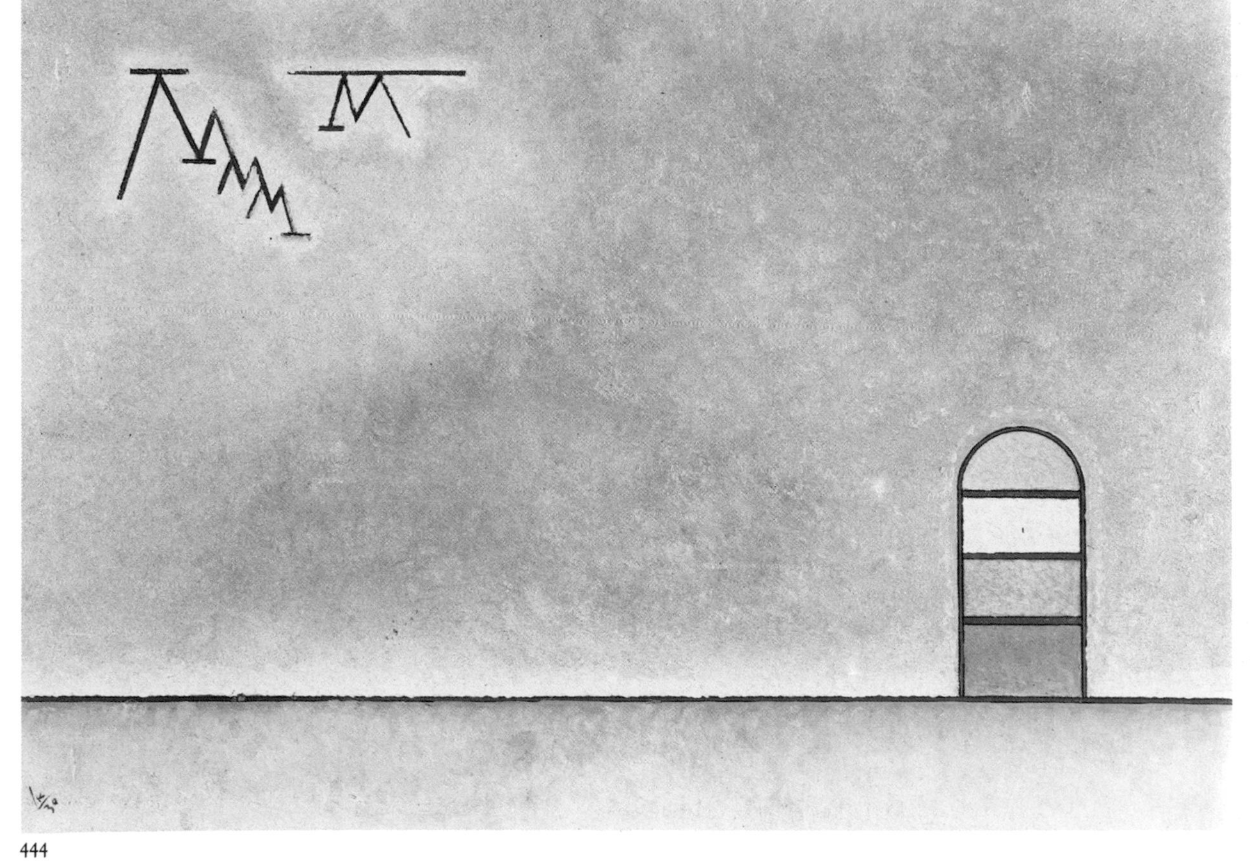

444

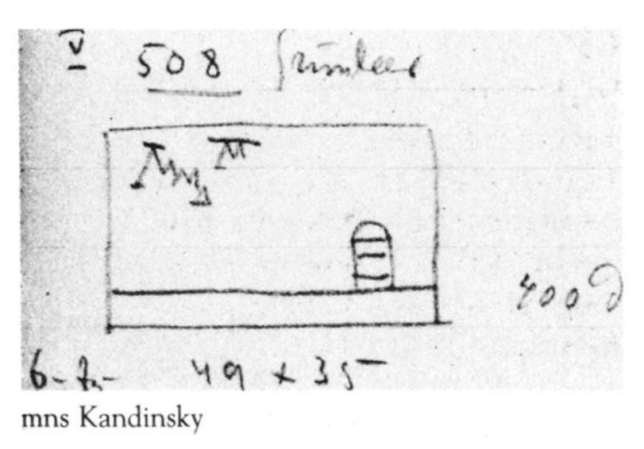

mns Kandinsky

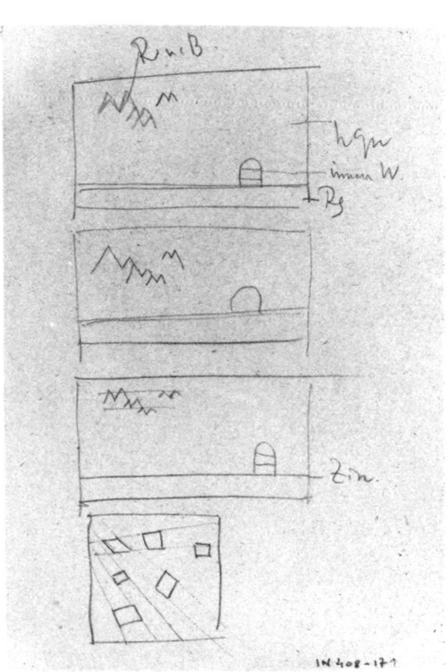

445

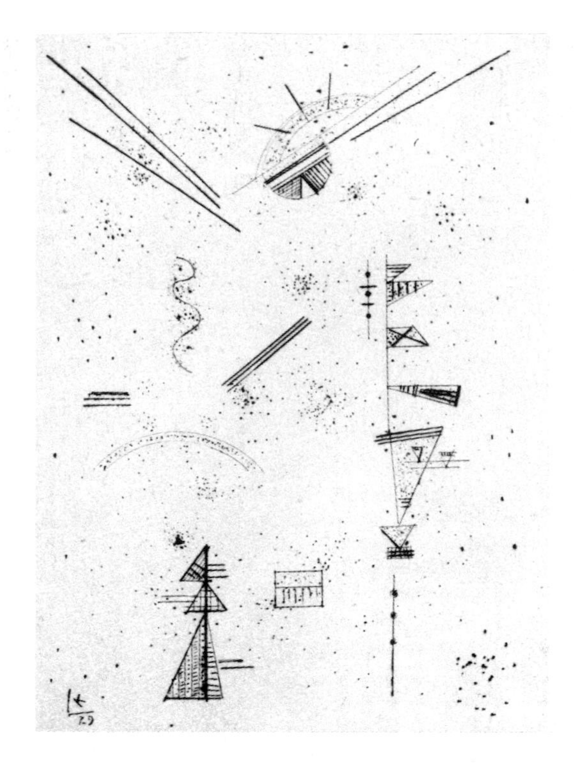

446
Quatrième don annuel de la Société Kandinsky, 1929
pointe sèche, 17,9 × 12,8
monogrammé et daté en bas à gauche sur la plaque : K 29
exemplaire signé (à la mine de plomb) en bas à droite : Kandinsky
Roethel (gravures) n° 192
AM 1981-65-741 (Inv. 590-35)

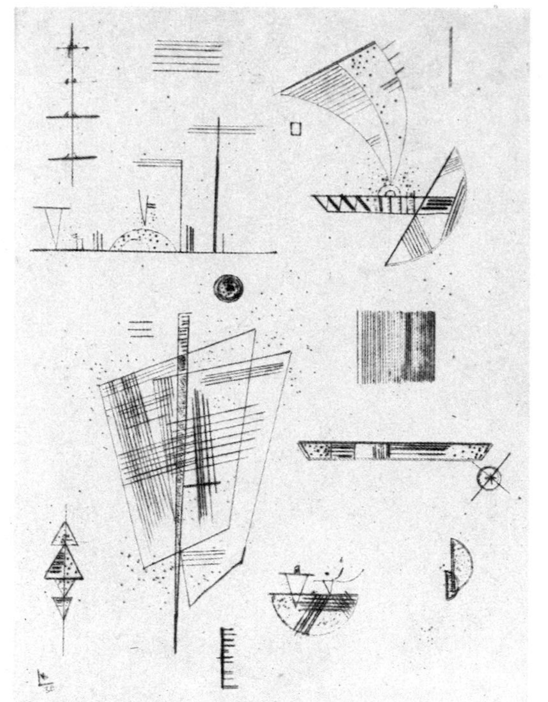

447
Première gravure pour l'édition des *Cahiers d'Art*, 1930
pointe sèche, 21,6 × 15,9
monogrammé et daté en bas à gauche sur la plaque : K 30
exemplaire signé (à la mine de plomb) en bas à droite : Kandinsky
Roethel (gravures) n° 194
AM 1981-65-742 (Inv. 590-36)

448
Léger, 1930
huile sur carton, 69 × 48
monogrammé et daté en bas à gauche : K 30
cadre peint
inscrit au verso à l'encre :
« (monogramme) N° 504/i930 Leichtes »
achat de l'État, 1974
AM 1974-16

Il semble évident que Kandinsky utilise dans le catalogue le titre « Leichteres », qui est le comparatif de l'adjectif substantivé « léger ».

peint en avril 1930

Expositions :
Los Angeles, Stendahl Art Galleries, février 1936, n° 29
Références :
Grohmann n° 353, p. 378
Roethel n° 949
Historique :
Collection Galka (Emmy) Scheyer, Los Angeles
Racheté par Nina Kandinsky

Manuscrit Kandinsky IV : n° 504

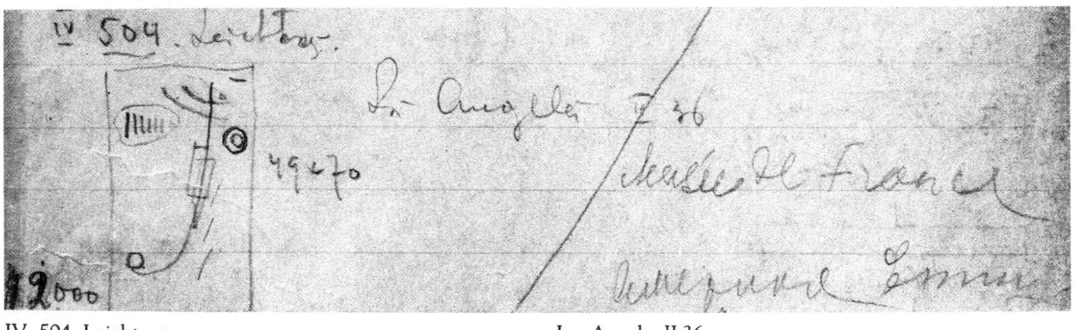

IV. 504. Leichteres
49 × 70
12000

Los Angeles II 36
Musées de France
Emmy
Amerika

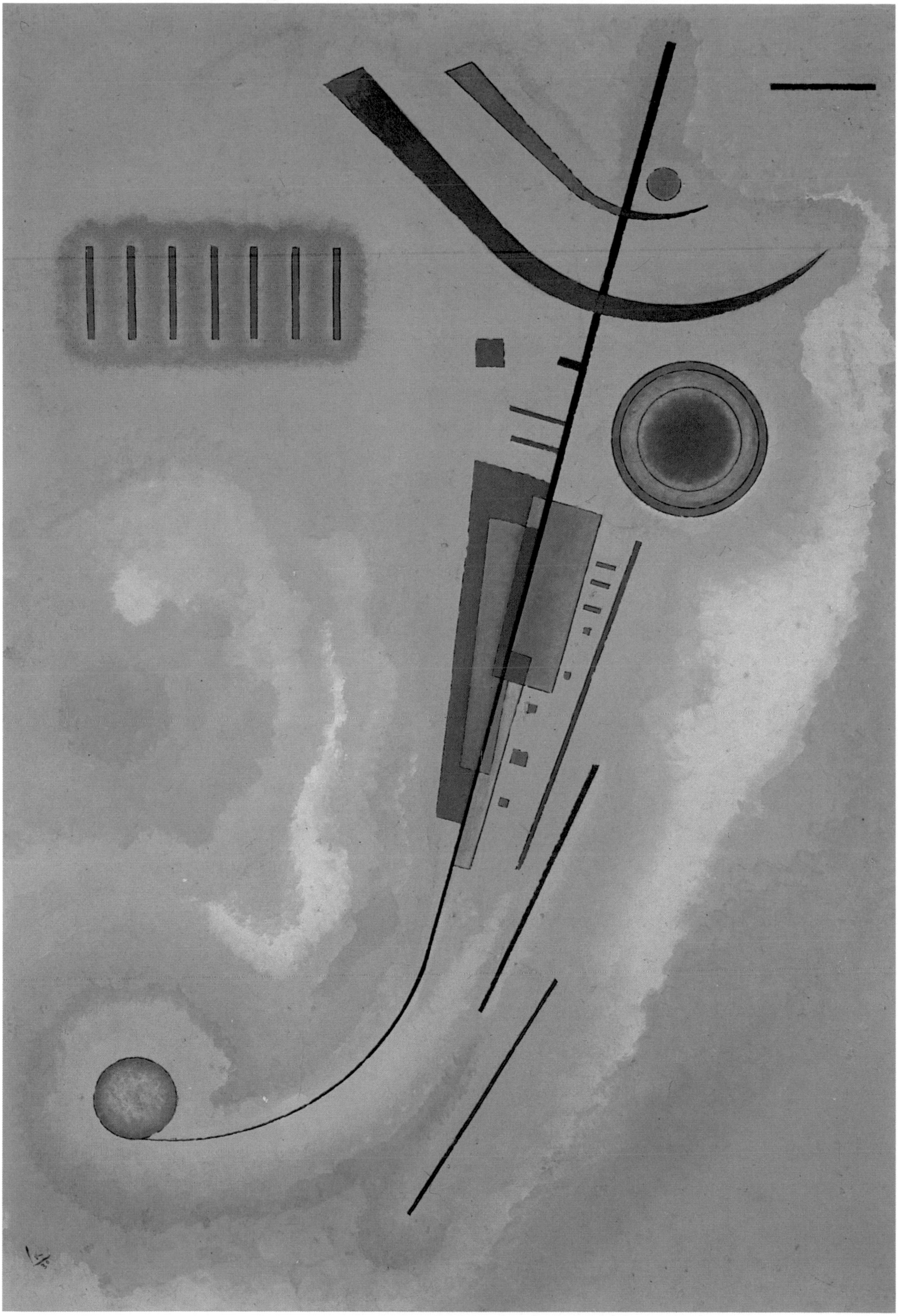

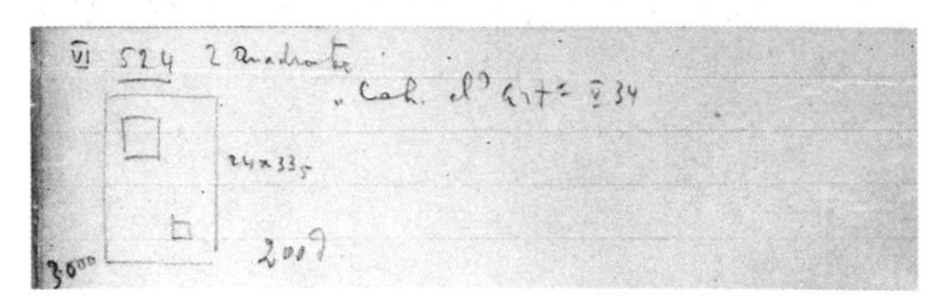

449
Deux carrés, 1930
tempera sur carton, 33,2 × 23,6
monogrammé et daté en bas à gauche : K 30
inscrit au revers (à l'encre de Chine) :
« (monogramme) N° 524/1930 / 'Zwei Quadrate' / 24 × 35,5 »
manuscrit Kandinsky IV : n° 524, juin 1930, 'Zwei Quadrate' / « Cah(iers) d'Art » V 34
Grohmann n° 371, p. 380
Roethel n° 969
AM 1981-65-138 (Inv. 25)

450
Trapèze, 1930
aquarelle (pulvérisation), gouache et vernis sur carton, 14,5 × 18,6
monogrammé et daté en bas à gauche : K 30
inscrit au revers (à l'encre bleue, de la main de Nina Kandinsky) : « Kandinsky / Aquarelle 1930 »
AM 1981-65-139 (Inv. 66)

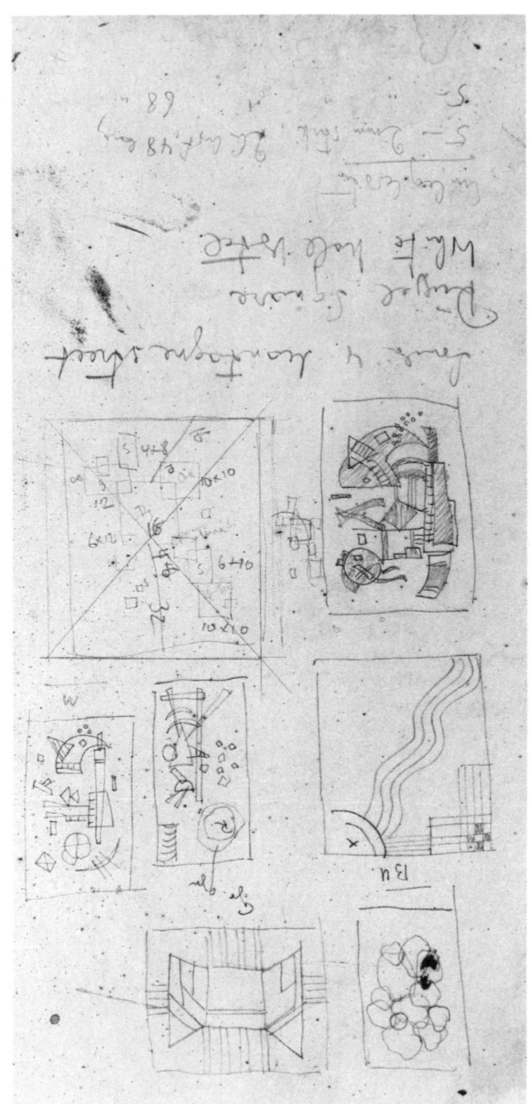

451
recto : Page de croquis, [vers 1930]
(reproduite à l'envers)
mine de plomb, 32,55 × 15,1
annotations
croquis en bas à droite : à rapprocher de la peinture *Treize rectangles*, 1930, n° 452
les autres croquis non identifiés
verso : repr. p. 348
AM 1981-65-402 recto-verso (Inv. 408-53)

452
Treize rectangles, 1930
huile sur carton, 69,5 × 59,5
monogrammé et daté en bas à gauche : K 30
inscrit au revers (à l'encre de Chine) :
« 'i3 Rechtecke' (monogramme) N° 525 1930 »
cadre peint par Kandinsky
AM 1981-65-62 (Inv. 8)

Manuscrit Kandinsky IV : n° 525

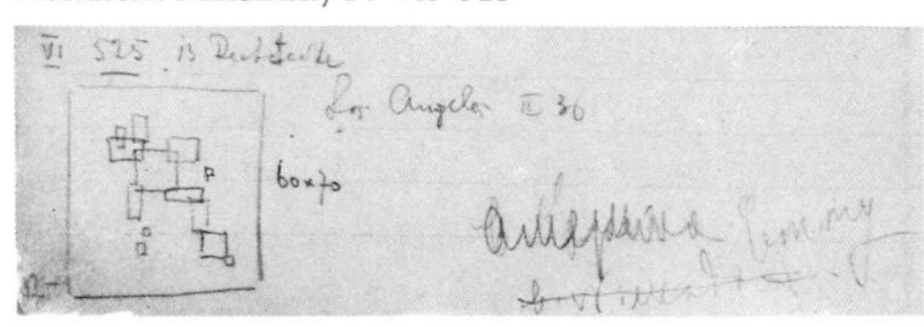

VI *525* i3 Rechtecke
60 × 70

Los Angeles II 36

peint en juin 1930

Références :
Grohmann n° 372, p. 380
Roethel n° 970

453
[Sans titre], 1930
encre de Chine, 36,3 × 16
monogrammé et daté en bas à gauche : K 30
inscrit au verso (à la mine de plomb, d'une main non identifiée) : « Kandinsky 1930 N 5 »
AM 1981-65-403 (Inv. 109)

454
Trois croquis, [vers 1930]
mine de plomb au verso d'une enveloppe au nom d'Otto Ralfs, 15,5 × 12,5
croquis en bas à droite : à rapprocher du dessin n° 453
les deux autres croquis non identifiés
AM 1981-65-404 (Inv. 408-25)

455
[Sans titre, Cattolica, coucher de soleil, 17 août 1930]
mine de plomb, 7,9 × 28,85
indications en allemand concernant les couleurs
inscrit en bas à droite (à la mine de plomb) :
« Gegen Sonnenunterg(an)g Cattolica/ 17 VIII 30 »
AM 1981-65-405 (Inv. 408-57)

456
Dessin pour *Blanc sur noir*, 1930
mine de plomb et encre de Chine, 27,3 × 22,1
monogrammé et daté en bas à gauche : K 30
inscrit au verso (à la mine de plomb) : « i930/ N° 2i/Kandinsky/ Zeichnung zu 'Weiss auf Schwarz' N° 531/ i930/ Bild in Sammlung Ida Bienert, Breslau »
ce dessin est un résumé linéaire de la peinture *Blanc sur noir*, 1930, Roethel n° 976
AM 1981-65-406 (Inv. 411-3)

457
[Sans titre], 1930
mine de plomb et encre de Chine, 21,9 × 13,8
monogrammé et daté en bas à gauche : K 30
inscrit au verso du carton support (à la mine de plomb, d'une main non identifiée) : « N 20/ 1930 »
AM 1981-65-407 (Inv. 88)

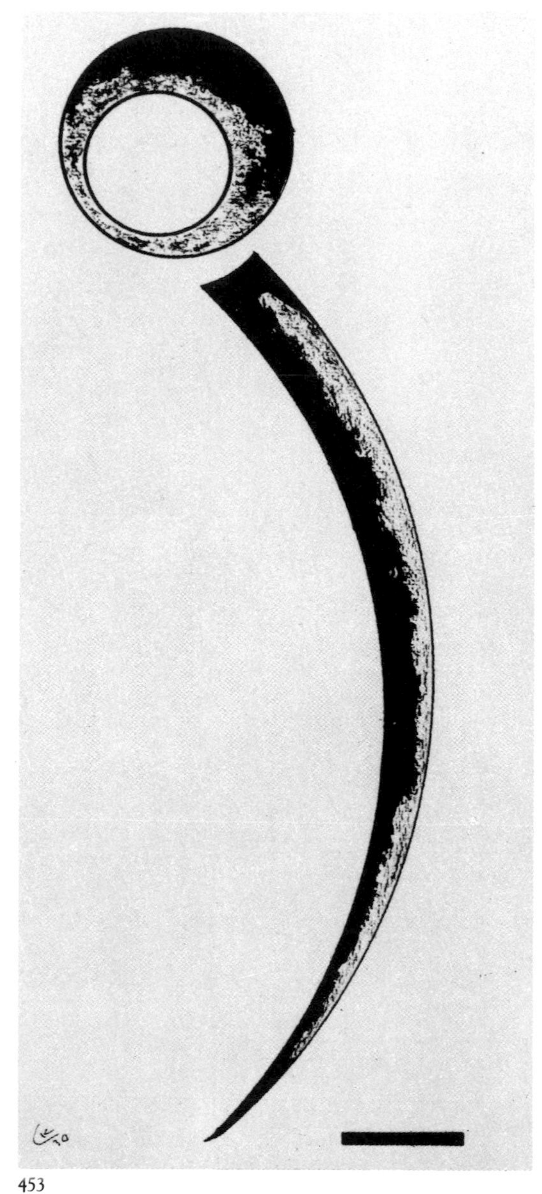
453

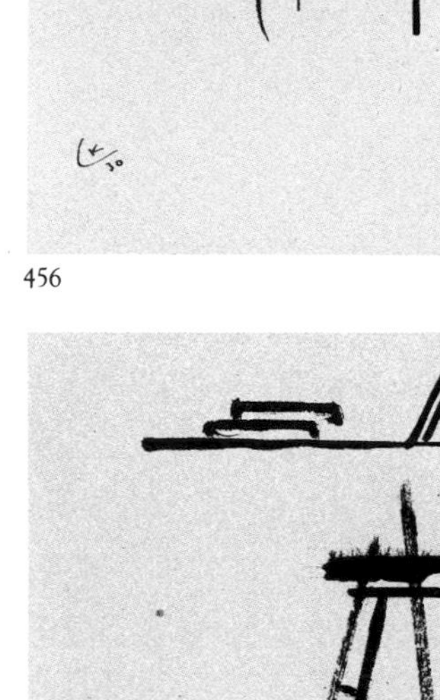
456

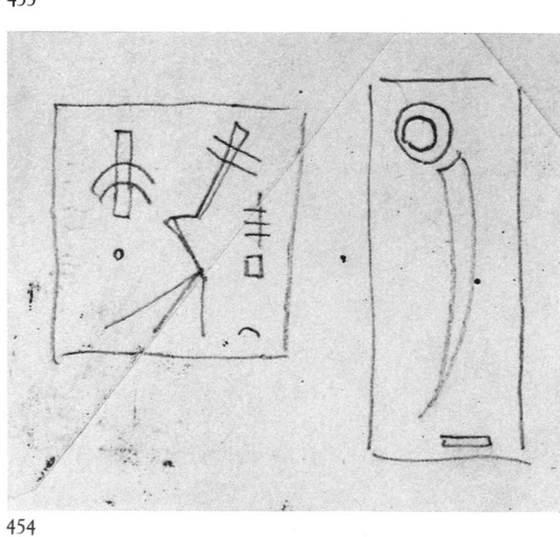
454

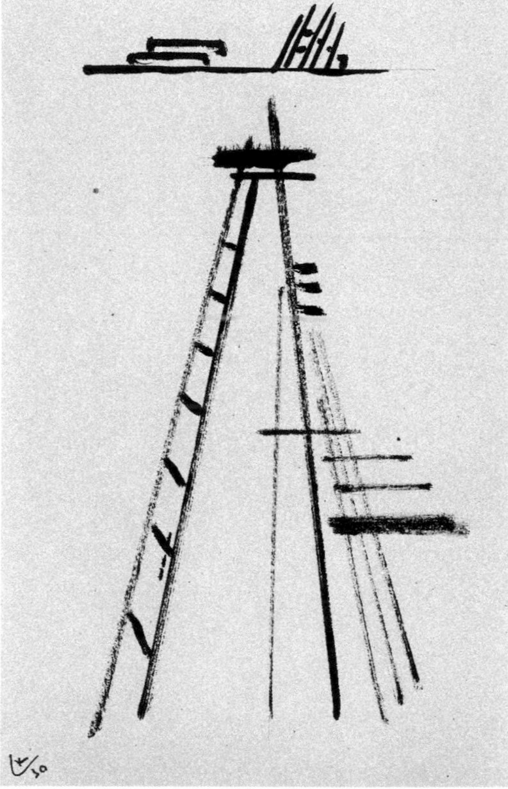
457

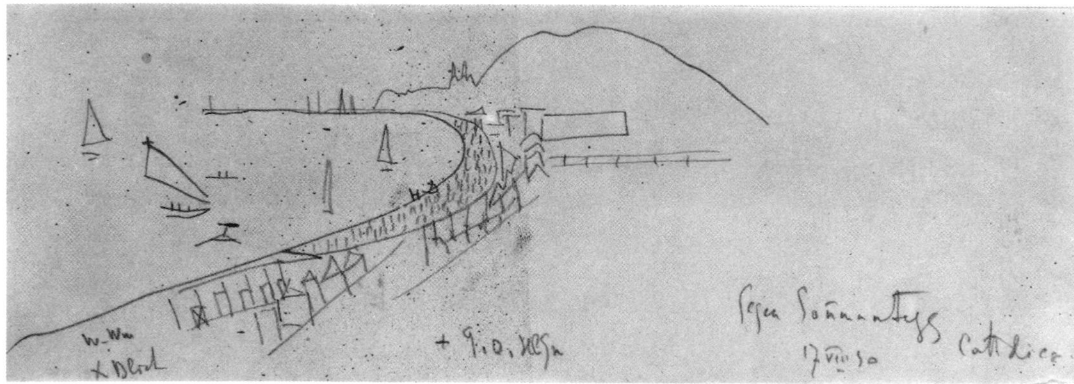
455

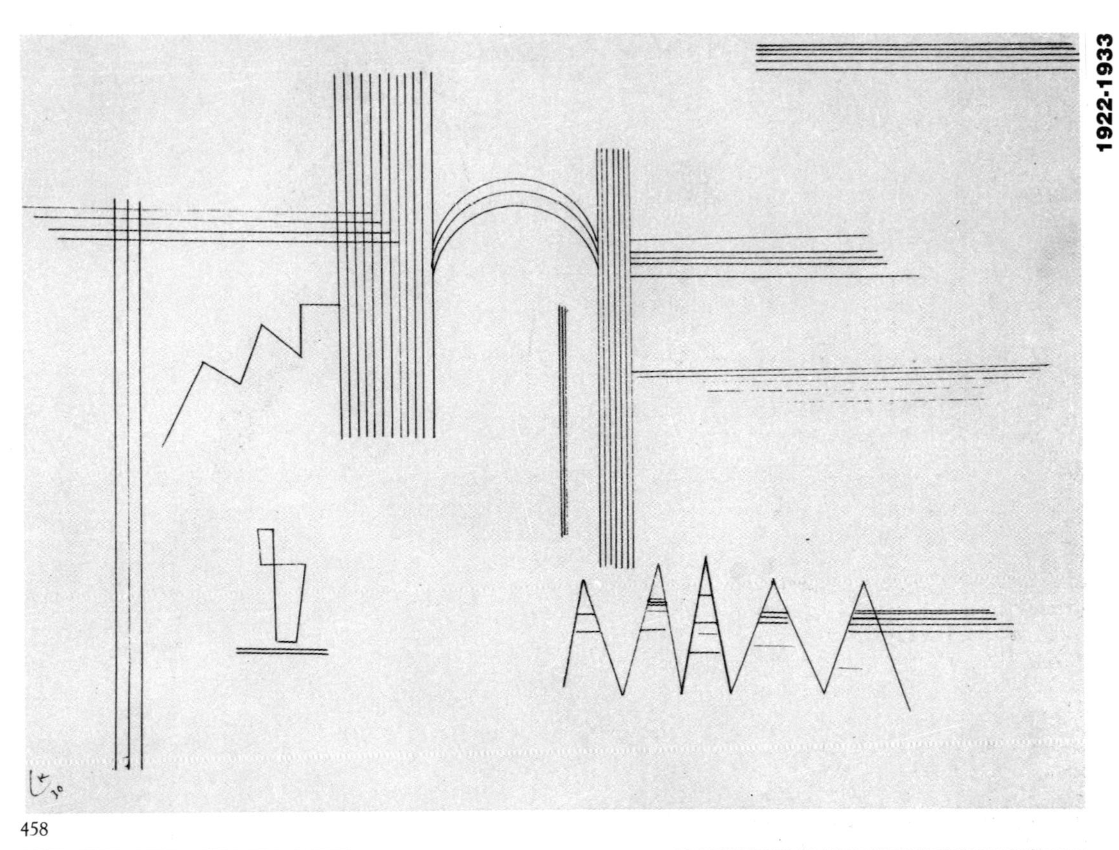

458

459

460

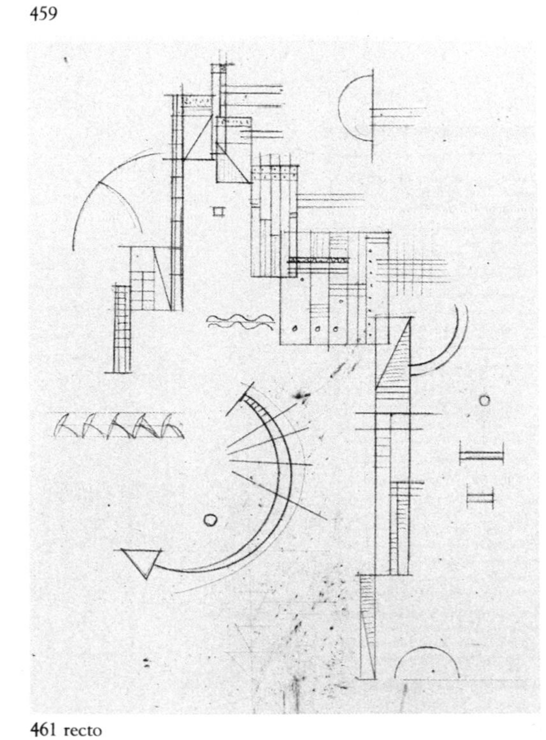

461 recto

461 verso

458
[Sans titre], 1930
mine de plomb et encre de Chine, 25,6 × 36,5
monogrammé et daté en bas à gauche : K 30
inscrit au verso du carton support (à la mine de plomb, de la main de Nina Kandinsky) : « Kandinsky 1930 N 10 »
AM 1981-65-408 (Inv. 103)

459
[Sans titre], 1930
encre de Chine, 22,5 × 11,9
monogrammé et daté en bas à gauche : K 30
inscrit au revers du carton support (à la mine de plomb, de la main de Nina Kandinsky) : « Kandinsky / 1930/ N° 14/ 22 1/2 × 12 »
AM 1981-65-409 (Inv. 411-5)

460
[Étude pour l'aquarelle *Sans titre*, 1930]
mine de plomb, 8,6 × 8,2
verso : annotations
AM 1981-65-410 (Inv. 408-58 a)

461
Deux dessins, vers 1930
mine de plomb, 22,3 × 14,2
recto : dessin non identifié
verso : dessin non identifié
AM 1981-65-411 recto-verso (Inv. 408-6)

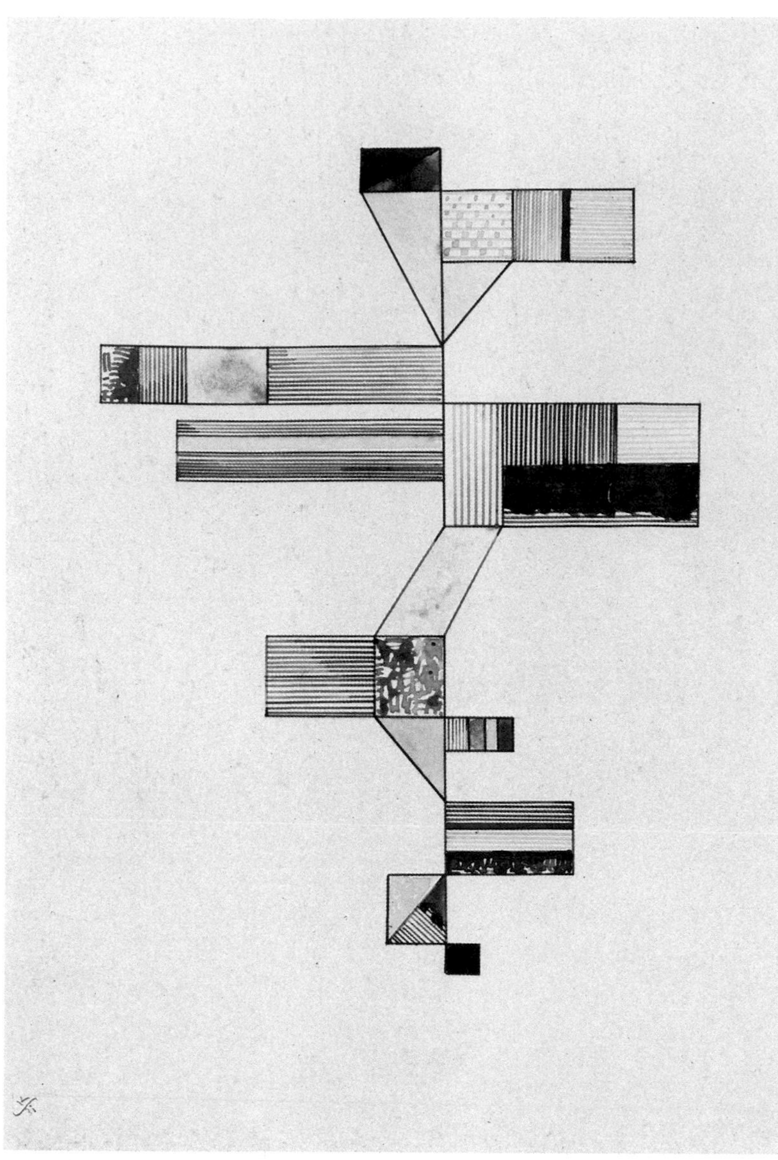

462
Gai, 1931
aquarelle et encre rouge, 32,5 × 25
monogrammé et daté en bas à gauche (à l'encre rouge) : K 3i
inscrit sur le carton support (à la mine de plomb) : « N° 404/i93i / Heiter »
manuscrit Kandinsky V (aquarelles) : n° 404, juin 1931, 'Heiter'
AM 1981-65-140 (Inv. 71)

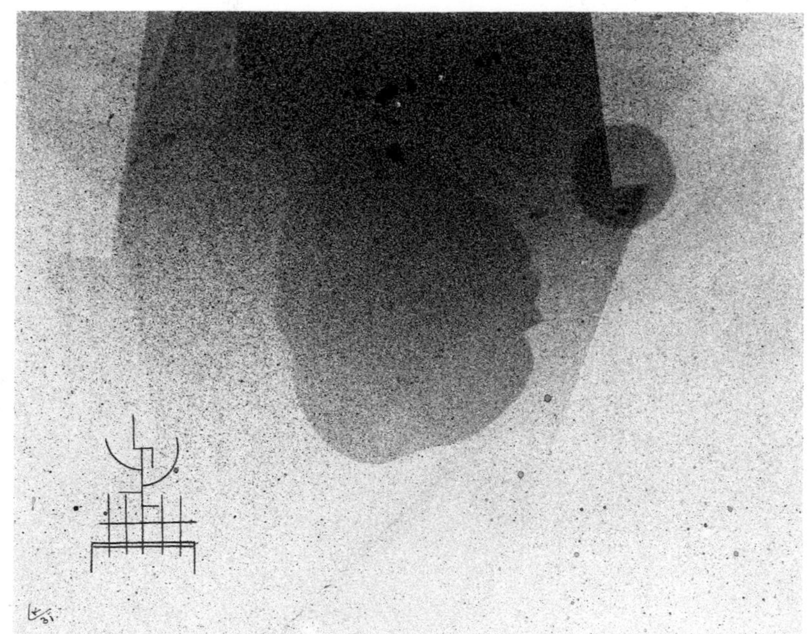

463
Allusion, 1931
aquarelle (pulvérisation) et encre rouge, 18,2 × 23,3
monogrammé et daté en bas à gauche (à l'encre rouge) : K 3i
inscrit au verso du carton support (à la mine de plomb) : « N° 422/i93i Andeutung »
manuscrit Kandinsky V (aquarelles) : n° 422, juillet 1931, 'Andeutung'
AM 1981-65-141 (Inv. 64)

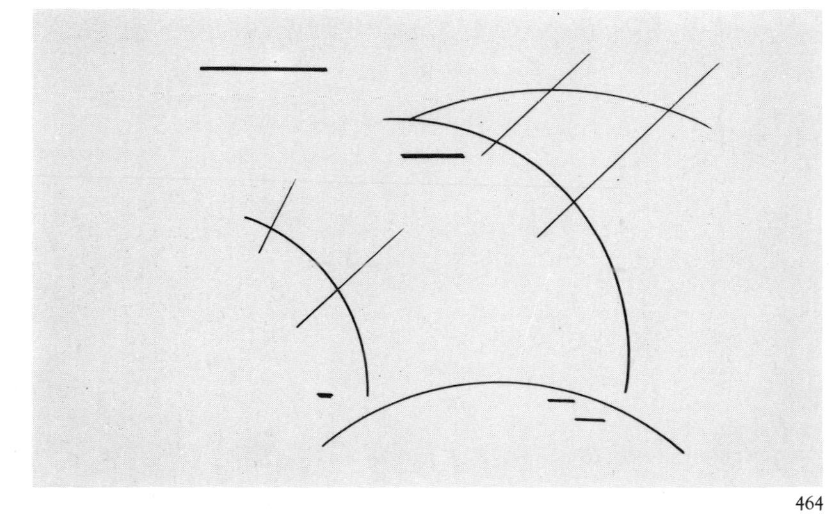

464

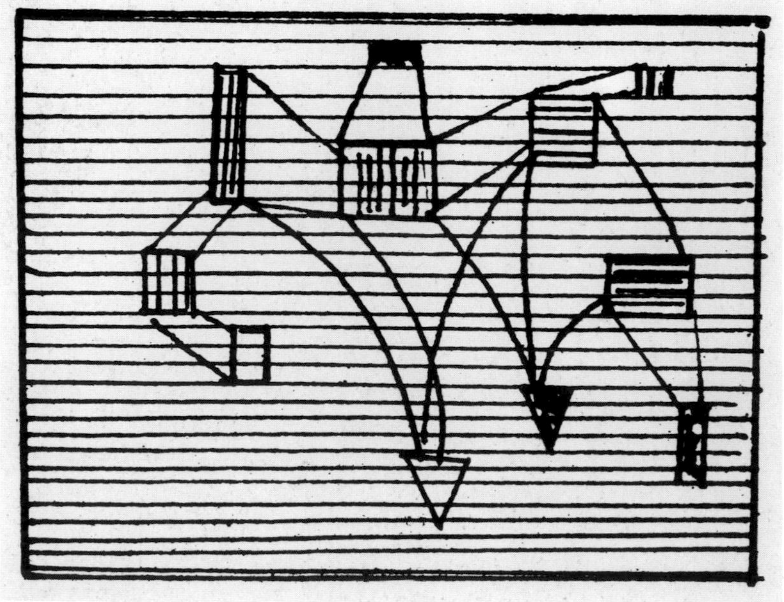

465

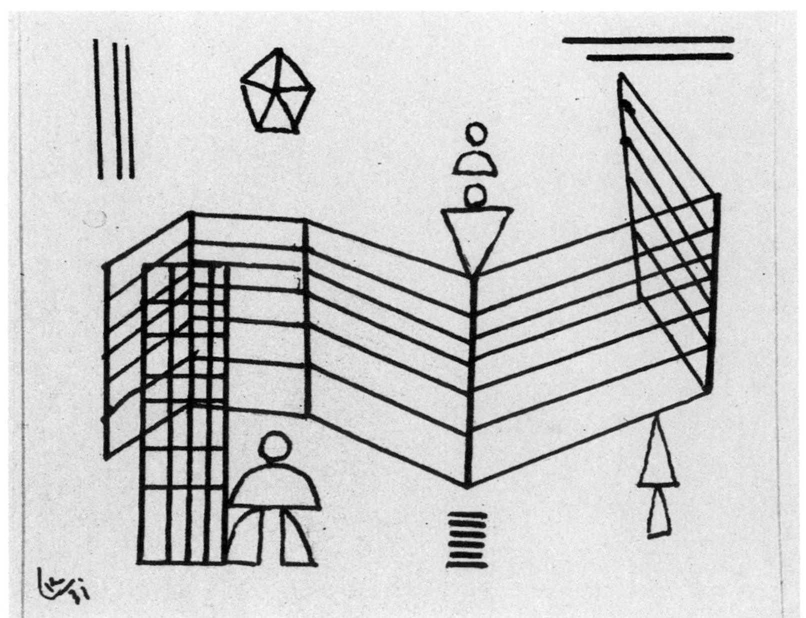

466

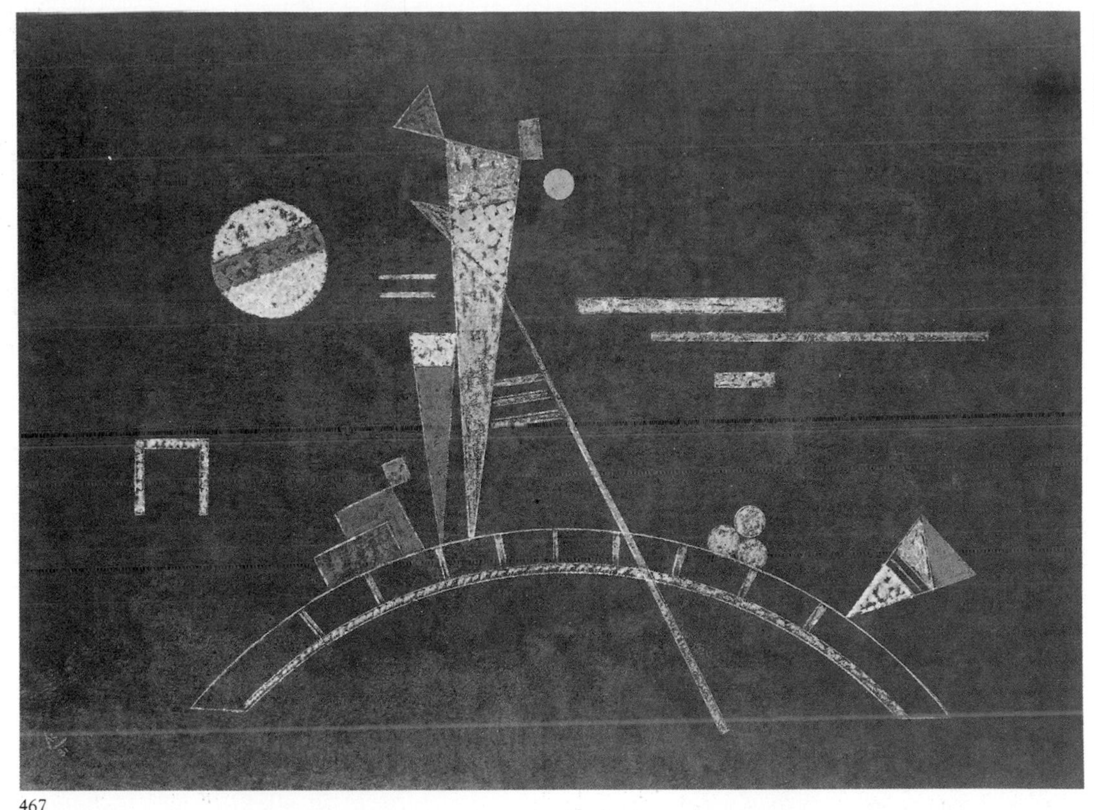

467

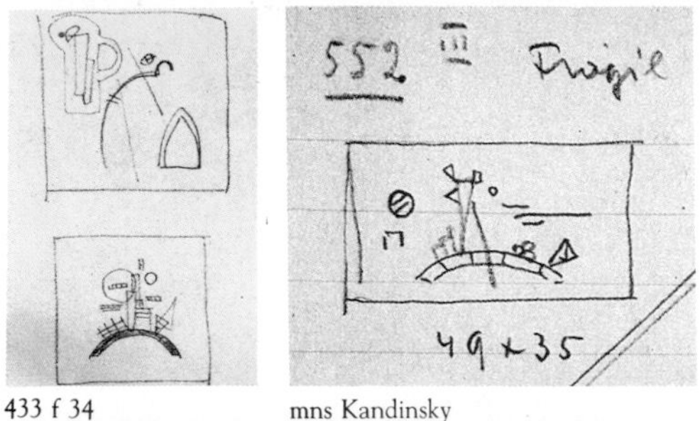

433 f 34 mns Kandinsky

mns Kandinsky

468

464
[Sans titre, dessin schématique pour *Flatterhaft*, 1931, Roethel n° 1010]
encre de Chine, 14,6 × 24,3, monogrammé en bas à gauche (à la mine de plomb) : K
inscrit au verso (à la mine de plomb) : « Schema zu 'Flatterhaft' N° 564 i93i/i93i/43 » et (de la main de Nina Kandinsky) : Kandinsky
AM 1981-65-412 (Inv. 411-6)

465
[Sans titre, dessin pour l'aquarelle *Flimmernd*, K 435, 1931]
encre de Chine, 6,05 × 7,2, inscrit au verso du carton support (à la mine de plomb, de la main de Nina Kandinsky) : « 1931 N° 15. Zu Aquarelle 'Flimmernd', N° 435 »
AM 1981-65-413 (Inv. 411-1)

466
[Sans titre, dessin pour l'aquarelle *Jetzt auf*, K 417], 1931
encre de Chine, 7,8 × 9,3, monogrammé et daté en bas à gauche : K 3i
AM 1981-65-414 (Inv. 411-4)

433 (feuillet 34 verso)
[Sans titre, 1929-31]
(feuillet, non détaché, d'un carnet de dessins)
mine de plomb, 16 × 9,1, croquis inférieur à rapprocher de *Fragile*, n° 467, croquis supérieur non identifié
AM 1981-65-675

467
Fragile, 1931
tempera sur carton, 34,7 × 48,4, monogrammé et daté en bas à gauche : K 3i, inscrit au revers (à l'encre de Chine) : « (monogramme) N° 552/i93i - 'Fragil' / 49 × 35 » et (en russe) : « A ma Ninoussia pour Pâques, 1931, Dessau »
manuscrit Kandinsky IV : n° 552, mars 1931 'Fragil' (Tempera)/Nina zum Geburtstag 16 IV 3i
Grohmann n° 395, p. 382
AM 1981-65-142 (Inv. 34)

468
Dégagement ralenti, 1931
tempera et huile sur carton, 59,8 × 69,5, monogrammé et daté en bas à gauche : K 3i, inscrit au revers du carton (à l'encre) : « (monogramme) i93i - Langsam heraus », et (à la mine de plomb, d'une main non identifiée) : « Vers l'évasion 565 »
manuscrit Kandinsky IV : n° 565, novembre 1931, 'Langsam heraus'/ Cassirer Flechtheim i932/3/ (de la main de Nina Kandinsky) : (évasion)/ (Tempera + Oel)
Grohmann n° 407, p. 383
Roethel n° 1011
AM 1981-65-63 (Inv. 36)

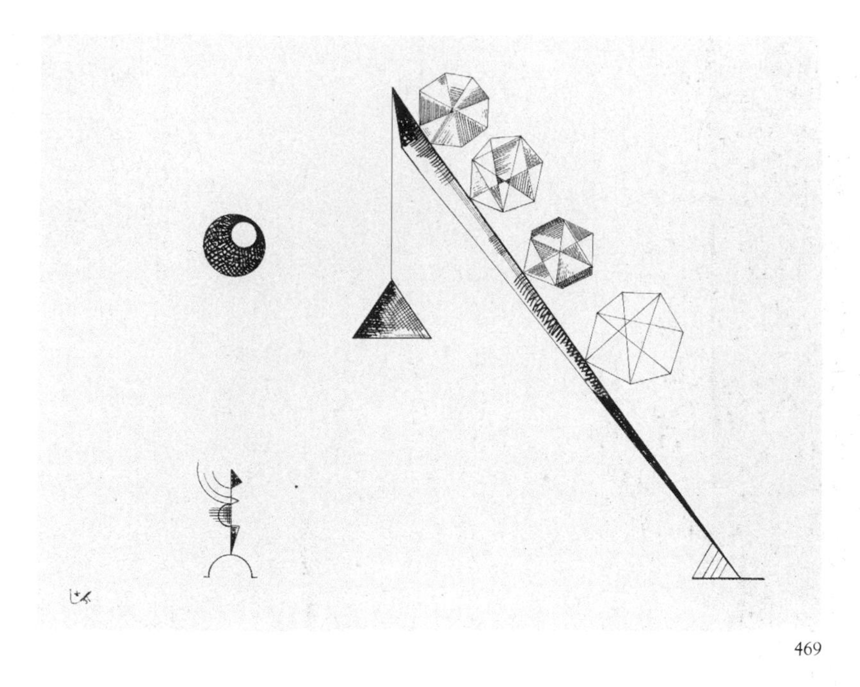

469

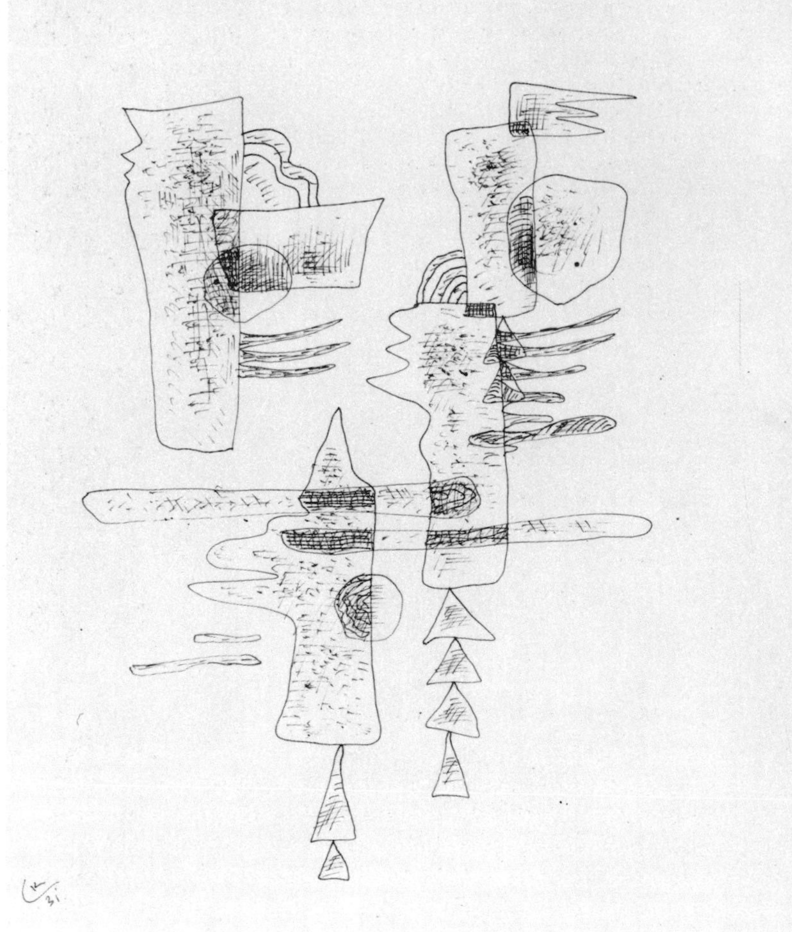

470

471

472

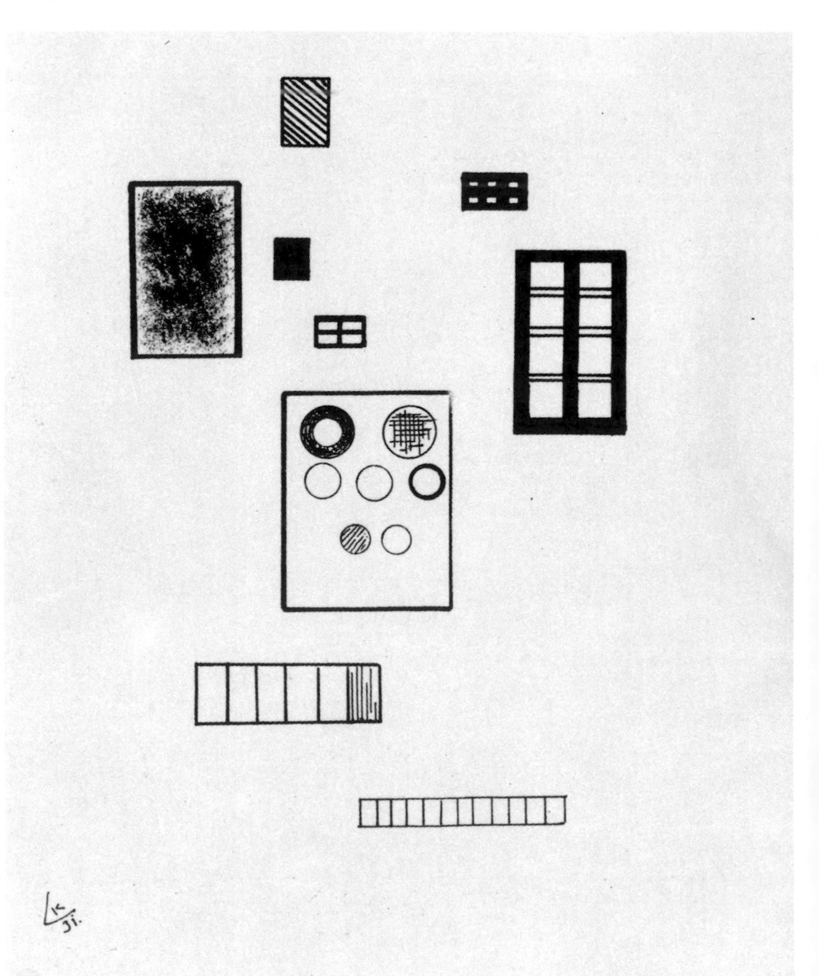

473

En juillet 1933 André de Ridder, directeur de *Sélection*, chronique de la vie artistique belge et internationale, publie un numéro spécial sur Kandinsky (n° 14), avec un article de W. Grohmann et des hommages de Ch. Zervos, M. Seuphor, Diego de Rivera et Galka Scheyer. L'ouvrage est complété — et ceci est une nouveauté — par le catalogue de l'œuvre gravé et dessiné du peintre. Ce « catalogue », établi par W. Grohmann, n'est en fait qu'un relevé numérique approximatif des œuvres dessinées par Kandinsky entre 1910 et 1932. Ces statistiques montrent clairement que le dessin à la mine de plomb ou à l'encre n'est plus considéré par l'artiste comme un genre mineur. Une première exposition à Berlin en 1932, consacrée presque exclusivement aux dessins du peintre (quelques aquarelles y figurèrent), souligne cette évolution (cf. p. 240 de ce catalogue).
Un certain nombre des dessins originaux qui furent reproduits — la plupart en pleine page — dans cet ouvrage de 1933 se trouvaient toujours en possession de l'artiste. Ils figurent dans ce catalogue sous les numéros : 84 (1910), 136 (1912), 147 (1913), 258 (1922), 313 (1923), 456 (1930), 464, 469, 470, 471 (1931), 474-478 (1932).

469
[Sans titre], 1931
encre de Chine, 30 × 40, monogrammé et daté en bas à gauche : K 3i, inscrit au verso du carton support (à la mine de plomb, de la main de Nina Kandinsky) : « Kandinsky 1931 N° 34 / 30 × 40 »
AM 1981-65-415 (Inv. 113)

470
[Sans titre], 1931
encre de Chine, 32,7 × 27,1, monogrammé et daté en bas à gauche : K 3i, inscrit au verso du carton support (à la mine de plomb) : « i93i N° 36 »; tampon : Kandinsky
AM 1981-65-416 (inv. 112)

471
[Sans titre], 1931
encre de Chine, 22,5 × 34,4, monogrammé et daté en bas à gauche : K 3i, inscrit au verso du carton support (à la mine de plomb) : « i93i N° 23 », et (de la main de Nina Kandinsky) : Kandinsky
AM 1981-65-417 (Inv. 85)

472
[Sans titre], 1931
encre de Chine, 30,3 × 37, monogrammé et daté en bas à gauche : K 3i, AM 1981-65-418 (Inv. 116)

473
[Sans titre], 1931
encre de Chine, 21,9 × 17,6, monogrammé et daté en bas à gauche : K 3i, inscrit au verso du carton support (à la mine de plomb) : « Kandinsky i93i N° 27 »
AM 1981-65-419 (Inv. 92)

474
[Sans titre], 1932
encre de Chine et lavis d'encre de Chine, 35,1 × 22,7, monogrammé et daté en bas à gauche : K 32, inscrit au verso du carton support (à la mine de plomb) : « i932 n° i2 », et (de la main de Nina Kandinsky) : Kandinsky
AM 1981-65-420 (Inv. 106)

475
[Sans titre], 1932
encre de Chine, 34,9 × 22,8, monogrammé et daté en bas à gauche : K 32, inscrit au verso du carton support (à la mine de plomb) : « Kandinsky i932/ N° 17 »
achat du Centre d'Art et de Culture Georges Pompidou, 1976
AM 1976-260

476
[Sans titre], 1932
encre de Chine, 31,2 × 29,4, monogrammé et daté en bas à gauche : K 32, inscrit au verso du carton support (à la mine de plomb, de la main de Nina Kandinsky) : « Dessin N° 21 / 1932 »
AM 1981-65-421 (Inv. 100)

477
[Sans titre], 1932
encre de Chine, 35 × 23, monogrammé et daté en bas à gauche : K 32, inscrit au verso du carton support (à la mine de plomb) : « i932/ N° 30 », et (de la main de Nina Kandinsky) : Kandinsky
AM 1981-65-422 (Inv. 99)

478
[Sans titre], 1932
encre de Chine, 36,4 × 15,6, monogrammé et daté en bas à gauche : K 32, inscrit au verso du carton support (à la mine de plomb) : « i932, n° i3 », et (de la main de Nina Kandinsky) : Kandinsky
AM 1981-65-423 (Inv. 124)

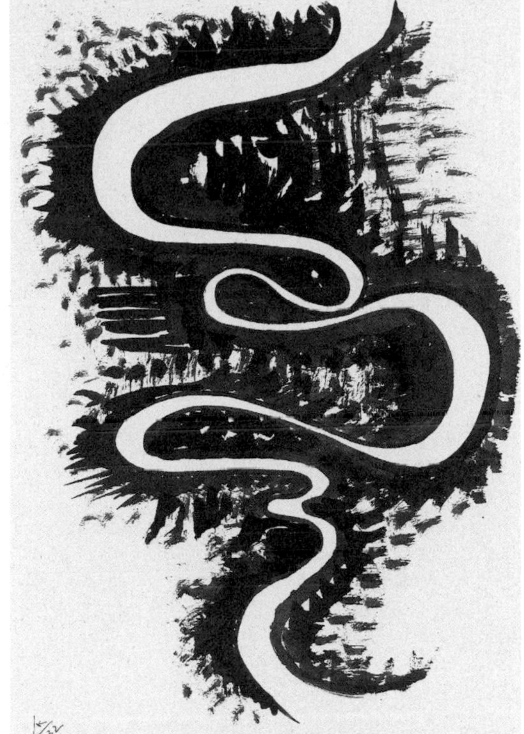

474

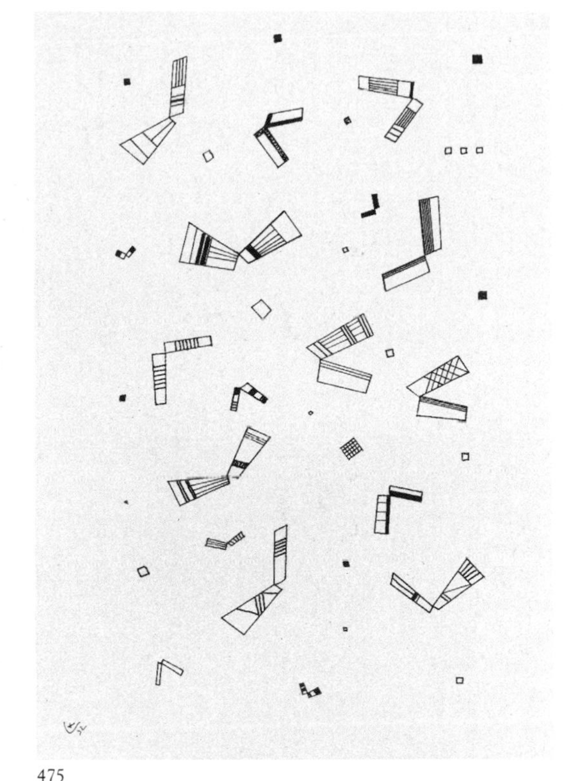
475

476

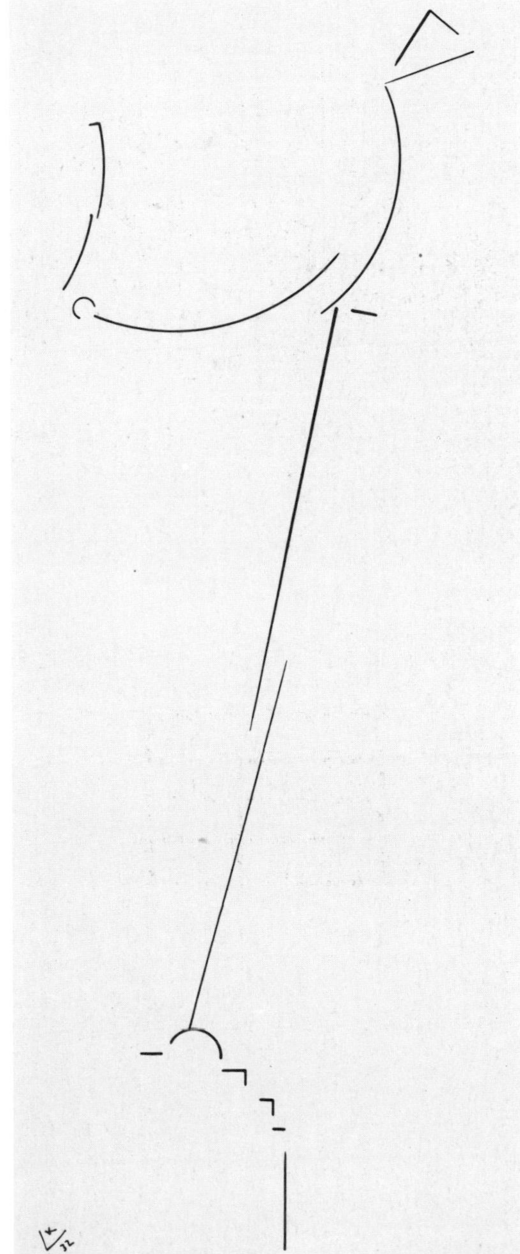

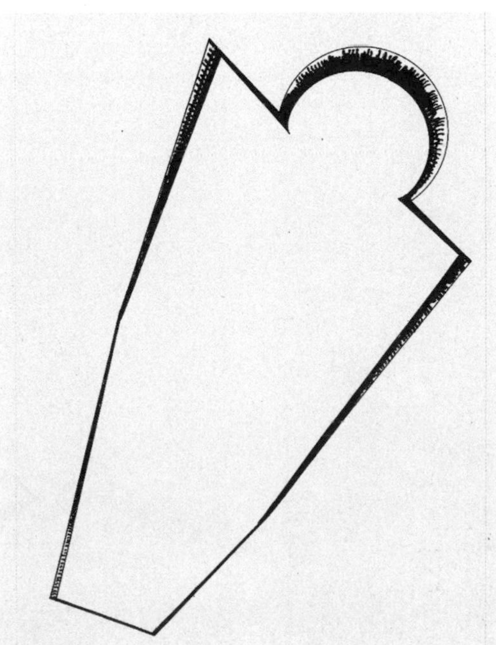
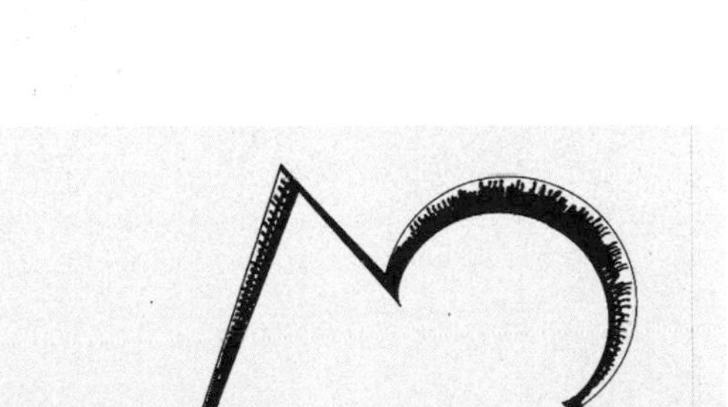
477

478

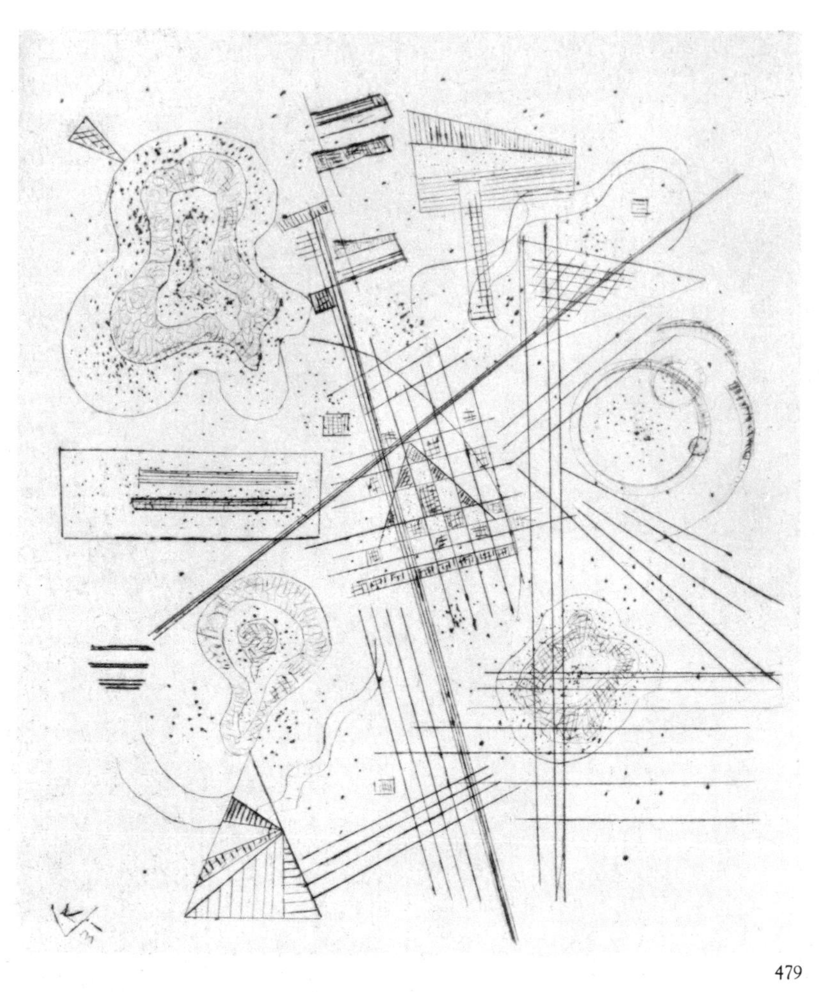

479

480

481

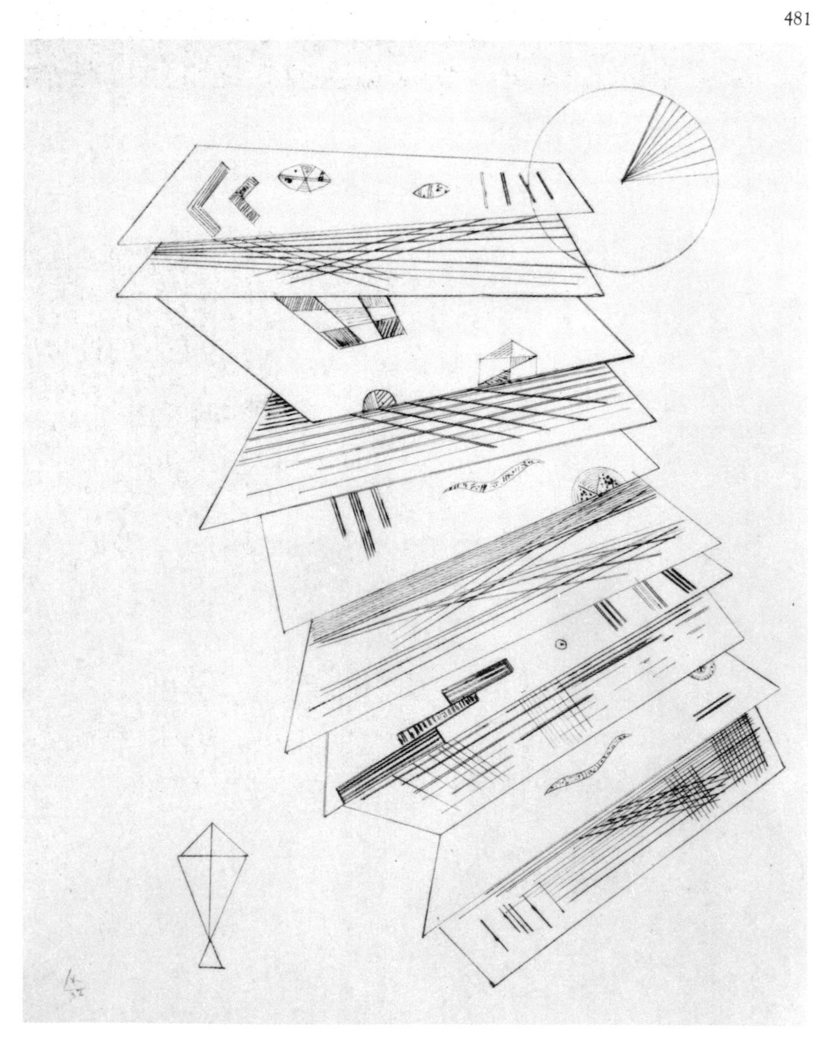

Blei Gr. W. Hotel am
Ende der [illegible], links Berge
– oben [illegible] [illegible],
im Hotel sanfte Wärme.

[illegible] Gruppe: [illegible] [illegible]
[illegible] findet mit der Stift
im [illegible] m. Bleistift,
der oft [illegible] in [illegible]
[illegible] gesucht [illegible]. Ohne
diese war diese unmöglich
[illegible] [illegible] und umge-
kehrt [illegible] – [illegible]
Bleistift → diese.

482

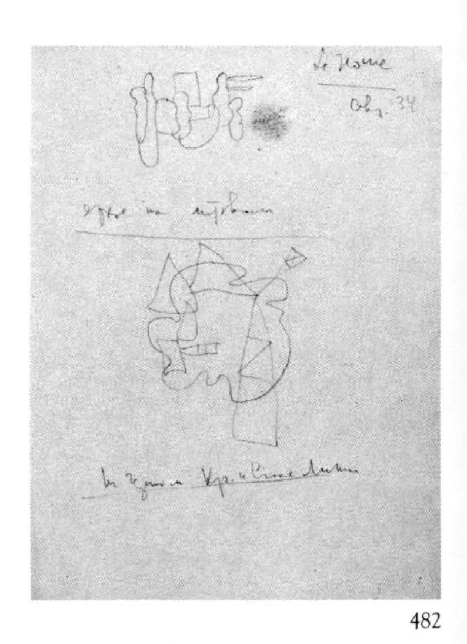

482

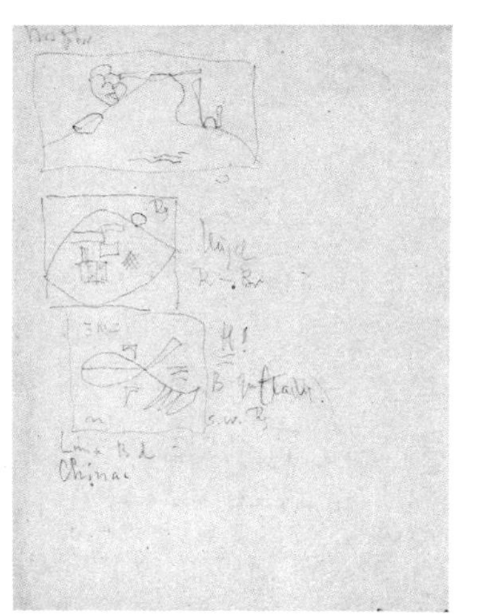

482

Dubrownik (Victoria) Abend.
L. B
L. V
S–Gr
Ps
S–V
versch.
L. B
V. u. viel Sonnenuntergang
Damit Mond – plötzl. Tiefe.

Letzte in Dubrownik

482

479
Cinquième don annuel pour la Société Kandinsky, 1931
pointe sèche, 18 × 14,8
monogrammé et daté en bas à gauche sur la plaque : K 3i
Roethel (gravures) n° 195
AM 1981-65-743 (Inv. 586-80)

480
Gravure pour le Cercle des Amis du Bauhaus, 1932
pointe sèche, 19,1 × 23,1
monogrammé et daté en bas à gauche sur la plaque : K 32
exemplaire signé en bas à droite (à la mine de plomb) : Kandinsky
Roethel (gravures) n° 197
AM 1981-65-744 (Inv. 158)

481
Deuxième gravure pour les Éditions des *Cahiers d'Art*, 1932
pointe sèche, 29,8 × 23,8
monogrammé et daté en bas à gauche sur la plaque : K 32
Roethel (gravures) n° 196
AM 1981-65-745 (Inv. 586-94)

482
[Sans titre, quatre feuillets détachés d'un journal de voyage à Dubrovnik, 1932]
mine de plomb, (feuillet) 14,35 × 10,2
trois feuillets utilisés recto-verso : divers croquis et fragments d'un récit de voyage en allemand; indications en russe concernant les couleurs
AM 1981-65-424 (Inv. 207-k, l, m, n)

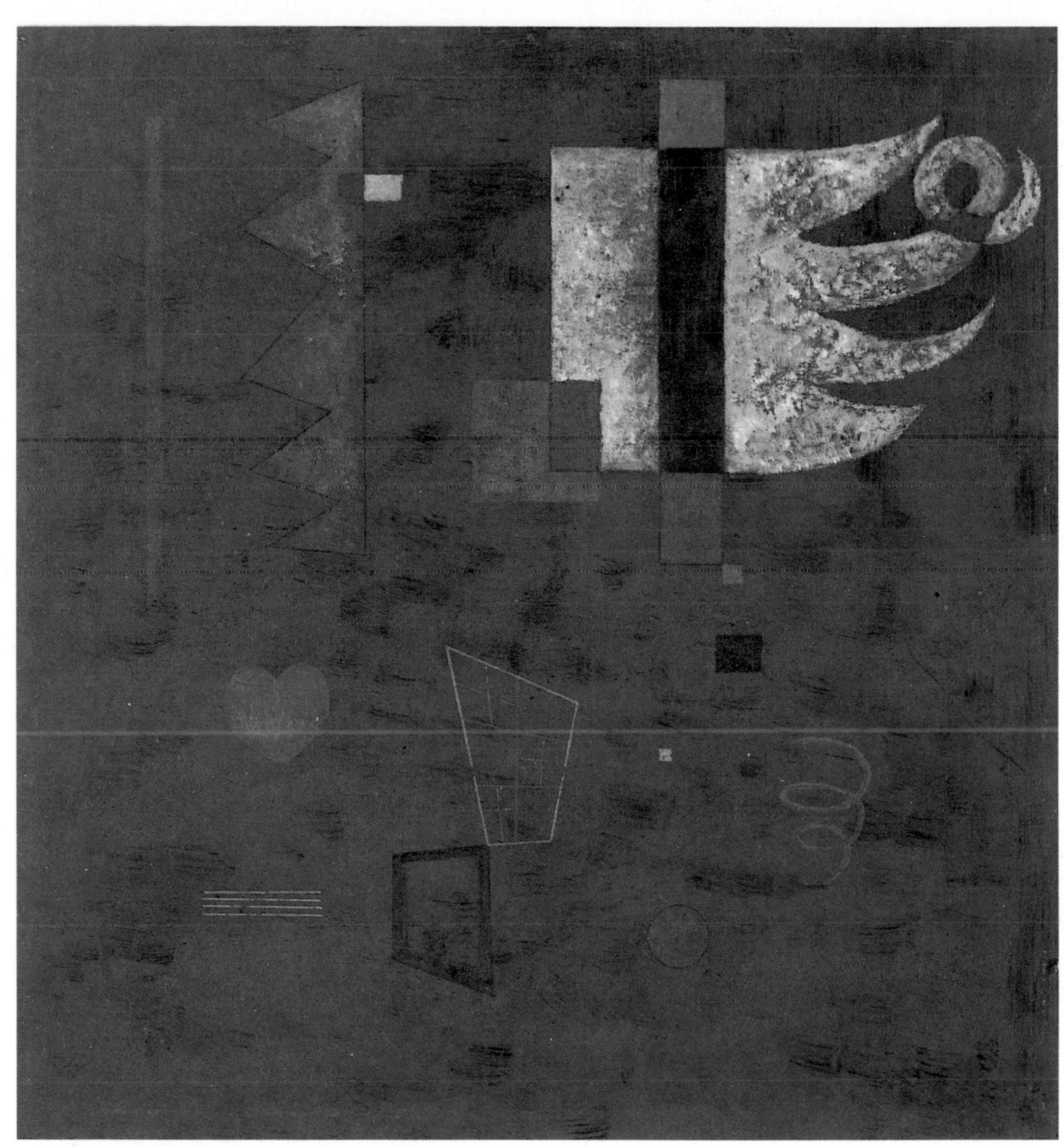

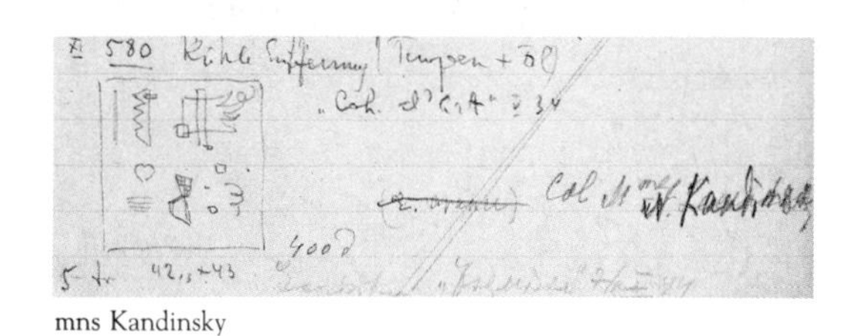

mns Kandinsky

483
Éloignement froid, 1932
huile, tempera et encre sur carton, 42,5 × 41,5
cadre peint
monogrammé et daté en bas à gauche : K 32
inscrit au revers du carton (à l'encre blanche) :
« (monogramme) N° 580/i932/ Kühle Entfernung »
manuscrit Kandinsky IV : N° 580, novembre 1932, 'Kühle Entfernung' / (Tempera + Oel)/ Cah(iers) d'Art V 34
Grohmann n° 419, p. 384
Roethel n° 1025
AM 1981-65-64 (Inv. 33)

484
[Sans titre, dessin pour la peinture *Entscheidendes Rosa*, 1932, Roethel nº 1018]
mine de plomb (mise au carreau), 23,15 × 34,9
AM 1981-65-425 (Inv. 626-62)

485
[Sans titre, vers 1932]
mine de plomb et encre de Chine, 21 × 21
indications concernant les mesures
AM 1981-65-426 (Inv. 626-64)

486
[Sans titre, vers 1932]
mine de plomb, 13,6 × 21 (croquis 7,7 × 11)
indications en russe concernant les couleurs
AM 1981-65-427 (Inv. 626-46)

487
recto : Page de croquis, [vers 1932]
mine de plomb, 9,2 × 21,1
indications en allemand concernant les couleurs et l'exécution
croquis de droite : à rapprocher de *Arcs vers le haut*, K 489, 1932
verso : repr. p. 352
AM 1981-65-428 recto-verso (Inv. 408-67)

488
verso : Croquis, [vers 1932]
mine de plomb, 22 × 5,4 (croquis 7,1 × 3,7)
indication de mesures
à rapprocher de *Arcs vers le haut*, K 489, 1932
recto : repr. p. 352
AM 1981-65-429 recto-verso (Inv. 408-5 a)

489
Page de croquis, [1929-32]
mine de plomb, 20,95 × 27,1
les deux croquis en haut à gauche : à rapprocher de *Arcs vers le haut*, K 489, 1932; les trois croquis à droite : à rapprocher de *Scharf im dumpf*, 1929, Roethel nº 926
AM 1981-65-430 (Inv. 408-27)

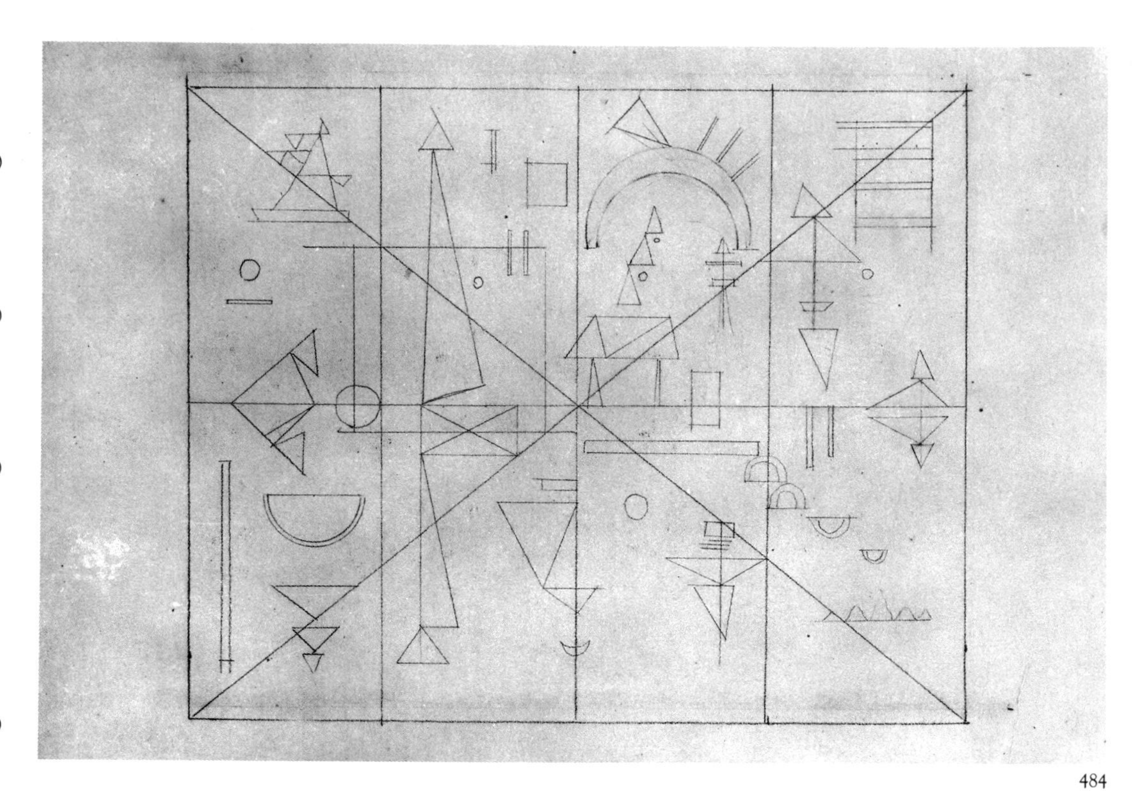
484

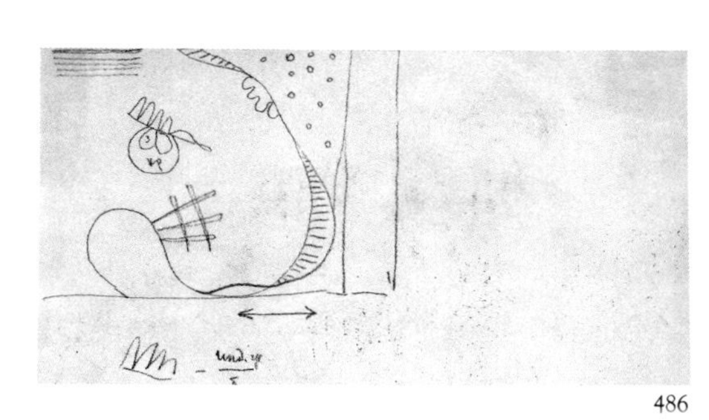
486

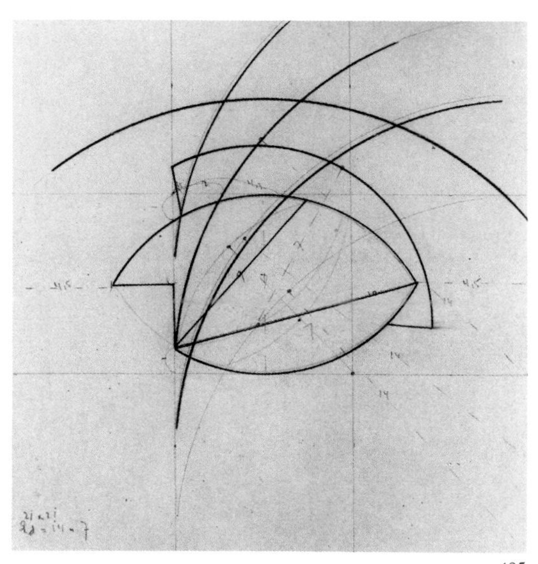
485

487

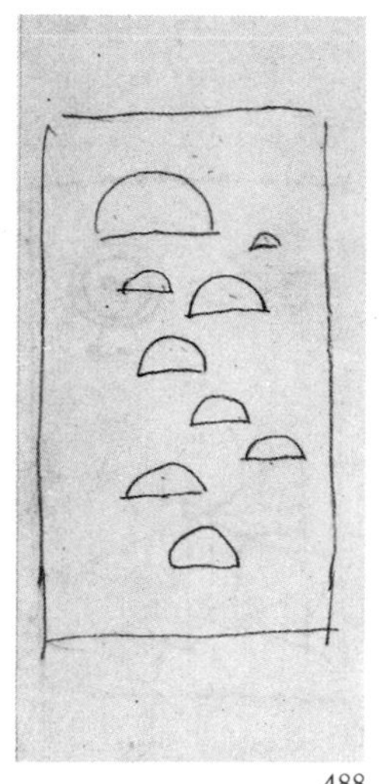
488

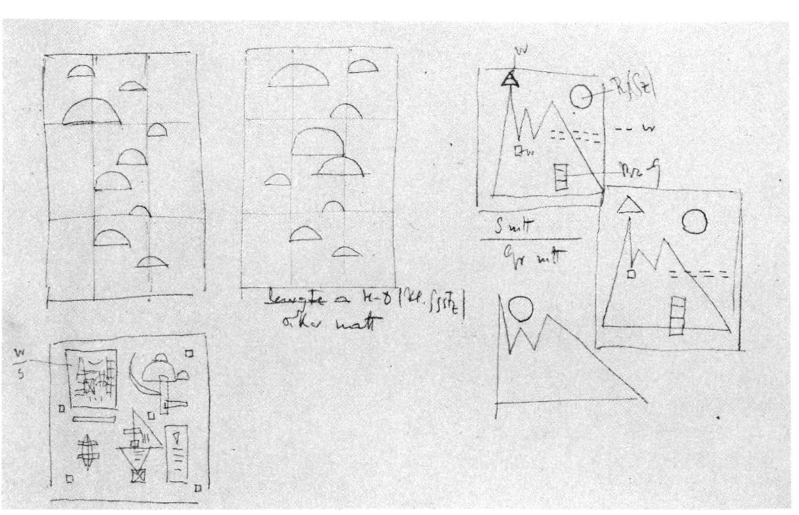
489

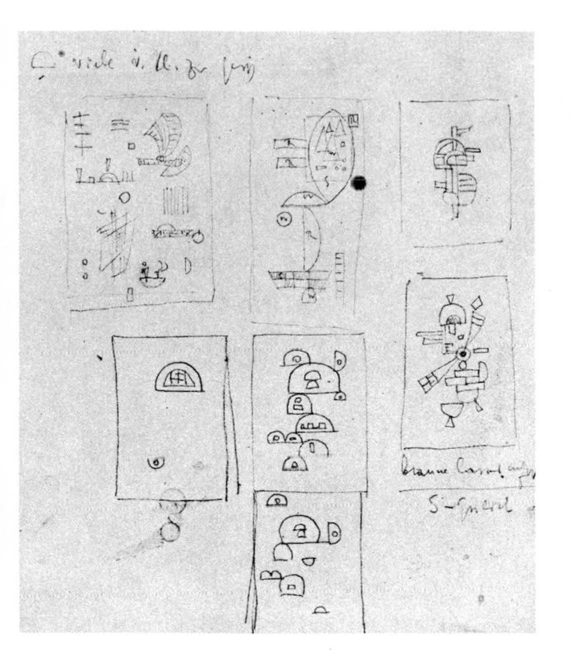

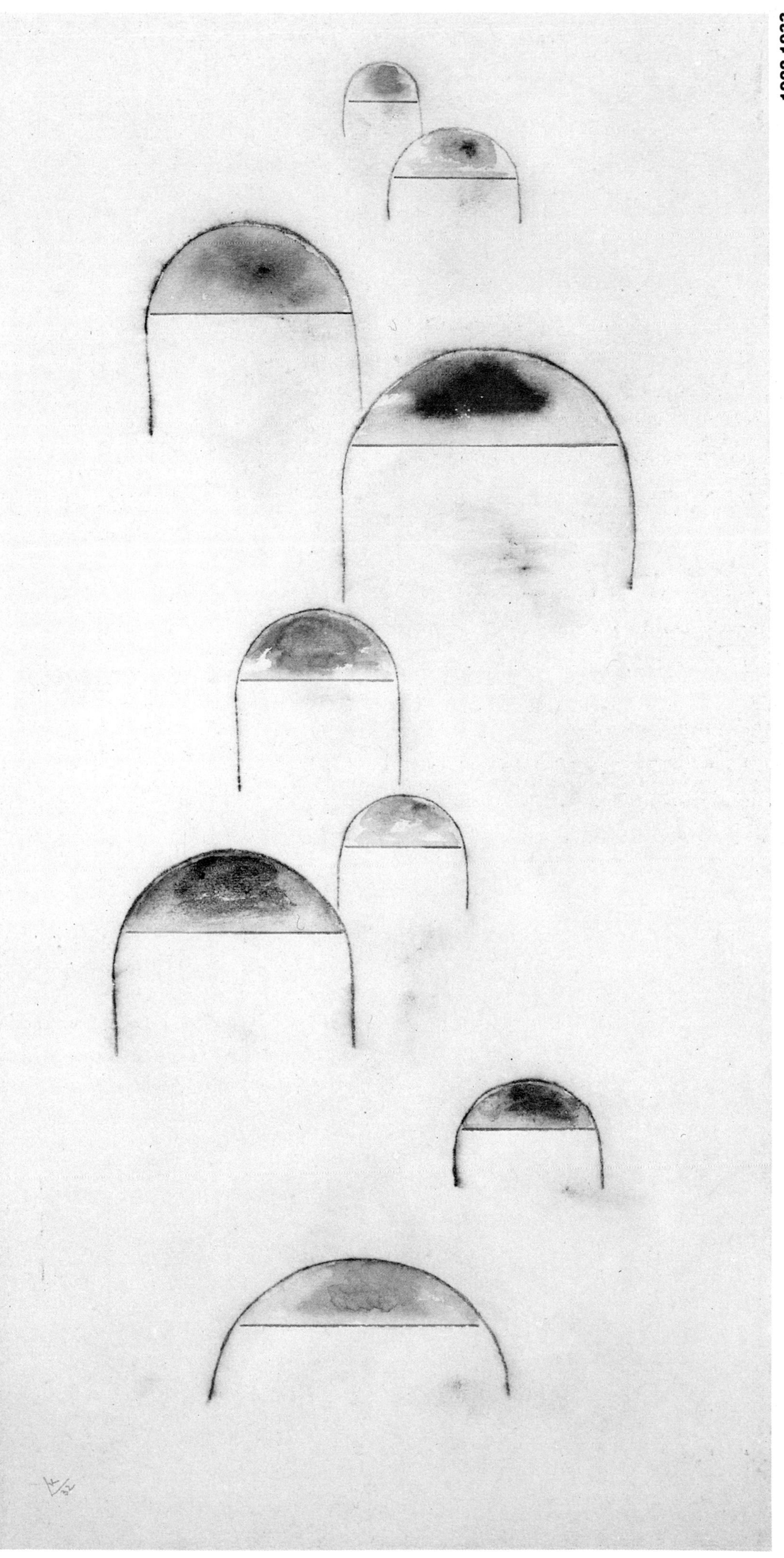

490
recto : Page de croquis, [vers 1932]
mine de plomb, 20,4 × 17,8
deux croquis en bas au milieu : à rapprocher de *Arcs vers le haut*, K 489, 1932
verso : repr. p. 352
AM 1981-65-431 recto-verso (Inv. 408-56)

491
Arcs vers le haut, 1932
aquarelle sur papier préparé à l'aquarelle, 46,4 × 22,6
monogrammé et daté en bas à gauche : K 32
inscrit au verso du carton support (à la mine de plomb) : « N° 489/ i932- 'Bogen zu oben' »
manuscrit Kandinsky V (aquarelles) : n° 489, août 1932, 'Bogen zu oben'
AM 1981-65-143 (Inv. 57)

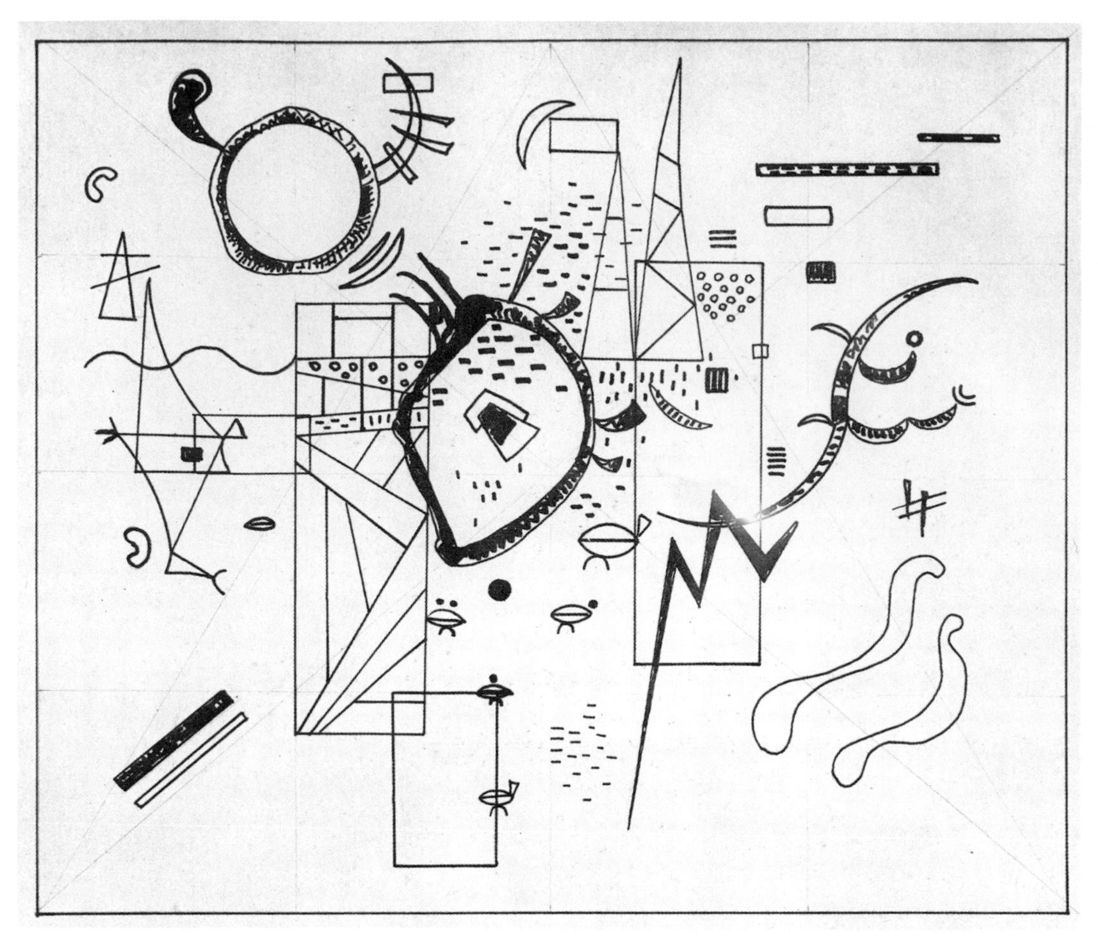

492
[Sans titre, dessin pour *Lichte Bildung*, 1933, Roethel nº 1028]
mine de plomb et encre de Chine, mise au carreau, 23,2 × 29
AM 1981-65-432 (Inv. 626-68)

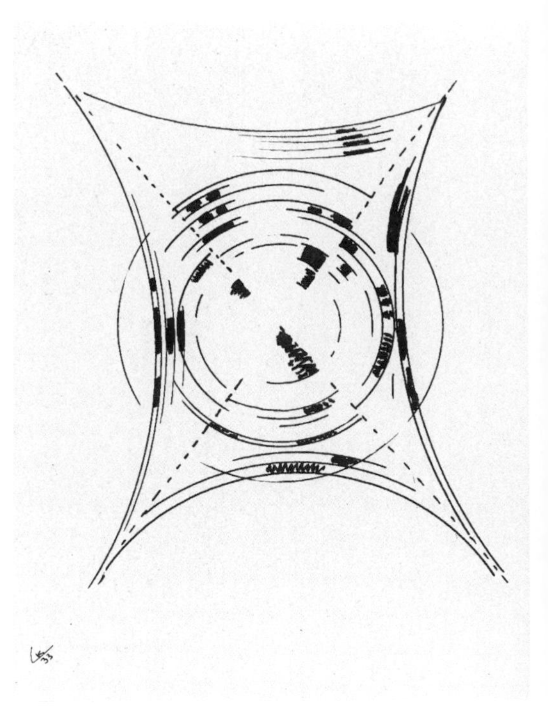

493
[Sans titre], 1933
mine de plomb et encre de Chine, 18,5 × 15
monogrammé et daté en bas à gauche : K 33
inscrit au verso du carton support (à la mine de plomb) : « i933/ Nº i6 », et (de la main de Nina Kandinsky) : Kandinsky
AM 1981-65-433 (Inv. 82)

494
[Sans titre], 1933
encre de Chine, 30,9 × 39
monogrammé et daté en bas à gauche : K 33
inscrit au verso du carton support (à la mine de plomb) : « i933/Nº 25 / 39 × 31 »
AM 1981-65-434 (Inv. 110)

mns Kandinsky

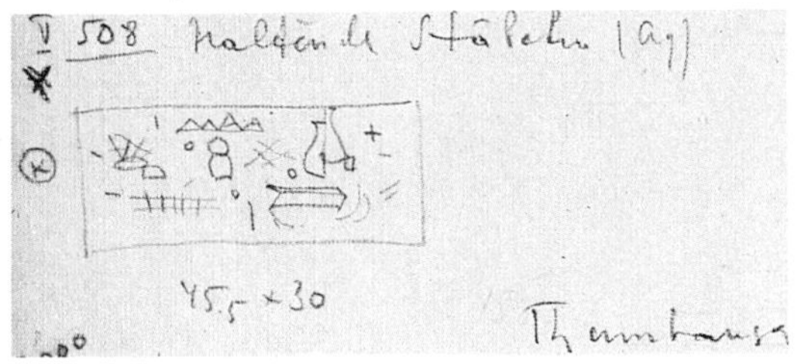

495
Bâtonnets d'appui ou La Rose, 1933
aquarelle et encre de couleur, rehauts de gouache, 30,7 × 45,9
monogrammé et daté en bas à gauche : K 33
inscrit au verso du carton support (à la mine de plomb) : « N° 508/i933/ Haltende Stäbchen / Rose »
manuscrit Kandinsky V (aquarelles) : n° 508, mai 1933, 'Haltende Stäbchen'/ (aqu(arelle)) / Thannhauser ii. 38
donation de Mme Nina Kandinsky, 1976
AM 1976-1329

496
[Sans titre, vers 1933]
mine de plomb, 10,1 × 13,4
à rapprocher de la tempera *Zweiseitig gespannt*, K. 591, 1933, Grohmann n° 430
AM 1981-65-435 (Inv. 626-74)

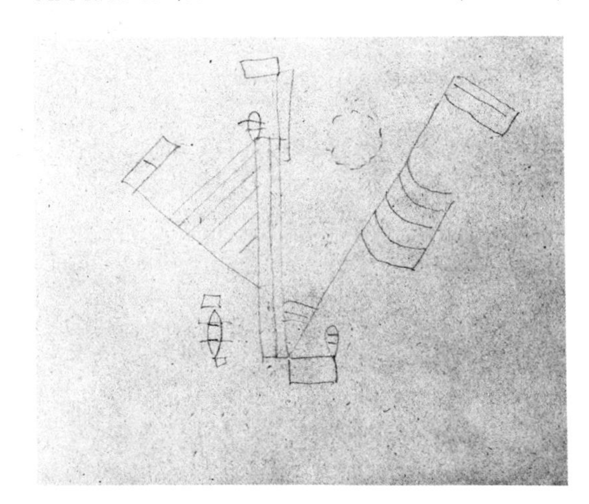

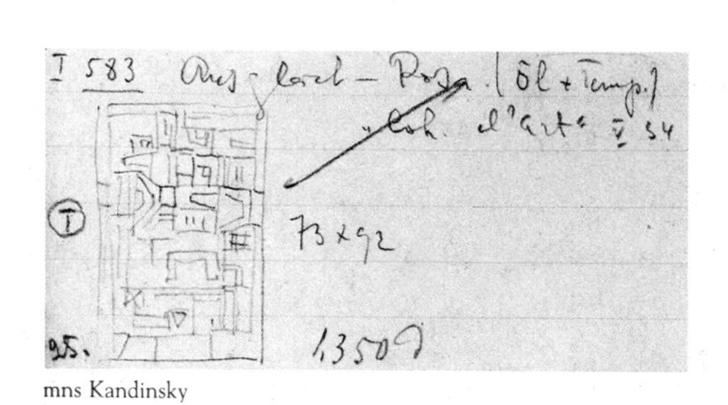
mns Kandinsky

497
Compensation rose, 1933
huile et tempera sur toile, 92 × 73
monogrammé et daté en bas à gauche : K 33
cadre peint
manuscrit Kandinksy IV : n° 583, janvier 1933,
'Ausgleichrosa' (Oel + Tempera) / Cah(iers) d'Art
V 34
Grohmann n° 422, p. 384
Roethel n° 1027
AM 1981-65-65 (Inv. 5)

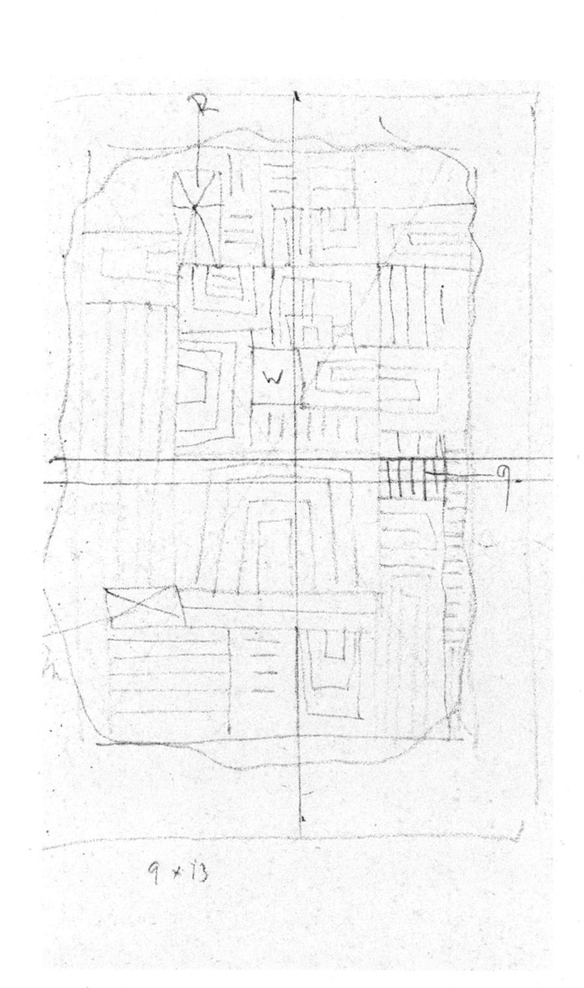

433 (feuillet 9)
[Sans titre, 1929]
mine de plomb
à rapprocher de la peinture *Compensation rose*, 1933,
Roethel n° 1027
AM 1981-65-675

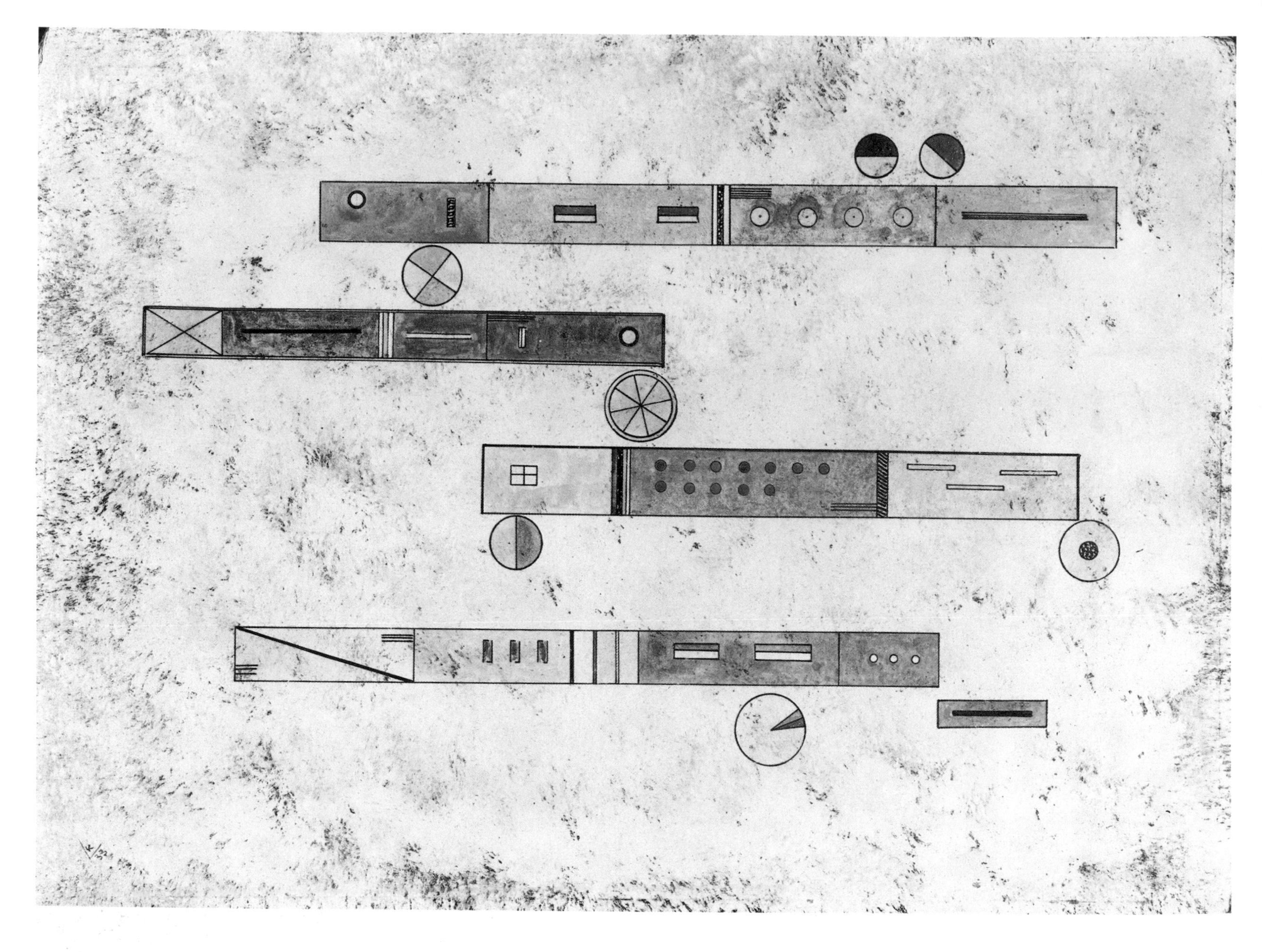

498
L'un après l'autre, 1933
aquarelle, tempera et encre de Chine sur carton préparé à la gouache, 41,8 × 57,7
monogrammé et daté en bas à gauche : K 33
manuscrit Kandinsky V (aquarelles) : n° 585, février 1933, 'Nacheinander' (Tempera + Aquarell), et (de la main de Nina Kandinsky) : b(ei) Emmy (Scheyer)
AM 1981-65-144 (Inv. 293)

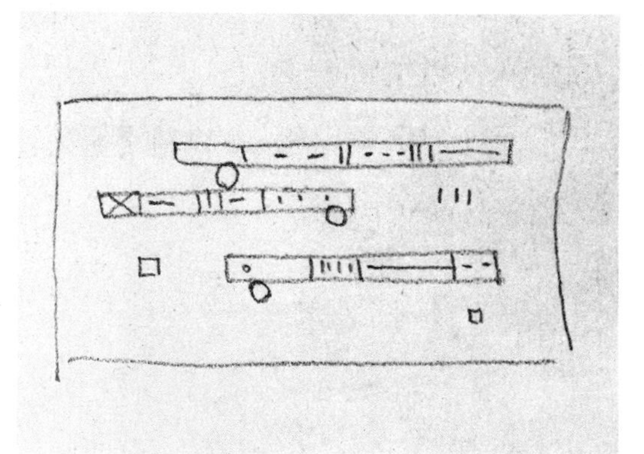

499 recto

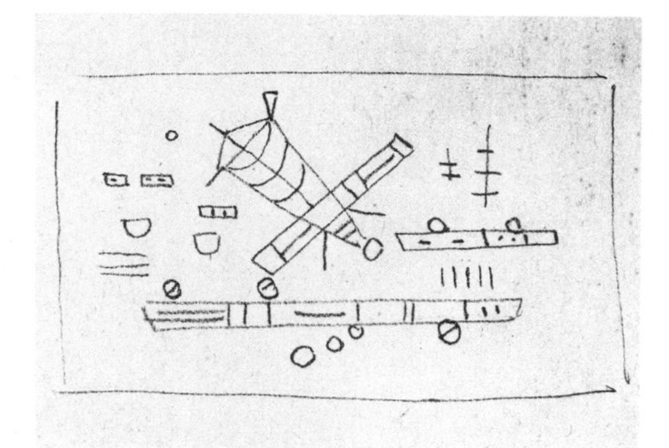

499 verso

499
Page de croquis, [vers 1933]
mine de plomb, 10,4 × 9,3
recto et verso : à rapprocher de la tempera *L'un après l'autre*, 1933, n° 498
AM 1981-65-436 recto-verso (Inv. 626-73)

500
Molle rudesse, 1933
tempera sur carton, 57,5 × 41,8
monogrammé et daté en bas à gauche : K 33
manuscrit Kandinsky IV : n° 588, mars 1933,
'Weiche Härte', (Tempera) / « Cah(iers) d'Art »
V 34
Grohmann n° 427, p. 385
AM 1981-65-145 (Inv. 43)

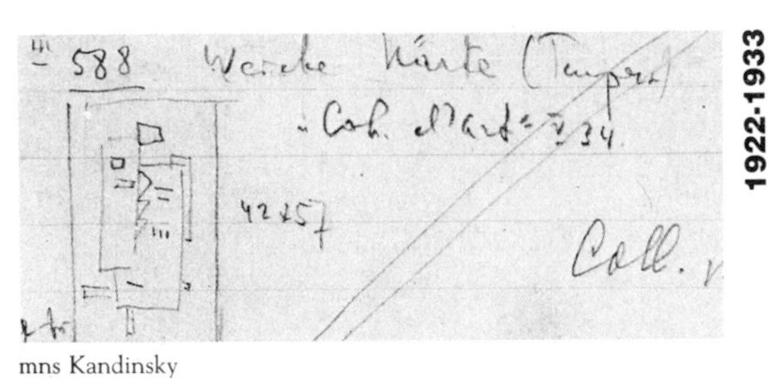
mns Kandinsky

501

Développement en brun, 1933

huile sur toile, 105 × 120
monogrammé et daté en bas à gauche : K 33
inscrit au revers sur la toile en haut à gauche :
« (monogramme) N° 594/i933 Développement en brun ».
Achat des Musées Nationaux, 1959
AM 3666

peint en août 1933

Références :
Grohmann repr. p. 301
Roethel n° 1031

Développement en brun, comparé par W. Grohmann à une marche funèbre, et d'« une gravité prémonitoire » selon M. Conil Lacoste[1], relève « d'un art volontaire, discipliné, austère, économe de couleurs et de matière, réfléchi de touche, rigoureux de forme et de composition, géométrique de dessin, un peu sec, presque maigre, assez doctrinaire et professoral, noble, majestueux, magnifique d'ampleur, de certitude, d'autorité ». C'est par cette irruption réfléchie que B. Dorival, alors directeur du Musée national d'art moderne, salue la venue de ce tableau, enrichissement considérable des collections nationales[2].
Cette toile d'assez grandes dimensions (105 × 120 cm), pour laquelle existe une aquarelle préparatoire presque analogue, avait été exposée à Paris en 1934 aux « Cahiers d'Art » et en 1937 à l'importante exposition organisée au Musée du Jeu de Paume sous le titre : « Origines et développement de l'art international indépendant ». Elle fut peinte à Berlin après le 20 juillet 1933, date de la fermeture définitive du Bauhaus et du voyage de vacances que Kandinsky entreprit en France probablement à la fin du mois d'août de cette même année, voyage qui précéda immédiatement l'installation définitive du peintre dans ce pays.
Dans un espace brun camaïeu, ponctué par deux cercles, se superposent des plans rectangulaires allongés et inclinés, entretenant des rapports vibrants dans des nuances de brun sombre[3], vert et mauve, et laissant apparaître au centre une ouverture vers un monde autre, signifié par le précaire équilibre d'une superposition de triangles multicolores, stabilisée par des agrafes en forme d'arcs de cercle. Ouverture éveillant l'espoir, ou au contraire, rétrécissement inéluctable de cette meurtrière qui permettait encore la croyance en un monde autre ?
Construite en éléments formels très simples : rectangle, cercle, arc de cercle et triangle, inscrits avec légèreté sur une surface plane, l'effet produit par cette toile est à nouveau celui d'un espace vaste mais fini. Cette impression est confirmée par l'artiste dans une lettre adressée à M. A. Dezarrois le 15 juillet 1937[4], alors directeur du Musée des Écoles Étrangères, Jeu de Paume. Le présent tableau y est désigné comme un des meilleurs exemples de la période dite « surfaces approfondies ».
Ce tableau, souvent reproduit — il figure, par exemple, en 1935, dans *abstraction-création-art non figuratif*, n° 4, p. 12 — sert d'illustration à l'ouvrage *Circle-International Survey of Constructive Art*, fig. 37, édité par J. Martin, Ben Nicholson et N. Gabo. Kandinsky répugnait à toute tentative de classement de son art. Dans la préface au catalogue de son exposition de la galerie Möller à Berlin en 1928 il s'exprime de la sorte : « Je ne voudrais être considéré ni comme "symboliste", "romantique" ou "constructiviste". Je serais satisfait si le spectateur parvenait à faire l'expérience de la vie intérieure des formes vives que j'ai utilisées dans leurs réactions et si, en passant d'un tableau à l'autre, il était capable de découvrir chaque fois un autre contenu pictural ».

1. M. Conil Lacoste, *op. cit.*, p. 80.
2. B. Dorival, « Nouvelles acquisitions - Musée national d'art moderne », *La Revue des Arts*, 1959, n° 4-5, p. 219.
3. Le brun, selon Kandinsky, est une couleur loin de toute émotion, de tout mouvement. Cependant, un mélange savant peut produire des tons d'une beauté extraordinaire, indescriptible. Des bruns de cette qualité mystérieuse sont utilisés par le peintre dans les tableaux de la période du Bauhaus.
4. Lettre conservée aux Archives du Musée du Louvre.

Manuscrit Kandinsky IV : n° 594

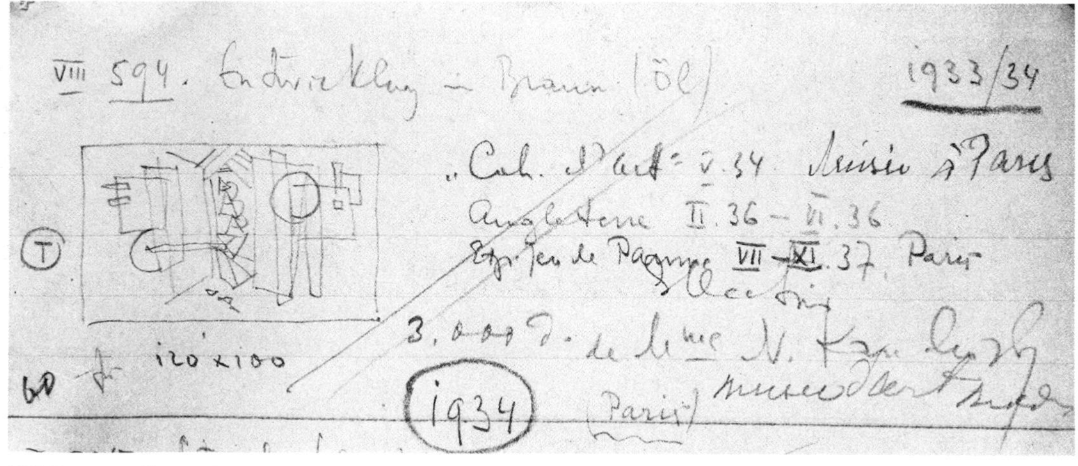

VIII 594. Entwicklung in Braun (Oel)
120 × 100

1933/34
« Cah(iers) d'Art » V 34
Angleterre II 36 - VI 36
Exp(osition) Jeu de Paume VII - XI 37, Paris
Collection de Mme N. Kandinsky

502
Bloc-note, [1933-34]
Bloc-note de 22 feuillets de papier quadrillé, dont 8 feuillets avec croquis (recto seulement) à la mine de plomb, 9,1 × 13,6

f 1 croquis non identifié
f 2 croquis à rapprocher de celui du feuillet 5 (*non reproduit*)
f 3 croquis à rapprocher de *Kreis complet*, K 519, juillet 1933
f 4 croquis non identifié
f 5 croquis à rapprocher de *Zickzack in Weich*, K 518, juillet 1933 (*non reproduit*)
f 6 croquis à rapprocher de *Zunehmen*, K 520, août 1933
f 7 croquis à rapprocher de *Transmission*, K 554, mai 1934
f 8 croquis à rapprocher de *Bleu plongé* (?), K 546, 1934

AM 1981-65-676 (Inv. 188 f)

POUR MÉMOIRE

« Pour mémoire » se dit, en comptabilité, de ce qui n'est pas porté en compte et n'est mentionné qu'à titre de renseignement. Cette définition semble de prime abord applicable au traitement que subit l'information communiquée sur les pages suivantes : d'innombrables croquis, plus ou moins élaborés, d'infinies variantes de tel ou tel motif, tracés souvent sur un support de fortune, sont reproduits ici aux dimensions très réduites. Cependant, une analyse de cette liste pourrait servir à l'élaboration d'une théorie des méthodes de travail de Kandinsky à la fin des années 20, période où ces croquis se multiplient, de son dialogue incessant avec certaines formes privilégiées et de son analyse combinatoire illimitée.
Étant donné la difficulté de préciser avec exactitude la date de ces croquis par rapport aux aquarelles, gouaches ou peintures auxquelles ils sont liés (précèdent-ils, succèdent-ils à l'œuvre même ?), ils furent classés dans un ordre chronologique selon la date des œuvres finales correspondantes. D'autres, sans liens apparents, furent incorporés par affinités dans cet ensemble.

503
Bloc-note de 12 feuillets de papier quadrillé, un feuillet portant un dessin
mine de plomb, 7,2 × 10,5, daté en haut à droite : 26 V 25
AM 1981-65-677 (Inv. 708)

504
Croquis
mine de plomb, (feuille irrégulière) 10 × 13,5, annotations à la mine de plomb
AM 1981-65-437 (Inv. 408-43)

505
Croquis
mine de plomb au verso d'un emballage d'ampoule Osram, 17,2 × 6,7, notes explicatives en allemand concernant les diagonales
AM 1981-65-438 (Inv. 408-66 a)

396
verso (non reproduit) : Page de croquis
mine de plomb, 19,4 × 14,8, annotations, croquis en haut à gauche : à rapprocher de *Schweben*, 1927, Roethel n° 838; en bas à gauche : à rapprocher de *Bunte Figur*, 1927, R 822
AM 1981-65-380 verso (Inv. 357)

506
Croquis
mine de plomb et aquarelle sur carton, 28,4 × 11,6
recto : croquis du milieu à rapprocher de *Winkelig*, 1927, Roethel n° 829
verso : annotations concernant l'envoi de quelques tableaux (1925-28) à une exposition à Hambourg
AM 1981-65-439 (Inv. 408-52)

451
verso : Page de croquis
mine de plomb sur carton, 32,55 × 15,1, annotations, croquis en haut à gauche : à rapprocher de *Bunte Figur*, 1927, Roethel n° 822; au milieu à droite : à rapprocher de *Thema spitz*, 1927, Roethel n° 824
AM 1981-65-402 verso (Inv. 408-53)

507
Page de croquis
mine de plomb sur un carton d'invitation à l'exposition Röseler-Lux Feininger au Bauhaus de Dessau en mai (sans année)
recto : les deux croquis en bas à rapprocher de *Stilles Rosa*, K 216, 1927 et *Rote Segmente*, K 224, 1927
verso (non reproduit) : croquis à rapprocher de *Streng süss*, K 318, 1928
AM 1981-65-440 recto-verso (Inv. 408-14)

508
Page de croquis
mine de plomb, 28,2 × 13,3, indications en allemand concernant les couleurs, croquis en bas : à rapprocher de *Launelinie*, K 242, 1928
AM 1981-65-441 (Inv. 186-2)

502 f 1

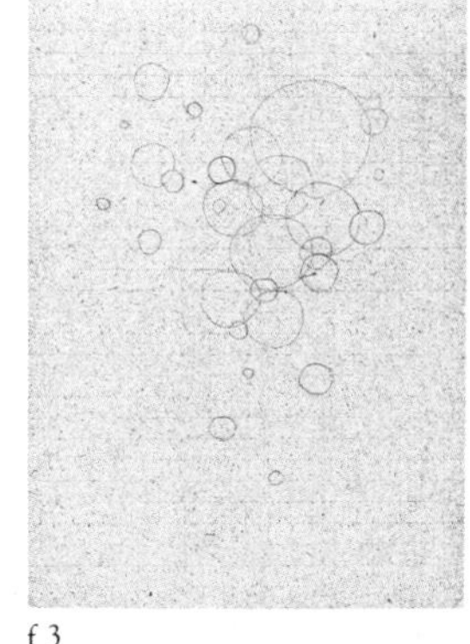
f 3

f 4

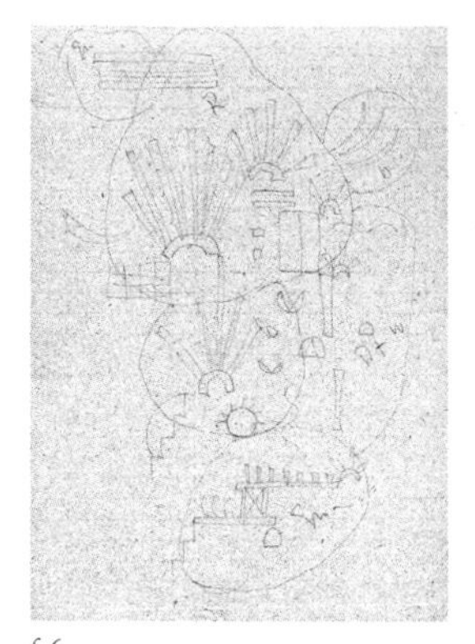
f 6

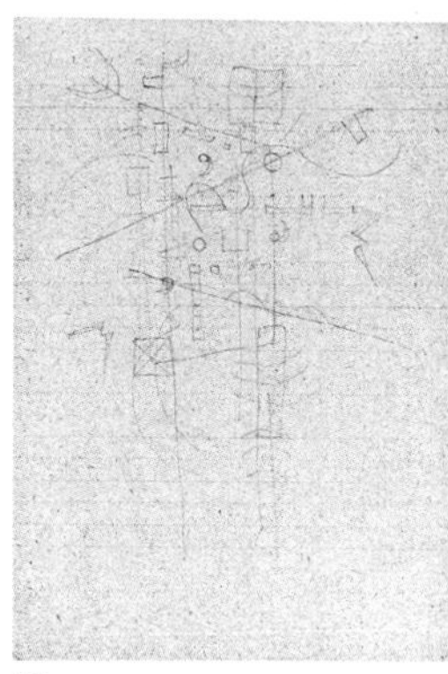
f 7

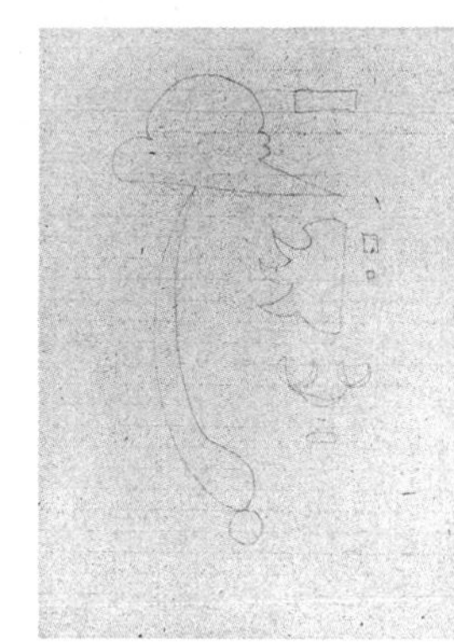
f 8

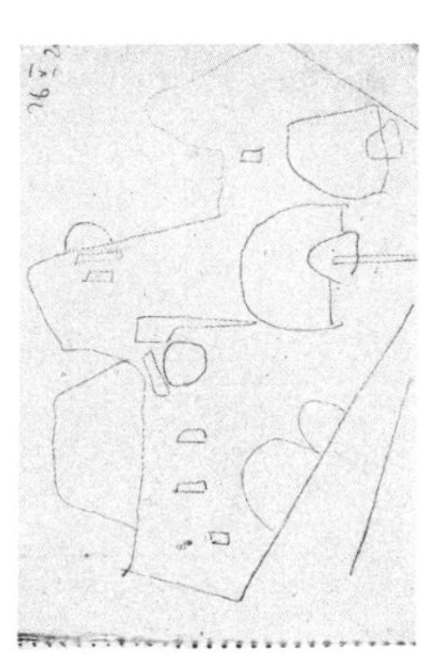
503

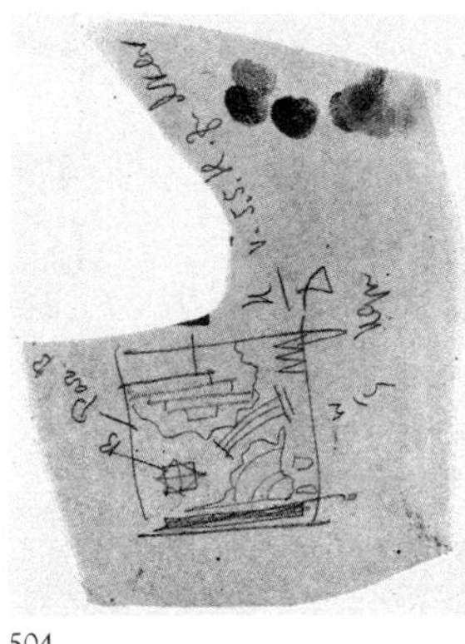
504

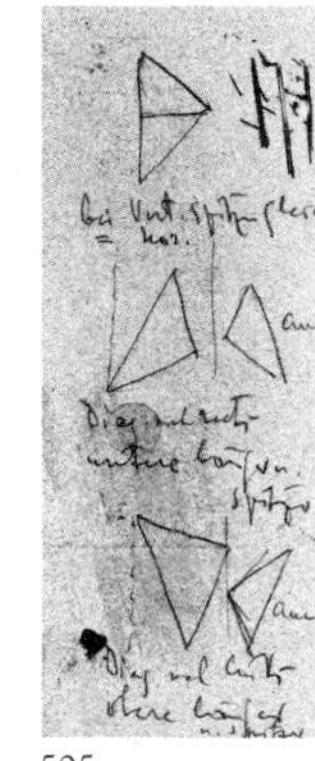
505

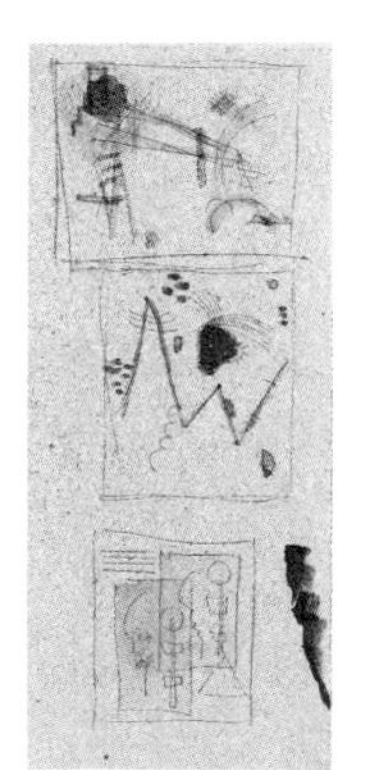
506 recto

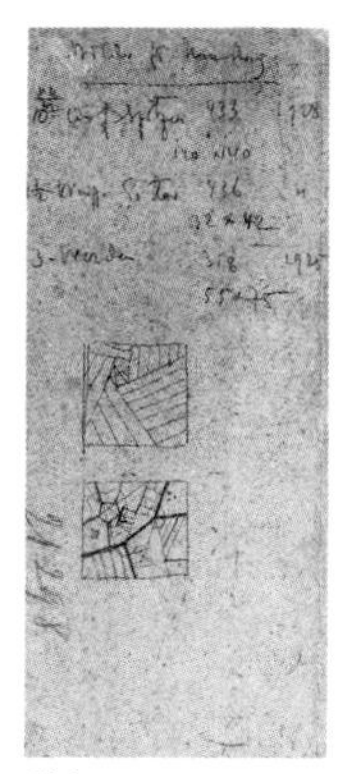
506 verso

451 verso

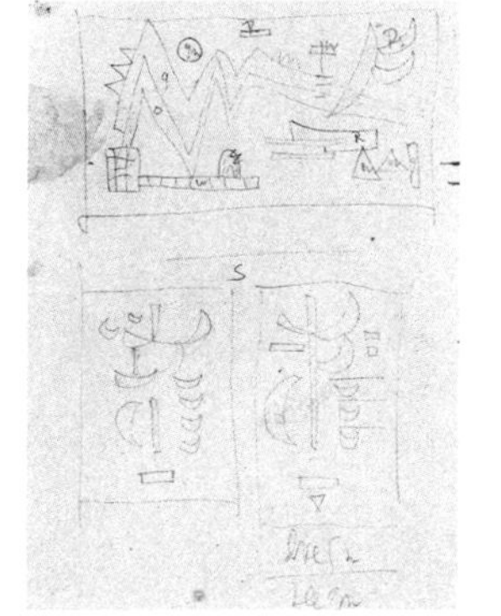
507 recto

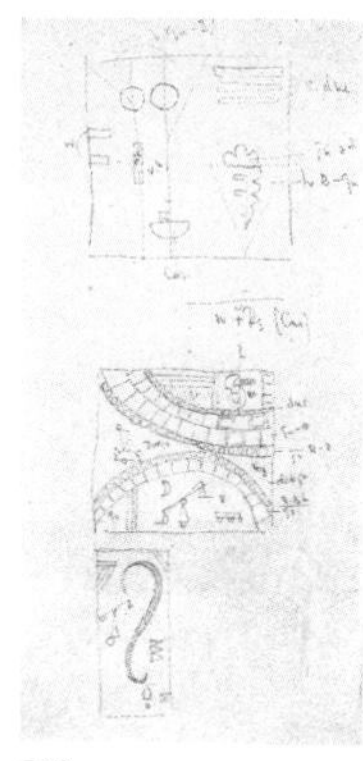
508

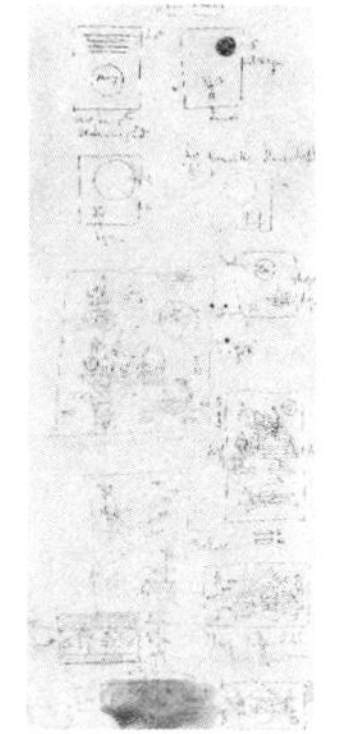
509 recto

509
Page de croquis
mine de plomb, 40,5 × 15, annotations
recto : croquis au milieu à gauche à rapprocher d'une aquarelle *Sans titre*, 1927 (S.R. Guggenheim Museum, New York), puis : *Spitzen im Bogen*, 1927, *Hin und her*, 1928
verso (non reproduit) : croquis à rapprocher de *Roter Stab*, 1927, Roethel n° 845
AM 1981-65-442 recto-verso (Inv. 593-23)

510
Page de croquis
mine de plomb, 21,1 × 28,2, annotations
recto : croquis non identifiés
verso : croquis principal à rapprocher de *Braune Spannung*, K 324, 1928
AM 1981-65-443 recto-verso (Inv. 408-38)

511
Page de croquis
mine de plomb, 19,65 × 11,8
recto : à rapprocher de *Gedämpfte Zeichnung*, K 302, 1928
verso : reprise d'un détail de *Braune Spannung*, K 324, 1928
AM 1981-65-444 recto-verso (Inv. 408-48)

512
Page de croquis
mine de plomb, 11,25 × 6,85
recto : à rapprocher de *Belastung*, K 305, 1928
verso : non reproduit
AM 1981-65-445 recto-verso (Inv. 408-49)

513
Page de croquis
mine de plomb, 13,3 × 10,9
recto : non identifié
verso (non reproduit) : à rapprocher de *Versinken*, K 249, 1928
AM 1981-65-446 recto-verso (Inv. 626-72)

514
Page de croquis
mine de plomb, 34,8 × 7,55, croquis supérieur : à rapprocher de *Kühl im warm*, K 298, 1928; croquis suivant : à rapprocher de *Bunte Reihe*, K 300, 1928
AM 1981-65-447 (Inv. 594-4)

515
Page de croquis
mine de plomb au revers d'une enveloppe portant la date du 9 novembre 1929, 11,6 × 22, croquis à gauche : à rapprocher de *Dumpf-klar*, 1928, Roethel n° 868
AM 1981-65-448 (Inv. 408-4)

516
Page de croquis
mine de plomb, 35 × 11,5, annotations
recto : avant-dernier croquis à rapprocher de *Grün uber rosa*, K 321, 1928
verso : en haut, *Zwei Seiten rot*, 1928, Roethel n° 880; en bas, *Im schweren Rot*, K 333, 1928
AM 1981-65-449 recto-verso (Inv. 408-66 b)

517
Croquis (*non reproduit*)
mine de plomb, 6 × 6, sur la dernière page d'un livre de Tourgueniev (1884), croquis à rapprocher du dernier croquis au recto du n° 516
AM 1981-65-450 (Inv. suppl.)

406
recto : Page de croquis
mine de plomb, 26,7 × 22,9, annotations, croquis inférieur à rapprocher de *Lila*, K 286, 1928
AM 1981-65-383 recto (Inv. 594-6)

405
verso : Page de croquis
mine de plomb, 23,9 × 21,1, annotations
AM 1981-65-382 verso (Inv. 408-50)

397
Page de croquis et de notes
pour une conférence concernant la forme (?) *(non reproduit)*
mine de plomb, 28,55 × 22,5, croquis en haut à gauche : *Rote Segmente*, K 224, 1928; en-dessous : *Halbkreis*, K 228, 1928
AM 1981-65-381 verso (Inv. 594-33)

518
Page de croquis (*non reproduit*)
mine de plomb, 18,1 × 11,3, annotations
recto : croquis de droite à rapprocher de *Mildes Rosa*, K 294, 1928
verso : non identifié
AM 1981-65-451 recto-verso (Inv. 408-58 b)

519
Page de croquis
mine de plomb et encre de Chine, 11,6 × 9,8, annotations au verso concernant le retour d'exposition de quelques tableaux, tous de 1926-27
recto, à gauche : *Stramm*, 1929, Roethel n° 882
verso : *Unerschüttert*, K 336, 1929
AM 1981-65-452 recto-verso (Inv. 408-35)

510 recto

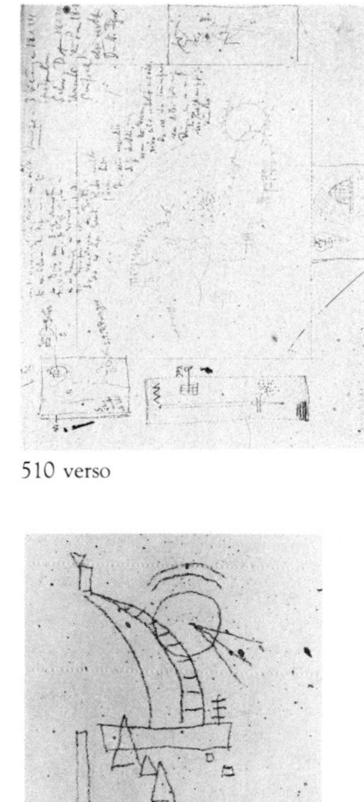

510 verso

511 recto

511 verso

512 recto

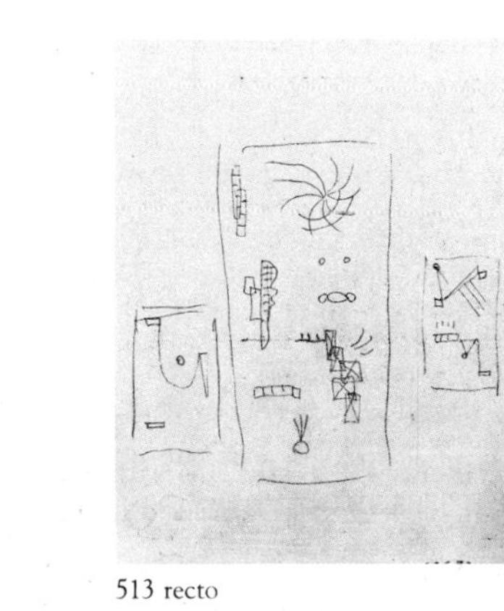

513 recto

514

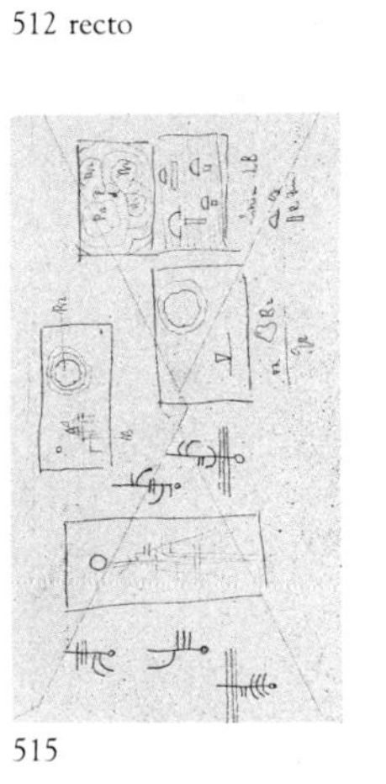

515

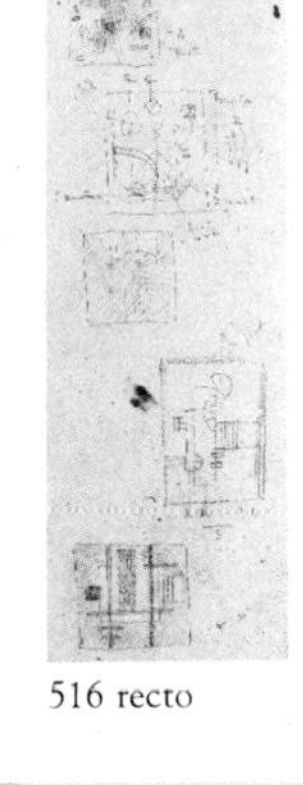

516 recto

516 verso

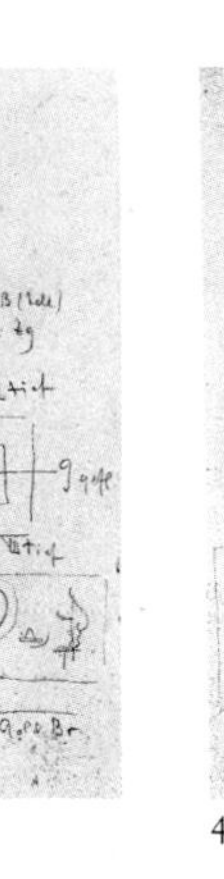

406 recto

405 verso

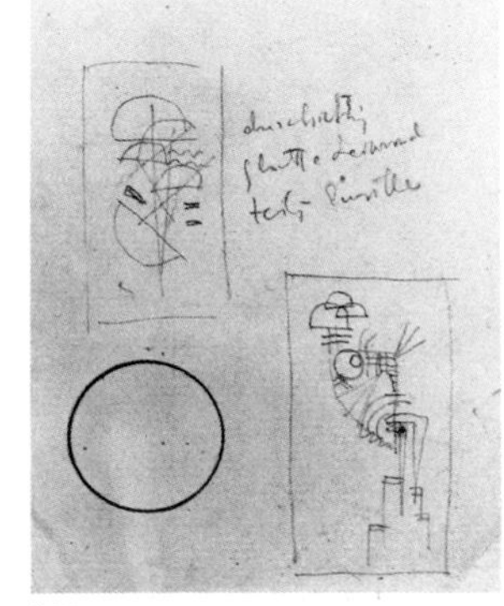

519 recto

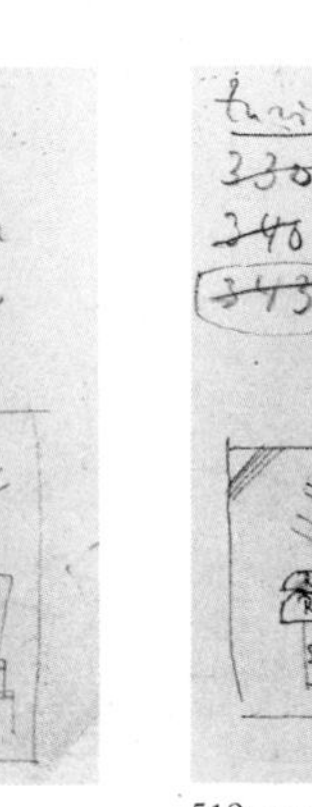

519 verso

520
Page de croquis
mine de plomb, 27,8 × 20,7
recto : croquis en haut à gauche et en bas, *Flach-tief*, 1929, Roethel n° 935; au milieu à gauche, *Gelb-rosa*, K 365, décembre 1928; au milieu à droite, *Spitzes Gelb*, 1929, Roethel n° 932
verso (non reproduit) : en bas à droite, *Zu oben durch blau*, 1930, Roethel n° 938
AM 1981-65-453 recto-verso (Inv. 594-7)

521
Page de croquis
mine de plomb, 21 × 15,7
recto : à gauche, *Zwei Kreuze*, 1929, Roethel n° 922
verso (non repr.) : en haut à gauche, *Auf satten Flecken*, K 356, 1929
AM 1981-65-454 recto-verso (Inv. 408-1)

522
Page de croquis
mine de plomb, 18,9 × 19,7, annotations
recto : en haut à gauche, *Weiss-weiss*, 1929, Roethel n° 916; en bas à gauche, *Gedrückt*, 1929, Roethel n° 915
verso : en haut à droite, *Winkelschwung*, 1929, Roethel n° 917; au milieu à gauche, *Empor*, 1929, Roethel n° 914
AM 1981-65-455 recto-verso (Inv. 408-2)

523
Page de croquis
mine de plomb sur une lettre de L. Hess du 1er nov. 29, 27 × 21,8, croquis, en haut à droite : *Rosa-süss*, 1929, Roethel n° 925; en bas à droite : *Hartnäckig*, 1929, Roethel n° 918
AM 1981-65-456 (Inv. 408-30)

524
Page de croquis
mine de plomb sur un carton d'invitation pour une exposition de la collection de H.F. Geist (sans année) « Die Welt des Kindes », Halle, 14,7 × 9,9, annotations
recto : croquis à rapprocher de *Schwebend über festem*, 1929, Roethel n° 888
verso (non reproduit) : non identifié
AM 1981-65-457 recto-verso (Inv. 408-18)

525
Page de croquis
mine de plomb, 10,5 × 14,8, annotations
recto : croquis à gauche, *Schwebend über festem*, 1929, Roethel n° 888; à droite, *Kreis (mit braun)*, 1929, Roethel n° 892
verso (non reproduit) : non identifié
AM 1981-65-458 recto-verso (Inv. 408-41)

526
Page de croquis
mine de plomb, chaque croquis env. 4,3 × 3,2, croquis en haut à droite : à rapprocher de *Machtlose Fessel*, K 354, 1929
AM 1981-65-459 (Inv. 408-45, 44, 39, 47, 8)

527
Page de croquis
mine de plomb, (feuille irrégulière) 24,7 × 17,45, annotations, croquis en haut à droite : *Lockere Bindung*, 1929, Roethel n° 884; en bas à droite : *Kreis und Fleck*, 1929, Roethel n° 886
AM 1981-65-460 (Inv. 408-37)

528
Croquis
mine de plomb sur une convocation à une réunion des professeurs à Dessau le 5 octobre 1928, 21 × 14,7 (reproduit à l'envers), annotations concernant l'art et la philosophie
croquis en haut à dr. : à rapprocher de *Etwas rot*, 1929, Roethel 885
AM 1981-65-461 (Inv. 408-36)

529
Page de croquis
mine de plomb, 23,1 × 10,55
recto : croquis sup. à rapprocher de *Etwas rot*, 1929, Roethel n° 885; croquis inf. : *Leichter Gegendruck*, 1929, Roethel n° 913
verso (non reproduit) : non identifié
AM 1981-65-462 recto-verso (Inv. 408-65)

530
Page de croquis
mine de plomb, 21 × 33,2, annotations
recto : croquis en haut à gauche, *Fidel*, 1930, Roethel n° 936; en haut à droite, *Scherzklänge*, 1929, Roethel n° 929; en bas à gauche, *Mitwirken*, 1929, Roethel n° 931; en bas à gauche, *Ohne Titel*, 1930, Roethel n° 964
verso (non reproduit) : en haut à droite de la feuille inscription de la date du 22. XII.29.
AM 1981-65-463 recto-verso (Inv. 408-19)

531
Page de croquis
mine de plomb sur papier quadrillé, 13,8 × 10,4
recto : croquis supérieur à rapprocher de *Bestimmt*, K 357, 1929
verso : texte dactylographié concernant le nombre d'étudiants
AM 1981-65-464 (Inv. 408-5 b)

532
Page de croquis
mine de plomb, crayons de couleur, sanguine, 19,2 × 4,2
recto : non identifié
verso (non repr.) : croquis inférieur, *Lustiges gelb*, 1929, Roethel 894
AM 1981-65-465 recto-verso (Inv. 408-46)

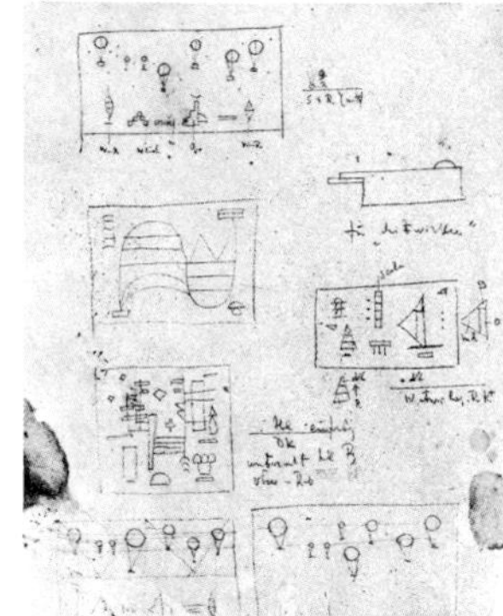
520 recto

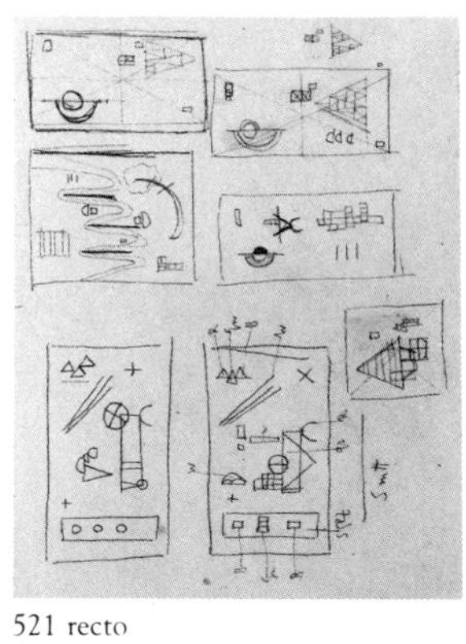
521 recto

522 recto

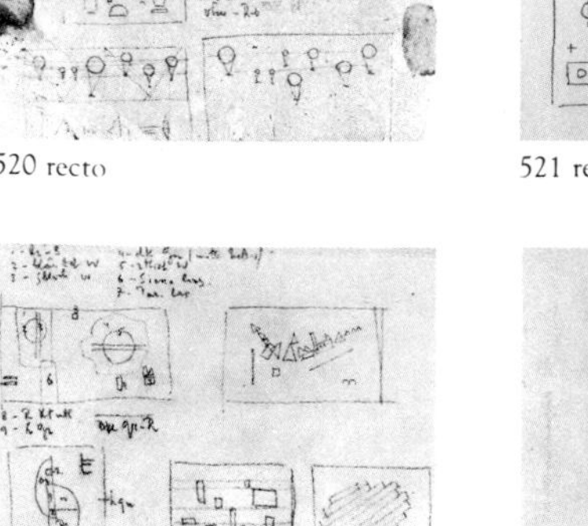
522 verso

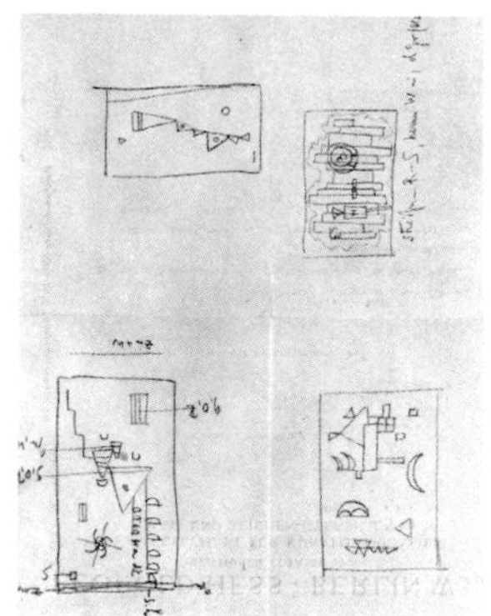
523

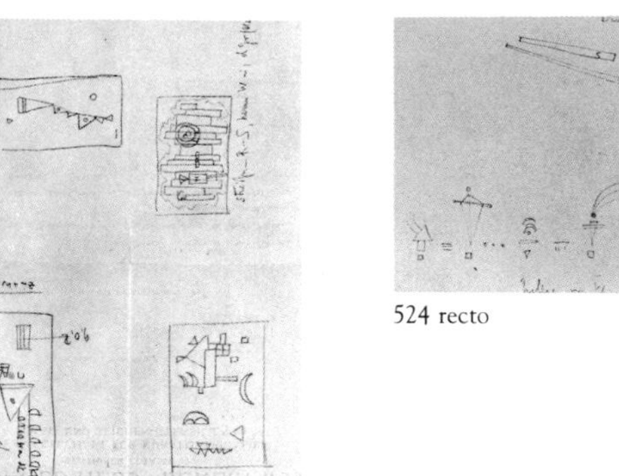
524 recto

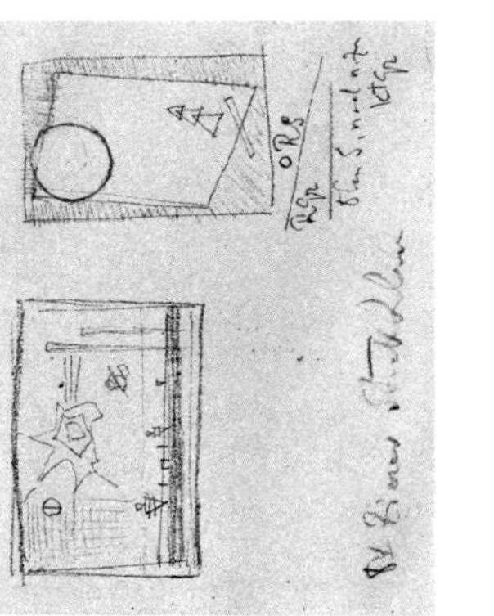
525 recto

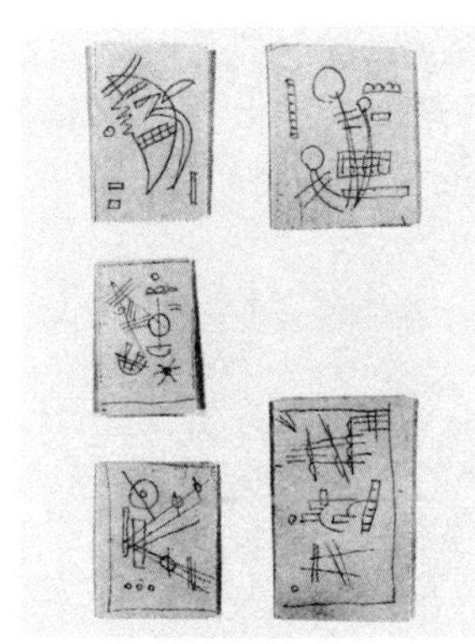
526

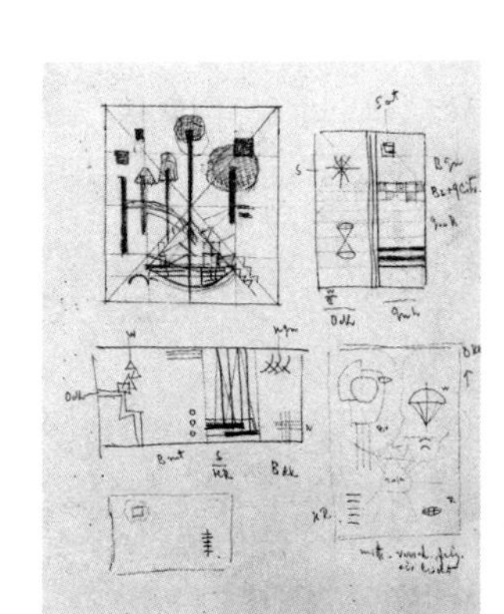
527

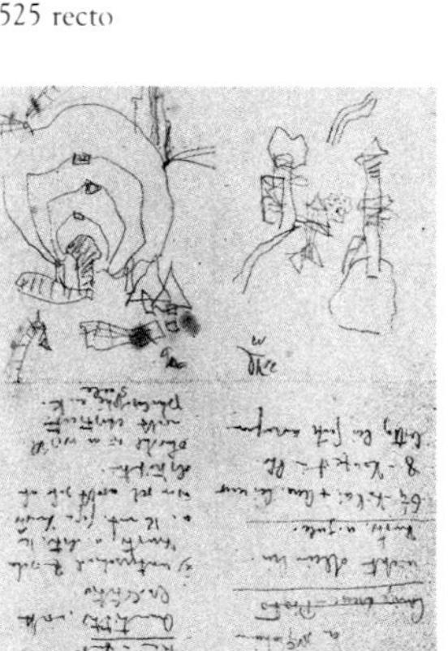
528

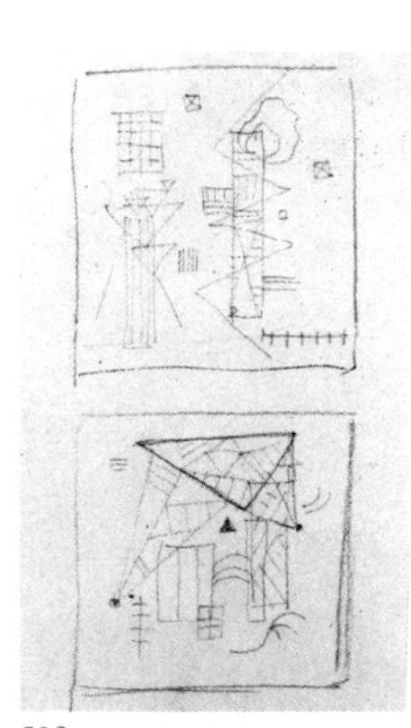
529 recto

530 recto

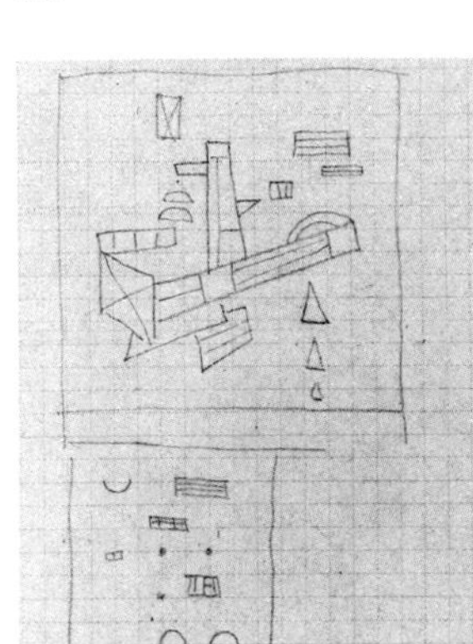
531 recto

532 recto

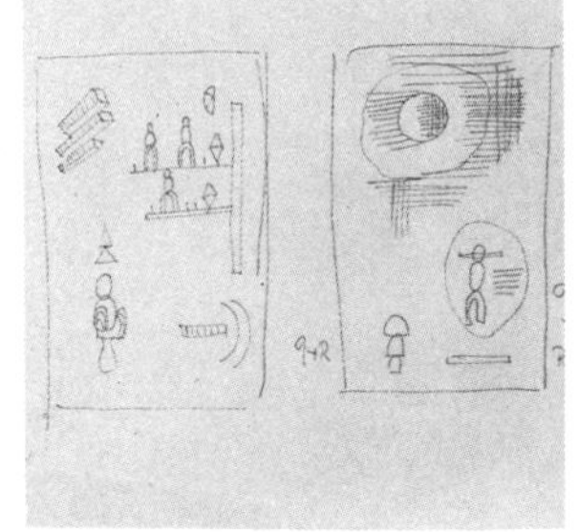
533

533
Page de croquis
mine de plomb, 13,7 × 21,6, annotations
croquis à droite : *Flach*, 1929, Roethel n° 903
AM 1981-65-466 (Inv. 408-63)

534
Page de croquis
mine de plomb, 13,75 × 21,4, annotations
recto : croquis inférieur à gauche, *Blau*, 1929, Roethel n° 923; croquis en bas à droite à rapprocher de *Grün*, 1929, Roethel n° 904
verso : à rapprocher de *Blau*, 1929, Roethel n° 923
AM 1981-65-467 recto-verso (Inv. 408-29)

535
Page de texte avec croquis
mine de plomb, 13,85 × 10,8, texte concernant la nouvelle synthèse
croquis à rapprocher de *Blau*, 1929, Roethel n° 923
AM 1981-65-468 (Inv. 408-62)

536
Page de croquis (*non reproduit*)
mine de plomb sur une feuille de calendrier du 8 octobre 1929, 21,4 × 14,9
AM 1981-65-469 (Inv. 408-3)

537
Page de croquis
mine de plomb, traces d'encre de Chine, 16,1 × 18,2, annotations
recto : croquis en haut à gauche, *Winkelbau*, 1930, Roethel n° 968; à droite, *Flächen und Linien*, 1930, Roethel n° 967
verso : en haut à gauche, *Freudig-hell*, 1930, Roethel n° 966
AM 1981-65-470 recto-verso (Inv. 408-61)

538
Page de croquis
mine de plomb, 27,3 × 7,6, annotations recto-verso
croquis en haut : *Unfester Ausgleich*, 1930, Roethel n° 944
AM 1981-65-471 (Inv. 408-21)

539
Croquis (*non reproduit*)
mine de plomb, 12 × 14,1, annotations recto-verso
à rapprocher de *Kuhle Streifen*, 1930, Roethel n° 972
AM 1981-65-472 (Inv. 408-40)

540
Croquis
mine de plomb sur carton, 21 × 12,4, annotations
à rapprocher de *Ohne Titel*, 1930, Roethel n° 964
AM 1981-65-473 (Inv. 408-13)

431
recto : Page de croquis
mine de plomb sur le verso d'une lettre dactylographiée du 17 septembre 1929, 29,7 × 21, annotations
croquis en bas à gauche à rapprocher d'une aquarelle *Sans titre*, 1930, S.R. Guggenheim Museum, New York
AM 1981-65-394 recto (Inv. 408-7)

541
Page de croquis
mine de plomb, 16,6 × 7,3
recto : croquis inférieur, *Kühle Verdichtung*, 1930, Roethel n° 963
verso : *Streifen*, 1930, Roethel n° 962
AM 1981-65-474 recto-verso (Inv. 408-11)

542
Page de croquis (*non reproduit*)
mine de plomb sur un imprimé de la commune de Cattolica, 19,4 × 28,95, annotations de l'artiste ainsi que de Nina Kandinsky
croquis en haut à gauche : *Harte Weisung*, K 392, 1930; en haut au milieu : *Friedlich*, K 394, 1930; au milieu : *Flug*, 1930, K 387
AM 1981-65-475 (Inv. 408-59)

543
Page de croquis
mine de plomb, 6,2 × 22,4, annotations
recto : croquis à gauche, *Dichtes Braun*, 1930, Roethel n° 947; au centre, *Gespannt im Winkel*, 1930, Roethel n° 945
verso : *non reproduit*
AM 1981-65-476 recto-verso (Inv. 408-24)

544
Page de croquis
mine de plomb, 25,7 × 12,05, annotations
recto : croquis en haut à gauche, *Von-zu*, 1930, Roethel n° 954; au milieu, *Gelber Bogen*, 1930, Roethel n° 960; en-dessous, *Aufrecht*, 1930, Roethel n° 958 et *Gross-klein*, 1930, Roethel n° 961
verso : au milieu, *Ernst-Spass*, 1930, Roethel n° 959
AM 1981-65-477 recto-verso (Inv. 408-9)

545
Page de croquis
mine de plomb sur papier marqué « Postscheckkonto », 21 × 14,9, annotations
recto : croquis en haut à gauche, *Erhitzt*, K 375, 1930; en-dessous, *Von-zu*, K 376, 1930; en-dessous à droite, *Schwache Stütze*, K 380, 1930
verso : en haut à gauche, *Zwischen drei Punkten*, 1930, Roethel n° 948
AM 1981-65-478 recto-verso (Inv. 408-26)

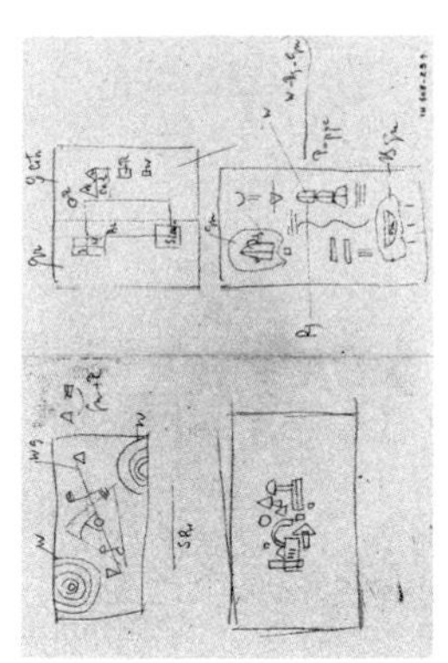
534 recto

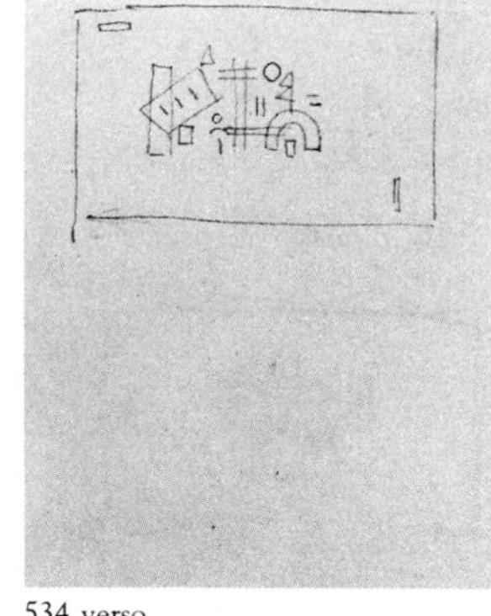
534 verso

535

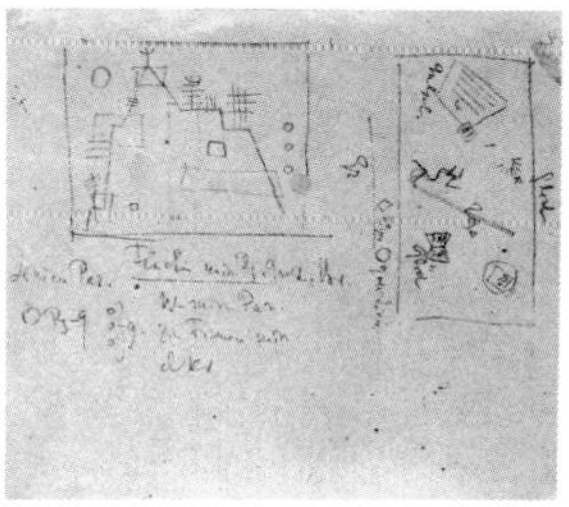

537 recto

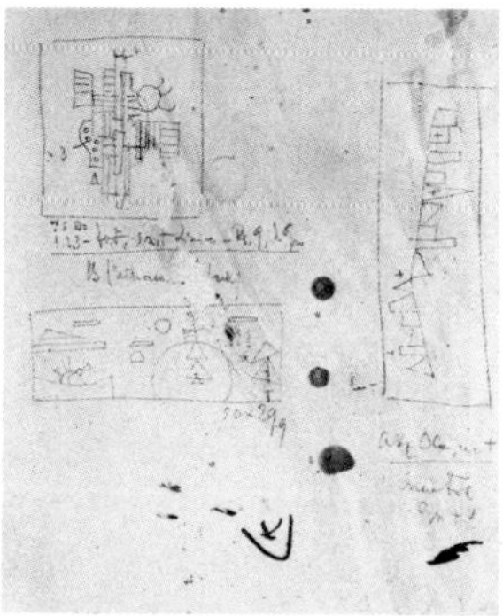

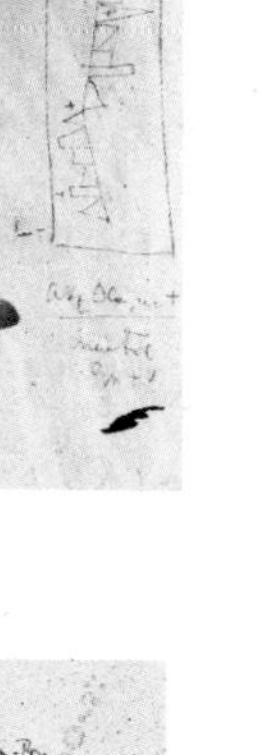
537 verso

538

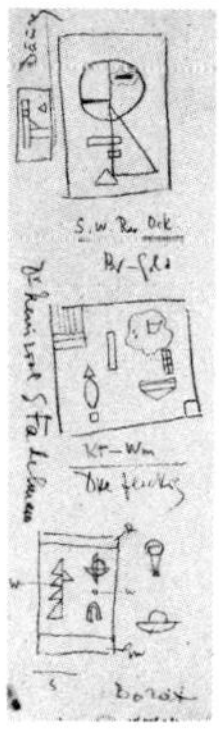

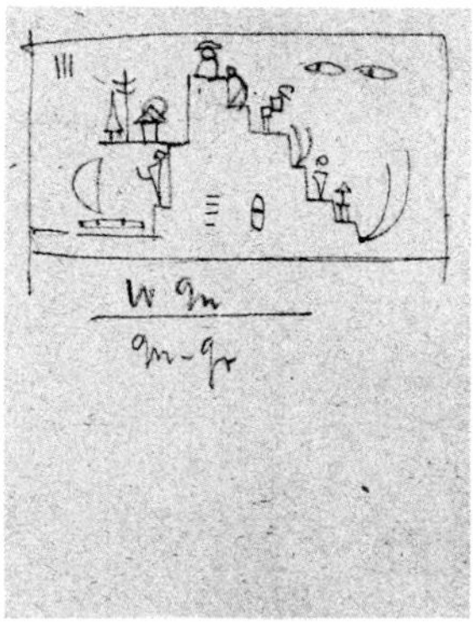

540

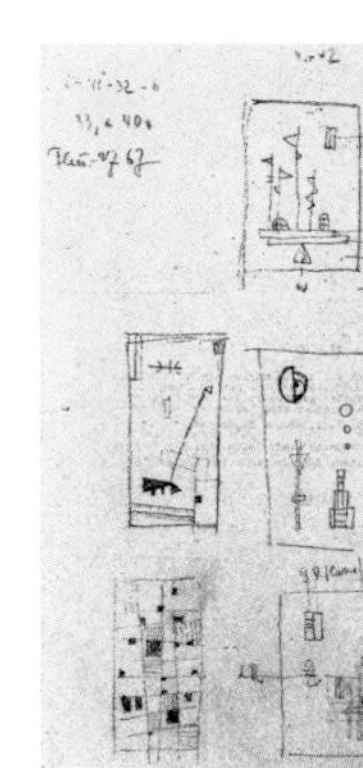
431 recto

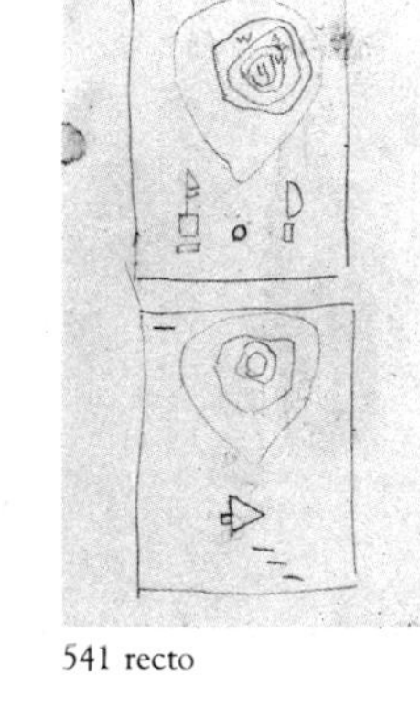
541 recto

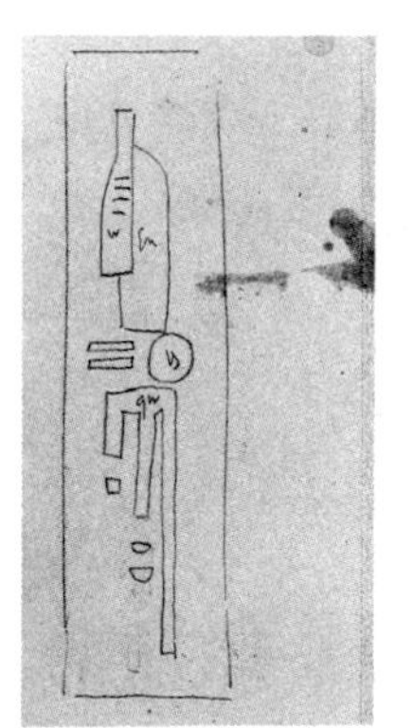
541 verso

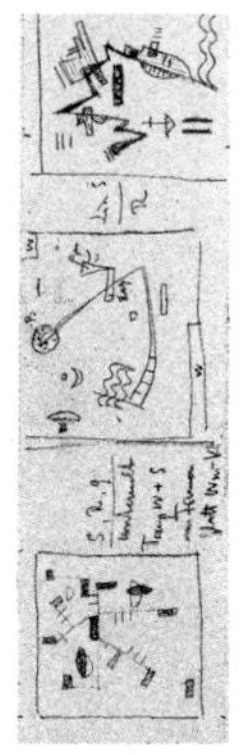
543 recto

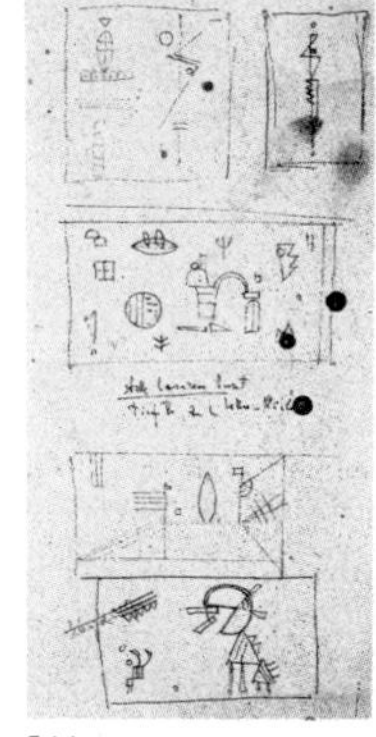
544 recto

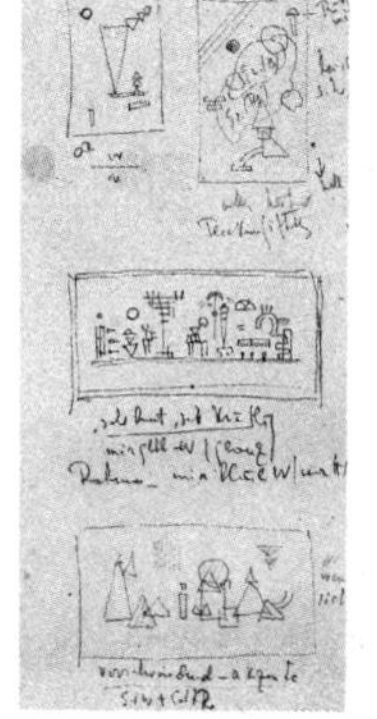
544 verso

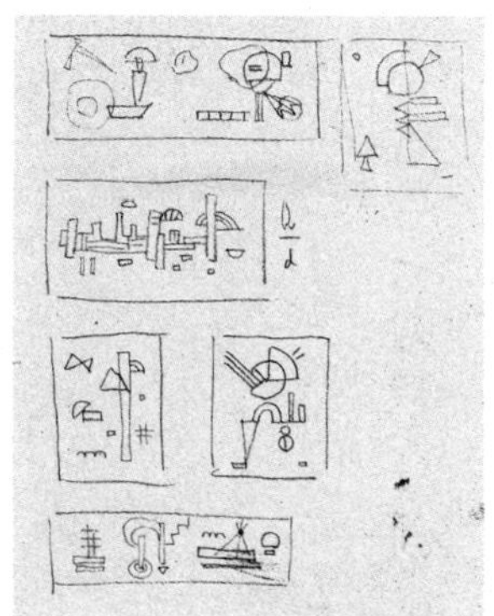
545 recto

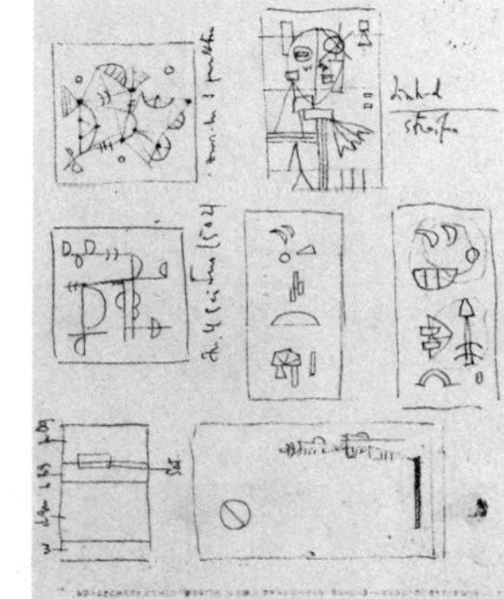
545 verso

546
Croquis (*non reproduit*)
mine de plomb sur un imprimé « Lieferschein », 10,2 × 9,6
AM 1981-65-479 (Inv. 408-54)

440
recto : Page de croquis
mine de plomb, 23,1 × 14, annotations
croquis au milieu à droite à rapprocher de *Aufleuchten*, K 400, 1931;
en bas à gauche : *Stumpfes Grau*, 1930, Roethel n° 951
AM 1981-65-398 recto (Inv. 408-22)

547
Page de croquis
mine de plomb, 16,5 × 7,3, annotations
recto : croquis inférieur, *Kreis und Quadrat*, 1930, Roethel n° 941
verso (non reproduit) : croquis à rapprocher de *Mehr oder weniger*, 1930, K 370
AM 1981-65-480 recto-verso (Inv. 408-33)

548
Page de croquis
mine de plomb sur une enveloppe pour un prospectus gratuit, 23,9 × 15,8, annotations
recto : croquis au milieu à droite, *Zentral*, 1930, Roethel n° 940
verso : *non reproduit*
AM 1981-65-481 recto-verso (Inv. 408-20)

549
Page de croquis
mine de plomb sur carton, 21,5 × 10,4, annotations
recto : les deux croquis du bas à rapprocher de *Harte Weisung*, K 392, 1930
AM 1981-65-482 recto-verso (Inv. 408-51)

550
Page de croquis (*non reproduite*), mine de plomb, 13,1 × 7,2
recto et verso non identifiés
AM 1981-65-483 recto-verso (Inv. 408-16)

551
Page de croquis
mine de plomb, traces de pulvérisation, 23,7 × 12,95
à rapprocher de *Herumfliegen*, K 399, 1930
AM 1981-65-484 (Inv. 408-55)

490
verso : Page de croquis
mine de plomb, 20,4 × 17,8, annotations
croquis inférieur : *Schwer und leicht*, 1930, Roethel n° 974
AM 1981-65-431 verso (Inv. 408-56)

552
Page de croquis
mine de plomb, 18,1 × 7,5
recto : croquis supérieur à rapprocher de *Fragmente*, K 419, 1931; croquis du milieu à rapprocher de *Zwei Spitzen*, K 401, 1931
verso : à rapprocher de *Weisse Schärfe*, 1930, Roethel n° 975
AM 1981-65-485 recto-verso (Inv. 408-60)

553
Croquis
mine de plomb sur un carton d'emballage de Bostan-joglo Zigaretten (inscrit : Fukushima, Paris), 10,4 × 5,05
à rapprocher de *Aufgerichtet*, K 443, 1931
AM 1981-65-486 (Inv. 408-34)

554
Page de croquis
mine de plomb, 25 × 6,25
recto : à rapprocher de *Aufgerichtet*, K 443, 1931
verso : *non reproduit*
AM 1981-65-487 recto-verso (Inv. 408-10)

555
Page de croquis
mine de plomb, 25,1 × 6,3
recto : croquis inférieur à rapprocher de *Flatterhaft*, 1931, Roethel n° 1010
AM 1981-65-488 recto-verso (Inv. 408-23)

488
recto : Page de croquis
mine de plomb, 5,4 × 22, annotations
à rapprocher de *Fliessend*, 1931, Roethel n° 994
AM 1981-65-429 recto (Inv. 408-5 a)

487
verso : Page de croquis (*non reproduit*)
mine de plomb, 21,1 × 9,2
AM 1981-65-428 verso (Inv. 408-67)

556
Page de croquis (*non reproduit*)
crayon gras et mine de plomb, 13,4 × 20,9
recto et verso non identifiés
AM 1981-65-489 recto-verso (Inv. 626-60)

557
Page de croquis
mine de plomb, 12,1 × 10,2
recto : croquis à rapprocher de *Molle rudesse*, 1933, n° 500
verso : *non reproduit*
AM 1981-65-490 recto-verso (Inv. 879-1)

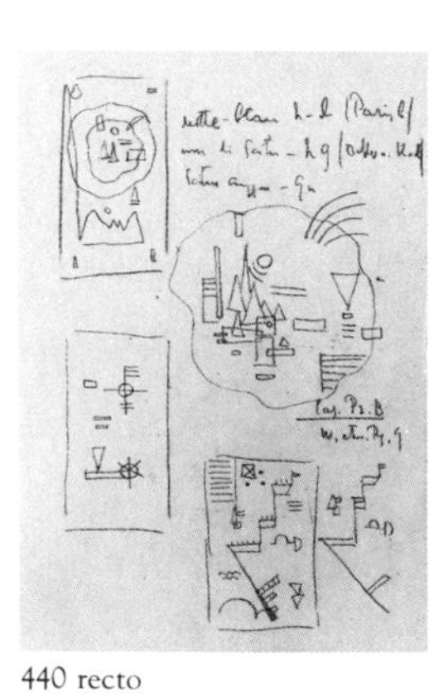
440 recto

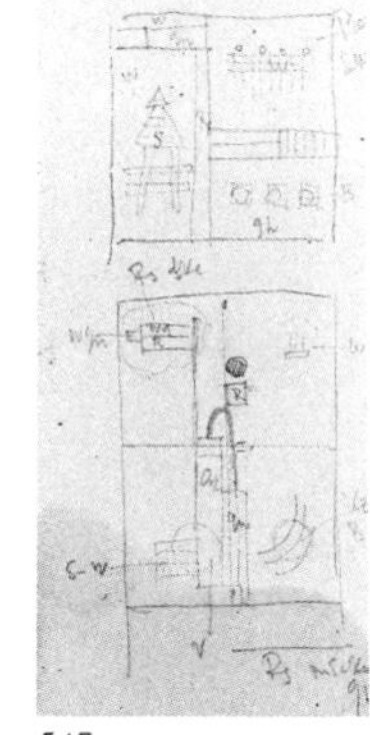
547 recto

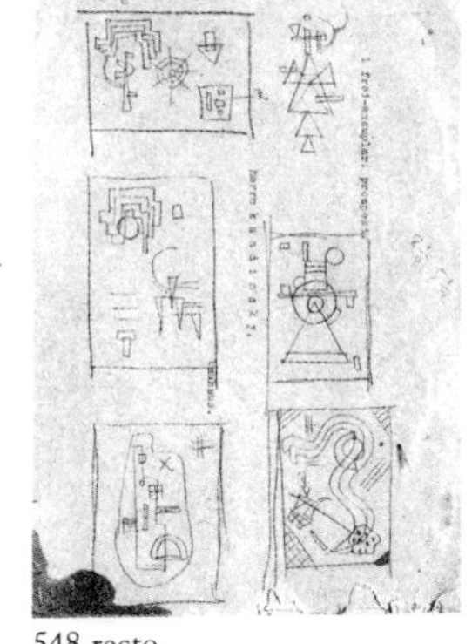
548 recto

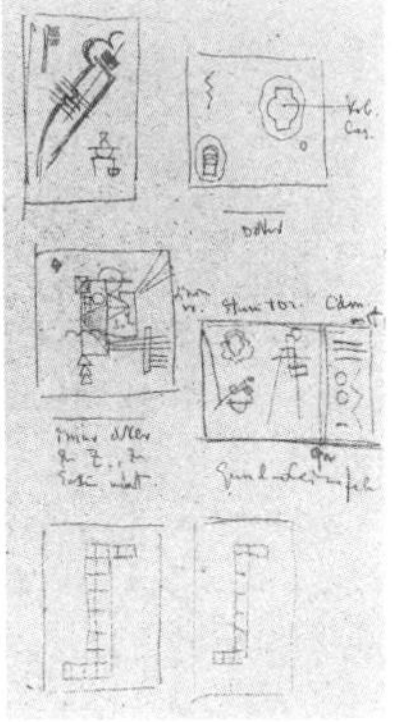
549 recto

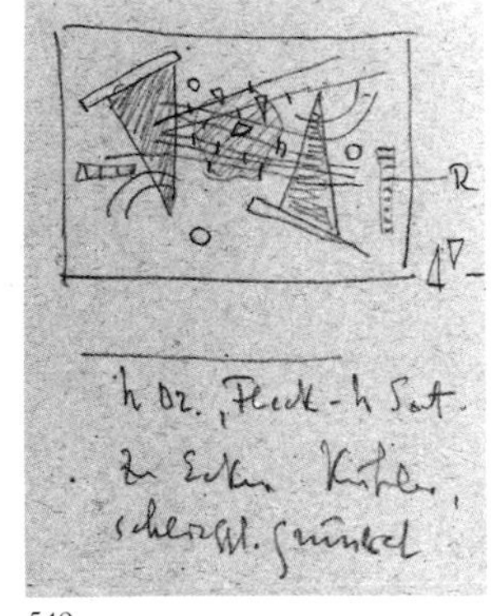
549 verso

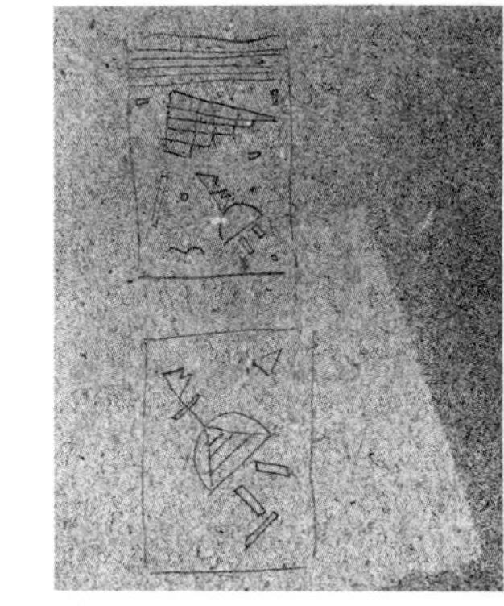
551

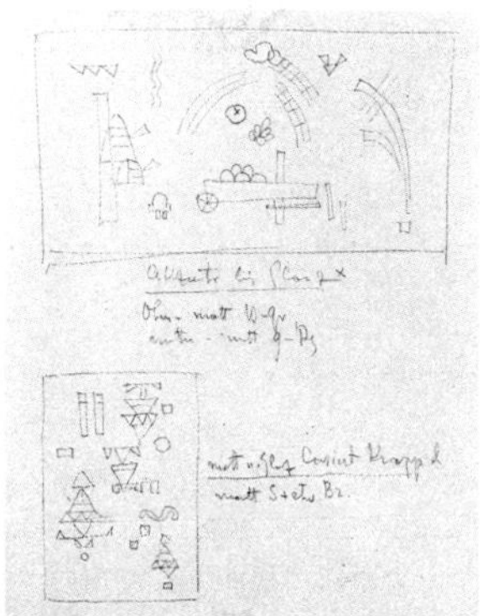
490 verso

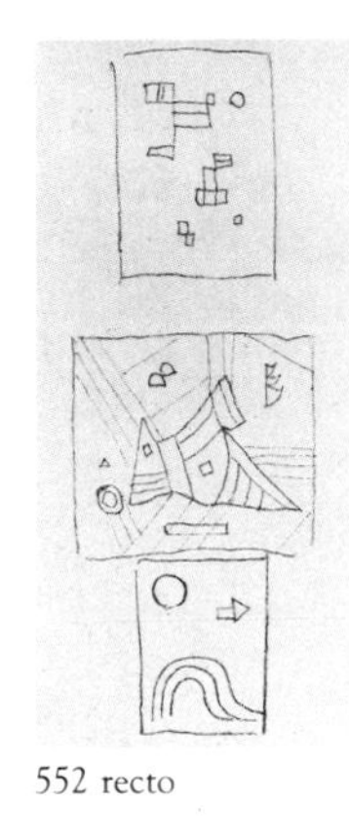
552 recto

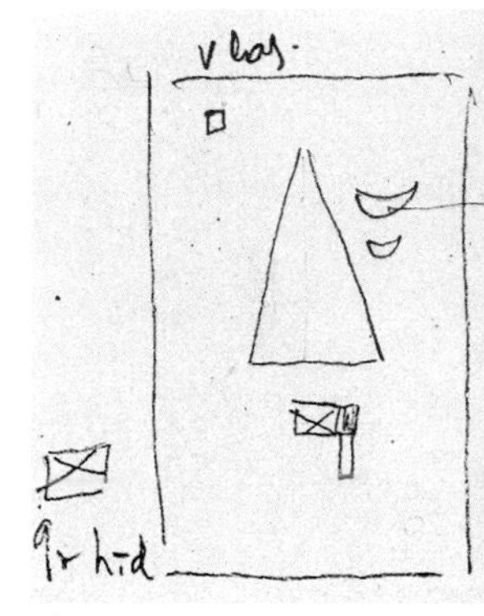
552 verso

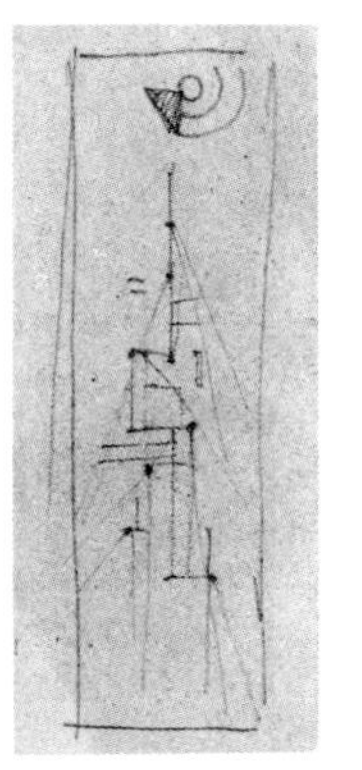
553

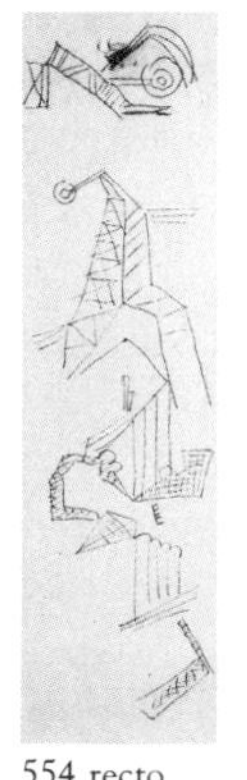
554 recto

555 recto

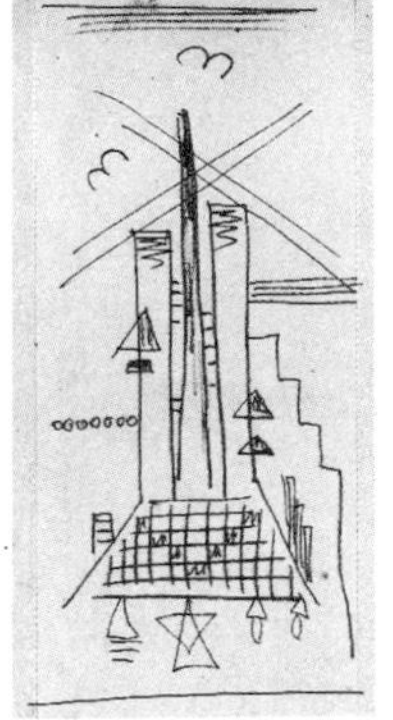
555 verso

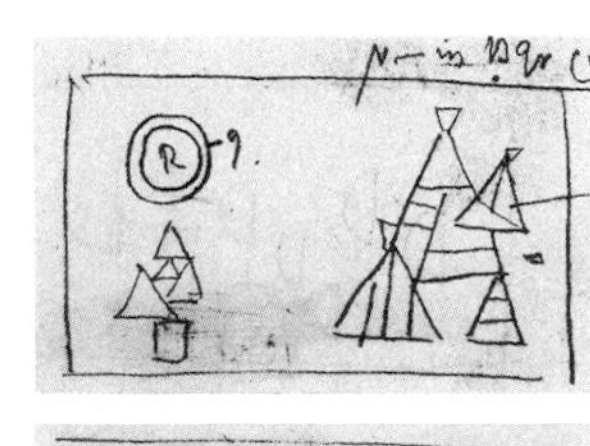
488 recto

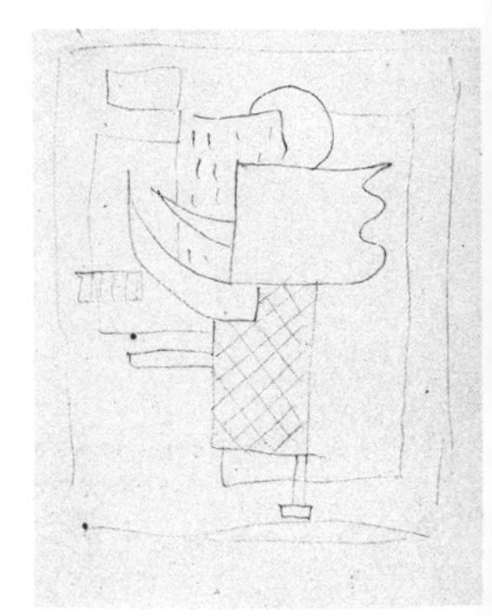
557 recto

Paris

Neuilly-sur-Seine

1934-1944

documentation

D'un exil temporaire à la naturalisation

Devant la tournure que prennent les événements en Allemagne après l'accession d'Adolf Hitler à la Chancellerie — l'incendie du Reichstag à Berlin et le sabordage du dernier Bauhaus — Kandinsky se sent menacé et décide de s'exiler temporairement. Il choisit de s'expatrier à Paris, car cette ville donne encore le « la » de l'activité plastique internationale. Il y a noué de bonnes relations et vient d'y séjourner après des vacances dans le Midi. Son dessein est cependant de ne pas y prendre racine et de rentrer en Allemagne dès la première accalmie. Il conserve son passeport allemand jusqu'à ce qu'on le lui retire en 1938, bien qu'il ait toujours pris grand soin de ne point froisser les susceptibilités des autorités nazies par des prises de positions ou des agissements outranciers.
C'est ainsi que, victime des transformations de la carte européenne et des mutations économiques de la première moitié du siècle, Kandinsky restera à Neuilly-sur-Seine jusqu'à sa mort, le 13 décembre 1944. Il est enterré au cimetière nouveau de Neuilly, sur la commune de Nanterre, à l'ombre des tours de la Défense.
La dernière décade de sa vie est désignée, par habitude et commodité, comme « période parisienne », en opposition à celle de Murnau ou à celle du Bauhaus et n'a été soumise jusqu'ici à aucun essai d'ensemble. Les historiens d'art allemands et américains l'escamotent, sans justifier pour autant leur désintérêt. Aucune thèse française ne s'est substituée à cette carence pour donner un cadre d'interprétation convaincant. On peut globalement y distinguer plusieurs épisodes : de 1934 à 1940, Kandinsky participe activement à la vie artistique internationale; de 1940 à 1942, il vit dans l'isolement mais poursuit le renouvellement formel entrepris dès son établissement à Paris et peint encore de grands tableaux; de 1942 à 1944, il se confine dans des œuvres de petits formats.
Kandinsky, certainement la personnalité la plus marquante à chercher refuge à Paris, s'illusionne sur la capitale française. Bien accueilli par des surréalistes et certains abstraits, il souffre rapidement de constater à quel point les milieux parisiens ignorent tout de l'Allemagne, et plus simplement de devoir y recommencer une carrière. Les intrigues, qu'il comprend mal, l'agacent, tandis que Paris ne s'intéresse pas à ce qu'il fait : il doit dépenser beaucoup d'énergie pour qu'une gouache puis une peinture importante entrent dans les collections nationales du Jeu de Paume.
C'est l'Amérique et la Suisse qui lui assurent son existence quotidienne : Hilla Rebay, Galka Scheyer, Karl Nierendorff et Neuman lui achètent régulièrement des toiles. La Kunsthalle de Berne organise une vaste rétrospective de son œuvre en 1937, et Paris continue de l'ignorer. Son œuvre n'y remportera qu'un succès posthume, avec les expositions de la galerie René Drouin, place Vendôme, dans les années 50.

1 En 1930 Kandinsky, accompagné de sa femme, est venu à Paris voir l'exposition de ses petites peintures organisée à la galerie de France du 14 au 31 mars 1930. A cette occasion, il visite l'exposition organisée du 18 avril au 1er mai 1930 par Michel Seuphor sous l'égide de la revue *Cercle et Carré*, au 23 rue de La Boétie. Il y avait participé par l'envoi de *Deux côtés rouges* et *Droit*. On reconnaît de gauche à droite : Francisca Clausen, Florence Henri, Mme Torrès-Garcia, Torrès-Garcia, Piet Mondrian, Hans Arp, Daura, Marcelle Cahn, Sophie Taeuber, Michel Seuphor, Friedrich Vordemberge-Gildewart, Véra Idelson, Luigi Russolo, Mme Kandinsky, Georges Vantongerloo, Kandinsky et Jean Gorin.
Dans *L'Intransigeant* du mardi 29 avril 1930, Maurice Raynal rendit compte de l'exposition : « *Cercle et Carré* (Galerie 23, rue de La Boétie, 23). En réaction contre ce que ses apôtres appellent la "dépravation surréaliste », le groupe Cercle et Carré s'attache à remettre en vigueur le thème d'hygiène artistique, dont le "purisme"... Si, en effet, Mondrian, Ozenfant, Gildewart, Stazenski se meuvent avec allégresse parmi les données néo-plastiques, d'autres comme Léger, Kandinsky, Foltyn, Charchoune, Van Rees, Wanda Volska, Torrès-Garcia, Baumeister, Hans Arp ne dédaignent pas le charme de la peinture proprement dite. »

L'appartement-atelier

Comme Kandinsky redoute l'agitation des rues de Paris, il loue sur le conseil de Marcel Duchamp à Neuilly-sur-Seine un appartement au sixième étage, en front de Seine, dans des immeubles nouvellement construits par la Caisse nationale des Dépôts et Consignations. Celui-ci est confortable, mais petit. Kandinsky y installe les meubles vieillots que Gabriele Münter lui avait restitués en 1926. Dans la salle à manger, qu'il peint en noir et blanc comme à Dessau, il dispose la table et les chaises réalisées au Bauhaus par Marcel Breuer. Kandinsky transforme la plus grande pièce en atelier. Il y entasse chevalets, bibliothèque, table à écrire et meuble à plan. Au mur il accroche des icônes et quelques fixés sur verre de l'époque de Munich-Murnau. Nina Kandinsky, dans ses mémoires, spécifie : « A part ces icônes, il ne voulait rien d'autre sur les murs de son atelier, et surtout pas ses propres créations; rien ne devait le distraire de son travail; les murs nus étaient les garants de sa concentration ». Les tableaux sont en piles, retournés contre les murs. Nina Kandinsky conserva, sa vie durant, l'atelier dans l'état où Kandinsky l'avait laissé à sa mort. Il a été généreusement vulgarisé par la photographie mais il n'est pas certain que le peintre y ait accordé beaucoup d'attention.

Kandinsky a choisi Neuilly-sur-Seine parce que la ville et le parc s'y combinent à merveille et que la vue du sixième étage est magnifiquement dégagée. A Grohmann, il écrit le 3 décembre 1937 : « A travers la fenêtre de mon atelier, que vous connaissez maintenant, je vois une lumière incroyablement belle, harmonie grise aux accents colorés très doux, très sonores ». Dans un article, intitulé « Toile vide », qu'il confie aux *Cahiers d'Art*, il revient sur cette fenêtre : « Je regarde à travers ma fenêtre. Plusieurs cheminées d'usines froides se dressent silencieuses. Elles sont inflexibles. Tout soudainement la fumée monte d'une seule cheminée. Le vent la courbe et elle change à tout instant de couleur. Le monde entier change ».

Kandinsky mène là une vie discrète, sans événements marquants, consacrée exclusivement à la peinture. Le travail régulier est coupé annuellement par quelques semaines de vacances sans incidences majeures sur son travail. Il reçoit généreusement les jeunes artistes dans son atelier : Ben Nicholson, Barbara Hepworth, Hartung, Miró, Arp, Paule Vezelay, Bille. Il leur rend des visites de courtoisie. Par deux fois, il va chez Jean Hélion. Si peu de personnes le connaissent et le reconnaissent comme un grand créateur, il est présent et se rend utile dans l'organisation des expositions de caractère international.

Au cours des onze années vécues à Neuilly-sur-Seine, Kandinsky exécute 44 tableaux, 208 aquarelles et gouaches, de nombreux dessins à l'encre de Chine et à la mine de plomb et peu de gravures. La dissociation entre œuvres majeures — les toiles — et mineures — les aquarelles et autres travaux sur papier — peut s'expliquer par la logique du marché. Kandinsky est en fin de carrière et exige des prix relativement élevés pour les quelques tableaux qu'il produit annuellement. Il ne peut espérer en vendre aux collectionneurs parisiens. Ses gouaches sont faites pour satisfaire une clientèle plus modeste; elles constituent une source assez régulière de revenus pour l'artiste qui doit désormais vivre de son art. Les aquarelles et gouaches sont rarement des esquisses préparatoires à telle ou telle composition; elles sont, en revanche, plus souvent des répliques de tel ou tel détail d'une composition mûrement élaborée sur la toile. Elles sont également les œuvres que le peintre réalise dans les années troubles, les moments de désarroi : il en peint beaucoup en 1934, lors de son installation à Paris quand il s'habitue à son nouveau cadre de vie et qu'il est encore peu sûr de trouver une galerie pour présenter son travail. Il en réalise plus de 60 en 1940 et cesse même de leur donner des titres; son atelier est vide et ce sont les premières affres de l'Occupation.

Le fonds Kandinsky comprend un nombre important d'œuvres de la période parisienne : 20 peintures, dont plusieurs très importantes comme *Bleu de ciel* et *Accord réciproque*, 27 aquarelles et gouaches de qualité moyenne (dont certaines sont restées inachevées), 9 gravures, une collection exceptionnelle de 229 dessins à l'encre et à la mine de plomb, qui constituent une source à la fois nouvelle, inédite et sûre pour la connaissance de cette période originale. Quoique ces documents soient rarement datés, ce qui rend particulièrement difficile la reconstitution précise du temps de maturation d'un tableau, on peut suivre les différents stades de son élaboration : la conception et son report sur un croquis, sa décantation à travers les dessins au trait, mis parfois au carreau, et sur lesquels le peintre indique sommairement à l'aide de lettres, le plus souvent russes, le coloris. Rien n'est laissé au hasard. En cours d'exécution, il n'apporte que des modifications très légères. Un des meilleurs exemples est donné par *Complexité Simple* (n° 673).

Dès son installation à Paris, Kandinsky commence à titrer en français ses œuvres nouvelles. Après un énigmatique « Start », mot anglais égaré dans l'inventaire kandinskien et qui désigne une œuvre mineure, il commence, avec *Montée gracieuse* et *Chacun pour soi*, une longue liste de combinaisons de mots contrastés parfois paradoxaux. De ces mélanges de substantifs et d'adjectifs, le fait le plus saillant à retenir est l'exclusion de toute fantaisie et de toute bizarrerie syntaxique. Le titre n'est pas là pour ajouter de la poésie à l'œuvre, comme en usent souvent les surréalistes Hans Arp, Max Ernst ou Joan Miró. Le titre kandinskien est sérieux, descriptif. Il signe en quelque sorte une deuxième fois le tableau, il indique qu'il est définitivement terminé, que le peintre ne le retouchera plus.

Poème de Kandinsky écrit en français et publié dans *L'Art abstrait, ses origines, ses premiers maîtres* (édition Maeght, Paris, 1950, p. 167) :

Les Promenades*

Connaissez-vous ce grand immeuble à l'extrême périphérie de ce grand champ jaune d'or ?

Vous avez alors vu la nounou qui se promène chaque jour de quatre à cinq autour de cet immeuble, son bonnet blanc sur la tête et le bébé sur les bras. Cette nounou elle est grande aussi. Et le bonnet est grand. C'est l'enfant qui est petit.

Voilà les contrastes !

Ce serait impossible de ne pas remarquer la grande cheminée juste de l'autre côté du grand champ jaune d'or.

Vous comprenez : cette cheminée se trouve à l'extrême périphérie du grand champ jaune d'or — du côté opposé au grand immeuble.

C'est un fait naturel, sans énigme. Le grand immeuble d'un côté du grand champ jaune d'or, et la grande cheminée de l'autre.

C'est même plus naturel.

Ce qui est un tout petit peu inquiétant, c'est que chaque jour, entre quatre et cinq heures précises, un grand cheval blanc se promène autour de la grande cheminée. Eh bien ! Qu'il se promène.

Et que la nounou se promène ! Avec son grand bonnet blanc sur la tête et le petit bébé sur le bras.

Mon Dieu, il n'y a rien de plus naturel ! ! !

Un peu énigmatique — du moins pour moi — est que la nounou se promène chaque jour autour du grand immeuble en faisant ses tours non seulement de quatre à cinq heures précises, mais en les faisant de droite à gauche. Mais... ça pourrait aller encore.

Pourquoi non ?

Purement énigmatique — du moins pour moi — c'est qu'en même temps — chaque jour de quatre à cinq heures — le grand cheval blanc fait ses tours de gauche à droite.

Allez et vous le verrez.

J'ai presque oublié d'ajouter que la dite nounou est belle. Elle est très belle. Très, très, très belle.

Et le cheval n'est pas mal aussi.

* Le titre de ce poème en prose aurait pu être également : « En regardant par la fenêtre de mon atelier ».

2

3

4

5

2, 3 Vues de la fenêtre de l'atelier de Kandinsky, installé dans la pièce la plus grande en front de Seine. Photographies prises en direction de Puteaux par J. Breintenbach, en 1938 (tirages de 1974 signés par le photographe).

4 Vue des immeubles édifiés par la Caisse nationale des Dépôts et Consignations au 135 boulevard de la Seine, à Neuilly-sur-Seine. Kandinsky loue un appartement au sixième étage, composé de trois pièces en front de Seine et de deux pièces sur cour.

5 Photographie de groupe prise sur la terrasse de l'appartement des Kandinsky. De gauche à droite : Yvonne Zervos, Christian Zervos, directeur de la revue des *Cahiers d'Art,* (assis) Kandinsky et Nina Kandinsky.

Entre abstraction et surréalisme

Kandinsky s'est établi à Paris parce qu'il pensait pouvoir y trouver, plus aisément qu'ailleurs, un marchand et vivre de son art. Il sous-estime, malgré les mises en garde de Christian Zervos, les effets catastrophiques de la crise mondiale sur le marché de l'art parisien. Les grands marchands, Paul Rosenberg, Daniel Kahnweiler, André Level, ne prennent pas le risque de ravaler une œuvre presque achevée, dont le marché s'écroule en Allemagne. Ils se chargent exclusivement de promouvoir le cubisme en pleine résurgence. En 1935, la galerie Beaux-Arts, fondation de Wildenstein, organise la première exposition à caractère historique de ce mouvement. Alfred Barr, le nouveau directeur du Museum of Modern Art à New York, donne caution à cette tendance avec son monumental *Cubism and Abstract Art* en 1936. Si bien qu'en 1937 Raymond Escholier consacre sans danger dans les salles du Petit Palais, avec « Les Maîtres de l'Art indépendant 1895-1937 », la reconnaissance officielle du cubisme comme un des hauts moments de la plastique du siècle.

Ces retrouvailles tardives sont aveugles et chauvines : quitte à tronquer l'Histoire, les critiques français inventent des démonstrations qui prouvent que le cubisme est à l'origine de la tendance abstraite dont Paris perçoit à peine l'existence dans les années 30. René Huyghe, rédacteur en chef de *L'Amour de l'Art,* une revue conformiste de large diffusion, dénigre le Blaue Reiter : « Il s'agit là plutôt d'un second expressionnisme, sur lequel déteint la tentative cubiste de substituer de pures combinaisons géométriques à la représentation même déformée du réel. » Il réduit Kandinsky au folklore exotique : « La couleur de Kandinsky (...) qui ne constitue vraiment son art abstrait que durant son séjour en Russie, de 1914 à 1921, repose sur ce sens harmonique, éclatant comme l'allégresse rustique, vif, chaud et résonnant qu'on retrouve dans l'art populaire russe comme dans l'œuvre de Chagall ». Ces commérages flous et faux empoisonnent les rapports entre Kandinsky et Paris. Une association d'artistes créée sous le nom d'*Abstraction-Création* succède à *Cercle et Carré* et accueille naturellement un des fondateurs de la peinture abstraite. Mais son esprit est étroit et la cohésion du groupe est mal assurée par une définition par trop négative de « non-objectivité ». A la suite de l'invitation d'Albert Gleizes, Kandinsky avait envoyé de Berlin photographies et prises de positions pour la revue éditée annuellement. Mais, arrivé à Paris, le peintre n'éprouve pas le besoin de se lier davantage. Ses amis Arp, Hélion, quittent le mouvement qui dépérit d'excès géométriques. Les contacts entre Kandinsky et Piet Mondrian tournent court. C'est ce que laissait présager la confidence de Kandinsky dans une lettre à Christian Zervos du 24 avril 1931, à la suite de l'enquête menée par les *Cahiers d'Art,* « Réflexion de l'art abstrait » : « La réponse de Mondrian m'a beaucoup intéressé, mais il est un peu trop "étroit" dans ses opinions en pensant qu'une forme dans l'art pourrait être éternelle ». Kandinsky semble avoir été plus sensible à l'accueil que lui réservèrent les surréalistes. Il les connaissait, surtout par Christian Zervos, et était prêt à collaborer avec eux. Quand René Char lui demande une gravure pour orner son recueil de poésie, *Le Marteau sans maître,* Kandinsky accède à la demande et accepte le principe d'une plaquette avec Paul Éluard et Tristan Tzara. Il participe à l'accrochage des surréalistes au Salon des Surindépendants de 1933. Mais le malentendu entre le peintre et la tendance parisienne devient rapidement évident, quand il laisse deviner ses opinions politiques conservatrices. Kandinsky ne partage pas le goût pour les jeux de hasard des surréalistes et l'écriture automatique. Il n'apprécie pas non plus leur thématique érotique. Il faudra plusieurs années à André Breton pour s'intéresser à nouveau à l'œuvre de Kandinsky. Ce n'est qu'après les purges staliniennes, après les expositions du peintre chez Jeanne Bucher qu'André Breton accepte de rédiger la préface du catalogue de l'exposition Kandinsky chez Peggy Guggenheim à Londres en 1938. Il n'y a là aucune adhésion sincère.

En marge de mouvements qui se déconsidèrent par leurs querelles intestines et leurs excommunications, Kandinsky préfère le contact direct, amical avec des artistes plus jeunes que lui, certes, mais dont il admire les œuvres : Joan Miró, Hans Arp et Alberto Magnelli. Avec eux, les rares élus de la période parisienne, il a la délicatesse d'échanger les œuvres. Miró, dans la *Couleur de mes rêves,* rend hommage à Kandinsky, à la grandeur morale de son exemple. Kandinsky, lui, ne tarit pas d'éloges pour « ce petit bonhomme qui peint de grandes toiles, véritable volcan qui projette des images ». Hans Arp et Sophie Taeuber-Arp lui sont encore plus proches. Il peut parler avec eux en allemand. Il les rencontre souvent, les recommande pour telle ou telle revue, telle ou telle exposition. Il leur fait crédit pour la revue *Plastique* et pour les éditions Allianz Verlag à Zürich. La rencontre avec Alberto Magnelli lui facilite les contacts avec l'Italie. Il existe une certaine parenté entre les formes suspendues dans le vide créées par Kandinsky et les pierres éclatées de Magnelli. Les relations avec les jeunes artistes parisiens dépassent de beaucoup le jeu d'influences auquel Alfred Barr réduit ces rapports dans *Cubism and Abstract Art* en 1936.

6 Man Ray : Portrait de Kandinsky, signé par le photographe.
Au cours de la première année de son séjour parisien, Kandinsky rend des visites de courtoisie à plusieurs de ses collègues parisiens. Il écrit à Grohmann le 30 juin 1934 : « ... L'autre jour nous sommes allés également voir Man Ray et nous vîmes des choses excellentes. Son livre vient de paraître, illustré de ses photographies, bien entendu. Il a tout de suite fait un beau portrait de moi. »
Nina Kandinsky appréciait moins ce portrait. Elle ne le fit jamais publier et, dans ses mémoires, elle mentionne à peine cet épisode : « (...) il (Kandinsky) se fit même photographier par Man Ray, une fois que nous étions allés le voir dans son atelier. Je trouve d'ailleurs ce portrait raté. »

Les galeries d'avant-garde : Cahiers d'Art, Jeanne Bucher

Sans véritable marchand à Paris, Kandinsky expose dans deux galeries marginales qui n'ont pas d'envergure commerciale mais jouissent d'un rayonnement profond auprès des artistes des diverses avant-gardes. Christian et Yvonne Zervos transforment en galerie les bureaux de leur revue, les *Cahiers d'Art,* en 1934. Kandinsky par deux fois y présente ses récents travaux. La première exposition « Kandinsky, peintures de toutes les époques, aquarelles et dessins » en mai 1934 est appuyée par une longue note de Christian Zervos dans les *Cahiers d'Art* (n° 5-8 de la même année). Lors de la seconde, ouverte le 21 juin 1935, Kandinsky présente 10 nouvelles toiles, 25 gouaches et aquarelles et 28 dessins qui embrassent la période 1910-1934. Dans ses peintures, l'artiste mêle du sable et leur donne un aspect mural. Bognard, critique pour l'hebdomadaire *Beaux-Arts,* note le changement de matière et s'en étonne : « On est moins sensible à la curieuse matière de ces panneaux qu'à la grâce décorative des hiéroglyphes qui les parent ». Les relations de Kandinsky avec les Zervos s'interrompent en juillet 1937 à la suite d'un différend survenu lors de la préparation de l'exposition « Origines et développement de l'art international indépendant » au Jeu de Paume. Zervos a des mots vengeurs pour Kandinsky dans son *Histoire de l'art contemporain.* Au cours de la guerre, cette animosité cesse, les rapports reprennent; la dernière campagne photographique commandée par Kandinsky à Marc Vaux en 1943 est destinée à la parution prochaine des *Cahiers d'Art.* A compter de décembre 1936, Kandinsky confie régulièrement peintures et dessins à Jeanne Bucher. Cette femme gère, avec une prudence et une modestie de ménagère, une petite galerie installée dans un appartement à l'étage, au fond d'une cour 9 ter boulevard du Montparnasse. Giorgio di San Lazzaro, dans le numéro de mars 1939 de xxe *Siècle,* publie un hommage à cette femme peu ordinaire, sous le titre « Les malheurs de Sophie, marchande de tableaux » : « Les maîtres de demain devront tous quelque chose à Madame Bucher, sans laquelle le public ignorerait tout ou presque de Bauchant, de Max Ernst, de Kandinsky (l'œuvre de Kandinsky est une des plus considérables de ces cinquante dernières années, et pourtant aucune grande galerie parisienne n'a compris le devoir d'organiser une exposition), de Marcoussis, d'Arp, de Giacometti, de Freundlich, de Chauvin et de Lipchitz. Sans Madame Bucher, nous n'aurions jamais connu, par exemple, Vieira da Silva ».

Kandinsky y expose trois fois : en décembre 1936, en juillet 1939 et en juillet 1942. Il accepte de participer à des accrochages avec des artistes plus jeunes de la galerie, comme César Domela et Nicolas de Staël. Il se prête au projet utopique de la marchande de créer un musée-laboratoire des « Amis de l'Art vivant ». C'est par l'intermédiaire de Jeanne Bucher qu'il rencontre André Dézarrois et qu'il obtient l'organisation de l'exposition « Origines et développement de l'art international indépendant » au Jeu de Paume en 1937. Kandinsky introduit à la galerie les œuvres de Willy Baumeister et de Jawlensky. Jeanne Bucher et Kandinsky ont, l'un et l'autre, le mérite de maintenir sous l'Occupation une activité artistique dissidente et remportent même un succès paradoxal auprès des « occupants ».

Lettre d'Alexandre Benois à Kandinsky. Alexandre Benois ne pouvait accepter l'art abstrait; il représentait à Paris les survivances du mouvement Mir Iskusstvo (Le monde de l'art), autrefois lancé par Serge Diaghilev, devenu après la Première Guerre mondiale un groupe d'artistes russes blancs très réactionnaires.

Très honoré et cher Vassily Kandinsky Vassilievitch,
Permettez-moi d'être tout à fait sincère. Hier je suis allé voir votre exposition, l'ai regardée très attentivement, et en suis venu à la conviction de ne rien comprendre à tout cela ! D'autant plus que l'art éveille en moi une sensation maladive. Il y a là, manifestement, une insuffisance organique. Car en théorie, en principe j'admets tout à fait qu'un tel art justement puisse exister. Il est tout à fait possible que c'est là justement l'art véritable, correspondant, disons, à la musique « pure ». Mais il ne m'a pas été donné de comprendre un tel art et d'en jouir. Et « sans plaisir » tout simplement je ne comprends et n'accepte pas l'art. Je suis un « célébrateur des choses » sans espoir. Pour ressentir un frémissement spécifique, ce frémissement « pour lequel cela vaut la peine de vivre », j'ai besoin d'images compréhensibles, si ce n'est pas à la raison, alors à la conscience et même au subconscient. Et c'est cela que je ne trouve pas chez vous !... J'admets aussi que ce que vous créez a un grand avenir. Je ne serais pas du tout étonné si, regardant l'avenir, je n'y voyais qu'un art voisin du vôtre ou provenant de vous-même... Cela ne m'étonnerait pas, mais j'en serais mortellement affligé...
Ne me reprochez pas une reconnaissance sincère. Considérez-la comme la reconnaissance d'un passéiste enragé pour lequel le passé et l'instant du présent qui recule dans le passé sont les seules valeurs réelles, et auquel les formes de l'art (en particulier de l'art de la peinture) jusqu'à l'existence actuelle ont appris à comprendre avec délectation ce passé. Pour moi l'avenir, tout simplement, n'existe pas et j'adore le monde tel que je le vois.
Veuillez transmettre à la très charmante Nina Nikolaevna ma gratitude cordiale pour son invitation que, hélas, dans ces circonstances, je ne peux accepter. Je reste sincèrement respectueusement vôtre et fidèle à vous.
Alexandre Benois
Mardi 8 décembre 1936

(lettre originale en russe conservée dans le fonds Kandinsky, traduite par Olga Makhroff)

BIBLIOGRAPHIE

Monographie *éditée par " Cahiers d'Art ", Paris. 1933.*
Monographie *éditée par " Sélection " Anvers.*
Monographie *éditée par " der Sturm " Berlin.*
Monographie *édité par " Gaceta de Arte " à Teneriffe (en préparation).*

La Bibliographie la plus complète a été publiée dans le N° 38 de la *" Gaceta de Arte " Teneriffe. 1936.*

TOILES

1. Unité et division, *1934*
2. Mouvement, *1935*
3. Bigarré noir, *1935*
4. Pointes, *1935*
5. Formes multiples, *1936*
6. Le nœud rouge, *1936*
7. Courbe dominante, *1936*
8. Environnement, *1936*

GRAPHIQUES

" Klaenge " *(poèmes ill. de gravures sur bois. Berlin, 1913.*
" Petits mondes " *12 planches, 1922.*
" Der blaue Reiter ", *1913.*
" The art of spiritual harmony, *1914.*
Lithos en couleurs et en noir.
Eaux-fortes.
Bois.
Pochoir, *éd. Sintesi Barcelone 1935.*

Madame JEANNE BUCHER et Madame CUTTOLI

vous invitent à l'exposition

KANDINSKY

TOILES RÉCENTES
AQUARELLES
GRAPHIQUES DE 1910 - 1935

DU 3 AU 19 DÉCEMBRE 1936
DE 10 A 12 H. ET DE 14 A 19 H.

VERNISSAGE le 3 DÉCEMBRE à 16h.
9ter, Boul. Montparnasse, Paris-6e

7 Carton-catalogue de la première exposition organisée par Jeanne Bucher en l'honneur de Kandinsky, en décembre 1936. A l'intérieur de ce carton, on trouve la reproduction d'un bois de Kandinsky tiré de « Klänge » et un texte de présentation court, non signé.

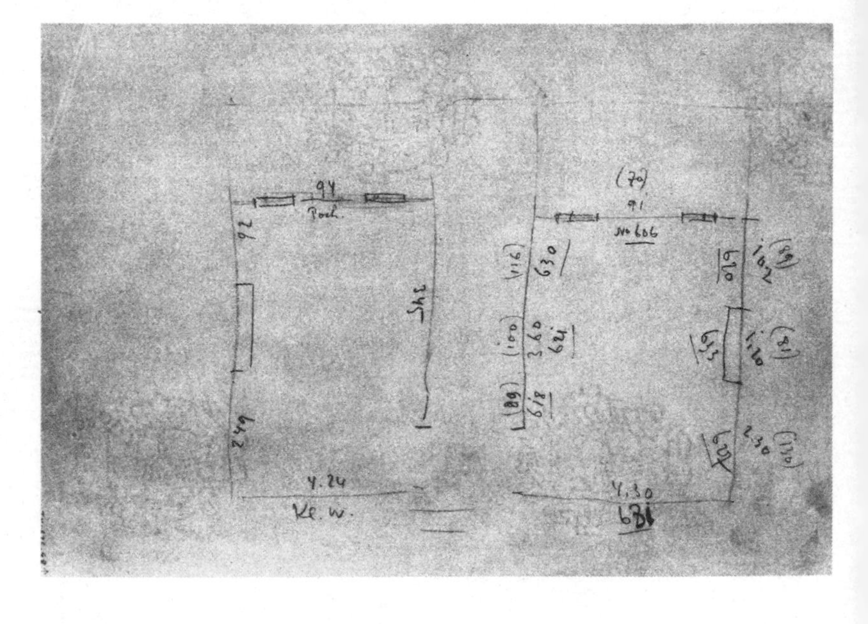

8 Plan de l'accrochage des œuvres sélectionnées par Kandinsky pour cette exposition, porté au verso du dessin n° 615.
La galerie comportait deux pièces à l'étage dans le fond d'une cour au 9 ter du boulevard Montparnasse. Jeanne Bucher y présenta les dernières œuvres de Kandinsky, entre deux expositions personnelles de femmes artistes : du 17 au 30 nov. 1936, Marthe Heckimi, et, en janvier 1937, Vieira da Silva. Parmi les visiteurs de l'exposition Kandinsky, Jeanne Bucher nota le passage de Jean Cassou et Louis Hautecœur, responsables du Musée du Luxembourg.

Les grandes revues internationales parisiennes

9, 10 *Étoiles, Comètes,* deux lithographies, tirées par les établissements Mourlot d'après des gouaches de Kandinsky de 1938, inventoriées sans numéro dans le catalogue des gouaches et aquarelles de l'artiste, avec mention de la date du 1er mars 1938, et éditées par E. Tériade dans le n° 2 de la revue d'art, *Verve,* printemps 1938 (mars-juin), pp. 94-96 — (Rœthel-gravure, p. 418 nos 25 et 26, illustrations p. 488 nos 83 et 84).

Kandinsky écrit à Paul Klee le 9 janvier 1938 : « Aujourd'hui j'avais chez moi E. Tériade, l'ancien rédacteur du *Minotaure,* actuellement rédacteur du nouveau magazine d'art *Verve,* éminemment important. Le premier numéro a paru début décembre 1937. Le numéro 2 est en cours de préparation. Il doit paraître le 1er mars 1938, travail précis dans le style américain. (...) Dans le premier numéro les quatre éléments furent traités par quatre artistes : l'air, la terre, le feu, l'eau. Dans le numéro 2 on demandera à quatre artistes de représenter quatre phénomènes célestes : le soleil, la lune, les étoiles et les comètes. (...) Ainsi ce n'est qu'aujourd'hui qu'il est venu me voir pour me demander de traiter un de ces sujets. Il me disait que son rêve serait que vous et moi nous participions aux dites représentations. (...) On vous prie donc chaleureusement de choisir parmi « Lune » et « Étoiles » (dimension de la page : 26 × 36 (cm), nombre de couleurs : 4-5, lithographie (d'après) gouache et aquarelle).

En réalité, ce fut Masson qui illustra le soleil et la lune dans le n° 2 de *Verve* (pp. 101-103) et l'article « Corps célestes » par Georges Bataille (pp. 97-100).

11 Couverture pour la revue *Transition,* n° 27, avril-mai 1938, d'après un dessin de Kandinsky, tirage en deux couleurs, bleu et rouge sur fond blanc en réserve (Rœthel-gravure, p. 418, n° 23, p. 487 illustration n° 82).

Dans ce numéro, qui célèbre le dixième anniversaire de la revue, l'éditeur Eugène Jolas publie (pp. 104-109) plusieurs poèmes de Kandinsky écrits en allemand : « Blick und Blitz » (München, 1912), « Ergo » (Paris, mai 1937), « S » (Paris, mai 1937), « Erinnerungen » (Paris, mars 1937), « Anders » et « Etwas » (München, Klänge), « Immer Zusammen » (Paris, mai 1937), poèmes illustrés de trois bois de Kandinsky tirés de *Klänge.*

Parmi les reproductions d'œuvres plastiques sélectionnées par James Johnson Swenney, éditeur associé, pp. 253-285 : deux œuvres de Kandinsky, *La Ligne blanche,* 1936, Musée du Jeu de Paume, Paris, et *Composition,* 1927 *(Trente).*

Kandinsky écrivait à Will Grohmann au sujet d'Eugène Jolas, le 26 décembre 1937 : « ... Jolas, je le verrai après les jours de fête, en ce moment ils sont tous les deux (Eugène et Maria, sa femme) à la campagne, je lui demanderai alors quand il compte lire votre travail. C'est un homme formidable... » et le 11 mai 1938 : « Monsieur et Madame Jolas étaient ici, il y a peu de temps. Ils sont très gentils. Il m'a dit de vous dire qu'il serait très content si vous faisiez un article sur ma peinture. (...) La revue *Transition* est parue, on vous enverra un exemplaire (...) »

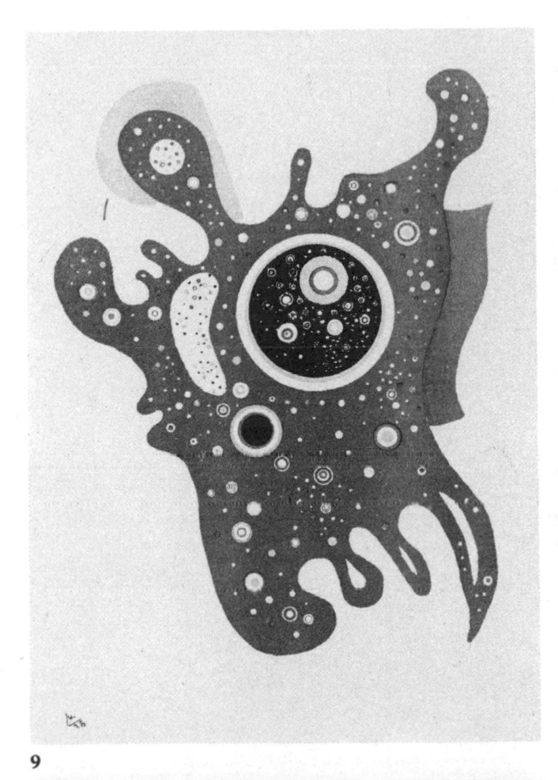

9

10

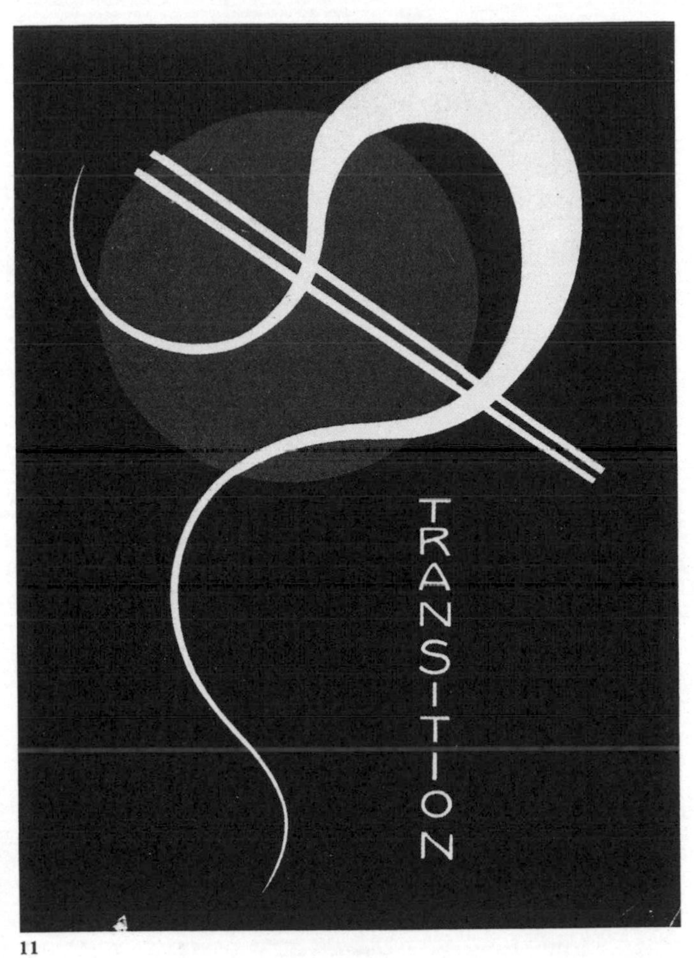

11

Montrer ses travaux et les diffuser par la reproduction photographique, à travers la presse spécialisée, sont deux préoccupations constantes de Kandinsky. Avec discernement, il choisit les revues auxquelles il confie articles ou photographies. Déjà à Dessau, puis à Berlin, il recevait régulièrement les publications parisiennes, les *Cahiers d'Art* et les revues artistiques du surréalisme. A Paris, il collectionne les numéros de *Minotaure,* de *Verve* et des revues internationales : *Axis,* éditée en Grande-Bretagne, et *Gaceta de arte,* des lointaines Canaries. C'est à travers elles qu'il se maintient sur une scène artistique qui déborde Paris. Il découvre les œuvres des artistes parisiens et étrangers par les reproductions photographiques : ainsi connaît-il les reliefs de Ben Nicholson. Aussi, lorsque la brouille avec Zervos est consommée, il encourage immédiatement la publication d'un nouveau magazine du même style : xxe *Siècle.* A la demande du rédacteur, San Lazzaro, il s'exerce à en dessiner les premières couvertures. Il s'occupe, dans la mesure de ses moyens, de diffuser les revues qu'il apprécie. Le 2 avril 1938, il recommande à Herbert Read les revues parisiennes : « Avez-vous reçu le dernier numéro de *Verve ?* Il est très beau. Et le xxe *Siècle* qui est plus modeste, mais aussi très précieux. Nous avons maintenant 3 (trois !) revues d'art à Paris. Non, pardon ! quatre, j'ai oublié *Les Cahiers d'Art.* Eh bien, pardon encore une fois : cinq, si on pense à *Plastique.* Mais il y a encore une sixième pas tout à fait parisienne, et pas tout à fait une revue d'arts plastiques, mais, disons, une « cousine américaine » qui vient au monde cette fois à Paris. C'est la très importante *Transition.* »

Kandinsky accepte volontiers d'écrire des articles. Ce sont en général des textes courts, « énergiques et simples ». Il emprunte des métaphores à son environnement immédiat, ce qu'il observe par la fenêtre de son atelier : « le pêcheur à la ligne » pour *Axis,* le « fleuve qu'on ne saurait arrêter » pour l'album de César Domela. Seul développement à caractère plus théorique, les notions d'« art concret » et de « la valeur de l'œuvre concrète » sont exposées à travers les livraisons successives de xxe *Siècle.* La combinaison des deux termes n'est pas nouvelle, elle a été créée par Van Dœsburg vers 1930. Kandinsky en pervertit le sens en se l'appropriant. En réalité, il cherche une troisième voie pour l'art abstrait débaptisé en « concret », entre une abstraction étriquée qui aboutit à une impasse et le surréalisme trop littéraire. Le peintre fait triompher une dernière fois l'intuition divinatrice sur la sèche raison. Il reprend son explication psychologique des couleurs. Il préconise le renouvellement des formes par l'étude des inextricables structures naturelles. Arp partage ce regain de naturalisme. Kandinsky oppose, au retour à la figuration souhaité par toutes les dictatures, la vitalité de l'art concret : « L'art concret est en plein développement, surtout dans les pays libres, et le nombre des jeunes artistes partisans de ce "mouvement" augmente dans ces pays ». Ce retour à la simplicité qu'il préconise l'amène à rapprocher peinture et poésie. Il écrit à nouveau des poèmes, d'abord en allemand puis en français. Ces précieux exercices sur les mots gomment les dernières aspérités conceptuelles d'une pensée théorique assez vague.

Le second futurisme et l'appel de l'Italie

Le discours critique sur l'œuvre kandinskienne a été trop longtemps hagiographique : on tait tout ce qui pourrait nuire, comme la fascination de Kandinsky entre 1934 et 1937 pour les slogans et les tonitruantes expositions futuristes à Paris, où l'Italie est à la mode. Le Petit Palais accueille en 1935 une étonnante réunion des chefs-d'œuvre de la peinture florentine, vénitienne et romaine, tandis qu'au Jeu de Paume la présentation de l'art italien des XIXe et XXe siècle commence par le buste de Mussolini. Les fascistes ont su, pour leur propagande, s'attirer les faveurs du mouvement futuriste; ils ont couvert de gloire Marinetti, et le poète est devenu le chantre du régime s'enflammant pour les sujets de progrès, de machinisme et de guerre.
Kandinsky n'est pas le seul à applaudir les déclamations de Marinetti chez Bernheim-Jeune en 1935. Fernand Léger, Le Corbusier, Alberto Sartoris entretiennent eux aussi des contacts de sympathie avec les futuristes. Les relations amicales entre Marinetti et Kandinsky s'expliquent par la fidélité de Kandinsky à un mouvement antérieur à la guerre, très proche de certains aspects de l'avant-garde russe. De plus, le futurisme est le seul mouvement capable de concurrencer à Paris le tout-puissant cubisme. Il y a également des connivences idéologiques entre les futuristes et Kandinsky, ainsi qu'une indiscutable offensive de séduction de la part de l'artiste pour obtenir de Rome ou de Venise une grande rétrospective.
La technique de sable mêlé à la peinture, adoptée par Kandinsky à son arrivée, est conforme au discours sur l'art mural que tiennent Fillia et Enrico Prampolini, qui développent dans *Stile Futurista* les vieilles thèses puristes. Le mur peint fait école également à Paris où, sous le haut patronage de l'historien d'art Eugénio d'Ors, des artistes, parmi lesquels figure le nom de Kandinsky, créent le premier Salon de l'Art mural en 1935. Le musicalisme et l'aéropeinture de Prampolini, les transparences de Nicolay Diulgheroff, un ancien élève du Bauhaus établi à Rome, présentent maintes parentés avec les nouvelles Compositions de Kandinsky : les masses colorées se maintiennent en lévitation dans un ciel éthéré. Le « flirt » avec le futurisme se prolonge jusqu'à la guerre et il est vraisemblable qu'on cessera bientôt de l'ignorer.

Interview de Kandinsky reproduite dans le quotidien italien *Il Lavoro Fascista,* le dimanche 28 juillet 1935, et illustrée d'une reproduction d'après *Relations,* peinture de Kandinsky de juillet 1934.

LETTRES DE PARIS

Le peintre Kandinsky et ses idées sur l'art

Paris, juillet.
Si l'attention générale du public parisien s'est tournée en priorité vers les grandes expositions d'art italien, d'autres événements artistiques ont contribué à tenir en éveil l'intérêt de la métropole française pour les courants de l'esthétique figurative contemporaine, à commencer par l'exposition organisée il y a quelques semaines par les *Cahiers d'Art.*
Ces synthèses surréelles de formes et de couleurs nous ont donné envie de demander à Kandinsky, le plus connu des exposants, d'expliquer lui-même les critères informatifs de ce mode d'expression pictural si éloigné de la conception normale et des canons du réalisme. Il ne nous a pas été très difficile de fixer un rendez-vous avec Kandinsky et de le retrouver dans son appartement clair de Neuilly, d'où l'on voit la Seine, large et bordée d'arbres.
Apprenant notre nationalité italienne, il a tout de suite engagé la conversation, nous demandant des nouvelles du groupe de peintres abstraits présents à la quadriennale qui se tient actuellement à Rome. Nous lui avons répondu que la presse s'y était davantage intéressé que les visiteurs laïcs et que la critique italienne, de toute façon, en signalant les résultats obtenus par des artistes audacieux tels que Ghiringhelli et Magnelli, Licini et Soldati, Bogliardi et De Amicis, n'a pas oublié de le citer, lui, Kandinsky, qui, dès 1912, créait à Munich le groupe du Blaue Reiter auquel vinrent se joindre par la suite Klee et Feininger : les premiers débuts, au fond, de l'art abstrait intégral.
— Je suis vraiment heureux et reconnaissant de cet hommage de la presse que je n'ai pas sollicité. A ce propos, je dois ajouter que votre compatriote Di Cesaró a traduit, avec une brillante préface qui plus est, mon vieux livre *Uber das Geistige in der Kunst (Du Spirituel dans l'art)* mais qu'il attend encore l'éditeur sans préjugés qui publiera cette traduction. Le livre fut écrit en 1910 et publié deux ans plus tard, non sans difficultés. Mais ce n'est qu'à l'hiver 1912 que l'éditeur allemand put en effectuer trois tirages consécutifs, et je crois qu'il n'a pas perdu aujourd'hui sa valeur *actuelle.*
— Je le crois aussi, en toute modestie, si l'on tient compte du vif intérêt suscité en Italie par celui qui est le paladin et le polémiste de nos abstraits, Carlo Belli, avec son *Kn.*
— Mais ne parlons plus de livres et de théories sur le papier. Donc, vous avez vu mon exposition ? Vous vous souvenez que j'ai rassemblé aux *Cahiers d'Art* 10 toiles très récentes, 25 gouaches et aquarelles, récentes elles aussi, et 28 dessins qui embrassent la période 1910-1934. Dans la plupart des compositions sur toile, j'ai utilisé la technique au sable, de manière plus ou moins diffuse, mais en général je n'ai pas l'habitude de tellement distinguer entre les traditionnelles peintures à l'huile, les gouaches, les détrempes, les aquarelles, et j'emploie les divers procédés d'exécution souvent ensemble, dans la même œuvre. L'essentiel, pour moi, est de pouvoir dire ce que je veux, de *raconter mon rêve.* Je considère la technique et la forme elle-même comme de simples instruments pour m'exprimer et, du reste, ce que je raconte n'a pas de caractère narratif ni historique, mais est de nature purement picturale.
— Des arabesques linéaires et des accords de couleurs, sans aucun contenu accessible à l'universel à la base ?
— Je vous en parlerai ensuite. Je veux d'abord vous assurer que le dessin a, dans mon art, une signification beaucoup plus importante que dans la peinture réaliste ou figurative et que les erreurs de dessin de ceux que l'on appelle *abstraits* se remarquent plus facilement que les imperfections du dessin chez les autres. Les essais graphiques que j'ai exposés tendent à démentir l'opinion de ceux qui croient que la peinture abstraite consiste uniquement en des chichis chromatiques. En effet, dans mes dessins, qui comprennent des simplifications linéaires extrêmes et des formes compliquées et fantastiques, mais toujours en noir et blanc, de nombreux observateurs ont remarqué des couleurs. C'est cela, je crois, le fait mystérieux de l'art abstrait, qui l'apparente un peu au sentiment mystique. L'époque où l'on exprimait la transcendance religieuse à travers les figures de la Vierge et des saints appartient peut-être au passé et je suis certain que le sentiment mystique trouvera son expression à l'avenir dans une forme abstraite.
— Je doute cependant que ce soit l'avis de sa Sainteté Pie XI, partisan du concret, y compris en art...
Le peintre sourit légèrement, mais il s'empresse de déclarer :
— Personnellement, je ne pratique pas ce qu'on appelle *l'art sacré.* Et je n'aspire pas non plus à la représentation de la nature : objets, hommes, paysages, puisque aussi bien la nature, à mon avis, n'a pas besoin de l'art et qu'elle en est distincte. L'art, selon moi, n'est que le développement d'idées déterminées, de même que dans la nature les êtres sont le développement définitif de germes déterminés. Dans un cas comme dans l'autre, un développement insuffisant conduit à des manifestations monstrueuses ou avortées. Ce sont les lois de l'ordre invisible, de ce que j'appelle *la nature* dans sa plus vaste acception. Et l'artiste doit seulement écouter ces lois et bien les appliquer, guidé par son sentiment propre. Il peut penser avant et après l'effort, mais pas pendant le travail. Les artistes ne furent jamais autant enclins à la méditation qu'à notre époque. Mais nombreux sont parmi nous, artistes, ceux qui font la dangereuse erreur de mettre la pensée à la place du sentiment, alors que, au pire, le contraire est excusable. Je l'ai déjà dit, un gant vide, où l'air serait introduit artificiellement afin de le gonfler jusqu'à simuler une main, ne sera jamais une main d'homme.
— Vous êtes donc opposé à tout artifice, à toute mécanisation des formes !
— Certainement. Et du reste, je crois que l'art abstrait est chez moi un art plus que réaliste, dans la mesure où, à partir d'une idée purement picturale, avec des moyens picturaux eux aussi, je parviens à réaliser une œuvre au contenu purement pictural, auquel la forme est subordonnée. Je ne pense pas que cette formule puisse s'appliquer avec le même profit aux manifestations dites « réalistes ». Mais les *pompiers* existent dans tous les domaines de l'art, y compris chez les abstraits. L'important est d'échapper aux pièges du vide spirituel.
Il nous a semblé opportun à cet instant de ne pas abuser davantage de la courtoisie de notre hôte et nous avons pris congé de lui en le remerciant comme il se doit de l'empressement et de la clarté avec lesquels il a su répondre à notre désir de connaître les idées et les sentiments du plus célèbre des peintres abstraits contemporains.

(traduit par François-Michel Gathelier)

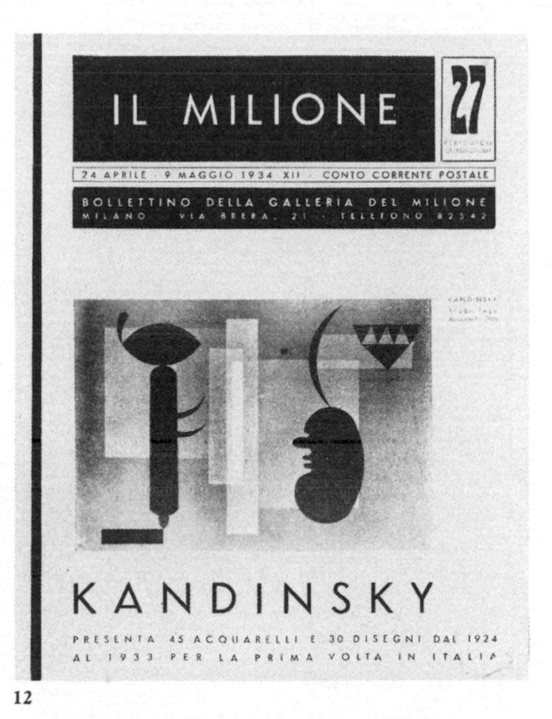

12

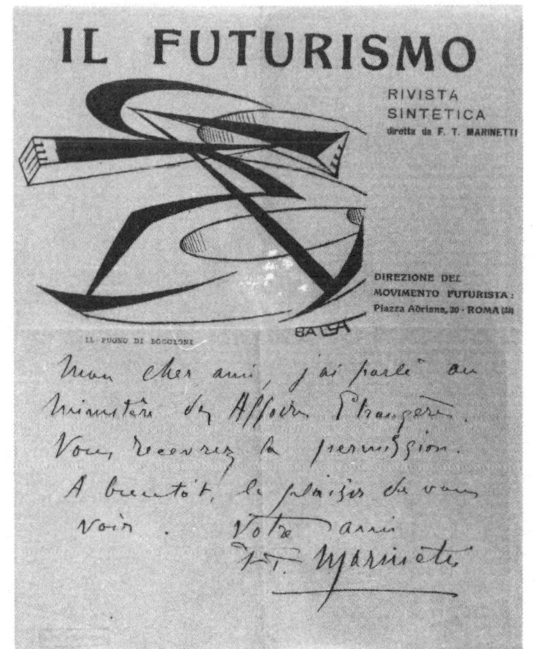

IL FUTURISMO
RIVISTA SINTETICA
diretta da F. T. MARINETTI

DIREZIONE DEL MOVIMENTO FUTURISTA: Piazza Adriana, 30 - ROMA

IL PUGNO DI BOCCIONI

BALLA

Mon cher ami, j'ai parlé au ministère des Affaires Étrangères. Vous recevrez la permission. A bientôt, le plaisir de vous voir. Votre ami F.T. Marinetti

13

14

KANDINSKY

DELLA SPIRITUALITÀ NELL'ARTE
PARTICOLARMENTE NELLA PITTURA

con 10 tavole fuori testo

PRIMA VERSIONE ITALIANA DI
G. A. COLONNA DI CESARO'

EDIZIONI DI "RELIGIO" — ROMA 1940

15

12 Bulletin de la galerie *Il Milione*, n° 27, avril-mai 1934, consacré à Kandinsky. Celui-ci expose ses œuvres dans cette galerie milanaise avec laquelle il avait passé un contrat d'exposition dès novembre 1933. Ghiringhelli, le directeur, mettait toute sa galerie à la disposition de l'artiste. Ce sont les seules revue et galerie d'avant-garde en Italie. La revue était diffusée à 2 000 exemplaires et se réclamait du fascisme. Il ne faut donc pas être surpris de voir Ghiringhelli écrire à l'artiste le 19 juin 1934 : « Certainement, vous pouvez dire que notre galerie est une galerie fasciste : vous aurez vu chez « Cahiers d'art » notre revue *Quadrante* que c'est bien fasciste-révolutionnaire. Notre modernité c'est absolument et typiquement fasciste ». A la fin de l'année 1934, Kandinsky publiait dans *Il Milione* une courte préface pour l'exposition des gravures de Josef Albers. Il participera à une exposition de groupe, organisée dans la même galerie en mai 1938, avec Hans Arp, César Domela, Alberto Magnelli, Kurt Seligmann, Taeuber-Arp, Paul Vezelay.

13 Message de Filippo Tommaso Marinetti à Kandinsky, écrit sur l'extravagant papier à lettre du mouvement futuriste avec l'en-tête emprunté à un dessin de Boccioni. Ce mot est non daté, mais il peut sans doute être mis en relation avec le projet d'exposition à Rome que nourrissait Kandinsky. Kandinsky écrit, en effet, à Grohmann le 2 décembre 1935 : « (...) Nous avons parlé d'aller nous-même à Rome et à Milan. Les fascistes avaient proposé de faire une exposition et tout était déjà en route. La guerre [l'expédition coloniale italienne en Erythrée] ne l'a pas permis ».

14 Photographie publiée dans la revue d'art italienne, *Stille Futurista*, livraison de mai 1935, p. 4, avec la légende : « Son excellence Marinetti, Kandinsky et Madame, Defilippis, P. Oriani, Mino Rosso, Giuseppe Rosso et Franco Costa à la galerie Bernheim-Jeune à Paris lors de la conférence de Marinetti, "Quel sera l'art de demain ?", en 1935 ».
Assistaient à ce débat Maurice Raynal, Christian Zervos, Gaston Poulain, Fernand Léger, Kandinsky, Ivan Goll, Claire Goll, Josse Bernheim, Léonce Rosenberg, Paul Dermée, Céline Arnaud, Henry Valensi, Pierre Mortie, Paul Éluard, Benjamin Péret et Raymond Duncan qui créa l'incident en injuriant Marinetti pour son apologie de la guerre.
Kandinsky avait sollicité par une longue lettre en date du 23 juillet 1932 l'intervention de Marinetti pour sauver le Bauhaus. Il comptait sur l'appui du poète italien pour influencer les national-socialistes allemands et l'invitait à venir à Dessau. Malgré les mises en garde des surréalistes contre les futuristes trop compromis avec les fascistes, Kandinsky continua de soutenir Marinetti. C'est ce qui apparaît clairement dans la correspondance qu'il adresse à Will Grohmann, notamment dans la lettre en date du 11 mai 1938 : « (...) Il y a quelques semaines Marinetti a parlé à l'École du Louvre avec un succès énorme au sujet du "futurisme et de l'aéropeinture" en Italie, bien entendu. Il est déjà venu chez nous avec d'autres Italiens et André Dézarrois, qui, lui, parlait il y a huit jours, dans la même école du Louvre, de l'art américain (...) »

15 G.A. Colonna da Cesaro proposa le 8 décembre 1929 à Kandinsky de traduire en italien « Uber das Geistige in der Kunst », mais la traduction ne sortit des presses des éditions di Religio à Rome qu'en 1940, alors que Paris était déjà occupé. Kandinsky avait opéré quelques changements dans le texte et l'illustration; les bois de l'édition originale n'y étaient pas reproduits.

La communauté russe à Paris

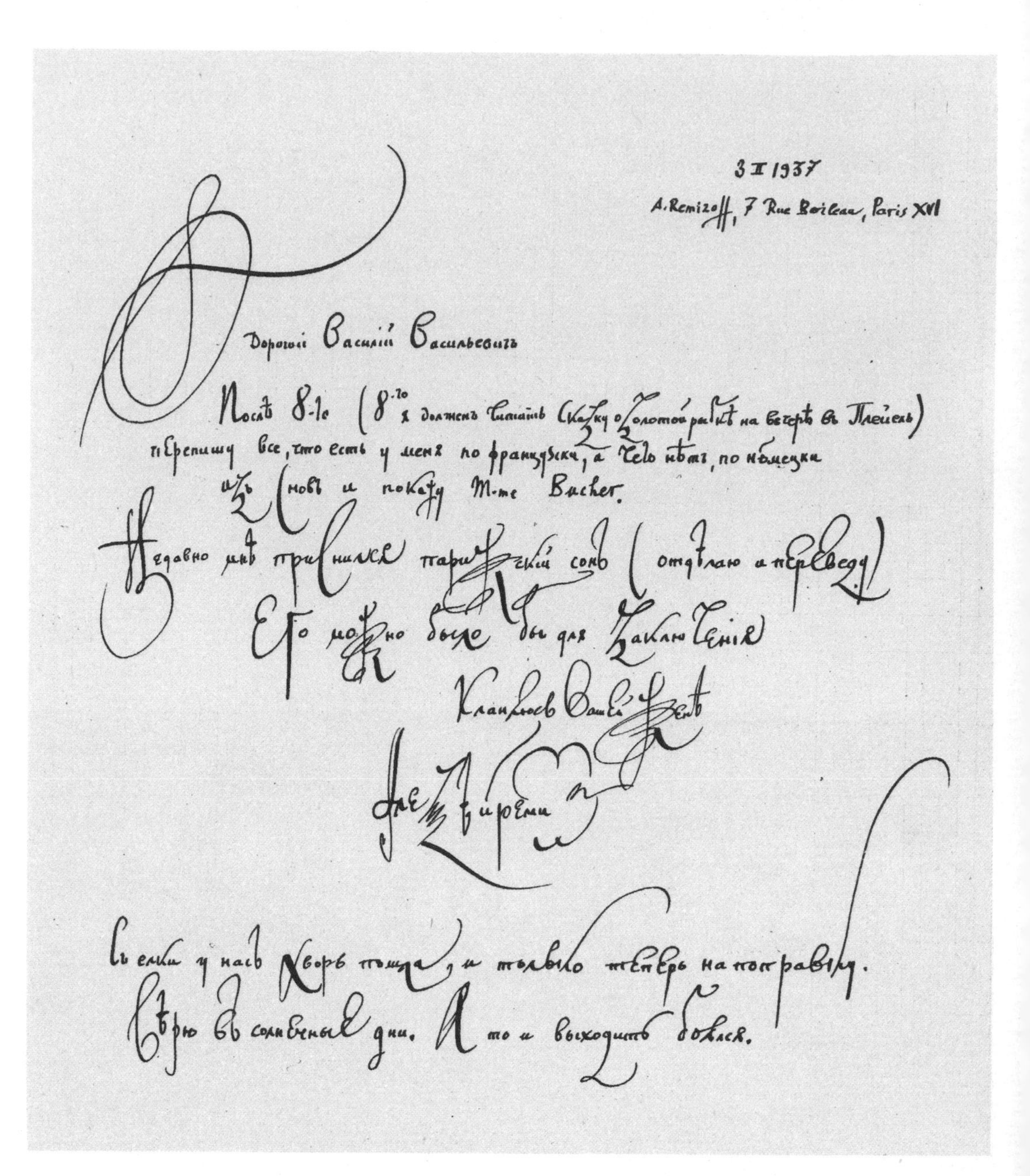

3 II 1937
A. Remizoff, 7 Rue Boileau, Paris XVI

Дорогой Василий Васильевич

После 8-10 (8-го я должен читать сказку о золотой рыбке на вечере в Плейель)
перепишу все, что есть у меня по французски, а чего нет, по немецки
из снов и покажу M-me Bucher.

Недавно мне приснился парижский сон (отделаю и переведу)
Его можно было бы для заключения
Кланяюсь Вашей жене

С елки у нас хворь пошла, и только теперь на поправку.
Верю в солнечные дни. А то и выходить боялся.

L'identité russe de Kandinsky réapparaît à travers sa correspondance et il importe d'en tenir compte pour comprendre son évolution à Paris. Le peintre essaie d'échapper à la qualification de russe émigré que lui confèrent les critiques parisiens, qui le rapprochent, par simple paresse, de Marc Chagall. En même temps, dans sa vie intime, la langue russe et la nostalgie de la patrie perdue se ravivent. Il affronte aussi la colonie des émigrés russes parisiens. Les artistes russes du groupe Mir Iskusstvo, bien introduits auprès des conservateurs de musées français, sont particulièrement fermés à l'abstraction, dégénérescence de l'art dans laquelle ils reconnaissent la source de tous leurs malheurs — le bolchevisme. Nombre d'entre eux, comme Ivan Pougny — après avoir goûté à la révolution — reviennent d'abord à un expressionnisme de bon ton puis à une peinture douce très « Bonnard ». Étrillé par les revues russes parisiennes, Kandinsky refuse de se mêler à leur fête. Il renonce même à assister à un concert donné par son ami, le compositeur Thomas von Hartmann, en juin 1937, voulant éviter une rencontre avec la société des émigrés de la rue Daru. Il s'en tient à de rares relations artistiques avec Antoine Pevsner, Jacques Lipchitz. A son enterrement assisteront Lanskoy et Poliakoff. Quand on s'inquiète autour de lui de l'avant-garde russe pendant la période révolutionnaire, il semble qu'il soit peu prolixe. Il ne participe pas à l'hommage que rend la revue *Plastique* au peintre Malévitch, dont on apprend en 1935, sans en être parfaitement sûr, la mort.
Kandinsky se replie pourtant dans une russité personnelle. A Paris, il renoue avec la famille russe, la sienne, en la personne d'un de ses demi-neveux. Il trouve en Alexandre Kojève un philosophe capable d'analyser et de critiquer ses œuvres. Il lit en l'annotant un long essai, « L'Art concret », que Kojève écrit en 1936. Il recommande à Giorgio di San Lazzaro d'en publier des extraits dans *XXe Siècle*. Avec l'âge, les mots et la langue russe remontent à la surface : au quotidien c'est en russe qu'il converse avec Nina et qu'il note le coloris de ses peintures sur les croquis préparatoires.
Courbe dominante, titre d'une des toiles les plus significatives de la période parisienne, s'apparente aux exercices calligraphiques d'Alexei Rémisoff, un écrivain russe que Kandinsky cherche à introduire auprès de Jeanne Bucher. Les longues arabesques, avec leurs pleins et leurs déliés, de la correspondance de Rémisoff à Kandinsky nient les typographies insolantes de modernisme des « constructivistes russes » et rejoignent la vacuité décorative de la ligne 1900. La nostalgie de Moscou — la mère aux 40 fois 40 églises — entraîne souvent Kandinsky en des débordements colorés, d'un maniérisme raffiné, qui effraient la critique française.

16 Une des quatre lettres adressées par Alexandre Rémisoff (Moscou 1877-Paris 1957) à Kandinsky. L'écrivain soigne la calligraphie de sa correspondance, manifestation graphique de la nostalgie pour une culture perdue et à rapprocher de la prépondérance de la ligne courbe dans l'œuvre parisienne de Kandinsky. Autrefois, vers 1922, Kandinsky avait eu le projet d'illustrer des contes de Rémisoff, désormais il se contente de l'introduire auprès de Jeanne Bucher, qui s'occupe également d'édition.

« 3 II 1937
A Rémisoff, 7 rue Boileau Paris XVI
Cher Vassily Vassilievitch,
Après le 8 octobre (le 8 je dois lire le Conte du Poisson d'Or lors d'une soirée à Pleyel) je recopierai tout ce que je possède en français, et ce que je n'ai pas en français, en allemand, parmi mes rêves et les montrerai à Madame Bucher.
Il n'y a pas longtemps, j'ai fait un rêve parisien (je le mettrai en forme et le traduirai).
On pourrait l'utiliser en conclusion.
Mes hommages à votre femme. Alexei remi…
Depuis Noël nous sommes malades, maintenant seulement nous nous remettons. Je crois dans les jours ensoleillés. J'avais même peur de sortir ».

(traduit par Olga Makhroff)

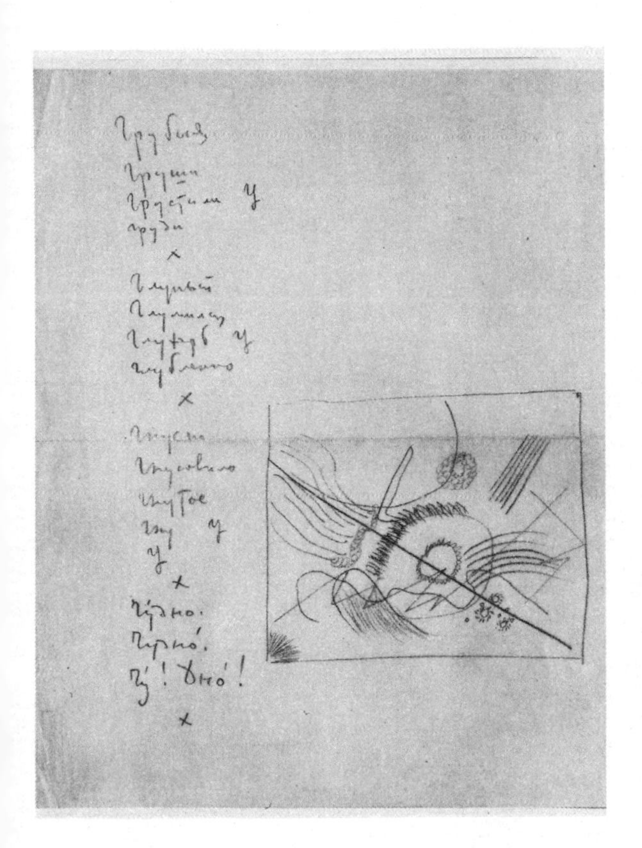

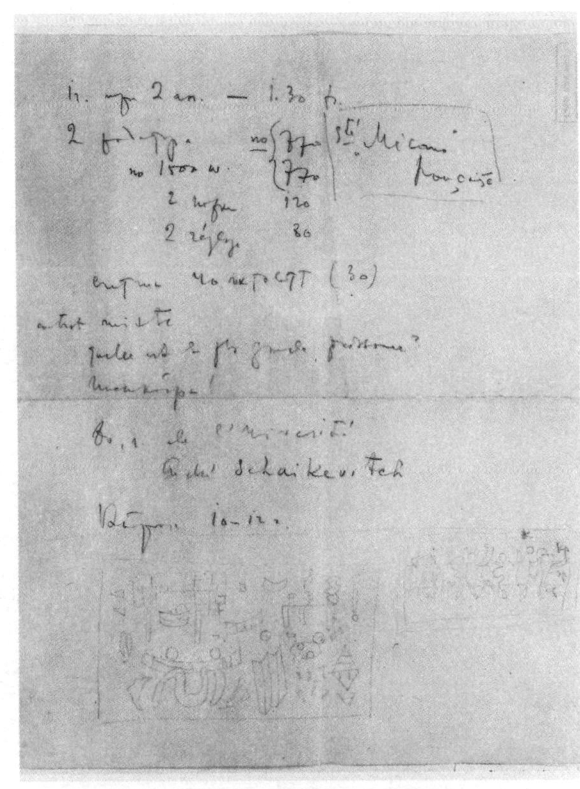

17, 18 Manuscrit bilingue, russe - français, de Kandinsky, agrémenté de croquis (Inv. 879-7). Au recto, un poème en russe, avec un croquis cadré dans le style des œuvres de la période russe; au verso, mélange de russe et d'éléments d'adresse en français avec des schémas dans le style parisien.

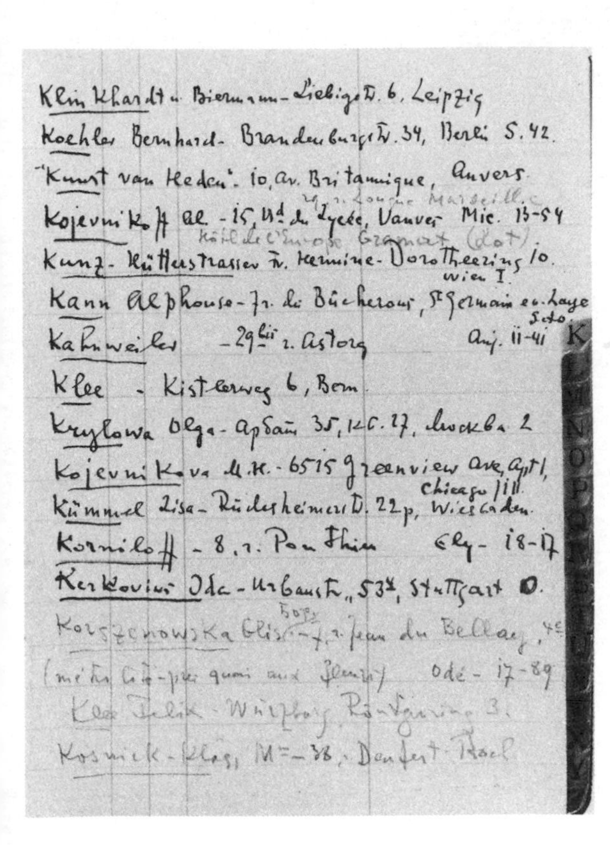

Klinkhardt u. Biermann - Liebigstr. 6, Leipzig
Koehler Bernhard - Brandenburgstr. 34, Berlin S. 42.
"Kunst van Heden" - 10, av. Britannique, Anvers
Kojevnikoff Al. - 15, bd du Lycée, Vanves Mic. 13-54
Kunz - Rüttenstrassen Fr. Hermine - Dorotheergasse 10. Wien I.
Kann Alphonse - r. de Bûcheron, St Germain en Laye
Kahnweiler - 29 bis r. Astorg Anj. 11-41
Klee - Kistlerweg 6, Bern
Krylowa Olga - Арбат 35, кв. 27, Москва 2
Kojevnikova M. K. - 6515 Greenview Ave, Apt 1, Chicago / Ill.
Kümmel Lisa - Rüdesheimerstr. 22p, Wiesbaden
Korniloff - 8, r. Panthéon Ely - 18-17
Kerkovius Ida - Urbanstr. 53a, Stuttgart

19 Feuillet « K » du dernier carnet d'adresses de Kandinsky. Illustration de l'aspect international du cercle social de Kandinsky, où les parents russes Olga Krylowa, la sœur de Nina, la diaspora des Kojevnikoff, demi-neveux, demi-nièces voisinent avec les relations purement artistiques, Alphonse Kann, Kahnweiler et Paul Klee.

20 Alexandre Kojevnikoff (1902-1968) devenu Kojève après sa naturalisation en 1937, demi-neveu de Kandinsky. Introducteur de la lecture de la somme philosophique de Hegel à l'École des Hautes-Études, où il supplée Alexandre Koyré. Formé dans les universités allemandes, il eut pour auditeurs à Paris Georges Bataille, Maurice Merleau-Ponty, Raymond Queneau. Ce portrait montre le philosophe pendant son séjour forcé à Marseille durant la Seconde Guerre mondiale. Il avait alors entrepris d'écrire une *Esquisse de la phénoménologie du droit.* Entre l'oncle et le neveu existaient des liens qui dépassent les simples obligations de famille. Ils échangèrent des impressions esthétiques, que Kojève mit par écrit en 1936. « Cher Lula, écrit Kandinsky à son neveu, le 8 août 1936, je te remercie beaucoup de ton manuscrit et de ta carte de Bruxelles que j'ai reçus aujourd'hui. J'ai eu seulement le temps de parcourir ton manuscrit, puisque tous ces derniers temps il faisait vraiment chaud, j'ai eu une très bonne impression à la première lecture. »

Art et politique

De la Russie de son enfance, il ne lui reste plus qu'une immense tristesse réveillée par les mauvaises nouvelles ou par les abus que dénonce en 1936 André Gide dans son pamphlet, *Retour d'U.R.S.S.* Kandinsky semble, en effet, plus sensible aux descriptions du musée antireligieux de Leningrad qu'aux prémices de la lutte nazie contre « l'art dégénéré ». Il a une vision partiale de la crise du monde moderne, et pratique un attentisme déconcertant vis-à-vis des nazis. Il croit, jusqu'en 1935, à un retour possible en Allemagne et ne fait rien pour le compromettre. Il charge même son neveu Alexandre Kojève, en séjour à Berlin, d'expliquer aux autorités et aux banques allemandes que son absence n'est pas politique : « Tout en vivant en Allemagne de façon permanente déjà avant la guerre, j'ai voyagé à l'étranger où je suis resté une fois sans interruption plus de quatre ans (France, Belgique, Tunisie, Italie). Par conséquent, mon absence depuis déjà presque deux ans n'a rien à voir avec des raisons politiques, mais exclusivement artistiques ».

Cette sage politique ne lui évite pas de figurer à l'exposition « Entartete Kunst Bildersturm vor 25 Jahren », à la Haus der Kunst de Munich en juillet 1937. On y présente trois peintures et deux aquarelles, tandis qu'on retire des collections des musées allemands toutes ses œuvres. Certaines sont vendues discrètement à des collectionneurs comme Hilla Rebay, d'autres sont mises en vente publique. Malgré ces évidentes agressions, Kandinsky conserve une attitude non engagée. Toutefois, il assiste à Paris au vernissage de l'hommage rendu par Jeanne Bucher à l'artiste juif Otto Freundlich, dont une sculpture a eu la triste gloire d'orner la couverture du catalogue de l'exposition « Entartete Kunst » de Berlin en 1938. Mais, la même année, il récuse les intentions d'une exposition à laquelle il ne participe à Londres que sur l'insistance de Peggy Guggenheim : « Twentieth Century German Art, Banned Artists at the New Burlington Galleries » en juillet 1938. Tous les artistes retenus l'ont été en raison de leur présence à l'« Entartete Kunst » de Munich en 1937. Otto Dix y envoie *Flanders*, une dénonciation expressionniste de la guerre à venir. Kandinsky proteste contre cette manière d'utiliser son œuvre à des fins politiques, et Herbert Read, un des responsables de l'exposition, lui concède ce point dans la lettre qu'il lui adresse le 9 novembre 1938 : « Je ne pense pas que vous soyez bien avisé d'exposer dans le futur avec les expressionnistes allemands. Non seulement votre art est d'un esprit différent, mais la plupart d'entre eux sont déterminés à tirer parti de leur infortune, ce qui leur aliène les seules personnes qui sont disposées à acheter leurs peintures. Je ne dis pas cela par cynisme ou par souci de compromis. Politiquement et intellectuellement, je suis totalement opposé au fascisme et le combats continuellement. Mais il y a des réalités politiques et des réalités esthétiques, et il est nécessaire de préserver la distinction entre les deux. Je veux dire que si on se bat pour la liberté de l'art, on n'a pas à politiser l'art en même temps ».

guggenheim jeune
have the pleasure of inviting you
to the private view of paintings •
• water-colour drawings and gouaches
by
wassily kandinsky
• february 17th—10 to 6 •
30, cork st., burlington gardens, bond st., w. 1.

21, 22 André Breton et Vassily Kandinsky, sur le balcon au 135 boulevard de la Seine à Neuilly. Breton fut, de tous les surréalistes, celui qui fut le plus proche de Kandinsky. Il avait acquis deux aquarelles de lui en 1929. Il lui avait recommandé René Char. Après l'éclaboussure des « procès staliniens », l'éloignement de Breton par rapport aux thèses communistes orthodoxes devait intensifier les contacts entre le poète et le peintre. Est-ce en 1936 ou en 1939 qu'André Breton envoyait ce petit mot à Kandinsky : « Je n'ai pas eu le temps de vous dire à quel point je restais sous le charme des œuvres exposées chez Madame Bucher et qui sont faites de la poussière des temps où l'on a été et où l'on sera encore heureux. Vous savez, cher Monsieur Kandinsky, que, pour parler le langage des astrologues, plusieurs des étoiles de mon ciel sont en grande réception dans votre œil ? » Ce fut à André Breton que Peggy Guggenheim demanda de préfacer l'exposition qu'elle organisa en l'honneur de Kandinsky à Londres en 1938. Samuel Beckett fut chargé de traduire les quelques lignes du poète : « Some appreciations of the work of Wassily Kandinsky ».

23 Hans Arp fut certainement un des proches de Kandinsky au cours des onze années qu'il vécut à Paris. Ils figurent l'un et l'autre sur la photographie de groupe prise lors de l'exposition « Cercle et Carré », mais ce ne fut qu'en 1933 que les deux artistes reprirent les conversations commencées à Munich en 1912. Comme ils se rencontraient et se téléphonaient, ils eurent rarement l'occasion de s'écrire; d'ailleurs, Arp détestait écrire. Cela ne confère que plus de rareté et de prix à cette lettre en date du 18 septembre 1936, par laquelle il adressait à Kandinsky des coupures de presse concernant les billevesées des nazis et de l'art dit dégénéré :

18 9 36

-

liebe kandinskys .

ich danke ihnen herzlich für ihre kartengrüsse .

meiner frau geht es leider nicht gut . sie ist mit ihrer schwester in einem sanatorium .

ich wollte ihnen schon vor einigen tagen eine notiz die auflösung des hamburger kunstvereins betreffend schicken . nun finde ich wieder neue nachrichten die sie interessieren werden .

ich komme in den ersten oktobertagen wieder nach meudo zurück .

ich grüsse sie herzlich . ihr ergebener hans arp . Hans Arp

Laut Anweisung des Propagandaministeriums darf Barlachs Name in der deutschen Presse nicht mehr erwähnt werden.

SCHANDAUSSTELLUNGEN

Die Greuel-Kunstausstellungen von Kunstwerken, die unter dem ‚System' von Museen angekauft worden sind, werden neuerdings wieder als Agitationsmittel benutzt. So gab es in diesem Sommer wieder in München eine Greuelkunstausstellung. In einer Turnhalle. Eintritt 5 Pfennig. Ausgestellt waren da u. a. das Kriegsbild von Dix, ein Maskenstillleben von Nolde, Akte von Schmidt-Rottluff, Zeichnungen von Grosz, Heckel, Schlemmer, Klee, Kandinsky, Barlach. Die NS-Kulturgemeinde veranstaltet Führungen. Die Aufklärung über den „Kulturbolschewismus" besteht vor allem darin, dass man bei jedem einzelnen Stück den gezahlten Preis ansagt: „Schädigung des Volksvermögens". Ueberdies hätten die Kulturbolschewisten das Geld ins Ausland verschoben — — In der Presse darf über diese „Schand-Ausstellungen" nicht berichtet werden

« Chers Kandinskys,
Je vous remercie beaucoup de votre carte postale. Malheureusement ma femme ne va pas bien. Elle est dans un sanatorium avec sa sœur.
Il y a déjà quelques jours que je voulais vous envoyer une note concernant la dissolution du Kunstverein de Hambourg. A l'instant je trouve encore d'autres nouvelles qui vous intéresseront sûrement.
Je reviendrai à Meudon dans les premiers jours d'octobre.
Meilleurs souvenirs. Hans Arp. »

Coupure de presse :

« Expositions infâmes.
Les expositions d'art abominable qui montrent des œuvres d'art, achetées sous le système par des musées, ont encore été utilisées récemment comme moyen d'agitation. Ainsi, cet été, une nouvelle exposition d'art abominable a eu lieu à Munich. Dans un gymnase. Ticket d'entrée : 5 pfennig. Furent exposés entre autres : le tableau de la guerre de Dix, une nature morte avec masques de Nolde, des nus de Schmidt-Rotluff, des dessins de Grosz, Heckel, Schlemmer, Klee, Kandinsky, Barlach. Le groupement culturel des national-socialistes organisa des visites guidées. La démystification du bolchevisme culturel consiste en l'énonciation du prix, payé pour chaque pièce. « Préjudice pour le bien du peuple ». Au plus, les bolcheviques culturels ont clandestinement sorti cet argent vers des pays étrangers. On interdit à la presse de parler de ces expositions infâmes. Selon un décret du ministère pour la propagande, il est désormais interdit à la presse allemande de mentionner le nom de Barlach. » (traduit par Jessica Boissel)

Les Cahiers d'Art, n° 8-10, 1936, publient les « Réflexions sur la tentative d'esthétique dirigée du IIIe Reich » par Christian Zervos. Kandinsky fut attristé par ces nouvelles qui précipitaient sur le marché les œuvres qu'il avait réussi à faire entrer dans les musées allemands. Mais il n'en conserve pas moins une certaine prudence, refuse de militer ouvertement avec les bannis de l'Allemagne et s'en tient à une ligne de prudence qu'il avait définie dès 1933 dans une lettre qu'il adressait à Willy Baumeister : « Mais, pire encore, on a introduit l'art dans la politique par la force; on lui a donné une couleur politique et les partis se sont appropriés certaines orientations artistiques et ont senti la vocation de recommander au public cet art aux couleurs artificielles. C'est ainsi qu'on est arrivé, sans le vouloir, à ces plaisanteries : on donne au même art une coloration d'art purement bourgeois, vu de la gauche, et une coloration communiste, vu de la droite… »

Les dernières années, 1940-1944
la guerre,
l'Occupation,
la maladie

En 1939, la déclaration de guerre le surprend; il s'illusionne sur la capacité de résistance d'une France dont il est devenu citoyen in-extremis grâce à André Dézarrois, Jean Cassou et Pierre Bruguière. Pendant la « drôle de guerre », quelques galeries reprennent leur activité; Kandinsky peint à son ordinaire et prend même des vacances à Cauterets, où il apprend la nouvelle de l'Occupation de Paris. Après les tumultes de l'exode, il peut regagner son atelier où il se remet à la peinture comme si de rien n'était.
Tout s'effondre autour de lui : les revues sont supprimées, le courrier est réduit; Kandinsky ne reçoit plus d'argent de l'Amérique ou de la Suisse, il souffre de la pénurie de matériaux et du manque de chauffage. Dans ce dénuement il a la coquetterie de ne pas changer son mode de vie. En 1941 la tentation se fait pressante d'écouter l'appel de l'Amérique et de quitter, comme la plupart des surréalistes, Paris pour New York. Mais il se sent âgé et préfère rester à Neuilly. Il fréquente ou s'informe sur les rares expositions à Paris et participe aux accrochages de la galerie Jeanne Bucher. Dans cette période de dramatique isolement, Hans Arp et Max Bill l'associent à l'édition à Zürich d'un portfolio de gravures, diffusé par Allianz Verlag. Pour la préface de l'album César Domela en 1943, Kandinsky rédige quelques lignes résolues, ce sera son dernier message imprimé. Jusqu'au dernier jour, il conserve envers autrui une puissance d'admiration et d'enthousiasme. C'est cette même ingénuité qui anime ses dernières créations. Il peint son dernier grand format, *Tensions délicates*, en été 1942. Ensuite, il s'adonne à une débauche de petits tableaux sur carton. Il y mélange les techniques avec prodigalité : huile, ripolin, gouache, encre. Cette technique hétéroclite, qui caractérisait ses premières œuvres d'artiste dilettante, exhibées à Paris au Salon d'Automne, réapparaît donc dans ses œuvres de vieillesse avec des petites figures à peine déguisées. Ces œuvres en leur joliesse et leur bizarrerie n'ont pas le sérieux de la production de Braque qui, à la même époque, peint ce qui lui manque : son poêle, une nature morte au jambon, etc. Le ludisme des dernières « bagatelles » est parfois agressif, quand on songe aux aquarelles peintes à Gurs par Hans Reichel dans son camp d'internement. Cette négation du tragique de l'époque témoigne d'un optimisme aguerri et rejoint le monde des *Constellations*, gouaches réalisées par Miró au même moment.
Lorsque Kandinsky meurt, il croit au triomphe futur de la peinture abstraite et de l'intuition créatrice; *Uber Das Gestige in der Kunst* n'est pas encore traduit en français.

A.C. 43. PARIS - Bois de Boulogne - La Roseraie de Bagatelle
Boulogne's wood Rose garden of Bagatelle

24 Carte postale, La Roseraie de Bagatelle au Bois de Boulogne. Les Kandinsky avaient choisi de s'installer à Neuilly-sur-Seine en raison du voisinage immédiat du Bois de Boulogne et de cette roseraie. Ils apprécièrent particulièrement la beauté du parc pendant l'Occupation, quand les voyages devinrent impossibles. Kandinsky écrivait à Will Grohmann le 25 juin 1943 « (...) L'été dernier nous ne sommes pas partis en vacances et nous nous sommes contentés du Bois de Boulogne et de Bagatelle qui sont tout près de chez nous, comme vous savez ».

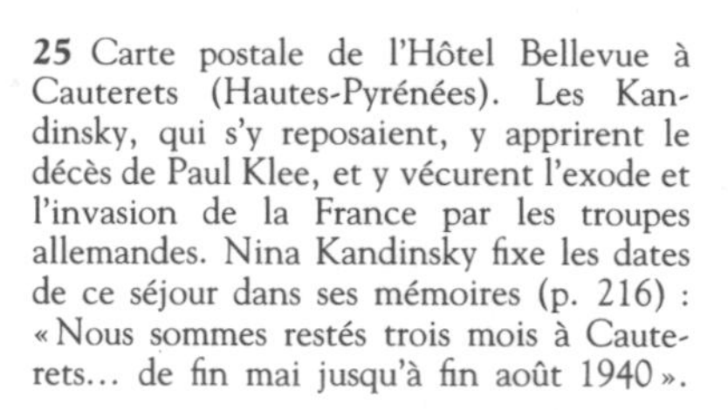
25 Carte postale de l'Hôtel Bellevue à Cauterets (Hautes-Pyrénées). Les Kandinsky, qui s'y reposaient, y apprirent le décès de Paul Klee, et y vécurent l'exode et l'invasion de la France par les troupes allemandes. Nina Kandinsky fixe les dates de ce séjour dans ses mémoires (p. 216) : « Nous sommes restés trois mois à Cauterets... de fin mai jusqu'à fin août 1940 ».

La vie des Kandinsky sous l'Occupation à travers la correspondance échangée entre Kandinsky et Pierre Bruguière, collectionneur et juge à Tours.

Kandinsky à Pierre Bruguière (14 mars 1942) :
« (...) En général, nous n'avons pas de raisons sérieuses de nous plaindre. Nous avons parfaitement bien vu le bombardement du 3 mars par nos fenêtres et nous étions assez naïfs pour le prendre assez longtemps pour un feu d'artifice merveilleux. Ma femme est un peu inquiète en voyant la masse des cheminées à Puteaux, notre vis-à-vis, mais je suis sûr que les Anglais ne jetteront pas de bombes sur une ville, où les maisons d'habitation entourent de tous les côtés et à proximité les usines qui sont assez petites à Puteaux, mais après un grand « entracte » nous entendons de nouveau le chant des sirènes, musique étrange et énervante. Tout cela ne m'empêche pas de travailler beaucoup, et je vais vous montrer avec le plus vif plaisir mes nouvelles toiles. »

(7 avril 1943) :
« (...) Ainsi vous savez déjà le 5 ou hier que le bombardement nous a épargnés. En vous écrivant des questions théoriques, j'avais complètement oublié cet événement qui nous a fait un moment une impression violente. Nous étions justement à la fin du déjeuner quand on entendit le bruit des avions sûrement pas allemands alors anglais ou américains. L'alerte était en retard, quand deux explosions violentes ont fait tomber toutes nos vitres. C'était des explosions au Champ de courses où elles ont fait tant de victimes. Un peu plus tard on apercevait de nos fenêtres un incendie immense du côté de Saint-Cloud. C'était l'usine Coti qui brûlait. Les explosions des bombes sur Raynault *(sic)* n'étaient pas à entendre chez nous. On dit que ce sont des dégâts formidables. J'ai regretté après votre visite chez nous d'avoir oublié de vous montrer mes dessins que vous vouliez voir. »

26 Kandinsky, comme Georges Vantongerloo, Alfred Courmes, fut invité par Jean Bauret, président de la Société industrielle de la Lys, à soumettre un modèle pour l'édition d'un tissu imprimé à la planche, vers 1943. Ci-dessus, un échantillon drapé du tissu orné du motif par Kandinsky.

27 Double page d'un cahier tenu par Nina Kandinsky, où elle consignait les publications concernant l'œuvre de son mari pendant la période parisienne et où, en 1942, elle commença à se substituer à Kandinsky pour dresser la liste des œuvres envoyées en exposition.
Jeanne Bucher organisa une exposition « Vassily Kandinsky, peintures et gouaches récentes » du 21 juillet au 4 août 1942. Kandinsky pouvait alors écrire aux Arp et aux Magnelli, réfugiés à Grasse, le 28 juillet 1942 : « Depuis le 21 juillet, j'ai une exposition à la galerie Jeanne Bucher. C'était bien triste de ne pas vous avoir vu au vernissage. L'exposition marche d'une manière satisfaisante et favorable. Vous souvenez-vous, Cher Arp, de la question des prix. Maintenant je sais que j'avais raison, ils ont vraiment augmenté de 30 à 40 % » (lettre conservée à La Fondation Arp à Meudon).

Kandinsky Exposition chez Mme J. Bucher 21/VII 1942 Paris

Toiles :	N	an	Prix
1. L'allégresse	667	1939	9.000
2. Surcharge	668	"	7.000
3. Vert et rouge	669	1940	30.000
4. L'ensemble	671	"	40.000
5. Parties diverses	672	"	40.000
6. Bleu de ciel	673	"	40.000
7. Construction légère	674	"	25.000
8. Et encore	676	"	9.000
9. Contrastes réduits	681	1941	30.000
10. Fraicheur	682	"	30.000
11. Balancement	686	"	30.000
12. L'accord réciproque	687	"	250.000
13. L'accent rond	688	"	30.000
14. Tensions délicates	690	"	35.000

Gouaches :	N	an	Prix
1. La figure blanche	588	1938	4.000
2. Sur la ligne verte	592	"	[illegible]
3. Deux parties	645	1940	6.000
4.	646	"	2.000
5.	647	"	7.000
6.	649	"	5.000
7.	660	"	6.000
8.	625	"	2.000
9.	622	"	6.000
10.	679	"	6.000
11.	683	"	5.000
12.	694	1941	7.000
13.	699	"	7.000
14.	701	"	7.000
15.	710	"	7.000
16.	711	"	4.000
17.	716	"	2.000
18.	719	"	2.000
19.	72[illegible]	"	2.000

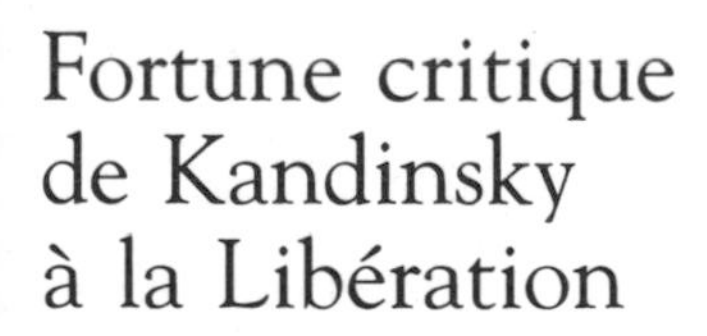

Fortune critique de Kandinsky à la Libération

L'art abstrait
Kandinsky - Les moins de trente ans

Quelques jours après l'exposition d'art abstrait organisée par la galerie Berri-Raspail, s'ouvrait à L'Esquisse (66, quai des Orfèvres) une exposition similaire, mais exclusivement consacrée à Kandinsky. Loin de moi le dessein de décourager pareilles manifestations qui, somme toute, ont leur utilité et leur signification. Toutefois, j'estime que voilà un mouvement esthétique bien dépassé aujourd'hui. Expression d'une époque, l'art abstrait semble aujourd'hui, en dépit de son allure provocatrice, un simple anachronisme. Et comment s'imposerait-il à nous qui défrichons d'autres terres et y découvrons d'inépuisables trésors ? Nous sommes maintenant sollicités par des passions ardentes, des angoisses exigeantes, par des tentatives moins désolées et des tâches plus fécondes. Repris par le sortilège des formes et la magie des couleurs, il nous est difficile de nous attacher à un art qui les nie. L'essence de l'art véritable est d'ordre sensuel, nous en sommes trop convaincus pour souscrire à des formules cérébrales à l'excès, pour faire céder l'émotion subjective devant un exercice objectif, quelque subtil qu'il soit, de tons primaires et de dessins géométriques, pour renoncer au tableau et au profit d'un jeu glacé de figures ornementales qui conviennent davantage à la composition publicitaire, au catalogue, à l'affiche.
Malgré tout ce qu'on a écrit à ce propos, la peinture sans objet n'est pas de la peinture. Prétendre que l'art abstrait jaillit de l'intuition est un non-sens, c'est plutôt dans le laboratoire secret de l'intelligence qu'il est élaboré. Mais nous n'avons pas l'intention d'attribuer à la nature une importance et une fatalité trop longtemps reconnues, encore qu'on ne puisse se passer d'elle et que ce soit une entreprise aussi décevante qu'audacieuse que de vouloir enfermer la vie dans un point et de réduire le mouvement à une ligne. S'il y a une nécessité intérieure, elle ne saurait se suffire, tant il est vrai que l'homme est à la fois chair et esprit, et le monde à la fois phénomènes et noumènes... Arrêtons-nous, car nous voici entraînés parmi les nuées de la philosophie, à la suite des commentateurs abscons d'un art dont le moins qu'on puisse dire est que, par son hermétisme, par son aristocratisme intellectuel, il ne sera jamais en mesure de recueillir d'autres suffrages que ceux de l'historien d'art, de polytechniciens et de quelques collectionneurs.
Cela dit, il faut bien convenir que les œuvres de Kandinsky actuellement exposées méritent le plus vif intérêt. On pourrait parler, comme le poète, de « la musique du silence » en face de ces orbes et de ces cercles tracés par Kandinsky dans l'espace d'un ciel pétrifié. De la brutale rencontre d'une courbe et d'une horizontale semble naître un son unique et pur, sans harmoniques. Mais où Kandinsky déploie sa maîtrise hautaine et provoque l'admiration, c'est quand il s'éloigne de l'abstraction et se souvient de la peinture, quand il abandonne ses froides cosmogonies pour descendre sur la terre des hommes. Il est l'auteur de compositions magnifiques dont les motifs paraissent empruntés aux emblèmes aztèques, aux tissus incassiques *(sic)* et même aux idéogrammes égyptiens. Ses aquarelles surtout ont une grande richesse décorative. Mais les thèmes créés par son imagination sont trop rarement soumis à une volonté organisatrice, insuffisamment hiérarchisés selon les exigences finales de l'œuvre, qui semble arrêtée ainsi dans son accomplissement (...).

(Franck Elgar dans *Carrefour*, 1944)

Kandinsky et Henri Michaux

Qu'est-ce que cela représente ?, entend-on demander, mais faut-il absolument que la peinture représente quelque chose — et surtout faut-il qu'elle représente quelque chose de connu et de familier ? Ceux qui protestent contre la peinture dite abstraite et ne veulent admettre que la peinture figurative devraient d'abord se demander pourquoi tant de peintres sont allés de la seconde à la première — est-ce par désir d'étonner ? Ne serait-ce pas plutôt qu'il y a des époques où certaines possibilités sont épuisées, où d'autres filons doivent être exploités ? Au fond, il ne s'agit pas de savoir ce qu'il vaut mieux faire dans l'absolu — mais ce qu'on peut faire de mieux soi-même à tel ou tel moment.
C'est la leçon que l'on peut tirer de l'exposition Kandinsky (à L'Esquisse, quai des Orfèvres). Kandinsky, peintre d'origine sibérienne, célèbre à Moscou et (jadis) à Berlin, a depuis trente ans tourné le dos à la nature pour se fier aux seules ressources de l'art. Ce n'est pas qu'il n'ait pu réussir dans le premier genre : un tableau ancien de lui en témoigne. Mais, après une période de transition, où les formes naturelles encore reconnaissables s'étirent et se métamorphosent, il en arrive à étaler les couleurs avec le seul souci de tirer de chacune d'elles les variations les plus subtiles et de les faire jouer ensemble harmonieusement. Ce ne sont pas des constructions froidement géométriques comme celles que nous avons tant connues; un des meilleurs historiens de l'art contemporain, Christian Zervos, l'écrit avec raison; Kandinsky emprunte aussi bien ses thèmes à la biologie (par exemple, à la cariokynèse), à la botanique, à la tapisserie, etc. qu'à la géométrie. Purs prétextes pour épuiser les ressources d'une tonalité par rapport à quelques autres. Kandinsky y déploie une étourdissante virtuosité. Regardez à la vitrine ces taches si harmonieusement disposées, ces lignes qui s'entrecroisent avec une préméditation cachée. Voyez surtout, à l'intérieur, ces deux triangles entourés de cercles et coupés par un cône effilé; quel chatoiement calculé et surtout quelle science raffinée des transitions, des tons qu'on appelle des « passages » ! Je ne crois pas que ce soit là « de la peinture abstraite », c'est de la peinture tout court; je ne crois pas non plus que ce soit un art dégénéré et que le relèvement de la France soit mis en question par Kandinsky, pas plus que par Picasso, bien que ce soit l'avis de certaines personnes.
Enfin, s'il est infiniment souhaitable que l'art de ces peintres soit goûté de tout le monde, je ne crois pas qu'il soit utile de commencer par prendre l'avis de tout le monde pour le goûter.
Avec Henri Michaux, à la galerie Rive Gauche, nous ne changeons pas trop d'atmosphère (...).

(Jean Grenier, Chronique des lettres et des arts dans *Combat,* 24 novembre 1944)

28 Carton d'invitation édité par la galerie L'Esquisse, où fut organisée la dernière exposition consacrée à Kandinsky de son vivant. La galerie était dirigée par un couple de jeunes marchands, Noëlle Lecoutoure et Maurice Panier (et non pas Paniez, comme l'écrivait Jeanne Bucher qui était leur bon conseil). Du 7 avril au 7 mai 1944, ils avaient essayé de monter un accrochage avec des œuvres de Domela, Kandinsky, Magnelli et de Staël, mais, ayant des liens étroits avec la Résistance, ils durent fermer dès l'ouverture cette exposition pour échapper aux investigations de la Gestapo. La dernière rétrospective de Kandinsky, bien que modeste, provoqua des soubresauts dans la critique en pleine effervescence et désorganisation dans les premiers mois qui suivirent la Libération.

"L'ESQUISSE"
66, Quai des Orfèvres
ODÉon 11-60
Métro : Pont-Neuf et Saint-Michel

ÉTAPES DE L'ŒUVRE
DE
WASSILY KANDINSKY

VERNISSAGE
le Mardi 7 Novembre, à 15 heures

DU 7 NOVEMBRE AU 7 DÉCEMBRE
de 10 heures à midi et de 14 h. 30 à 18 h. 30
sauf Dimanche et Lundi

INVITATION 1944

Kandinsky et ses jeunes censeurs Sur la liberté d'expression

Le peintre Kandinsky vient de mourir. Banni d'Allemagne pour raisons esthétiques et réfugié à Paris, il était, avec Klee, le chef incontesté de la peinture dite « abstraite ». (Mais tout art étant abstrait, il sera préférable de parler, à propos de ces deux novateurs, de peinture non figurative).
Il avait réuni quelques œuvres d'époques différentes, en guise de modeste testament, dans une petite galerie des bords de la Seine. Et il aura pu, avant de rendre l'âme, faire quelques réflexions amères sur ce faible public qui ne peut se résigner à considérer un tableau d'un œil calme et d'un cœur détaché de toute considération utilitaire, et que le sang-froid abandonne devant toute œuvre d'art non déchiffrable au premier coup d'œil.
Je n'ai pas l'intention de défendre ici une esthétique qui n'a jamais eu mon adhésion. Aussi bien est-ce le drame de ce vieillard malade, insulté à la fin de sa vie, dans un pays qu'il aime pour sa générosité spirituelle, qui m'intéresse.
Des jeunes gens sont venus en monôme protester contre cette peinture « barbare, incompréhensible et décadente » (car c'est toujours la terminologie nazie qui sert en pareil cas) et menacèrent de briser les glaces derrière lesquelles étaient exposées ces toiles énigmatiques. Au directeur de la galerie qui les rappelait à plus d'ouverture d'esprit, les jeunes énergumènes répondirent par ces mots définitifs : « On n'aurait pas vu ça du temps des Allemands... ».
Ainsi, dans leur propre pays, libéré enfin de toute contrainte spirituelle, dans un pays où toutes les formes d'expression furent de tout temps tolérées, de jeunes étudiants ridiculisent un homme dont l'honnêteté artistique ne peut être mise en doute.
Cet événement regrettable a du moins l'avantage de mettre en lumière le problème de l'art transposé. Peu importe pour l'instant que les œuvres de Kandinsky soient entièrement « déshumanisées » ou non; les questions qui se posent à leur sujet sont celles-ci : l'artiste a-t-il le droit de s'exprimer à l'aide de signes purs, soit qu'ils proviennent de ce que Gleizes et Metzinger appelaient l'« effusion pure », soit que le peintre les arrache péniblement, à force de simplifications successives, à la grossière et toujours trop encombrée réalité ? L'essentiel de l'art de peindre tient-il dans l'imitation de l'objet, dans le trompe-l'œil ou bien dans les signes inventés qui en donnent un équivalent plastique ?
Enfin, peut-on refuser au peintre le privilège, qu'on accorde sans discussion au poète, de remplacer un objet ordinaire par un autre, plus rare et plus expressif ?
Les lecteurs béats de Victor Hugo, qui trouvent normal que le poète ait remplacé la lune en son premier quartier par une faucille d'or et les étoiles par un champ de blé, se déclarent offensés si un peintre remplace un visage, avec ses facettes et ses plis, par un ovale synthétique, et le nez, les yeux et la bouche par des hiéroglyphes où l'essentiel soit spirituellement dit. Le peintre aura beau introduire dans ces lignes simples les teintes les plus somptueuses ou les plus exquises; aveugle à cette richesse (qui serait compromise par l'abondance des détails plastiques), le public stupide s'entête à regretter la pauvreté de la technique imitative. On peut lui montrer le plus beau portrait de Clouet ou des Le Nain; s'il est démuni du fameux point blanc dans l'œil et s'il ne vous suit pas du regard quand vous vous déplacez devant lui, il ne vaut rien.
On l'étonnerait bien, ce public, si on lui expliquait que, s'il apportait à son jugement littéraire la même sévérité qu'à son jugement pictural, il devrait se plaindre de ce que son poète préféré ne parle pas des tiges de son champ d'étoiles, et du manche de sa faucille. Car, enfin, c'est de l'abstraction, cela !
Mais ne soyons pas trop sévère; si le public est si fermé à l'expression plastique, c'est qu'on ne lui a jamais appris qu'en peinture, comme en littérature, il s'agit non seulement de respecter les lois de la composition, mais, comme on dit, « d'avoir des idées ». Or, en peinture, avoir des idées, c'est justement ne pas représenter les objets tels que les voit le vulgaire, mais tels qu'ils apparaissent à la sensibilité lorsqu'elle est aiguillée vers un idéal de pureté. Dans ce cas, ce n'est pas directement, mais par une voie détournée, que l'objet sera exprimé. Une équivoque s'ensuivra, et c'est ce qui déplaît à la foule qui aime la netteté, ou plutôt qui a ses refrains et ses conventions, genre « amour et toujours », « partir et mourir », etc. En peinture, la convention populaire veut que la figure humaine soit couleur chair, et non verte, bleue et orange, comme elle l'est en réalité dès que le soleil la frappe : pas d'équivoque, le vert est pour les arbres et l'orangé pour les oranges. A force de voir des ombres peintes en violet, cependant, le public a fini par les « sentir » de cette couleur, ce qui prouve qu'il est capable d'éducation. Qu'on y pense en haut lieu; qu'on s'y prenne dès les bancs de l'école, et la France sera, non seulement le pays des peintres, mais celui des connaisseurs.
Il faut dix ans d'études pour apprendre à faire une addition, à lire le journal, à écrire une lettre, on conviendra sans peine que quelques mois d'entraînement seraient bien nécessaires pour initier le public aux mystères de la transposition plastique.
Un peu déniaisée, la foule des vernissages houleux et des manifestations au nom de la beauté exercerait sa verve en d'autres lieux que les Salons ou les galeries d'avant-garde. Elle s'attaquerait aux Salons officiels, les seuls où se complote sa perte. Ayant compris que l'art consiste à remplacer les formes et les couleurs naturelles par des symboles plastiques et des tons comme musicalement accordés, elle s'indignerait devant les représentations insensibles et toujours les mêmes de ceux qui ont l'audace de revendiquer à leur profit le titre d'« Artistes français ».
Pour une fois ce ne serait plus la « droite » qui attaquerait la « gauche » qui n'a jamais manifesté contre les gens d'en face. Ce serait beau à voir. On pourrait dire alors qu'il y a quelque chose de changé en France.

(André Lhote dans *Les Lettres Françaises,* 13 janvier 1945)

558
[Sans titre, 1934]
aquarelle sur feuillet de bloc à dessin, 34 × 23
ni signé, ni daté
à rapprocher de la première œuvre réalisée à Paris par Kandinsky en février 1934, aquarelle K n° 595 *Start*
AM 1981-65-146 (Inv. 318)

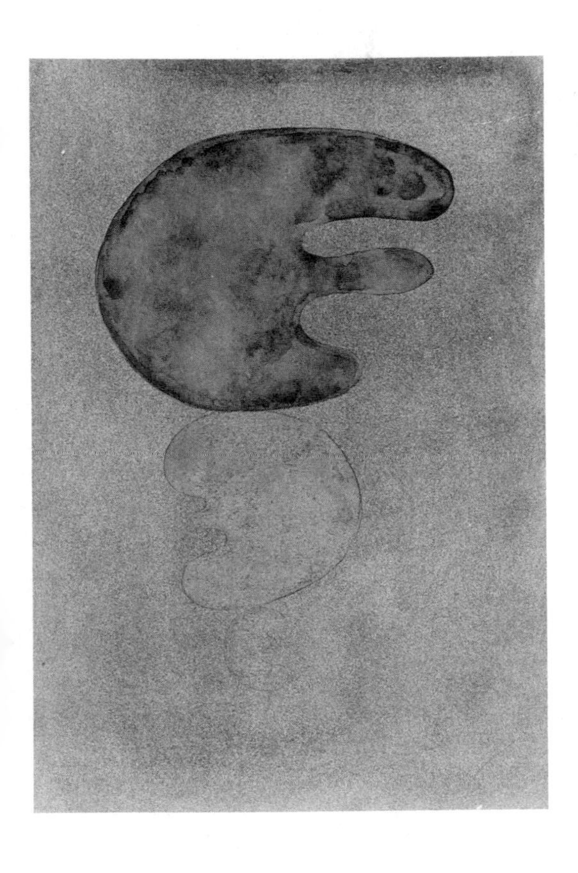

559
[Sans titre, 1934]
aquarelle et encre de Chine, 31,6 × 24,4
ni signé, ni daté
manuscrit Kandinsky V n° 522 b
à rapprocher du motif central de la peinture *Chacun pour soi* peinte en avril 1934, Roethel n° 1035
AM 1981-65-147 (Inv. 319)

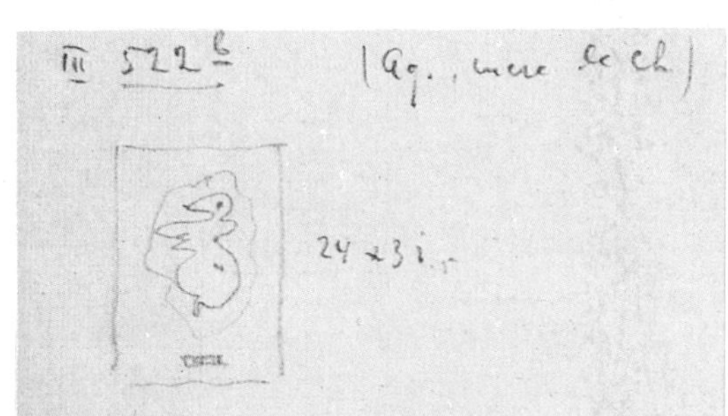

mns Kandinsky

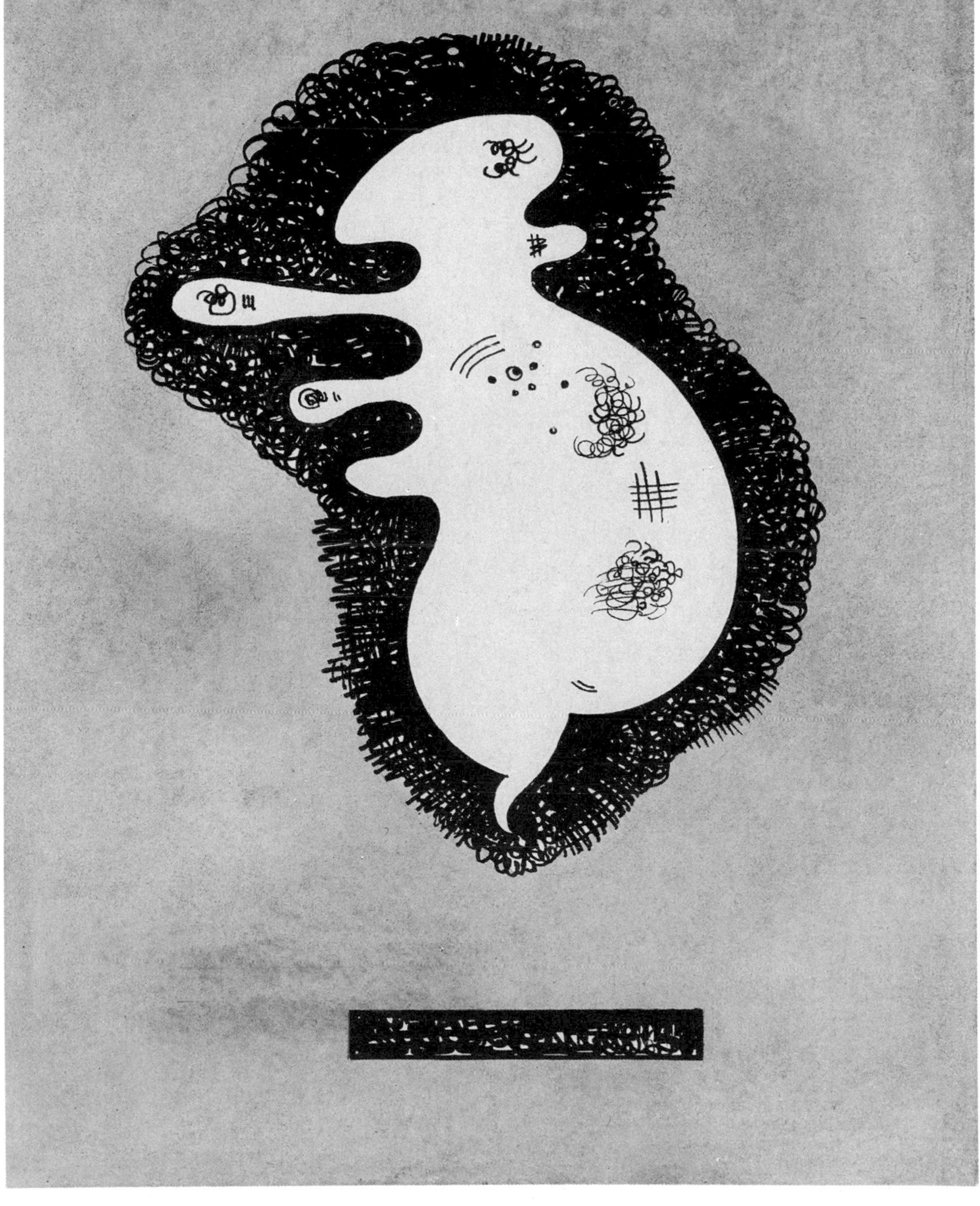

560
[Sans titre, 1934]
aquarelle et encre de Chine, 31,6 × 24,6
ni signé, ni daté
manuscrit Kandinsky V n° 522 e
AM 1981-65-148 (Inv. 320)

561
Brun, 1934
aquarelle et encre de Chine, 31,7 × 24
ni signé, ni daté
manuscrit Kandinsky V n° 523 *Brun,* avril 1934
AM 1981-65-149 (Inv. 316)

562
Sur vert, 1934
aquarelle et encre de Chine, 31,8 × 24,4
ni signé, ni daté
manuscrit Kandinsky V n° 524, avril 1934
AM 1981-65-150 (Inv. 317)

563
Bleu-Noir, 1934
aquarelle, 31,8 × 24,7
monogrammé en bas à gauche avec le timbre de l'atelier
manuscrit Kandinsky V n° 527, mai 1934
AM 1981-65-151 (Inv. 303)

564
Noir-Rouge
aquarelle, 31,7 × 24,4
monogrammé en bas à gauche avec le timbre de l'atelier
manuscrit Kandinsky V n° 528, juin 1934
AM 1981-65-152 (Inv. 48)

565
[Sans titre], 1934
huile sur argent, aquarelle et encre de Chine, 36,7 × 27,9
monogrammé et daté en bas à gauche : K 34
manuscrit Kandinsky V n° 534, juillet 1937, *Huile sur argent,* catalogué avec les peintures à l'huile par Roethel n° 1042
AM 1981-65-153 (Inv. 54)

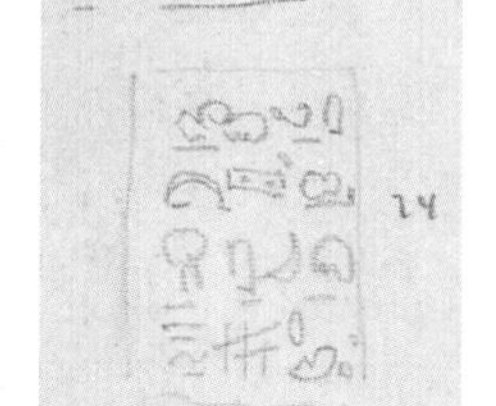

mns Kandinsky

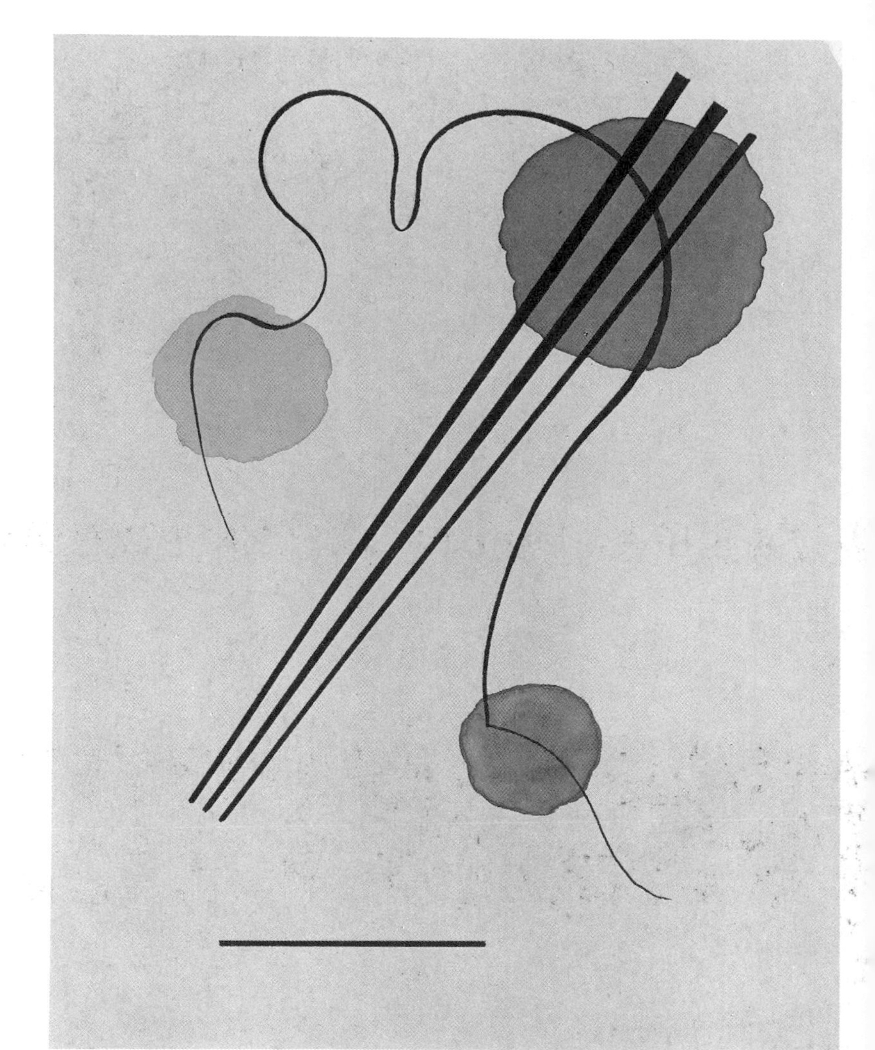

560

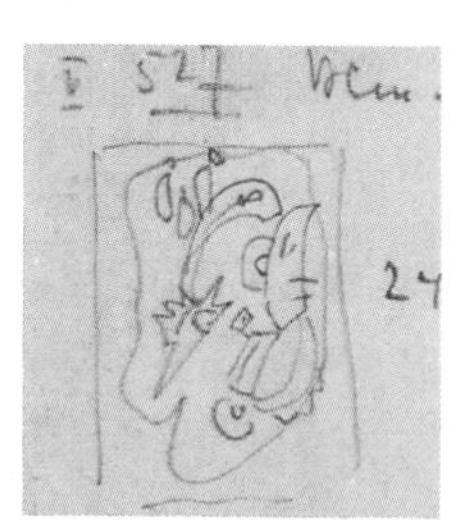

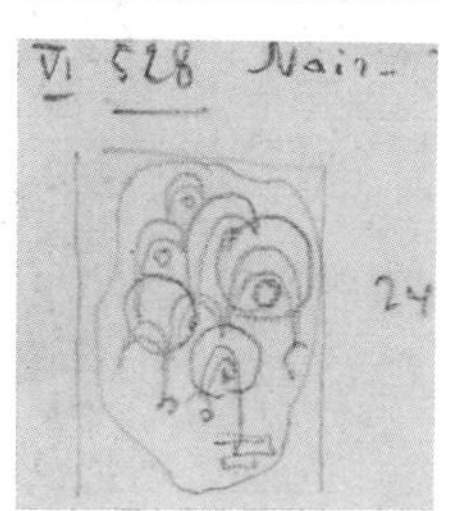

mns Kandinsky

563

561

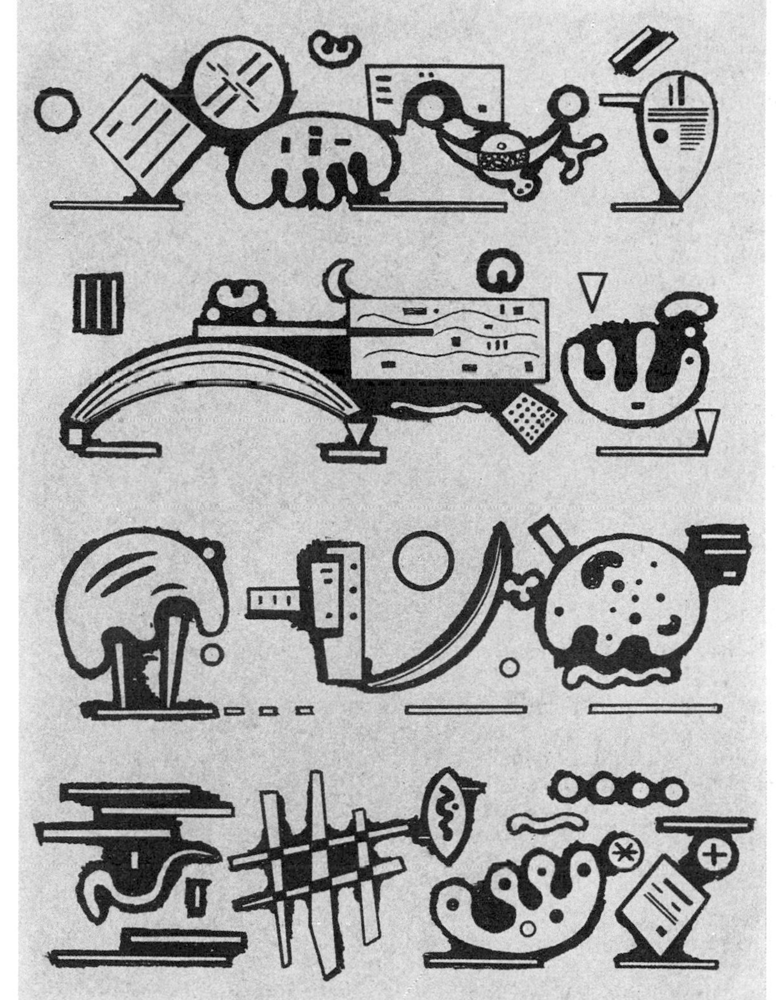
562

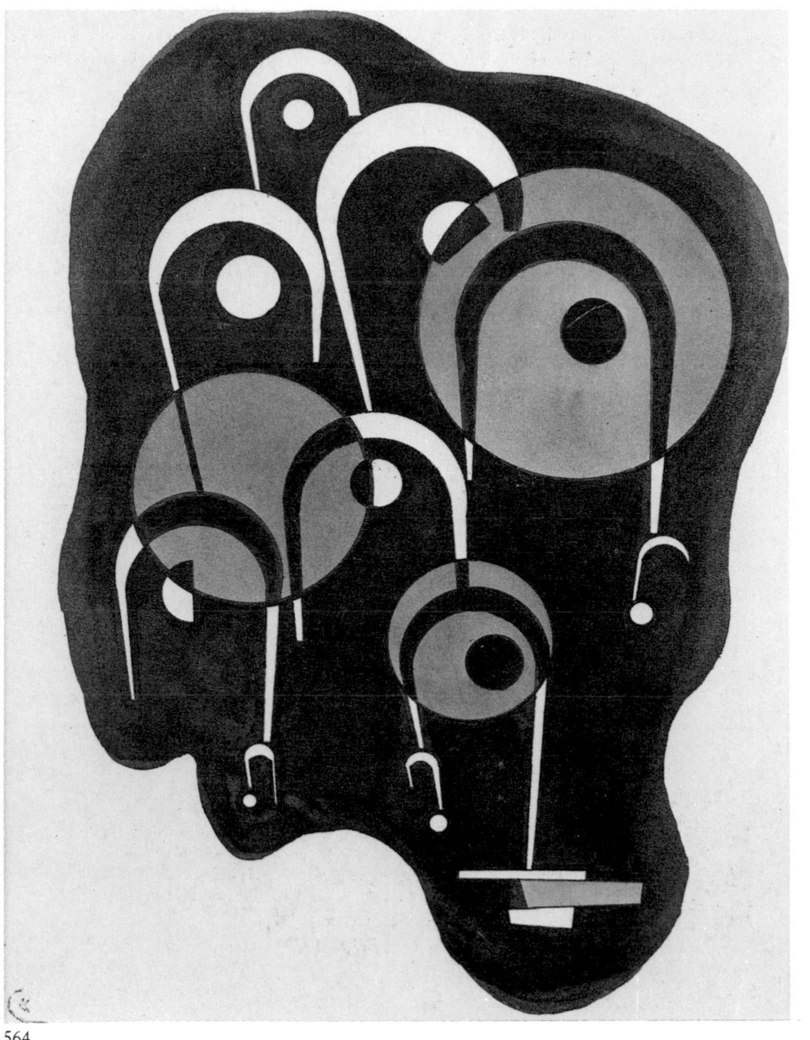
564

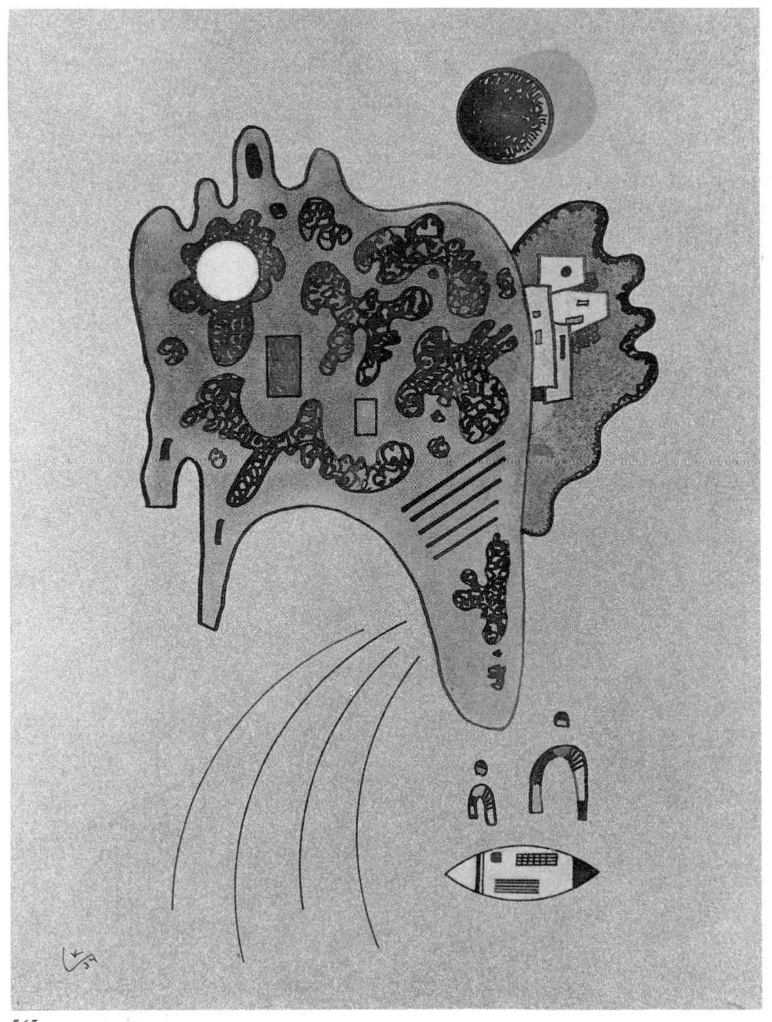
565

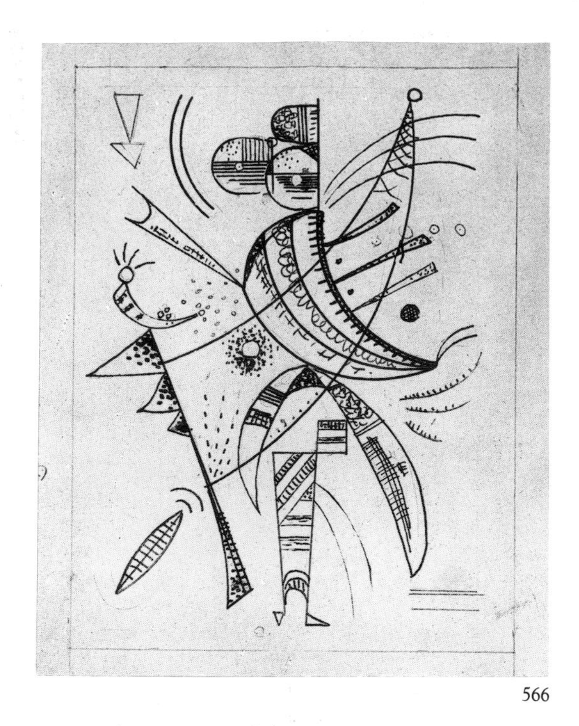

566

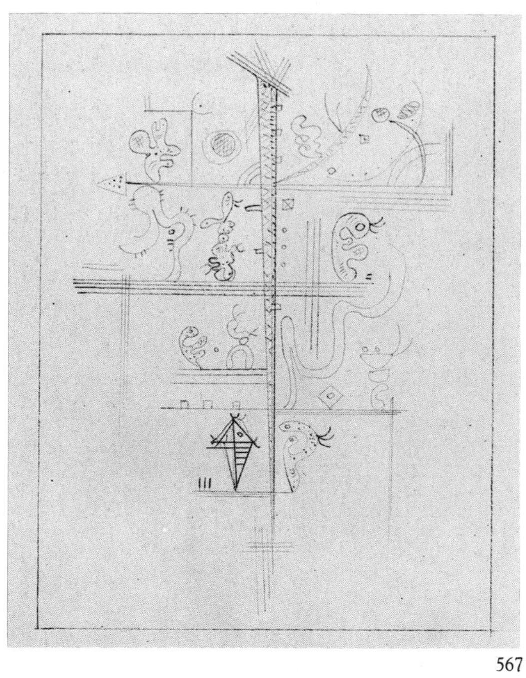

567

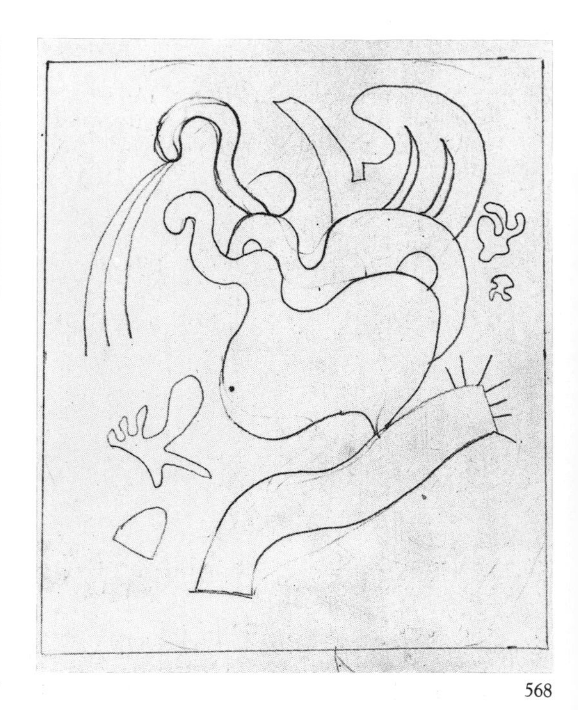

568

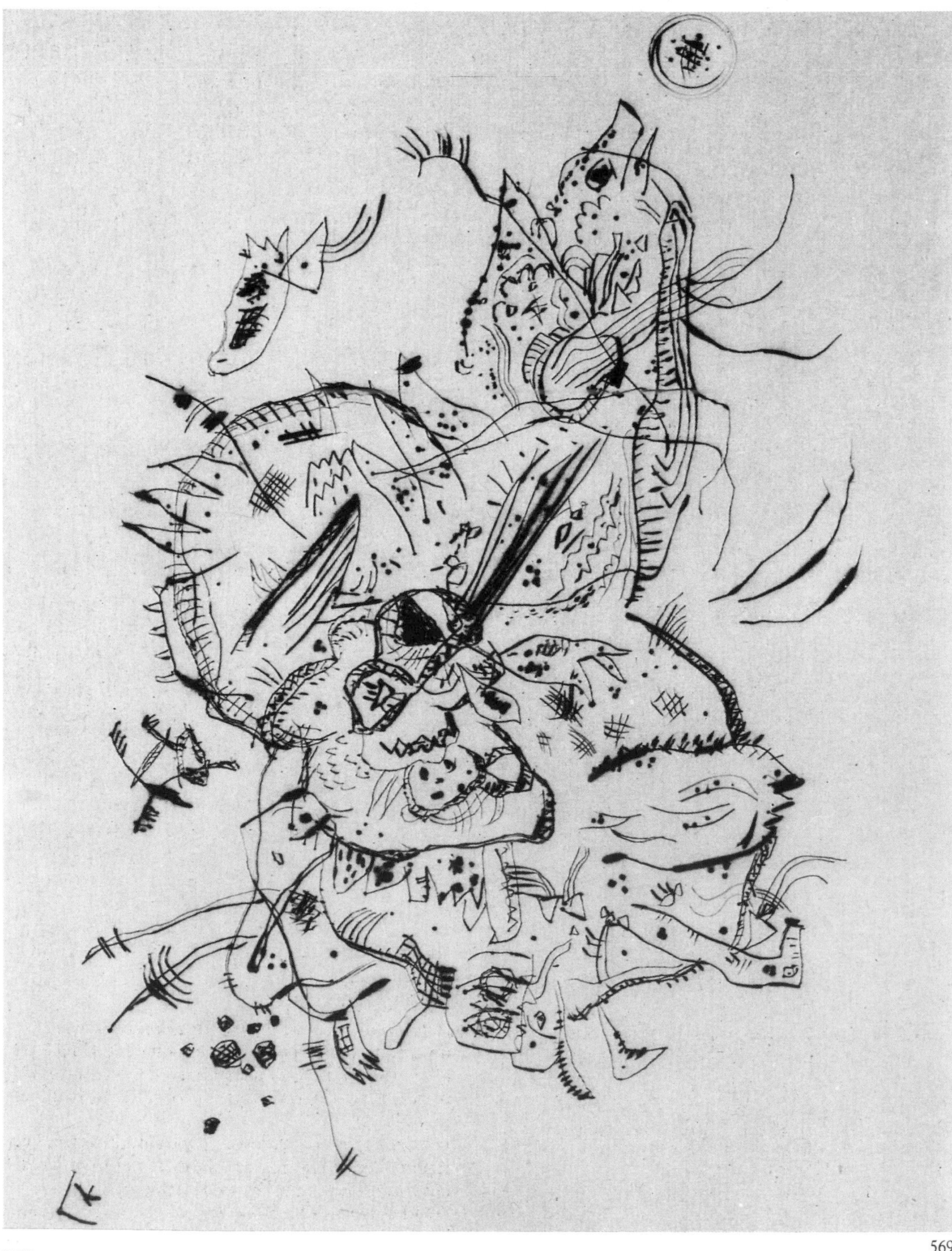

569

570

571

566
[Sans titre]
encre de Chine, mine de plomb, 18,8 × 14
AM 1981-65-491 (Inv. 626-44)

567
[Sans titre, 1934]
mine de plomb, 19,1 × 14,1
à rapprocher de l'aquarelle *Distribution,* décembre 1934, K n° 544
AM 1981-65-492 (Inv. 626-43 a)

568
[Sans titre]
mine de plomb, 17,2 × 14,9
AM 1981-65-493 (Inv. 626-19)

569
Frontispice pour *Le Marteau sans maître* de René Char, édité par les Éditions Surréalistes en 1934
pointe sèche, 13,9 × 9,9
monogrammé en bas à gauche sur la plaque : K
Roethel (gravures) n° 199
AM 1981-65-746 (Inv. 586-65)

570
[Sans titre]
encre de Chine et mine de plomb, 26,6 × 20,7
étude pour la gravure destinée aux *24 essais* d'Anatole Jakovski
AM 1981-65-494 (Inv. 626-41)

571
[Sans titre], 1934
gravure pour les *24 essais* d'Anatole Jakovski, 23 × 19,8
pointe sèche
monogrammé en bas à gauche : K 34
signé en bas à droite à la mine de plomb : Kandinsky
Roethel (gravures) n° 198
AM 1981-65-747 (Inv. 590-21)

572
[Sans titre]
mine de plomb, 13,5 × 8,6
à rapprocher de la peinture *Entre-Deux,* Roethel n° 1038
AM 1981-65-495 (Inv. 626-49)

573
[Sans titre]
mine de plomb sur feuillet d'un bloc à dessin, 18,7 × 11,8
à rapprocher de la peinture *Entre-Deux,* Roethel n° 1038
AM 1981-65-496 (Inv. 626-16)

574
[Sans titre]
mine de plomb sur feuillet d'un bloc à dessin, 18,7 × 11,8
à rapprocher de la peinture *Entre-Deux,* Roethel n° 1038
AM 1981-65-497 (Inv. 626-17)

575
[Sans titre]
mine de plomb, 14,1 × 15
recto : étude pour la peinture *Monde bleu,* mai 1934, Roethel n° 1039; mise au carreau, indication sommaire du coloris en russe
verso : croquis
AM 1981-65-498 recto-verso (Inv. 626-79)

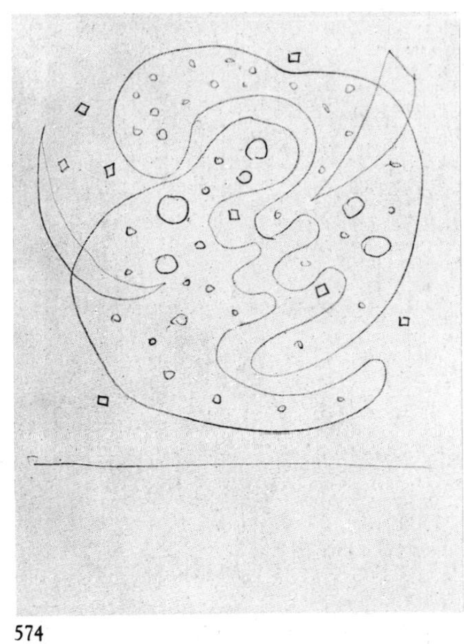
574

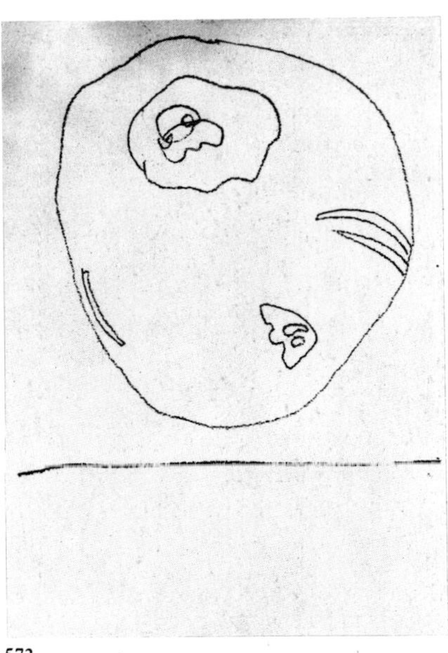
572

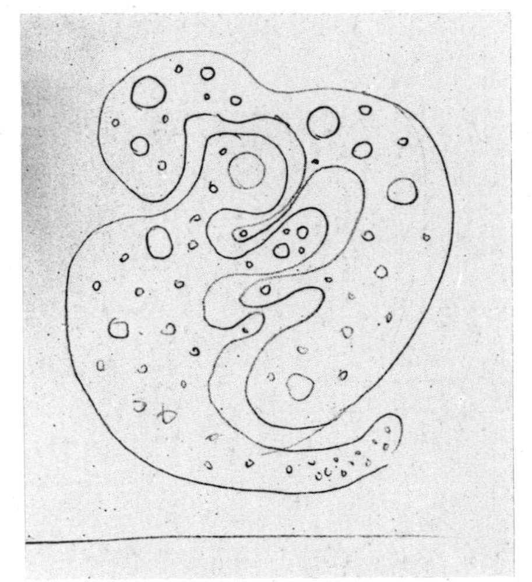
573

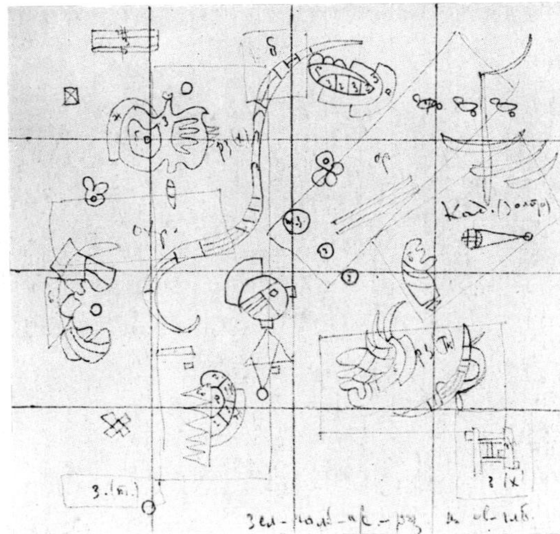
575 recto

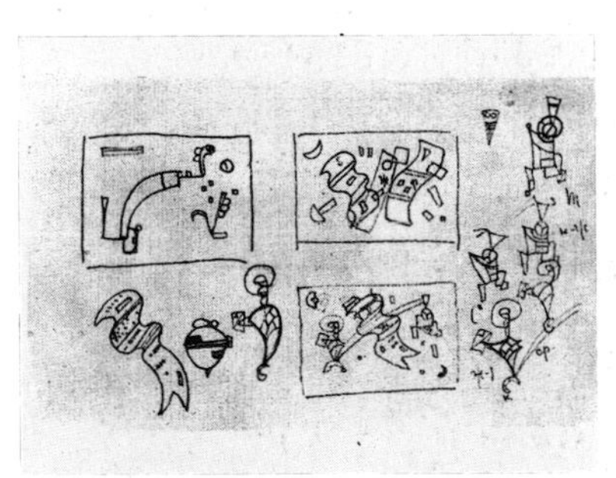
576 recto

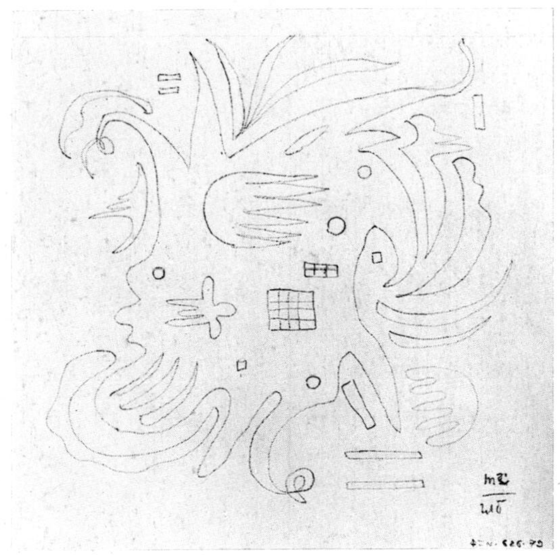
575 verso

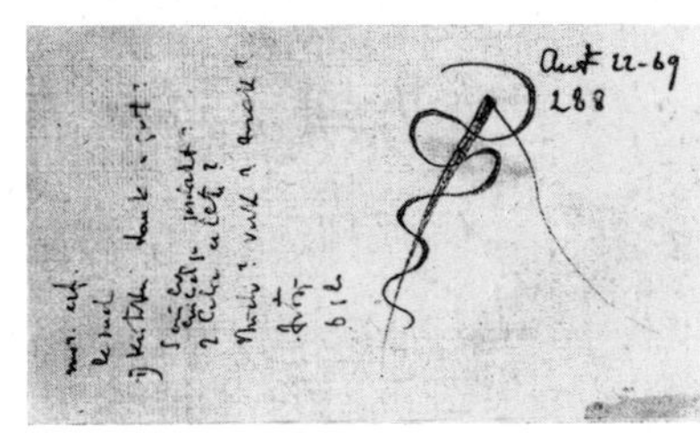
576 verso

576
Page de croquis
mine de plomb, 10,9 × 18
recto : indication sommaire du coloris en russe
un croquis est à rapprocher de l'aquarelle *Double affirmation,* K n° 540, décembre 1934, un autre de la peinture *Blanc mouvementé,* octobre 1934, Roethel n° 1045
verso : inscription et dessin d'une sinuosité qui est à rapprocher de la partie gauche de la peinture *Deux entourages,* novembre 1934, Roethel n° 1046
AM 1981-65-499 recto-verso (Inv. 626-9)

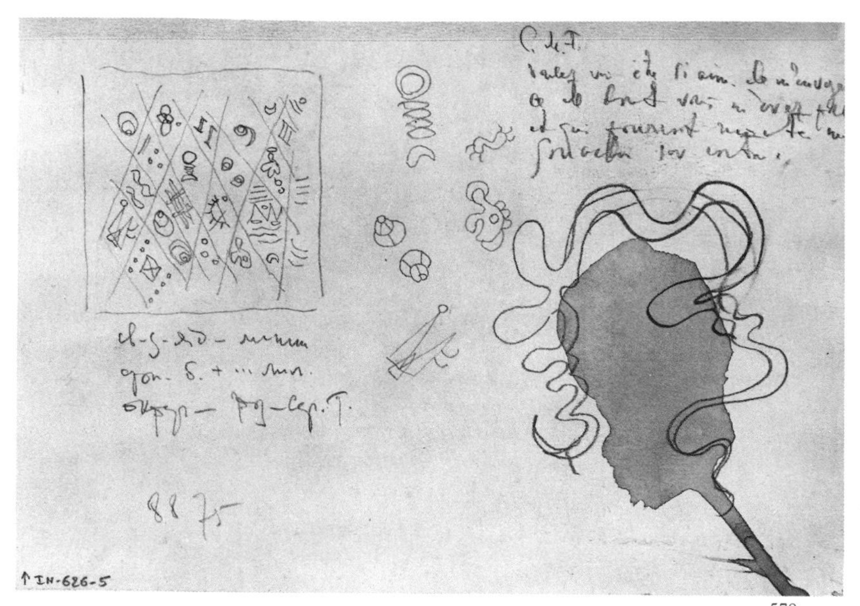

578 verso

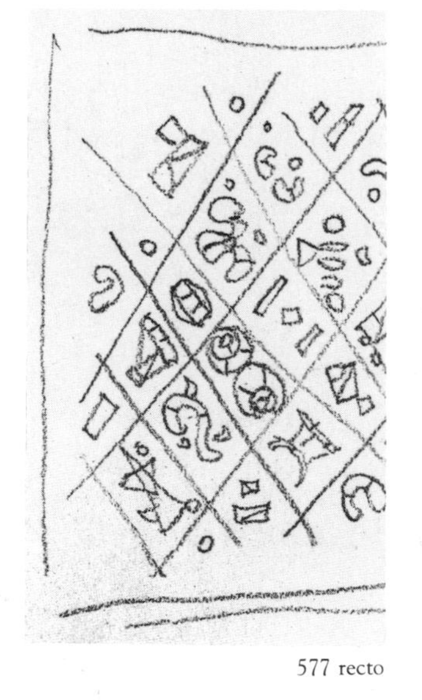

577 recto

577 verso

578 recto

579

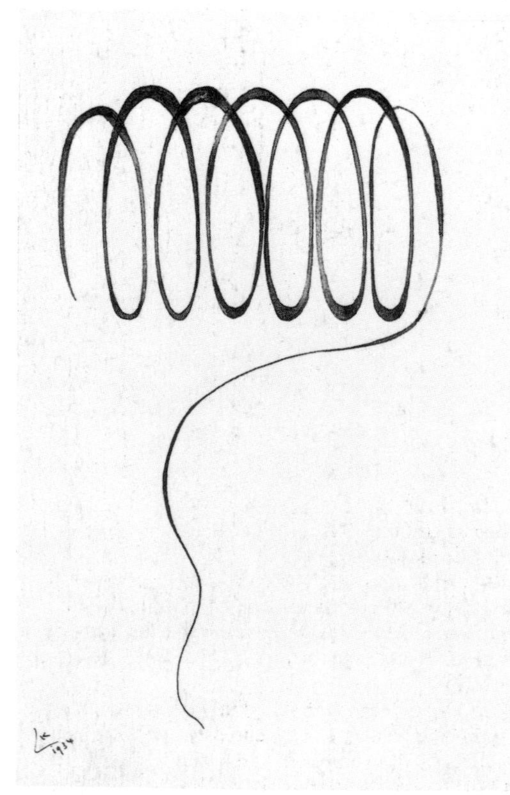

580

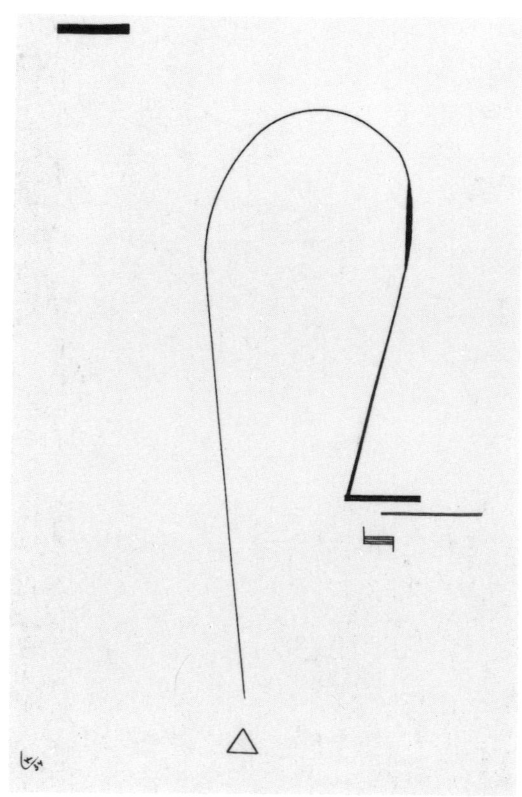

581

582

577
[Sans titre]
mine de plomb, 9,5 × 5,9
recto : étude partielle de la partie gauche de la peinture *Division unité,* octobre 1934, Roethel n° 1044
verso : croquis
AM 1981-65-500 recto-verso (Inv. 626-51 a)

578
[Sans titre]
mine de plomb, 11,3 × 17
recto : croquis portant l'indication sommaire du coloris en russe
verso : inscription et croquis à rapprocher de la peinture *Division-Unité,* octobre 1934, Roethel n° 1044
AM 1981-65-501 recto-verso (Inv. 626-5)

579
[Sans titre, 1934]
mine de plomb, 14,4 × 10,2
recto : étude pour la partie supérieure gauche de la peinture *Rayé,* novembre 1934, Roethel n° 1047
verso (non reproduit) : croquis sommaire
AM 1981-65-502 recto-verso (Inv. 626-48)

580
[Sans titre], 1934
encre de Chine, 33,1 × 22,8
monogrammé et daté en bas à gauche : K i934
AM 1981-65-503 (Inv. 98)

581
[Sans titre], 1934
encre de Chine, 35,1 × 22,8
monogrammé et daté en bas à gauche : K 34
AM 1981-65-504 (Inv. 96)

582
[Sans titre], 1934
encre de Chine, 35,2 × 22,8
monogrammé et daté en bas à gauche : K 34
inscription au revers du support à la mine de plomb : « Kandinsky 1934 n° 17 »; à l'encre, de la main de Nina Kandinsky : « n° 4 dessin pour l'almanach Europe ».
AM 1981-65-505 (Inv. 111)

583
[Sans titre]
mine de plomb, 26,5 × 20,6
deux croquis à rapprocher l'un de l'aquarelle *Distribution,* décembre 1934, K n° 544 ; l'autre, de l'aquarelle *Deux tensions,* décembre 1934, K n° 543
AM 1981-65-506 (Inv. 626-12)

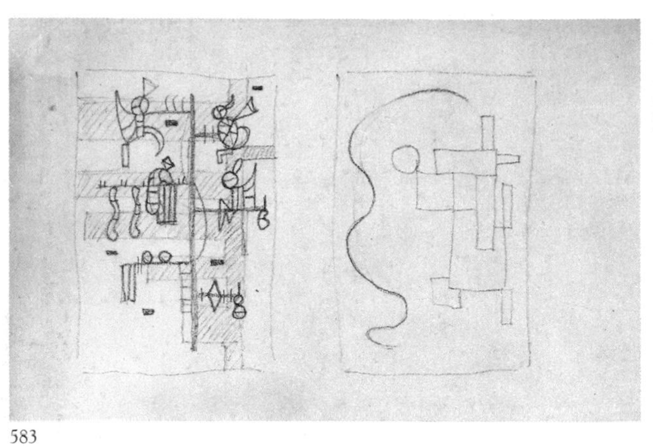
583

584
Balance, 1934
encre de Chine, aquarelle, 46,7 × 37,9
monogrammé et daté en bas à gauche : K 34
manuscrit Kandinsky V n° 545, décembre 1934
Balance (encre de Chine aquarelle huile)
exposition l'Esquisse 2 XI 44
AM 1981-65-154 (Inv. 45)

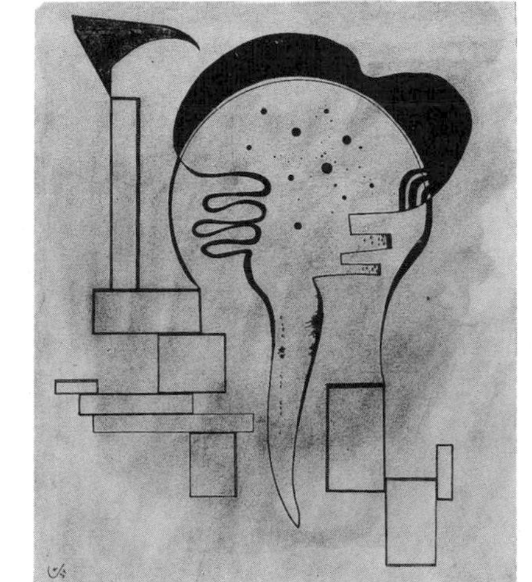
584

mns Kandinsky

585
Ligne, 1934
aquarelle et encre de Chine, 52,7 × 20,3
monogrammé et daté en bas à gauche : K 34
manuscrit Kandinsky V n° 537, novembre 1934
Ligne, aquarelle exposition l'Esquisse 44
AM 1981-65-155 (Inv. 58)

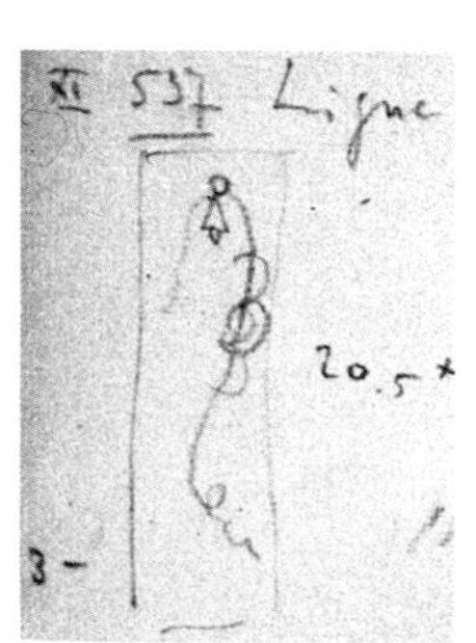

mns Kandinsky

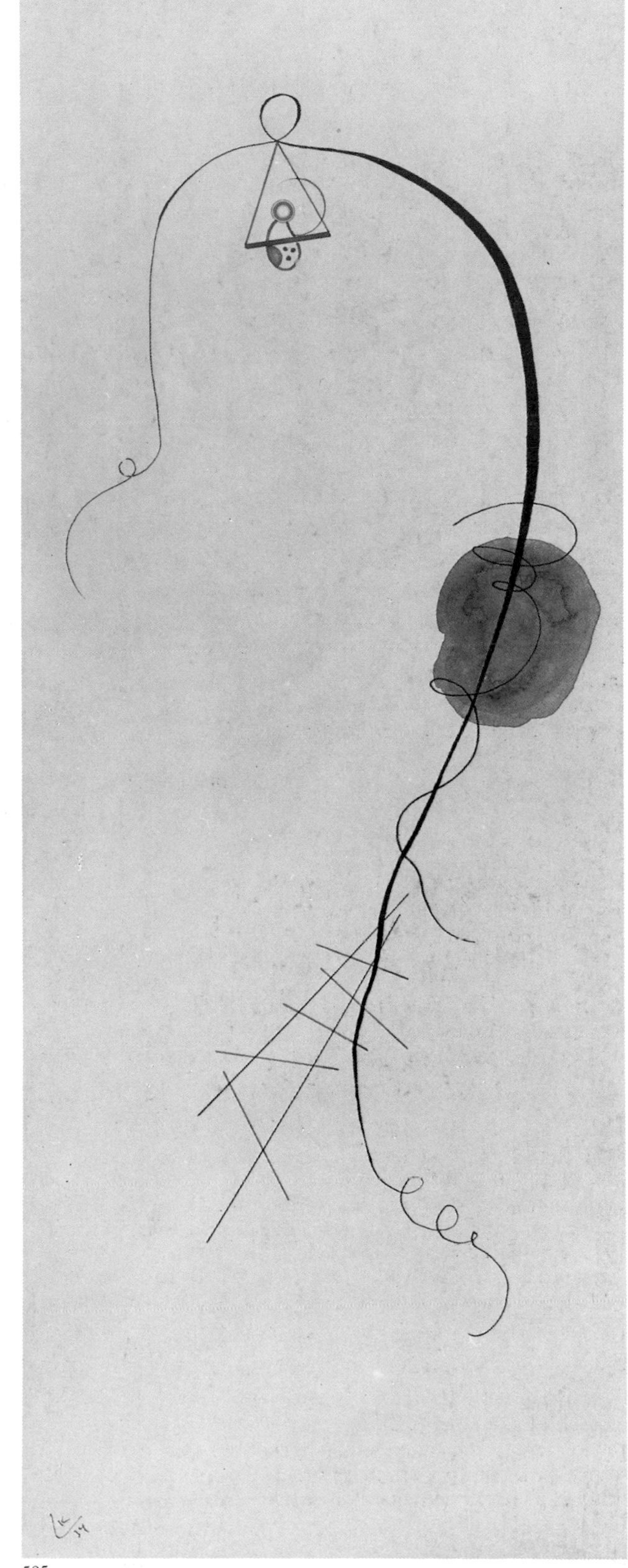
585

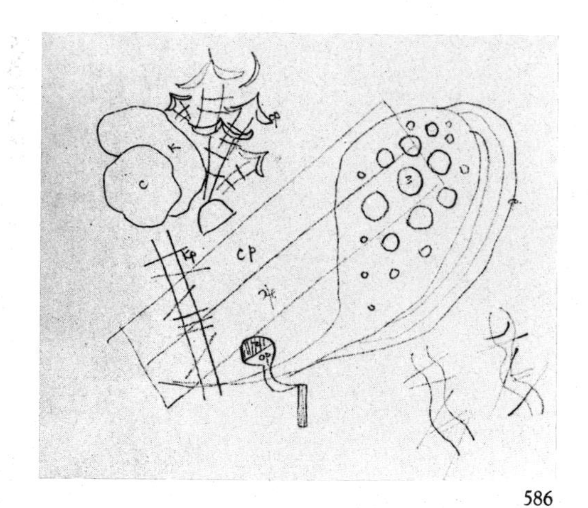

586

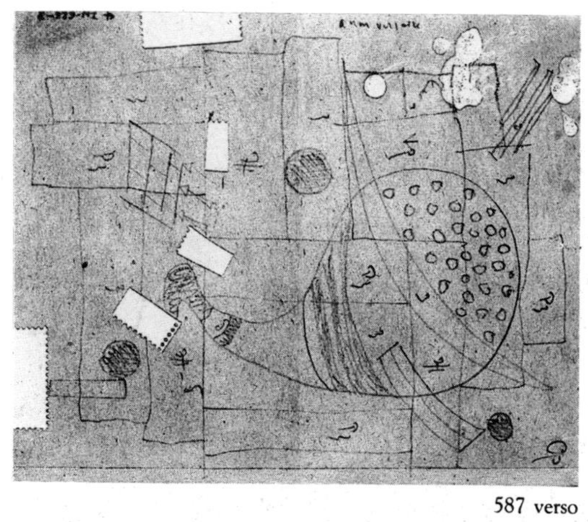

587 verso

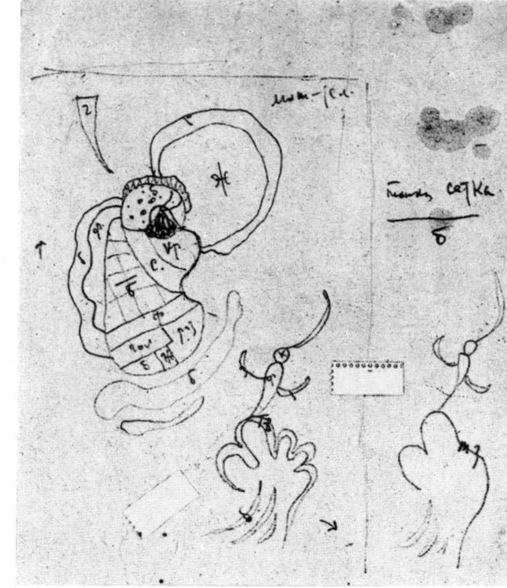

587 recto

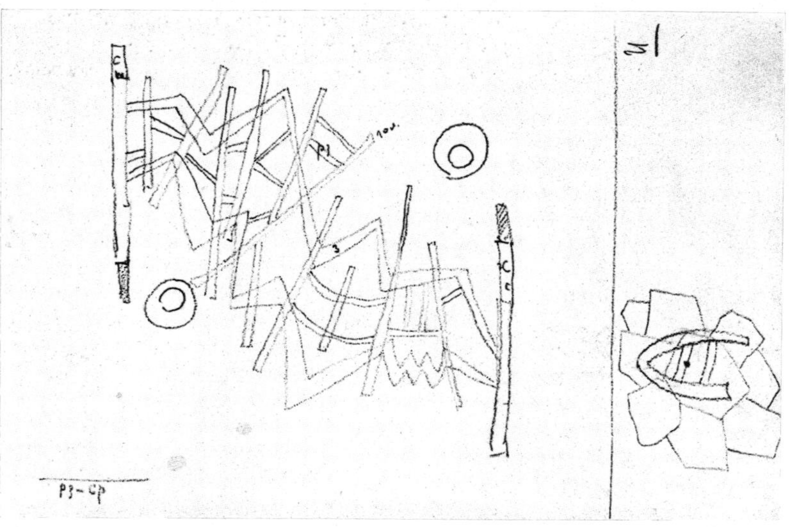

588 recto

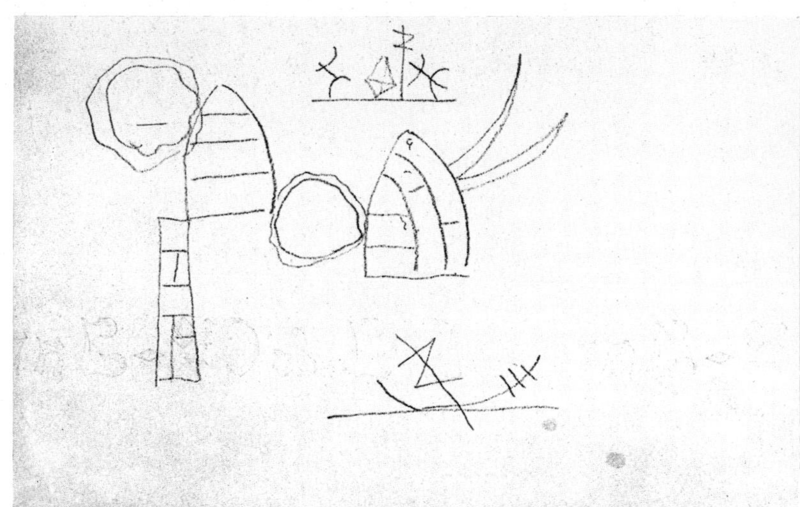

588 verso

586
[Sans titre]
mine de plomb, 13,7 × 22,5
indication sommaire du coloris en russe
à rapprocher de la peinture *Fixé,* janvier 1935,
Roethel n° 1048
AM 1981-65-507 (Inv. 626-50)

587
[Sans titre]
mine de plomb, 14,8 × 12,1
indication sommaire du coloris en russe
recto : croquis qui peut être rapproché de l'aquarelle *Grille fine*
verso : croquis à rapprocher de la peinture *Fixé,* janvier 1935, Roethel n° 1048
AM 1981-65-508 recto-verso (Inv. 626-8)

588
[Sans titre]
mine de plomb, 13,4 × 20,8
indication sommaire du coloris en russe
recto : à rapprocher de la peinture *Deux Cercles,* mars 1935, Roethel n° 1052
verso : croquis non identifié
AM 1981-65-509 recto-verso (Inv. 626-47)

589
[Sans titre]
mine de plomb, 27,1 × 21
recto : croquis, indication sommaire du coloris en russe pour la peinture *Brun supplémenté,* mars 1935, Roethel n° 1053 et un brouillon de texte en allemand
verso : texte en français
AM 1981-65-510 (Inv. 374 a)

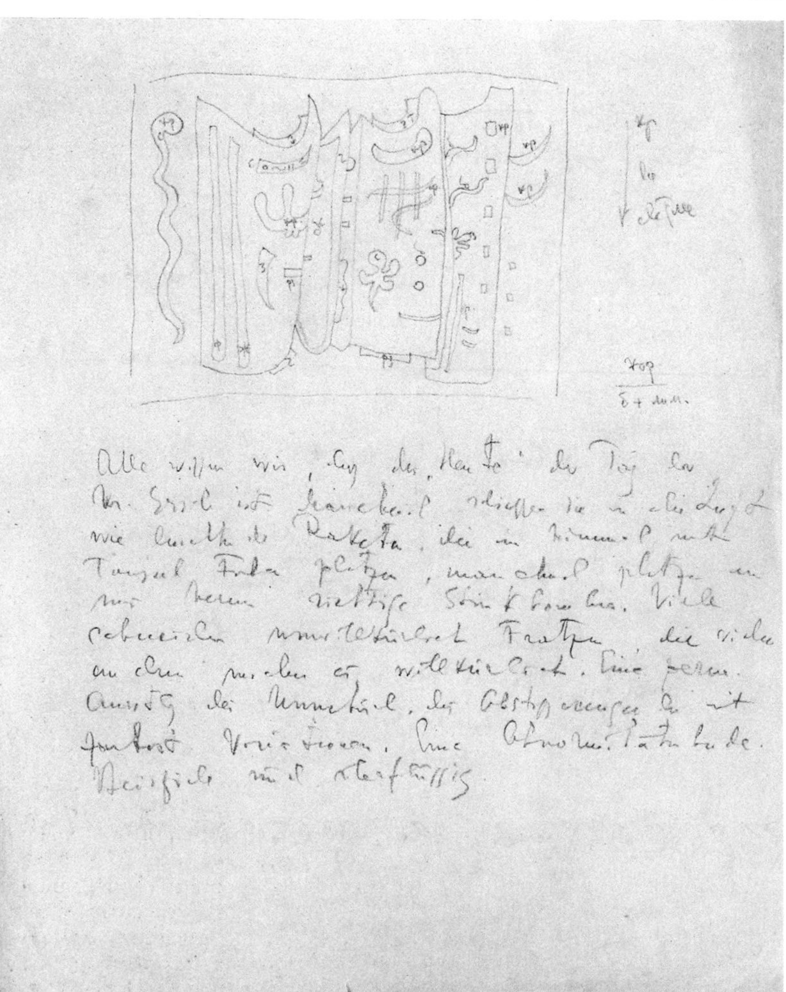

589

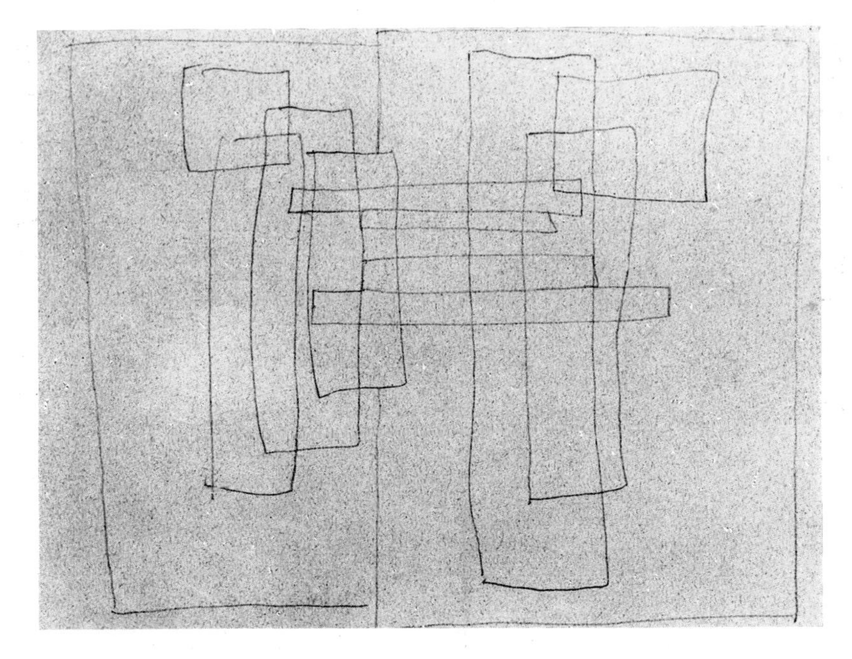

590
[Sans titre]
mine de plomb sur feuillet d'un bloc à dessin, 10,1 × 13,3
indication de la composition de la peinture *Deux points verts,* avril 1935, Roethel nº 1054
AM 1981-65-511 (Inv. 626-76)

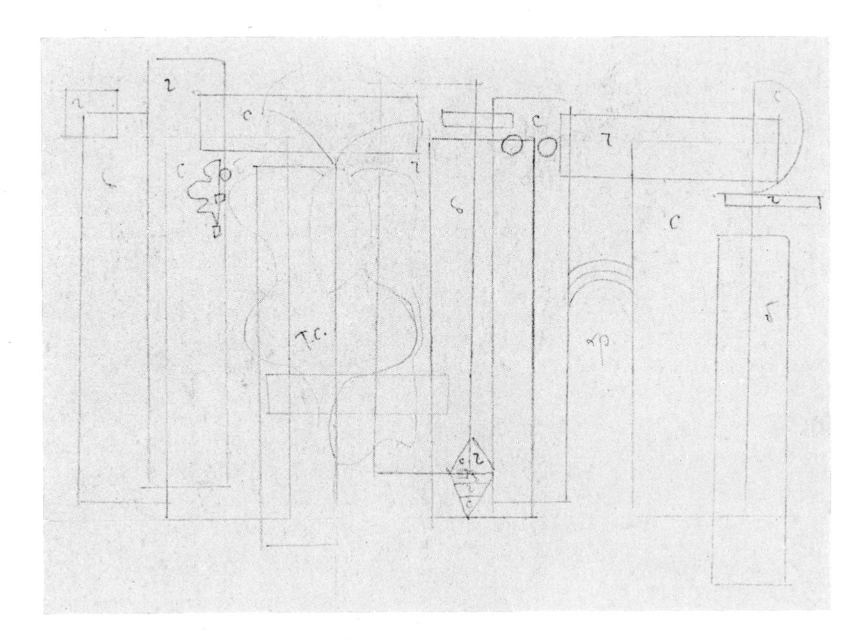

435
[Sans titre]
mine de plomb, 14 × 21,1
verso : à rapprocher de la peinture *Deux points verts,* avril 1935, Roethel nº 1054
indication sommaire du coloris en russe
recto : repr. p. 322
AM 1981-65-396 recto-verso (Inv. 626-30)

DEUX POINTS VERTS

Grohmann, Lassaigne, Conil-Lacoste, tous ceux qui ont bien voulu parler de la période parisienne et particulièrement de ce tableau, ont tous souligné la non-pertinence du titre. Ce n'est pas que le chiffre « deux » contienne quelques mystères, il est plutôt commun à beaucoup de titres donnés par Kandinsky en cette période : « Deux... », « Deux traits », « Entre-deux », « Deux entourages », « Deux cercles », « Deux rayons », etc. Quant au vert, il n'a pas changé de signification pour Kandinsky, il est toujours tel qu'il l'a qualifié dans son *Du Spirituel dans l'art* : « Le vert absolu est, dans la société des couleurs, ce qu'est la bourgeoisie dans celle des hommes, un élément immobile, sans désirs, satisfait, épanoui ». Le titre joue, mais sans farce ni astuce comme la dénomination surréaliste, sur le fait qu'il ne retient dans la toile qu'un élément à première vue insignifiant. Toutefois, non seulement on trouve les points verts mais nous n'avons pas besoin de les chercher longtemps, ils sautent aux yeux, ces points, pas tout à fait verts d'aillleurs puisque cassés de brun dans leur partie inférieure.

C'est la vérification d'une théorie-recette que recommande Kandinsky dans un de ses derniers textes « La valeur d'une œuvre concrète » : « Une petite forme peut recevoir un "accent" tellement fort qu'elle change complètement la grandeur, l'intensité et avec ça l'importance des grandes ».

Tout le tableau d'ailleurs avec son jeu de transparences de formes imbriquées est une illustration des réflexions sur la perception des formes menée par la philosophie allemande dont Kandinsky a pleinement pris conscience vers 1930. Le tableau est donc peint dans l'esprit du Bauhaus : ne retrouve-t-on pas d'ailleurs le premier croquis pour le tableau au dos d'un dessin de la période allemande ? Et la disposition générale de la toile est arrêtée dès 1934 dans l'aquarelle réalisée en août, sous le titre de *Surfaces réunies*; seule la mixtion du sable dans le pigment semble relever de l'esprit parisien. →

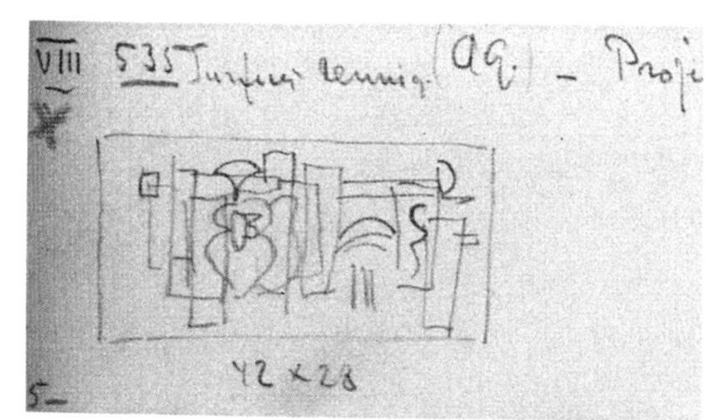

mns Kandinsky

La peinture au sable est, en effet, la seule innovation technique que le peintre tente à Paris dès son arrivée en 1934 et dont il épuise les possibilités avant l'automne 1936. Il connaît certainement les sables de Masson publiés dans les revues surréalistes et a vu les pâtes sablées des dernières prouesses de Braque. A la même époque Miró travaille sur le papier de verre. Mais Kandinsky est également en correspondance avec Will Baumeister qui s'est spécialisé dans de grands projets de décoration murale. La querelle du réalisme dans la peinture, qui agite et divise Paris en 1935, a pour conséquence la création sous les auspices d'Eugénio d'Ors et d'Amédée Ozenfant d'un Salon de l'art mural auquel Kandinsky apporte son adhésion puisque son nom figure sur la liste des participants. En revanche, on y recherche sans succès les noms de Fernand Léger ou de Robert Delaunay qui vont être les grands décorateurs de l'Exposition Internationale de 1937. Léger, en effet, se répand à l'époque en longues digressions sur la « Peinture murale et peinture de chevalet » : « ... Nous sommes revenus à la peinture murale du Moyen Age...; la peinture murale qui fut une des expressions plastiques les plus riches des temps anciens (fresque, mosaïque) doit se continuer dans des accompagnements picturaux dans lesquels l'art abstrait a une place importante à prendre ».

Ce sont des œuvres épaisses, fragiles de leur technique mêlée, que Kandinsky montre pour manifester sa nouvelle manière parisienne. Il les expose et les fait reproduire dans les *Cahiers d'Art*. En effet, Yvonne Zervos, dans les locaux de la revue, a ouvert une galerie et présente en 1935 : « Kandinsky, nouvelles toiles, aquarelles, dessins ». Peu de temps après, l'artiste accorde une interview à des correspondants du quotidien italien *Il Lavoro Fascista* et aborde entre autres sujets celui de la technique, dont il s'empresse d'ailleurs de limiter l'importance : « Mais ne parlons plus de livres et de théories sur le papier. Donc, vous avez vu mon exposition ? Vous vous souvenez que j'ai rassemblé aux *Cahiers d'Art* 10 toiles très récentes, 25 gouaches et aquarelles, récentes elles aussi, et 28 dessins qui embrassent la période 1910-1934. Dans la plupart des compositions sur toile, j'ai utilisé la technique au sable, de manière plus ou moins diffuse, mais en général je n'ai pas l'habitude de tellement distinguer entre les traditionnelles peintures à l'huile, les gouaches, les détrempes, les aquarelles et j'emploie les divers procédés d'exécution souvent ensemble, dans la même œuvre.

« L'essentiel, pour moi, est de pouvoir dire ce que je veux, de *raconter mon rêve*. Je considère la technique et la forme elle-même comme de simples instruments pour m'expliquer et, du reste, ce que je raconte n'a pas de caractère narratif ni historique, mais est de nature purement picturale ».

Par ces derniers propos, Kandinsky prend, en réalité, ses distances vis-à-vis des surréalistes dont Eluard et Breton vont en 1938 inventorier toutes les petites aventures techniques, frottage, collage, etc. dans leur *Dictionnaire abrégé du surréalisme*.

591
Surfaces réunies, 1934
aquarelle, 28,2 × 42
monogrammé et daté en bas à gauche à l'encre de Chine : K 34

manuscrit Kandinsky IV n° 535, août 1934
Surfaces réunies (aq.) Projet pour toile n° 616, *Deux points verts*, 1935

donation de Madame Nina Kandinsky, 1976
AM 1976-1330

592
Deux points verts, 1935
huile et sable sur toile, 114 × 162
monogrammé et daté en bas à gauche : K 35
inscription au revers sur la toile en haut à gauche : « K n° 6i6/i935 »

Grohmann, p. 340
Roethel n° 1054, repr. coul. p. 942
donation de Madame Nina Kandinsky, 1976
AM 1976-859

manuscrit Kandinsky IV n° 616, avril 1935

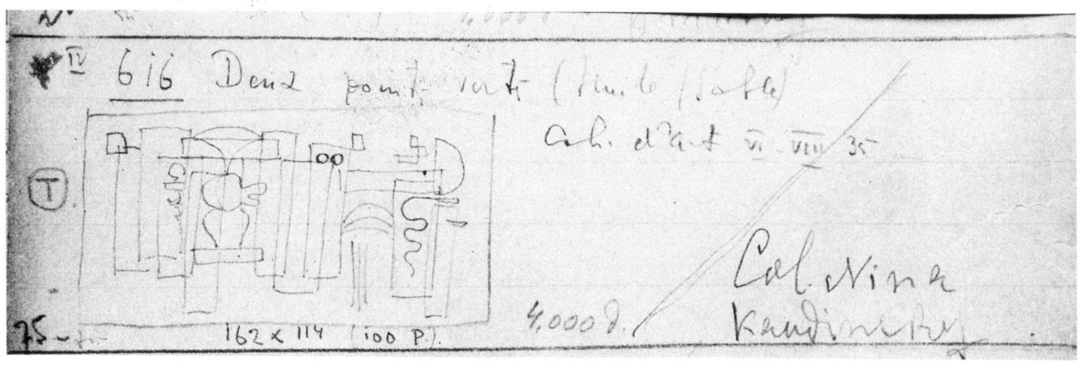

Deux points verts (huile, sable)
Cahiers d'art VI-VIII 35
162 × 114 (i00 P)

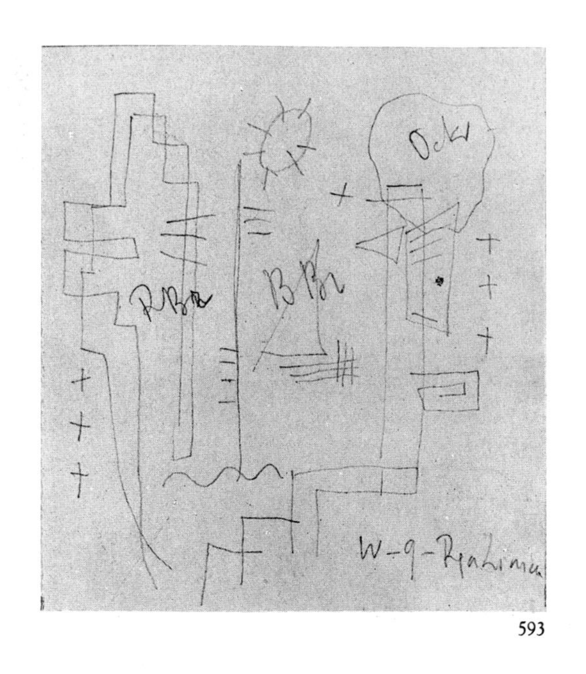

593

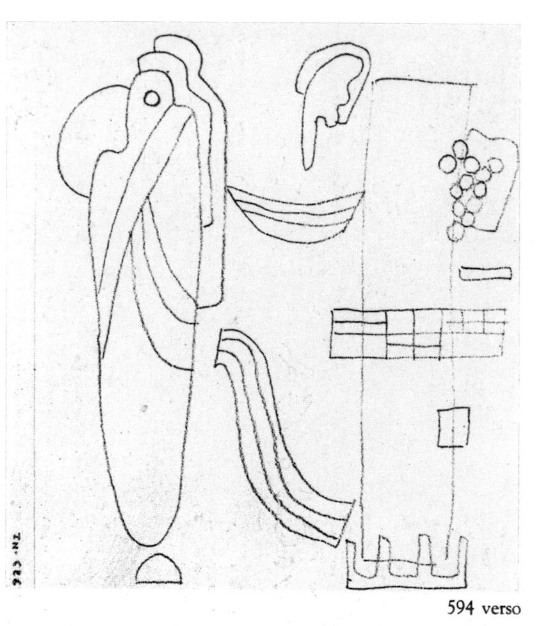

594 verso

594 recto

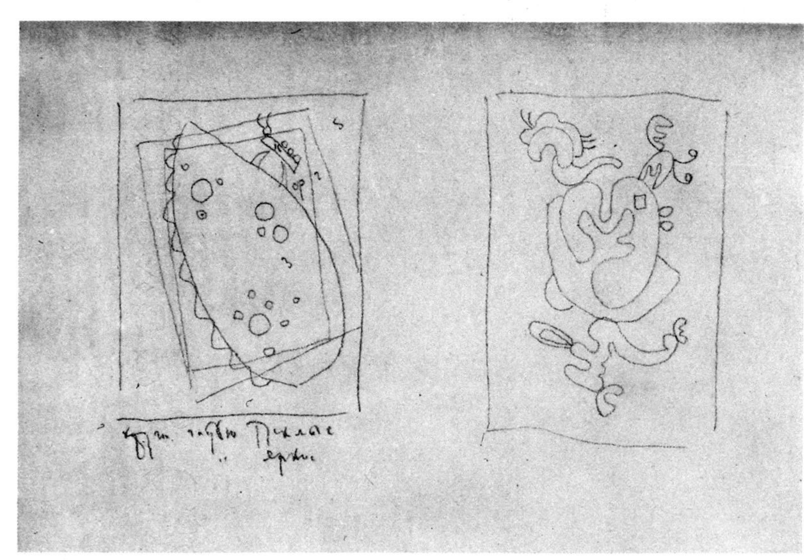

595

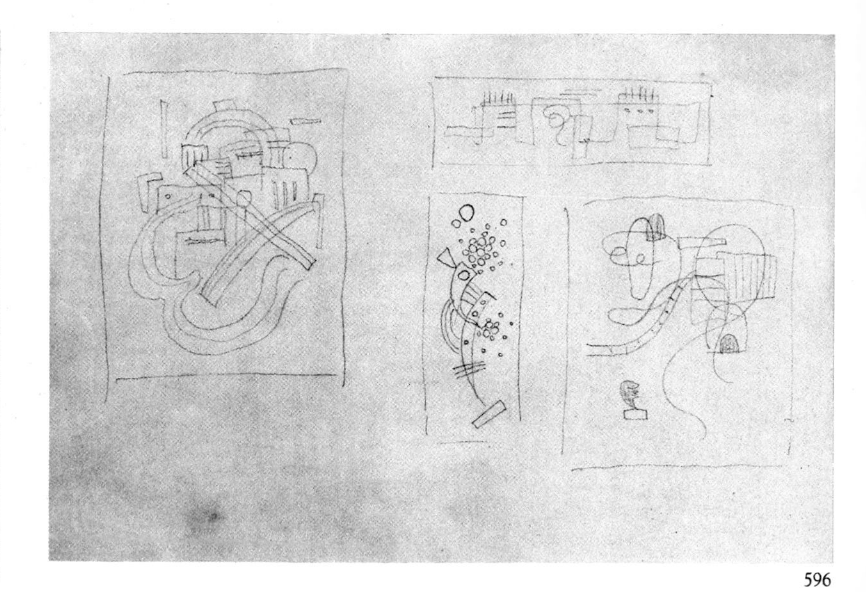

596

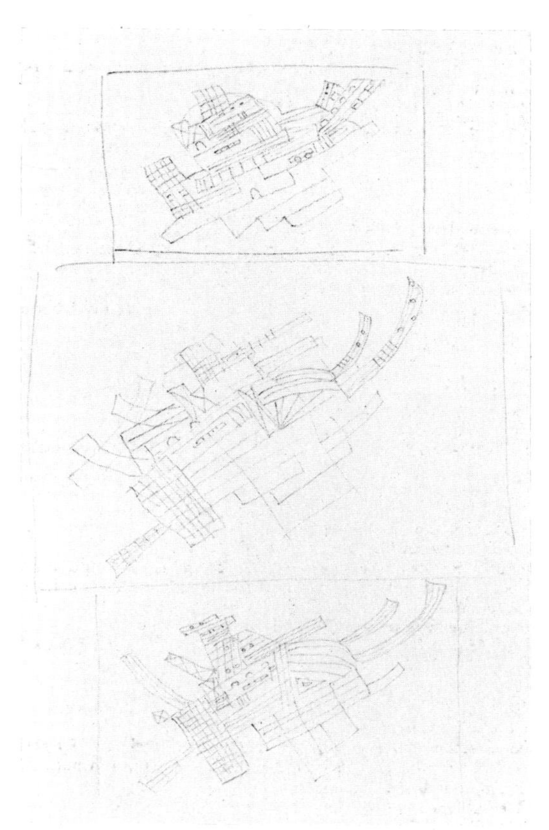

597

598

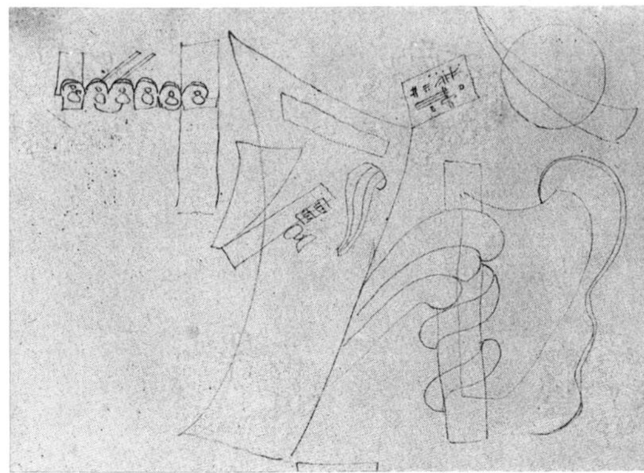
599 verso

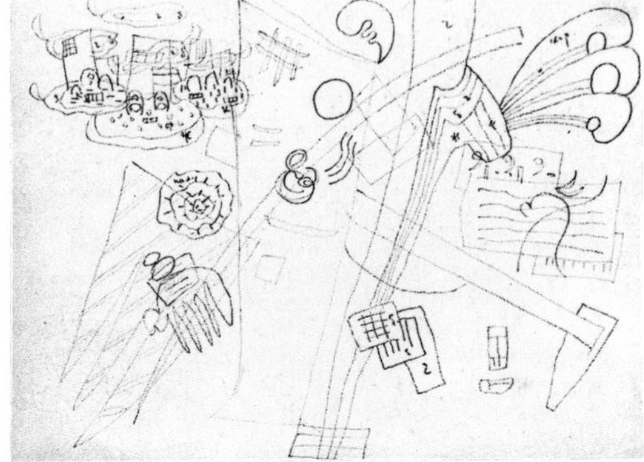
599 recto

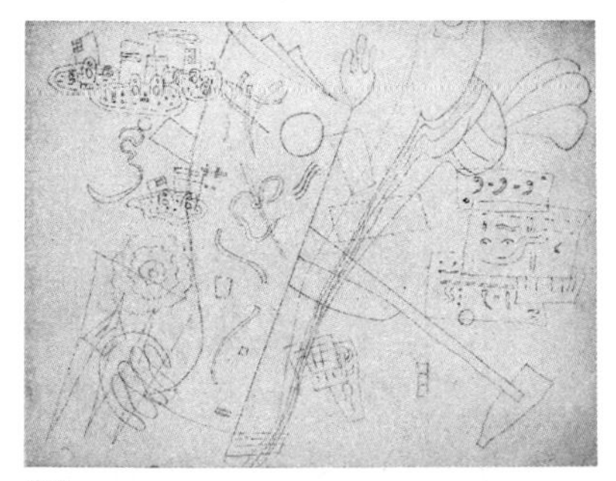
600

601

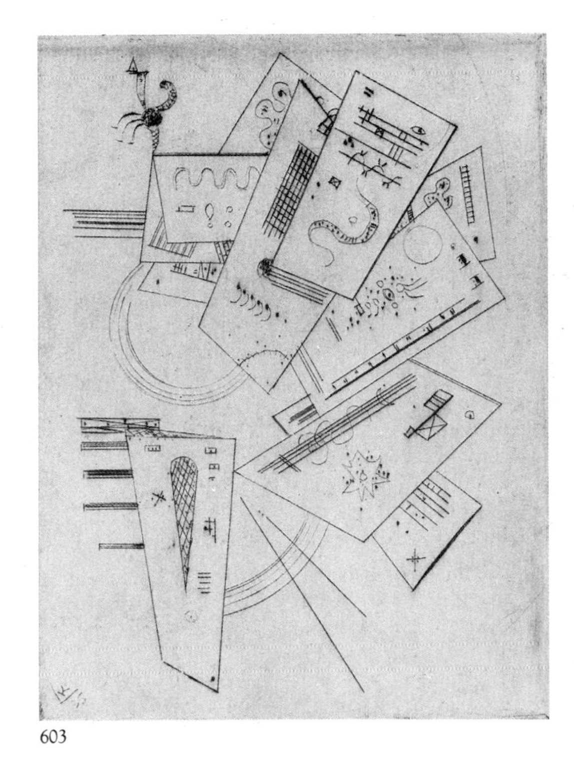
603

602

593
[Sans titre]
mine de plomb, 11,1 × 9,7, feuillet détaché d'un bloc à dessin
recto : indication du coloris en allemand, à rapprocher de l'aquarelle *Deux figures,* K n° 550, avril 1935
verso : texte en allemand
AM 1981-65-512 (Inv. 408-31)

594
[Sans titre]
mine de plomb, 10,5 × 12,8
recto : croquis à rapprocher de l'aquarelle *Taches verte et rose,* K n° 551, mai 1935
verso : croquis à rapprocher de l'aquarelle *Deux figures,* K n° 550, avril 1935
AM 1981-65-513 recto-verso (Inv. 626-52)

595
[Sans titre]
mine de plomb, 20,9 × 27,1, deux croquis, l'un avec indication sommaire du coloris en russe
à rapprocher de l'aquarelle *Ovale animé,* K n° 552, mai 1935
AM 1981-65-514 (Inv. 626-11)

596
[Sans titre]
mine de plomb, 27 × 20,7, quatre croquis dont un est à rapprocher de l'aquarelle *Petites Boules,* K n° 555, mai 1935, un autre de l'aquarelle *Dessus-Dessous,* K n° 553, mai 1935
AM 1981-65-515 (Inv. 626-10)

597
[Sans titre]
mine de plomb, 21,2 × 13,5, trois croquis cadrés à rapprocher de la peinture *Accent vert,* novembre 1935, Roethel n° 1061
AM 1981-65-516 (Inv. 626-13)

598
[Sans titre]
mine de plomb, 15,8 × 20,7
pourrait être rapproché de l'aquarelle *Double affirmation,* décembre 1934, K n° 540
AM 1981-65-517 (Inv. 626-4)

599
[Sans titre]
mine de plomb, 20,9 × 26,9
recto et verso : études à rapprocher du bloc pour une gravure sur bois, réalisé en 1935, n° 601
Roethel (gravures), fig. 70 p. 484
AM 1981-65-518 recto-verso (Inv. 626-51)

600
[Sans titre]
mine de plomb, 23,8 × 31
à rapprocher du bloc pour une gravure sur bois, réalisé en 1935, n° 601
Roethel (gravures), fig. 70 p. 484
AM 1981-65-519 (Inv. 406 bis)

601
[Sans titre]
bloc de gravure sur bois réalisé en 1935
Roethel (gravures) fig. 70 p. 484
AM 1981-65-748 (Inv. suppl.)

602
Pochoir Sintesi, 50 × 65,4
monogrammé en bas à gauche et daté : K 35
à rapprocher de la tempera K n° 560, septembre 1935, *Réciproque*
« pochoir Sintesi, Barcelone exécuté en mars 1936, 200 exemplaires numérotés »
Roethel (gravures), fig. 72 p. 485
AM 1981-65-749 (Inv. 603-2)

603
Frontispice pour *La Main passe* de Tristan Tzara
pointe sèche, 15,7 × 12, monogrammé en bas à gauche sur la plaque et daté : K 35, signé sur la marge en bas à droite, à la mine de plomb : Kandinsky
Roethel (gravures) n° 200
AM 1981-65-750 (Inv. 590-15)

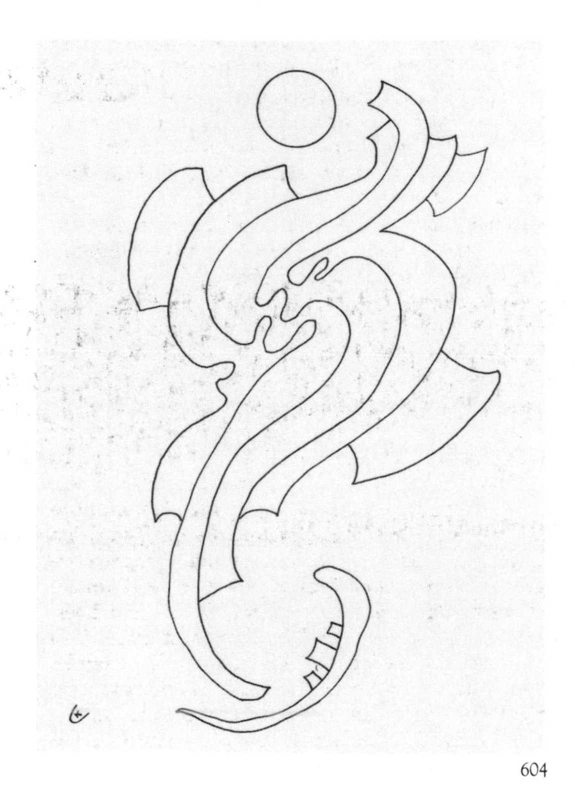

604

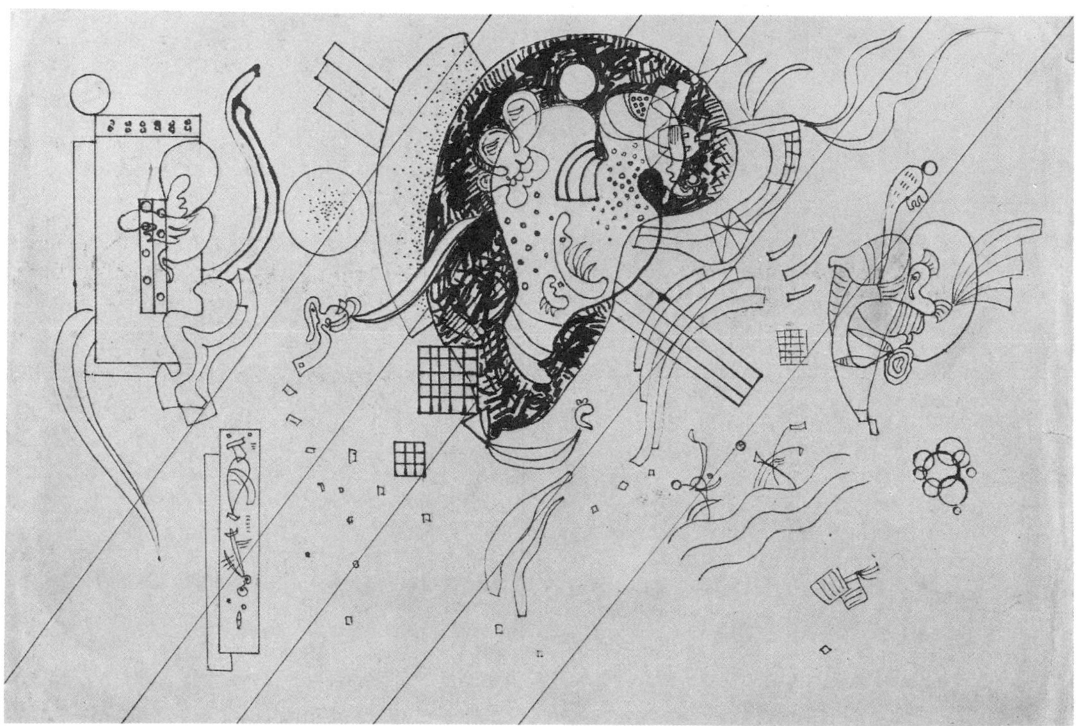

605 recto

604
[Sans titre]
encre de Chine, 27 × 20
monogrammé en bas à gauche avec le timbre de l'atelier
pourrait être rapproché d'un des éléments dans la partie supérieure gauche de *Composition IX*, Roethel n° 1064
AM 1981-65-520 (Inv. 101)

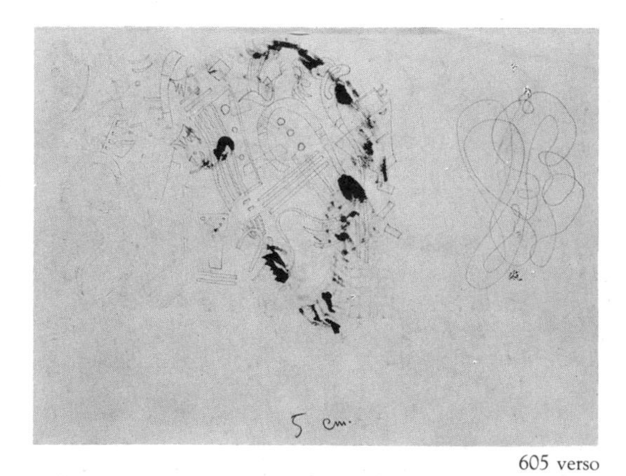

605 verso

605
[Sans titre]
encre de Chine et mine de plomb, 32,5 × 50,6
recto : étude à rapprocher de la *Composition IX*, Roethel n° 1064
verso : croquis à rapprocher de la peinture *Formes multiples*, février 1936, Roethel n° 1065
AM 1981-65-521 recto-verso (Inv. 593-7)

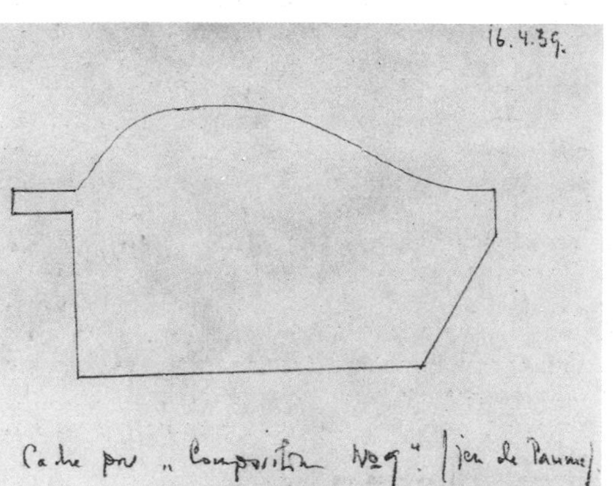

606

606
[Sans titre], 1939
mine de plomb
daté en haut à droite : 16.4.39
profil de moulure de cadre proposé par Kandinsky à Monsieur Dézarrois, conservateur du Musée des Écoles Étrangères, qui avait acquis *Composition IX* pour le Musée du Jeu de Paume.
AM 1981-65-522 (Inv. suppl.)

COMPOSITION IX

En conclusion de *Du spirituel dans l'art*, Kandinsky, entraîné par un souci de classement obsessionnel, s'est créé une hiérarchie particulière pour ranger ses peintures à venir. Il emprunte des termes de musicologie et répartit ses toiles en « Impressions », « Improvisations », « Compositions ». Cette dernière catégorie équivaut à la symphonie; Kandinsky en fait un usage parcimonieux : il désigne par ce vocable une catégorie exceptionnelle d'œuvres qui résultent « d'expressions qui se forment d'une manière semblable, mais qui, lentement élaborées, ont été reprises, examinées et longuement travaillées à partir des premières ébauches, presque d'une manière pédante. Je les appelle *Compositions*. L'intelligence, le conscient, l'intention lucide, le but précis jouent ici un rôle capital; seulement, ce n'est pas le calcul qui l'emporte, c'est toujours l'intuition ».
Il applique avec assiduité ce système de classement, qui n'a de sens que pour lui-même, entre 1910 et 1914. Pour plusieurs dizaines d'Improvisations et d'Impressions, il ne crée au cours de cette période que 7 œuvres qu'il estime assez achevées pour leur donner le suprême label de *Composition*. Entre 1914 et 1921, cette répartition suivant trois catégories tombe en désuétude, le peintre ne peint pratiquement pas durant cette période assez éprouvante où la Russie des Tsars devient lentement l'URSS. Il songe un instant à donner à la toile *Spitzes Schweben* (Flottements aigus ou Vol plané effilé) le numéro 8 de la liste des chefs-d'œuvre, mais y renonce et attend 1923 pour donner ce titre à la plus grande Composition qu'il peint au cours de son séjour au Bauhaus. Treize ans plus tard, installé à Paris, alors que les termes Improvisations, Impressions ont définitivement disparu de ses titres, il appelle une grande toile de 1936 *Composition IX* et deux ans plus tard il baptise un autre grand format *Composition X*; c'est la dernière.

Les Compositions de ces différentes périodes ont toutes en commun le fait d'être de grand format. Encore faudrait-il établir des différences entre celles de la période de Munich-Murnau qui dépassent les deux mètres de largeur — la *Composition VII* en 1913 mesure deux mètres de haut par trois de large — des Compositions ultérieures qui leur sont nettement inférieures par la taille.
La *Composition IX* est, depuis la destruction des trois premières au cours de la Seconde Guerre mondiale, désormais la plus petite. On peut également s'interroger sur les raisons qui ont incité à baptiser cette peinture Composition de préférence à une autre œuvre peinte la même année, la *Courbe dominante*, d'un format supérieur et, de l'avis du peintre lui-même, plus aboutie. Que peut bien signifier ce regain de la notion de « Composition » à Paris ? Rien pour le public français qui n'a même pas feuilleté la monographie sur Kandinsky publiée par Christian Zervos en 1931 où sont reproduites toutes les Compositions antérieures ? Cette notion est égotiste et n'a de signification que par rapport à Kandinsky lui-même; heureux de consacrer à nouveau tout son temps à la peinture, il réalise effectivement de nombreux tableaux de grand format. On peut noter également que, durant les années parisiennes, il est invité par l'opinion et le goût des collectionneurs, et par sa propre évolution, à rétablir un lien direct avec ses travaux plastiques antérieurs à la Première Guerre mondiale. Pour illustrer la période du Blaue Reiter en 1936 et en 1939, il exhume le grand tableau *Avec l'arc noir* (1912).
La *Composition IX*, elle, ne répond que partiellement aux exigences que le peintre s'était fixées autrefois pour la délivrance de cette catégorie. Ce n'est qu'un « 120 paysage »; de plus, elle ne semble pas avoir accaparé les soins du peintre par une plus longue gestation que ses autres toiles. On ne dispose en tout et pour tout, pour établir sa genèse, que d'un grand dessin à l'encre. Même si on tient compte du fait que pendant la période parisienne Kandinsky dessine finalement peu, à moins que de nombreux dessins préparatoires n'aient pas été conservés, on ne peut que souligner la différence entre les Compositions parisiennes exécutées et leurs ancêtres de l'époque de Murnau qui s'accompagnaient de suites impressionnantes de projections graphiques et étaient testées par un nombre relativement important d'esquisses.
De plus, la *Composition IX* ne satisfait guère à la plénitude de l'effet de la poésie des grandes Compositions d'autrefois. C'est certainement une œuvre complexe mais également une toile contrariée, difficile à percevoir au premier regard tant il semble qu'il y ait divorce entre le fond et les formes qui la couvrent. Les grandes diagonales qui découpent le fond sont exceptionnelles dans le travail de Kandinsky, même en 1936. Les décalcomanies qui flottent à la surface de la Composition n'adhèrent pas du tout à cette affirmation hardie des diagonales colorées. Ce sont des cartouches en surcharge, des détails très raffinés que ces roses palpitants, ces étendards de tournois qui flottent. Y aurait-il du vent ? Les tons hurlent entre fond et détails. La *Complexité IX* semble purement gratuite.

Ce tableau difficile, sinon ingrat, est très curieusement acquis par l'État français en 1939. A cette époque, les autres grands musées du monde occidental soit se défont de leurs Kandinsky en Allemagne, soit (comme la Tate Gallery) recherchent ses œuvres anciennes... André Dézarrois, directeur du Musée des Ecoles étrangères du Jeu de Paume n'a, lui, pas de préférence très marquée. Il décline l'offre de vente de la *Composition IV* (1911), orgueil légitime aujourd'hui du Musée de Düsseldorf. Il achète la *Composition IX* parce que le tableau est déposé alors par l'artiste en son musée et que le prix en est moins élevé. Le musée dispose de crédits insignifiants : *Composition IX* est, avec la grande gouache d'Otto Freundlich, une des premières grandes œuvres abstraites à entrer dans les collections nationales. Depuis l'organisation de l'exposition « Origines et développement de l'art international indépendant » en 1937, Kandinsky — qui en avait été un des instigateurs — maintient d'excellents rapports avec Dézarrois et le Jeu de Paume, assistant à presque toutes les conférences programmées par la conservation du Jeu de Paume dans les salles de l'École du →

Louvre en 1938. L'artiste a donc déposé la *Composition IX* pour enrichir l'accrochage des collections permanentes; il souhaite, en réalité, obtenir un jour de Dézarrois la possibilité d'organiser dans les locaux du musée une grande rétrospective de son œuvre. L'idée d'une acquisition doit concrétiser cet état de grâce; il en résulte un quiproquo quand le conservateur, voulant faire plaisir au peintre, et quand le peintre, témoignant de toute sa sympathie pour le musée, ne peuvent s'entendre sur le prix. L'affaire traîne jusqu'en 1939.
Le 26 décembre 1937 Kandinsky confie à Grohmann : « Dézarrois me dit à deux reprises qu'il achèterait volontiers une de mes œuvres plus grandes mais que mes prix sont trop élevés pour lui. Je lui ai répondu une fois que je ferai des avances pour aller à sa rencontre en faveur de son musée. Il m'a dit plus tard qu'il me téléphonerait pour convenir d'une date pour venir regarder mes tableaux de plus près. Depuis rien. C'est çà la France… »
Les tractations durent deux ans et le peintre cède la *Composition IX* pour un « plat de lentilles » :

« Neuilly-sur-Seine, 135 Bd. de la Seine,
le 24 février 1939.
Cher Monsieur Dézarrois,
J'ai essayé de vous parler par téléphone, mais malheureusement sans succès. Je me décide alors de vous écrire.
Avant-hier, j'ai reçu une lettre du Ministère de l'Éducation Nationale avec la communication que ma toile « qui se trouve au Jeu de Paume » est acquise par l'État pour la somme de 5.000 francs. J'ai été vraiment stupéfié, et je même pensais de m'avoir tromper *(sic)*. Mais non ! La somme était précise. Vous souvenez-vous que nous avons parlé des toiles différentes que je pourrais céder au Musée de Jeu de Paume contre la somme dite, mais que je vous avais dit qu'il me serait tout à fait impossible de donner pour cette somme la *Composition IX* ?

Je vous avais dit que le prix de cette toile serait 100 000 francs et que je pourrais faire une réduction de 50 % spécialement pour votre musée, c'est-à-dire de la céder pour 50.000 francs. Vous avez alors parlé d'une possibilité éventuelle de trouver un amateur qui voudrait payer la différence de 45.000 francs. Nous parlions même spécialement d'un amateur américain, de M. S.R.G. (Solomon R. Guggenheim).
Je me casse la tête pour trouver une issue de la situation pénible. Trois possibilités se présentent comme issues.
Je signe la déclaration demandée par le Ministère à la condition que vous trouvez *(sic)* un amateur qui s'engagerait de me payer les 45 m. disons dans quelques mois. Ou, si vous voulez bien, vous pourriez choisir chez moi une autre toile — sans aucun doute une belle toile que je pourrais céder pour 5 M.

Enfin. Il devient toujours plus nécessaire pour moi d'avoir à Paris une grande exposition rétrospective. Nous en avons déjà parlé, et je sais bien que vous n'auriez rien contre une pareille exposition au Jeu de Paume, mais que quelques circonstances données l'empêchent. Ou l'empêchaient dernièrement. Mais peut-être les conditions sont devenues moins dures aujourd'hui, et l'exposition serait possible. Dans ce cas fort agréable pour moi je me contenterais de 5.000 francs pour la *Composition n° 9*. Une idée peut être fantastique, mais pourquoi ne la pas *(sic)* examiner ? … ».

Kandinsky, en avril 1939, envoie au conservateur un projet de moulure pour encadrer le tableau, signe que l'affaire est en bonne voie de règlement. La guerre survient, les différentes propositions de Kandinsky deviennent caduques. Sur les inventaires du Jeu de Paume on confond la *Composition IX* avec la *Ligne blanche*, la gouache acquise en 1937 qui s'égare dans les réserves annexes du Musée au Château de Compiègne jusqu'en 1979.

607
Composition IX, 1936
huile sur toile, 113,5 × 195
monogrammé et daté en bas à gauche : K 36
inscription au revers de la toile en haut à gauche :
« K n° 626/1936 »

Grohmann n° 626 p. 340, repr. coul. p. 299
Roethel n° 1064, repr. coul. p. 960
achat des Musées Nationaux, 1939
J de P 980 bis

manuscrit Kandinsky IV n° 626, février 1936

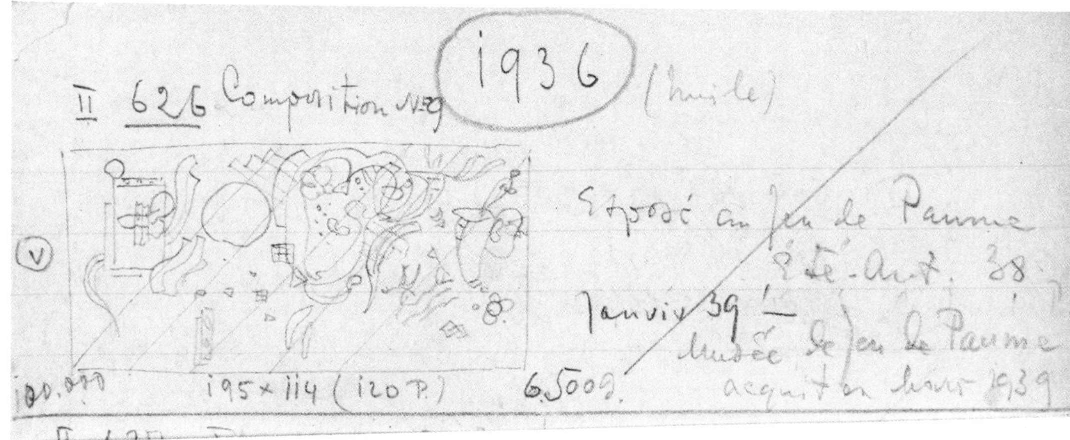

(huile) i95 × ii4 (i20 P)
exposé au Jeu de Paume, Été-Aut. (omne) 38
janvier 39 - Musée du Jeu de Paume, acquis en mars 1939
100 000, 6 500 d

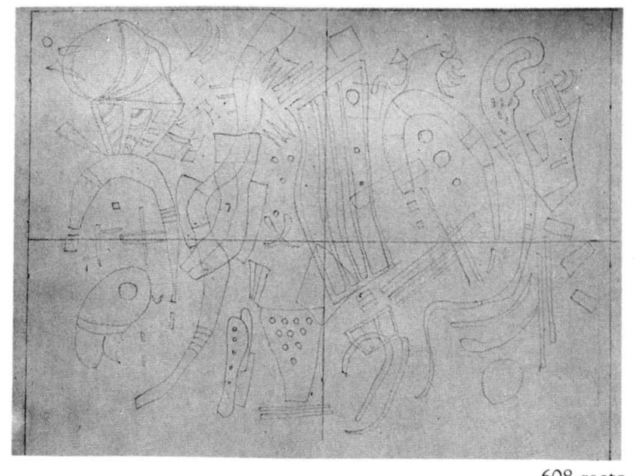

608 recto

608 verso

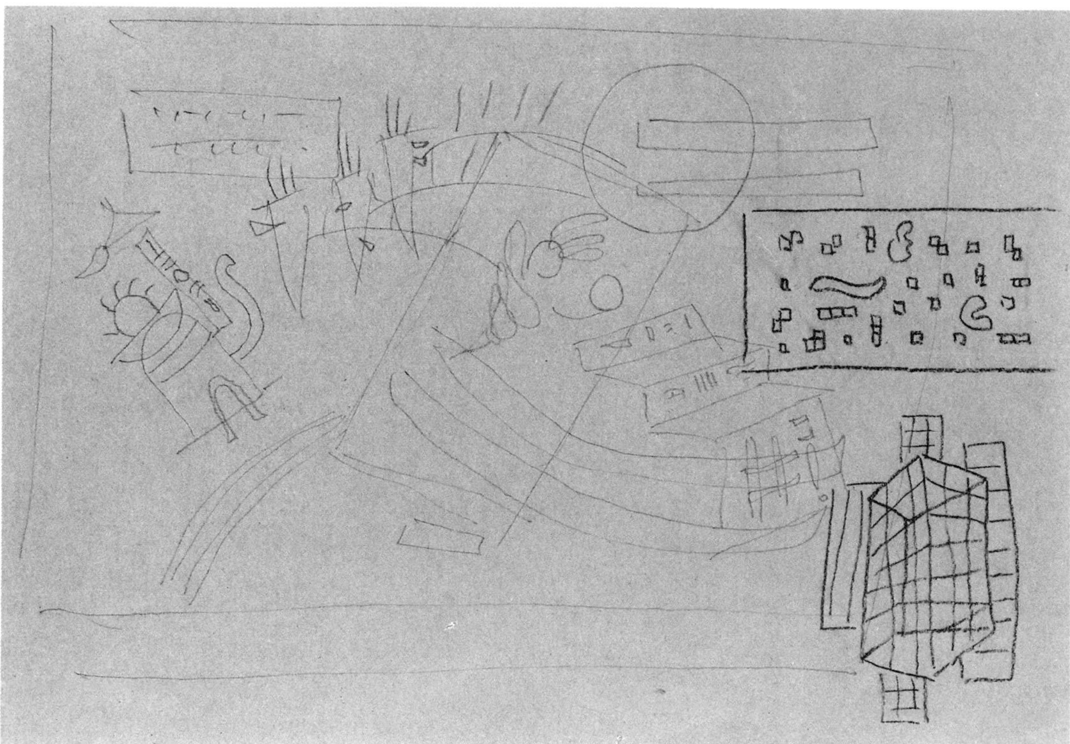

609

610

608
[Sans titre]
mine de plomb, 24,3 × 38,7
recto : mise au carreau, annoté en russe en bas à gauche; à rapprocher de la peinture *Formes multiples,* février 1936, Roethel n° 1065
verso : trois croquis et divers exercices d'entrelacs
AM 1981-65-523 recto-verso (Inv. 626-14)

609
[Sans titre]
mine de plomb, 13 × 21
croquis à rapprocher de la mise en place des éléments de la peinture *Courbe dominante,* avril 1936, avec en surcharge en bas à droite les éléments pour l'aquarelle *Petits Plans,* mai 1936, K n° 565
verso : texte en russe
AM 1981-65-524 (Inv. 207 h)

610
[Sans titre]
mine de plomb, 10,6 × 13,7
indication sommaire du coloris en russe
à rapprocher de la peinture *Triangles,* juillet 1936, Roethel n° 1070
AM 1981-65-525 (Inv. 207 p)

611
[Sans titre]
mine de plomb, 21 × 17,6
recto (repr. p. 388) : deux croquis à rapprocher des aquarelles K n° 569, *Trois aliens,* juin 1936, et n° 571, *La Ligne blanche,* juin 1936
verso : croquis qui peut être rapproché de la tempera *Assez noir,* K n° 568, juin 1936
AM 1981-65-526 recto-verso (Inv. 207 c)

612
[Sans titre]
mine de plomb, 10,5 × 6,7
recto : croquis
verso : croquis à rapprocher de la tempera *Ligne volontaire,* K n° 574, juin 1936
AM 1981-65-527 recto-verso (Inv. 626-52 a)

613
[Sans titre]
mine de plomb, 25,2 × 14,4
manque l'angle inférieur droit
indication sommaire du coloris en russe
AM 1981-65-528 recto-verso (Inv. 593-18)

614
[Sans titre]
mine de plomb, 13,7 × 7,6
AM 1981-65-529 (Inv. 626-50 a)

615
[Sans titre]
mine de plomb et encre, 26,9 × 21
recto : sept croquis dont un peut être rapproché de la peinture *Formes multiples,* février 1936, Roethel n° 1065, un autre de la couverture du numéro 27 de *Transition*
verso (repr. p. 358) : plan de l'accrochage de l'exposition Kandinsky, galerie Jeanne Bucher, 3-19 décembre 1936
AM 1981-65-530 recto-verso (Inv. 626-48 a)

616
[Sans titre]
mine de plomb, 24,8 × 17,6
recto : trois croquis dont un peut être rapproché de l'aquarelle *Ligne volontaire,* K n° 574, juin 1936
verso : mot en allemand de Karl Walfskehl
AM 1981-65-531 (Inv. 207 b)

617
[Sans titre]
mine de plomb, 20,3 × 21
AM 1981-65-532 (Inv. 207 d)

611 verso

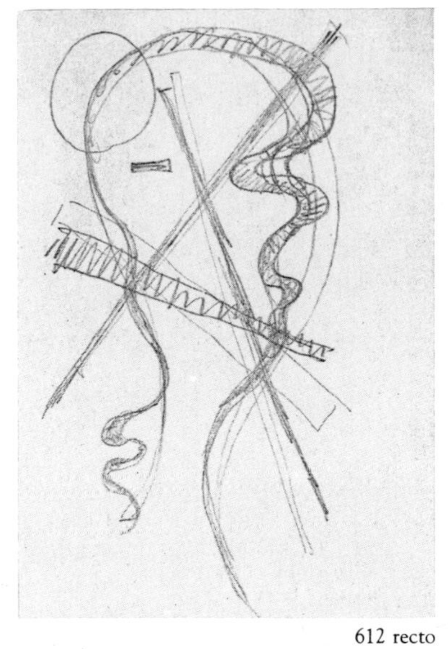
612 recto

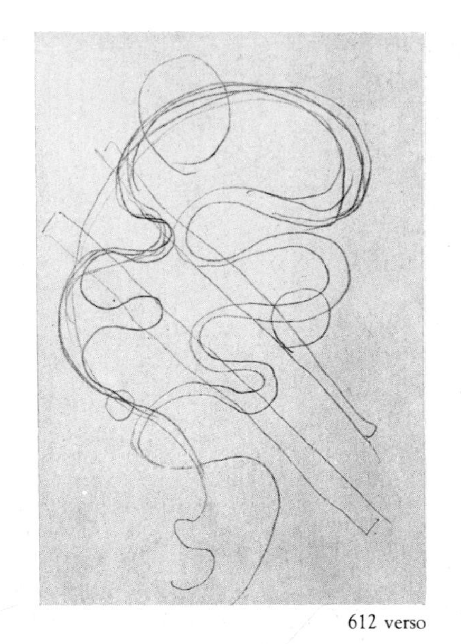
612 verso

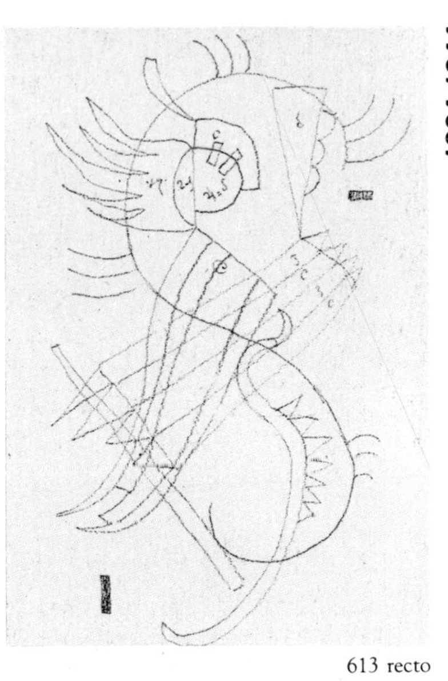
613 recto

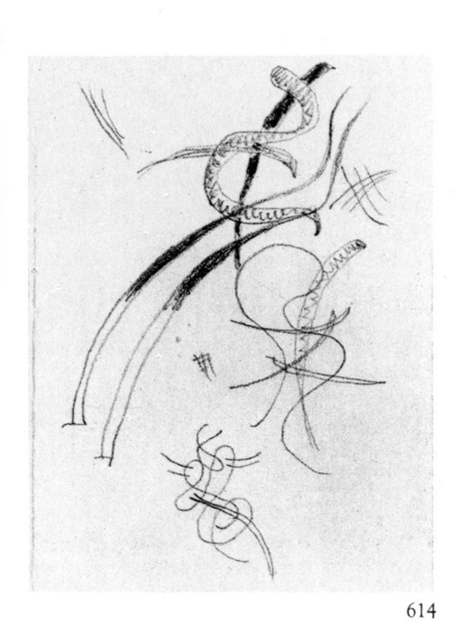
614

616

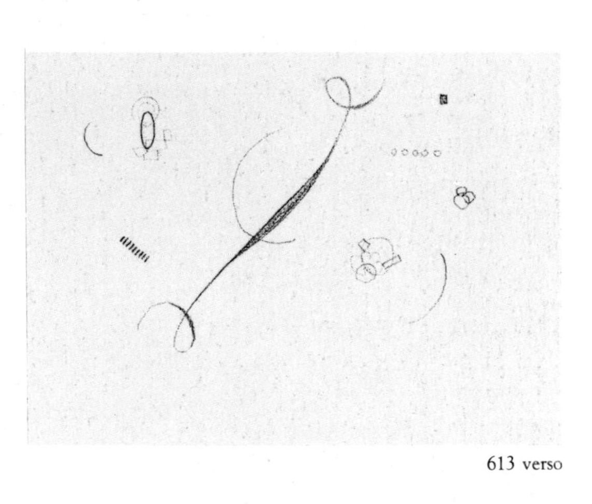
613 verso

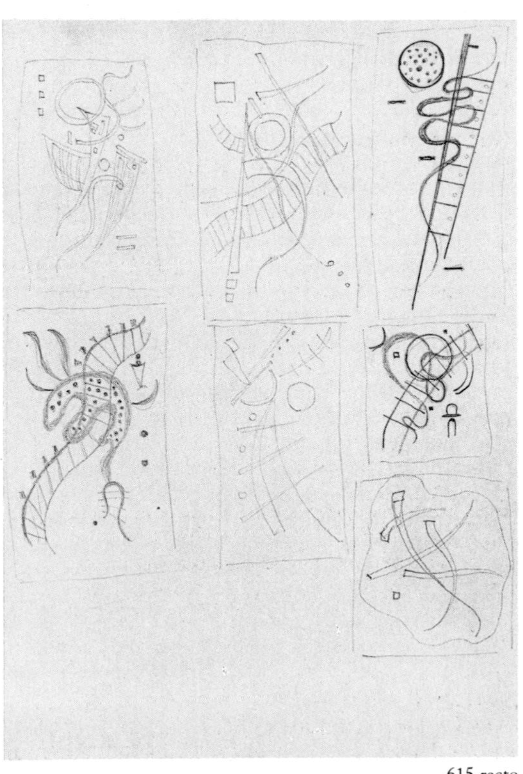
615 recto

617

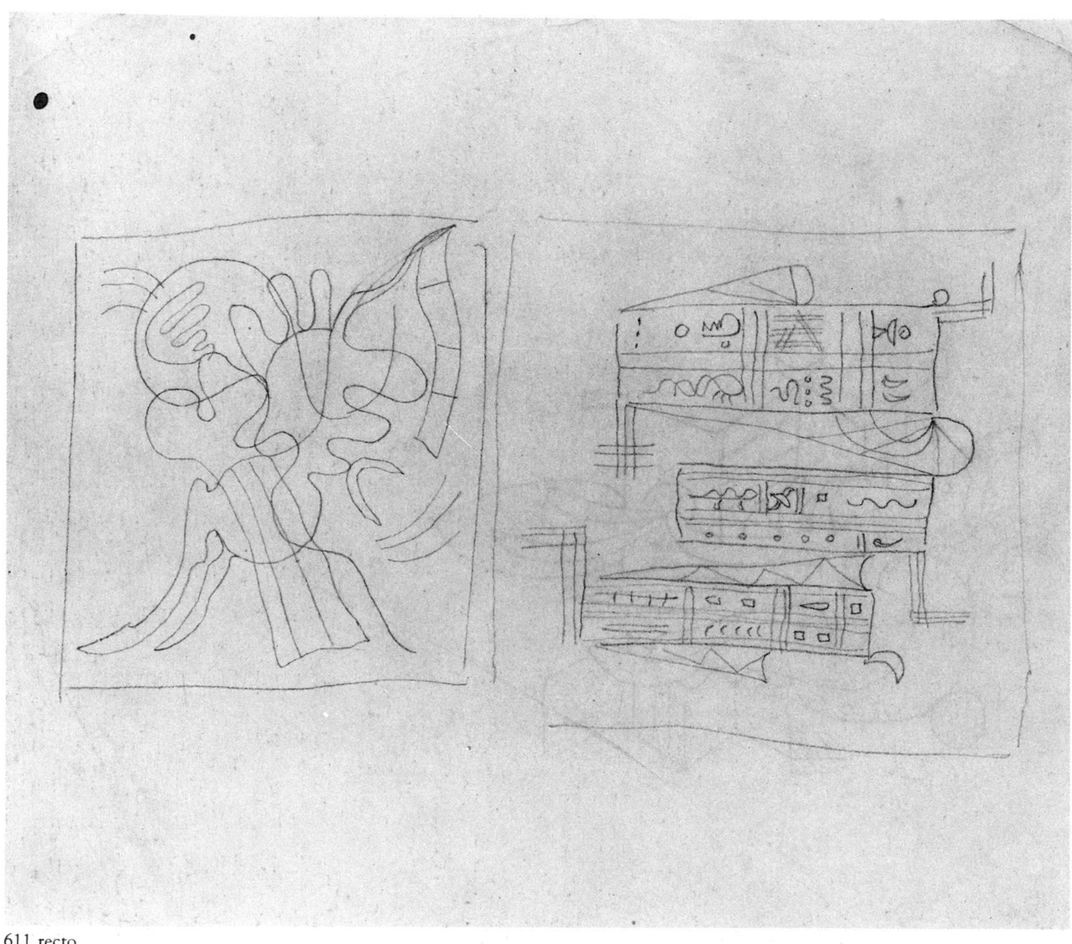

611 recto

618

La Ligne blanche, 1936

gouache, tempera sur papier noir, 49,9 × 38,7
monogrammé et daté en bas à gauche : K 36

manuscrit Kandinsky V n° 571, juin 1936, *La Ligne blanche* (tempera)
39 × 50, galerie Jeanne Bucher, déc. 36
Musée du Jeu de Paume, Paris

achat des Musées Nationaux, 1937
J de P 829 d

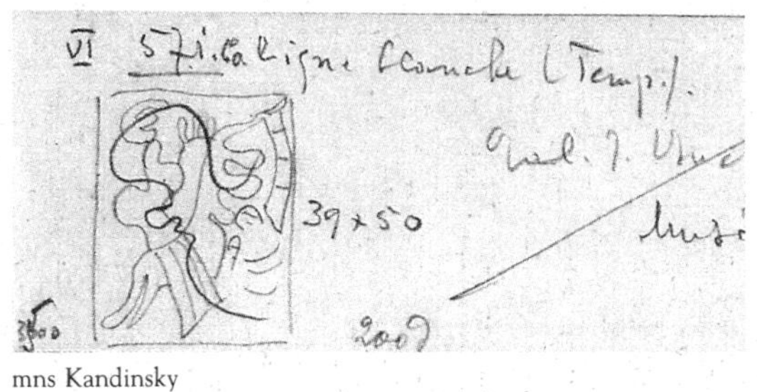

mns Kandinsky

A un coloris qui fleure les délicatesses de l'Art Nouveau, Kandinsky ajoute vers 1936 un retour à une technique qui l'avait fait remarquer autrefois lors de ses premiers envois au Salon d'Automne : les fonds noirs qu'il appelait alors des « dessins coloriés ». Sur un papier préparé ou teinté dans la masse il suffit de déposer quelques taches de couleur à la tempera pour que la feuille vibre immédiatement de filaments phosphorescents comme la *Ligne blanche.* Il n'est pas le seul à exploiter cette facilité graphique, sûre de son effet. Miró l'a éprouvée en peinture vers 1935 avec ses *Formes sur fond noir.* Le poète Henri Michaux commence une œuvre calligraphique qu'il expérimente sur des fonds obscurs, série de pastels et de gouaches dont le *Prince de la nuit* est certainement un des exemples les plus chargés de poésie.

Kandinsky tente rarement d'utiliser le fond noir plat sur la toile. La seule exception est de taille, un 120 figure, la *Composition X*, aujourd'hui au musée de Düsseldorf. Il s'agit d'une grande gouache agrandie à l'échelle monumentale. Kandinsky semble réserver ce procédé aux œuvres « en mineur », les gouaches, dont il tient un catalogue parallèlement à celui des peintures. Ce sont la plupart du temps des œuvres autonomes délivrées de toute arrière-pensée de composition picturale. Il en produit plus dans les années troubles : en 1934 quand il s'installe à Paris et qu'il domine encore mal l'espace de son nouvel atelier, ou en 1940 après l'épreuve de l'exode et sous les premiers effets de l'Occupation. Ce sont des œuvrettes destinées à un marché immédiat. Ses peintures atteignent alors des prix trop élevés pour les rares amateurs de peinture abstraite. C'est le produit type que Jeanne Bucher peut « placer » à Paris. Kandinsky semble peu se soucier de ces œuvrettes parallèles et ne s'inquiète pas de les faire reproduire dans les publications, sauf *La Ligne blanche*, qui est publiée dans la revue littéraire américano-française *Transition* en 1938, car elle vient d'être acquise par le Musée des Écoles étrangères installé au Jeu de Paume. « J'ai l'honneur de vous faire connaître que la gouache "La Ligne blanche" que vous avez exposée cette année, à la galerie Jeanne Bucher, est acquise pour le compte de l'État au prix de deux mille francs ». C'est par cette banale formule administrative datée du 4 mars 1937 que la première œuvre de Kandinsky, modeste, entre dans les collections nationales françaises. Il y a de fortes probabilités pour que ce soit là également la première œuvre abstraite à y pénétrer.

Quelques mois plus tard, André Dézarrois — le conservateur du musée — y organise l'exposition « Origines et développement de l'art international indépendant ». Kandinsky, parmi les recommandations qu'il prodigue à l'homme de musée, lui glisse cette requête : « Je vous serais très reconnaissant, si vous pourriez *(sic)* mettre ma petite gouache "La Ligne blanche" dans l'exposition du Musée du Jeu de Paume que vous projetez de faire en même temps. Je pense que ça ferait une impression favorable sur mes collectionneurs étrangers ».

619
Figure verte, 1936
huile sur toile, 117,5 × 89,3
monogrammé et daté en bas à gauche : K 36

manuscrit Kandinsky IV n° 628, mars 1936
Figure verte 89 × 116 (50 f)

Grohmann p. 340, ill. 454 p. 387
Roethel n° 1066
AM 1981-65-66 (Inv. 4)

mns Kandinsky

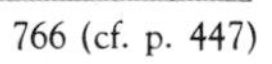

766 (cf. p. 447)

777 (cf. p. 448)

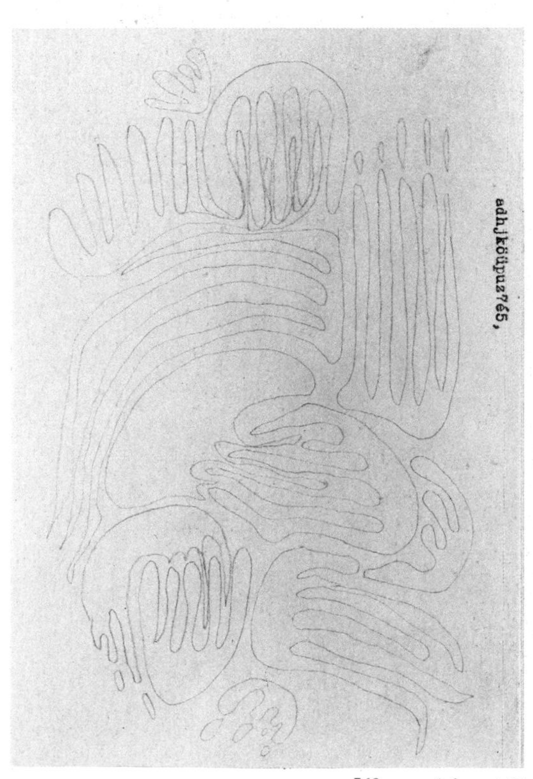

768 verso (cf. p. 447)

778 (cf. p. 448)

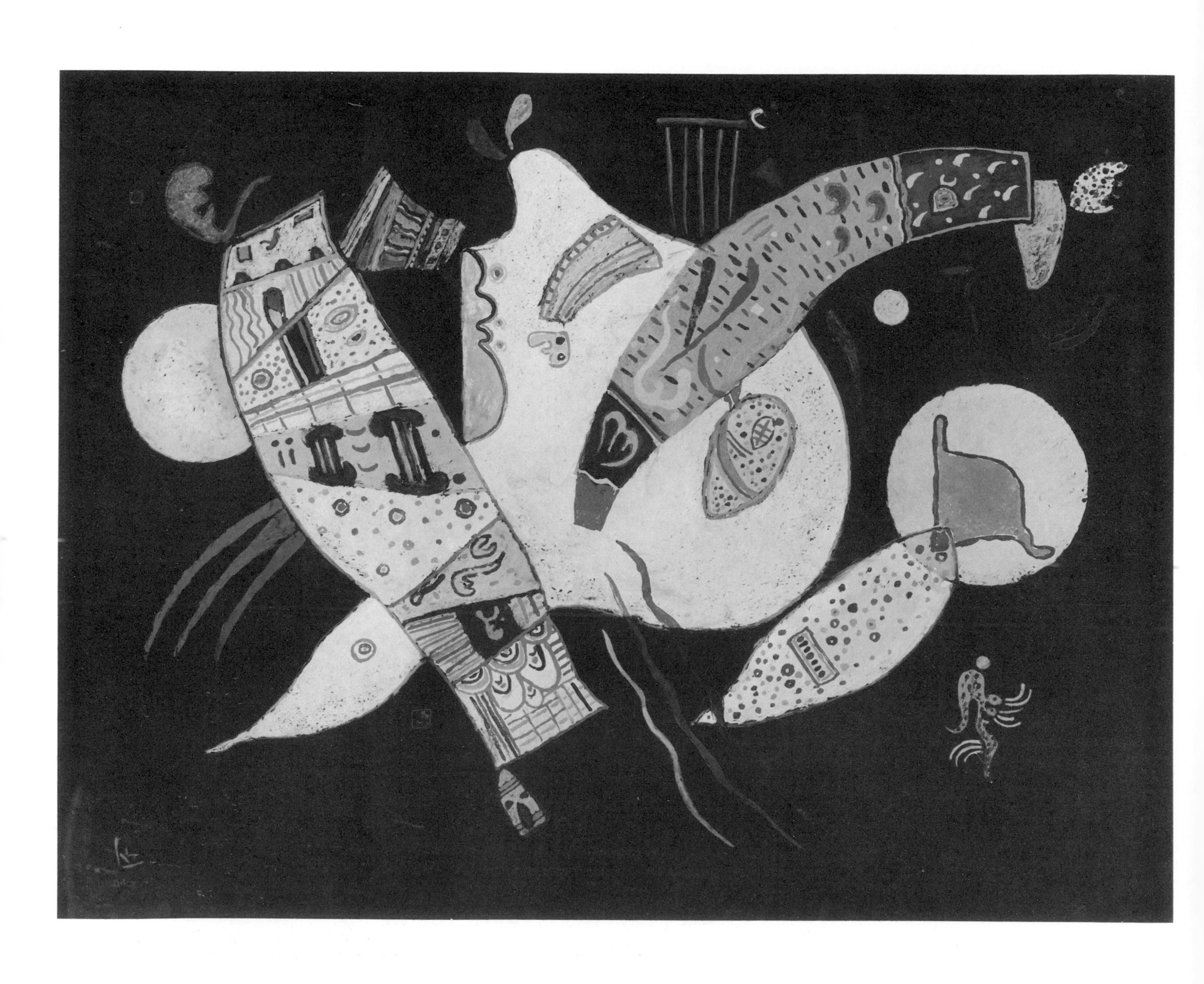

620
Formes en tension, 1936
fixé sur verre, 28,8 × 38,7
monogrammé en bas à gauche : K

manuscrit Kandinsky IV n° 634, *Formes en tension,* novembre 1936 (Sous verre, peint sur triplex), The London Gallery, London.

Grohmann p. 340, ill. 458 p. 387
Roethel n° 1072
AM 1981-65-67

(Inv. 288)

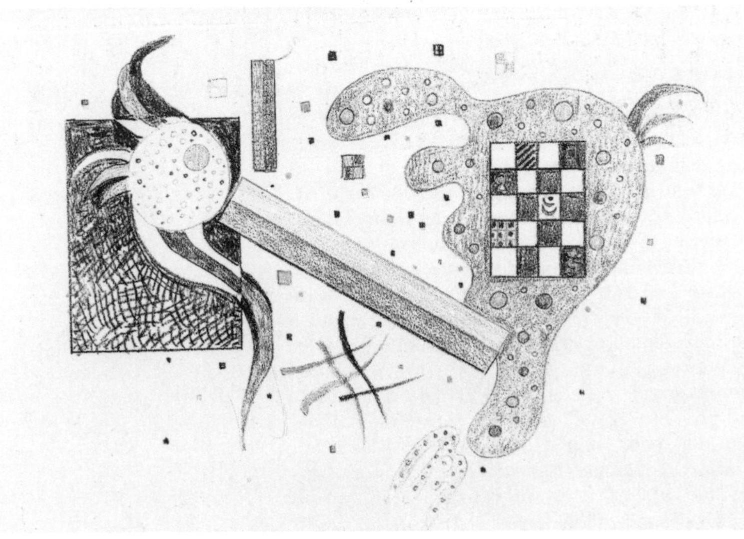

621
[Sans titre]
crayon de couleur et mine de plomb, 23,8 × 31,4
recto : dessin au crayon de couleur à rapprocher de la peinture sur verre *Formes en tension,* novembre 1936, Roethel n° 1072
verso (repr. p. 419) : encre à rapprocher de la peinture *Autour du cercle,* mai-août 1940, Roethel n° 1115
AM 1981-65-533 recto-verso (Inv. 375)

622
[Sans titre]
crayons de couleur, 23,8 × 31,4
à rapprocher de deux dessins réalisés aux crayons de couleurs, études préparatoires pour *Formes en tension* et *Formes capricieuses*
à rapprocher également, en raison de la présence du damier dans la partie droite du dessin, de la peinture *Trente,* décembre 1936, Roethel n° 1074
AM 1981-65-534 (Inv. 404)

623
Trente, 1937

huile sur toile, 81 × 100
ni signé, ni daté à face
inscription au revers en haut à gauche :
« K. N° 636/i937 »

manuscrit Kandinsky IV n° 636, décembre 1936, janvier 1937
Trente (huile) coll. de Mme Kandinsky, i00 × 8i (40 F)

Grohmann p. 340, ill. 460 p. 387
Roethel n° 1074
Donation de Madame Nina Kandinsky, 1976
AM 1976-860

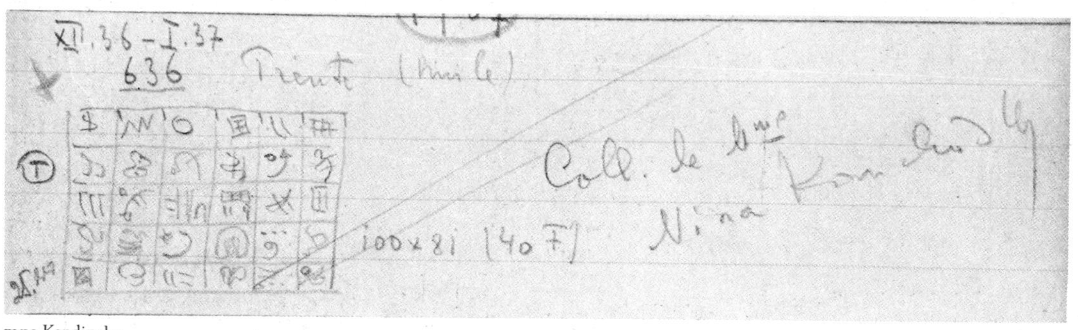

mns Kandinsky

Trente quoi ? Trente dessins mais certainement pas trente carrés car il ne s'agit pas d'un damier. Certaines cases sont rectangulaires, soit horizontalement, soit verticalement. Bien peu renvoient au carré parfait. Il ne s'agit donc pas d'un exercice parodique sur le *Carré noir* que Malévitch fixait comme ultime limite au tableau de chevalet dans la grande période du constructivisme. C'est plutôt un exercice sur la perception des formes comme pouvaient l'envisager les penseurs allemands, Ernst Schumann par exemple. De toute façon, c'est une peinture qui n'a de parisien que le format : un 40 figure commerciale. Le contenu lui échappe complètement.

« Trente » en 1937 — « Quinze » en 1938 — « 4 × 5 » en 1943. Kandinsky aime jouer avec les nombres, du moins dans le choix des titres qu'il donne à ses tableaux. Léger, lui aussi, joue sur les nombres au cours des années 30, mais c'est abscons. Kandinsky, lui, ne triche pas avec les chiffres : 30 = trente cases. Cette disposition en bande dessinée adoptée pour construire un tableau ne lui est pas vraiment personnelle. Picasso pratique la même disposition pour les deux gravures des *Songes et mensonges de Franco* avec lesquelles il égratigne la bonne conscience des phalangistes fascistes. Oscar Dominguez peint, lui aussi, un tableau assemblage, mais est-ce bien la même année ? En revanche, il est certain que le *Minotaure* publie un montage de douze mains, détails empruntés à des tableaux anciens, disposées ainsi en contraste de blanc et de noir sous le titre plus poétique de « Petites rêveries du grand veneur ». « Jeu de main, jeu de vilain » ou simple alphabet pour mal-entendant.

Trente tient en effet de l'alphabet. Ce ne sont pas des lettres comme les sylvestres majuscules tirées de l'oubli par Max Ernst pour illustrer les *Mystères de la forêt*, mais plutôt une collection de pictogrammes à usage purement domestique, un esperanto pour adepte de l'écarté, jeu solitaire. Beaucoup d'artistes essaient de décanter leur propre alphabet. Ils se créent des tableaux de repères où les signes sont étiquetés et définis avec précision. Que ce soit une combinaison d'images graffiti comme celle que fixe Herbert Bayer dans ses *Barn Windows* en 1936, ou l'alphabet de fils recourbés que dessine Calder en 1940 et qu'il agrémente du commentaire suivant en 1944 : « I'll give you one word. The name of the drawing, it's "an Alphabet" (of formes) ».

Trente, toutefois, dépasse cette simple énumération de signes. C'est aussi une composition bâtie sur le contraste négatif-positif photographique du noir et du blanc. Ce sont des exercices rares mais cycliques dans l'œuvre de Kandinsky. En 1930 il a peint un *Weiss auf Schwarz* (Blanc sur noir), presque carré; en 1932, un *Weiss, Weich und Hart* (Blanc, mou et dur), rectangulaire; en 1934, des *Formes noires sur blanc*, un autre carré malévitchien ?; *Trente*, en 1937, un rectangle et le dernier contraste peint de blanc et de noir. Kandinsky vérifie les éléments du vocabulaire formel qu'il élabore à chaque changement de style, selon l'axiome que toute forme peinte noir sur blanc paraît plus grande que celle qui est blanc sur noir. Il ne s'agit donc pas d'un dessin peint, mais d'une peinture dessinée. Rien d'un exercice confidentiel, d'une table cabalistique, que le peintre garderait dans le secret de l'atelier, mais une véritable composition qu'il fait reproduire dans la revue *Transition*.

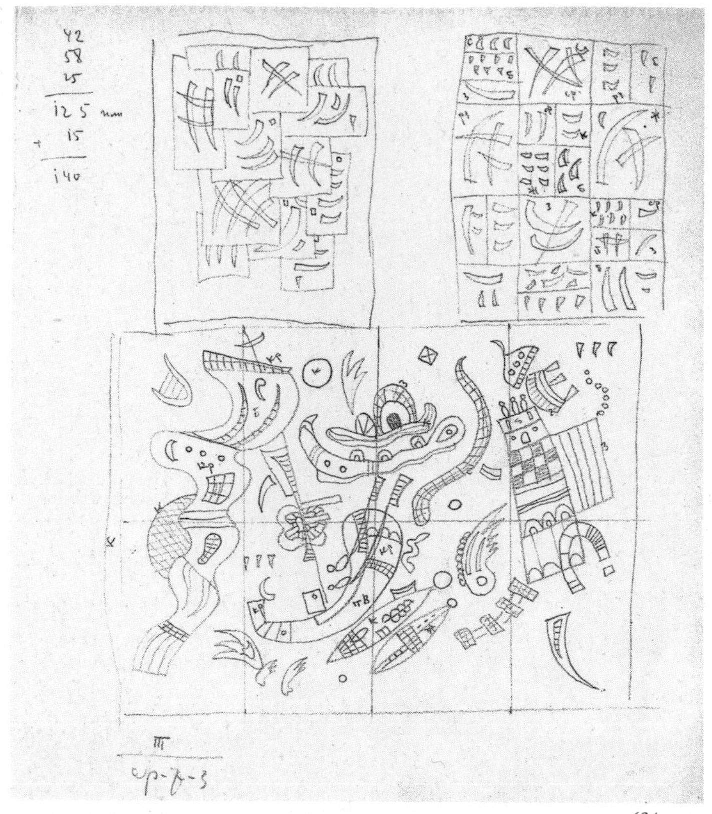

624 recto

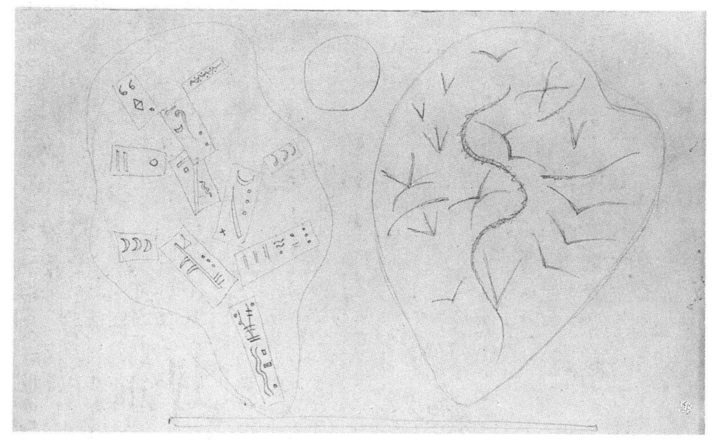

624 verso

624
[Sans titre]
mine de plomb, 31,6 × 23,8
recto : trois croquis, dont un mis au carreau à rapprocher de la peinture *Tensions claires,* avril-mai 1937, Roethel n° 1078
verso : croquis
AM 1981-65-535 recto-verso (Inv. 406)

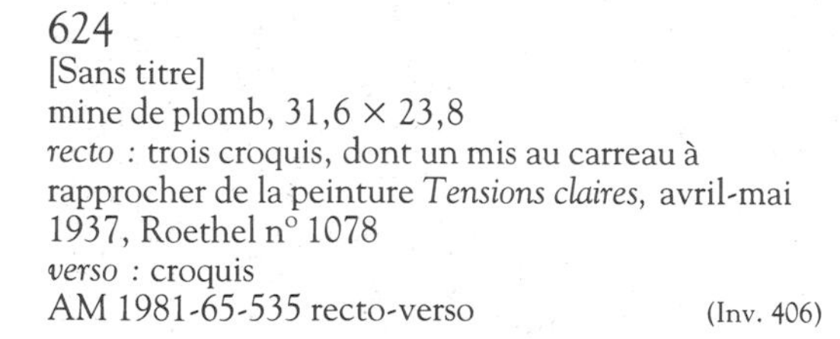

625
[Sans titre]
mine de plomb, 16,2 × 21,8
inscription en russe en haut à droite : « Saumon, herbe »
à rapprocher de la peinture *Milieu accompagné,* mai 1937, Roethel n° 1079
AM 1981-65-536 (Inv. 626-55)

626
[Sans titre]
mine de plomb, 23,9 × 31,5
mise au carreau, indication sommaire du coloris en russe
à rapprocher de la peinture *Milieu accompagné,* mai 1937, Roethel n° 1079
AM 1981-65-537 (Inv. 407)

625

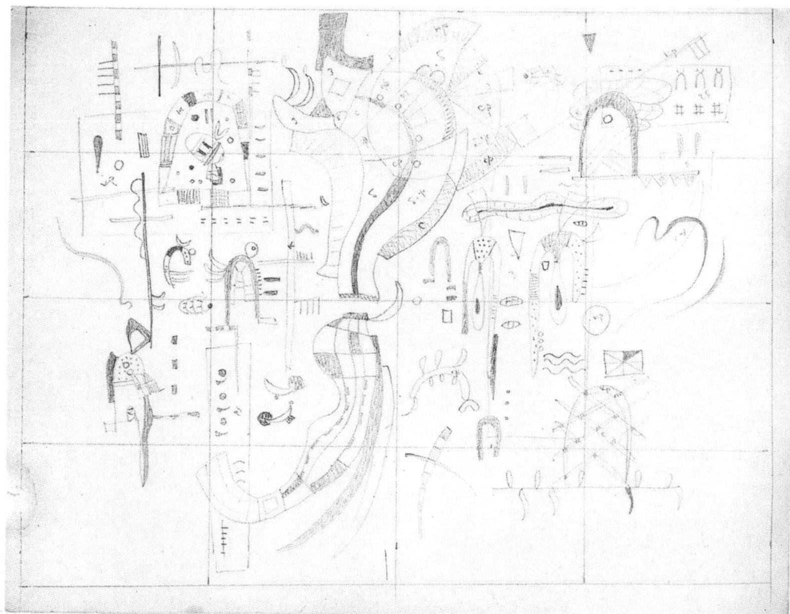

626

627
[Sans titre]
mine de plomb, 27 × 16,6
indication sommaire du coloris en russe
à rapprocher de la peinture *Groupement,* septembre-octobre 1937, Roethel n° 1082
AM 1981-65-538 (Inv. 626-47 a)

628
[Sans titre]
mine de plomb, 33 × 27
indication sommaire du coloris en russe
à rapprocher de la peinture *Groupement,* septembre-octobre 1937, Roethel n° 1082
AM 1981-65-539 (Inv. 626-2)

629
Bagatelles douces, 1937
huile et aquarelle sur toile, 60 × 25
monogrammé et daté en bas à gauche : K 37

manuscrit Kandinsky IV n° 639, avril 1937
Bagatelles douces, aq. + huile
coll. de Mme N. Kandinsky, nov. 37

Grohmann p. 340, repr. coul. p. 235
Roethel n° 1077, repr. coul. p. 969
AM 1981-65-68 (Inv. 13)

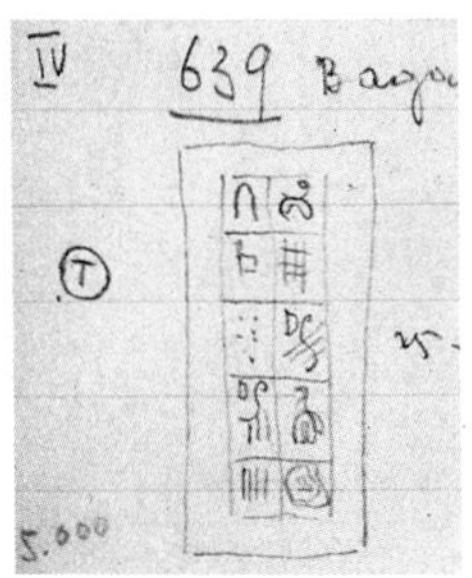

mns Kandinsky

627

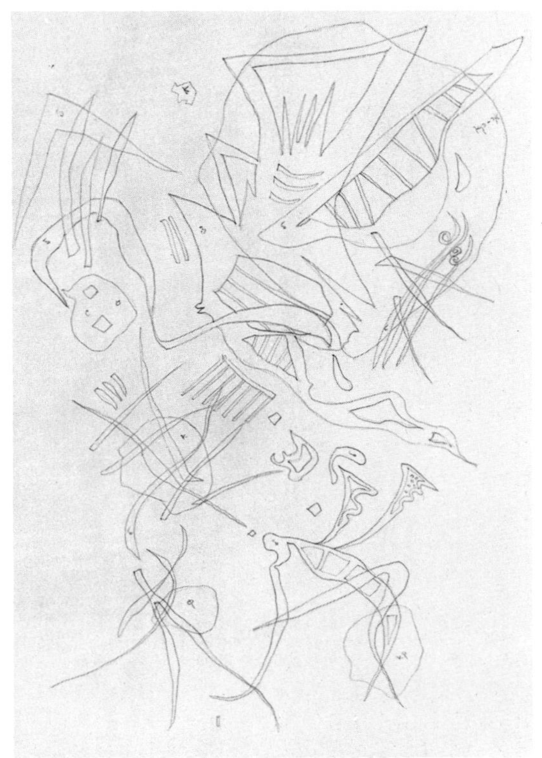
628

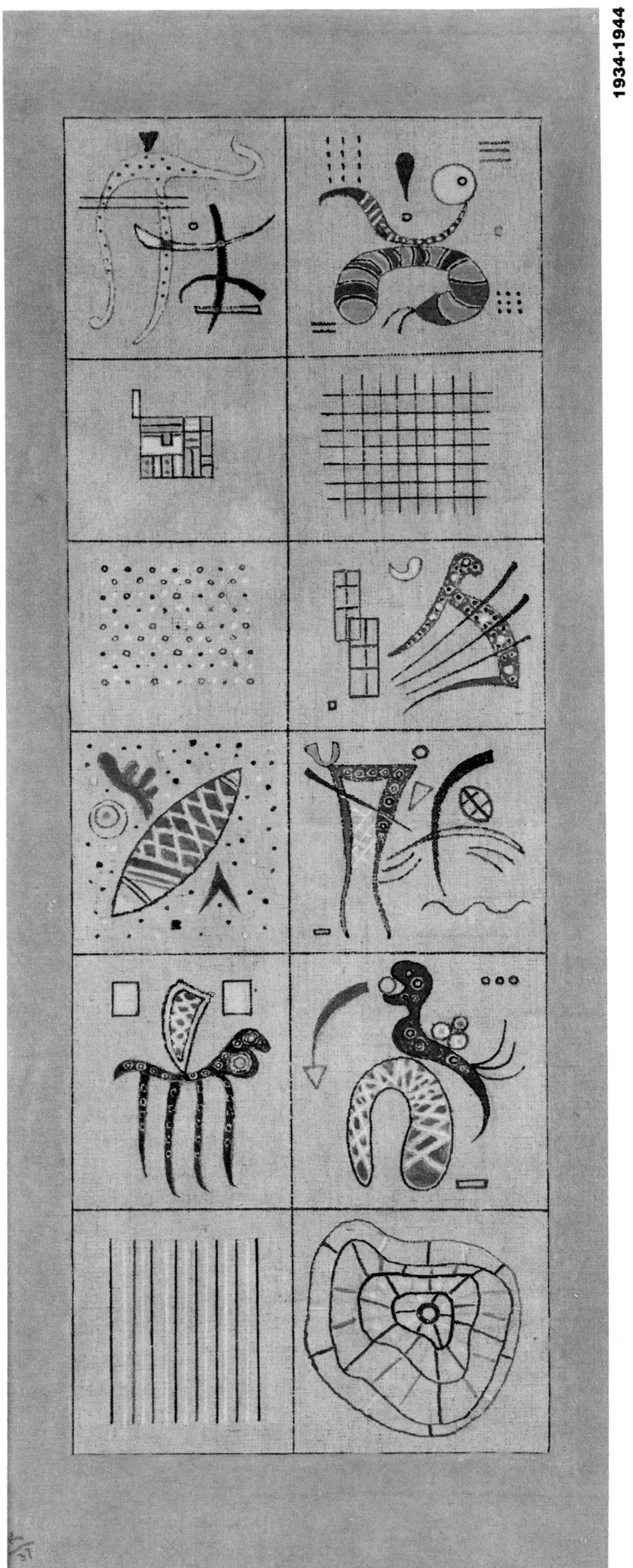
629

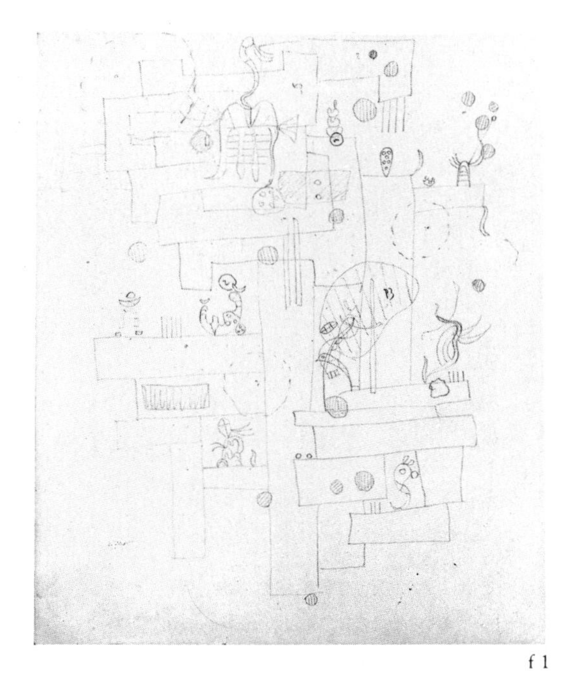

f 1

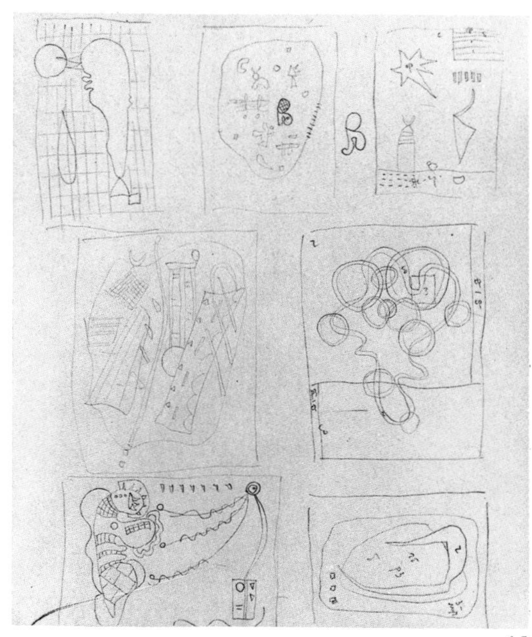

f 5

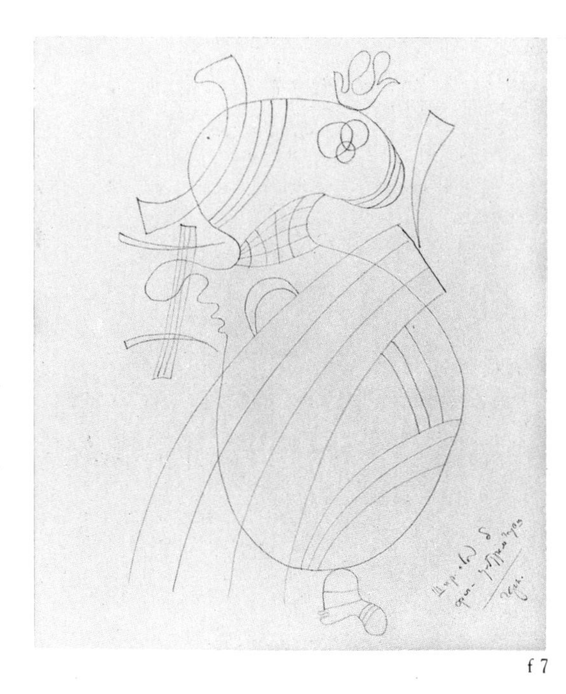

f 7

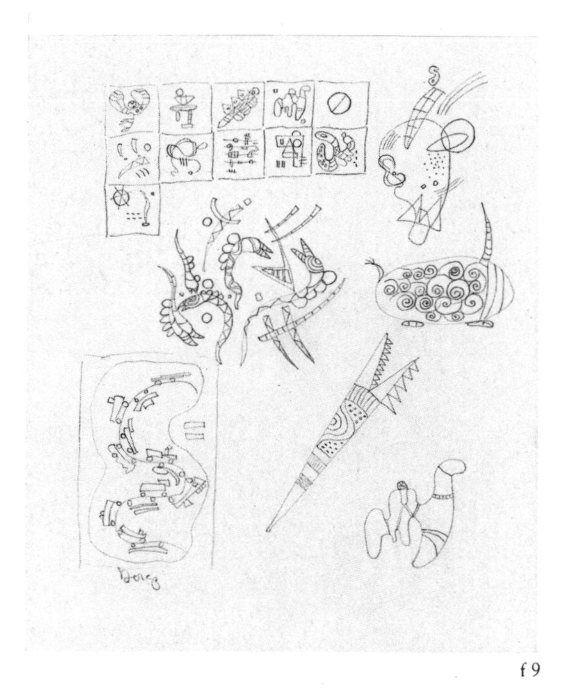

f 9

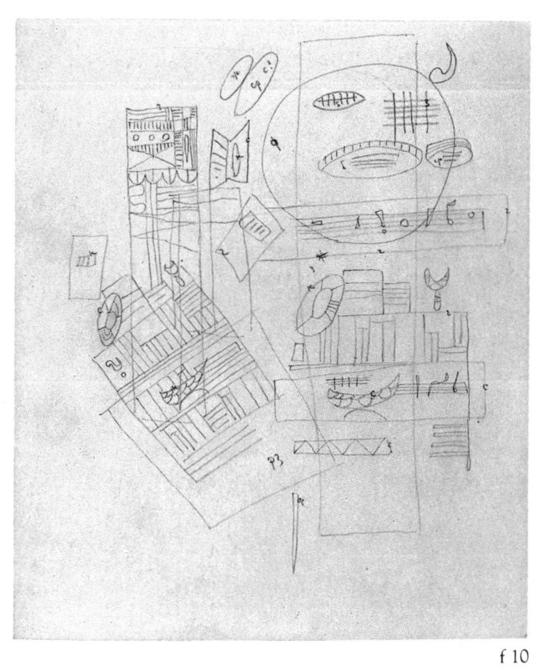

f 10

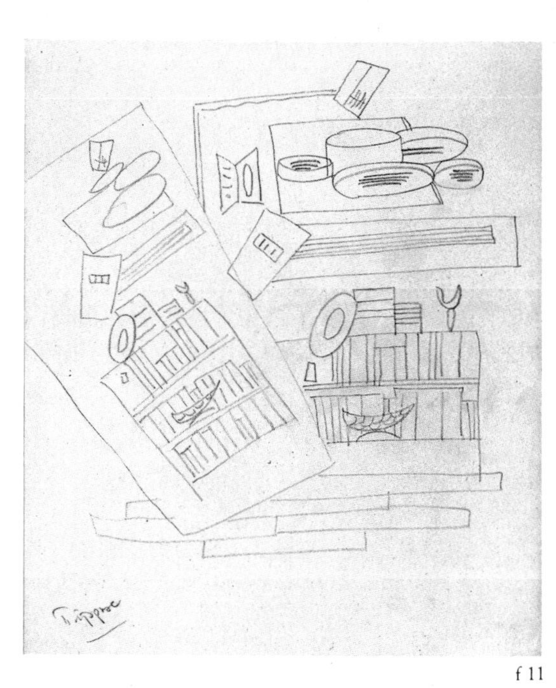

f 11

f 12

f 13

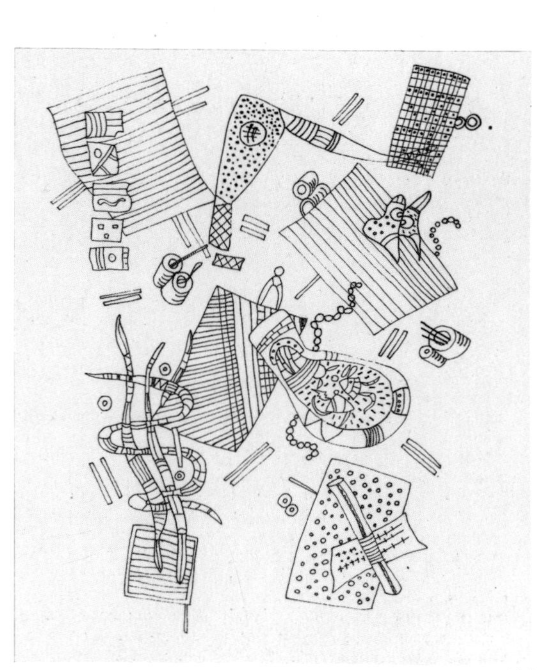

f 14

630
Carnet à dessin de la maison Sennelier
couverture cartonnée bleue
comprenant 35 feuillets détachables, 27,1 × 33,1,
et 1 feuillet détaché, 33 × 10,5
AM 1981-65-678 (Inv. 604)

f. 1 mine de plomb, à rapprocher de la gouache *Contrastes,* K n° 583, octobre 1937
f. 2 crayons de couleur, indication sommaire du coloris en russe, à rapprocher de la peinture *Formes capricieuses,* juillet 1937, Roethel n° 1081
f. 3 *(recto et verso)* mine de plomb à rapprocher de la peinture *Grilles et autres,* octobre 1937, Roethel n° 1083
f. 4 encre de Chine
f. 5 mine de plomb, feuille de sept croquis portant des indications sommaires de coloris en russe, à rapprocher des aquarelles et gouaches : *La Ligne accompagnée* K n° 579, octobre 1937, *Le Gros et le mince* K n° 579, octobre 1937, *Noir et froid* K n° 575, juillet 1937, [Sans titre] K n° 625, mai 1939, et de la peinture *Ensemble multicolore,* février 1938, Roethel n° 1088.
f. 6 mine de plomb, peut être rapprochée de l'aquarelle [Sans titre] K n° 714, 1941
f. 7 mine de plomb, inscription en russe en bas à droite, à rapprocher de la peinture *Forme rouge,* juin 1938, Roethel n° 1090
f. 8 mine de plomb, deux croquis à rapprocher des aquarelles : *La Petite Raie,* K n° 577, 1937, et *Le Zig-Zag,* K n° 587, avril 1938
f. 9 mine de plomb, inscription en russe en bas à gauche, page de croquis dont un à rapprocher de la gouache *Quinze,* K n° 589, avril 1938
f. 10 mine de plomb, indication sommaire du coloris en russe, à rapprocher de la peinture *Stabilité animée,* décembre 1937, Roethel n° 1084
f. 11 mine de plomb, à rapprocher d'un détail de la peinture *Stabilité animée,* décembre 1937, Roethel n° 1084
f. 12 mine de plomb, indication sommaire du coloris en russe
f. 13 mine de plomb, page de croquis, indication sommaire du coloris en russe, à rapprocher de la gouache *Sur la ligne verte,* K n° 592, mai 1938
f. 14 encre de Chine, à rapprocher de la peinture *Sérénité,* juillet et août 1938, Roethel n° 1092
f. 15 *(repr. p. 400)* mine de plomb, deux croquis, indication sommaire du coloris en russe, à rapprocher de la peinture *Le Vert pénétrant,* avril 1938, Roethel n° 1089, et de l'aquarelle *Au-dessus,* K n° 586, avril 1938
f. 16 *(repr. p. 400)* mine de plomb, indication sommaire du coloris en russe, à rapprocher de la gouache *L'Accent rouge,* K n° 590, avril 1938
f. 17 *(repr. p. 406)* mine de plomb, à rapprocher de la peinture *Ensemble multicolore,* février-avril 1938, Roethel n° 1088
f. 18 *(repr. p. 400)* mine de plomb et crayons de couleur à rapprocher de la tempera *Trois,* K n° 585, avril 1938
f. 19 *(repr. p. 400)* mine de plomb, à rapprocher de la gouache *Rectangles divers,* K n° 594, mai 1938
f. 20 *(repr. p. 400)* mine de plomb, encre de Chine, aquarelle, monogrammé en bas à gauche avec le timbre de l'atelier : K
f. 21 *(repr. p. 401)* encre de Chine, aquarelle, à rapprocher de la peinture *La Toile jaune,* juillet 1938, Roethel n° 1091
f. 22 (tache d'encre envahissant la page)
f. 23 aquarelle et encre de Chine, bord supérieur taché
f. 24 aquarelle et encre de Chine, bord supérieur taché
f. 25 *(repr. p. 402)* mine de plomb, partie droite du dessin à rapprocher de la gouache *La Résolution,* K n° 606, novembre 1938
f. 26 *(repr. p. 402)* mine de plomb : éléments de croquis
f. 27 *(repr. p. 402)* encre de Chine, mine de plomb à rapprocher de la gouache *L'Arc bleu,* K n° 610, décembre 1938
f. 28 *(repr. p. 408)* encre de Chine, mine de plomb à rapprocher des dessins n°s 649 et 650
f. 29 *(repr. p. 402)* mine de plomb à rapprocher de la peinture *L'Élan,* mars 1939, Roethel n° 1098
f. 30 *(repr. p. 402)* mine de plomb, croquis sommaire pouvant être rapproché de la peinture *Vers le bleu,* février 1939, Roethel n° 1094
f. 31 *(repr. p. 402)* mine de plomb, indication sommaire du coloris en russe, à rapprocher de la peinture *L'Ensemble chaud,* février 1939, Roethel n° 1095
f. 32 *(repr. p. 402)* mine de plomb, indication sommaire du coloris en russe, à rapprocher de l'aquarelle *La Forme blanche,* K n° 620, février 1939
f. 33 *recto (repr. p. 402)* mine de plomb, mise au carreau, indication sommaire du coloris en russe, à rapprocher de la peinture *Le Carré rouge,* mars 1939, Roethel n° 1096
verso (repr. p. 414) mine de plomb à rapprocher de la peinture *Complexité simple,* mars 1939, Roethel n° 1097
f. 34 *(repr. p. 414)* mine de plomb à rapprocher de la peinture *Complexité simple,* mars 1939, Roethel n° 1097
f. 35 *recto (repr. p. 414)* mine de plomb, indication des couleurs en russe, à rapprocher de la peinture *Complexité simple,* mars 1939, Roethel n° 1097; en surcharge en bas à droite, un croquis à rapprocher de la gouache *Montée des grilles,* K n° 632, mai 1939 *verso (repr. p. 400)* mine de plomb à rapprocher de la gouache *Jeu de verticales,* K n° 621, mars 1939.
f. 36 *(recto et verso repr. p. 402)* feuillet détaché, mine de plomb *recto* : trois croquis à rapprocher du dessin monogrammé K n° 631 et de la gouache *La Tension double,* K n° 600, juin 1938.

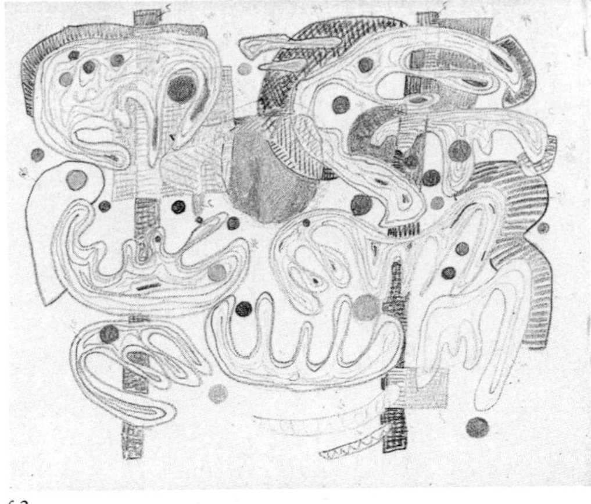

f 2

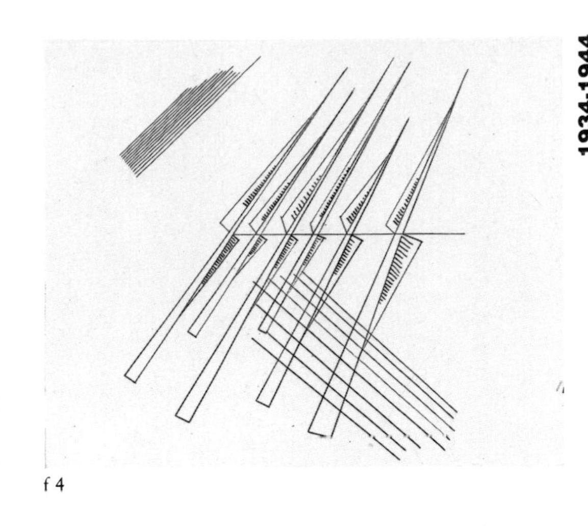
f 4

f 3 recto

f 3 verso

f 6

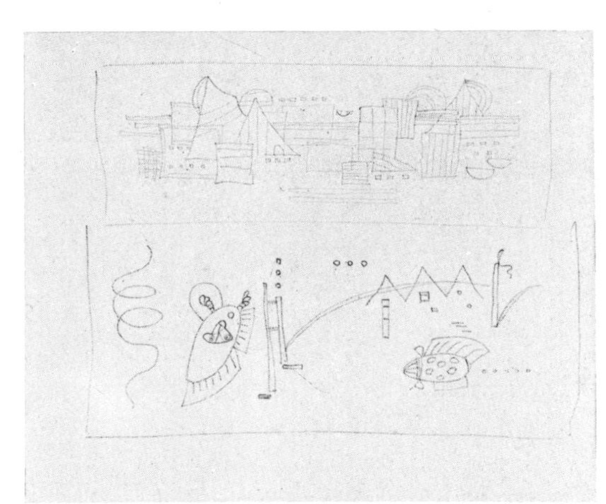
f 8

f 22

f 24

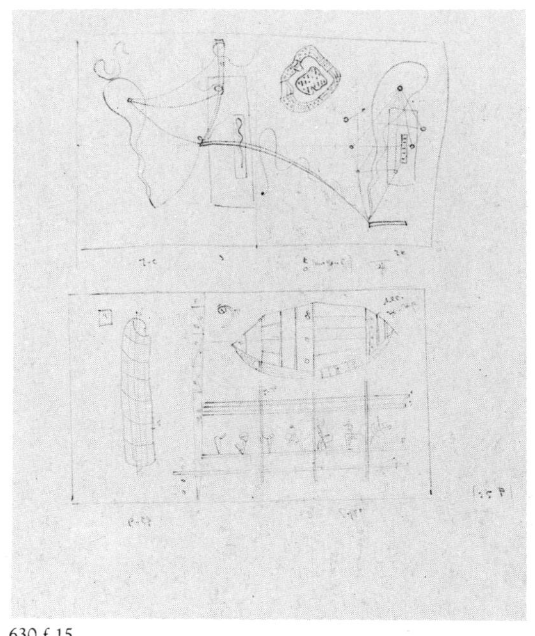

630 f 15

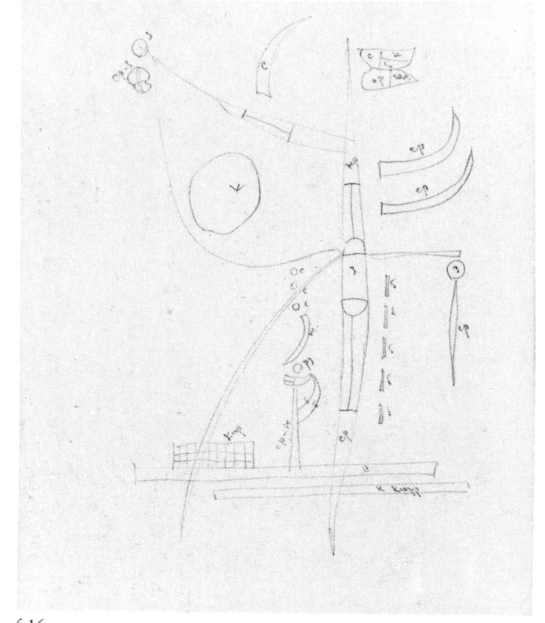

f 16

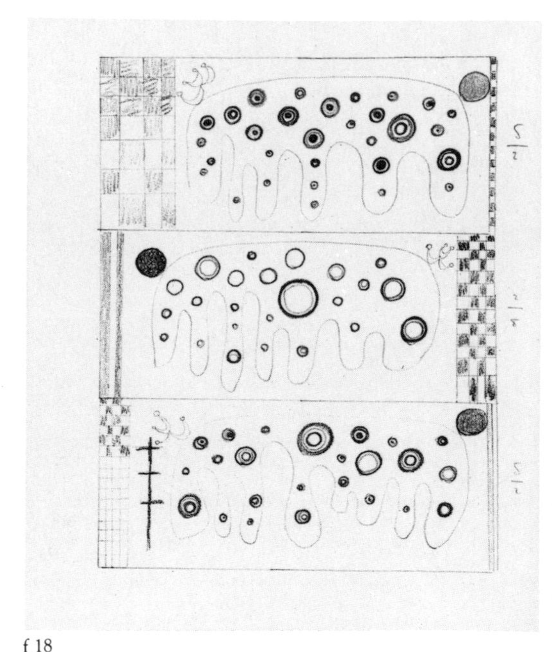

f 18

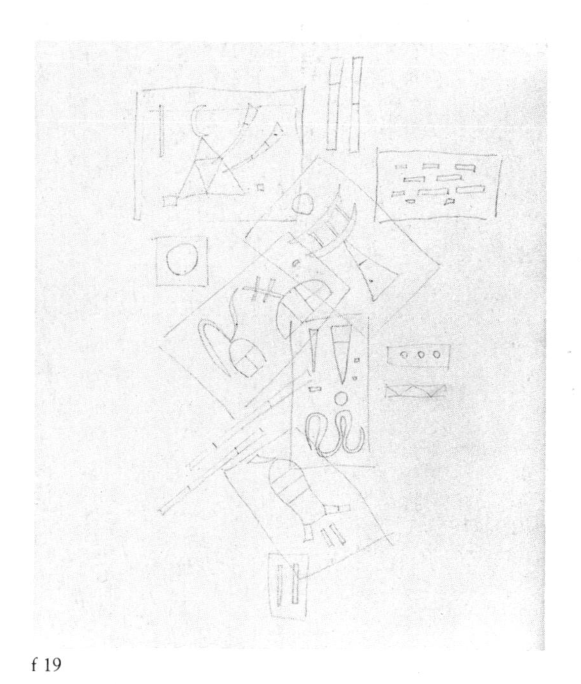

f 19

f 20

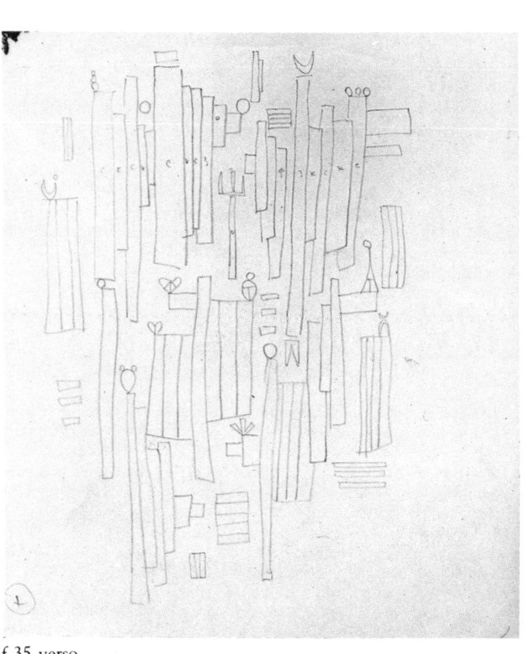

f 35 verso

Kandinsky garde secrète sa méthode de travail. Il estime que l'élaboration et la réalisation d'une peinture et d'une aquarelle n'intéressent pas ses interlocuteurs, qu'on ne peut discuter avec profit que des œuvres achevées. Il en résulte une difficulté à rétablir le classement des divers croquis du fonds Kandinsky qui ne sont presque jamais datés. Trouver cinq lignes des confidences de travail dans une lettre adressée au peintre Otto Freundlich par Kandinsky, le 15 juillet 1938, est une véritable aubaine : « (...) Je viens de terminer un tableau et je suis déjà en train de faire les dessins préparatifs pour le prochain. Il faut que je fasse quelque chose pour me débarrasser de pareils principes, sinon mes vacances seront compromises. Depuis janvier, j'ai ce dernier tableau dans la tête, il faut le jeter sur la toile ! ».

Le tableau « terminé », si on consulte le catalogue de l'artiste, c'est la *Toile jaune*; le « prochain » devient *Sérénité*, pour lequel on retrouve, en effet, au feuillet 14 de notre carnet, l'étude à l'encre de Chine très précise, datée à la mine de plomb du 1er janvier de l'année.

Dans ce même carnet — qui ne conserve que 35 feuillets attachés mais tous dessinés (le dernier feuillet est même utilisé recto-verso) — on trouve un véritable répertoire de modèles pour une dizaine de peintures qui s'échelonnent de *Formes capricieuses*, peint en juillet 1937, à *Complexité simple*, terminé en mars 1939. On y recense également de nombreux patrons de gouaches et quelques dessins aquarellés ou à la plume qui n'ont pas eu d'autres suites. 18 feuillets manquent; ils ont été détachés par l'artiste au moment de la réalisation de l'œuvre finale; il est, en effet, plus facile de manier un simple dessin que de feuilleter sans cesse un carnet; certains l'ont été par sa veuve qui a pu vendre les dessins les plus achevés en les revêtant du monogramme avec le cachet de l'atelier, comme le feuillet 20 resté non détaché parce que la marque avait été mal apposée. On y trouve également la trace d'un accident, la maculation du feuillet 22 par un flacon d'encre de Chine renversé.

L'ordonnancement des croquis — certains sont très poussés, mis au carreau, d'autres sont à peine esquissés, patauds — révèle plusieurs groupes chronologiques : suite préparatoire à *Complexité simple*, page de croquis consacrée exclusivement à des gouaches, série des trois dessins rehaussés d'aquarelle encadrés par un même trait à la mine de plomb. Mais la chronologie du carnet ne correspond pas exactement à l'ordre qui préside à la réalisation des peintures. Sur le feuillet 5, par exemple, on trouve juxtaposés sept croquis, tous cadrés, les quatre inférieurs correspondent à des gouaches exécutées en partie en 1937 et en 1939. Le feuillet 9 est repris partiellement pour la gouache *Quinze* en 1938, alors que le feuillet 10 concerne *Stabilité animée* peint en 1937, etc.

Carnet commencé pendant les vacances pour tromper le désœuvrement, carnet sur lequel le peintre note juste une idée en un croquis rapide ou, au contraire, développe avec minutie la toile à venir, ce répertoire illustre l'aspect conceptuel d'une œuvre où les formes les plus fantaisistes sont le fruit d'un long mûrissement non sur le papier, mais dans l'esprit de l'artiste. Kandinsky, comme Miró, rumine.

630 f 21

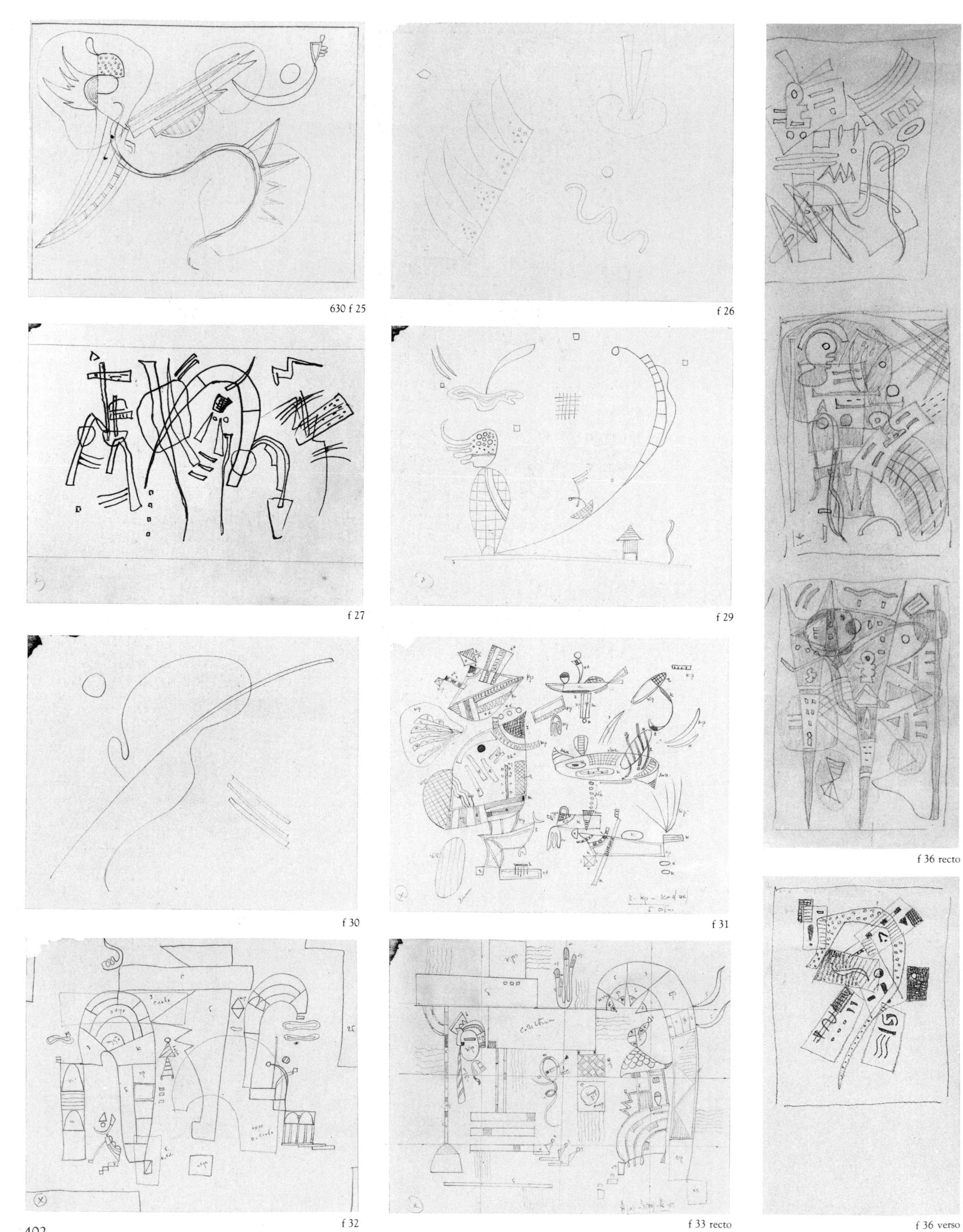
630 f 25

f 26

f 36 recto

f 27

f 29

f 30

f 31

f 36 verso

f 32

f 33 recto

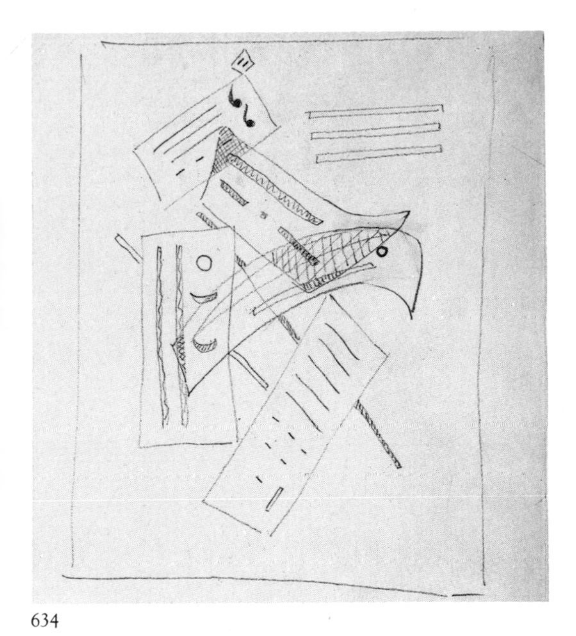

634

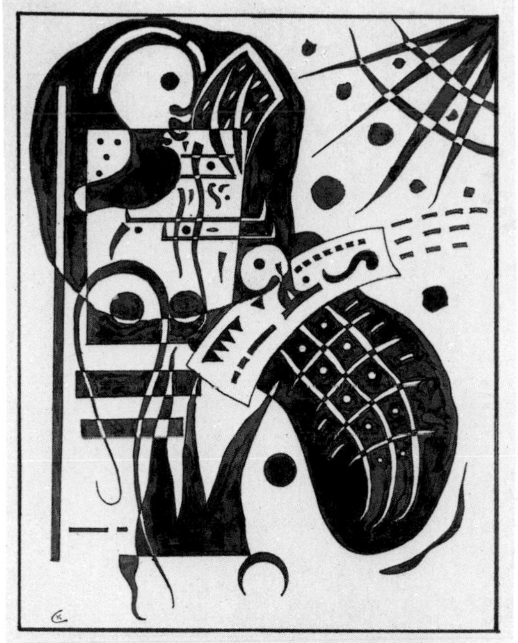

631

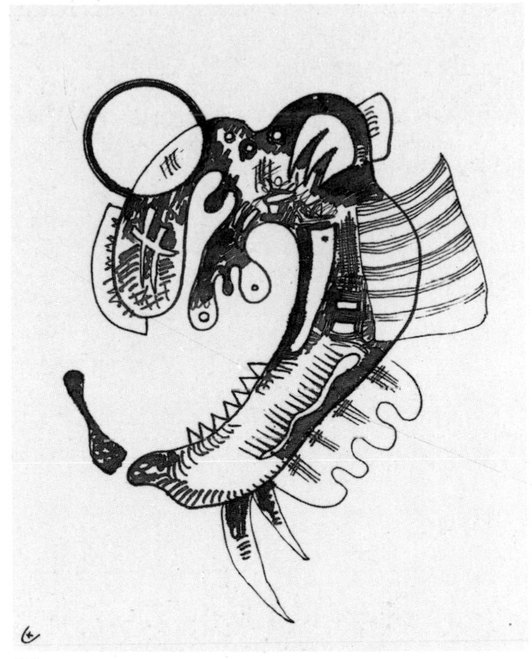

633

631
[Sans titre]
encre de Chine, rehauts de gouache blanche, 33 × 27
monogrammé en bas à gauche avec le timbre de l'atelier : K,
inscription au revers par Mme Nina Kandinsky : 1942 (?)
AM 1981-65-540 (Inv. 107)

632
[Sans titre]
encre de Chine, mine de plomb, 20 × 22,9
AM 1981-65-541 (Inv. 626-22)

633
[Sans titre]
encre de Chine sur feuillet d'un bloc à dessin, 26,7 × 21
monogrammé en bas à gauche avec le timbre de l'atelier : K
à rapprocher de la tempera *Blanc sur noir,* K nº 581, octobre 1937
AM 1981-65-542 (Inv. 102)

634
[Sans titre]
mine de plomb, 26 × 19,7
AM 1981-65-543 (Inv. 626-61)

635
[Sans titre]
mine de plomb sur feuillet d'un bloc à dessin, 26,9 × 32,4
à rapprocher de la peinture *Formes capricieuses,* juillet 1937, Roethel nº 1081
AM 1981-65-544 (Inv. 626-31)

636
[Sans titre]
encre de Chine et mine de plomb sur feuillet d'un bloc à dessin, 18,8 × 11,8, schéma de la peinture *Stabilité animée,* décembre 1937, Roethel nº 1084
réalisé par Kandinsky pour illustrer un article que lui avait demandé Max Bill pour la revue suisse *Werk* en 1938
AM 1981-65-545 (Inv. 626-32)

637
[Sans titre]
encre de Chine et mine de plomb, 17,7 × 11,8, inscription à la mine de plomb, en haut : « Oben ! », en bas : « Stabilité animée 1937 », schéma d'après la peinture *Stabilité animée,* décembre 1937, Roethel nº 1084
réalisé par Kandinsky pour illustrer un article que lui avait demandé Max Bill pour la revue suisse *Werk* en 1938 (cet article et les illustrations ne furent publiés par Max Bill qu'en 1979)
AM 1981-65-546 (Inv. 758 d)

632

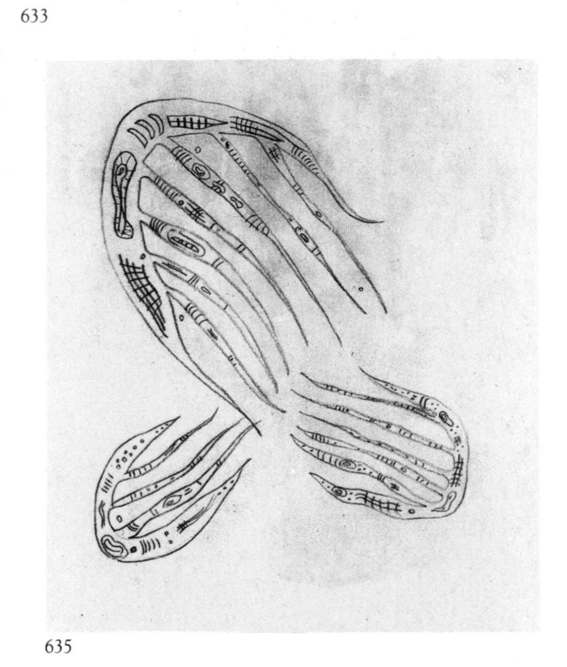

635

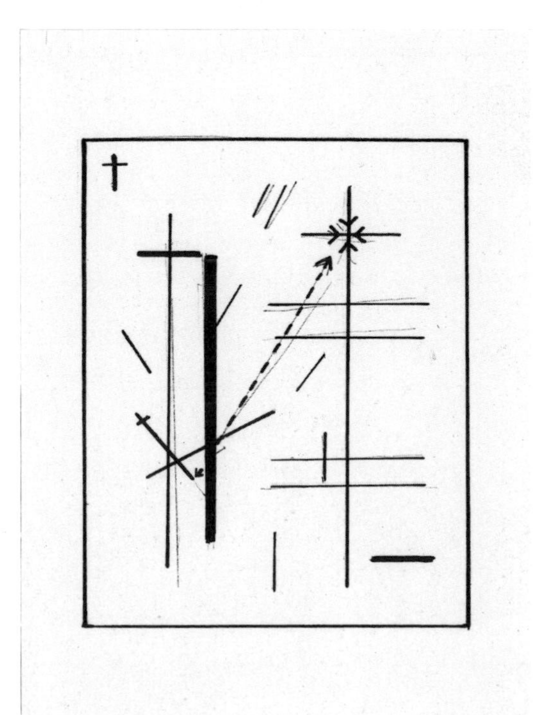

636

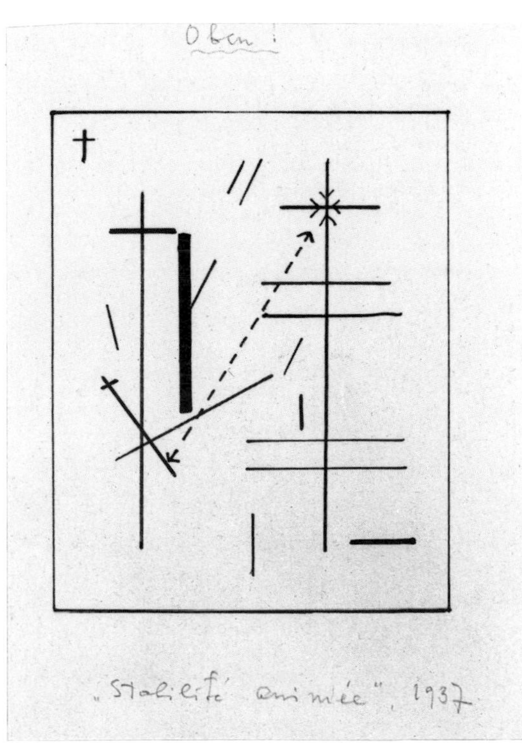

637

638
[Sans titre, 1938]
mine de plomb sur feuillet d'un bloc à dessin,
18,7 × 11,8
recto : croquis avec indication sommaire des couleurs en russe, à rapprocher de l'aquarelle *Comètes* cataloguée par Kandinsky, mais sans numéro, réalisée pour la revue *Verve,* n° 2, en vue d'une reproduction en lithographie, janvier 1938
verso : projet pour la couverture du nouveau magazine d'art dirigé par San Lazzaro, xxe *siècle*
AM 1981-65-547 recto-verso (Inv. 593-13)

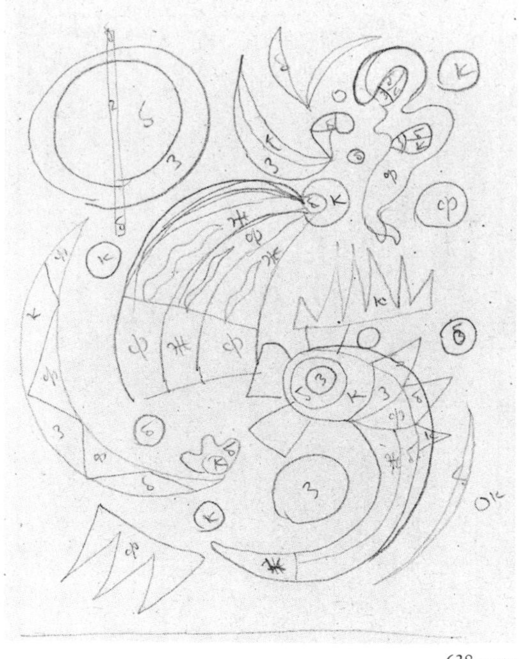

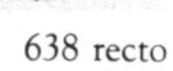

638 recto

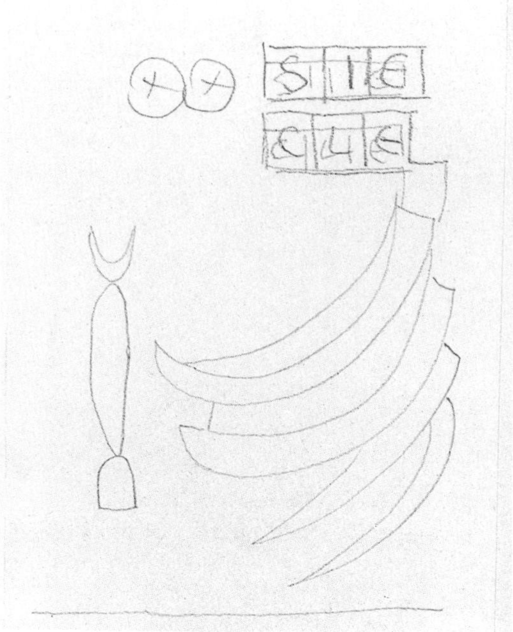

638 verso

639
[Sans titre, 1938]
mine de plomb, 26,3 × 23,7
à rapprocher de l'aquarelle, cataloguée par Kandinsky mais sans numéro d'inventaire avec la mention « Couverture pour xxe siècle (1-3-38) »
AM 1981-65-548 (Inv. 593-22)

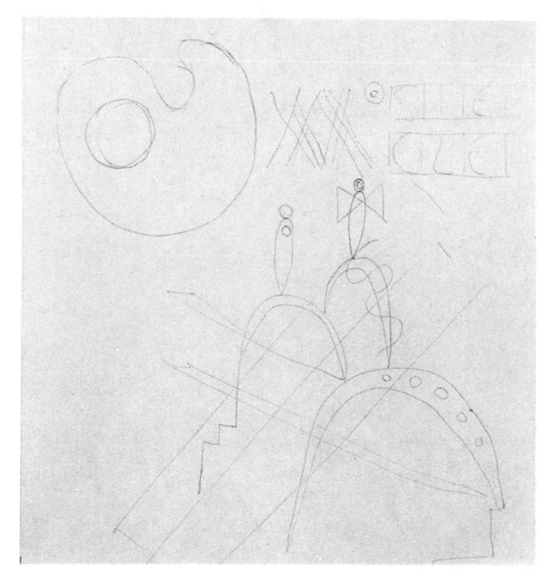

639

640
[Sans titre]
mine de plomb sur feuillet d'un bloc à dessin,
18,8 × 11,7
recto : quatre éléments de la peinture *Le Bon contact,* janvier et février 1938, Roethel n° 1087
verso (non reproduit) : schéma sur un texte gommé
AM 1981-65-549 recto-verso (Inv. 626-15)

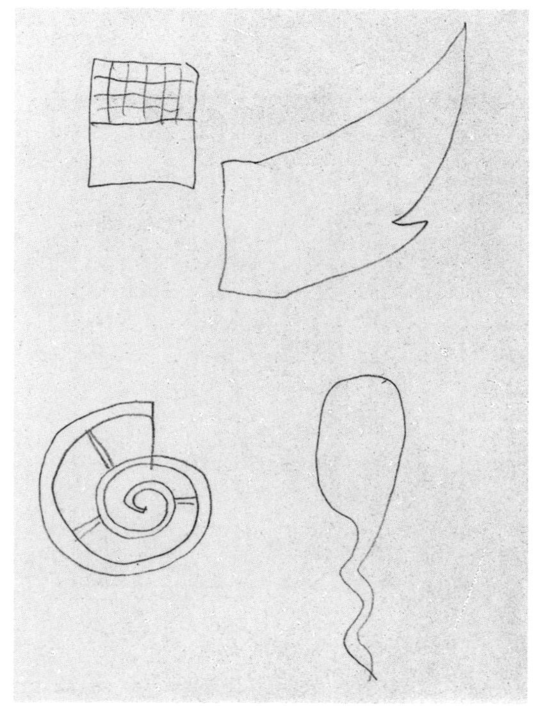

640 recto

642
[Sans titre]
mine de plomb sur feuillet d'un bloc à dessin,
18,7 × 11,8
à rapprocher de la peinture *La Petite émouvante,* janvier 1938, Roethel n° 1086
AM 1981-65-551 (Inv. 593-14)

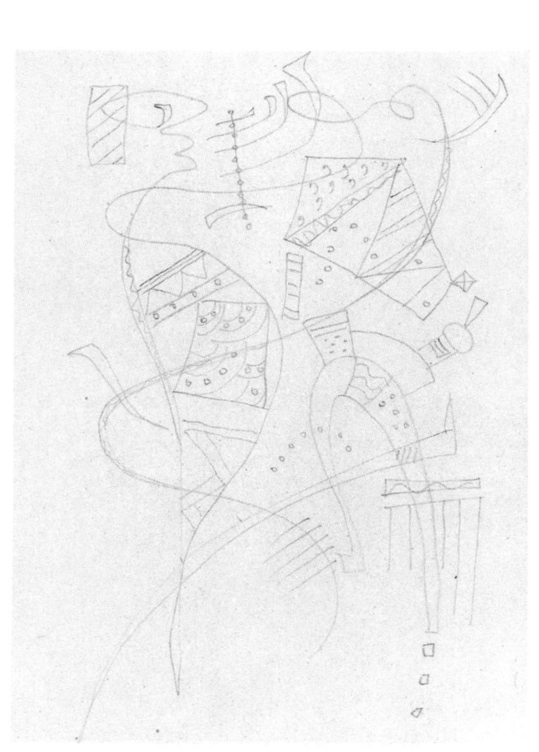

642

641
[Sans titre]
mine de plomb sur feuillet d'un bloc à dessin, 11,8 × 18,9
recto : indication sommaire du coloris en russe, étude pour la peinture *Le Bon Contact,* janvier-février 1938, Roethel n° 1087
verso : éléments schématiques de la peinture *Le Bon Contact,* janvier-février 1938, Roethel n° 1087
AM 1981-65-550 recto-verso (Inv. 626-18)

641 recto

641 verso

644
[Sans titre]
mine de plomb, 21,6 × 14,3
recto : à rapprocher de l'aquarelle *La Sinueuse,* K n° 595, mai 1938
verso : à rapprocher de la tempera *Deux Côtés,* K n° 599, juin 1938
AM 1981-65-553 recto-verso (Inv. 626-33)

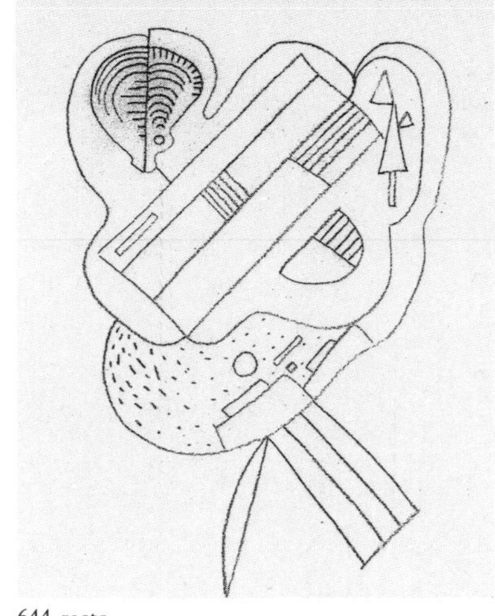
644 recto

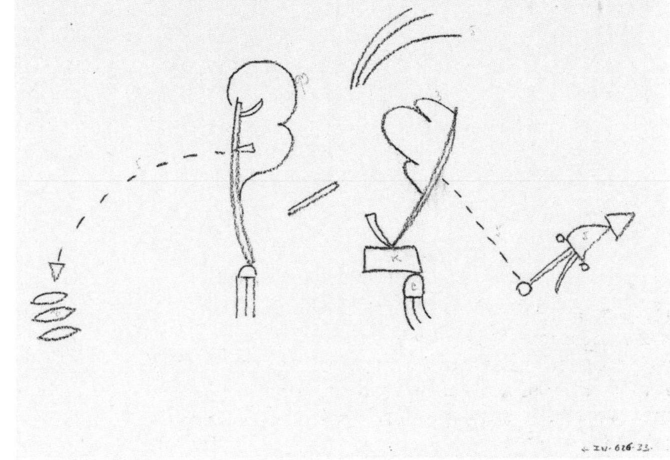
644 verso

645
[Sans titre]
crayon gras, 14,8 × 14,7
recto : détail à rapprocher de l'aquarelle *La Sinueuse,* K n° 595, mai 1938
verso : croquis à rapprocher de l'étude n° 646
AM 1981-65-554 recto-verso (Inv. 593-17)

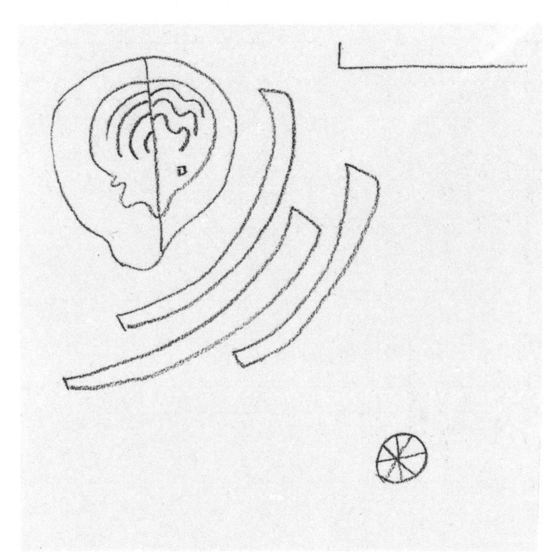
645 recto

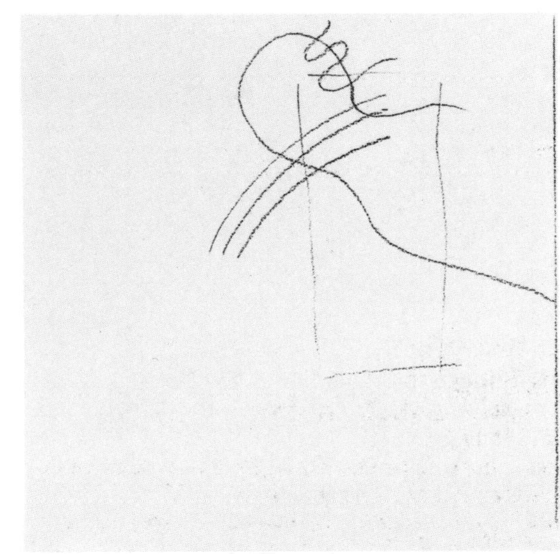
645 verso

643
[Sans titre]
mine de plomb, au dos d'une enveloppe, 10,2 × 22,8
indication sommaire du coloris en russe
AM 1981-65-552 (Inv. 626-54)

643

646
[Sans titre]
aquarelle et crayon gras, 14,8 × 18,6
AM 1981-65-156 (Inv. 626-36)

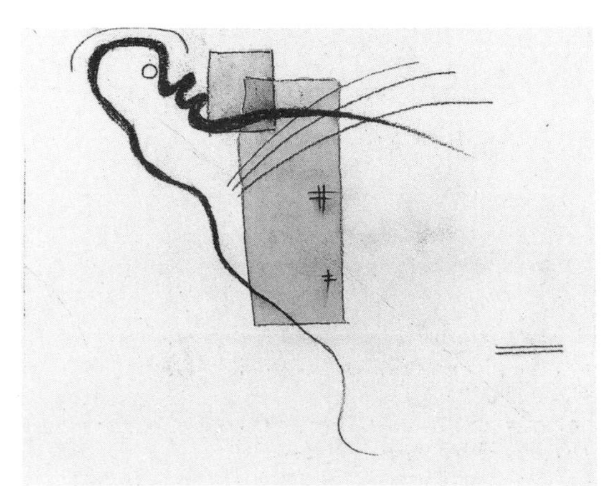
646

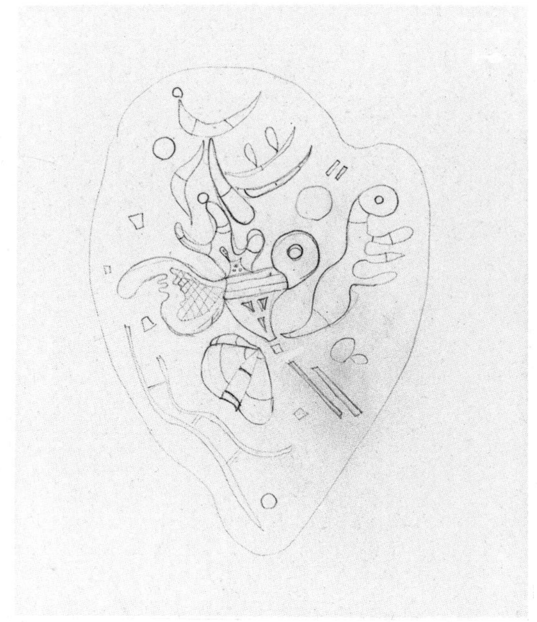

630 f 17

647
[Sans titre]
mine de plomb, 26,6 × 20,6
peut être rapproché des éléments de la peinture *Ensemble multicolore,* février-avril 1938, Roethel n° 1088
AM 1981-65-555 (Inv. 394)

648
Entassement réglé, 1938
huile et ripolin sur toile, 116 × 89
monogrammé et daté en bas à gauche : K 38
inscription au revers : « K n° 638 1936 »

manuscrit Kandinsky IV, II-IV (février-avril) 1938
n° 650 *Entassement réglé* (huile et rip. (olin),
autre titre donné par Nina Kandinsky :
Ensemble multicolore
89 × ii6 (50 f° coll. Mme Nina Kandinsky)
(V) 4 000 frs.

Grohmann p. 341, ill. 469, p. 388
Roethel n° 1088
Donation de Madame Nina Kandinsky, 1976
AM 1976-861

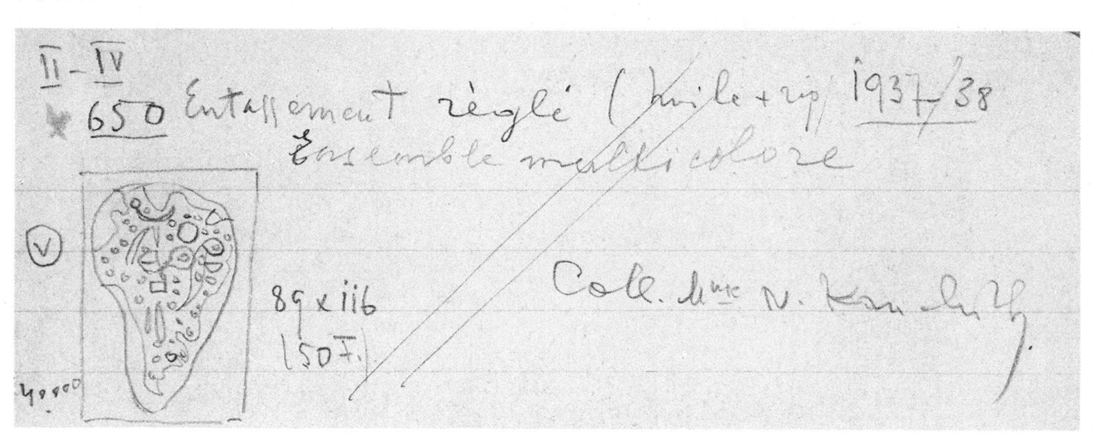
II-IV
650 Entassement réglé (huile + rip) 1937/38
Ensemble multicolore
V
89 x ii6
(50 F.)
Coll. Mme N. Kandinsky
4000

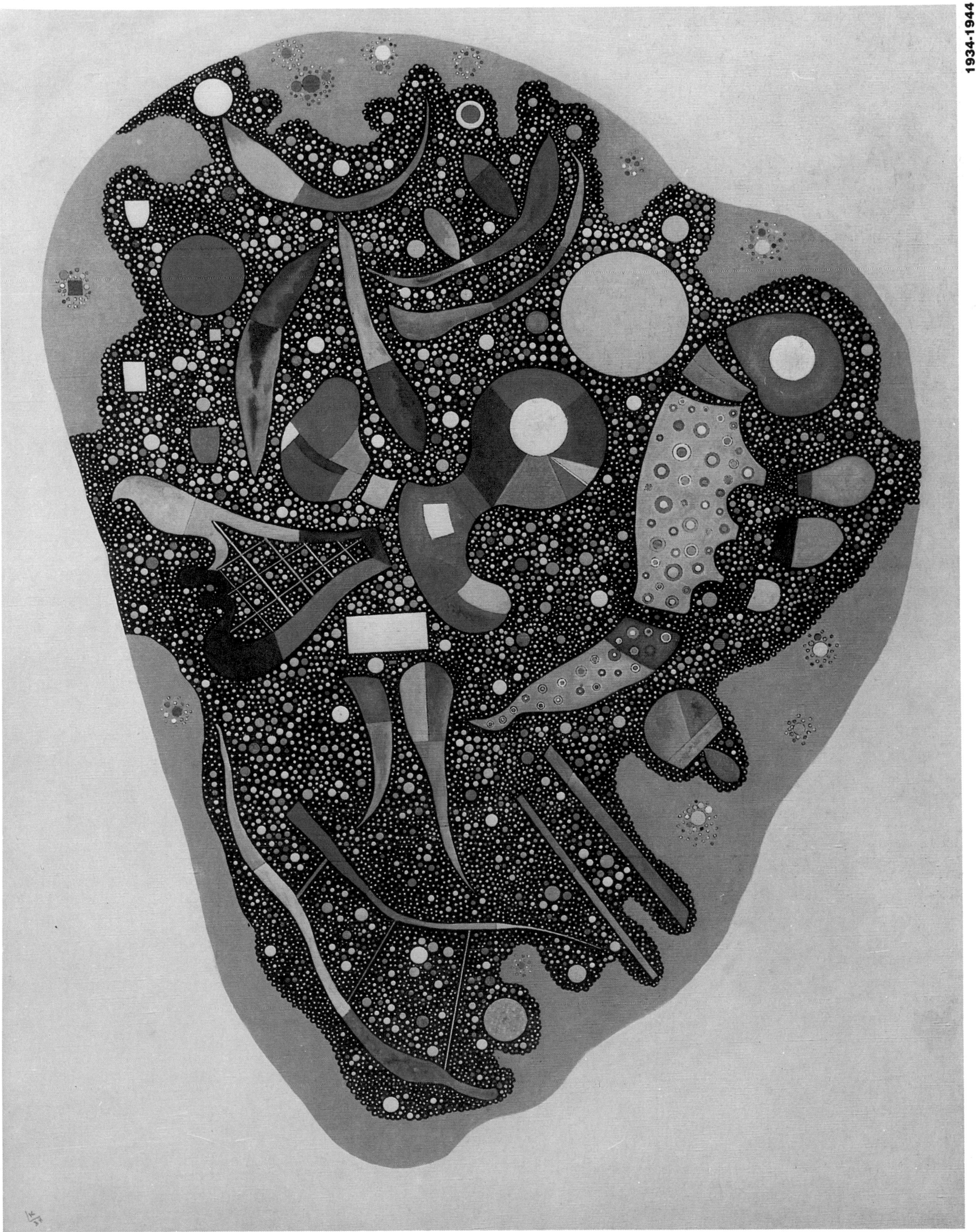

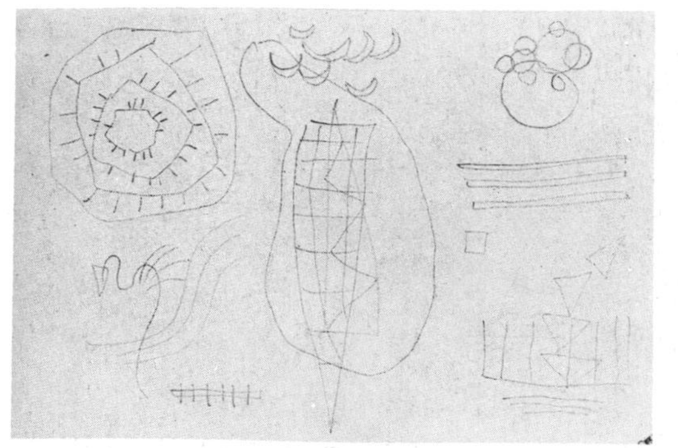

649 recto

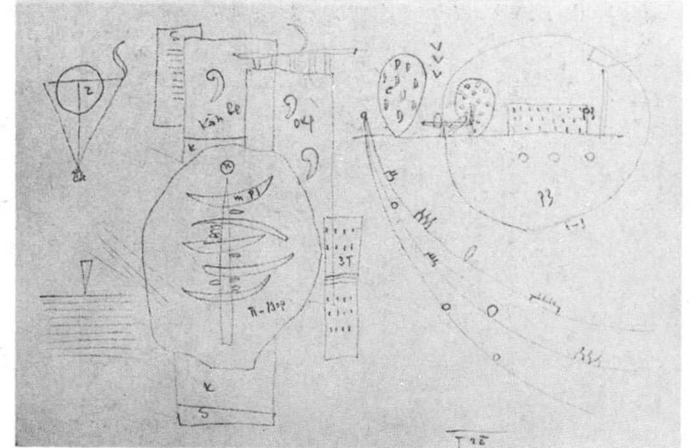

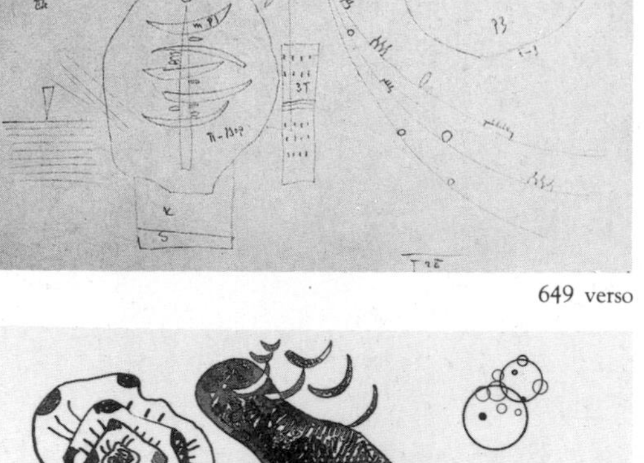

649 verso

649
[Sans titre]
mine de plomb, 13,6 × 21
recto : à rapprocher du dessin à l'encre de Chine n° 650 (repr. dans XXe *Siècle,* n° 5/6, février-mars 1939, en illustration de l'article de Kandinsky : « La valeur d'une œuvre concrète »)
verso : croquis avec indication sommaire du coloris en russe
AM 1981-65-556 recto-verso (Inv. 626-28)

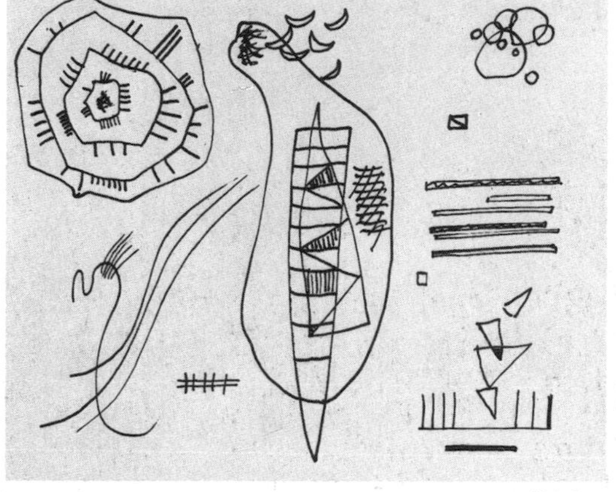

630 f 28

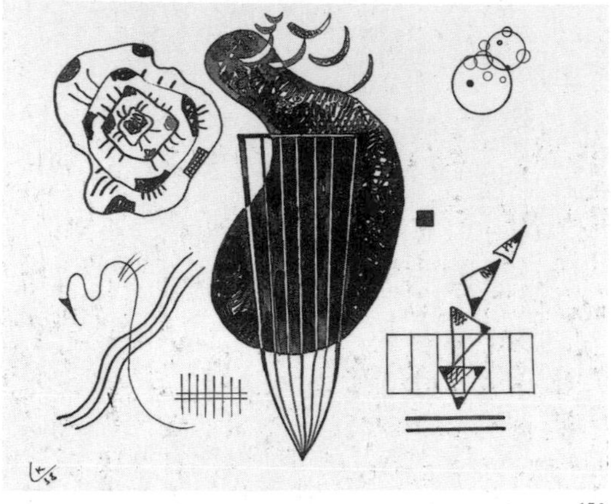

650

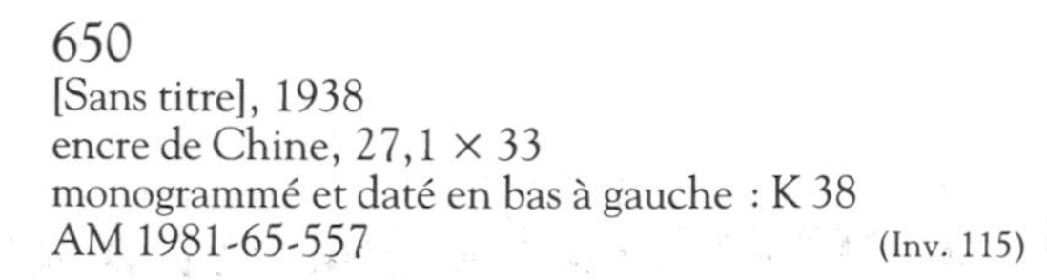

650
[Sans titre], 1938
encre de Chine, 27,1 × 33
monogrammé et daté en bas à gauche : K 38
AM 1981-65-557 (Inv. 115)

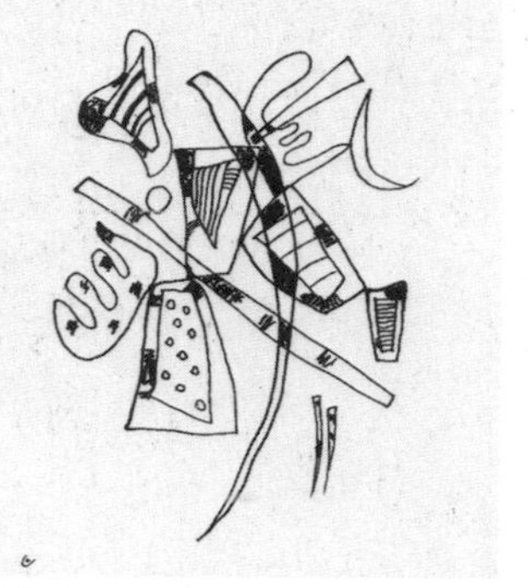

651

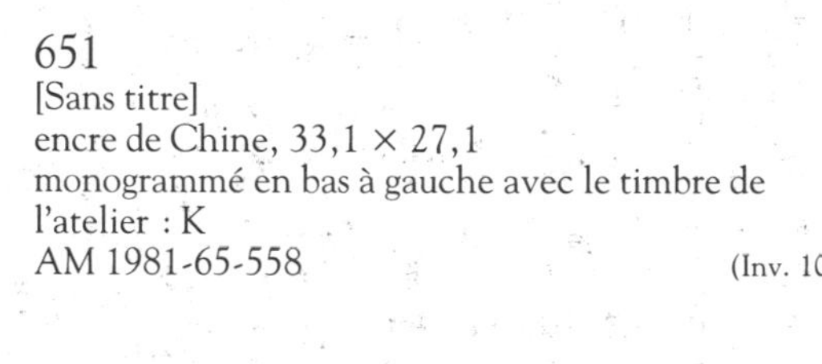

651
[Sans titre]
encre de Chine, 33,1 × 27,1
monogrammé en bas à gauche avec le timbre de l'atelier : K
AM 1981-65-558 (Inv. 108)

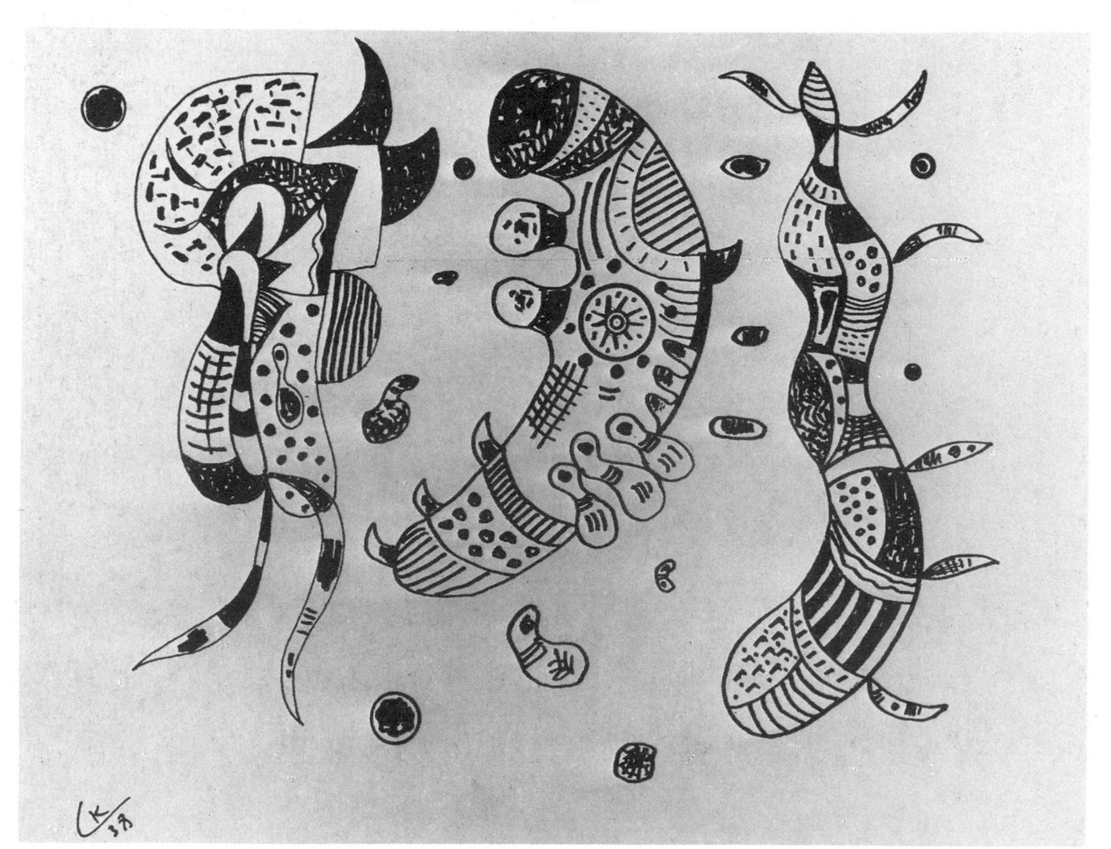

652

652
[Sans titre], 1938
encre de Chine, 27 × 32,8
monogrammé et daté en bas à gauche : K 38
achat des Musées Nationaux, 1968
AM 3727 D

653
Montée et descente, 1938
gouache sur fond noir, 49 × 26,2
monogrammé et daté en bas à gauche : K 38
manuscrit Kandinsky V nº 596 *Montée descente*
(tempera) mai 1938
donation de Madame Nina Kandinsky, 1976
AM 1976-1331

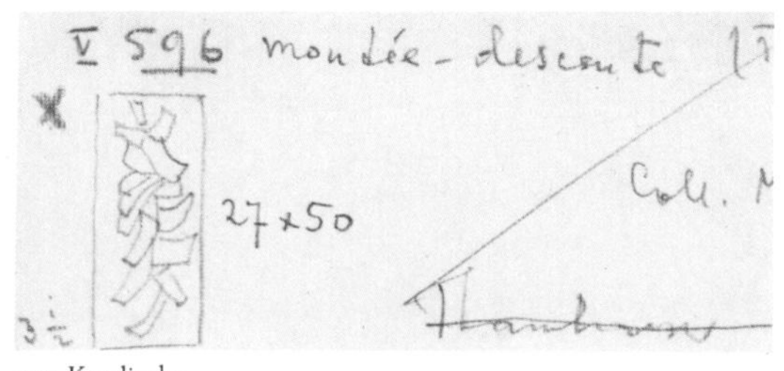

mns Kandinsky

654

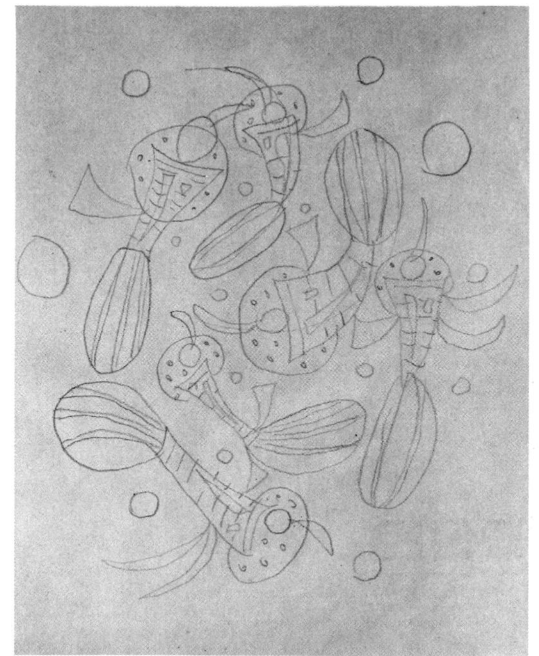

655

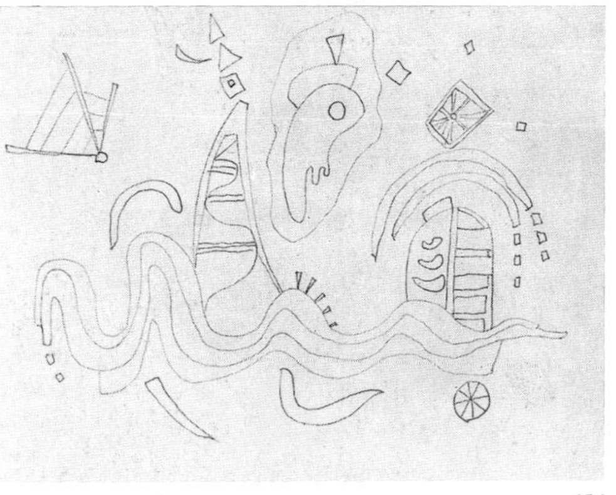

656

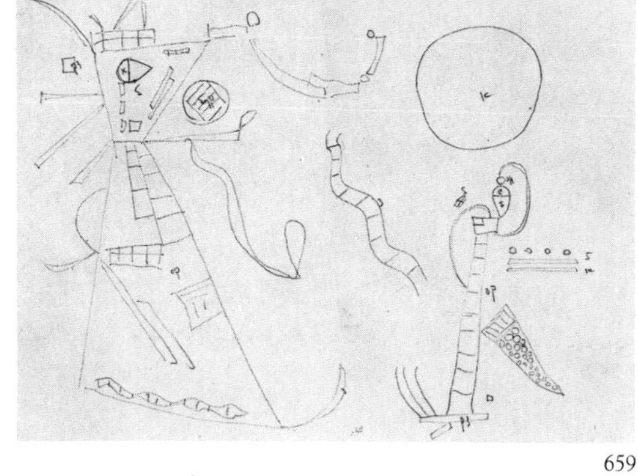

659

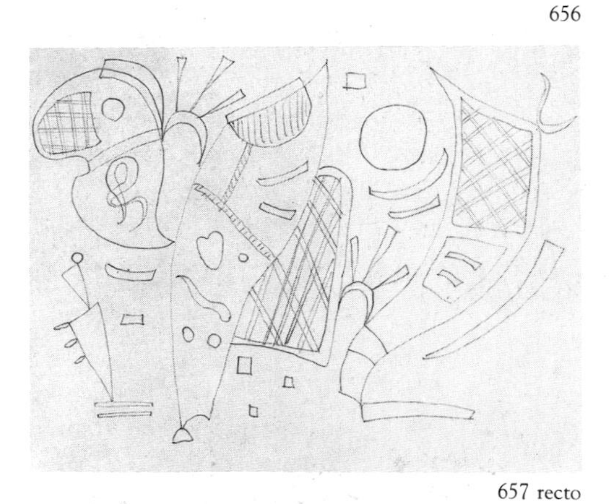

657 recto

657 verso

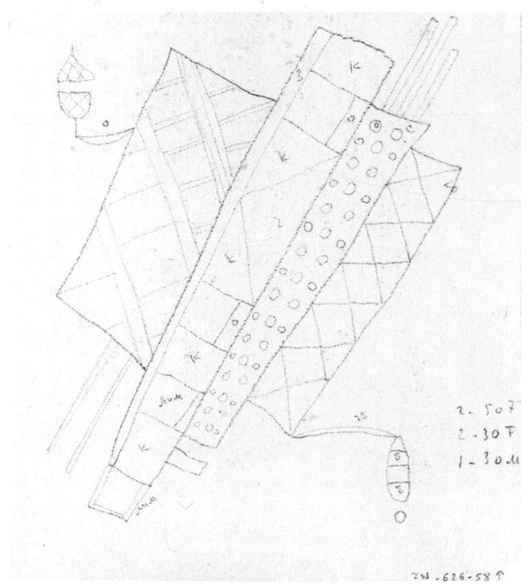

658 recto

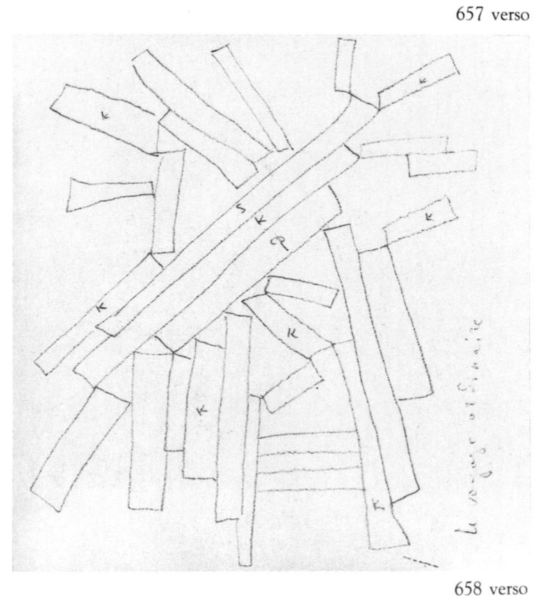

658 verso

654
[Sans titre]
mine de plomb, 20,9 × 13,4
à rapprocher de l'aquarelle et tempera *Le Segment,* K n° 612, janvier 1939
AM 1981-65-559 (Inv. 626-45 a)

655
[Sans titre]
mine de plomb, 15,3 × 13,4
à rapprocher de l'aquarelle et tempera *Une Variation,* K n° 613, janvier 1939
AM 1981-65-560 (Inv. 626-26)

656
[Sans titre]
mine de plomb sur feuillet détaché d'un bloc à dessin, 16,1 × 22
à rapprocher de l'aquarelle et tempera *L'Entourage blanc,* K n° 617, février 1939
AM 1981-65-561 (Inv. 626-27)

657
[Sans titre]
mine de plomb sur feuillet détaché d'un bloc à dessin, 16,1 × 22
recto : à rapprocher de l'aquarelle, sans titre, non cataloguée, feuillet n° 22 du carnet n° 630
verso : à rapprocher de l'aquarelle *L'Élan tranquille,* K n° 618, février 1939
AM 1981-65-562 recto-verso (Inv. 626-43)

658
[Sans titre]
mine de plomb, 15,2 × 13,5
indication sommaire du coloris en russe
recto : à rapprocher de l'aquarelle et gouache *Deux accrocs,* K n° 622, mai 1939
verso : à rapprocher de la gouache *Longueur,* K n° 624, mai 1939; en bas, inscription à la mine de plomb en russe : « le voyage ordinaire »
AM 1981-65-563 recto-verso (Inv. 626-58 a)

659
[Sans titre]
mine de plomb sur feuillet d'un bloc à dessin, 16 × 21,9
indication sommaire du coloris en russe
à rapprocher de la peinture *Le Rond rouge,* avril 1939, Roethel n° 1099
AM 1981-65-564 (Inv. 626-39)

660

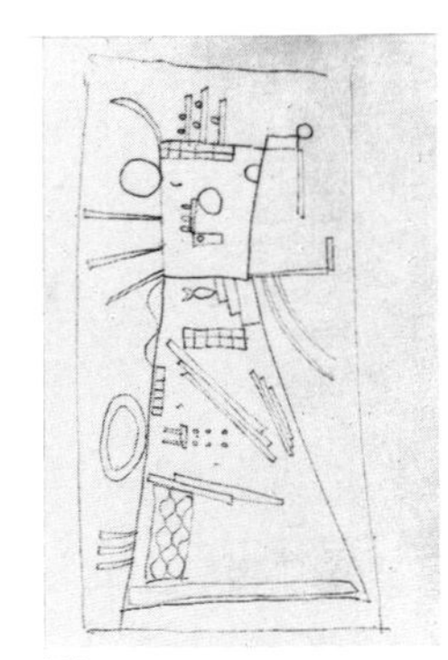

661

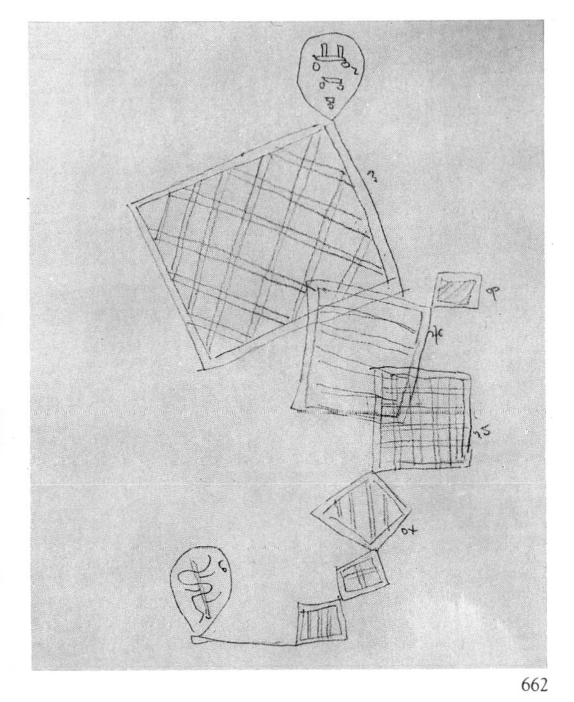

662

663

660
[Sans titre]
mine de plomb sur feuillet d'un bloc à dessin, 21,9 × 16
à rapprocher de la moitié gauche de la peinture *Le Rond rouge,* avril 1938, Roethel n° 1099
AM 1981-65-565 (Inv. 626-46 a)

661
[Sans titre]
mine de plomb sur feuillet d'un bloc à dessin, 21,9 × 16
à rapprocher de la gouache *En hauteur,* K n° 623, avril 1939
AM 1981-65-566 (Inv. 626-38)

662
[Sans titre]
mine de plomb sur feuillet d'un bloc à dessin écourté, 18,1 × 16
indication sommaire du coloris en russe
à rapprocher de la gouache *Montée de grilles,* K n° 632, mai 1939
AM 1981-65-567 (Inv. 626-57)

663
[Sans titre]
mine de plomb sur feuillet d'un bloc à dessin, 21,9 × 16
à rapprocher de la peinture *Circuit,* juin 1939, Roethel n° 1101
AM 1981-65-568 (Inv. 209-4)

664
[Sans titre]
mine de plomb sur feuillet d'un bloc à dessin, 6,6 × 10,6, inscription en bas à droite : « Museum », indication sommaire du coloris en russe
à rapprocher de la gravure sur bois pour le n° 5/6 de *XXe siècle,* n° 665 Roethel (gravures) n° 201
AM 1981-65-569 (Inv. 879-2)

665
Gravure pour le n° 5/6 de *XXe siècle,* 1939
gravure sur bois, deux couleurs, rouge et bleu, 21,9 × 28,3
monogrammé en bas à gauche : K
Roethel (gravures) n° 201
AM 1981-65-751 (Inv. 590-12)

666
Gravure pour *Fraternity* de Stephen Spender, 1939
pointe sèche, 12,8 × 8,1, monogrammé en bas à gauche sur la planche : K, signé en bas à droite sur la marge, à la mine de plomb : Kandinsky, tiré à l'« atelier 17 » de Hayter à Paris
AM 1981-65-752 (Inv. 590-16)

667
[Sans titre], 1939
encre de Chine, 28,9 × 25, monogrammé et daté en bas à gauche : K 39
AM 1981-65-570 (Inv. 125)

668
[Sans titre], 1939
encre de Chine, 31,6 × 25,9, monogrammé et daté en bas à gauche : K 39
AM 1981-65-571 (Inv. 91)

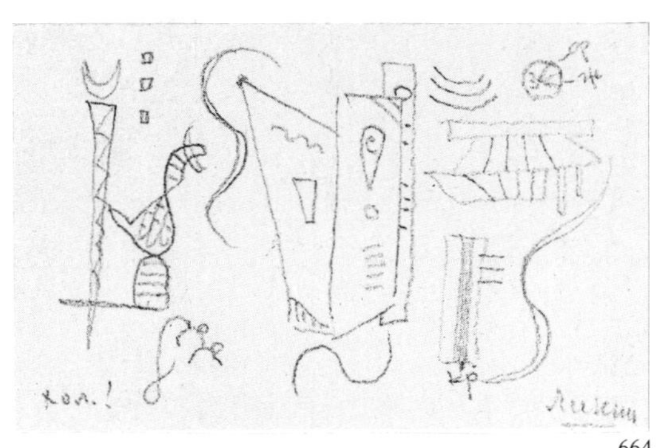

664

665

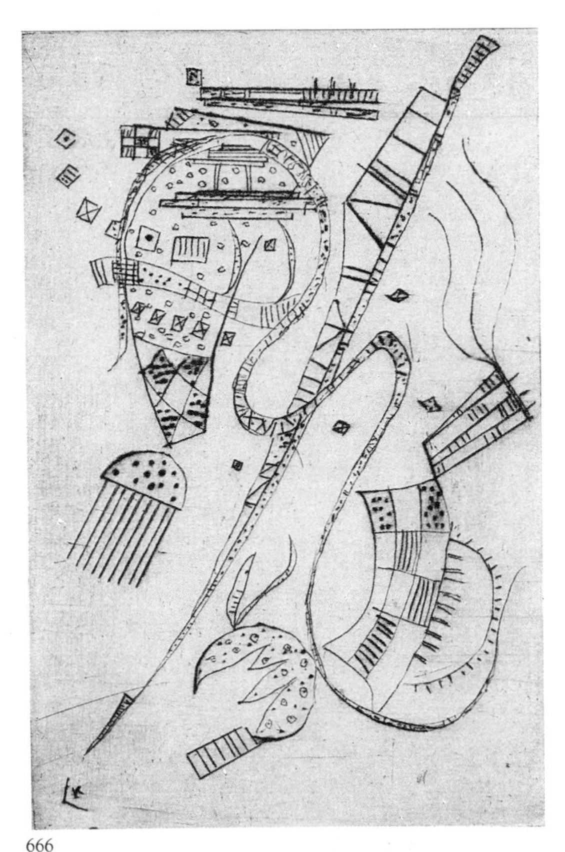

666

667

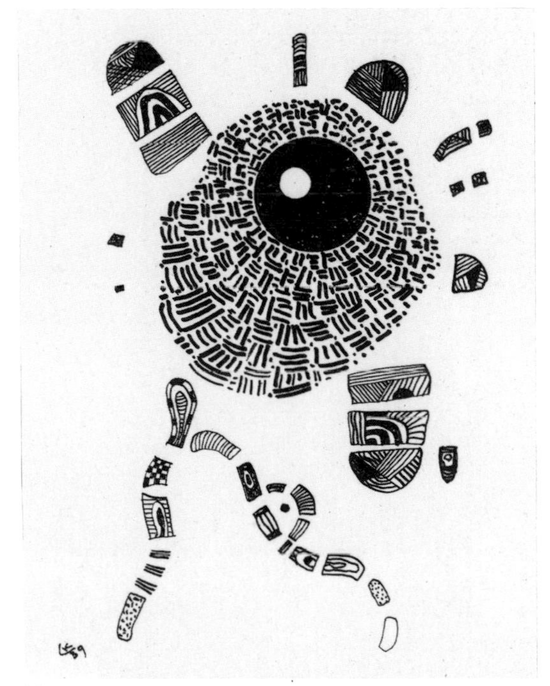

668

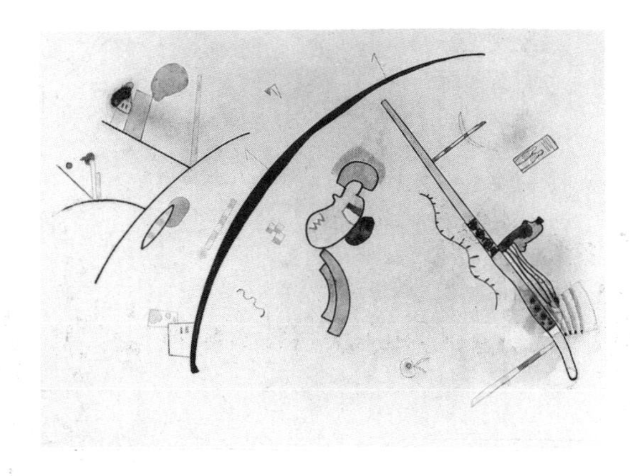

669
[Sans titre]
aquarelle et encre de Chine sur carton, 27,2 × 38,6
ni signé, ni daté
à rapprocher de la peinture *Vers le bleu*, février 1939,
Roethel n° 1094
AM 1981-65-157 (Inv. 605)

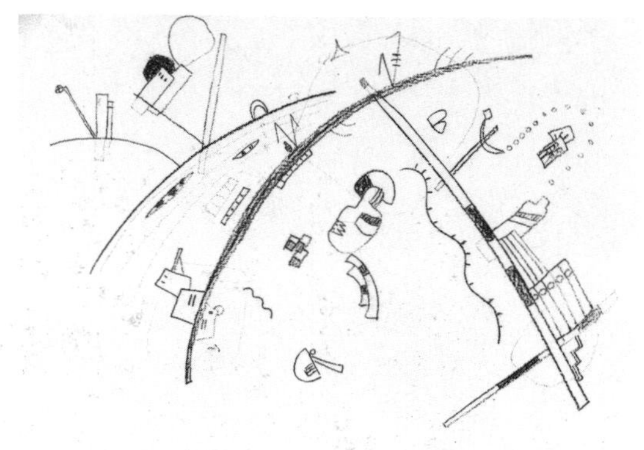

670
[Sans titre]
mine de plomb et crayon gras, 20,4 × 29,3
indication sommaire du coloris en russe
à rapprocher de la peinture *Vers le bleu*, février 1939,
Roethel n° 1094
AM 1981-65-572 (Inv. 626-42)

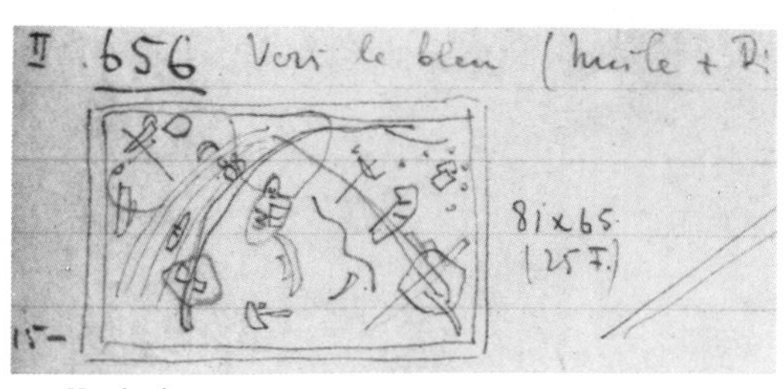

mns Kandinsky

671
Vers le bleu, 1939
huile et ripolin sur toile, 65 × 81
monogrammé et daté en bas à gauche : K 39
inscription au revers : « K n° 656/1939 »
manuscrit Kandinsky V n° 656
Grohmann p. 341, ill. 474 p. 388
Roethel n° 1094
AM 1981-65-69 (Inv. 10)

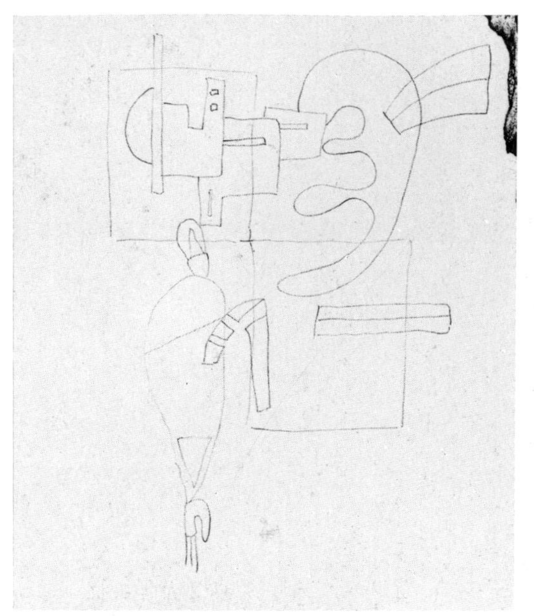

630 f 34

673

Complexité simple, 1939

huile sur toile, 100 × 81
monogrammé et daté en bas à gauche : K 39
inscription au revers : « K n° 659/i939 »

manuscrit Kandinsky IV n° 659, mars 1939
Complexité simple (huile)
(de la main de Nina Kandinsky) *Ambiguïté*

Grohmann p. 341, repr. 477 p. 389
Roethel n° 1097
don de la Société des Amis du Musée national d'art moderne, 1959
AM 3667 P

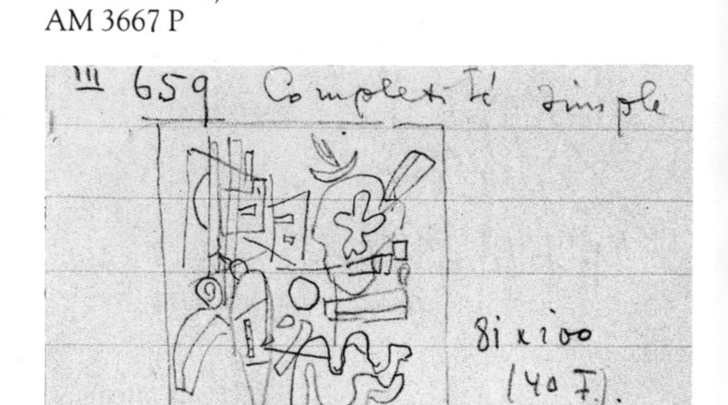

mns Kandinsky

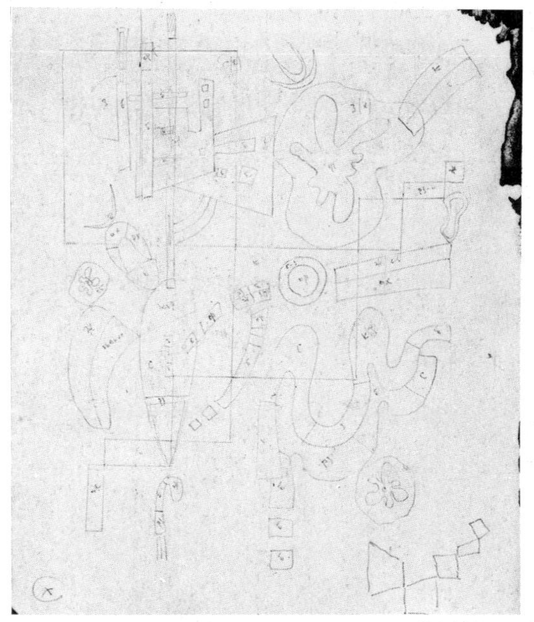

630 f 35 recto

630 f 33 verso

672 recto

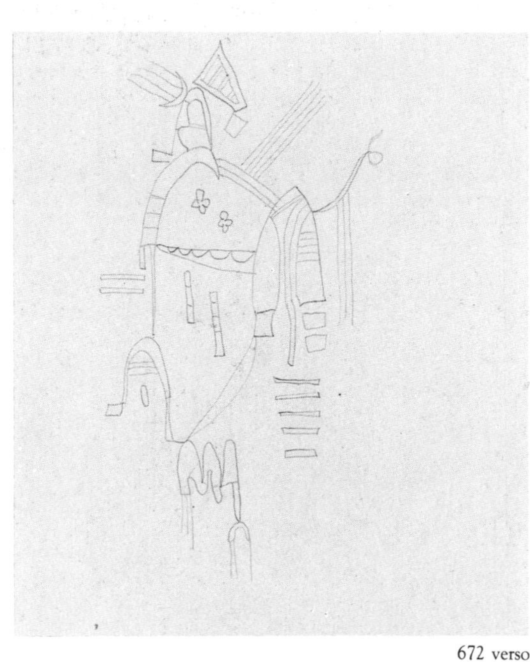

672 verso

672

[Sans titre]
mine de plomb sur feuillet d'un bloc à dessin,
22 × 16,1
recto : à rapprocher de la peinture *Complexité simple,* mars 1939, Roethel n° 1097
verso : à rapprocher de l'aquarelle et tempera *Accrochage,* K n° 614, février 1939
AM 1981-65-573 recto-verso (Inv. 626-29)

674
Pointes, 1939
gouache et aquarelle sur papier noir, 49,5 × 34,5
monogrammé et daté en bas à gauche : K 39
manuscrit Kandinsky V n° 626, mai 1939
AM 1981-65-158 (Inv. 53)

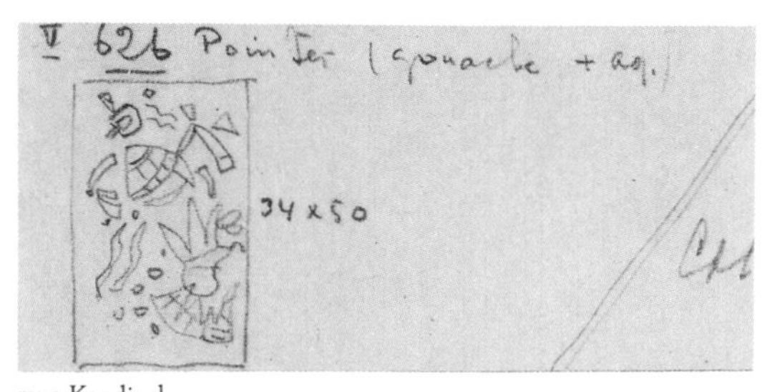

mns Kandinsky

675
[Sans titre], 1940
aquarelle sur papier blanc, 48,7 × 31,2
monogrammé et daté en bas à gauche : K 40
manuscrit Kandinsky V n° 656 (aq. sur blanc)
donation de Madame Nina Kandinsky, 1976
AM 1976-1332

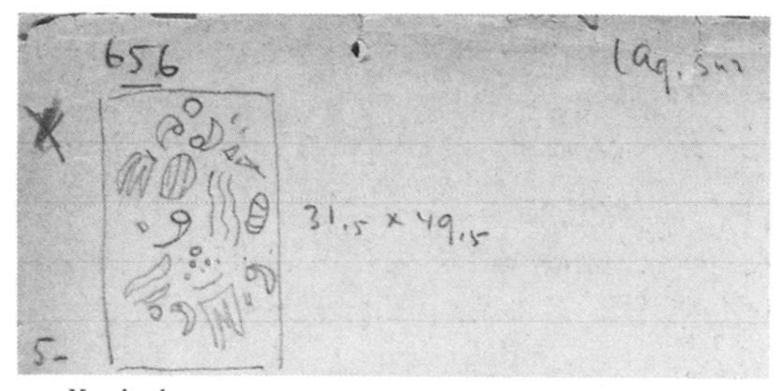

mns Kandinsky

676
[Sans titre]
encre de Chine, 17,8 × 23
à rapprocher de la peinture *Parties diverses,* février 1940, Roethel n° 1110
AM 1981-65-574 (Inv. 390)

677
[Sans titre]
mine de plomb, 31,5 × 23,9
indication sommaire du coloris en russe
verso : deux croquis dont un à rapprocher de la peinture *Et encore,* mai 1940, Roethel n° 1114
AM 1981-65-575 recto-verso (Inv. 626-23)

678
[Sans titre]
mine de plomb, 26,9 × 20,6
recto : à rapprocher de la gouache [Sans titre] K n° 653, 1940; en surcharge dans l'angle supérieur droit un détail pour une autre composition
verso : à rapprocher de la gouache [Sans titre] K n° 652, 1940
AM 1981-65-576 recto-verso (Inv. 377)

679
[Sans titre]
mine de plomb, 18,2 × 27,1, sur un feuillet du papier à lettre du Kensington Hôtel, La Croix (Valmer) Var
recto : 7 croquis d'après les peintures réalisées par Kandinsky « après » ses vacances à La Croix Valmer, été 1939
verso : 8 croquis d'après les peintures réalisées en 1940 et 1941
inscription en haut à gauche faisant état de *Spiral,* gouache donnée à Lipchitz 3.2.40
AM 1981-65-577 recto-verso (Inv. 594-35)

680
[Sans titre]
mine de plomb sur feuillet détaché d'un bloc à dessin, 16,1 × 22
à rapprocher de la peinture *Autour du cercle,* mai-août 1940, Roethel n° 1115
AM 1981-65-578 (Inv. 388)

681
[Sans titre]
mine de plomb, 23,9 × 31,5
indication sommaire du coloris en russe
3 croquis dont 1, en haut, peut être rapproché de la partie supérieure gauche de la peinture *Autour du cercle,* mai-août 1940, Roethel n° 1115; un autre, en bas, de la gouache [Sans titre] K n° 654, 1940
AM 1981-65-579 (Inv. 404)

682
[Sans titre]
mine de plomb sur une couverture de cahier d'écolier, 23,6 × 31,4
à rapprocher de la peinture *Autour du cercle,* mai-août 1940, Roethel n° 1115
AM 1981-65-580 (Inv. 373)

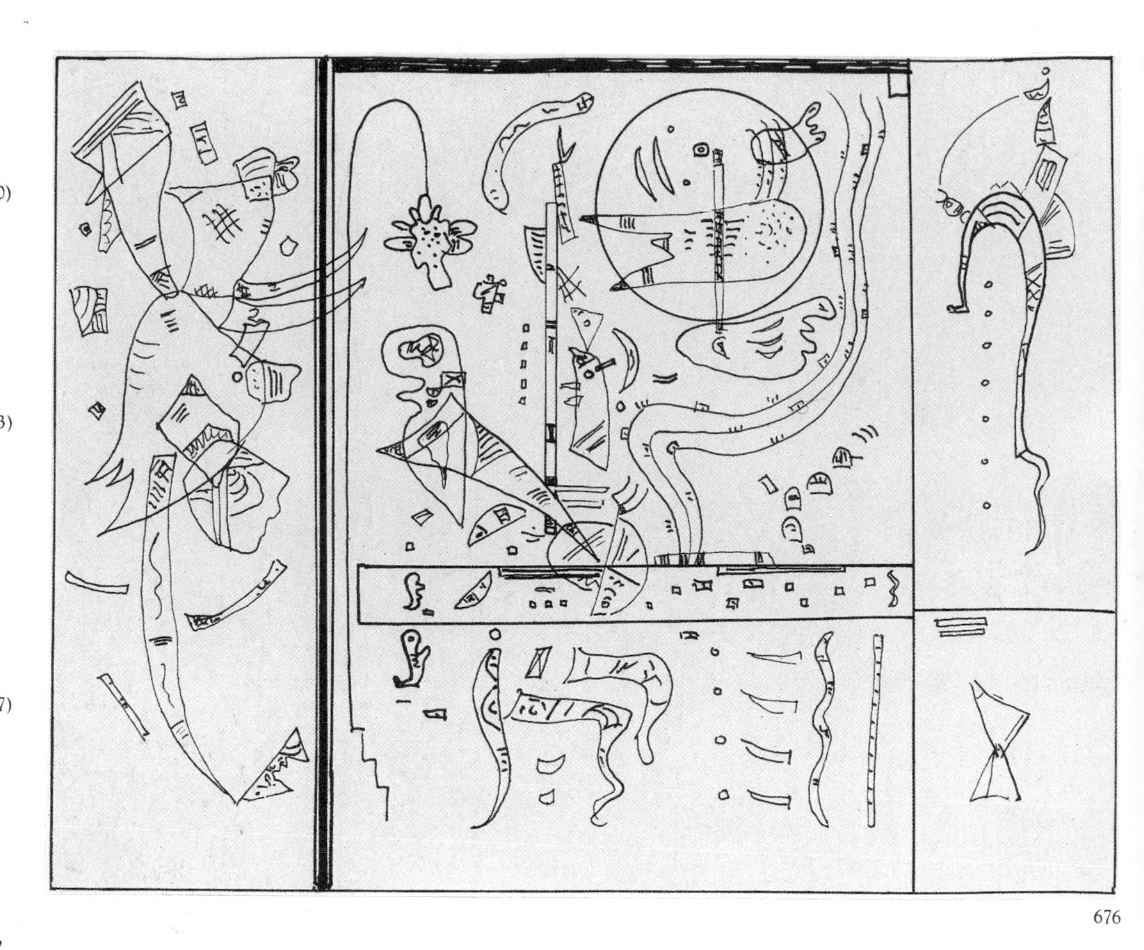
676

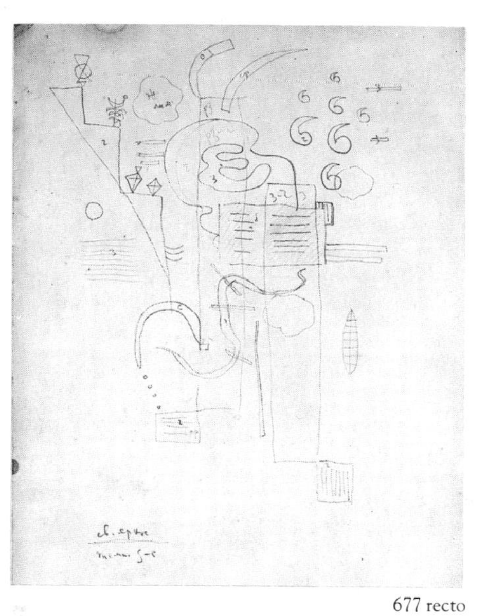
677 recto

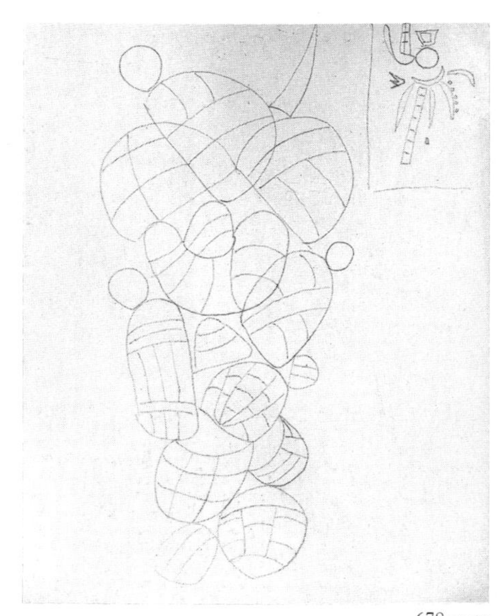
678 recto

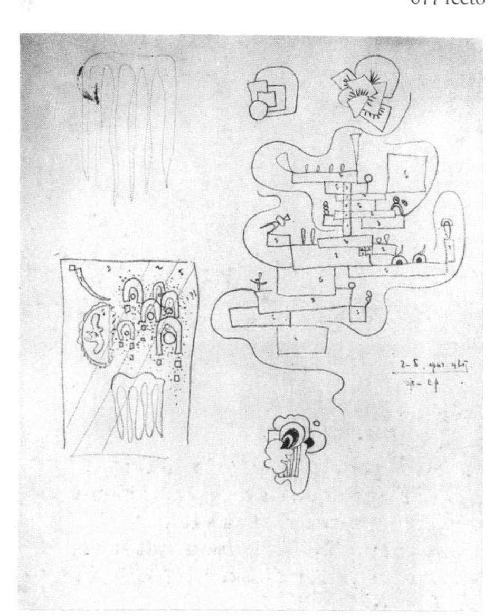
677 verso

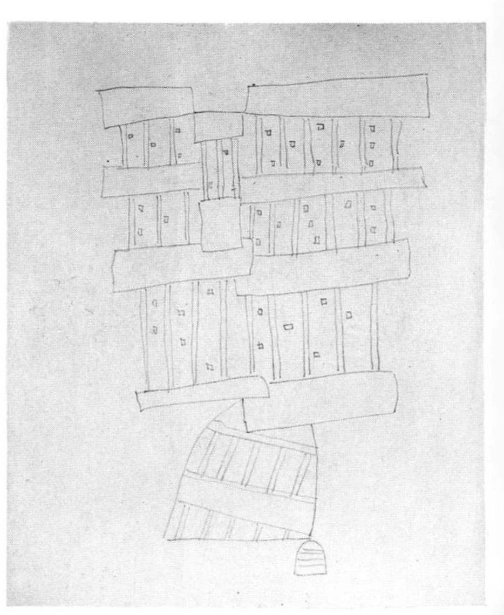
678 verso

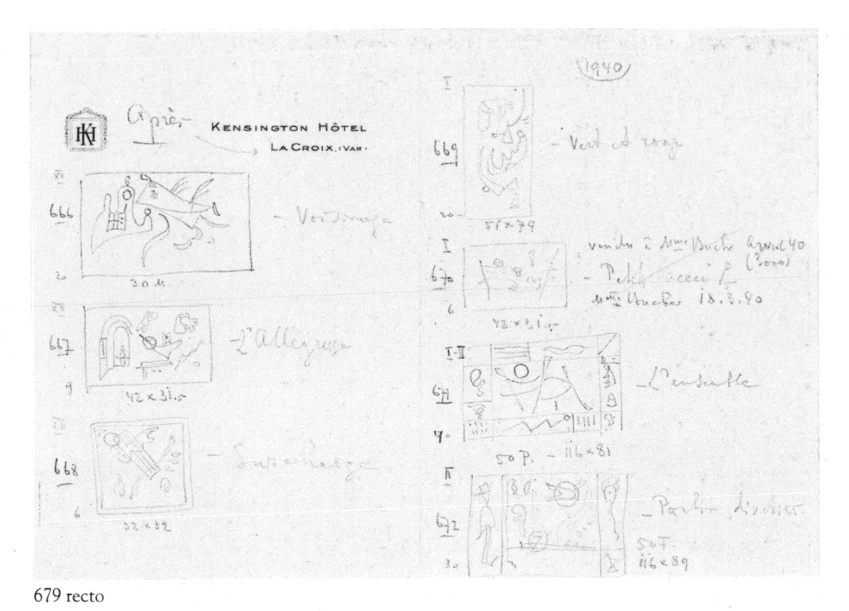

679 recto

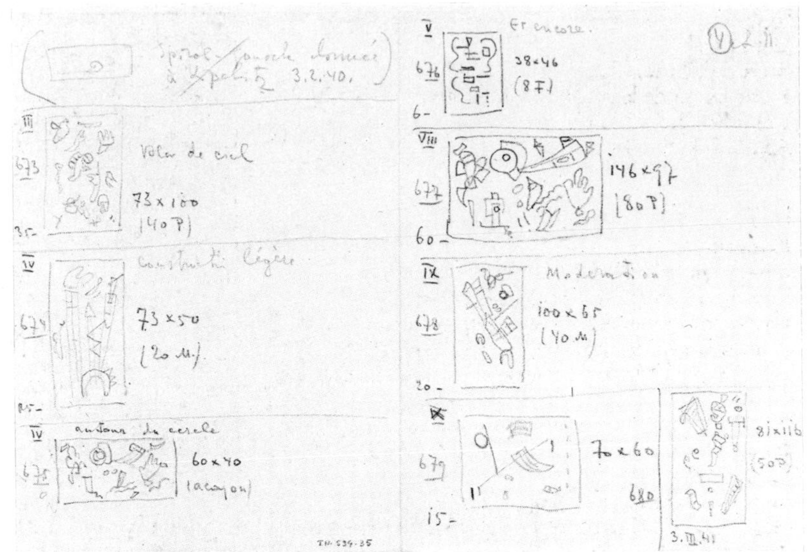

679 verso

680

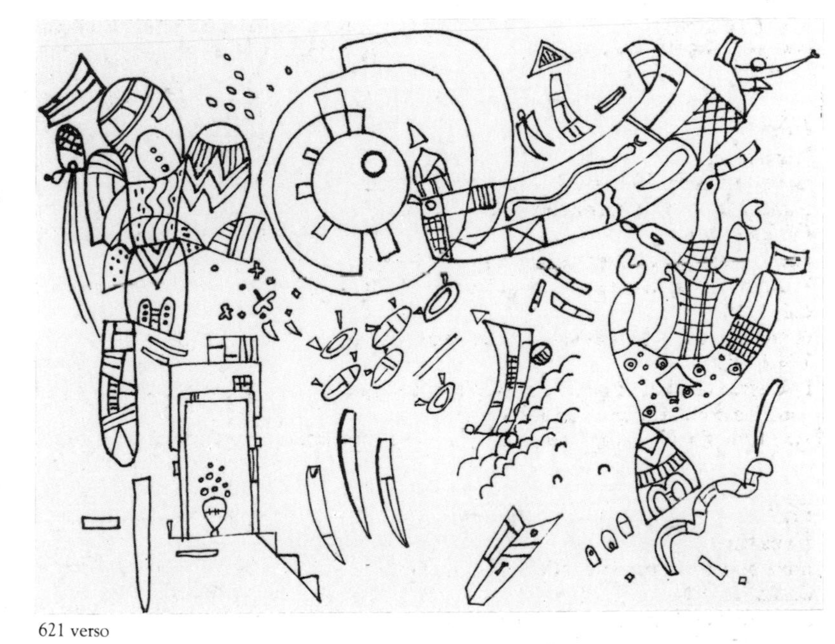

621 verso

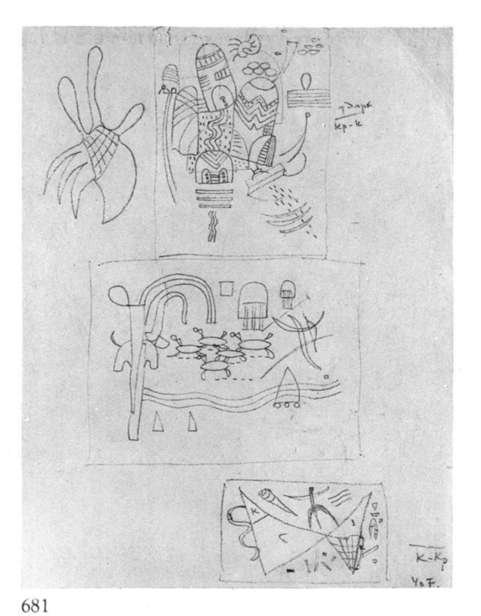

681

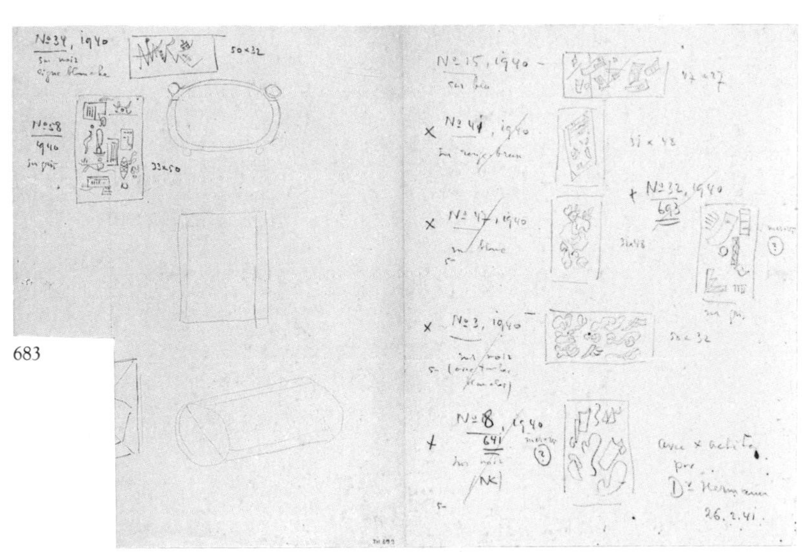

683

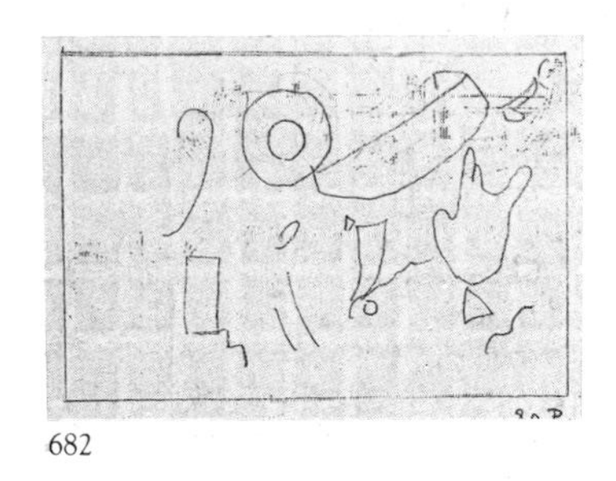

682

683
verso : [Sans titre]
mine de plomb, 28,5 × 44
verso de l'étude pour la gouache [Sans titre]
K nº 689, 1940 (manque l'angle gauche inférieur)
11 croquis dont 8 concernent des gouaches [Sans titre], réalisées en 1940-41, correspondant aux entrées du manuscrit Kandinsky VI nº 635, 638, 641, 648, 667, 674, 691, 693.

La numérotation utilisée par Kandinsky sur cette feuille peut indiquer qu'il s'agit là d'un choix pour un accrochage dans une galerie.
Les astérisques (*), comme l'indique l'inscription en bas à droite à la mine de plomb, correspondent aux œuvres achetées par le Dr Hermann 26.2.4i
recto : nº 688
AM 1981-65-581 recto-verso (Inv. 399)

684
Bleu de ciel, 1940

huile sur toile, 100 × 73
monogrammé et daté en bas à gauche : K 40
inscription au revers, sur la toile en haut :
« K n° 673/1940 »

manuscrit Kandinsky IV n° 673
mars 1940, 73 × 100 (40 P)
(exposé chez) Mme Bucher 15-1-42
inscription de Nina Kandinsky : « Exposition l'Esquisse 44 pas à vendre »

Grohmann p. 341, repr. n° 487 p. 390
Roethel n° 1111
donation de Madame Nina Kandinsky, 1976
AM 1976-862

De la douceur avant toute chose. Au risque de tomber dans l'acidulé, Kandinsky nie en 1940 la dureté des temps, le Paris germanisé, les restrictions de toutes sortes. Il fuit les misères de l'existence quotidienne dans un monde onirique « occupé » exclusivement par la fantaisie. Il peint toile après toile et réalise soixante gouaches. La série des tableaux est remarquable. Sans qu'on puisse établir avec certitude un lien entre les peintures de ce millésime, on remarque que l'*Ensemble* s'enchaîne avec *Parties diverses* et que celles-ci préparent l'allégresse de *Bleu de ciel*. Le premier tableau est compartimenté, très collet monté, sur fond noir, ses bandes héraldiques alternées, chaque forme s'y tient coite dans son cadre. *Parties diverses* est plus guilleret : le compartimentage est irrégulier et les formes en prennent à leur aise avec les limites qui leur sont imparties. Dans *Bleu de ciel*, les compartiments ont disparu : ils sont remplacés par un fond bleu laiteux, faussement neutre; il vibre d'une certaine lumière : c'est un bleu atmosphérique, celui de la fenêtre de l'atelier de Kandinsky au-dessus du Mont-Valérien.
Du titre on peut retenir que le peintre privilégie le fond sur les formes qui l'animent et que c'est une erreur de notre part que de nous amuser à détailler tout de suite, comme Jacques Lassaigne, ces petits êtres conviés à la fête : « On croit y reconnaître des animaux étranges, un oiseau à grand bec, une tortue à longue queue, un cavalier enjuponné, des clochettes, des spirales; mais c'est toujours autre chose ».
Cet inventaire inépuisable — car nous ne saurons jamais exactement ce que c'est — manque un peu d'épices, on pourrait le relever de quelques saveurs symbolistes; le Des Esseintes de Huysmans y aurait découvert des « insectes splendides aux élytres éblouissants, marbrés de carmin, ponctués de jaune aurore, diaprés de bleu d'acier, tigrés de vert paon ».
Les animoncules avaient surpris, captivé Kandinsky depuis quelque temps. Il en écrivait deux mots à Will Grohmann en août 1934 quand il lui décrivait l'extrême variété de la faune microscopique des plages de Normandie. C'est une découverte dans l'esprit du temps. Fernand Léger dans un texte, « Un nouveau réalisme, la couleur pure et l'objet », parle avec enthousiasme des formes nouvelles que le peintre a fait siennes : « Les recherches scientifiques, elles aussi, ont permis aux artistes de dégager une nouvelle réalité. Des plantes sous-marines, des animaux infiniment petits, une goutte d'eau avec ses microbes grossis mille fois par le microscope deviennent des possibilités picturales nouvelles ou permettent un développement dans l'art décoratif ».
Bleu de ciel aurait très bien pu servir de patron pour édition de papiers peints de luxe pour chambre d'enfant. Cette pensée n'est qu'à demi-sacrilège : Kandinsky en 1942-43 dessine des semis de formes tarabiscotées, gaies, raffinées pour l'édition d'étoffe de luxe, dirigée par Jean Bauret et la Société industrielle de la Lys. Les divers croquis qu'il dessine pour répondre à cette commande sont tous dans l'esprit de *Bleu de ciel.*
Décoration de chambre d'enfant, fond bleu clair, formes en complète lévitation ni ascendante ni descendante, ce sont autant de qualités qui rapprochent Kandinsky de l'univers de Miró, un peintre pour lequel il a beaucoup plus que de l'estime. Kandinsky est même allé à Varengeville avec les Magnelli pour lui rendre visite. Depuis 1939, Miró a commencé une série de gouaches, format rétréci pour temps incertain, support de papier peu encombrant, qu'il charge d'une poétique plastique nouvelle, très compliquée, très dense, les *Constellations*. C'est pour revoir des toiles de Miró que Kandinsky se déplace une dernière fois chez Jeanne Bucher en 1943. *Bleu de ciel* ou les affinités Miró-kandinskiennes.
Bleu de ciel et non pas Bleu *du* ciel, c'est moins trivial. Poésie involontaire due à la maladresse de Kandinsky en français ou déplacement de mot et de sens dans le ton d'un poème ludique et concret de son ami Hans Arp, *Bleu de ciel* ce n'est que *Des taches dans le vide.*
Dans ce monde libéré, seul le monogramme posé en bas à gauche par Kandinsky garde quelques raideurs géométriques.

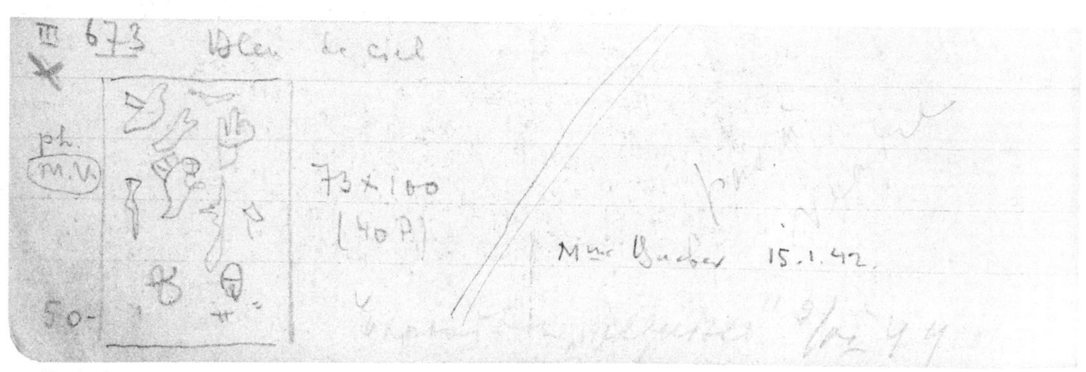

mns Kandinsky

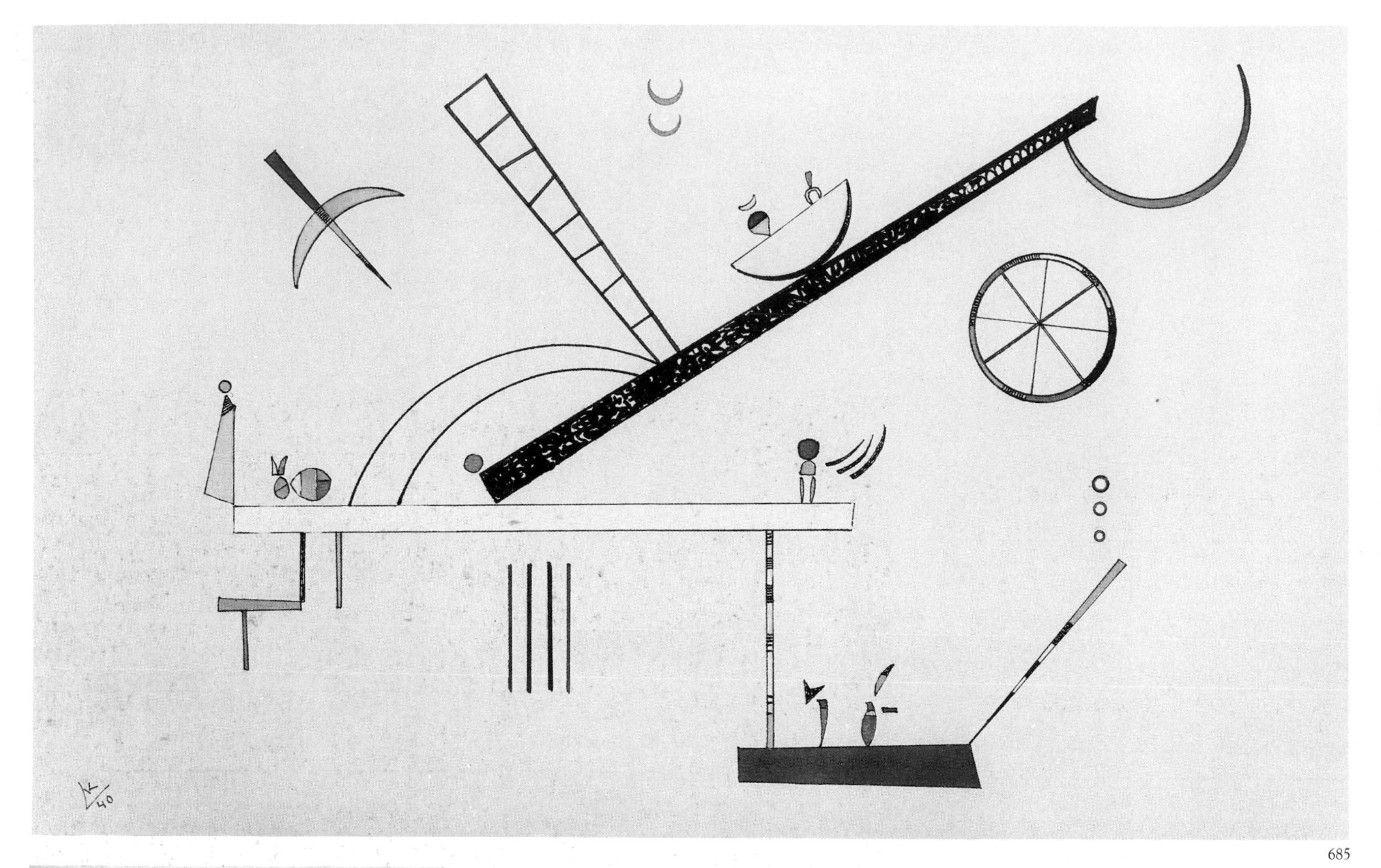

685

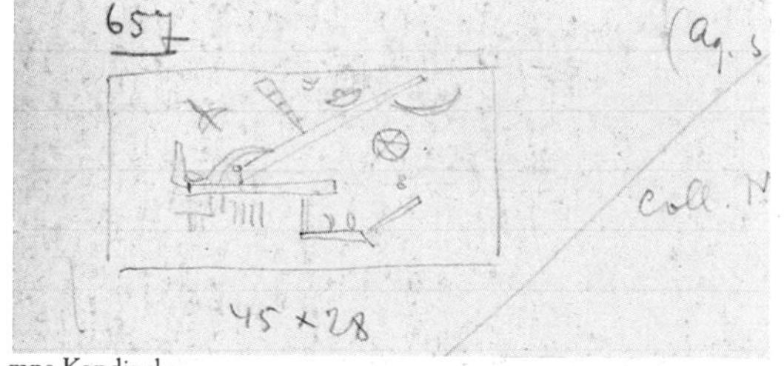

mns Kandinsky

686

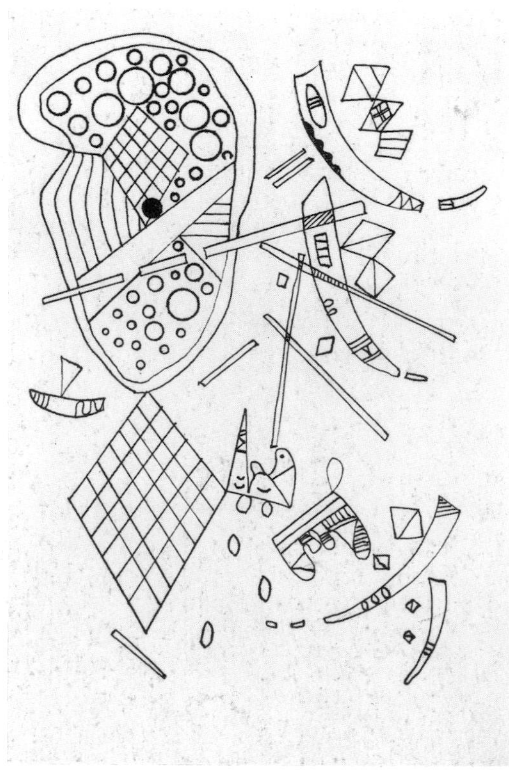

687

688

685
[Sans titre], 1940
aquarelle et encre de Chine, 29 × 46
monogrammé et daté en bas à gauche : K 40
inscription au dos, visible à travers la découpe dans le carton support : « n° 657/1940 »
manuscrit Kandinsky VI n° 657 (aq. s. blanc) coll. Nina Kandinsky
AM 1981-65-159 (Inv. 49)

686
[Sans titre]
mine de plomb, 21,1 × 13,6
pourrait être rapproché de l'aquarelle [Sans titre] K n° 678, 1940
AM 1981-65-582 (Inv. 593-15)

687
[Sans titre]
encre de Chine sur feuillet d'un bloc à dessin, 22 × 16,1
à rapprocher de la gouache « sur fond noir » [Sans titre] K n° 666, 1940
AM 1981-65-583 (Inv. 395)

688
recto : [Sans titre]
mine de plomb, 44 × 28,5
manque l'angle supérieur à droite, découpé
à rapprocher de la gouache « sur fond noir » [Sans titre] K n° 689, 1940
verso : n° 683
AM 1981-65-581 recto-verso (Inv. 399)

689
[Sans titre], 1940
gouache sur fond noir, 49,5 × 32
monogrammé et daté en bas à gauche : K 40
manuscrit Kandinsky VI n° 689 (g.s. noir)
donation de Madame Nina Kandinsky, 1976
AM 1976-1333

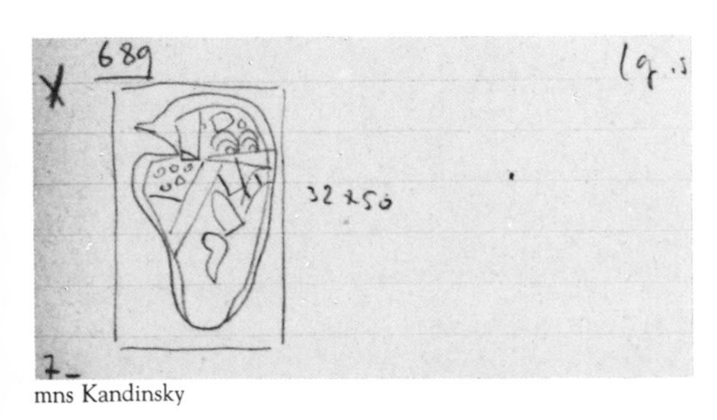

mns Kandinsky

690

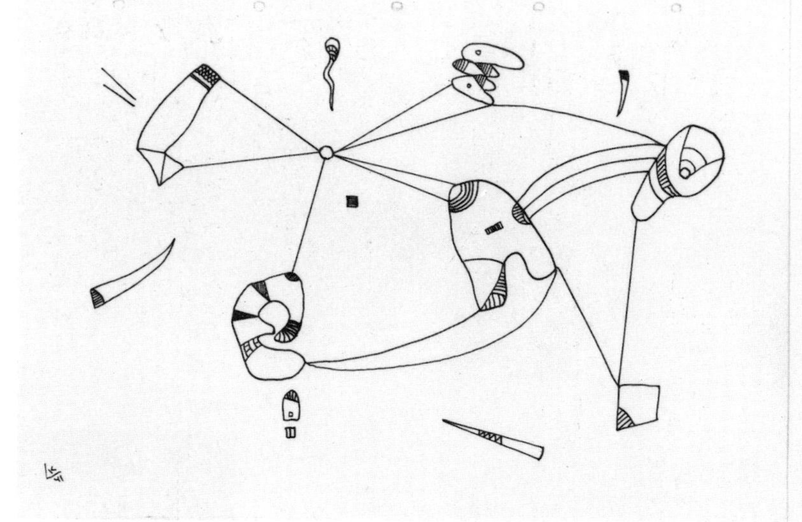

692

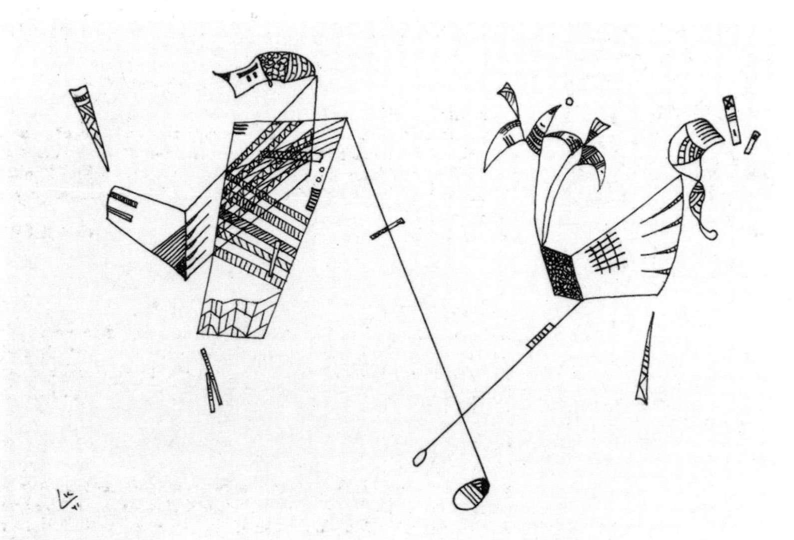

693

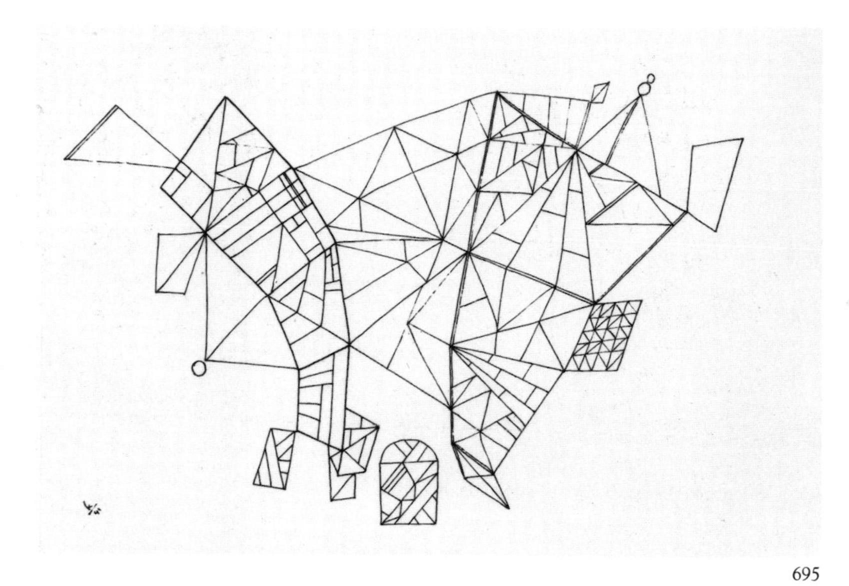

695

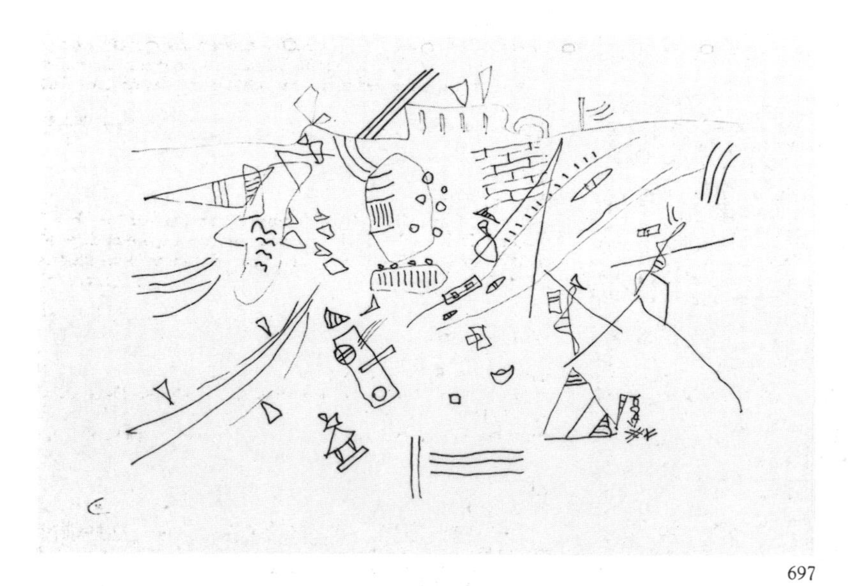

697

698

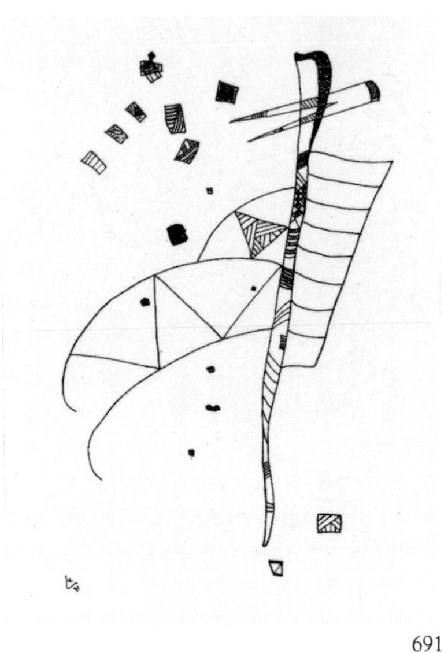

691

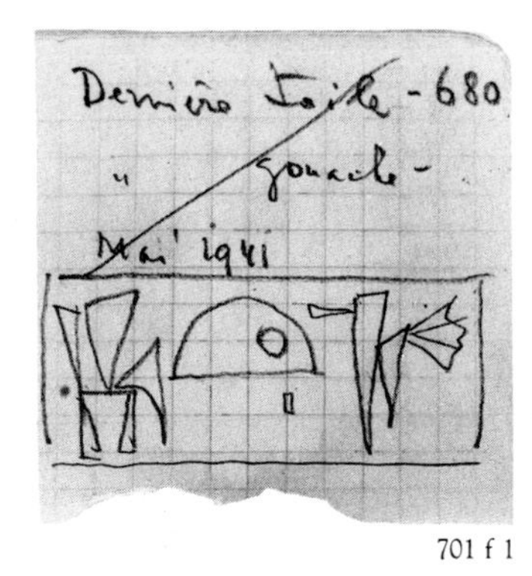

701 f 1

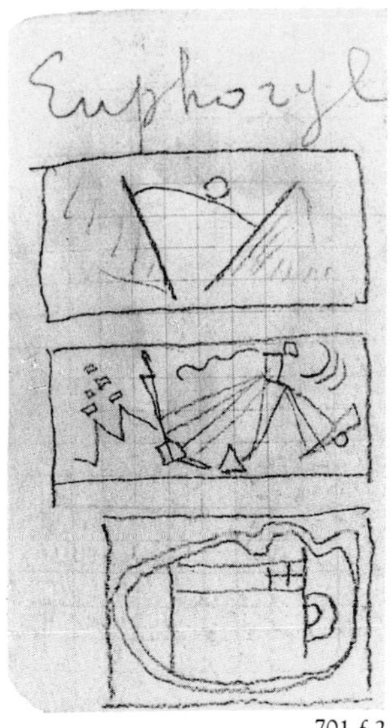

701 f 2

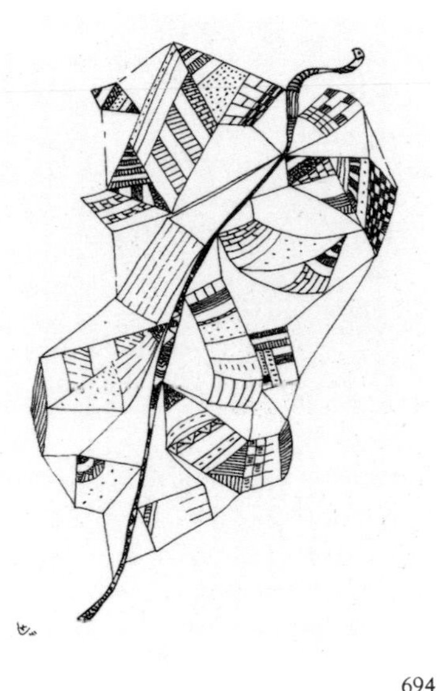

694

701 f 3

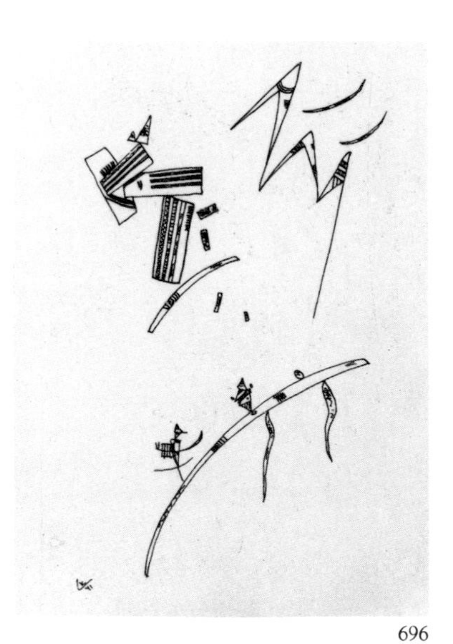

696

700

690
[Sans titre], 1941
encre de Chine, 18,6 × 27,9, monogrammé et daté en bas à gauche : K 41, feuillet n° 1 d'un carnet Sennelier dépecé et dispersé en 1972 après édition d'un fac-similé par les éditions Karl Flinker
AM 1981-65-585 (Inv. 720)

691
[Sans titre], 1941
encre de Chine, 27,9 × 18,6, monogrammé et daté en bas à gauche : K 41, feuillet n° 3 d'un carnet Sennelier, dépecé et dispersé en 1972 après édition d'un fac-similé par les éditions Karl Flinker.
AM 1981-65-586 (Inv. 594-1)

692
[Sans titre], 1941
encre de Chine, 18,6 × 27,8, monogrammé et daté en bas à gauche : K 41, feuillet 17 d'un carnet Sennelier dépecé et dispersé en 1972 après édition d'un fac-similé par les éditions Karl Flinker à rapprocher de la peinture *Jonctions,* décembre 1942, Roethel n° 1138
AM 1981-65-587 (Inv. 594-2)

693
[Sans titre], 1941
encre de Chine, 18,6 × 27,9, monogrammé et daté en bas à gauche : K 41, feuillet 20 d'un carnet Sennelier dépecé et dispersé en 1972 après édition d'un fac-similé par les éditions Karl Flinker
AM 1981-65-588 (Inv. 121)

694
[Sans titre], 1941
encre de Chine, 27,9 × 18,6, monogrammé et daté en bas à gauche : K 41, feuillet 25 d'un carnet Sennelier dépecé et dispersé en 1972 après édition d'un fac-similé par les éditions Karl Flinker à rapprocher de la peinture *Ascension légère,* décembre 1942, Roethel n° 1143
AM 1981-65-589 (Inv. 878-1)

695
[Sans titre], 1941
encre de Chine, 18,6 × 27,9, monogrammé et daté en bas à gauche : K 41, feuillet 29 d'un carnet Sennelier dépecé et dispersé en 1972 après édition d'un fac-similé par les éditions Karl Flinker
AM 1981-65-590 (Inv. 120)

696
[Sans titre], 1941
encre de Chine, 27,8 × 18,6, monogrammé et daté en bas à gauche : K 41, feuillet 31 d'un carnet Sennelier dépecé et dispersé en 1972 après édition d'un fac-similé par les éditions Karl Flinker
AM 1981-65-591 (Inv. 80)

697
[Sans titre]
encre de Chine, 18,6 × 27,9, monogrammé en bas à gauche avec le timbre de l'atelier : K, feuillet 36 d'un carnet Sennelier dépecé et dispersé en 1972 après édition d'un fac-similé par les éditions Karl Flinker
AM 1981-65-592 (Inv. 594-3)

698
[Sans titre], 1941
encre de Chine, 18,6 × 27,9, monogrammé et daté en bas à gauche : K 41, feuillet 39 d'un carnet Sennelier dépecé et dispersé en 1972 après édition d'un fac-similé par les éditions Karl Flinker
AM 1981-65-593 (Inv. 126)

699 *(non reproduit)*
[Sans titre]
mine de plomb, 44,3 × 25,1
verso : croquis sommaire à rapprocher de la peinture *Deux noirs,* mars 1941, Roethel n° 1118
AM 1981-65-594 recto-verso (Inv. 593-24)

700
[Sans titre]
mine de plomb, 11,4 × 11, à rapprocher de la peinture *Le Carré fixe,* septembre 1941, Roethel n° 1122
verso : fragment de note en allemand
AM 1981-65-595 (Inv. 396)

701
Carnet de note
couverture à spirale verte, 12 feuillets
deux feuillets et demi, papier quadrillé, 8,6 × 5,7, croquis et inscription à la mine de plomb
f. 1 réduit à la moitié du feuillet (manque la partie inférieure), inscription « Dernière toile 680 », gouache et un croquis non identifié
f. 2 inscription « Euphoryl » et trois croquis dont un peut être rapproché de la gouache K n° 713, 1941
f. 3 croquis à rapprocher de la peinture *Trois rayons,* septembre 1943, Roethel n° 1164
AM 1981-65-679 (Inv. suppl.)

704 verso

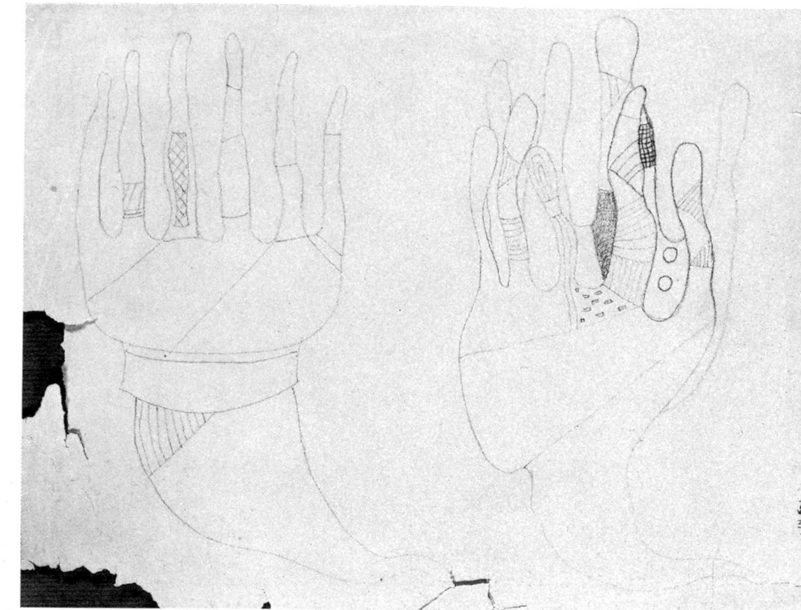

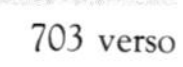

703 verso

704 recto

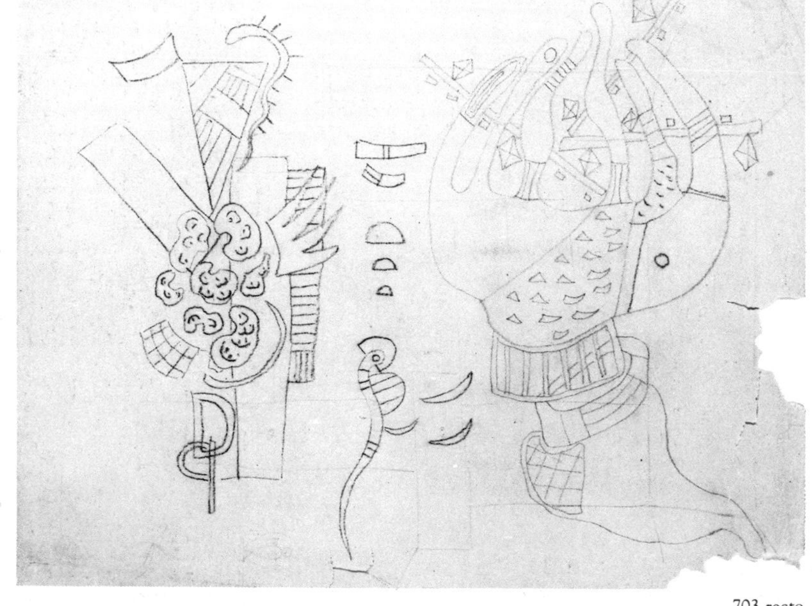

703 recto

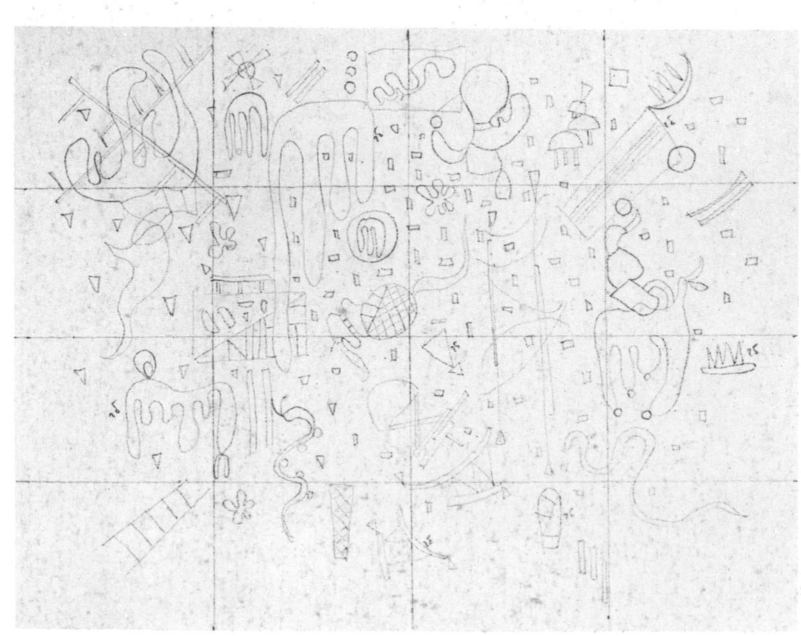

705

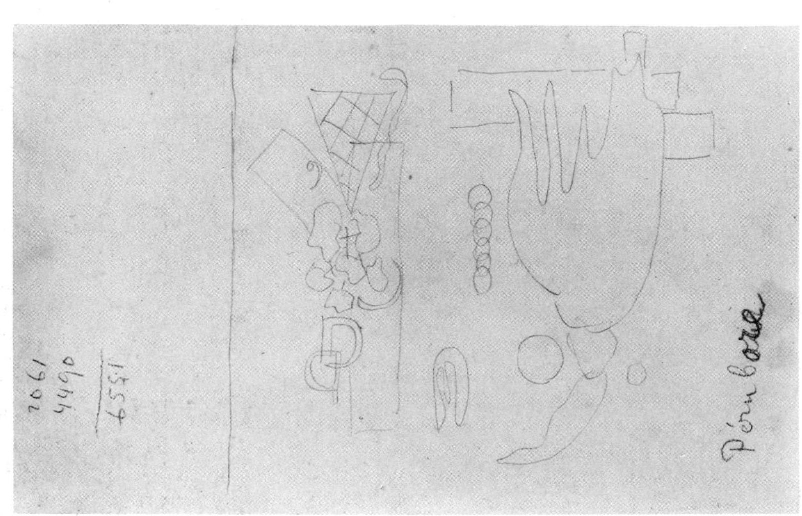

702

702
[Sans titre]
mine de plomb, 24,6 × 15
inscription « Pérnbore » (Pearl Harbour ?)
un des éléments de ce croquis peut être rapproché de l'élément supérieur de la partie gauche de la peinture *Actions variées,* août 1941, Roethel n° 1121
AM 1981-65-596 (Inv. 594-34)

703
[Sans titre]
mine de plomb, 27,1 × 33
déchirures et manques
recto : à rapprocher du n° 702
verso : deux croquis pour un élément à rapprocher de la peinture *Actions variées,* août 1941, Roethel n° 1121
AM 1981-65-597 recto-verso (Inv. 401)

704
[Sans titre]
mine de plomb, 20,8 × 25,5
recto : à rapprocher de la peinture *Actions variées,* août 1941, Roethel n° 1121
verso : à rapprocher de la peinture *Fraîcheur,* août 1941, Roethel n° 1120
AM 1981-65-598 recto-verso (Inv. 403)

705
[Sans titre]
mine de plomb, 20,9 × 26,9
mise au carreau pour la peinture *Actions variées,* août 1941, Roethel n° 1121
AM 1981-65-599 (Inv. 402)

706
[Sans titre], 1941
gouache sur fond noir, 49,5 × 32
monogrammé et daté en bas à gauche : K 41
manuscrit Kandinsky VI n° 709 (g.s.noir) coll Mme Nina Kandinsky
AM 1981-65-160 (Inv. 62)

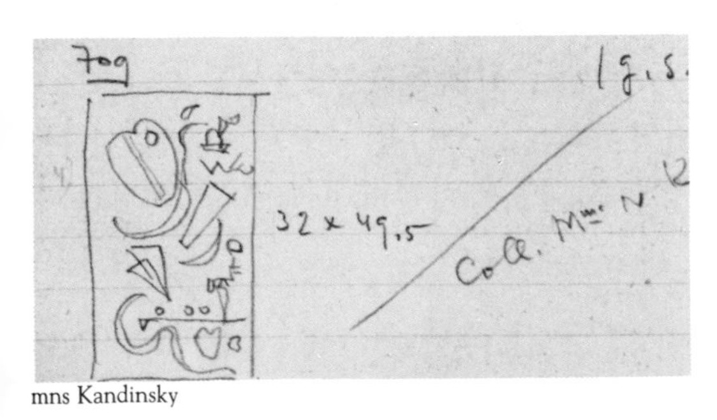

mns Kandinsky

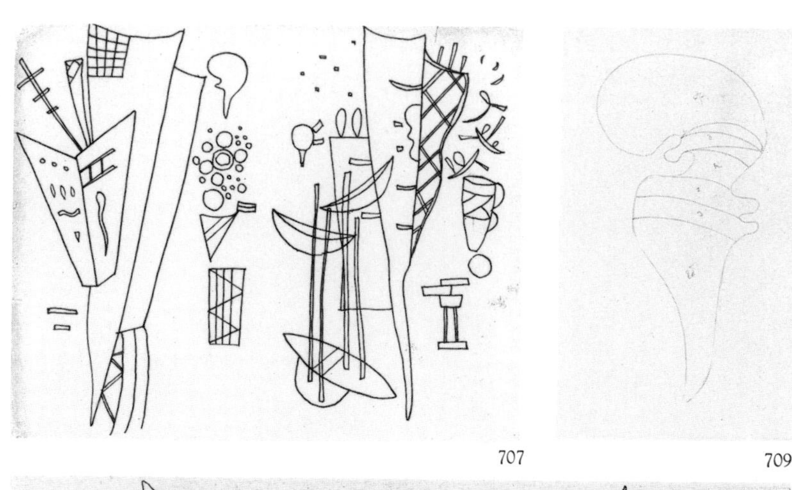

707 709

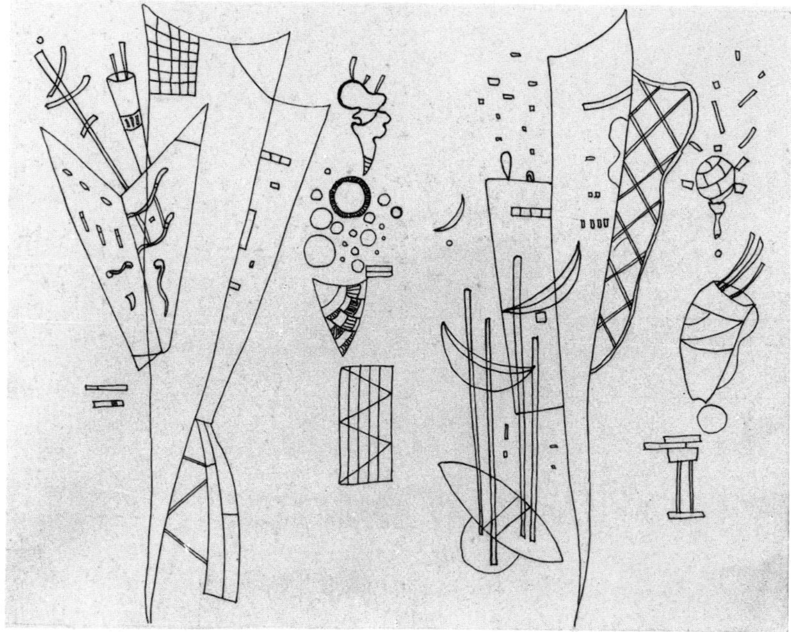

708

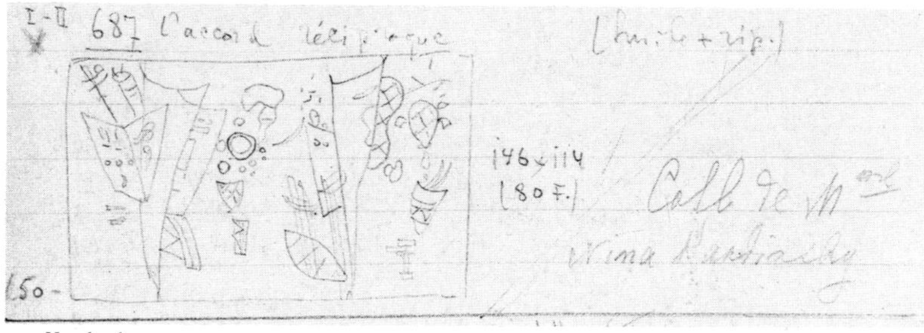

mns Kandinsky

707
[Sans titre]
encre de Chine, 20,8 × 26,1
à rapprocher de la peinture *Accord réciproque*, janvier et février 1942, Roethel n° 1125
AM 1981-65-600 (Inv. 209-11)

708
[Sans titre]
encre de Chine, 20,8 × 27
à rapprocher de la peinture *Accord réciproque*, janvier et février 1942, Roethel n° 1125
AM 1981-65-601 (Inv. 392)

709
[Sans titre]
mine de plomb, 20,8 × 27
indication sommaire du coloris en russe
à rapprocher d'un des éléments flottants dans la partie supérieure de la peinture *Accord réciproque*, janvier et février 1942, Roethel n° 1125
AM 1981-65-602 (Inv. 391)

710
Accord réciproque, 1942
huile et ripolin sur toile, 114 × 146
monogrammé et signé en bas à gauche : K 42
inscription au revers sur la toile : « K n° 687/ 1942 (I-II) »

manuscrit Kandinsky IV
n° 687 . I-II (janvier et février) *L'Accord réciproque*
i46 × ii4 (80 F)

Grohmann p. 341, repr. coul. p. 243
Roethel n° 1125, p. 1021, repr. coul. p. 1011
donation de Madame Nina Kandinsky, 1976
AM 1976-863

Un titre qui manie le redoublement et frise le pléonasme. S'agit-il uniquement des deux formes qui encadrent ce vide blanc ou faut-il imaginer une allusion plus personnelle du peintre à l'une de ses dernières grandes peintures ?
Un 80 figure. On en trouve très peu en 1942 chez les marchands de couleurs parisiens. C'est l'avant-dernière toile de Kandinsky, la dernière toile importante est peinte en été de la même année : *Tensions délicates*. Il envoie l'une et l'autre à l'exposition qu'organise en 1942 Jeanne Bucher. Mais *Accord réciproque* est d'un format trop encombrant pour la minuscule galerie L'Esquisse, qui se charge de la dernière rétrospective de l'artiste en décembre 1944. *Accord réciproque* sert de linceul de Lazare. Après la mort de Kandinsky, le 13 décembre 1944, Nina, sa veuve, fait installer la dépouille dans l'atelier, selon l'usage russe c'est-à-dire le cercueil ouvert, et en « toiles de fond » elle dispose sur les chevalets *Mouvement I* (1935) et *Accord réciproque*.
La photographe Rogi-André, dépêchée par Jeanne Bucher, fixe à tout jamais l'image de l'artiste post-mortem veillé par ses derniers tableaux.
Bien rares sont ceux qui peuvent se glorifier d'avoir rendu un dernier hommage au grand peintre qui vient de mourir dans la torpeur d'un Paris désorganisé à la suite de la Libération. Magnelli témoigne simplement : « Je crois avoir été, presque sûrement, le dernier ami qu'il ait encore vu et à qui j'ai parlé si longuement avant sa disparition survenue deux ou trois semaines après. Nina a fait transporter le corps de Kandinsky dans son cercueil, dans l'atelier. Sur un chevalet, à côté de lui, elle avait placé un grand tableau clair, fait à Neuilly : *Accord réciproque* (1942) qui symbolisait ses dernières recherches. Je l'ai veillé un très grand après-midi, seul. Il y avait avec nous, malgré ma tristesse, l'art et la vieille amitié ».
Linceul de Lazare parce que c'est avec la même toile que Kandinsky reparaît sur la scène artistique parisienne l'année suivante en 1945 à l'exposition organisée à la galerie René Drouin sous le titre d'« Art Concret ».* En effet, *Accord réciproque*, avec ses teintes froides fondées sur le contraste du gris-blanc et du noir profond, n'est pas qu'une tenture mortuaire improvisée. Kandinsky, le grand maniériste, y a fixé un de ses derniers grands exercices de style. Il manie l'impondérable et place en abîme des masses qu'il affronte en équilibre provisoire, ce qui crée la tension de la toile et son effet : les deux grandes formes triangulaires reposent sur la fragilité de leur pointe la plus aiguë mais sont arrimées en bas et en haut par de petits triangles élastiques. Le coloris « layette » disposé en pellicule fragile n'a peut-être plus la force des chaleureuses et épaisses couleurs de la période de Murnau, mais il sera repris peu de temps après par Richard Mortensen, un des lauréats du prix Kandinsky.

* « Art Concret », galerie René Drouin, 17 place Vendôme, Paris, 15 juin-13 juillet 1945.

711

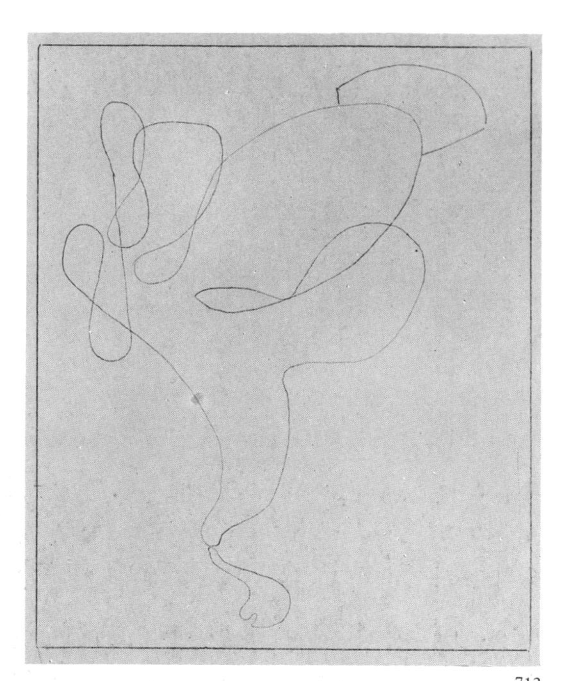

712

713

714

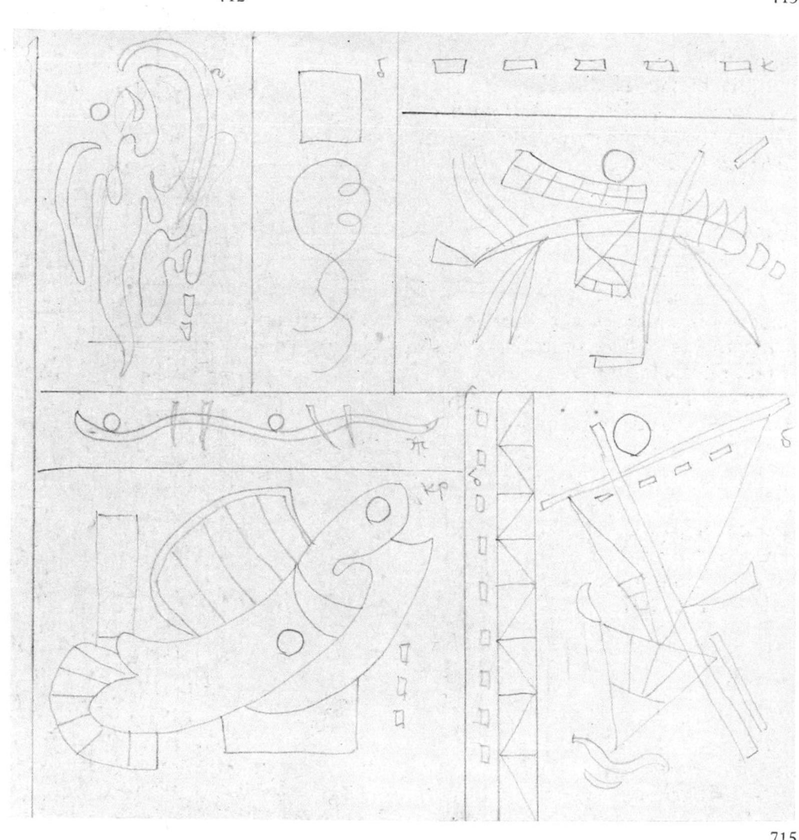

715

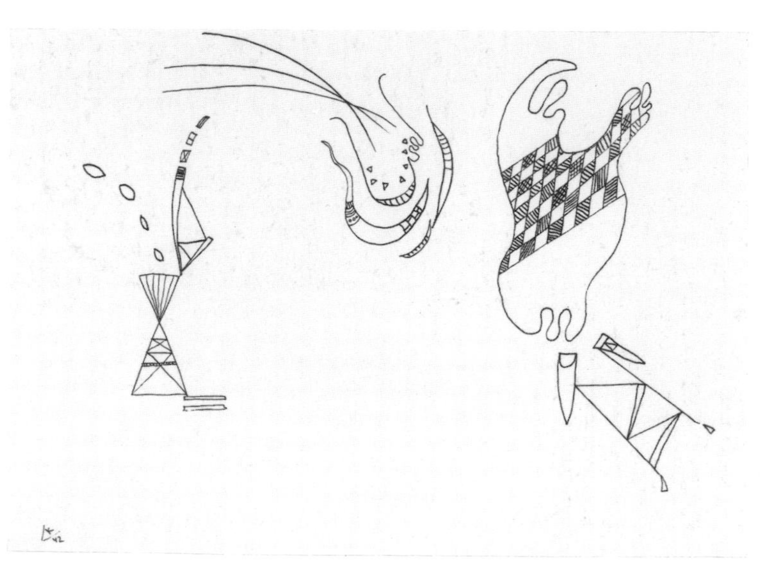

716

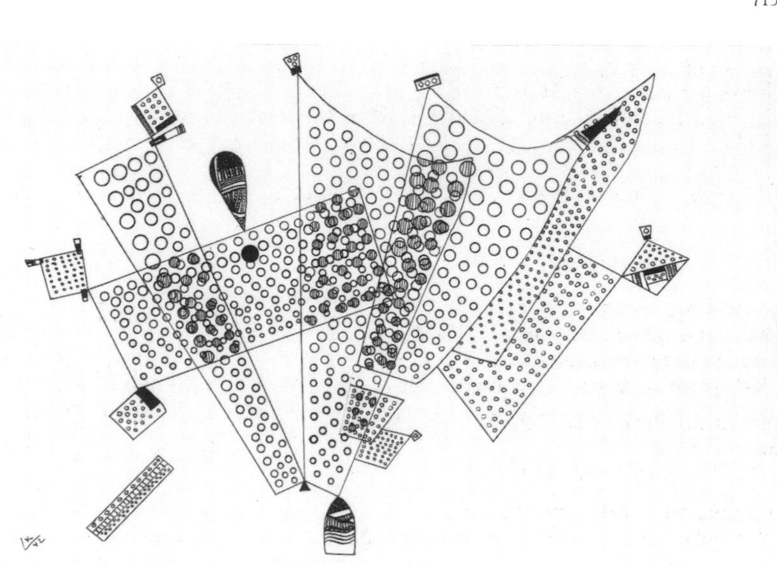

717

711
[Sans titre]
mine de plomb, 27 × 20,8
à rapprocher de la gravure sur linoléum pour *10 origin*
édité par Max Bill et le groupe Allianz à Zurich, 1942
AM 1981-65-603 (Inv 207-i)

712
[Sans titre]
mine de plomb, 27 × 20,8
à rapprocher de la gravure sur linoléum pour *10 origin*
édité par Max Bill et le groupe Allianz à Zurich, 1942
AM 1981-65-604 (Inv. 207-j)

713
Gravure pour *10 origin*, 1942
gravure sur bois, 21 × 16,8
monogrammé en bas à gauche sur la gravure : K
inscription à la mine de plomb sur la marge :
« Première épreuve, 16 mai i942 »
Roethel (gravures) n° 203
AM 1981-65-753 (Inv. 586-88)

714
[Sans titre]
mine de plomb, 20,8 × 27
à rapprocher de l'élément à droite dans la peinture
Accent rond, février-mars 1942, Roethel n° 1126
AM 1981-65-605 (Inv. 378)

715
recto : [Sans titre]
mine de plomb, 16 × 16,4
indication sommaire du coloris en russe
à rapprocher de la peinture *Communauté*, novembre
1942, Roethel n° 1137
verso : n° 718
AM 1981-65-606 recto-verso (Inv. 382)

716
[Sans titre], 1942
encre de Chine, 17 × 27
monogrammé et daté en bas à gauche : K 42
AM 1981-65-607 (Inv. 93)

717
[Sans titre], 1942
encre de Chine, 33,9 × 43,6
monogrammé et daté : K 42
AM 1981-65-608 (Inv. 114)

718
verso : [Sans titre]
mine de plomb, 16 × 16,4
à rapprocher de la peinture *Fête intime*, décembre
1942, Roethel n° 1139
recto : n° 715
AM 1981-65-606 recto-verso (Inv. 382)

719
Une Fête intime, 1942
huile et tempera sur carton, 49,2 × 49,6
monogrammé et daté en bas à gauche : K 42
inscription au revers : « K. n° 701/i942 »

manuscrit Kandinsky IV n° 701 Xii (décembre)
une fête intime
huile + tempera sur carton 49 × 49

Grohmann p. 341, repr. 509 p. 391
Roethel n° 1139 p. 1031, repr. coul. p. 1012
AM 1981-65-70 (Inv. 17)

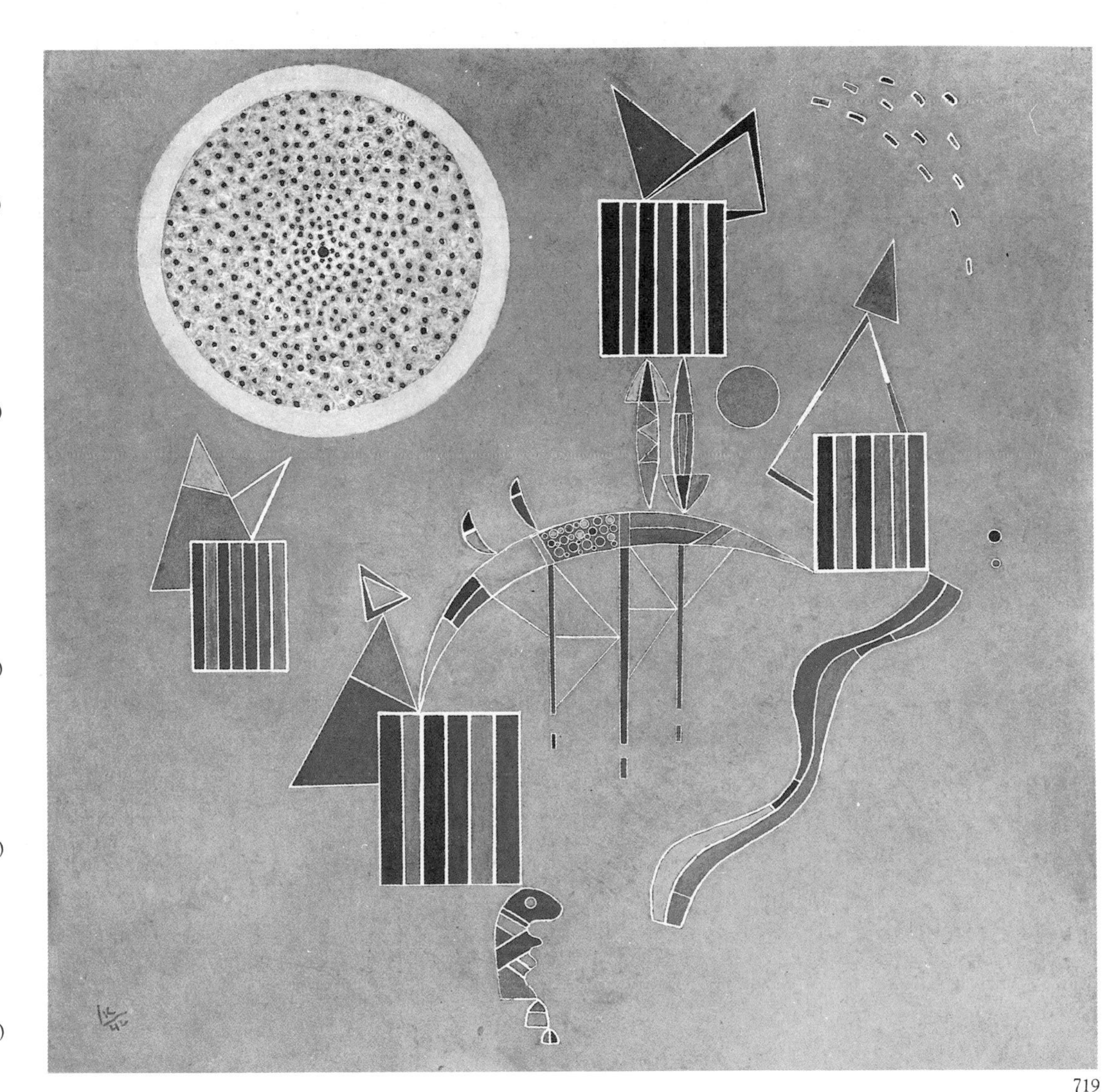
719

718

mns Kandinsky

720
Une Figure flottante, 1942
huile sur bois (acajou), 26 × 20
monogrammé et daté en bas à gauche : K 42
inscription au revers : « K n° 691/i942 »
manuscrit Kandinsky IV N° 691 VII (juillet)
Grohmann p. 341, repr. 500 p. 391
Roethel n° 1129
AM 1981-65-71 (Inv. 301)

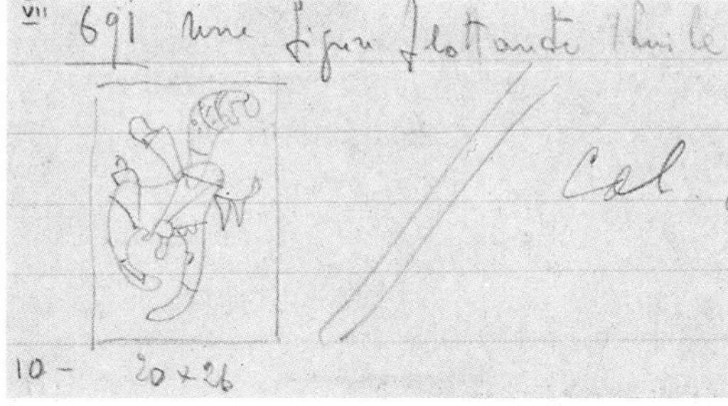

mns Kandinsky

721
Le Filet, 1942
tempera sur carton, 42 × 58
monogrammé et daté en bas à gauche : K 42
manuscrit Kandinsky IV n° 703 XII (décembre)
Grohmann p. 342, repr. 510 p. 391
AM 1981-65-161 (Inv. 297)

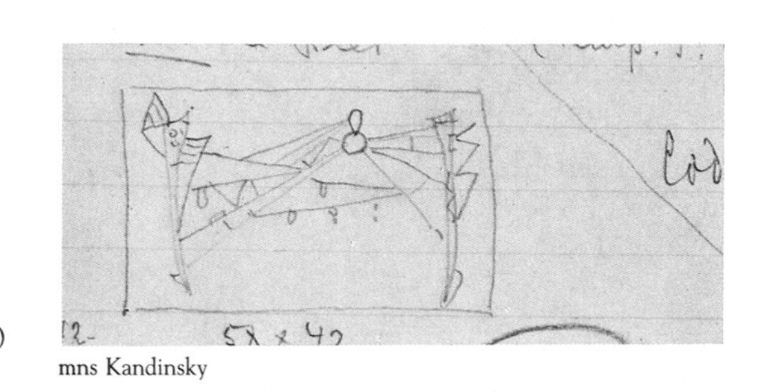

mns Kandinsky

722
Cercle et Carré, 1943
tempera et huile sur carton, 42 × 58
monogrammé et daté en bas à gauche : K 43
manuscrit Kandinsky IV n° 716 IV (avril)
M.V. (photographié par Marc Vaux)
Grohmann p. 342, repr. coul. p. 247
Roethel n° 1153, repr. coul. p. 1037
AM 1981-65-72 (Inv. 18)

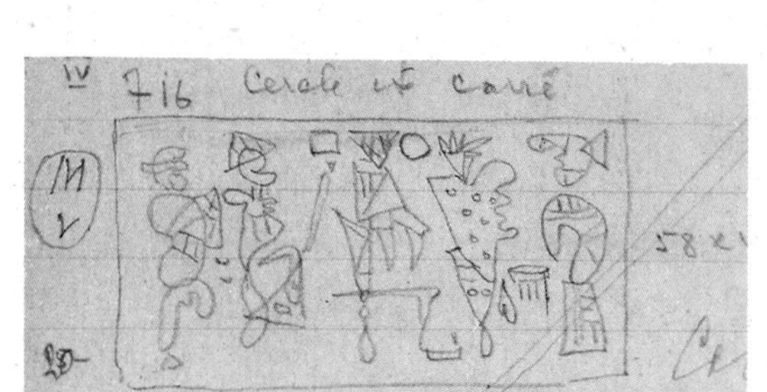

mns Kandinsky

724 f 7

723
Un conglomérat, 1943
gouache et huile sur carton, 58 × 42
monogrammé et daté en bas à gauche : K 43
manuscrit Kandinsky IV n° 728 X (octobre)
Grohmann p. 342, repr. p. 327
Roethel n° 1165
AM 1981-65-73 (Inv. 9)

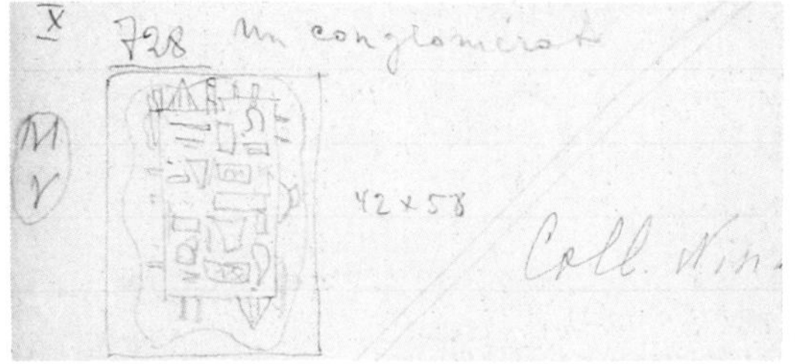

mns Kandinsky

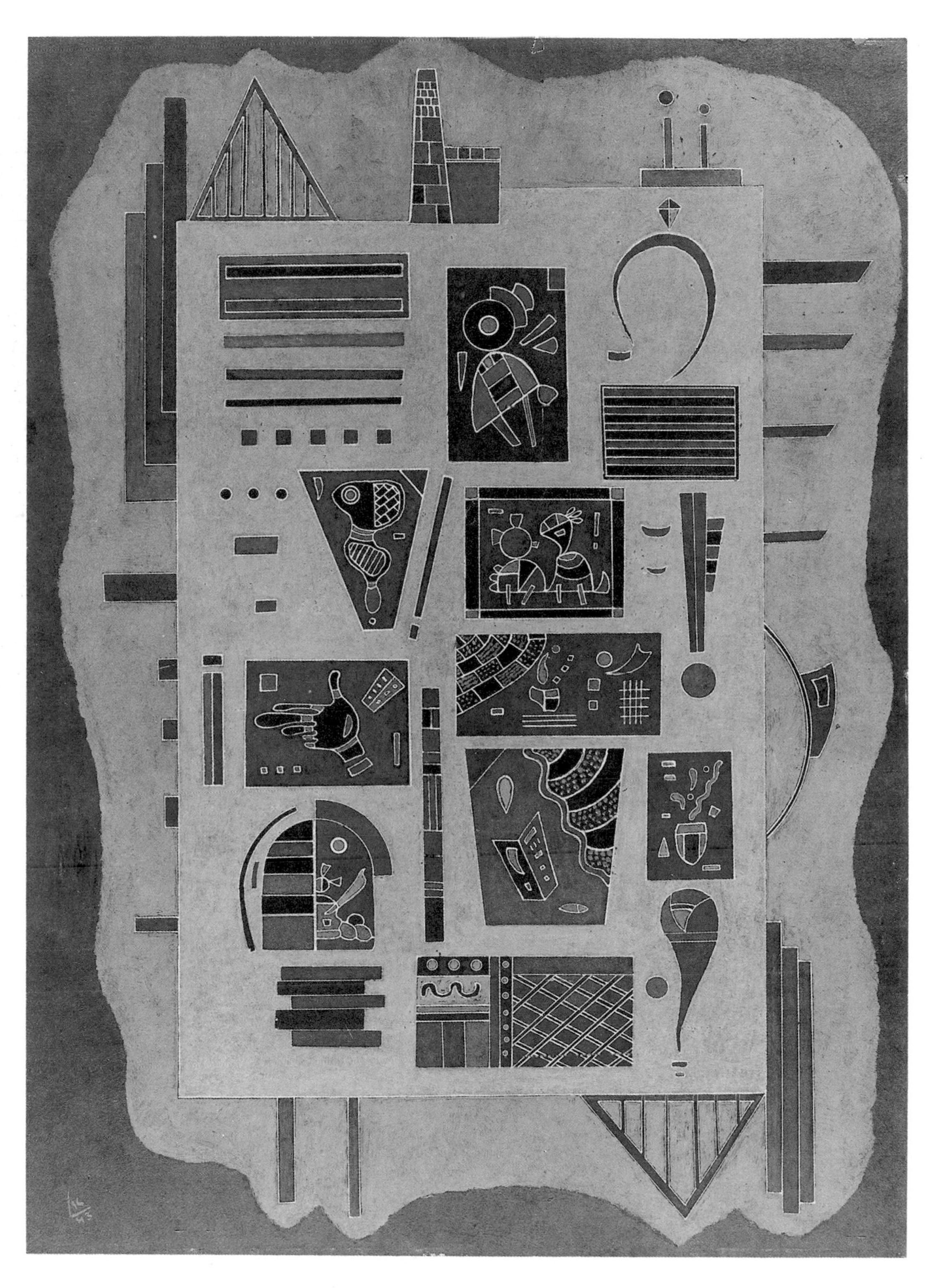

724

Carnet à dessin
couverture et huit feuillets détachables, 26,9 × 20
AM 1981-65-680 (Inv. 409)

f. 1 mine de plomb, à rapprocher de la peinture *Figure blanche*, janvier 1943, Roethel n° 1142
f. 2 encre de Chine
f. 3 mine de plomb
f. 4 mine de plomb
f. 5 encre de Chine
f. 6 encre de Chine
f. 7 *(repr. p. 434)* mine de plomb à rapprocher de la peinture *Cercle et Carré*, avril 1943, Roethel n° 1153
f. 8 mine de plomb et encre de Chine, à rapprocher de la peinture *Accord*, mars 1943, Roethel n° 1150

Notes pour des tableaux futurs, ce serait un excellent titre pour regrouper les deux derniers carnets de croquis de Kandinsky.
Le premier, entrepris et achevé en 1941, contenait 39 dessins à l'encre de Chine. Il a été dépecé en 1972, seuls 9 feuillets sont entrés dans le fonds Kandinsky. Ce ne sont pas des croquis mais des dessins très élaborés, le plus souvent monogrammés et datés. En cette année, Kandinsky souffre des rigueurs de l'hiver, de la pénurie de matériaux. Il en est réduit, comme beaucoup d'autres artistes, à consigner ses idées de composition dans des carnets. Magnelli, réfugié à Grasse, dessine et rehausse de gouache de nombreuses compositions qui ne seront mises au carreau qu'après-guerre. Reichel, interné en tant que ressortissant allemand, cristallise son énergie de peintre sur les feuillets d'un carnet pendant son séjour forcé au camp de Gurs.
Kandinsky, lui, peut reprendre quelques-uns de ses dessins dans des peintures qu'il exécute sur carton à partir de 1943. Il a trouvé miraculeusement, à défaut de toile, un stock de support rigide qui satisfait la boulimie de peinture, huile et tempera qui caractérise ses dernières années. Jusqu'en mars 1943, il peut travailler normalement, ensuite la maladie le confine progressivement à l'inaction. On peut donc situer le dernier carnet de dessins entre 1943 et le début de 1944. C'est un carnet acheté chez Lucien Lefebvre-Foinet. Il ne contient plus que 8 feuillets, 19 feuillets en ont été détachés. On y trouve deux études à la mine de plomb pour des compositions exécutées en 1943, la *Figure blanche* et *Cercle et Carré*. Dans ce dernier dessin, on accuse la progression de la maladresse dans le trait qui tremble un peu. La composition n'est pas encore centrée; les figures se serrent sur la gauche. Les formes géométriques, cercle et carré, chevauchent encore les autres formes de la composition.
On y trouve également quelques dessins à l'encre de Chine qui ne sont pas terminés. Le fonds Kandinsky présente très peu d'œuvres inachevées : certains feuillets de ce carnet, deux peintures sur carton dont le dessin avait été clairement arrêté, une aquarelle encore tendue sur une planche à dessin.

725

[Sans titre]
mine de plomb, 24,7 × 20
recto : indication sommaire du coloris en russe à rapprocher de la peinture *Éventail*, février 1943, Roethel n° 1144
verso : deux croquis indépendants, celui de droite pouvant être rapproché de la peinture *Simplicité*, février 1943, Roethel n° 1145
AM 1981-65-610 recto-verso (Inv. 383)

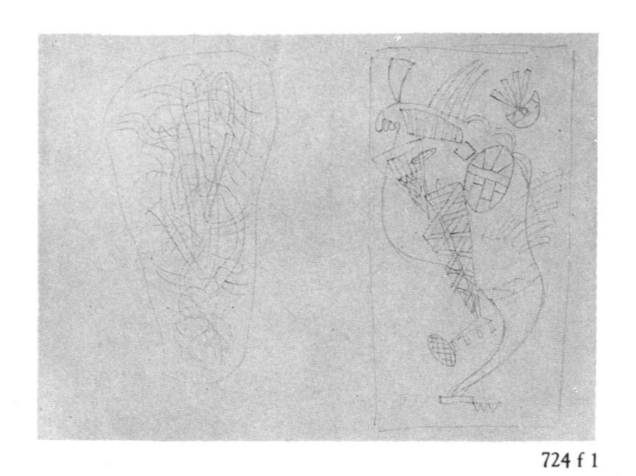

724 f 1

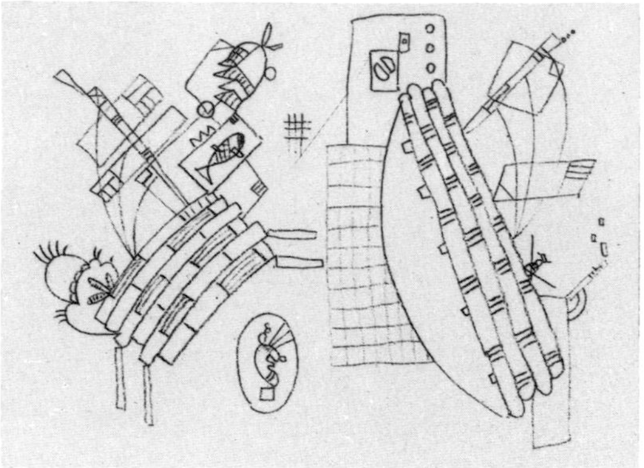

f 3

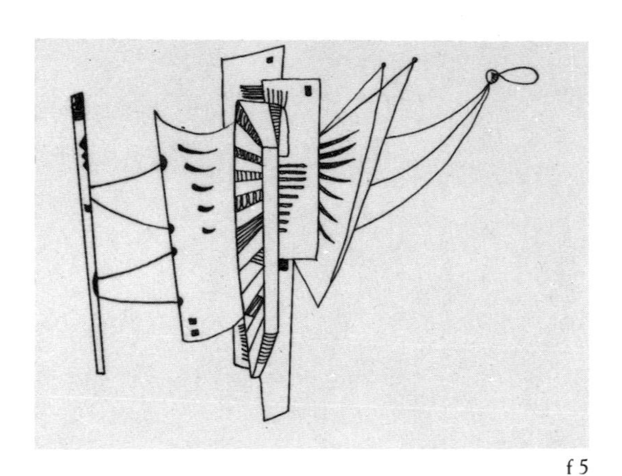

f 5

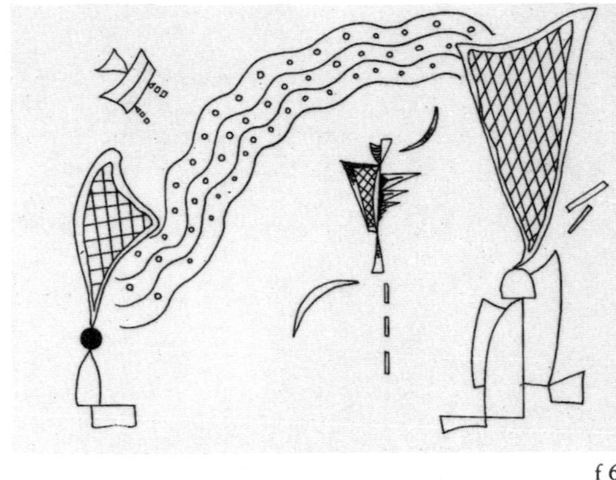

f 6

f 8

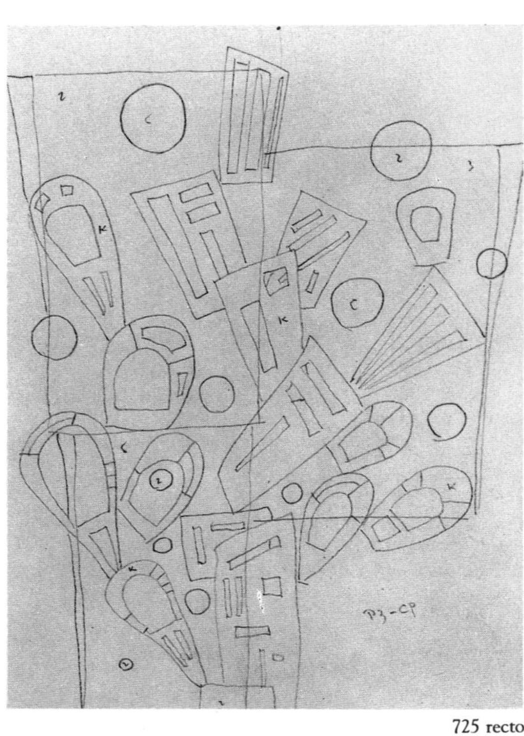

725 recto

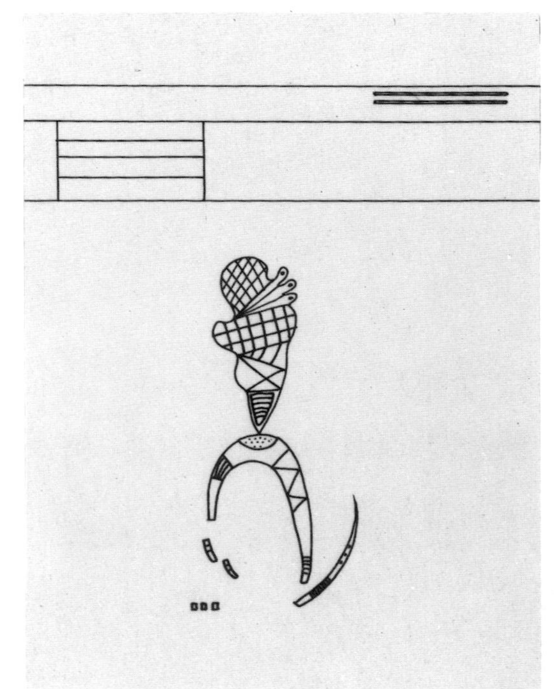

f 2

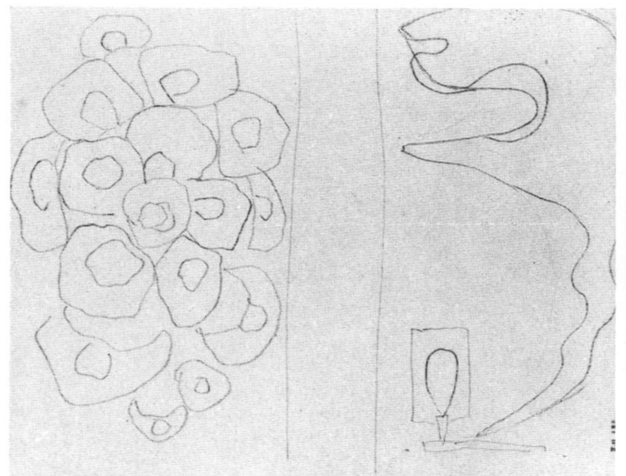

725 verso

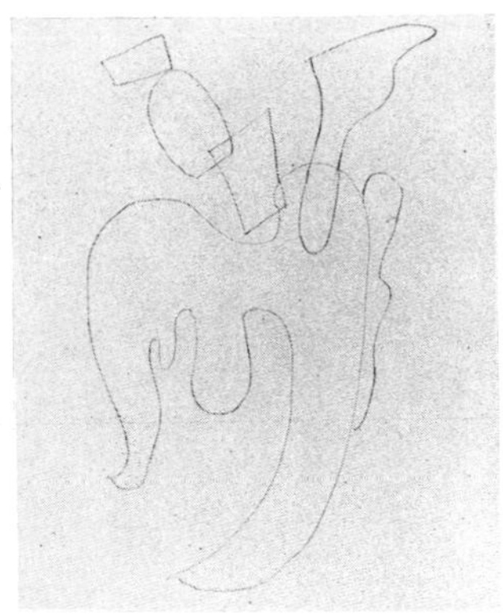

724 f 4

726
[Sans titre]
mine de plomb sur feuillet d'un bloc à dessin, 22 × 16
recto : indication sommaire du coloris en russe
à rapprocher de la peinture *Division-Unité,* février 1943, Roethel n° 1146
verso : à rapprocher de la peinture *La Flèche,* février 1943, Roethel n° 1148
AM 1981-65-611 recto-verso (Inv. 209-5)

727
[Sans titre]
encre de Chine, 21,6 × 28,5
monogrammé en bas à gauche avec le timbre de l'atelier : K
à rapprocher de la peinture *Autour de la ligne,* février 1943, Roethel n° 1147
AM 1981-65-612 (Inv. 86)

728
[Sans titre]
mine de plomb, 20 × 27
recto : indication sommaire du coloris en russe
à rapprocher de la peinture *Le Zig-Zag,* mars 1943, Roethel n° 1149
verso : fragment de texte en allemand
AM 1981-65-613 (Inv. 207 a)

729
[Sans titre]
mine de plomb sur feuillet d'un bloc à dessin, 16 × 22
à rapprocher de la peinture *L'Élan brun,* avril 1943, Roethel n° 1152
AM 1981-65-614 (Inv. 209-7)

730
[Sans titre]
mine de plomb, 13,4 × 20,7
indication sommaire du coloris en russe
à rapprocher de la peinture *Épanouissement,* avril 1943, Roethel n° 1154
AM 1981-65-615 (Inv. 209-6)

731
[Sans titre]
mine de plomb, 21 × 14,5
à rapprocher de la peinture *Crépuscule,* juin 1943, Roethel n° 1157
AM 1981-65-616 (Inv. 209-8)

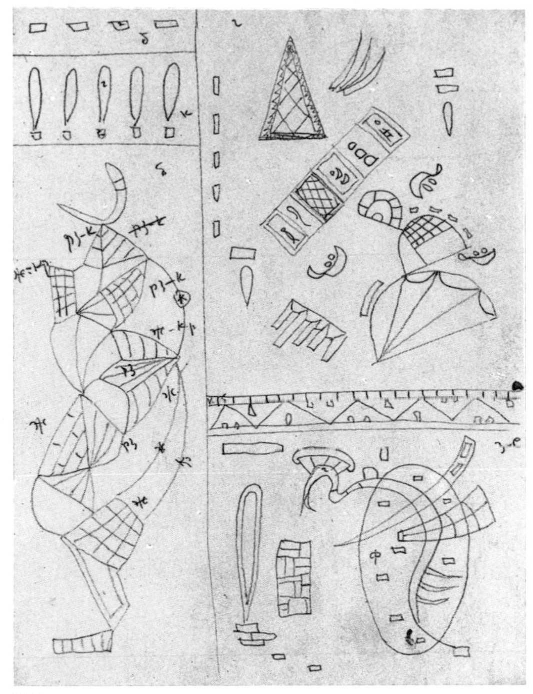

726 recto

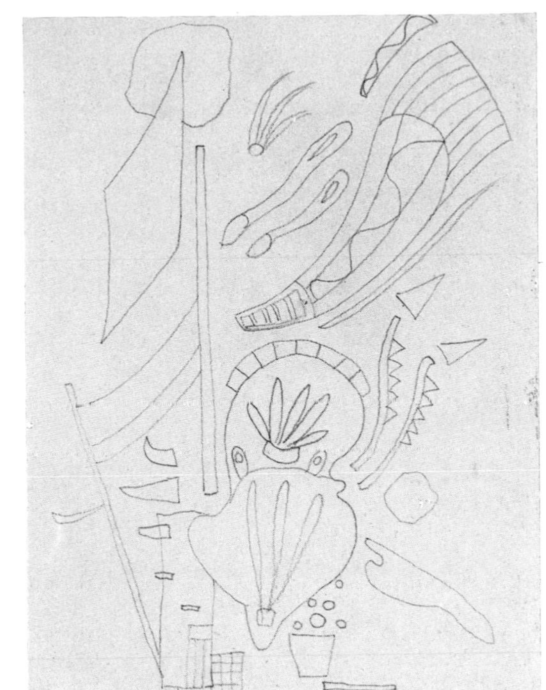

731

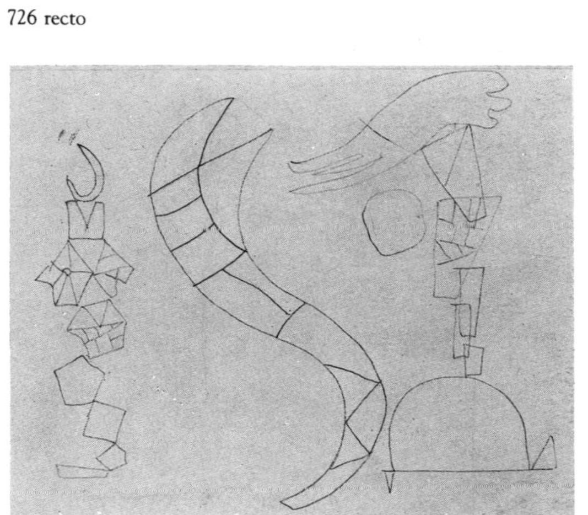

726 verso

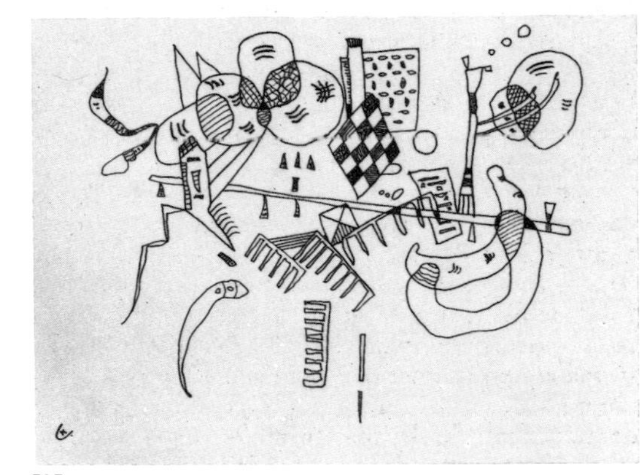

727

728

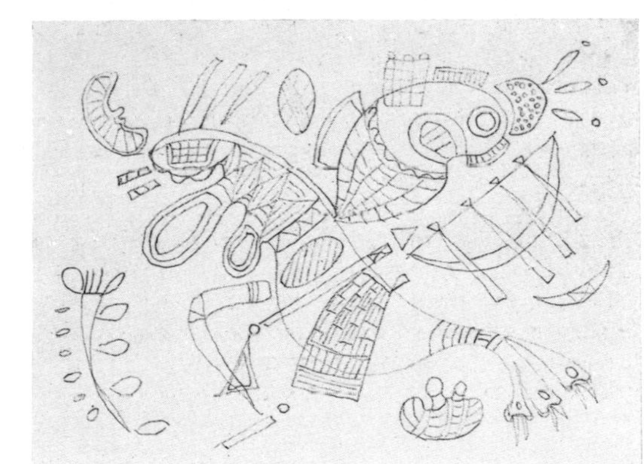

729

730

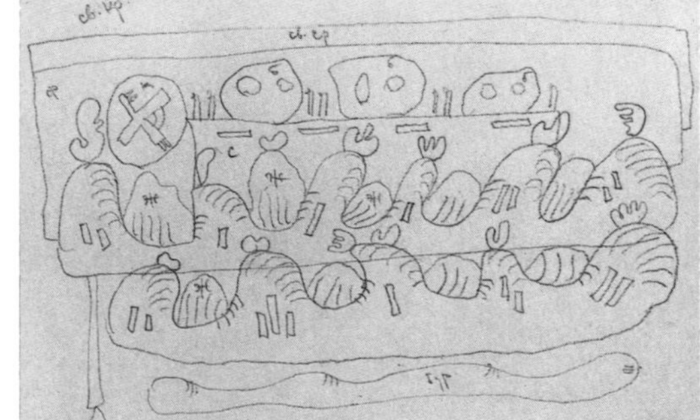

765 recto

732
[Sans titre]
mine de plomb, 21 × 13,5
recto : à rapprocher de la peinture *Fils fins,* août 1943, Roethel n° 1163
verso (non reproduit) : croquis sommaire
AM 1981-65-617 recto-verso (Inv. 593-16)

733
[Sans titre]
mine de plomb, feuillet taché, 13,5 × 21
indication sommaire du coloris en russe
à rapprocher de la peinture *Accent rouge,* juin 1943, Roethel n° 1159
AM 1981-65-618 (Inv. 208-c)

734
[Sans titre], 1943
mine de plomb, 28,4 × 19,5
recto : [formes biomorphiques en suspension dans l'espace]
daté en haut à droite : 1943
verso (repr. p. 439) : croquis à rapprocher de la peinture *Ruban au carré,* janvier 1944, Roethel n° 1168
AM 1965-65-619 recto-verso (Inv. 387)

735
[Sans titre]
mine de plomb sur feuillet d'un bloc à dessin, 22 × 16
indication sommaire du coloris en russe
AM 1981-65-620 (Inv. 626-56)

736
[Sans titre]
mine de plomb sur feuillet d'un bloc à dessin, 22 × 16
AM 1981-65-621 (Inv. 593-19)

737
[Sans titre]
mine de plomb sur feuillet d'un bloc à dessin, 22 × 16
[formes biomorphiques en suspension dans l'espace]
AM 1981-65-622 (Inv. 626-59)

738
[Sans titre]
mine de plomb, 26,4 × 26,1
AM 1981-65-623 (Inv. 397)

732

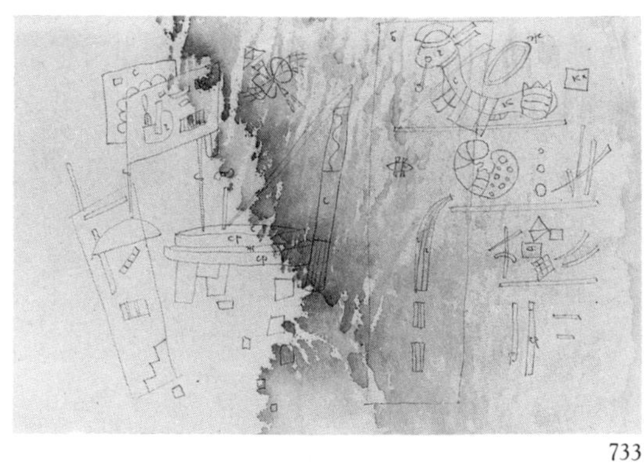
733

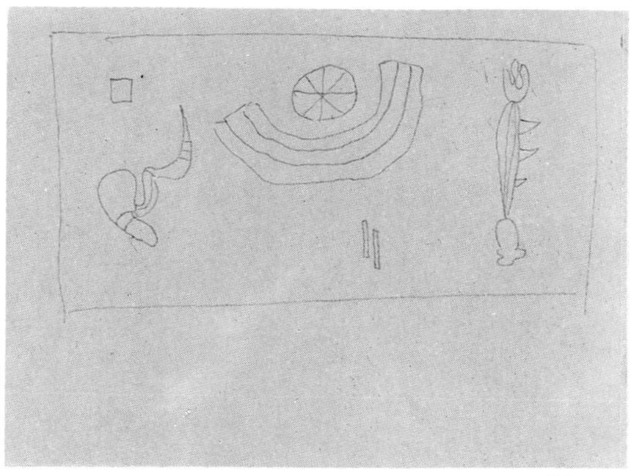
734 recto

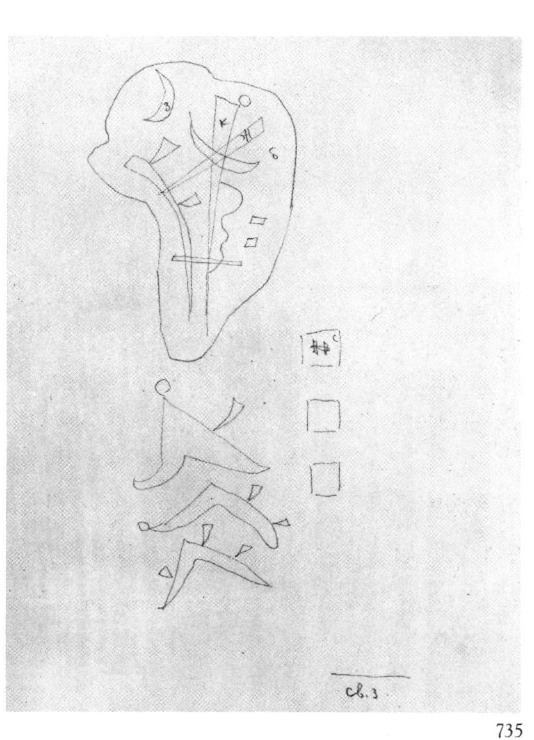
735

736

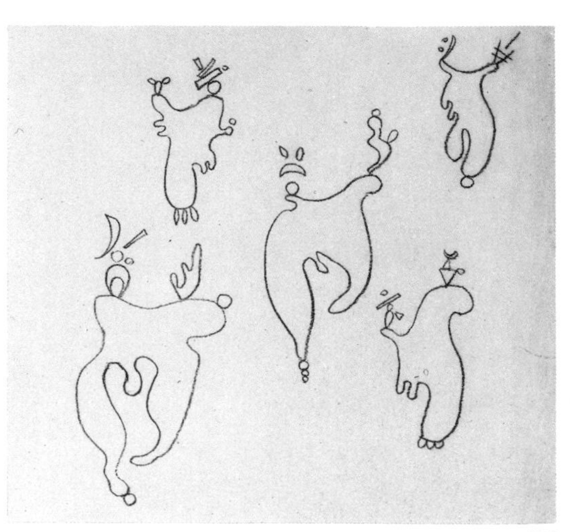
738

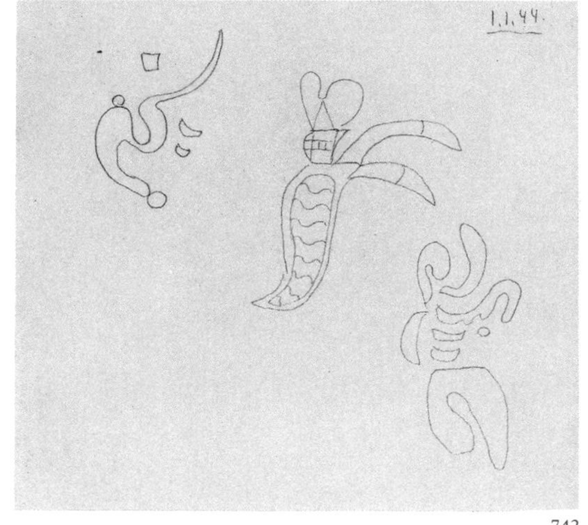
742

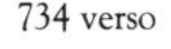

734 verso

737

739

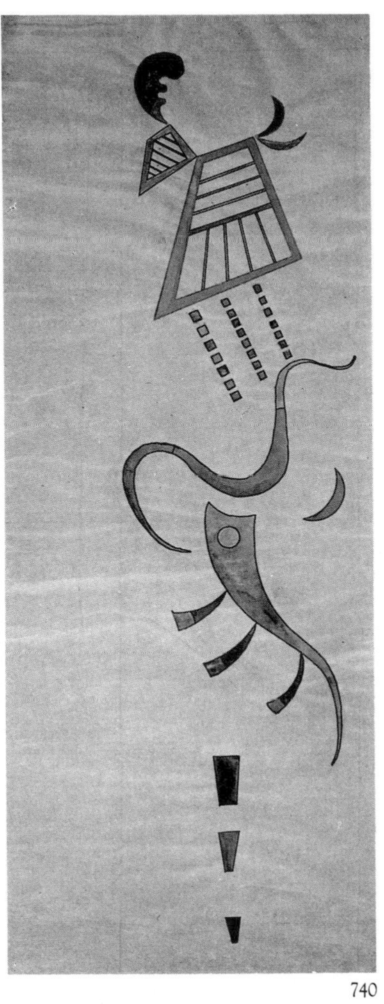

740

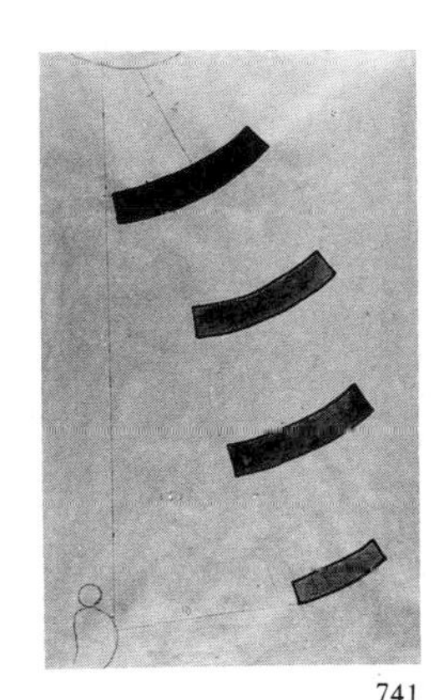

741

739
[Sans titre]
aquarelle et encre sur papier craft avec morceau raccordé en bas, 105,5 × 47
ni signé, ni daté
étude pour l'impression d'étoffe de prestige, commande de la Société industrielle de la Lys
AM 1981-65-162 (Inv. 721-b)

740
[Sans titre]
aquarelle et encre sur papier craft, 100 × 37
ni signé, ni daté
étude pour l'impression d'étoffe de prestige, commande de la Société industrielle de la Lys
AM 1981-65-163 (Inv. 721-a)

741
[Sans titre]
aquarelle, encre et mine de plomb sur papier craft, 33,7 × 24,2 (irrégulier)
étude pour l'impression d'étoffe de prestige, commande de la Société industrielle de la Lys
AM 1981-65-164 (Inv. 721-c)

742
[Sans titre], 1944
mine de plomb, 28,5 × 19,5
daté en haut à droite : 1.1.44
AM 1981-65-624 (Inv. 400)

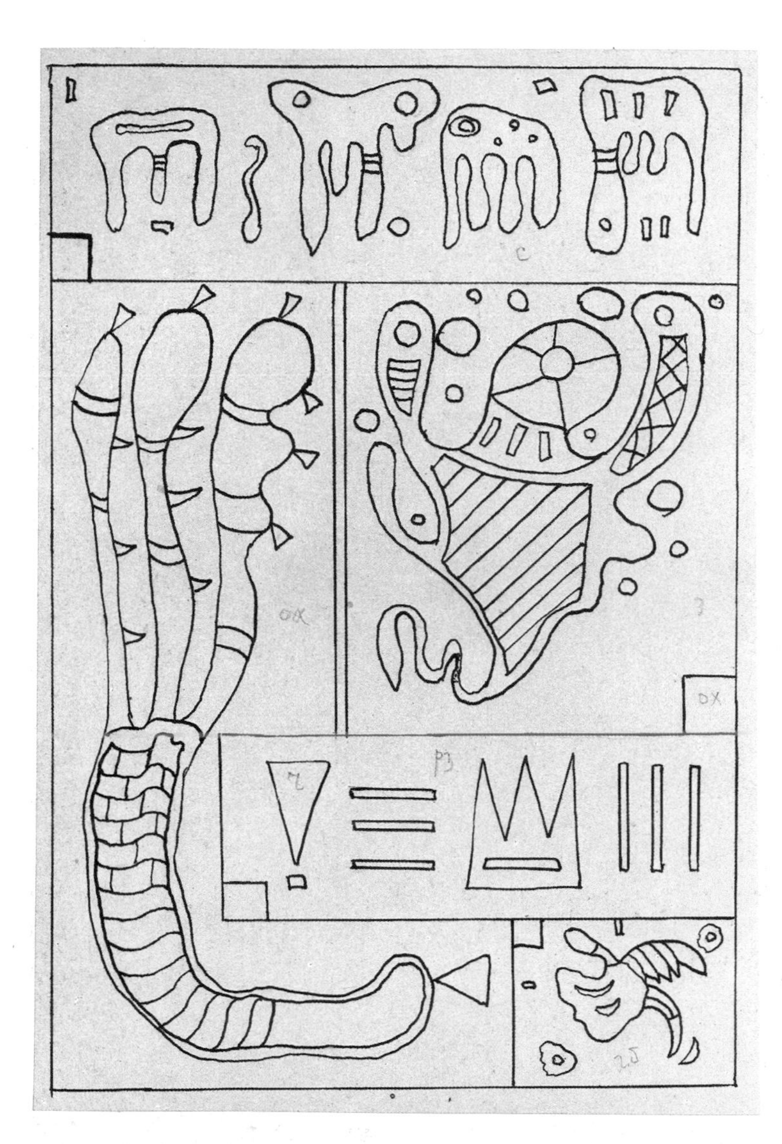

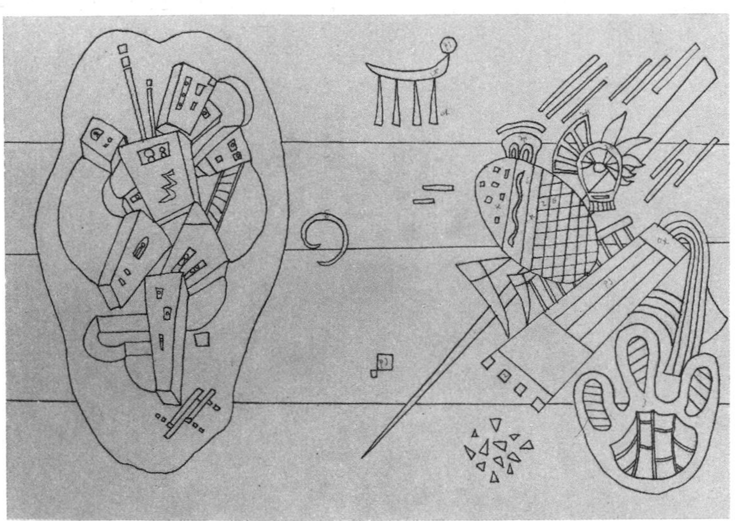

743
[Sans titre]
encre de Chine et mine de plomb, 23,8 × 16,5
indication sommaire du coloris en russe
à rapprocher de la peinture *Cinq parties,* janvier 1944, Roethel n° 1169
AM 1981-65-625 (Inv. 209-9)

744
[Sans titre]
encre de Chine, 19,4 × 28,5
indication sommaire du coloris en russe, à la mine de plomb
à rapprocher de la peinture *Isolation,* janvier 1944, Roethel n° 1170
verso : brouillon d'une lettre en français à la mine de plomb : « je voudrais attirer votre attention sur une exposition chez Mme J.B. (Jeanne Bucher) (...) trois artistes sont exposés, D(omela), de S(taël) et K(andinsky)... »
AM 1981-65-626 (Inv. 386)

745
Le Petit Rond rouge, 1944
gouache et huile sur carton, 42 × 58
monogrammé et daté en bas à gauche : K 44
inscription au revers : « K 734/1944 »
manuscrit Kandinsky IV n° 734 I (janvier)
Grohmann p. 342, repr. n° 529 p. 393
Roethel n° 1171
AM 1981-65-74 (Inv. 35)

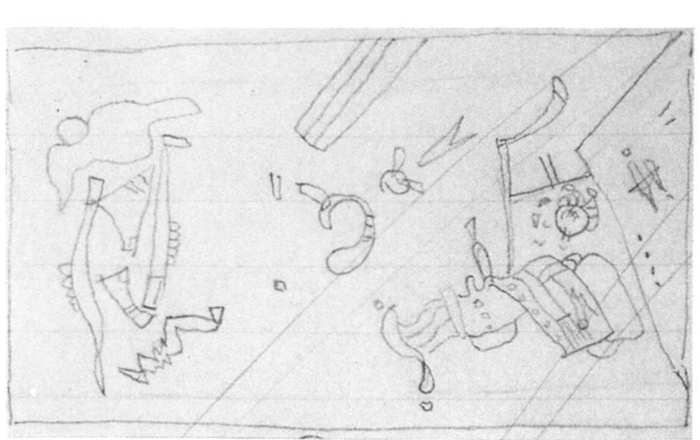

mns Kandinsky

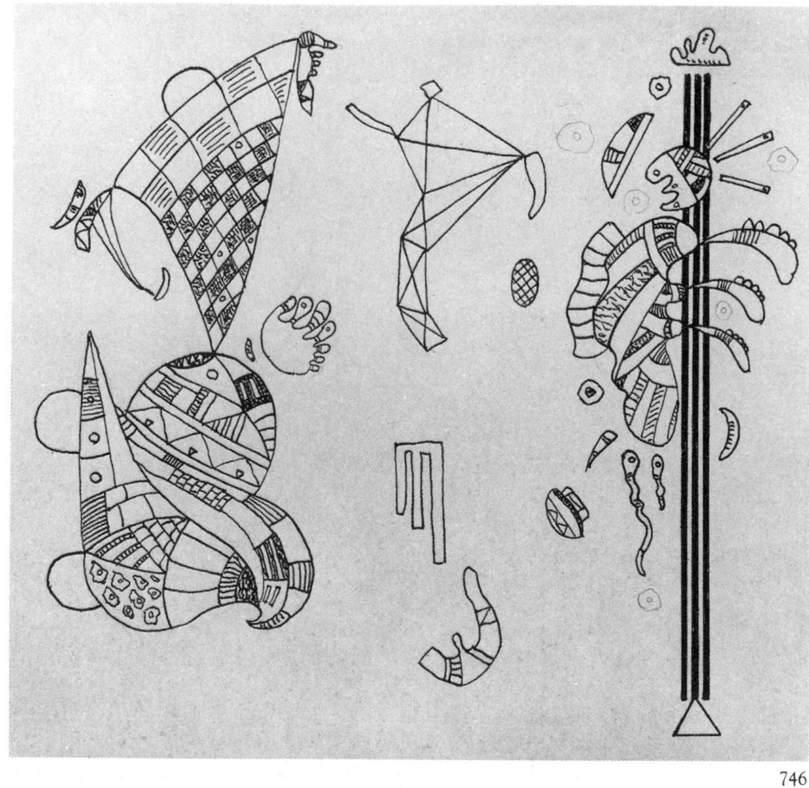

746

747

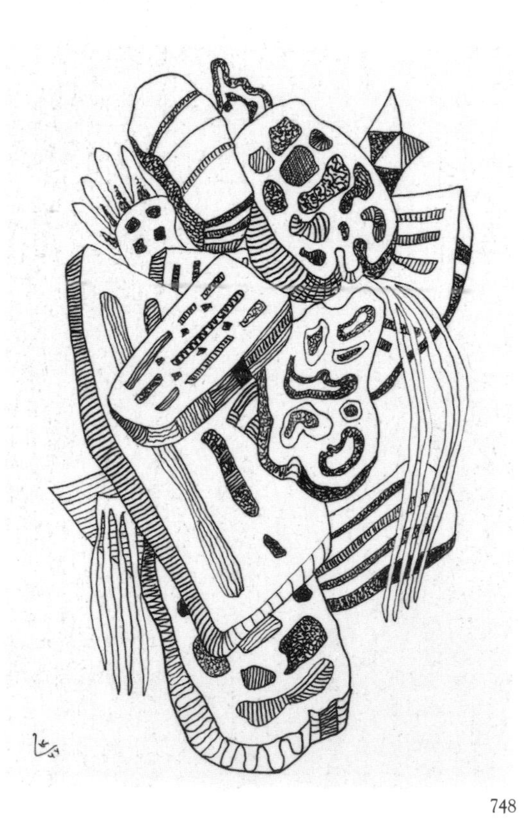

748

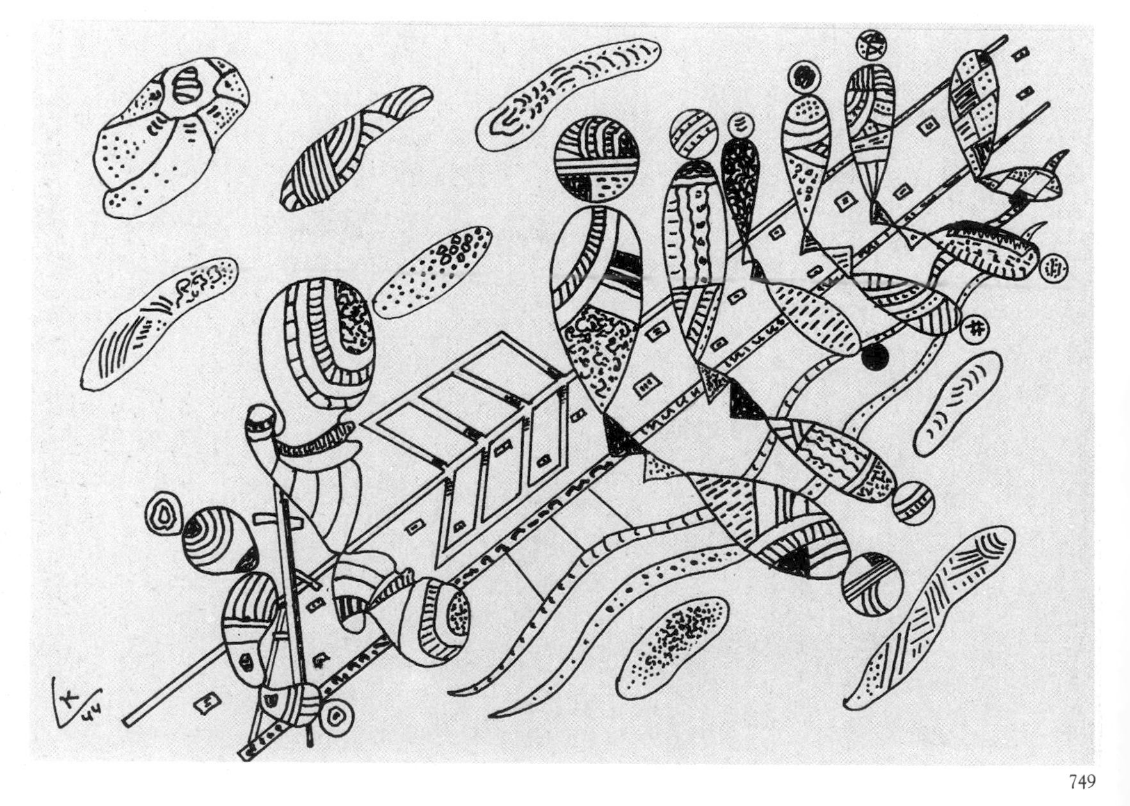

749

746
[Sans titre]
encre de Chine et mine de plomb, 19,6 × 21,1
à rapprocher de la peinture *Le Lien vert,* février 1944, Roethel n° 1174
AM 1981-65-627 (Inv. 385)

747
[Sans titre], 1944
encre de Chine, 27,3 × 17,2
monogrammé et daté en bas à gauche : K 44
à rapprocher de la partie droite de la peinture *Le Lien vert,* février 1944, Roethel n° 1174
AM 1981-65-628 (Inv. 87)

748
[Sans titre], 1944
encre de Chine, 28,4 × 19,3
monogrammé et daté en bas à gauche : K 44
verso : inscription de Mme Nina Kandinsky :
« le dernier dessin de Kandinsky » et « dessin n° 7 »
AM 1981-65-629 (Inv. 94)

749
[Sans titre], 1944
encre de Chine, 19 × 27,8
monogrammé et daté en bas à gauche : K 44
AM 1981-65-630 (Inv. 73)

750
[Sans titre]
mine de plomb, 19,5 × 28,4
indication sommaire du coloris en russe
recto : à rapprocher de la peinture *L'Élan tempéré,*
mars 1944, Roethel n° 1175
verso (repr. p. 444) : à rapprocher de la peinture
inachevée [Sans titre], n° 752
AM 1981-65-631 recto-verso (Inv. 384)

751
L'Élan tempéré, 1944
huile sur carton, 42 × 58
monogrammé et daté en bas à gauche : K 44
manuscrit Kandinsky IV n° 738 III (mars)
Grohmann p. 342, repr. coul. p. 249
Roethel n° 1175
AM 1981-65-75 (Inv. 7)

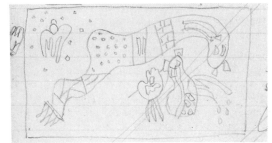

mns Kandinsky

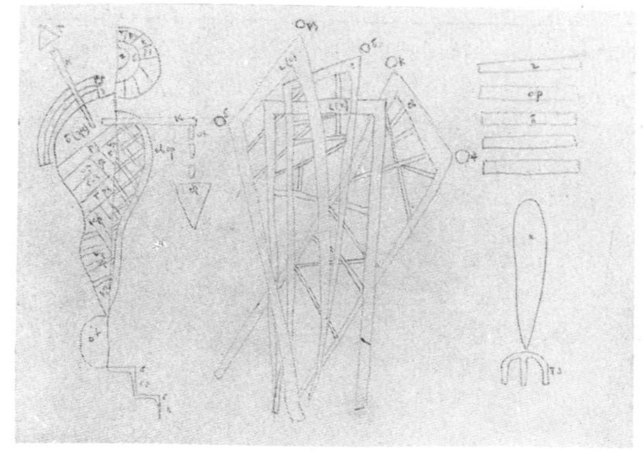

750 verso

752
[Sans titre, peinture inachevée]
huile sur carton, 42 × 58
ni signé, ni daté
Grohmann p. 342, repr. 534 p. 393
Roethel n° 1177
AM 1981-65-76 (Inv. 296)

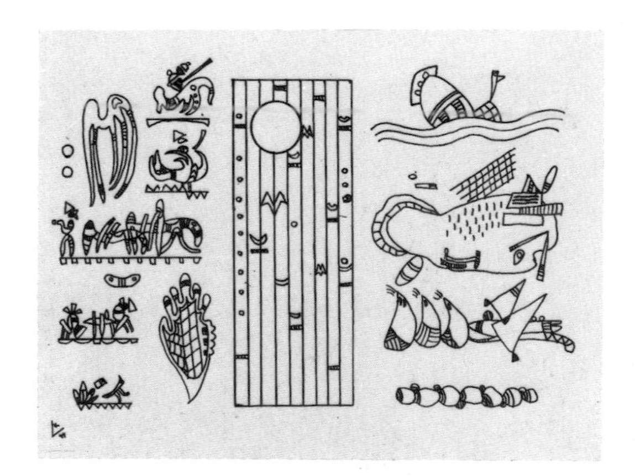

753
[Sans titre], 1944
encre de Chine, 19,4 × 28,4
monogrammé et daté en bas à gauche : K 44
à rapprocher de la peinture inachevée [Sans titre], n° 754
AM 1981-65-632 (Inv. 79)

754
[Sans titre, peinture inachevée]
gouache et huile sur carton, 42 × 58
ni signé, ni daté
Grohmann p. 342, repr. 533, p. 393
Roethel n° 1176
AM 1981-65-77 (Inv. 295)

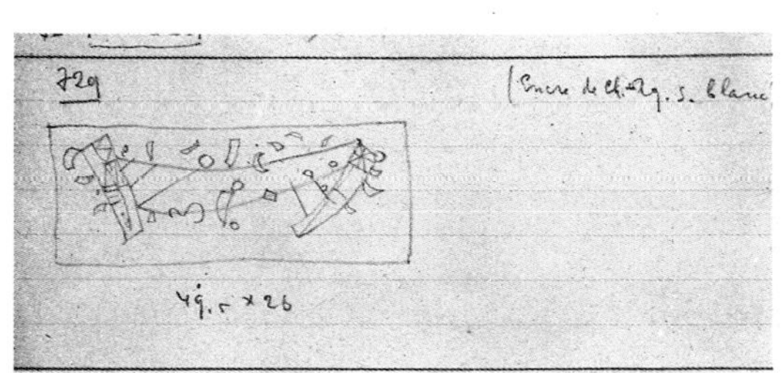

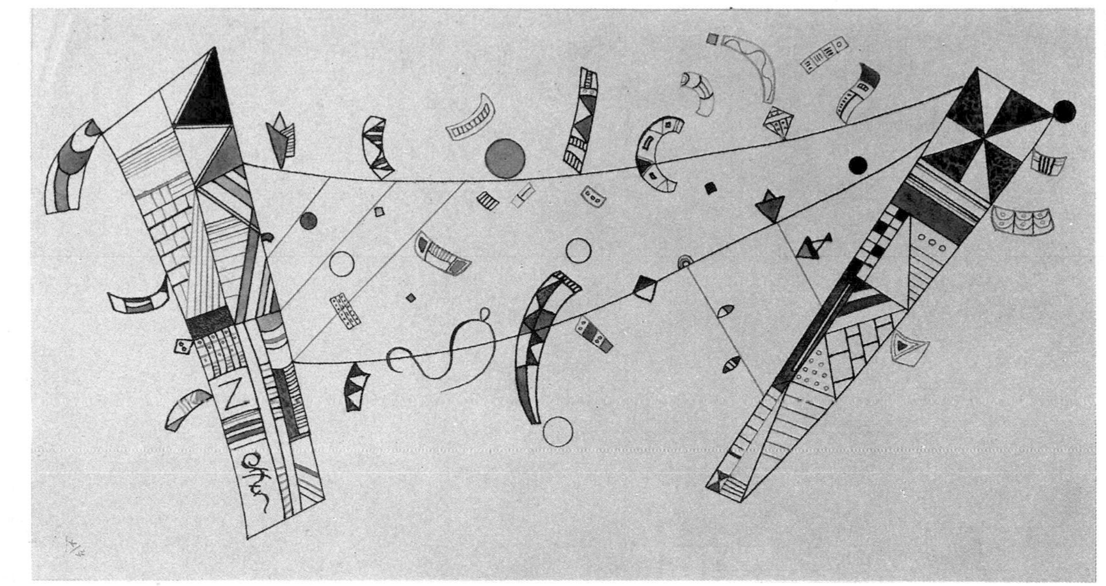

755
[Avant-dernière aquarelle], 1944
aquarelle et encre de Chine, 25,9 × 49,1
monogrammé et daté en bas à gauche : K 44
manuscrit Kandinsky VI nº 729 (encre de Ch.
+ aq. s. blanc)
à rapprocher de la gouache K nº 643 [Sans titre sur fond noir], 1940
verso : inscription à la mine de plomb par Mme Nina Kandinsky : « Avant-dernière aquarelle 1944 / nº 729 »
AM 1981-65-165 (Inv. 56)

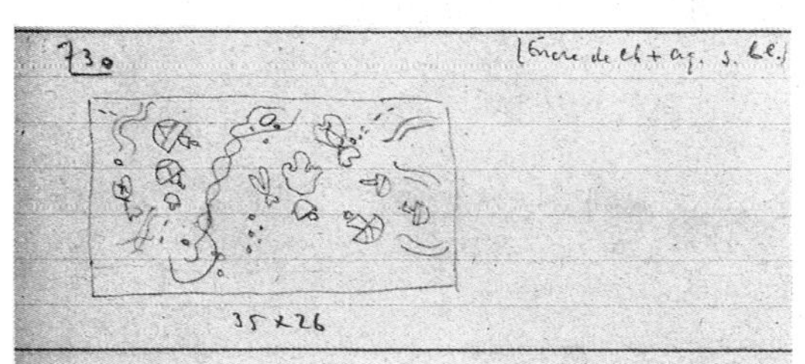

756
[Dernière aquarelle], 1944
aquarelle, encre de Chine, mine de plomb,
25,5 × 34,6
monogrammé et daté en bas à gauche : K 44
manuscrit Kandinsky VI nº 730 (sans indication de mois)
à rapprocher du feuillet 22 du carnet Sennelier de 1941, fac-similé des éditions Karl Flinker, 1972
AM 1981-65-166 (Inv. 59)

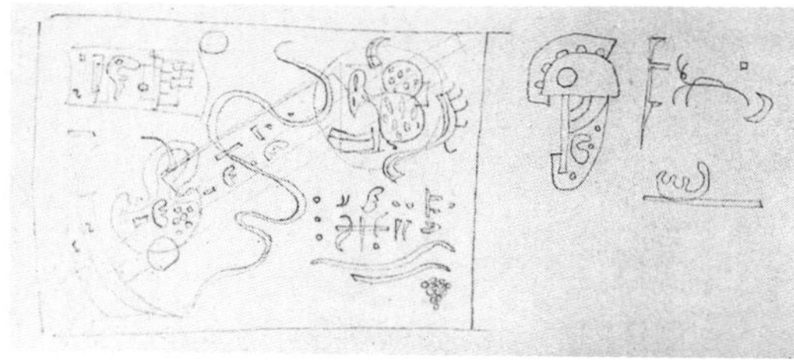

757

758

757
[Sans titre]
mine de plomb, 7,4 × 20,7
croquis à rapprocher du grand dessin aquarellé inachevé n° 758
AM 1981-65-633 (Inv. 626-49 a)

758
[Sans titre]
aquarelle, encre de Chine, mine de plomb, 30,2 × 46
support collé à l'aide de bandes adhésives sur une planche de travail, 45,5 × 63
AM 1981-65-167 (Inv. 196 a)

759
Pochoir, 27 × 20,5
édité pour l'album Kandinsky par les éditions Duwaer à Amsterdam en 1945
légende du pochoir : « Composition 1944 »
Roethel (gravures) p. 485 fig. 73
AM 1981-65-754 (Inv. suppl.)

760
[Sans titre]
huile et tempera sur carton, 58 × 42
ni signé, ni daté
Roethel n° 1032 (daté : 1934)
AM 1981-65-78 (Inv. 298)

759

760

761
[Sans titre]
mine de plomb, 19,7 × 23 (irrégulier), indication du coloris en russe
AM 1981-65-634 recto-verso (Inv. 626-81 b)

762
[Sans titre]
mine de plomb, 21 × 13,3
AM 1981-65-635 recto-verso (Inv. 626-34)

763
[Sans titre]
mine de plomb, 14,1 × 11
AM 1981-65-636 (Inv. 594-42)

764
[Sans titre]
mine de plomb, 26,8 × 21
AM 1981-65-637 (Inv. 626-40)

765
[Sans titre]
mine de plomb, 13,6 × 21,1
recto (repr. p. 437) : à rapprocher de la peinture *Inquiétude*, nov.-déc. 1943, Roethel n° 1167
verso (non repr.) : croquis avec indication sommaire du coloris en russe
AM 1981-65-638 recto-verso (Inv. 593-12)

766 *(repr. p. 390)*
[Sans titre]
mine de plomb, 14,5 × 10,2, inscription en haut à gauche en russe : « contours... »
AM 1981-65-639 (Inv. 209-2)

767
[Sans titre]
mine de plomb, 14,5 × 10,2, indic. sommaire du coloris en russe
à rapprocher de la peinture *Ténèbre*, juin 1943, Roethel n° 1158
AM 1981-65-640 (Inv. 209-3)

768
[Sans titre]
mine de plomb, 21 × 13,6, indication sommaire du coloris en russe
verso : repr. p. 390
AM 1981-65-641 recto-verso (Inv. 207-g)

769
[Sans titre]
mine de plomb, 14,4 × 10,2
AM 1981-65-642 (Inv. 208-b)

770
[Sans titre]
mine de plomb sur feuillet quadrillé d'un carnet, 17,3 × 10,4
à rapprocher de la partie droite de la peinture *Accord*, mars 1943, Roethel n° 1150
AM 1981-65-643 (Inv. 208-a)

771
[Sans titre]
mine de plomb sur feuillet quadrillé, 13,2 × 9,5 (irrégulier)
croquis : silhouette d'une personne assise dans un atelier (?)
AM 1981-65-644 (Inv. 405-a)

772 *(non reproduit)*
[Sans titre]
mine de plomb sur fragment d'un feuillet quadrillé, 10,3 × 6,65
AM 1981-65-645 (Inv. 405-b)

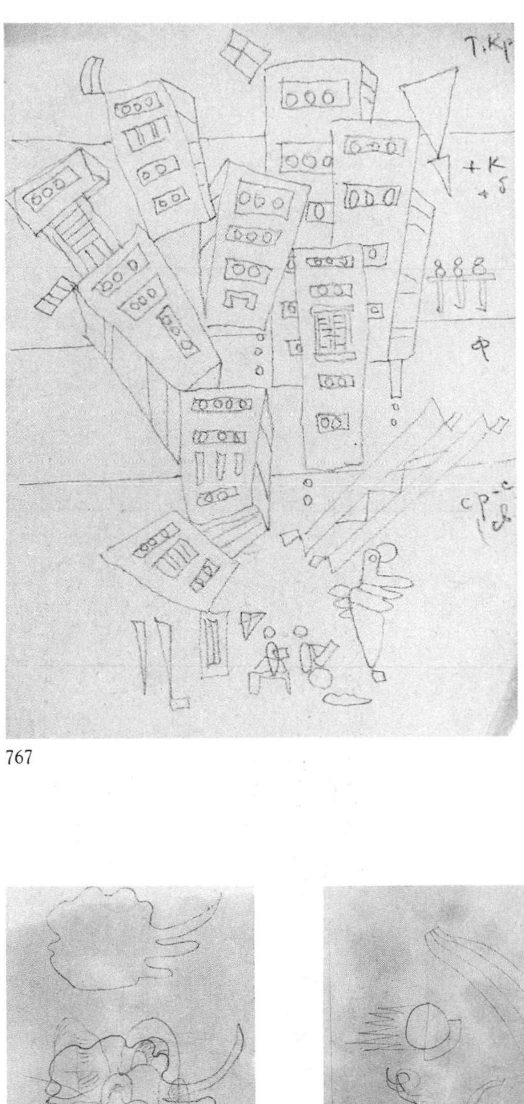
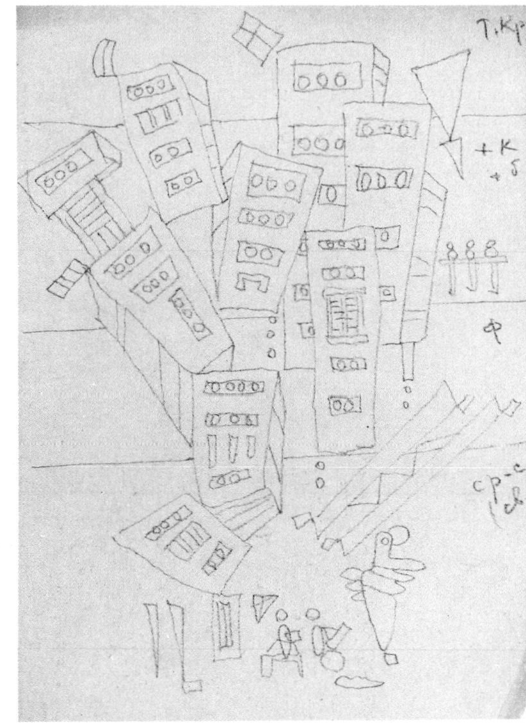

767

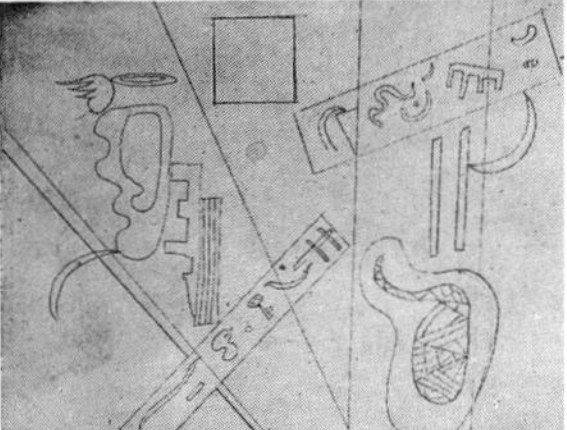

761 recto

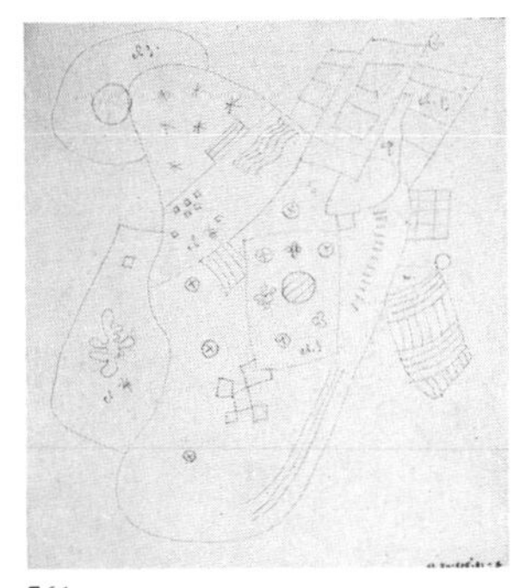

761 verso

762 recto

762 verso

763

764

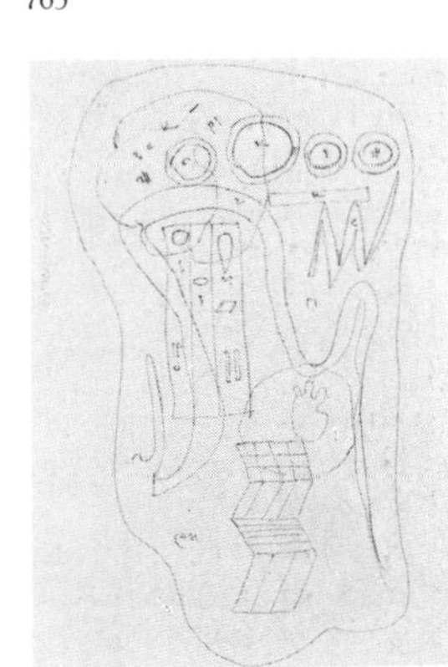

768 recto

769

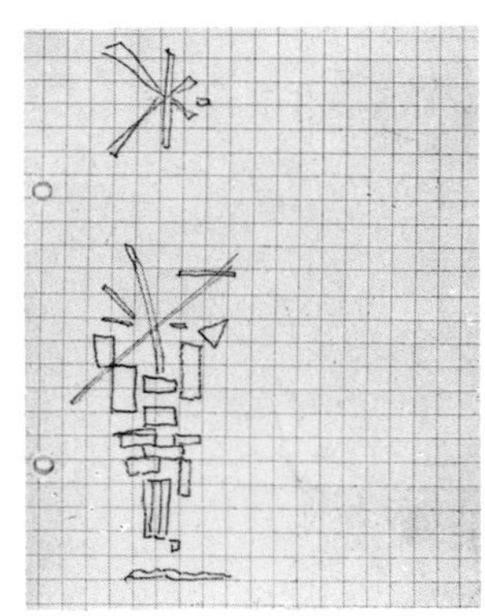

770

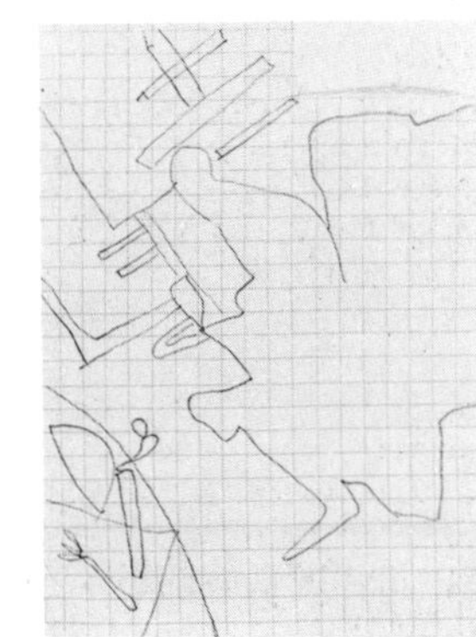

771

773 (*non reproduit*)
[Sans titre]
mine de plomb sur feuillet quadrillé d'un carnet, 17,3 × 10,3
AM 1981-65-646 (Inv. 379)

774 (*non reproduit*)
[Sans titre]
mine de plomb sur feuillet quadrillé d'un carnet, 17,3 × 10,3
recto : à rapprocher de la peinture *Crépuscule*, juin 1944, Roethel n° 1157
verso : croquis avec indication sommaire du coloris en russe
AM 1981-65-647 recto-verso (Inv. 380)

775 (*non reproduit*)
[Sans titre]
mine de plomb sur feuillet quadrillé d'un carnet, 17,3 × 10,3
AM 1981-65-648 (Inv. 381)

776 (*non reproduit*)
[Sans titre]
mine de plomb sur fragment d'un feuillet quadrillé d'un carnet, 10,4 × 8,8, indication sommaire du coloris en russe
AM 1981-65-649 recto-verso (Inv. 593-11)

777 (*repr. p. 390*)
[Sans titre]
mine de plomb, 27 × 21
AM 1981-65-650 (Inv. 207-f)

778 (*repr. p. 390*)
[Sans titre]
mine de plomb, 10 × 20,6
AM 1981-65-651 (Inv. 626-45)

779 (*non reproduit*)
[Sans titre]
mine de plomb sur papier ligné, 17,3 × 11
AM 1981-65-652 (Inv. 626-82)

780 (*non reproduit*)
[Sans titre]
mine de plomb sur papier ligné, 22 × 17,5, indication sommaire du coloris en russe
AM 1981-65-653 (Inv. 626-25)

781 (*non reproduit*)
[Sans titre]
mine de plomb, 13,4 × 20,6
AM 1981-65-654 (Inv. 209-1)

782 (*non reproduit*)
[Sans titre]
mine de plomb, 13,4 × 20,9
AM 1981-65-655 recto-verso (Inv. 626-60)

783 (*non reproduit*)
[Sans titre]
mine de plomb sur papier ligné, 9,8 × 11
AM 1981-65-656 (Inv. 626-81 a)

784 (*non reproduit*)
[Sans titre]
mine de plomb, 9,25 × 11
AM 1981-65-657 (Inv. 626-78)

785 (*non reproduit*)
[Sans titre]
mine de plomb, 14,4 × 10,2, inscription en bas : « Trianon »
AM 1981-65-658 (Inv. 597-30)

786 (*non reproduit*)
[Sans titre]
mine de plomb sur feuillet d'un bloc à dessin, 23,8 × 21
AM 1981-65-659 (Inv. 209-10)

787 (*non reproduit*)
[Sans titre]
mine de plomb, 13,5 × 13,5
verso : comptes
AM 1981-65-660 (Inv. 398)

788 (*non reproduit*)
[Sans titre]
encre, 20,8 × 27
AM 1981-65-661 (Inv. 389)

789 (*non reproduit*)
[Sans titre]
mine de plomb, 13,3 × 21
AM 1981-65-662 recto-verso (Inv. 626-44)

790 (*non reproduit*)
[Sans titre]
mine de plomb, fragment, 8,9 × 9,8 (irrégulier)
AM 1981-65-663 (Inv. 626-7)

791 (*non reproduit*)
[Sans titre]
mine de plomb, 10,1 × 13,5
AM 1981-65-664 (Inv. 626-58)

792 (*non reproduit*)
[Sans titre]
mine de plomb, 20,7 × 13,3
AM 1981-65-665 (Inv. 626-6)

793 (*non reproduit*)
[Sans titre]
mine de plomb, 14,6 × 7,9
AM 1981-65-666 (Inv. 626-80)

794 (*non reproduit*)
[Sans titre]
mine de plomb, croquis en surcharge sur un texte allemand, 13,7 × 10,6
AM 1981-65-667 recto-verso (Inv. 207)

795 (*non reproduit*)
[Sans titre]
mine de plomb sur feuillet d'un bloc à dessin, 14,5 × 10,2
AM 1981-65-668 (Inv. 626-53)

796 (*non reproduit*)
[Sans titre]
mine de plomb, 11,3 × 6,3
AM 1981-65-669 (Inv. 626-75)

797 (*non reproduit*)
[Sans titre]
mine de plomb, 14,7 × 12,2
pourrait être rapproché de l'aquarelle *Sur vert*, K n° 524, 1934
AM 1981-65-670 (Inv. 626-37)

798 (*non reproduit*)
[Sans titre]
mine de plomb, 26,7 × 20,7
à rapprocher de la peinture *Deux lignes*, octobre 1940, Roethel n° 1117
AM 1981-65-671 (Inv. 393)

Souvenirs des Beaux-Arts à Munich

799
Anonyme
[L'Homme casqué]
huile sur toile circulaire, Ø 27,3
encadrement octogonal, proche des cadres en vogue au début du siècle (cf. collection von Stuck, Munich)
Inv. 180

Photographie prise au tournant du siècle dans un des appartements munichois de Kandinsky, révélatrice des séquelles de la peinture d'histoire, très en vogue dans les ateliers munichois et dont on retrouve des traces dans les tempera « médiévales » de Kandinsky. L'épée tenue par cet inconnu est restée en la possession de Kandinsky. Elle était déposée dans l'angle de son atelier près des icônes russes à Neuilly-sur-Seine.

800
[Le glorieux Erouslan chevauchant le serpent]
gravure populaire russe, coloriée à la main,
35,3 × 44
une image analogue est reproduite p. 276 de l'édition française de l'Almanach *Der Blaue Reiter*
Inv. 775 (4)

801
[Chanson]
gravure populaire russe, coloriée à la main,
35,3 × 44
illustration du livre russe *Images populaires de « Loubok »*, Moscou, édition Sytine, s.d., reproduite p. 102 de l'éd. franç. de l'Almanach *Der Blaue Reiter*
Inv. 775 (2)

802
[Scène de crépage de chignon]
gravure populaire russe, 35,3 × 44
illustration du livre russe *Images populaires de « Loubok »*, Moscou, édition Sytine, s.d., reproduite p. 281 de l'éd. franç. de l'Almanach *Der Blaue Reiter*
Inv. 775 (1)

803
Saint Georges terrassant le dragon
icône russe, 19e siècle, peinture sur bois,
29,5 × 21,5 × 2,3
Inv. 691

804
L'ascension du prophète Élie dans un char de feu
icône russe, 19e siècle, peinture sur bois,
26,9 × 22,7 × 2,5
Inv. 690

805
Sainte Barbe
icône russe, 19e siècle, peinture sur bois,
27,1 × 23,4 × 2
Inv. 866-a

806
Saint Mitrophane de Voronège
icône russe, 19e siècle, peinture sur bois,
28,3 × 20,7 × 2,4

Ainmillerstrasse
art populaire bavarois
et japonais

Deux vues de la disposition intérieure de l'appartement de Kandinsky à Munich, Ainmillerstrasse, prises lors du séjour de la mère de l'artiste en 1913. Aux murs on retrouve un mélange d'art et de traditions populaires : des fixés-sous-verre bavarois ou des œuvres exécutées dans cette technique par le peintre, un dessin encadré de Jean Arp pour l'Almanach *Der Blaue Reiter*, des bougeoirs, une sirène en bois sculpté (n° 807). Au fond, sur le chevalet, on aperçoit un fragment de la *Composition VI*.

807
Sirène
art populaire russe, bois peint, 22,9 × 47,4 × 6,1
Inv. 819

808
Oiseau
bois sculpté peint, 7,8 × 3,3 × 8,7
Inv. suppl.

809
Saint Martin
bois polychrome, 75 × 54,5 × 37
selon Mme Dr. Ina Cockerell (Bayerisches Nationalmuseum, Munich), cette statue doit être datée du début du 19e siècle et proviendrait d'Allemagne du Sud ou d'Autriche.
Inv. 506

810
L'enseignement de la Vierge
fixé-sous-verre, 21,4 × 17,5
réutilisation d'un cadre ancien peint pour ce qui paraît être une copie d'amateur
Inv. 675

811
Gravure japonaise
26,1 × 36,8
cartouche : probablement Hiroshige; le nom de Hiroshige, inscrit en bas à gauche, fut recouvert de gouache
Inv. 182 a

812
Peinture découpée (Kiri-e)
art populaire japonais, 19e siècle, pochoir pour la décoration de tissus et de kimonos
44 × 52,5
Inv. suppl.

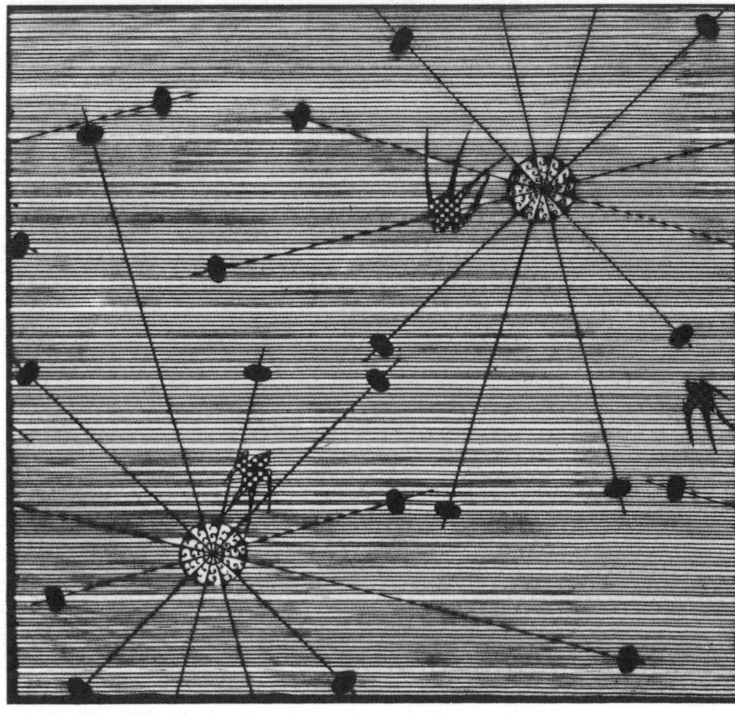

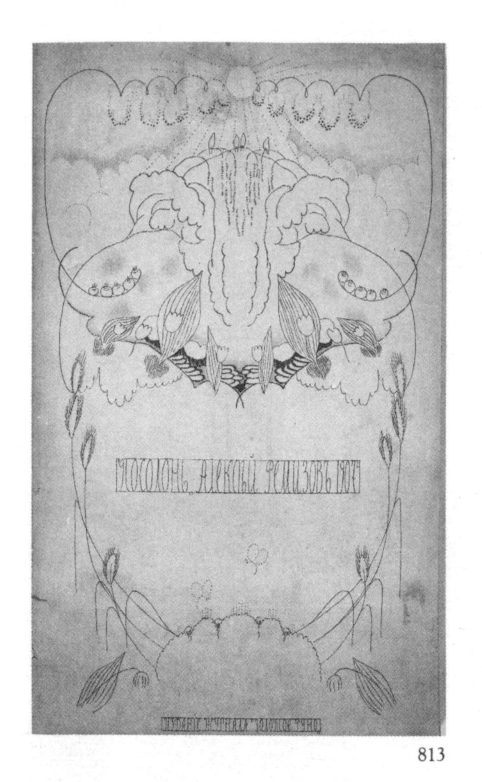

813

814

815

Éditions des symbolistes et futuristes russes

813
Alexis Remizov, *Possolon*
Moscou, éd. de la revue *La Toison d'or,* 1907
Inv. 645

814
Le Studio des impressionnistes
rédaction : N.I. Koulbine
couverture : Ludmila Schmit-Rysov, 1910
éditeur : N.I. Boutkovskaya, St-Petersbourg, 1910
dédicacé sur la page de garde : « Au très respecté M. Kandinsky en signe de profond respect de la part de N. Koulbine, le 23-VI-10 »
Inv. 645

815
Le Valet de carreau, décembre 1910-janvier 1911
cette publication — la couverture est de N. Gontcharova — contient des reproductions de Gontcharova, Kontchalovsky, Larionov, Lentoulov, Machkov, Falk, von Vizen, Kouprine et Barthe
Inv. 645

816
Nicolaï, David et Vladimir Bourliouk, Gouro, Maïakovsky, Nisène, Khlebnikov, Livchits, Kroutchenykh
Le Vivier aux juges II
St.-Petersbourg, typographie « Nach vek », (1913)
illustrations de V. Bourliouk, Gontcharova, Larionov, D. Bourliouk et Gouro
la couverture en papier peint rappelle le premier volume de cette publication, imprimé entièrement sur papier peint
Inv. 645

817
David et Nicolaï Bourliouk, Kroutchenykh, Kandinsky, Livchits, Maïakovsky, Khlebnikov
Une gifle au goût public
Moscou, éd. G.L. Kouzmine, 1912
couverture ouverte en toile à sac; imprimé sur papier d'emballage gris et marron
Inv. 645

816

817

818

819

820

818
A. Kroutchenykh (1886-1969)
L'Amour d'autrefois
Moscou, typolithographie V. Richter, (1912)
couverture et illustrations de M. Larionov
Inv. 645

819
A. Kroutchenykh
Les Ermites, poèmes
Moscou, Kouzmine et Dolinsky, lithographie de Moukharsky, (1913)
illustrations de N. Gontcharova
Inv. 645

820
A. Kroutchenykh
A moitié en vie
Moscou, éd. Kouzmine et Dolinsky, (1913)
illustrations de M. Larionov
Inv. 645

821
A. Kroutchenykh et V. Khlebnikov
Jeu en enfer
Moscou, typolithographie V. Richter, (1912)
couverture et illustrations de N. Gontcharova
Inv. 645

822
A. Kroutchenykh
La Pommade
Moscou, éd. Kouzmine et Dolinsky, lithographie Moukharsky, (1913)
couverture et illustrations de M. Larionov
Inv. 645

821

822

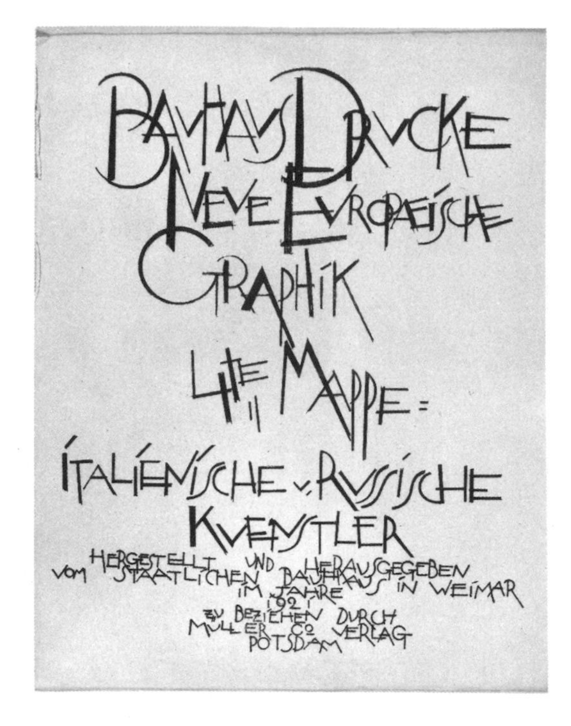

2

4

Publications sélectionnées des années 20 et 30

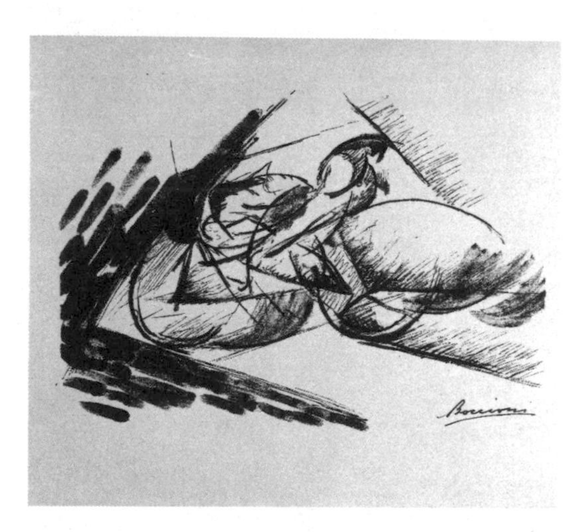

3

5

823
Quatrième portefeuille du Bauhaus de la série « Europäische Graphik » (Gravure européenne), consacré aux artistes russes et italiens
projet : 1921; publication : (1924)
éd. Bauhaus, Weimar, Verlag Müller Co., Potsdam
édition unique de 110 exemplaires numérotés et d'une vingtaine d'exemplaires non numérotés
couverture (non reproduite) : en demi-parchemin; projet : Hirschfeld-Mack; page de titre : typographie L. Feininger
11 feuillets (57,8 × 46,4) — le douzième feuillet, demandé à Soffici, ne fut jamais livré — signés : Archipenko, Boccioni, Carrá, Chagall, de Chirico, Gontcharova, Jawlensky, Kandinsky, Larionov, Prampolini et Severini
lithographies, à l'exception de la contribution de Chagall (eau-forte)
AM 1981-65-846 (Inv. 784-1)

Page de titre (par Lyonel Feininger)
1) Boccioni, *Mouvement en avant*
2) Archipenko, *Deux nus*
3) Carrá, *Les Acrobates*
4) Chagall, *Autoportrait avec femme*
5) de Chirico, *Oreste et Pylade*
6) Gontcharova, *Torse de femme*
7) Prampolini, *Motif en forme de figure*
8) Jawlensky, *Tête*
9) Severini, *Famille d'arlequins*
10) Kandinsky, *Composition* (cf. n° 289, p. 256)
11) Larionov, *Composition*

Sur ces pages sont reproduites les 11 gravures d'un portefeuille, le quatrième, dans une série de cinq volumes consacrés par le Bauhaus à la nouvelle gravure européenne, portefeuille intitulé « Artistes italiens et russes », auquel Kandinsky apporta une lithographie en cinq couleurs, composition datée de 1922 (cf. n° 289, p. 256). Cette série, comportant les œuvres de 75 artistes, fut projetée en 1921 et est l'hommage le plus extraordinaire rendu à la technique de la gravure en Europe après la Première Guerre mondiale. La série débute avec un portefeuille consacré aux maîtres du Bauhaus. Livré en 1922, avec une couverture de Feininger, cet ouvrage ne comporte pas encore d'œuvre de Kandinsky. Deux autres portefeuilles sont consacrés aux artistes allemands. Klee et Albers en dessinent les couver-

6

7

8

9

10

11

tures. Le deuxième de la série, qui devait réunir les artistes français, est resté fragmentaire. En raison des difficultés rencontrées dans la réalisation de cet album, le projet global fut modifié et le quatrième ouvrage réunira non pas les œuvres des artistes slaves, mais celles d'artistes russes et italiens.
Ces ouvrages furent réalisés entièrement dans les ateliers d'imprimerie du Bauhaus de Weimar. Lyonel Feininger, responsable plus particulièrement des problèmes typographiques, en fut le premier maître des formes, secondé admirablement par le maître-artisan Carl Zaubitzer et, bientôt, par les artistes-artisans exceptionnels Rudolf Baschant, Ludwig Hirschfeld-Mack et Herbert Bayer, encore étudiants à l'époque. La reliure fut effectuée dans un autre atelier du Bauhaus, celui d'Otto Dorfner.

L'atelier d'imprimerie réalisa environ 400 gravures entre 1919 et 1925, date du transfert à Dessau. N'étant pas équipé pour des travaux de typographie expérimentale, les recherches faites dans ce domaine par Moholy-Nagy et H. Bayer furent réalisées à l'extérieur dans des ateliers spécialisés. En dehors de la série de la nouvelle gravure européenne furent édités des portefeuilles consacrés à un seul artiste, tels que « Kleine Welten » de Kandinsky (cf. p. 246-49) et les albums de Feininger, Schlemmer et Marcks, ainsi qu'un deuxième ouvrage consacré aux maîtres du Bauhaus (repr. p. 460, n° 829). Les 20 cartes postales pour la première exposition du Bauhaus de Weimar en 1923 (cf. p. 460-61, n° 828) comptent également parmi les réalisations de cet atelier.

Ces portefeuilles ne connurent aucun succès commercial. En raison de la dévaluation du mark, le Bauhaus les vendit même à perte.
Neuf maîtres du Bauhaus figurent parmi les 75 artistes sélectionnés, dont la plupart avaient été exposés par H. Walden depuis 1912. Ce ne sont pas seulement des critères de qualité qui présidèrent au choix des artistes étrangers au Bauhaus. Leurs contributions furent également considérées comme une déclaration de solidarité avec cette institution. Les absents dans ce grandiose panorama de l'art abstrait, cubiste, futuriste et expressionniste du début des années 20 sont : les artistes du Stijl, Th. van Dœsburg et P. Mondrian, ainsi que P. Picasso, M. Ernst, E. Munch et E. Nolde.

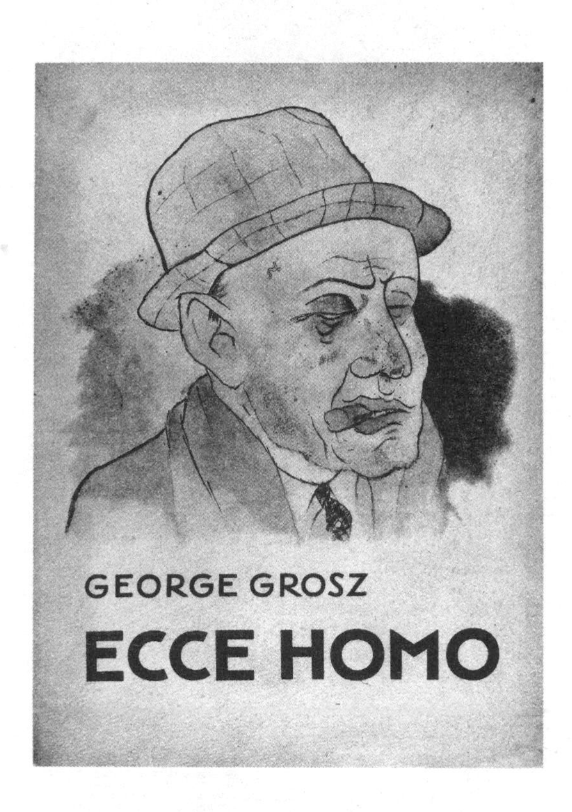

824
George Grosz (1893-1959)
Ecce Homo
lithographies d'après 16 aquarelles
Berlin, Der Malik=Verlag, 1923
Inv. 645

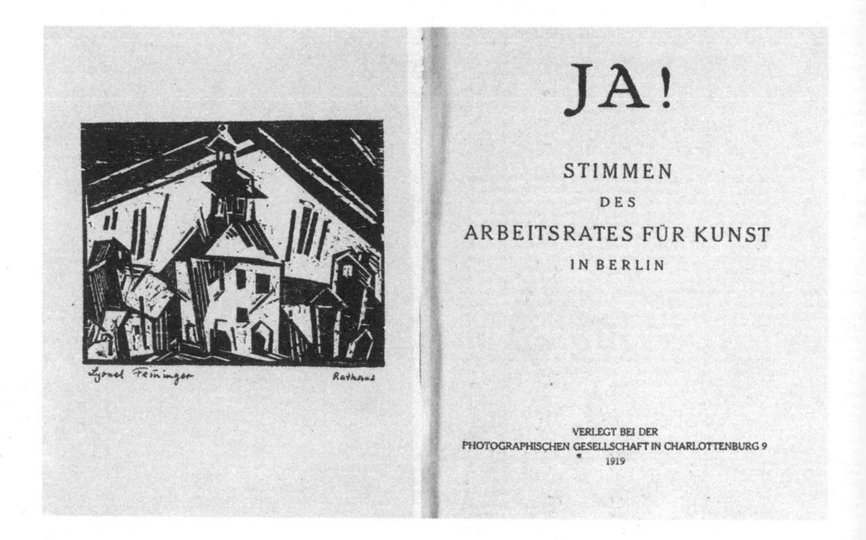

825
Arbeitsrat für Kunst
Ja! Stimmen des Arbeitsrates für Kunst in Berlin
Charlottenburg, Photographische Gesellschaft, 1919
Inv. 645

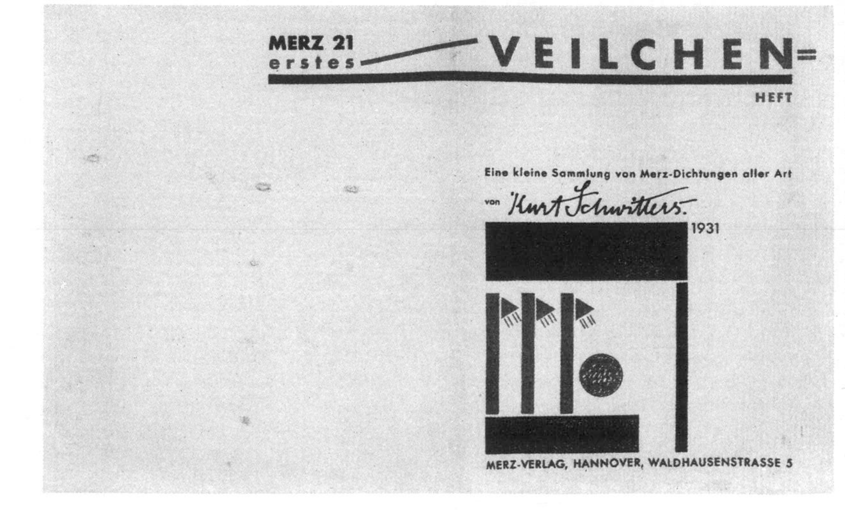

826
Kurt Schwitters
Merz 21 erstes Veilchen
poèmes Merz
Hanovre, Merz-Verlag, 1931
Inv. 645

Dessau
Burgkühnauer Allee

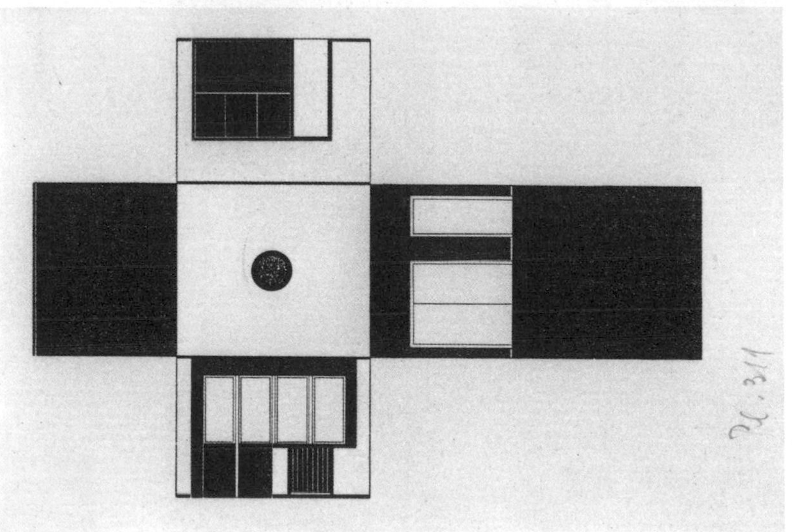

Plan pour la distribution des seules couleurs noire et blanche sur le plancher, le plafond et les quatre murs de la salle à manger des Kandinsky à Dessau.

827
Salle à manger de V. et N. Kandinsky à Dessau avec le mobilier de Marcel Breuer, réalisé en noir et blanc selon les projets de Kandinsky en 1926 et comprenant une table ronde et six chaises; sur le mur du fond : tableau de Kandinsky, *Sur blanc II,* de 1923.
photographie annotée (à la mine de plomb, de la main de Kandinsky) : « Esszimmer im Hause Kandinsky (Meisterhäuser, Bauhaus Dessau). Dieser fast rein kubische Raum ist nach angaben von Kandinsky ausschliesslich in schwarz-weiss behandelt./ Möbel : Entwurf M. Breuer, Ausführung Bauhaus./ Lampe Krajewski. Bild an der Wand : Kandinsky, 'Auf weiss', 1923 ».
mobilier : AM 1981-65-917 (Inv. 433)

1

2

3

4

5

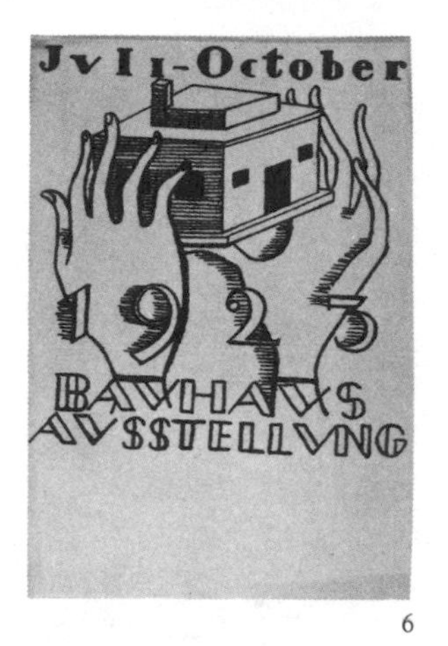

6

7

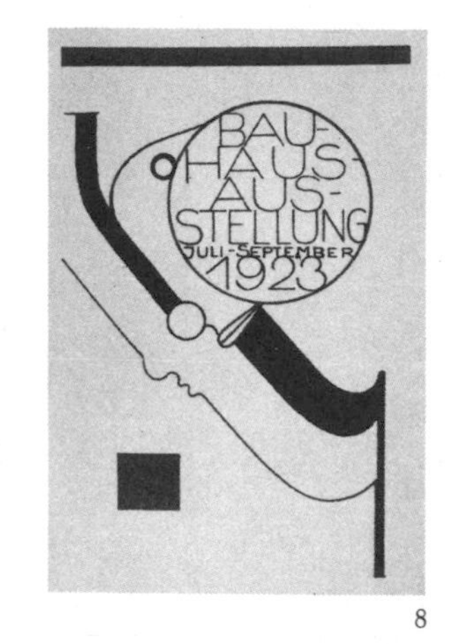

8

9

10

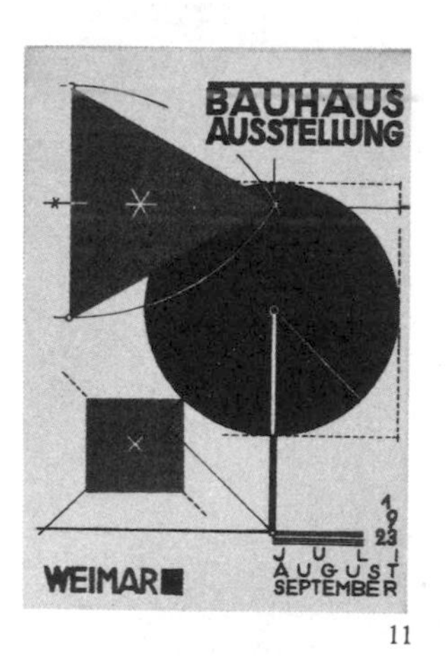

11

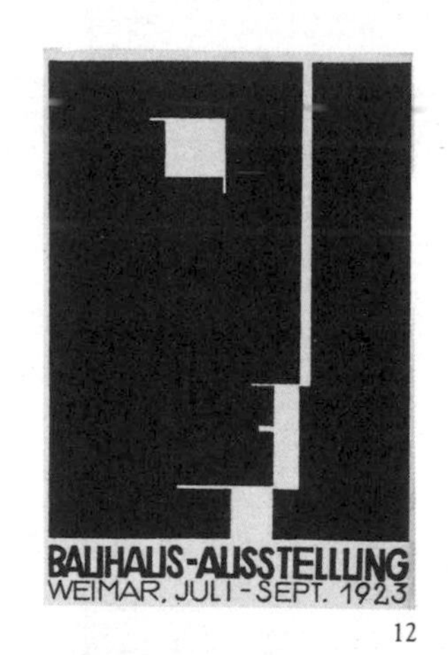

12

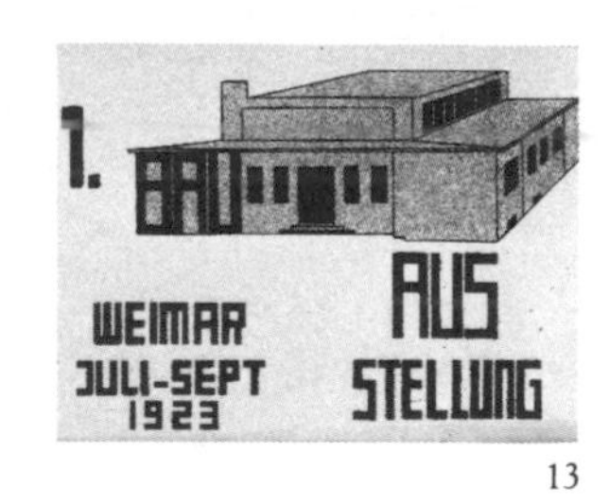

13

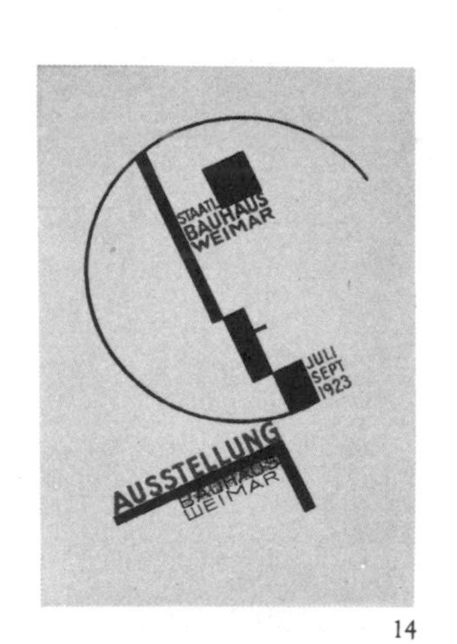

14

15

16

17

18

19

20

1

2

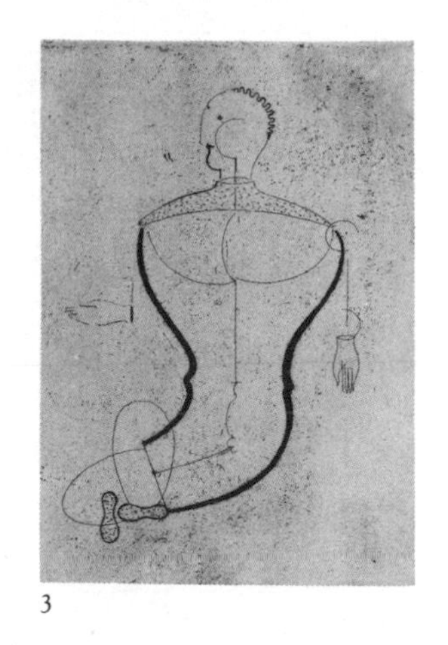
3

4

5

6

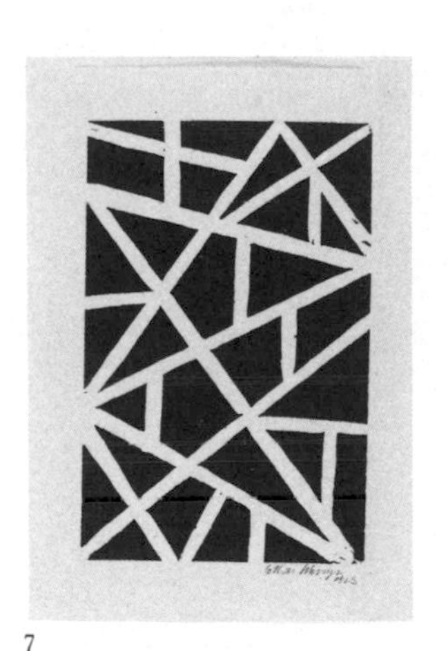
7

8

828
Vingt cartes postales, réalisées par les maîtres et élèves du Bauhaus en tant que carton d'invitation pour la première exposition du Bauhaus de Weimar en 1923 (juillet-octobre)
lithographies, dont 17 en couleur, 15 × 10
Inv. 880 (1-20)

1) L. Feininger
2) L. Feininger
3) V. Kandinsky
4) P. Klee
5) P. Klee
6) G. Marcks
7) L. Moholy-Nagy
8) O. Schlemmer
9) R. Baschant
10) R. Baschant
11) H. Bayer
12) H. Bayer
13) P. Häberer
14) Dörte Helm
15) L. Hirschfeld-Mack
16) L. Hirschfeld-Mack
17) W. Molnar
18) K. Schmidt
19) K. Schmidt
20) G. Teltscher

829
Portefeuille des Maîtres du Bauhaus, 1923
Munich-Weimar, Bauhausverlag G.M.B.H., 1923
exemplaire 89 sur 100
contient sur huit feuillets (50,5 × 40,3) des gravures signées Feininger, Kandinsky, Klee, Marcks, Muche, Moholy-Nagy, Schlemmer et Schreyer
AM 1981-65-848 (Inv. 784-7)

1. Feininger, gravure sur bois
2. Kandinsky, lithographie de couleur
3. Schlemmer, eau-forte
4. Muche, eau-forte
5. Marcks, gravure sur bois
6. Klee, lithographie de couleur
7. Schreyer, gravure sur bois
8. Moholy-Nagy, lithographie de couleur

Neuilly-sur-Seine, 135, boulevard de la Seine

Vue de l'atelier de Kandinsky à Neuilly-sur-Seine. Sur le chevalet : *Violet dominant,* de 1934. Au fond un meuble de rangement de dessins, surchargé de souvenirs russes et autres, très souvent kitsch. Sur la cheminée : les pinceaux, et sur la table qui lui servait à dessiner et à peindre ses gouaches : la machine à écrire « Continental », avec laquelle il tapait ses articles et un abondant courrier. Cet atelier a conservé sa disposition jusqu'au décès de Nina Kandinsky.

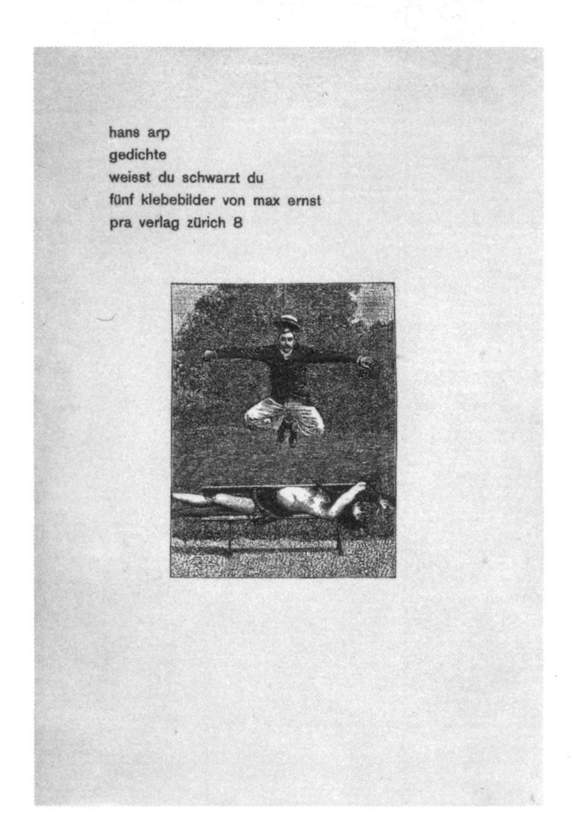

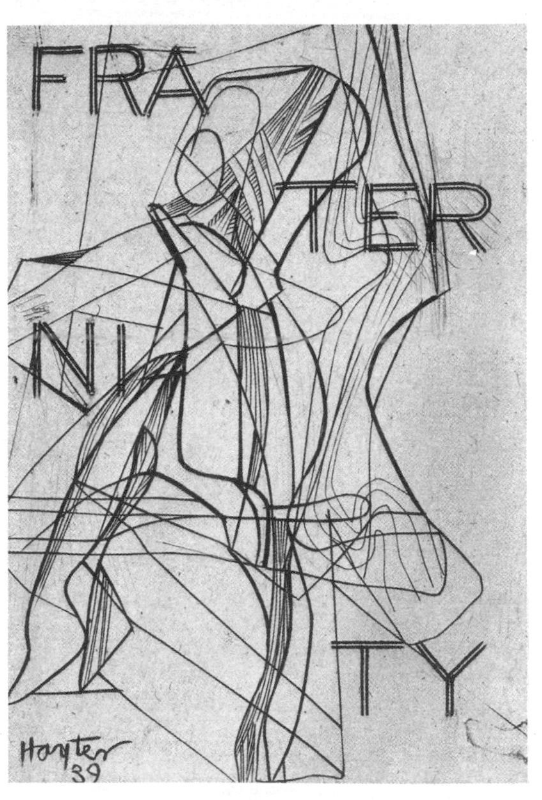

830
Hans Arp (1887-1966)
Gedichte — Weisst du schwarzt du
Fünf Klebebilder von Max Ernst (œuvres datées de 1929)
Zurich, Pra Verlag, 1930
Dédicace sur la page de garde : « W. Kandinsky in/ alter Verehrung/Hans Arp/Meudon-Val-/ Fleury/1933 10.4 »

831
S.W. Hayter (né en 1901)
couverture du livre de Stephen Spender : *Fraternity,* 1939

J. Miró (1893-1983)
illustration du livre précédent de Stephen Spender, 1939
AM 1981-65-849 (Inv. 645)

TRISTAN TZARA

L'ANTITÊTE

ÉDITIONS DES CAHIERS LIBRES
57, AVENUE MALAKOFF, PARIS

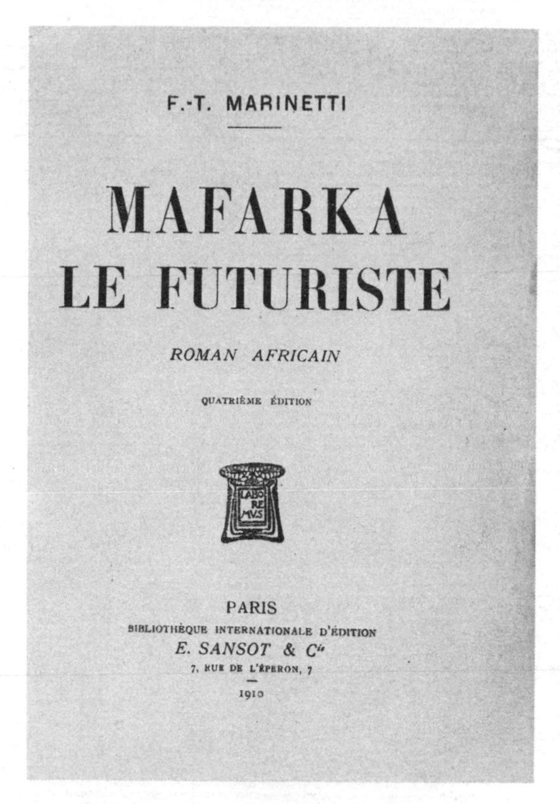
F.-T. MARINETTI

MAFARKA
LE FUTURISTE

ROMAN AFRICAIN

QUATRIÈME ÉDITION

PARIS
BIBLIOTHÈQUE INTERNATIONALE D'ÉDITION
E. SANSOT & Cie
7, RUE DE L'ÉPERON, 7
1910

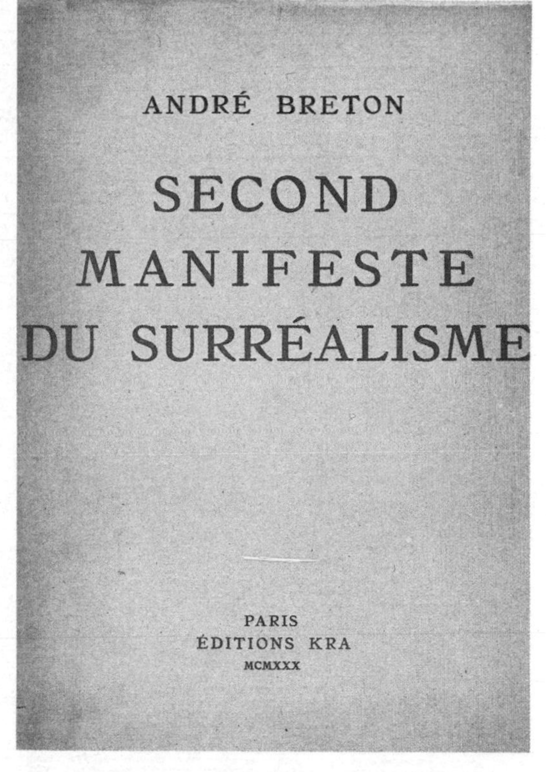
ANDRÉ BRETON

SECOND
MANIFESTE
DU SURRÉALISME

PARIS
ÉDITIONS KRA
MCMXXX

à W. Kandinsky
très sincère hommage
de
Tristan TZARA
Paris le 10 Juillet 1934

L'ANTITÊTE

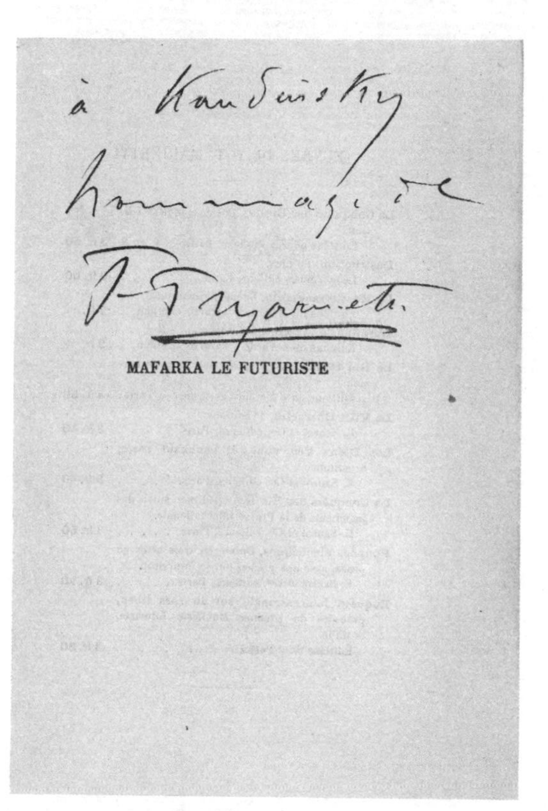
à Kandinsky
hommage de
F. T. Marinetti

MAFARKA LE FUTURISTE

A Kandinsky
hommage d'admiration
André Breton

SECOND
MANIFESTE
DU
SURRÉALISME

832
Tristan Tzara (1896-1963)
L'Antitête
Paris, éditions des Cahiers Libres, 1933
Inv. 645
Dédicace sur la page de garde : « à W. Kandinsky/très sincère hommage/de /Tristan Tzara/ Paris le 10 juillet 1934 »

833
F.-T. Marinetti (1876-1944)
Mafarka le Futuriste
Paris, E. Sansot & Cie., 1910
Inv. 645
Dédicace sur la page de garde : « à Kandinsky/hommage de/ F.-T. Marinetti »

834
André Breton (1896-1966)
Second manifeste du surréalisme
Paris, Éditions Kra, 1930
Inv. 645
Dédicace sur la page de garde : « A Kandinsky/hommage d'admiration/ André Breton »

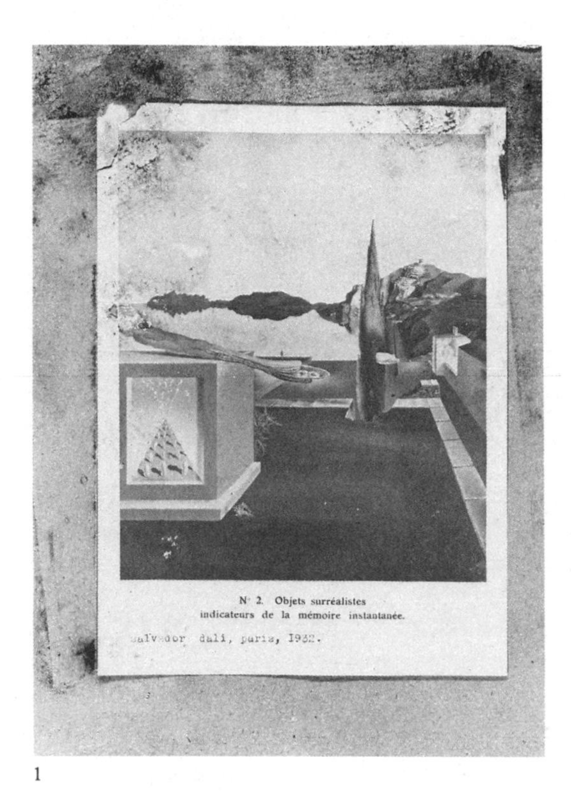

1

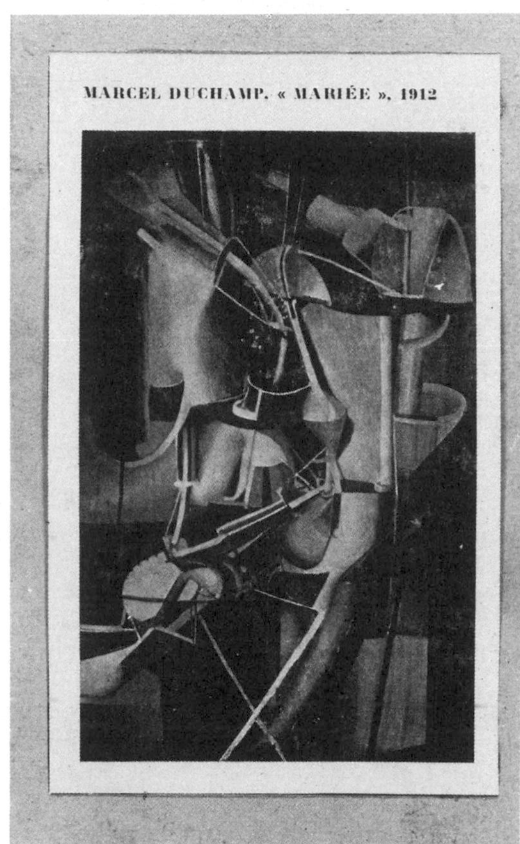

2

Dessin d'enfant
craies de couleur et mine de plomb sur feuillet de bloc à dessin, 32,8 × 23,7
signé en haut à droite : Burchardt

Matériel d'enseignement utilisé par Kandinsky au Bauhaus

3

Documents utilisés par Kandinsky pour ses cours au Bauhaus à Berlin en 1932-33, reproductions d'œuvres d'art, découpées et collées sur carton
1) Salvador Dali, Paris, 1932 : N° 2. *Objets surréalistes indicateurs de la mémoire instantanée*
2) Marcel Duchamp, *Mariée,* 1912
3) reproductions de formes végétales, découpées et collées sur carton

835
Anonyme
Paysage russe sous la neige
huile sur toile, 71,5 × 53,5
ni signé, ni daté
AM 1981-65-850 (Inv. 181)

836
C. Xyda
Bateau sur la plage, Odessa
huile sur toile, 13,8 × 22,1
ni signé, ni daté au recto
inscrit au verso : « C. Xyda, Odessa »
AM 1981-65-851 (Inv. 784-13)

837
E. Boukovetsky
[Paysage, 1918]
huile sur toile, 15,3 × 31,5
signé et daté en bas à droite (à la mine de plomb) :
« E. Boukovetsky 18 »
AM 1981-65-852 (Inv. 784-14)

838
E. Tatevossianz (?)
[Paysage], 1900
huile sur carton, 9,4 × 15,9
signé et daté en bas à droite (à l'encre de Chine) :
« E. Tatevossianz » (?) « 1900 »
AM 1981-65-853 (Inv. 879-5)

839
Nathalie Gontcharova (1881-1962)
Bûcherons, [vers 1911]
gouache, 25 × 26,5
ni signé, ni daté
inscrit au verso en russe (au crayon gras, de la main de l'artiste ?) : « N.S. Gontcharova / 'Bûcherons' (copie d'après une huile) pour donner une idée approximative, avec des couleurs tout à fait semblables à celles de l'original »
étiquette au verso du support : « Der Blaue Reiter, Gontscharowa, Holzhauer, Katalog n° 29 »
(exposé à la deuxième exposition « Der Blaue Reiter », Munich, Hans Goltz Kunsthandlung, 1912, n° 29)
AM 1981-65-854 (Inv. 784-3 m)

840
Nathalie Gontcharova
Vendanges, [vers 1911]
fusain sur papier « Praxiteles », 29 × 37
ni signé, ni daté
inscrit au verso (à la mine de plomb, de la main de Kandinsky) : « N. Gontscharowa (Moskau)/ 'Weinlese' », et de la main de l'artiste (?) en russe : « N.S. Gontcharova... » (illisible)
étiquette au verso du support : « Der Blaue Reiter/ Gontscharowa/Weinlese/ Katalog N° 27 »
(exposé à la deuxième exposition « Der Blaue Reiter », Munich, Hans Goltz Kunsthandlung, 1912, n° 27; cette œuvre est reproduite p. 253 de l'édition française de l'Almanach *Der Blaue Reiter*)
le 22 décembre 1911 Kandinsky écrit à Franz Marc : « d'excellents dessins de Gontcharova sont arrivés aujourd'hui » (Lankheit, *op. cit.*, p. 86)
AM 1981-65-855 (Inv. 784-3 k)

841
Nathalie Gontcharova
[Veau qui tète]
huile sur carton, 22 × 30,6
ni signé, ni daté
inscrit au revers (à l'encre, d'une main non identifiée) : « Gontscharowa »
AM 1981-65-856 (Inv. 784-3 j)

842
Nathalie Gontcharova
Nature morte au homard, [1910]
huile sur toile, 73 × 88,1
ni signé, ni daté
inscrit sur le châssis : « N. Gontscharowa (Moskau) 1910/ Besitzer Kandinsky »
étiquette au revers : « Der Sturm/ Gontcharova, Moskau Stilleben mit Hummern/unverkäuflich »
(exposé à Berlin, première exposition de la galerie Der Sturm, 1912, « Der Blaue Reiter, Flaum, Kokoschka, Expressionisten », nº 35)
Le 24 juin 1913 Kandinsky écrit à H. Walden : « Gontscharowa demande que lui soient renvoyés ses tableaux et dessins faisant partie du Blaue Reiter et se trouvant actuellement à Budapest, car elle souhaite organiser une exposition à Moscou... Elle veut également pour son exposition la *Nature morte au homard* qu'elle m'a offerte... »
l'œuvre est datée de 1909 *in* E. Eganbury, *Gontcharova,* Moscou, 1913, p. IX
AM 1981-65-857 (Inv. 174)

Comme Kandinsky, Michel Larionov fut un organisateur d'un dynamisme inlassable. A partir de 1906, année au cours de laquelle il accompagna Serge Diaghilev à Paris et à Londres — ce dernier avait été chargé de l'organisation de la section russe au Salon d'Automne à Paris — il prépara en Russie maintes expositions franco-russes, comme celles de la *Toison d'Or* qui débutèrent à Moscou en 1908.
Son nom et celui de Nathalie Gontcharova (cf. n°s 839-842) sont intimement liés aux manifestations « éclatantes » des groupements artistiques — éphémères parfois — tels que *La Rose bleue* (groupe fondé avec David Bourliouk, dont Larionov fait la connaissance en 1907), *Le Valet de carreau* (Kandinsky participe à deux de leurs expositions en 1910-11 et en janvier 1912 (cf. p. 70); en 1910 Malévitch y expose pour la première fois à Moscou), *La Queue de l'âne* (Malévitch y expose 23 œuvres en 1912), *La Cible*, où, en 1913, Larionov organisa la première exposition rayonniste importante. Non seulement on remarque ses contributions à ces manifestations, débordantes d'originalité, ainsi que ses méthodes publicitaires qui déplurent vite à Kandinsky, mais également ses sorties de scène. En 1911 il rompt soudainement avec *Le Valet de carreau*, devenu contre le gré de son fondateur une association à statuts, statuts qui furent également envoyés à Kandinsky et dont il avait conservé un exemplaire.
Dans ces années turbulentes avant la Première Guerre mondiale Larionov se lia pour un temps avec le futurisme littéraire russe dont les principaux représentants furent Kroutchenykh, Khlebnikov, Elena Gouro, les frères Bourliouk, Livchits et Maïakovsky, et illustra, avec Gontcharova et Malévitch, quelques-uns de leurs recueils. Certains de ces ouvrages précieux se trouvent dans la collection de Kandinsky (cf. p. 545 et p. 455).
Une des plus importantes périodes dans l'évolution de l'art de cet artiste vers la non-figuration, culminant dans le manifeste du rayonnisme de 1913, est la période dite néo-primitive. Lors de la troisième exposition de *La Toison d'Or* en décembre 1909, Larionov et Gontcharova lancèrent pour la première fois ce nouveau style. Leurs sources d'inspiration furent alors les traditions nationales d'art populaire : les loubki, gravures sur bois paysannes, les jouets, les broderies de Sibérie et surtout une autre tradition nationale, la peinture d'icônes, dont Nathalie Gontcharova s'était inspirée depuis 1903.
Ces tendances rejoignent les recherches qui passionnaient alors Kandinsky et ses amis pendant le temps de préparation de l'Almanach et des expositions du Blaue Reiter.
Un magnifique spécimen de cet art de Larionov (repr. ci-contre), appartenant à la série des soldats, fut envoyé par l'artiste à Munich pour la deuxième exposition du Blaue Reiter.
Larionov, Gontcharova et les artistes du Blaue Reiter seront réunis une dernière fois au premier Salon d'Automne allemand, organisé par H. Walden à Berlin en 1913.

Alors que Kandinsky, contraint par les événements politiques, retournait en Russie à la fin de 1914, Gontcharova et Larionov avaient leur première exposition à Paris à la galerie Guillaume. Bientôt, en 1915, ils rejoindront Diaghilev à Lausanne et quitteront définitivement leur patrie.

843
Michel Larionov (1881-1964)
Tête de soldat, [1909-1911]
gouache et gomme arabique, 28,3 × 22,5
signé en bas à droite sur le montage : « Larionov »
inscrit au verso (au crayon gras, de la main de Kandinsky) : « M. Larionow (Moskau)/ 'Soldatenkopf' »
étiquette au verso du support : « Der Blaue Reiter/ Larionow/ Soldatenkopf, Katalog n° 123 »
(exposé à la 2e exposition « Der Blaue Reiter », Munich, Hans Goltz Kunsthandlung, 1912, n° 123)
AM 1981-65-858 (Inv. 784-3 l)

844
Casimir Malévitch (1878-1935)
Étude de paysan, [1911]
gouache, 27,4 × 32,1
inscrit au milieu à gauche (en russe, de la main de l'artiste (?), à la gouache rouge) : « Étude de paysan/ K. Malev... », et en haut à droite (à la mine de plomb) : « 143 »
inscrit au verso (en russe, de la main de l'artiste (?), à la gouache noire) : « Étude. Tête (pour une représentation des couleurs) K.C. Malévitch »
étiquette au verso du support : « Der Blaue Reiter / K. Malewitsch — Bauernkopf — Katalog n° 143 »
(exposé à la 2e exposition « Der Blaue Reiter », Munich, Hans Goltz Kunsthandlung, 1912, n° 143)
AM 1981-65-859 (Inv. 175)

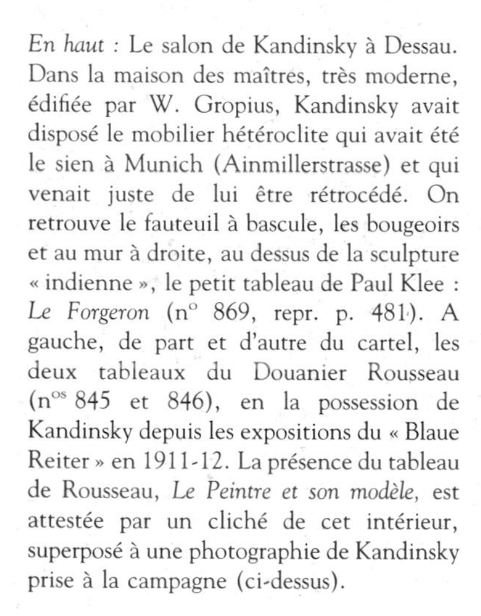

En haut : Le salon de Kandinsky à Dessau. Dans la maison des maîtres, très moderne, édifiée par W. Gropius, Kandinsky avait disposé le mobilier hétéroclite qui avait été le sien à Munich (Ainmillerstrasse) et qui venait juste de lui être rétrocédé. On retrouve le fauteuil à bascule, les bougeoirs et au mur à droite, au dessus de la sculpture « indienne », le petit tableau de Paul Klee : *Le Forgeron* (n° 869, repr. p. 481). A gauche, de part et d'autre du cartel, les deux tableaux du Douanier Rousseau (n°s 845 et 846), en la possession de Kandinsky depuis les expositions du « Blaue Reiter » en 1911-12. La présence du tableau de Rousseau, *Le Peintre et son modèle*, est attestée par un cliché de cet intérieur, superposé à une photographie de Kandinsky prise à la campagne (ci-dessus).

845
Henri Rousseau (1844-1910)
La Basse-Cour, (1896-98)
huile sur toile, 24,6 × 32,9
signé en bas à gauche (en rouge) : « Henri Rousseau »
inscrit sur le châssis : « D.B.R. V 12 H.R. Rousseau »
références : Dora Vallier, *H. Rousseau,* Paris, Flammarion, 1961, n° 67 (titre : « Der Hühnerhof »); Jean Bouret, *H. Rousseau,* Neuchâtel, Ides et Calendes, 1961, n° 203 (titre : « La Basse-Cour » et daté vers 1908); autres titres : « Une rue », « Paysage aux poules blanches »
exposé à la première exposition « Der Blaue Reiter », Munich, Galerie Thannhauser, 1911-12, n° 1, et reproduit dans l'Almanach *Der Blaue Reiter,* p. 206 de l'édition française, ainsi que sur l'affiche annonçant la parution de l'Almanach en 1912.
AM 1981-65-860 (Inv. 167)

Delaunay, Picasso, Soffici avaient, eux aussi, des Henri Rousseau dans leur collection. Kandinsky n'en posséda que deux petits, dont le principal intérêt est précisément de lui avoir appartenu. Ils furent présentés à l'exposition du Blaue Reiter à Munich en 1912. Le peintre les récupéra avec ses meubles en 1926 et les accrocha sur le mur de son salon à Dessau dans le voisinage immédiat du *Forgeron* de Klee. Quand les Kandinsky furent obligés de s'établir à Paris, ils emportèrent avec eux les deux douanier Rousseau, et Christian Zervos officialisa la chose en les publiant l'un et l'autre dans les *Cahiers d'Art* (n° 9-10 de 1934) sous la légende laconique : « Deux tableaux inédits de Henri Rousseau appartenant à M.W. Kandinsky ». Kandinsky conserva les deux tableaux, prêta le *Paysage aux poules blanches* ou *La Cour* à l'exposition organisée salle rue Royale à Paris par le conservateur du Musée de Grenoble, M. Andry-Farcy, sous le titre : « Les Maîtres populaires de la réalité » en 1937. En 1943, devant les difficultés matérielles auxquelles ils furent confrontés, Kandinsky tenta de vendre *Le Peintre et son modèle* et écrivit en ce sens à Andry-Farcy en septembre. Il consulta Grohmann dans le même sens la même année. Mais l'affaire n'eut pas de suite. Il conserva les deux Rousseau, Nina en fit autant et les petits Rousseau entrèrent au Musée national d'art moderne avec le legs Kandinsky. Ce sont les seules œuvres françaises du fonds Kandinsky.

On ignore quand exactement et de qui Kandinsky a acquis ces deux petites toiles. On dit que, lors de leur séjour à Paris, en 1906, Gabriele Münter et Kandinsky auraient visité Rousseau à Plaisance. On sait que les noms de Kandinsky et de Rousseau sont associés dans les comptes rendus de l'exposition du Musée du Peuple, publiés dans *Les Tendances Nouvelles* en 1907. En réalité, la découverte de l'œuvre de Rousseau par Kandinsky semble se situer après la mort du dit douanier, vers 1912 à l'époque du Blaue Reiter. Robert Delaunay et Elisabeth Epstein ne furent pas étrangers à cette rencontre posthume. La référence à la poésie de Rousseau sera désormais constante chez Kandinsky; elle est récurrente surtout dans ses derniers textes, quand Kandinsky évoque la voix de la femme morte du douanier Rousseau pour justifier sa théorie de la « nécessité intérieure ». Il ne commit pas la confusion ordinaire, lors des années 30, de considérer Rousseau comme un peintre naïf; pour lui, il fut beaucoup plus qu'un ingénu : le douanier incarna le génie autodidacte et l'acharnement de l'homme mûr qui se donne entièrement à la peinture. Il fut le modèle par excellence.

846
Henri Rousseau
Le Peintre et son modèle, (1900-1905)
huile sur toile, 46,5 × 55,5
ni signé, ni daté
références : Dora Vallier, *op. cit.*, n° 74; Jean Bouret, *op. cit.*, n° 130 (titre : « L'artiste peint sa femme » et daté vers 1901)
les deux tableaux sont reproduits in *Cahiers d'Art*, nos 9-10, 1934, p. (269)
AM 1981-65-861 (Inv. 168)

847
V. Kandinsky
croquis du tableau reproduit ci-dessus
mine de plomb, 12,15 × 13,5
transcription du texte accompagnant le croquis :
« *Henri Rousseau* — i0 F. (55 × 46)/ Sa femme assise (à droite) et/ lui-même (au centre) devant un/ petit chevalet. Au fond/ peupliers +. Reproduction aux/'Cahiers d'Art', 1934, N° 9-i0./Prix : 500 mille net »; et sous le croquis : « + et buissons d'automne »
AM 1981-65-862 (Inv. 593-10)

848
Pierre Girieud (1875-1940)
[Sans titre], 1911
huile sur toile, 55 × 61,5
signé et daté en bas à droite : « Girieud, 1911 »
au revers : étiquette de la Moderne Galerie Heinrich Thannhauser, Munich, Theatinerstrasse 7, n° 1721; l'artiste participe aux expositions organisées par Kandinsky pour la Neue Künstlervereinigung à Munich, Galerie Thannhauser, où, en 1910, il expose deux œuvres : n° 24 Judas, et n° 25 Bildnis (Peinture).
AM 1981-65-863 (Inv. 176)

849
Gabriele Münter (1877-1962)
[Sans titre, 1910]
(carte de vœux pour 1911)
gravure sur bois de couleur, 11,1 × 19,6
monogrammé dans le bois et inscrit : « Prosit ! i9ii »
exemplaire signé en bas à droite (à la mine de plomb) : « G. Münter »
AM 1981-65-864 (Inv. 879-4)

850
August Macke (1887-1914)
Joueuse de luth, 1910
huile sur toile, 91 × 66,5
signé et daté vers le bas à droite : « A. Macke 1910 »
don manuel de Mme Nina Kandinsky, 1966
AM 4348 P

852
Alexej von Jawlensky
Aube, 1928
huile sur carton, (à vue) 42,6 × 31,9
monogrammé en bas à gauche : A.J., daté en bas à droite : 1928
inscrit au revers (à la mine de plomb, d'une main non identifiée) : « Morgengrauen », puis (à l'encre) : « A. Jawlensky/ i928/Morgengrauen »
AM 1981-65-866 (Inv. 784-3 i)

851
Alexej von Jawlensky (1864-1941)
Variation, [vers 1920]
huile sur papier marouflé sur carton, 38 × 27
ni signé, ni daté
inscrit au revers (à la mine de plomb, de la main de Kandinsky) : « A. v. Jawlensky - 'Variation'/ Bes(itz) Nina Kandinsky »
l'artiste participe aux expositions organisées par Kandinsky pour la Neue Künstlervereinigung, Munich, en 1909-10
AM 1981-65-865 (Inv. 784-3 h)

853
Lyonel Feininger (1871-1956)
Marine, 1926
aquarelle et encre de Chine, 29 × 46,5
signé en bas à gauche : « Feininger », et daté en bas à droite : « 7 XII 26 »
inscrit au verso (à l'encre de Chine) : « Die langversprochene 'Marine' für s(eine) l(iebe) Nina von Papileo ! Weihnachten 1926 »
AM 1981-65-867 (Inv. 784-3 o)

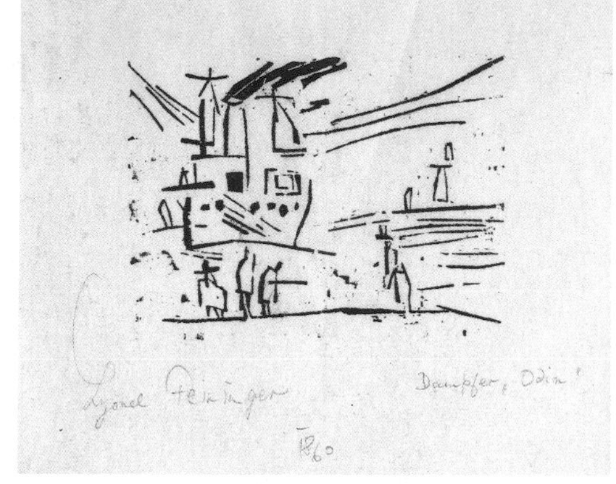

854
Lyonel Feininger
Bateau à vapeur « Odin »
gravure, 16,3 × 20,1
signé en bas à gauche (à la mine de plomb) : « Lyonel Feininger »
inscrit en bas à droite : « Dampfer Odin », et numéroté 1860
reproduit *in* Leona E. Prasse, *Lyonel Feininger, A Definitive Catalogue of his Graphic Work,* Cleveland, The Cleveland Museum of Art, 1972, repr. p. 152
AM 1981-65-868 (Inv. suppl.)

[Tête, vers 1925]
bois sculpté polychrome, 9 × 4,1 × 3,9
inscrit en-dessous (à l'encre de Chine) : « Frau Nina zum 17.IV.25 von Papileo »
AM 1981-65-869 (Inv. 865 a-b)

855
Lyonel Feininger
Six maisons, [1920-1925]
bois peint, 9 × 3,8 × 4 et env. 7 × 3 × 3,9
référence (concernant les jouets imaginés par Feininger pendant les années du Bauhaus à Weimar) : Hans Maria Wingler, *Das Bauhaus,* Cologne, Verlag Gr. Rasch & Co. et M. DuMont Schauberg, 1962, p. 244

856
Lyonel Feininger
Les Amoureux, 1916
huile sur toile, 44,2 × 40,2
signé et daté en bas à gauche : « Feininger 1916 »
inscrit sur le châssis (au crayon bleu, d'une main non identifiée) : « Liebespaar, 1916 »
AM 1981-65-870 (Inv. 179)

857
Lyonel Feininger
Marine, 1924
huile sur toile, 40 × 42
signé et daté en bas à droite : « Feininger 24 »
inscrit sur le châssis (à la gouache noire, d'une main non identifiée) : « Paneel : Marine »
étiquette sur le châssis : « L. Schaller GmbH Stuttgart, n° 1141 L. Feininger Marine »
référence : Hans Hess, *L. Feininger*, Londres, Thames & Hudson, 1961, repr. fig. 252
AM 1981-65-871 (Inv. 178)

La production de Lyonel Feininger n'avait pas échappé à la perspicacité du « regard synoptique » de Herwarth Walden, qui inclut quelques œuvres de cet artiste peu connu dans son premier Salon d'Automne allemand en 1913. « Comment vous remercier de votre grande amabilité qui me procure l'occasion d'exposer avec ceux chez qui je me sens chez moi, à savoir au Herbstsalon avec les artistes du Blaue Reiter, ces champions ardemment passionnés du nouvel expressionnisme », écrit Feininger à Alfred Kubin[1] le 17 septembre 1913[2]. Ce dernier semble avoir attiré l'attention de Franz Marc sur les œuvres de son ami.
Interrogé par Kubin à l'époque sur l'art de Kandinsky, Feininger avoue : « (...) la nature du travail de Kandinsky (...) est complètement étrangère au mien (...) cet artiste exprime ce que je ne veux justement pas exprimer (...) le plaisir que l'on ressent devant ses œuvres est le plaisir qui émane d'un objet exotique... »[3]. Plus grande semble être l'affinité entre Feininger et Klee. Néanmoins, c'est avec une grande joie que Feininger, un des premiers maîtres engagés par Gropius, accueillera Klee et Kandinsky au Bauhaus de Weimar. « Je suis convaincu, écrit-il dans ce contexte à son épouse en 1919[4], que le Bauhaus pourra devenir quelque chose d'admirable et qu'il y parviendra. Bientôt Weimar aura une réputation en Europe et, sous peu, partout dans le monde ».
D'ailleurs, Feininger restera toujours fidèle aux idéaux de l'époque de Weimar, avec cette croyance en l'importance suprême de l'art et en un rétablissement nécessaire des liens avec l'artisanat. Il déclarera en 1923 : « Je suis entièrement contre la devise "Art et technique - une nouvelle unité", même si elle est symptomatique de notre époque ».
Un regard sur le passé et les passions des deux hommes révèle beaucoup de points communs. Comme Kandinsky, Feininger avait une double nationalité. Né de parents allemands, il avait passé sa jeunesse en Amérique. Ses parents, musiciens, avaient prévu des études de musique pour leur fils, qui avait donné son premier concert de violon à l'âge de 12 ans. Toute sa vie Feininger restera passionné de musique. Entre 1921 et 1926 il composera une suite de 13 fugues pour orgue. Souvent son œuvre peint fut comparé à la musique.
Cosmopolite comme Kandinsky, Feininger a vécu et voyagé avec sa famille dans beaucoup de pays d'Europe. D'ailleurs l'histoire révèle une première rencontre manquée en 1906-07, quand les deux artistes se trouvèrent à Paris pour un séjour de quelques mois. Feininger travaillait à l'époque comme caricaturiste pour le journal *Le Témoin*.
De ce « Spitzweg du cubisme » — selon une formule grinçante du critique Westheim — Kandinsky a conservé quelques œuvres sur papier (parmi elles quelques-unes de ces remarquables gravures sur bois, cf. p. 235) et sur toile, ainsi que des jouets en bois que Feininger avait sculptés et peints pour ses enfants dès 1913, activité qu'il reprenait régulièrement tous les ans avant Noël.
Georg Muche (cf. p. 482)[5], témoin de toute cette expérience du Bauhaus, résume très simplement cette manière d'être de son ami Feininger, étrange et étonnant : « Feininger ne travaillait pas selon une méthode pédagogique, n'enseignait pas l'art à l'aide d'idées dogmatiques aptes à convaincre n'importe qui. Il enseignait, sans le vouloir, de par sa simple existence en tant qu'être humain et en tant qu'artiste créateur ».

1. Alfred Kubin a participé aux expositions de la Phalanx, Munich, organisées par Kandinsky; il était également membre de la Neue Künstlervereinigung. Trois de ses œuvres sont reproduites dans l'Almanach *Der Blaue Reiter*.
2. Éditeur : June L. Ness, *Lyonel Feininger*, New York, Praeger Publishers, Inc., 1974, p. 42.
3. *Ibid.*, p. 43.
4. *Ibid.*, p. 109.
5. Georg Muche, *Blickpunkt. Sturm - Dada - Bauhaus - Gegenwart*, Munich, 1961, p. 133-34.

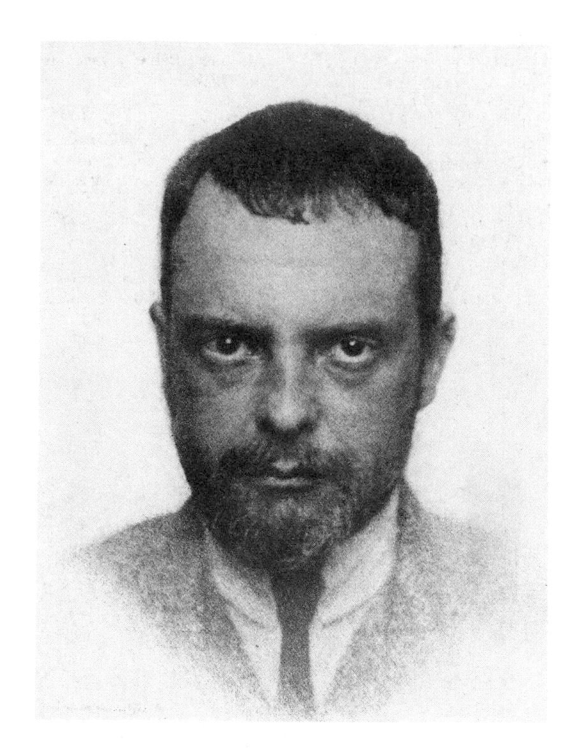

Hugo Erfurth (1874-1948) : *Portrait de Paul Klee,* 1922, photographie, 28,6 × 22,3, signée et datée en bas à gauche : « Hugo Erfurth, Dresden, 1922 », dédicacée sur le montage (au crayon violet) : « meinem lieben Freund Kandinsky, Weimar 1923 (signé) Klee »

Berne Kistlerweg 6
30 Déc 1939

Mon cher ami et jeune camerade,

jeune – parce qu'on se trompe un peu – ce n'était pas hier que je fesais ~~votre~~ la connaissance l'importante de votre personalité – et quelque fois il me semble quand même que c'était hier.
Certainement nous n'avons pas abusé de notre temps, ni vous ni moi. Votre lettre du 12 Déc m'a enchanté et je sentais battre votre bon et grand coeur!
Merci!!
Et merci ~~pour~~ à Madame NK. pour sa bonne carte pleine de bons souhaits. E tutte belle cosa pour l'année prochaine, qui commence après demain
votre Klee

Fac-similé de la dernière lettre de Paul Klee à Vassily Kandinsky en date du 30 décembre 1939. C'est le dernier mot joint par Paul Klee aux lettres que sa femme, Lily Klee, envoyait régulièrement à Nina Kandinsky. Exceptionnellement, en raison de la censure pendant la « drôle de guerre », ces quelques lignes de vœux du Nouvel An sont rédigées en français.

Les liens entre Paul Klee et V. Kandinsky s'établirent à Munich au temps de la Nouvelle Association des Artistes munichois et du Cavalier Bleu. En comparant leur passé respectif, les deux artistes aimaient insister sur une première rencontre qui aurait pu avoir lieu en 1900, quand ils travaillèrent ou furent censés travailler (Klee, semble-t-il, brillait par son absence aux cours) dans l'atelier de Franz von Stuck à l'Académie des Beaux-Arts de Munich.
Onze ans plus tard, leurs chemins se croisent à nouveau. En juin 1911 Kandinsky a pu voir pour la première fois, à la galerie Thannhauser de Munich, quelques œuvres de cet artiste totalement inconnu. Le 9 octobre il écrit à Franz Marc : « Hier (j'ai) fait (la) connaissance de Klee par le canal de Moillet (*sic*). C'est une âme d'une grande qualité »[1]. En effet, le peintre suisse Louis Moilliet (1880-1962)[2], "deus ex machina" provoquant la rencontre, était devenu depuis un certain temps le messager en quelque sorte entre le 32 Ainmillerstrasse, le logement de Paul et Lily Klee depuis septembre 1906 et le n° 36 de la même rue où se trouvait l'appartement de Gabriele Münter et de Kandinsky. Les visites se multiplièrent et une lettre du 14 janvier 1912[3], toujours adressée à Marc, contient ce portrait de Klee : « Aujourd'hui Klee nous a rendu visite. Il nous plaît de par son intelligence, son sérieux et sa simplicité ».
De la même période date dans le Journal de Klee une note très brève qui concerne Kandinsky[4] : « J'ai appris à avoir une confiance plus profonde en lui. Il est vraiment quelqu'un; son esprit est d'une lucidité et d'une clarté exceptionnelles ». Le monologue autour de celui qui, à l'époque, était un des peintres munichois les plus révolutionnaires et contestés est poursuivi un peu plus loin : « Si, comme je le crois, les sources de la tradition d'hier sont réellement taries... alors un grand moment est arrivé et je salue tous ceux qui travaillent à la réforme en cours actuellement. Le plus audacieux parmi eux est Kandinsky, qui cherche également à exercer une influence par ses écrits »[5]. Klee ne semble pas avoir lu cet ouvrage immédiatement après sa parution. Car il informe les lecteurs du périodique *Die Alpen*, dont il est le correspondant à Munich, de l'édition chez Piper d'un ouvrage de Kandinsky, intitulé « Expressionnisme »[6].
Klee se joignit aux artistes groupés autour du Blaue Reiter pour la deuxième exposition consacrée aux arts graphiques (son envoi consista en 14 dessins et 3 œuvres en couleur) qui se déroula sous cet emblème à Munich le 12 février 1912. Ce fut un événement d'une importance capitale dans l'évolution du peintre qui, jusque-là, avait travaillé dans un isolement presque total, loin des innovations récentes dans le domaine des arts picturaux. Pour la première fois il vit alors sur les cimaises de la galerie Goltz des œuvres cubistes, des gravures de Braque,

Picasso et Derain, ainsi que des spécimens de l'art russe, signés Malévitch, Larionov et Gontcharova. Klee qui, à l'époque, dessinait exclusivement et était ignoré de la plupart de ses collègues, tout en étant « estimé par les hommes les plus progressistes »[7], est également représenté dans l'Almanach *Der Blaue Reiter* avec un dessin à l'encre de Chine, intitulé *Tailleurs de pierre.*

La guerre de 1914 éloigna les deux artistes géographiquement, sans pouvoir porter atteinte — ce sont les mots de Kandinsky[8] — à un voisinage spirituel qui sera repris et poursuivi pendant les années de Weimar et intensifié après la nouvelle installation du Bauhaus à Dessau. Certaines des œuvres des deux artistes de l'époque se font écho, amicalement et avec une subtile ironie.

C'est à Kandinsky qu'incombe la tâche grave de formuler les adieux pour un enseignant, un artiste, un homme aussi exceptionnel que Klee, quand celui-ci quitta son poste au Bauhaus en 1931 après dix ans d'une présence toujours enrichissante pour les collègues et étudiants, et d'une collaboration active à la vie communautaire de cette institution.

Outre une correspondance très riche entre les deux artistes couvrant la période de 1926 à 1939[9], le fonds Kandinsky conserve un grand nombre d'œuvres peintes, dessinées ou gravées d'une qualité exceptionnelle (reproduites sur ces pages), dont Klee fit don à celui qu'il avait admiré comme un maître ou qu'il échangea avec l'ami des années du Bauhaus.

1. K. Lankheit, *op. cit.*, p. 64.
2. Moilliet participa également en 1914 au célèbre voyage en Tunisie en compagnie de Klee et August Macke.
3. K. Lankheit, *op. cit.*, p. 114.
4 et 5. Éditeur Felix Klee, « Tagebücher von Paul Klee 1898-1918 », Cologne, DuMont Schauberg, 1957, notes 903 et 905. Cité par Charles Werner Haxthausen, « Klees künstlerisches Verhältnis zu Kandinsky während der Münchner Jahre », in catalogue de l'exposition « P. Klee - Das Frühwerk 1883-1922 », Munich, Städt. Galerie im Lenbachhaus, 12 décembre 1979-2 mars 1980, pp. 98-130, p. 98 et p. 104.
6. Paul Klee in *Die Alpen*, VI, n° 5, janvier 1912, p. 302.
7. J. Eddy, *op. cit.*, p. 114 : « There is another and almost unknown artist, P. Klee, who is very highly esteemed by the most advanced men ».
8. V. Kandinsky, « Paul Klee », *Bauhaus*, n° 3, 1931, repris in « Kandinsky - Essays über Kunst und Künstler », *op. cit.*, pp. 130-132.
9. Il y a également une abondante correspondance à partir de 1930 entre Lily Klee et Nina Kandinsky.

858
Paul Klee (1879-1940)
Le Danseur sur corde, 1923
lithographie, 44 × 26,8
numéroté, intitulé, dédicacé et signé en bas :
« 23138 Seiltänzer / für Kandinsky in Freundschaft 15 Dez(ember) 23 Klee »
référence : Eberhard W. Kornfeld, *Verzeichnis des graphischen Werkes von P. Klee,* Bern, Verlag Kornfeld & Klipstein, 1963, n° 95, repr.
AM 1981-65-872 (Inv. 784-3 g (3))

859
Paul Klee
La Comédie des oiseaux, 1918
lithographie, 42,5 × 21,5
signé en bas à droite (au crayon bleu) : « Klee »
dédicacé en bas à droite (à la mine de plomb) : « für Frau Nina Kandinsky in Freundschaft Weihnachten 24 »
ne figure pas dans le catalogue des œuvres de Klee
référence : E.W. Kornfeld, *op. cit.*, n° 69, repr.
AM 1981-65-873 (Inv. 784-3 g (4))

860
Paul Klee
La Sorcière au peigne, 1922
lithographie, 31 × 21,2
monogrammé, daté, numéroté et intitulé sur la pierre : « 1922/101 / Die Hexe mit dem Kamm »
monogramme complété (à la mine de plomb) : « Klee »
dédicacé en bas à droite (à la mine de plomb) : « meinem lieben Freund Kandinsky Weihnachten 24 (monogramme) »
inscrit en bas (à la mine de plomb) : « Litho 4/14/vor der Auflage »
référence : E.W. Kornfeld, *op. cit.*, n° 86
AM 1981-65-874 (Inv. 784-3 g (2))

861
Paul Klee
L'Ane, 1925
lithographie, 24 × 14,5
monogrammé, daté et numéroté sur la pierre : « Kl 1925. R.3. »
signé en bas à droite (à la mine de plomb) : « Klee »
intitulé et dédicacé en bas à gauche (à la mine de plomb) : « der Esel x unser grosser gemeinsamer Bekannte/ für Kandinsky zum 5. Dez(ember) 1925/ (monogramme) Kl »
référence : E.W. Kornfeld, *op. cit.*, n° 97, repr.
AM 1981-65-875 (Inv. 784-3 g (l))

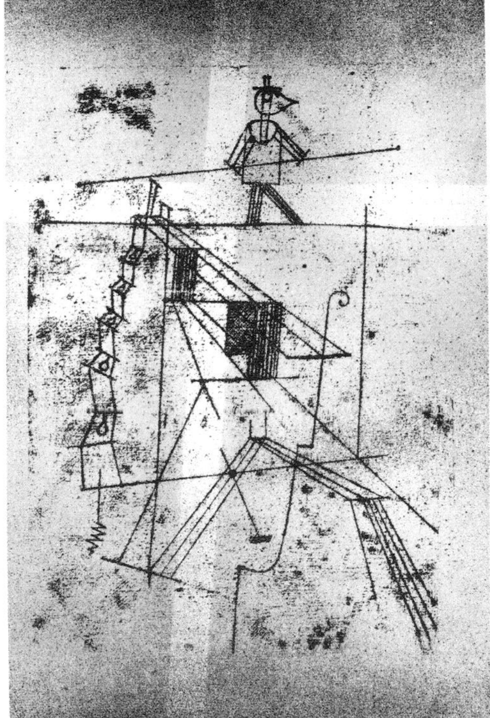

858

859

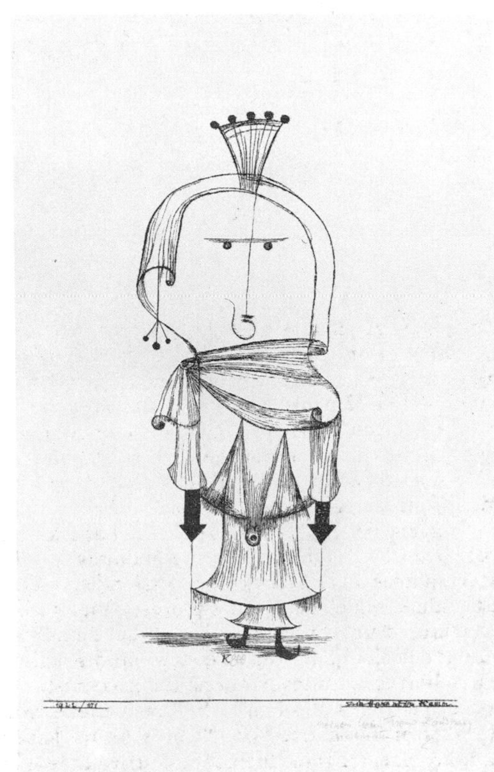

860

861

862
Paul Klee
Saint-Germain près de Tunis
(à l'intérieur des terres), 1914
aquarelle, 21,8 × 31,5
signé en haut à droite (à l'encre de Chine) : « Klee »
inscrit en bas au centre sur le support (à l'encre de Chine) : « 1914 / 217 St. Germain b(ei) Tunis (landeinwärts) »
AM 1981-65-876 (Inv. 169)

863
Paul Klee
Peinture-lettre, 1926
aquarelle et gouache, 23,7 × 30,5
inscrit sur l'œuvre à gauche et en bas (à l'encre de Chine) : « An Herrn Kandinsky in Moskau/ München/Weimar *(mentions rayées)* Dessau »
signé en bas à droite : « Klee »
daté, numéroté et intitulé en bas sur le support : « 1926 L.3. / Briefbild z(um) 5 Dezember 1927 »
AM 1981-65-877 (Inv. 170)

864
Paul Klee
Rythmes d'une plantation, 1925
aquarelle, 23 × 30,5
signé en haut à droite (à l'encre de Chine) : « Klee »
daté, numéroté et intitulé en bas sur le support :
« 1925 qu. 8 (à la mine de plomb) III/(à l'encre de Chine) Rhythmen einer Pflanzung »
dédicacé en bas à droite (à la mine de plomb) :
« meinem lieben Freund und bisherigen Anwohner Kandinsky zum 4. Dez(ember) 1932 »
(monogramme)
AM 1981-65-878 (Inv. 172)

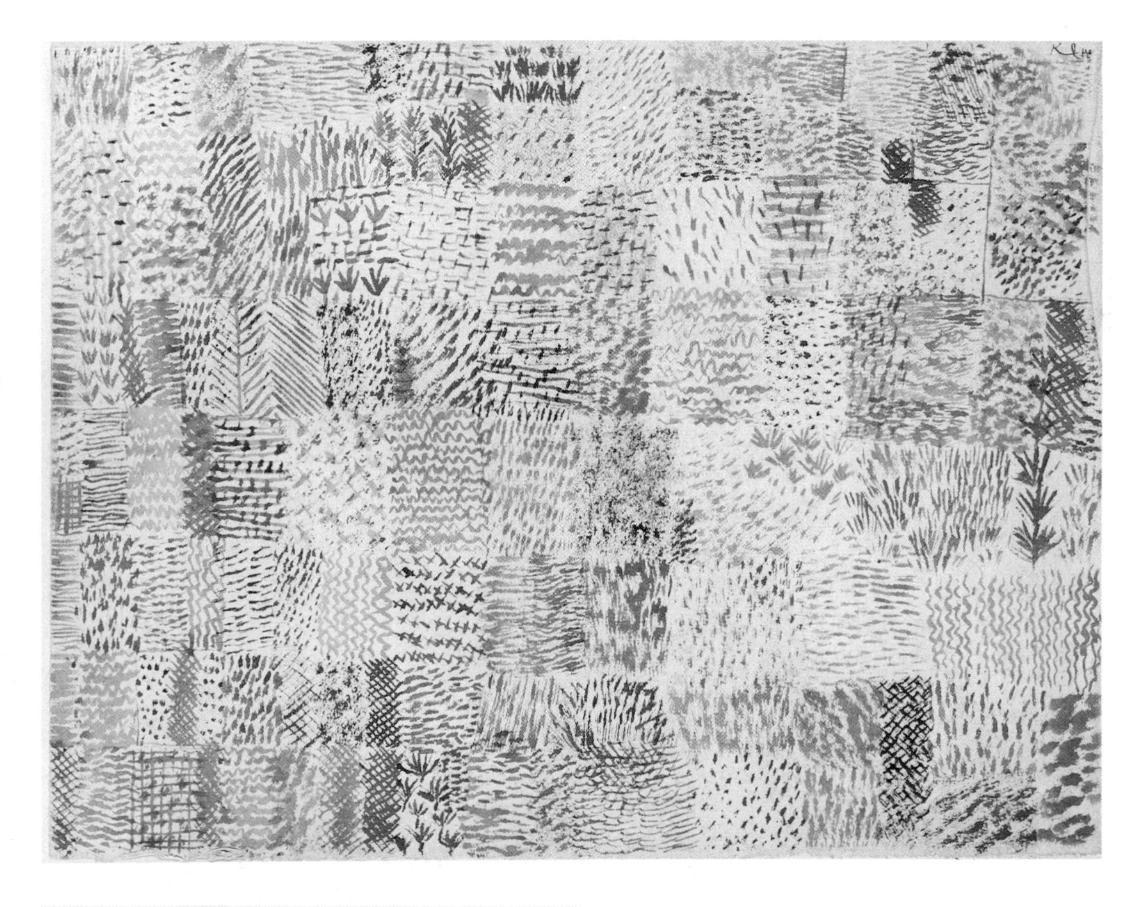

865
Paul Klee
Escalier et échelle, 1928
gouache et aquarelle sur gaze enduite posée sur carton, 14,5 × 14,5
signé en bas à gauche (à l'encre de Chine) : « Klee »
daté, numéroté et intitulé en bas sur le montage (à l'encre de Chine) : « 1928 J.3./ Treppe und Leiter »
dédicacé en bas à droite (à la mine de plomb) : « für Kandinsky freundnachbarlich/ zum 5. Dez(ember) 1928 Klee »
don manuel de Mme Nina Kandinsky, 1966
AM 4345

866
Paul Klee
L'Esprit sur la tige, 1930
gouache, 33 × 19
signé en haut à gauche : « Klee »
daté, numéroté et intitulé en bas (à l'encre de Chine) : « 1930 Q. 2. der Geist auf dem Stiel »
dédicacé en-dessous (à la mine de plomb) : « für Kandinsky zum 4. Dez(ember) 30, in Freundschaft. Klee »
don manuel de Mme Nina Kandinsky, 1966
AM 4346

867
Paul Klee
Croissance, 1921
huile sur carton, 54 × 40
signé, daté et numéroté en bas à droite : « Klee 1921/193 »
inscrit au revers sur le cadre (à la mine de plomb, de la main de Nina Kandinsky) : « Coll(ection) N. K(andinsky) »
AM 1981-65-879 (Inv. 173)

868
Paul Klee
Paysage d'hiver, 1923
huile sur carton épais, (à vue) 24,2 × 35,8
signé, daté et numéroté à droite au milieu (à l'encre de Chine) : « Klee 1923/10/10 »
inscrit au revers (à l'encre, de la main de Nina Kandinsky) : « Collection Nina Kandinsky »
AM 1981-65-880 (Inv. 722)

869
Paul Klee
KN le forgeron, 1922
huile sur gaze collée sur carton, 32,8 × 35,6
signé et daté en haut à gauche (en rouge) : « 1922 173/Klee »
inscrit au revers du cadre : « 1922/173 : KN Der Schmied »
AM 1981-65-881 (Inv. 171)

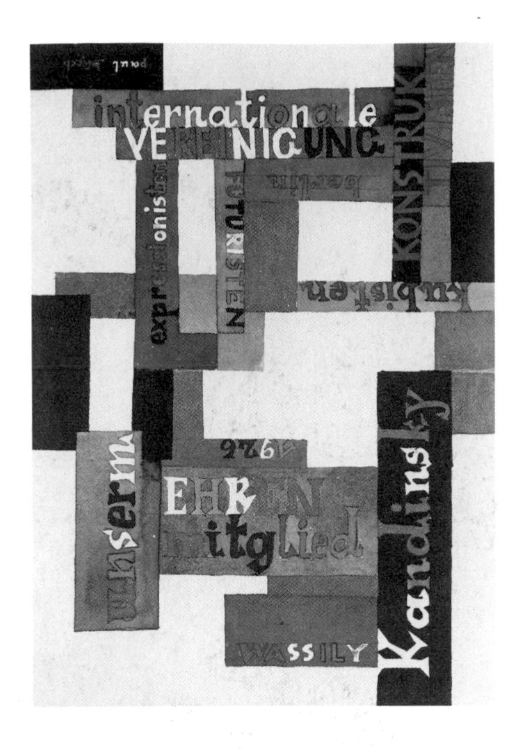

872

870
Paul Busch
Maquette pour un diplôme de membre d'honneur de l'Association internationale des cubistes, futuristes, expressionnistes et constructivistes pour Vassily Kandinsky, 1926
mine de plomb, gouache et encre de Chine, 30,9 × 21,2
signé en bas à droite : « Paul Busch »
AM 1981-65-882 (Inv. suppl.)

873

874

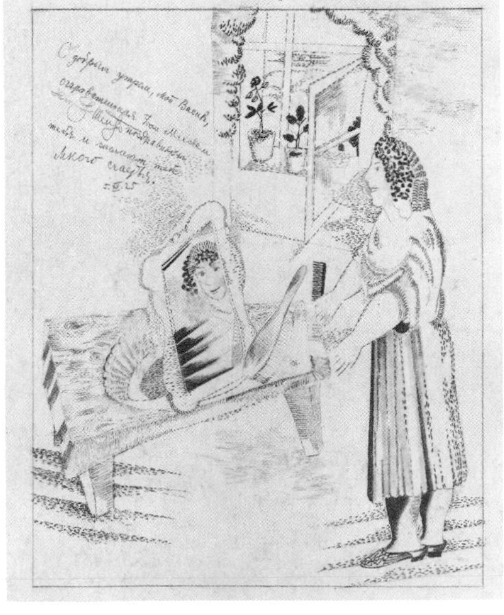

871
Georg Muche (né en 1895)
[Sans titre, Nina à sa table de toilette], 1925
mine de plomb et fusain, 36,3 × 27
dédicacé et daté en haut à gauche (en russe) : « Bonjour, mon petit Vassily, la charmante Madame Muche et M. G. Muche te souhaitent bonne fête et beaucoup de bonheur »
AM 1981-65-883 (Inv. 784-3-z)

872
Otto Nebel (1892-1973)
Jardinet, 1931
huile sur carton, 28,7 × 45,7
inscrit en bas à gauche : « N 232 »; désigné et signé en bas à droite : « Kleiner Garten, 1931 / Otto Nebel »
désigné et signé au revers (à l'encre de Chine) : « N 232. 'Kleiner Garten' / 1931 / Otto Nebel »
au revers du carton : dessin géométrique gouaché; dans le même encadrement : huile sur toile (mêmes dimensions), à rapprocher des toiles de Rudolph Bauer (1917-19); non reproduit
AM 1981-65-884 (Inv. 177)

873
Otto Nebel
Mouvement diagonal, 1926
aquarelle, encre de Chine et rehauts de gouache, 26,7 × 32,8
signé et daté en bas à gauche sous l'aquarelle : « Otto Nebel 1926 » et désigné en bas à droite : « Diagonale Bewegung »
AM 1981-65-885 (Inv. 784-3 dd)

874
Otto Nebel
[Sans titre], 1931
aquarelle et encre de Chine, 31,3 × 30
monogrammé et daté en bas à droite : « O.N. 1931 »
AM 1981-65-886 (Inv. 784-3 bb)

Josef Albers, instituteur depuis 1908 dans les écoles de Lehmkuhle et de Bottrop, sa ville natale, devint — 20 ans après Klee et Kandinsky — l'élève de la classe de dessin de Franz von Stuck (1863-1928) à l'Académie des Beaux-Arts de Munich, après avoir suivi les cours de l'école des Métiers d'art à Essen entre 1916 et 1919. En 1920, âgé de 32 ans, il redevint étudiant au Bauhaus. Tout ce qu'il en savait se réduisait aux buts idéaux définis dans le premier manifeste de 1919. Il suivit les six mois obligatoires du cours préliminaire d'Itten et bien qu'il ne fût que compagnon du Bauhaus, on lui confia l'atelier de verre, nouvellement constitué. Après le départ d'Itten en 1923, une partie du « Vorkurs » — désormais et jusqu'en 1925 sous la direction de Moholy-Nagy qui en assure le cours dit « Gestaltungsstudien » (études de mise en forme) — est enseigné par Albers. Ce cours consiste en des études de matériaux (Materiestudien ou Werkarbeit).
Albers, pédagogue remarquable, prit ses distances à l'égard de l'expressionnisme subjectif d'Itten et créa une méthode plus en accord avec les principes fonctionnels introduits au Bauhaus à partir de 1923. Ses méthodes révolutionnaires, en constante évolution, sont résumées pour la 1re fois dans le no 2/3 de 1928 du périodique *Bauhaus* (pp. 3-6).
Un de ses élèves au cours préliminaire en 1929, Hannes Beckmann, qui travaillera ensuite dans l'atelier de photographie de Walter Peterhans[1] (cf. nos 882, 884 et 886), se souvint plus tard du premier cours d'Albers[2] : « J'ai un vif souvenir de ce premier jour. Albers entra, avec, sous le bras, un paquet de

875
Josef Albers (1888-1976)
K = Trio, 1932
mine de plomb et gouache sur papier « Schoellers »,
45,7 × 44
signé et daté en bas à droite (à la mine de plomb) :
« Albers 32 » et désigné en bas à gauche : « K =
TRIO »
dédicacé en bas à droite : « Herrn Kandinsky zum
4. XII. 32 » (monogramme)
à rapprocher d'une peinture en verre analogue de
1932
AM 1981-65-887 (Inv. 784-3 u)

journaux, qu'il distribua aux élèves. Puis il nous dit : Messieurs, Mesdames, nous ne sommes pas riches, mais pauvres. Nous ne pouvons pas gaspiller nos matériaux, ni notre temps. De rien nous devons faire quelque chose. Tout art commence avec le matériau et il faut donc examiner les capacités de notre matière première. Donc, au départ, nous expérimentons sans prétentions, sans vouloir aboutir à un produit. A ce stade nous préférons la dextérité à la beauté ». Puis Albers laissa les étudiants, équipés de ciseaux et de papier journal, et revint après quelques heures pour discuter avec eux du résultat de leurs travaux.
En effet, et pour reprendre une de ces formules paradoxales d'Albers, ce qui était important, ce n'était pas ce que l'on demandait aux étudiants de faire au Bauhaus, mais ce que l'on ne leur demandait pas.
Le but de son enseignement peut se résumer dans une formule encore plus succincte, qu'Albers emprunta au critique d'art et sociologue anglais John Ruskin : apprendre à voir. Ce théoricien peu éloquent de la perception résumera ses patientes recherches dans un ouvrage publié par les soins de Yale University en 1963 sous le titre : *L'Interaction des couleurs*[3]. C'est à Yale, et avant tout au Black Mountain College, en Caroline du Nord, qu'Albers, après la fermeture du Bauhaus en 1933, poursuivit sa carrière d'enseignant avec un succès extraordinaire. Sa réputation en tant que peintre sera établie dans ce pays au cours des années 40.
Bien qu'il figure dans de nombreux ouvrages parmi les peintres du Bauhaus, Albers peignit très peu à Weimar et à Dessau. La plupart de ses créations au Bauhaus furent réalisées en verre. Ce sont des compositions abstraites en relief, assemblages géométriques, dont le principe était le degré changeant de transparence et d'opacité de la matière. Une étude préparatoire pour un de ces tableaux en verre de 1932 — reproduit dans le n° 3 du périodique *abstraction - création - art non figuratif* en 1934 (p. 3) — exécutée à la gouache, fut offerte à Kandinsky par Albers en décembre 1932, en échange probablement d'un dessin à l'encre de Chine de Kandinsky, également daté de 1932 et conservé dans la collection d'Anni Albers (Orange, Connecticut).
Une riche et chaleureuse correspondance entre 1932 et 1939, ainsi que d'autres œuvres échangées, témoignent de la profonde amitié qui liait les deux artistes depuis l'époque de Dessau et surtout pendant les années difficiles à Berlin. La déchirure de la séparation en novembre 1933, la faible lueur de la possibilité d'un recommencement ailleurs (nombreuses sont les invitations — personnelles et officielles — que Kandinsky reçut d'Albers et du Black Mountain College), sont signifiées par deux gravures de l'artiste (non repr.), sur lesquelles furent inscrits les mots « Adieu » et « Auf Wiedersehen ».

1. Après le départ de Lucia Moholy-Nagy en 1928, Peterhans dirigea l'atelier de photographie.
2. Tapuscrit du Fonds Gropius, conservé au Bauhaus-Archiv, Berlin.
3. Josef Albers, *Interaction of Colour*, New Haven, Yale University Press, 1963.

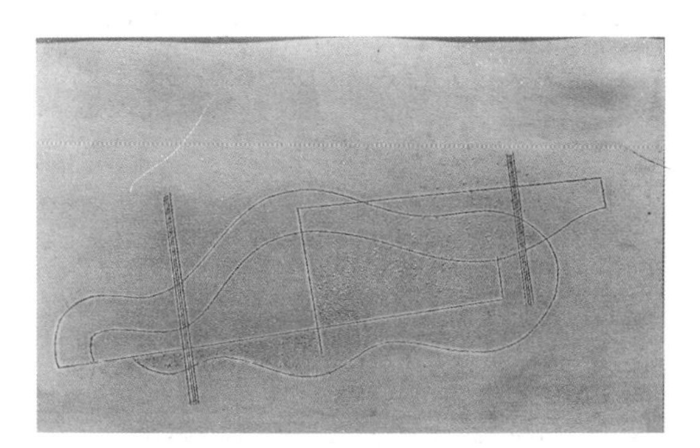

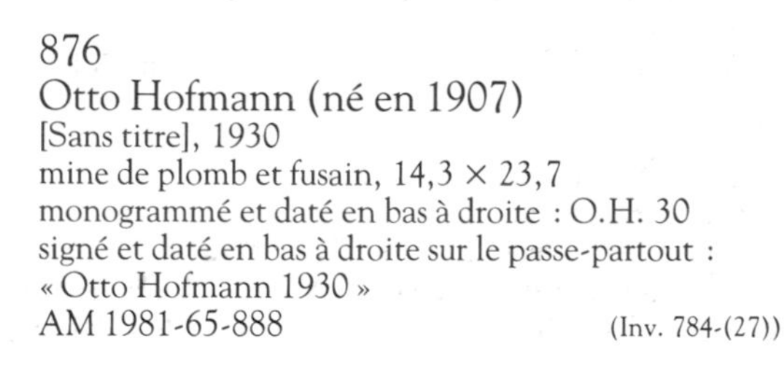

876
Otto Hofmann (né en 1907)
[Sans titre], 1930
mine de plomb et fusain, 14,3 × 23,7
monogrammé et daté en bas à droite : O.H. 30
signé et daté en bas à droite sur le passe-partout :
« Otto Hofmann 1930 »
AM 1981-65-888 (Inv. 784-(27))

877
Katherine S. Dreier (1877-1952)
[Sans titre], 1934
lithographie aquarellée sur papier « Franc »,
28,9 × 40,4
signé et daté en bas à droite (à la sanguine) :
« Katherine S. Dreier. 1934 »
appartient à la série « 40 Variations »
AM 1981-65-889 (Inv. 784-11)

878
Willi Baumeister (1889-1955)
[Sans titre], 1932
crayon gras et crayon rouge sur papier préparé à la gouache, 47,5 × 30
signé et daté en bas à droite (à la mine de plomb) : « Baumeister 1932 »
AM 1981-65-890 (Inv. 784-3 w)

879
Hans Reichel (1892-1958)
Comme un aquarium, 1925
aquarelle, 21,7 × 16,1
signé dans l'œuvre en bas à gauche (à l'encre de Chine) : « Reichel »
daté et numéroté en bas à droite : « 1925/18 »
(selon les précisions apportées par la galerie J. Bucher, cette œuvre, intitulée « Aquarienartig », porte le n° 340 dans le catalogue raisonné)
AM 1981-65-891 (Inv. 784-3q)

880
Hans Reichel
Poissons, marron-violet, 1925
encre de Chine, encre brune et aquarelle (pulvérisation), 32,7 × 25
signé en bas vers le milieu (à l'encre de Chine) : « Reichel »
daté et numéroté en bas à droite sur le support : « 1925/7 »
(selon les précisions apportées par la galerie J. Bucher, cette œuvre, intitulée « Fische braunviolett », fut créée en janvier 1925 et porte le n° 335 dans le catalogue raisonné)
AM 1981-65-892 (Inv. 784-3r)

881
Kurt Schwitters (1887-1948)
[Sans titre], 1924
collage, mine de plomb et fusain, 23,6 × 22,7
signé et daté en bas à gauche (à la mine de plomb) :
« K. Schwitters 1924 kwz (?) »
dédicacé sur le passe-partout (à la mine de plomb) :
« Dem Fürsten von Sibirien von Kurt Schwitters
9 2 24 » (Au Prince de Sibérie de la part de K.
Schwitters le 9 février 1924)
AM 1981-65-893 (Inv. 784-3 n)

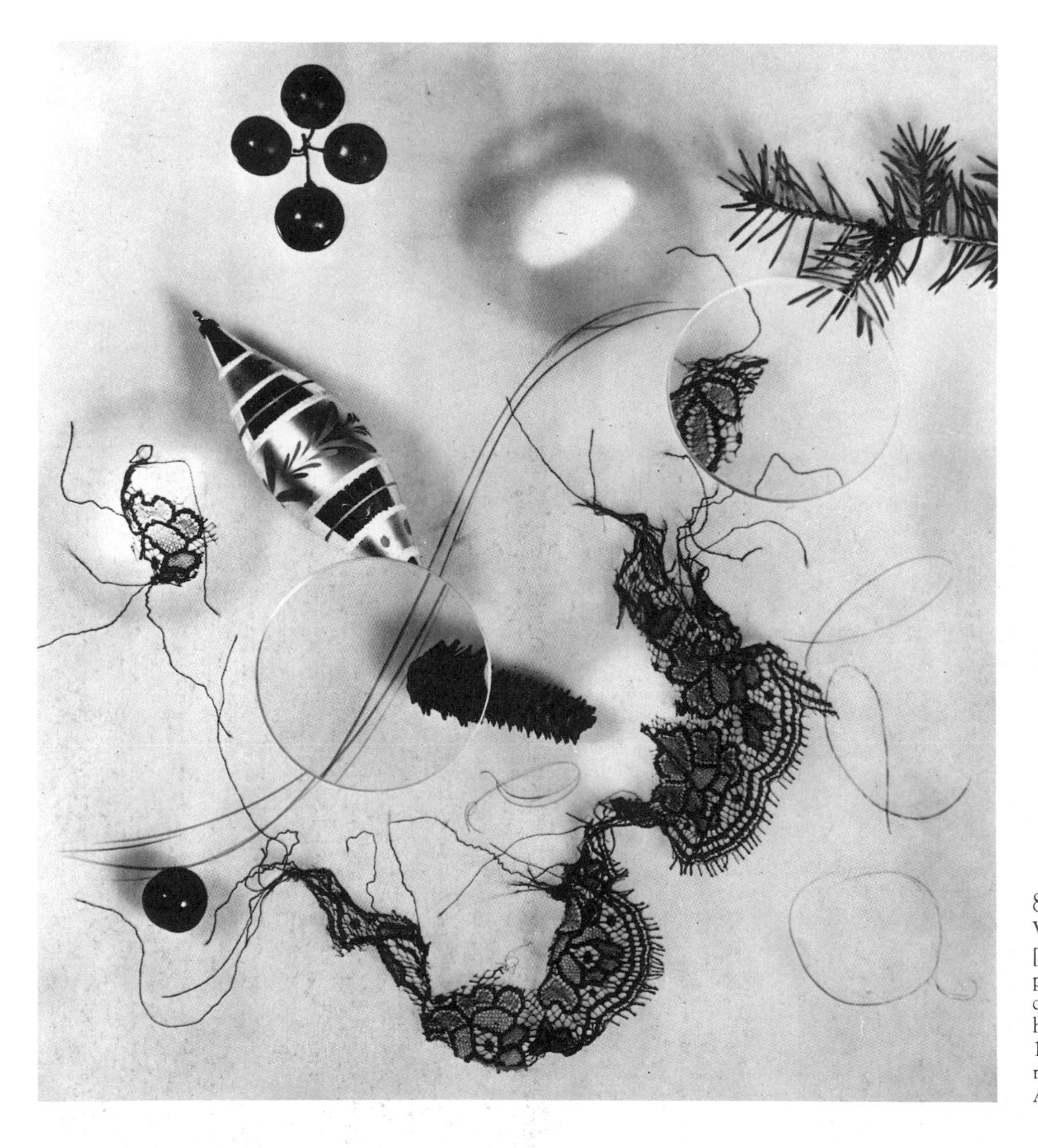

882
Walter Peterhans (1897-1960)
[Sans titre, 1931 ou 33]
photographie, 25,65 × 23,5
dédicacé en bas (à l'encre) : « Für W. Kandinsky in herzl(icher) Gemeinschaft. Peterhans 1933 (ou 1931 ?) »
reproduit in *Cahiers d'Art*, nos 1-4, 1934, s.p.
AM 1981-65-894 (Inv. 784-3f)

883
Lucia Moholy-Nagy (Lucia Schulz, née à Prague en 1900)
Fleur pour une fête du Bauhaus (Bauhaus-Fest-Blume)
photographie, 17,3 × 12,2
inscrit au verso (à l'encre, d'une main non identifiée) : « Lucia Moholy phot./Bauhaus-Fest-Blume »
AM 1981-65-895 (Inv. suppl.)

Tirage (retouché) d'une plaque photographique d'après un tableau de Kandinsky.

884
Hannes Beckmann (1909-1977)
[Sans titre]
photographie, 28,9 × 18,5
verso : tampon Hannes Beckmann foto
AM 1981-65-896 (Inv. 784-(19))

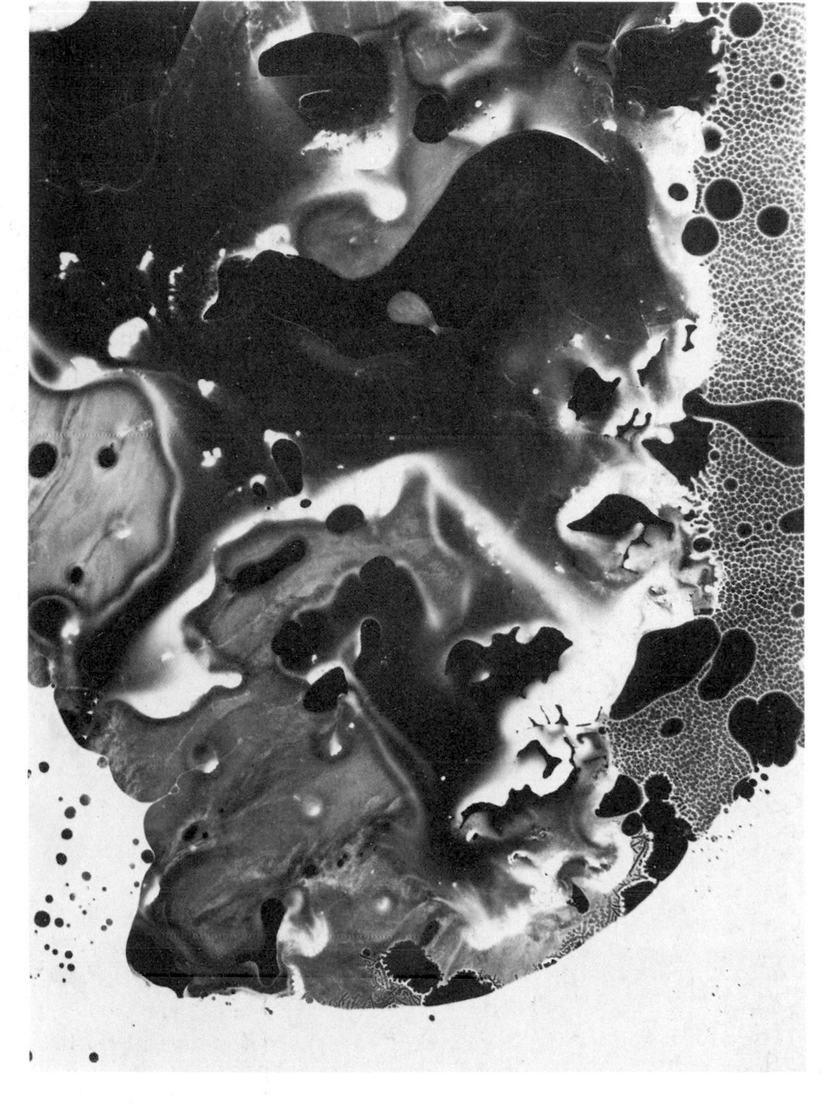

886
Hannes Beckmann
[Sans titre]
photographie, 16,7 × 23
verso : tampon Hannes Beckmann foto
AM 1981-65-898 (Inv. suppl.)

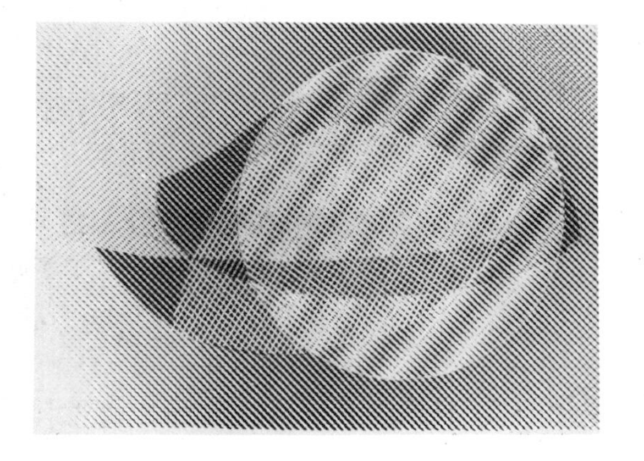

885
Xanti Schawinsky (1904-1979)
Début (Anfang)
photographie retouchée à la gouache blanche,
27,9 × 35,45
désigné en bas à gauche (à la mine de plomb) :
« Anfang »
dédicacé en bas à droite : « für Wassily Kandinsky.
Xanti Schawinsky/ 4. Dezember 1937 »
AM 1981-65-897 (Inv. 784-(21))

887
Pierre Flouquet (1900-1967)
[Sans titre, vers 1930]
encre de Chine, 32,9 × 42,8
signé en bas à droite (à l'encre de Chine) :
« P. Flouquet »
dédicacé, signé et daté en bas à gauche : « pour m.w. kandinsky en gage d'admiration et d'amitié - Flouquet 1930 »
AM 1981-65-899 (Inv. 784-(25))

888
Ben Nicholson (1894-1982)
[Sans titre], 1934
gravure, 15,9 × 20
signé et daté en bas à gauche (à la mine de plomb) :
« Ben Nicholson 1934 »
dédicacé en bas à droite : « for Monsieur et Madame Kandinsky »
AM 1981-65-900 (Inv. 784-3 c)

889
Alberto Magnelli (1888-1971)
Ardoise d'écolier, 1937
gouache sur ardoise, 14,9 × 23
signé et daté en bas à gauche : « Magnelli 37 »
(selon Madame Magnelli, cette œuvre fut échangée contre le tableau suivant de Kandinsky : *Lockere Bindung,* 1929)
AM 1981-65-901 (Inv. 724)

890
César Domela (né en 1900)
[Sans titre], 1942
gravure, 40 × 20,1
signé et daté en bas à droite (à la mine de plomb) :
« Domela 42 »
numéroté et dédicacé en bas à gauche : « 30/50 / à Kandinsky amicalement Domela »
AM 1981-65-902 (Inv. 784-3ee)

891
Alberto Magnelli
[Sans titre], 1942
gouache sur papier brun, 27 × 21
signé et daté en bas à droite (à l'encre) : « Magnelli. 42 »
dédicacé au verso : « 7.7.44 à Kandinsky amicalement Magnelli »
AM 1981-65-903 (Inv. 784-3b)

887

888

890

891

889

892

892
Joan Miró (1893-1983)
[Sans titre]
mine de plomb, 27,1 × 21
signé en bas à droite (à la mine de plomb) : « Miró »
verso : comptabilité de la main de Kandinsky
AM 1981-65-904 (Inv. suppl.)

893
Richard Mortensen (né en 1910)
[Sans titre], 1937
encre de Chine, aquarelle et gouache, 22 × 29,7
monogrammé et daté en bas à gauche (à l'encre de Chine) : « 3-12-37 / RM »
AM 1981-65-905 (Inv. 773 bis-4)

894
Richard Mortensen
[Sans titre], 1938
encre de Chine et gouache, 22,8 × 33,7
monogrammé et daté en bas à gauche (à la gouache) : « RM/ 4.4.38 »
AM 1981-65-906 (Inv. 773 bis-2)

895
Richard Mortensen
[Sans titre], 1939
encre de Chine, 25,9 × 35,9
monogrammé et daté en bas à droite (à l'encre de Chine) : « RM / 27.1.39 »
AM 1981-65-907 (Inv. 773 bis-3)

896
Richard Mortensen
[Sans titre], 1939
encre de Chine, 25,9 × 35,9
monogrammé et daté en bas à droite (à l'encre de Chine) : « RM / 26-1-39 »
AM 1981-65-908 (Inv. 773 bis-1)

897
Richard Mortensen
[Sans titre, 1957]
mine de plomb et gouache, 32,7 × 52
œuvre réalisée pour le projet de film « Sonorité jaune » de J. Polieri, 1957
AM 1981-65-909 (Inv. 784-3-ff-I)

898
Richard Mortensen
[Sans titre, 1957]
mine de plomb et gouache, 33 × 50,7
numéroté en bas à droite : « VII 6 »
œuvre réalisée pour le projet de film « Sonorité jaune » de J. Polieri, 1957
AM 1981-65-910 (Inv. 784-3-ff-III)

899
Richard Mortensen
[Sans titre, 1957]
mine de plomb et gouache, 33 × 50,7
numéroté en bas à droite : « X 4 VI A »
œuvre réalisée pour le projet de film « Sonorité jaune » de J. Polieri, 1957
AM 1981-65-911 (Inv. 784-3-ff-II)

900
Richard Mortensen
[Sans titre, 1957]
mine de plomb et gouache, 33,2 × 50,8
numéroté en bas à droite : « XXVII »
œuvre réalisée pour le projet de film « Sonorité jaune » de J. Polieri, 1957
AM 1981-65-912 (Inv. 784-3-ff-IV)

893

894

895

896

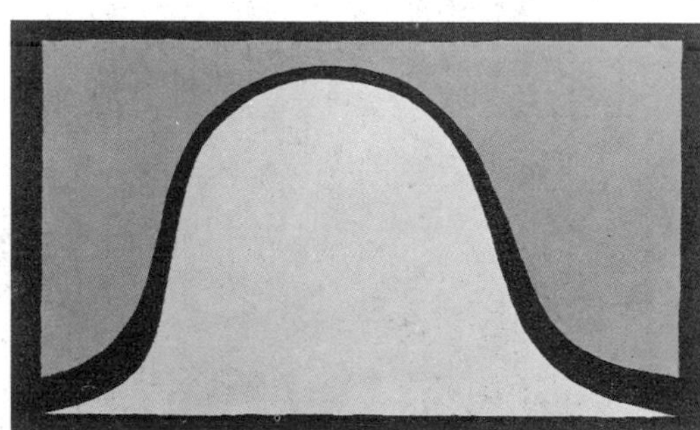

897

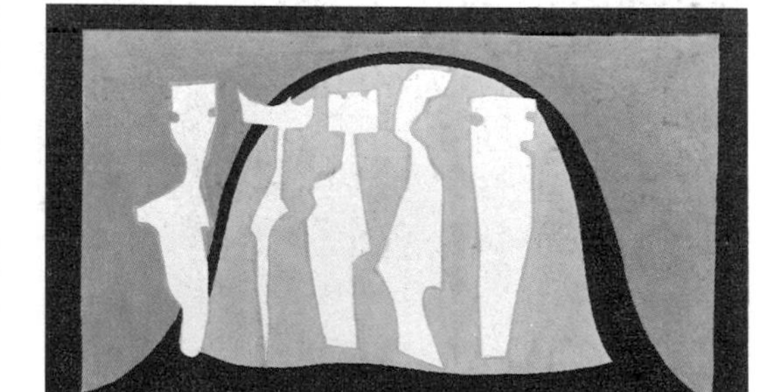

898

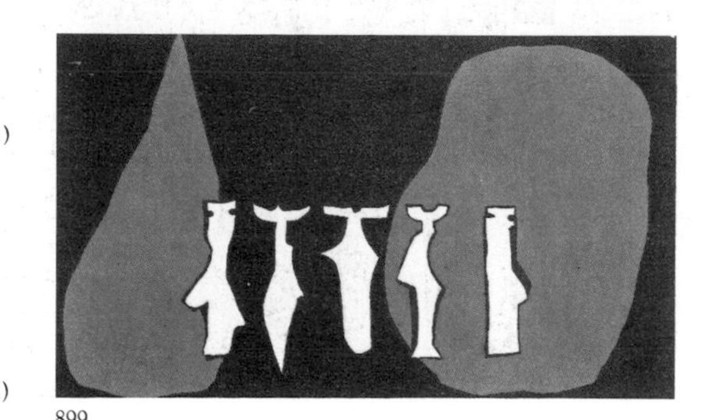

899

900

Amusement d'une ambitieuse collectionneuse, ces carnets, d'un contenu très varié, inciteraient également à écrire une Histoire de l'art des années 20 — des arts, car les pages consacrées à la musique et aux musiciens sont nombreuses —, une histoire du goût aussi, imposé, à travers le filtrage que subissent les visiteurs considérés « dignes » de figurer dans la collection, ou une histoire du goût de l'époque, simplement subi, une histoire des idées, enfin, circulant dans ces années-là et passant par cet important carrefour que fut le Bauhaus.
Reliées en chagrin bordeaux ou moire verte, obéissant à une légère hiérarchie instaurée par leur propriétaire, des pages ornées de délicates miniatures se mêlent aux fragments de partitions, font place aux dédicaces énigmatiques, messages de l'intelligentsia de l'époque et de ses suiveurs internationaux.

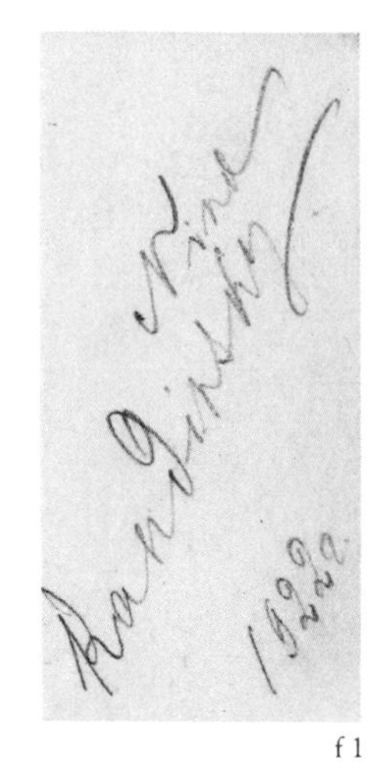

f 1

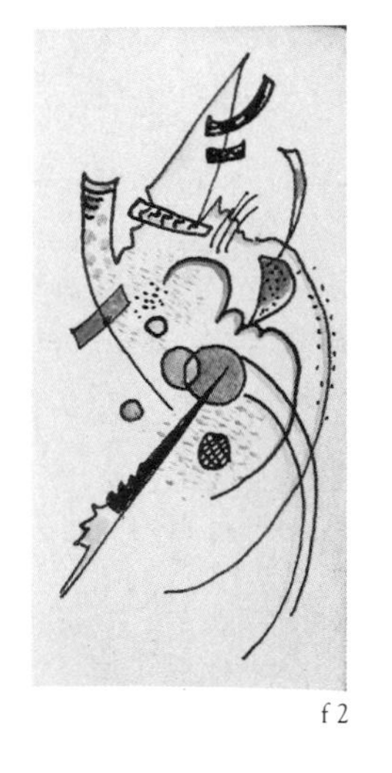

f 2

f 3

f 4

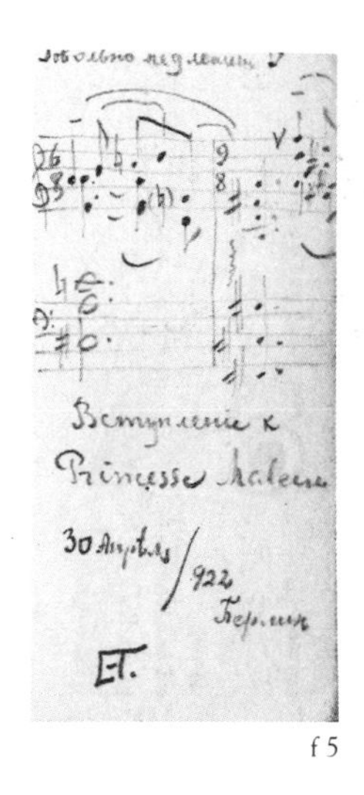

f 5

f 6

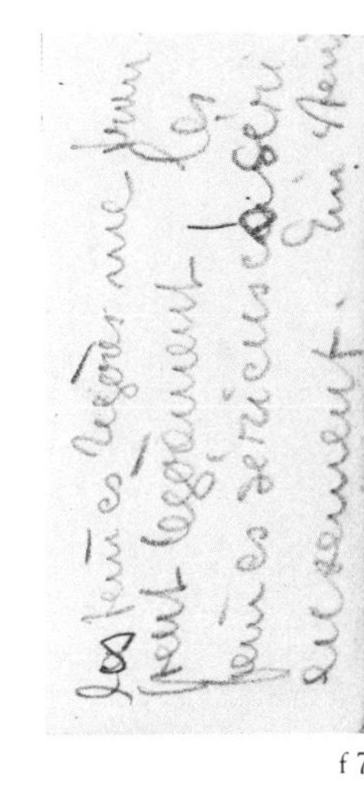

f 7

901
Carnet de Nina Kandinsky, 1922
6,8 × 3,6 × 0,4
reliure en chagrin bordeaux; sur le plat vase de petites fleurs peintes en jaune, rouge, blanc et bleu et feuilles vertes dans un médaillon central de forme ovale entouré d'un filet doré; gardes de papier; 30 feuillets portant dédicaces et dessins dont un seul, celui de Kandinsky, en couleur
AM 1981-65-913 (Inv. 756)

f. 1 signature de Nina Kandinsky, date : 1922
f. 2 V. Kandinsky, dessin à l'encre de Chine et à l'aquarelle
f. 3 dessin à la mine de plomb signé Gem. (?)
f. 4 *id.*
f. 5 quelques notes avec l'inscription (en russe) : « Assez lentement - introduction à Princesse Maleise (?) / 30 avril 1922 Berlin monogrammé E.G. ou E.T. »
f. 6 autoportrait à l'encre signé Fels (?) avec l'inscription : « Les anges révoltés ont emmené la joie du monde. Pour la rémission de nos péchés que l'art et l'amitié nous soient donnés »
f. 7 Einstein : « les femmes légères me trompent légèrement, les femmes sérieuses sérieusement »
f. 8 dessin à l'encre de Chine, auteur non identifié; au verso : dédicace Johansen (?)
f. 9 extrait de la partition « Die sieben Tage des Lebens », daté 9/5/22, auteur non identifié
f. 10 dessin à l'encre signé P. Klee
f. 11 dessin à l'encre, signé Feininger et daté du 8 VI 22
f. 12 dessin à la mine de plomb, monogrammé Jawlensky
f. 13 dessin au crayon gras, signé Felix (Klee)
f. 14 croquis à la mine de plomb, signé O. Schlemmer, Weimar (au verso)

f 8

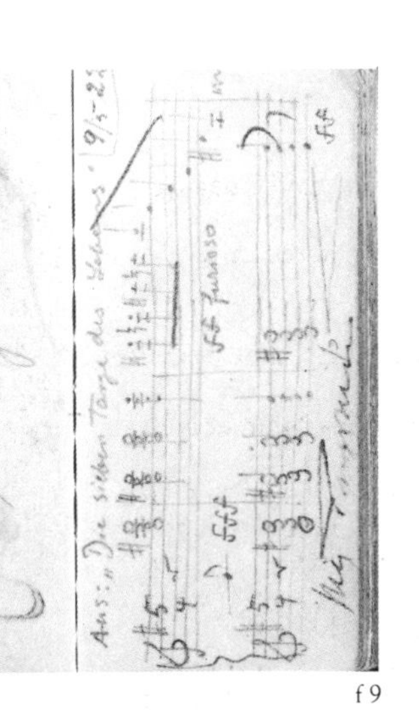

f 9

f 10

f 11

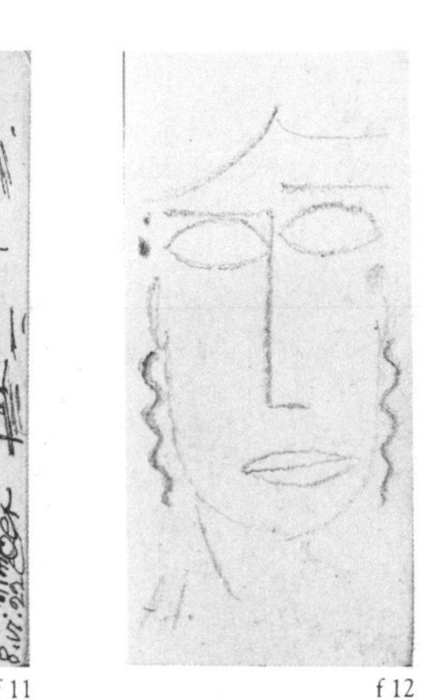

f 12

f 13

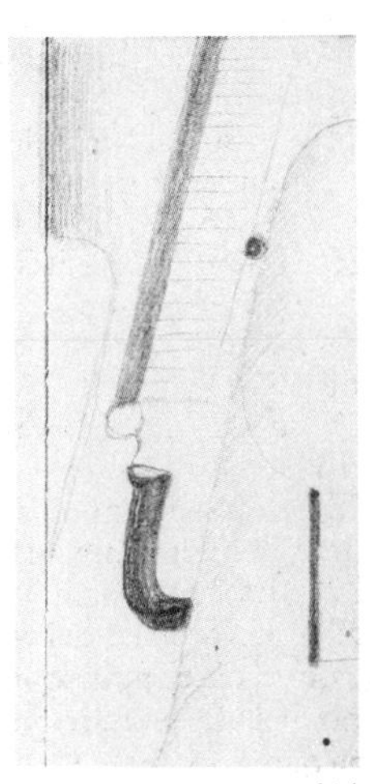

f 14

f 15

f 16

f 17

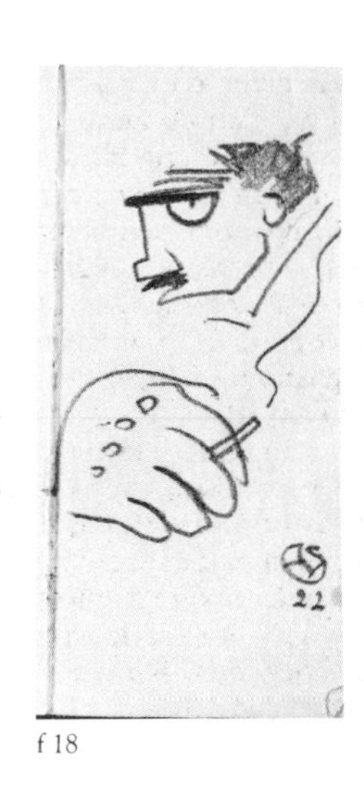

f 18

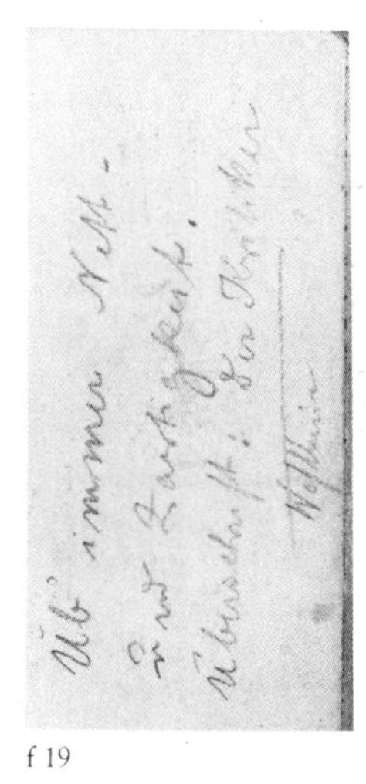

f 19

f 20

f 21

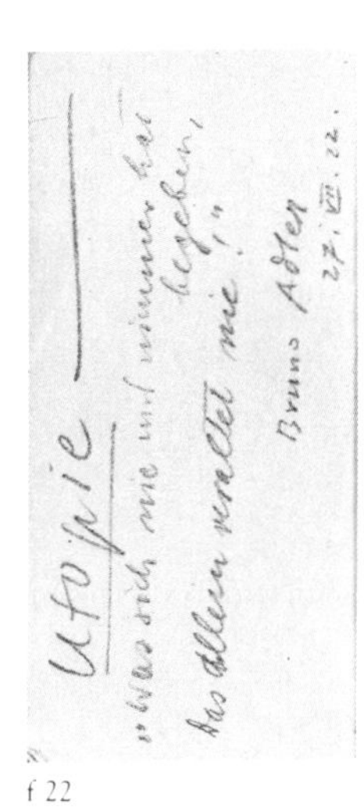

f 22

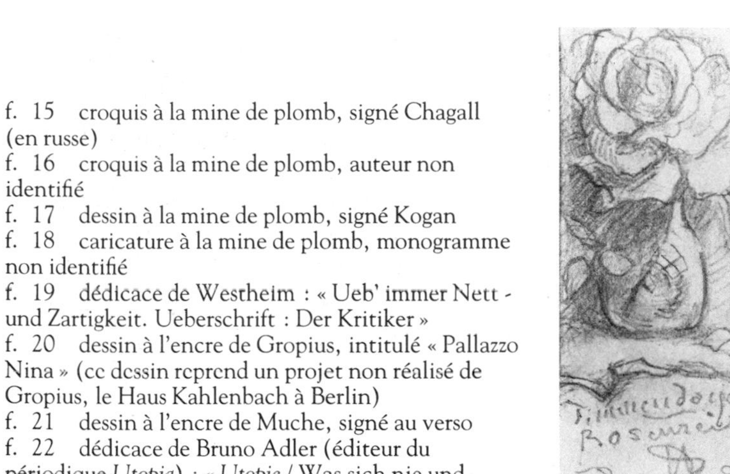

f 23

f 24

f 25

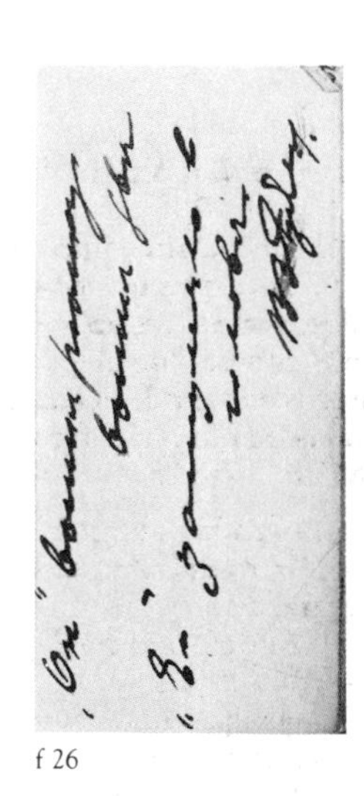

f 26

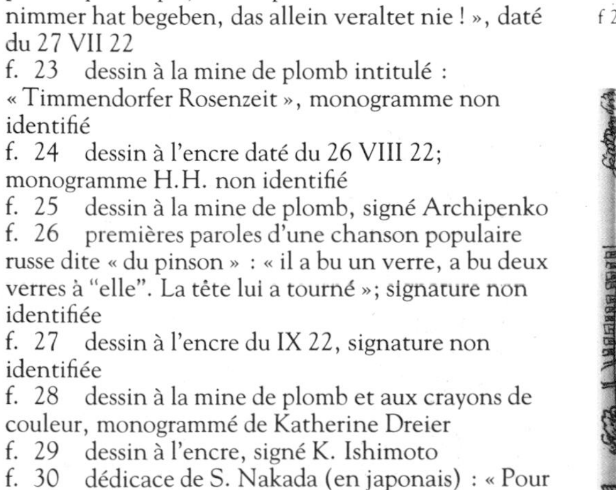

f 27

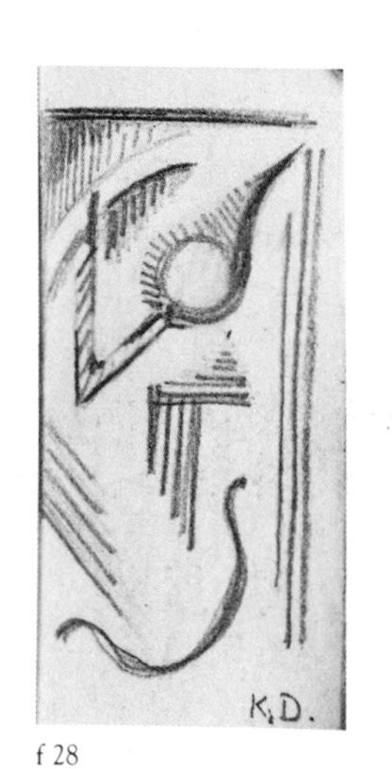

f 28

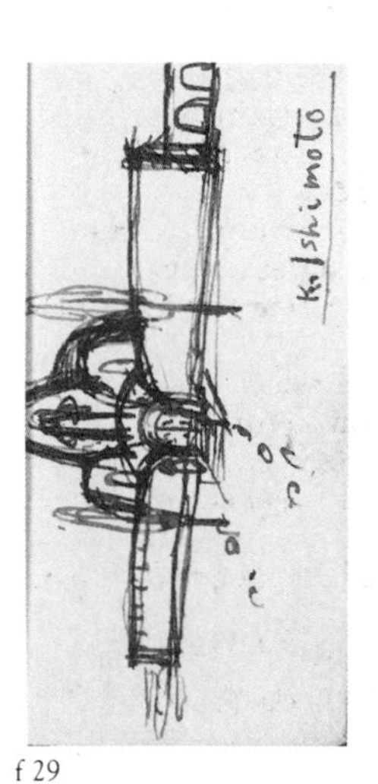

f 29

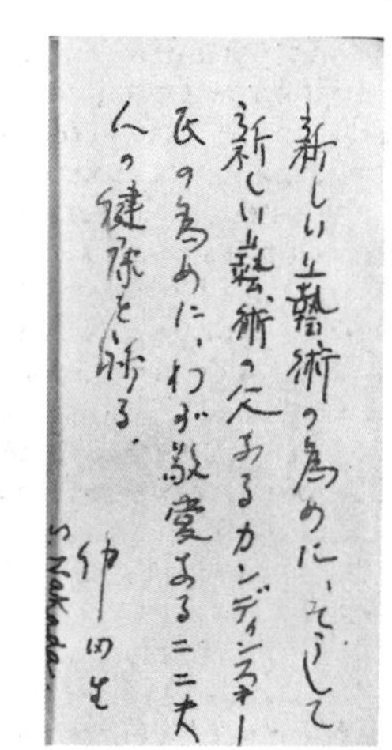

f 30

f. 15 croquis à la mine de plomb, signé Chagall (en russe)
f. 16 croquis à la mine de plomb, auteur non identifié
f. 17 dessin à la mine de plomb, signé Kogan
f. 18 caricature à la mine de plomb, monogramme non identifié
f. 19 dédicace de Westheim : « Ueb' immer Nett - und Zartigkeit. Ueberschrift : Der Kritiker »
f. 20 dessin à l'encre de Gropius, intitulé « Pallazzo Nina » (ce dessin reprend un projet non réalisé de Gropius, le Haus Kahlenbach à Berlin)
f. 21 dessin à l'encre de Muche, signé au verso
f. 22 dédicace de Bruno Adler (éditeur du périodique *Utopia*) : « *Utopie* / Was sich nie und nimmer hat begeben, das allein veraltet nie ! », daté du 27 VII 22
f. 23 dessin à la mine de plomb intitulé : « Timmendorfer Rosenzeit », monogramme non identifié
f. 24 dessin à l'encre daté du 26 VIII 22; monogramme H.H. non identifié
f. 25 dessin à la mine de plomb, signé Archipenko
f. 26 premières paroles d'une chanson populaire russe dite « du pinson » : « il a bu un verre, a bu deux verres à "elle". La tête lui a tourné »; signature non identifiée
f. 27 dessin à l'encre du IX 22, signature non identifiée
f. 28 dessin à la mine de plomb et aux crayons de couleur, monogrammé de Katherine Dreier
f. 29 dessin à l'encre, signé K. Ishimoto
f. 30 dédicace de S. Nakada (en japonais) : « Pour un nouvel art et puis pour Kandinsky qui est le père du nouvel art, je souhaite la bonne santé à Mme Nina que je respecte beaucoup »

902
Carnet de Nina Kandinsky, 1923-1940
10,4 × 6,5 × 1
reliure papier veiné rouge, garde de papier rouge;
45 feuillets dont 33 avec dessins; 12 feuillets vierge;
traces d'un feuillet arraché
AM 1981-65-914 (Inv. 730)

f. 1 signature de Nina Kandinsky; date : I/VII (?) 23, Weimar
f. 2 dessin à l'encre de Chine et à l'aquarelle, monogrammé V. Kandinsky
f. 3 dessin à l'encre de Chine et à l'aquarelle, signé Klee
f. 4 dessin à l'encre de Chine et à l'aquarelle, signé Feininger et daté du 16 juillet 1923
f. 5 dessin à l'aquarelle, signé G. Muche
f. 6 dessin à l'encre de Chine et à l'aquarelle, signé Moholy-Nagy
f. 7 dessin à l'encre de Chine et à l'aquarelle, désigné « Aus dem "Triadischen" », signé Schlemmer et daté de 1923
f. 8 dessin à la mine de plomb désigné : « Aussichtsturm in die Zukunft » et inscrit GROPIUS (selon Chr. Wolsdorff, ce dessin est vraisemblablement de Molnar; Gropius dessinait très peu)
f. 9 quelques notes de la « Marche du soldat », dédicacée à Nina Nikolaevna Kandinskaya par Igor Stravinsky le 19 VIII 23 à Weimar; (en russe) : « A propos du soldat, de son arrivée à Weimar et (à propos) d'Igor Stravinsky, en souvenir »
f. 10 dessin avec quelques notes à l'encre de Chine (signature, probablement japonaise, non identifiée)
f. 11 dessin signé Ida Bienert, collé sur la page du carnet
f. 12 dessin à l'encre et à l'aquarelle, signé Reichel, 1923
f. 13 dessin aquarellé et gouaché, signé Felix (Klee) en juillet 1923
f. 14 dessin aquarellé, signature non identifiée
f. 15 collage signé Kurt Schwitters et daté de 1924
f. 16 quelques notes et dédicace de Rudolf Réti le 5/II24, Vienne : « Und was jetzt ? Die Armen können nie (?) zusammenkommen. Ich weiss das aus Erfahrung »
f. 17 dédicace de Johannes Schlaf, célèbre prédicateur itinérant des années 20, datée de février 1924, Weimar : « Beständig strömt Unendlichkeit und Ewigkeit im Augenblick und durch den Augenblick als durch ein Licht hindurch und als ins Licht »
f. 18 dédicace du 5.3.24, signature non identifiée : « Gedichte gehören an die Wand wie die Zeichen bei Belsazar's Fest »
f. 19 dédicace de Fannina Halle du mois de mars 1924 (en russe, peu lisible) : « La Russie en Europe : Moscou - Weimar - Vienne - "la... russe" - "l'heure de Moscou" - peut-être - une éternité, peut-être un instant »
f. 20 (verso) et f. 21 dédicace de mars 25 non identifiée à gauche; à droite, dessin à l'encre et à l'aquarelle, signé A. Jawlensky, monogrammé et daté du 6.VI.25
f. 22 dessin à l'encre de Chine et aquarellé, monogrammé et signé A. Jawlensky et daté du 6.VI.25
f. 23 dessin à l'encre de H. Nesnakomoff-Jawlensky, 1925
f. 24 dessin à la mine de plomb, à l'encre de Chine et à l'aquarelle, signé Marcel Breuer
f. 25 quelques notes signées Franz von Hoesslin, le 20.V. (ou j(anvier)) 26
f. 26 dessin à l'encre de Chine et au lavis, signé Hélion, 1935

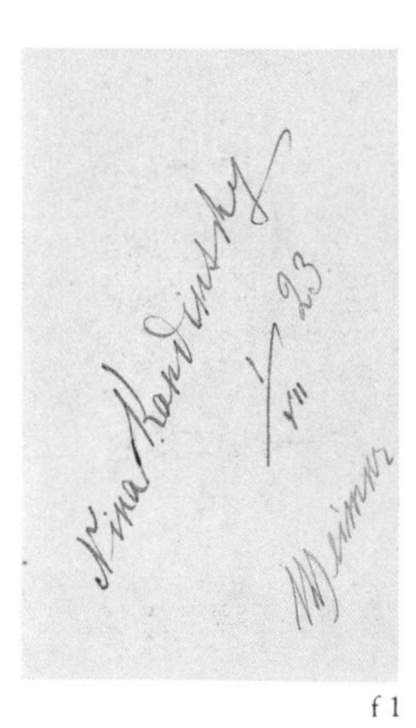
f 1

f 2

f 3

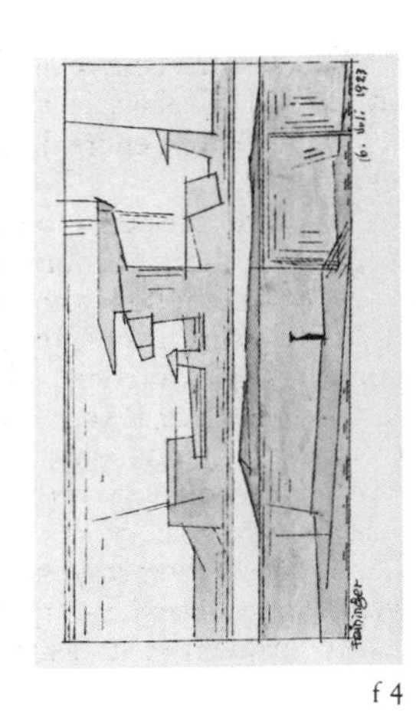
f 4

f 5

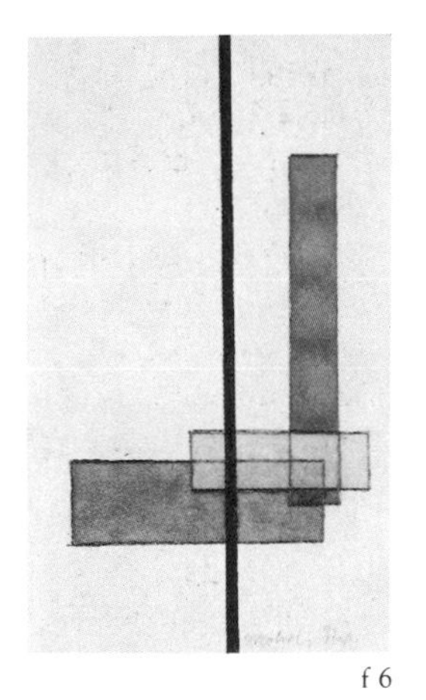
f 6

f 7

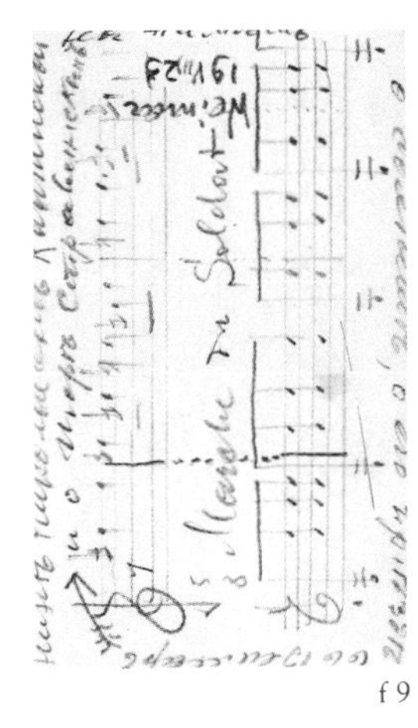
f 9

f 8

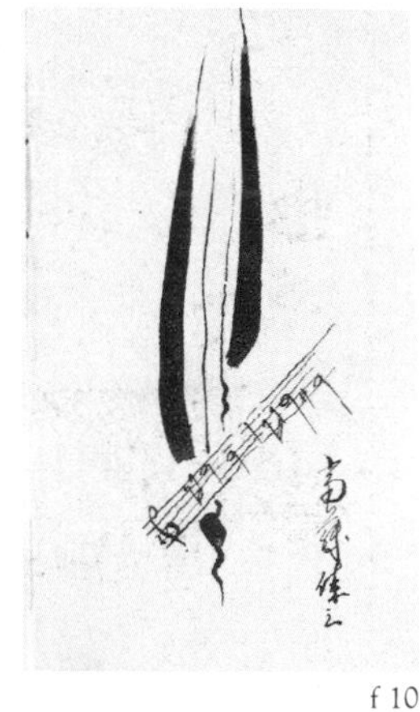
f 10

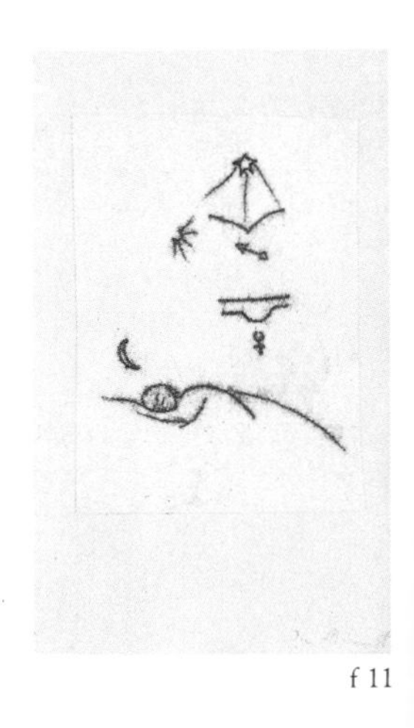
f 11

f 12

f 13

f 14

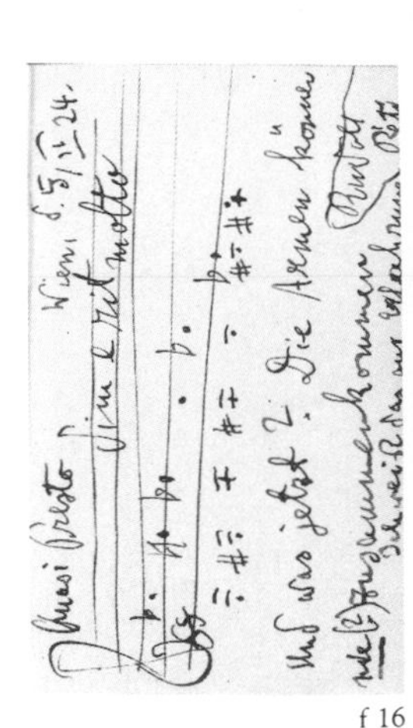
f 16

f. 27 dessin à l'encre de Chine et à l'aquarelle, signé (Hilla) Rebay, 1935
f. 28 dessin à l'encre de Chine et à la gouache, signé Magnelli
f. 29 dédicace de Herbert Read : « We are without courage, without freedom, without passion and joy, if we refuse to follow where the artist leads »
f. 30 dessin à l'encre de Chine et aux crayons de couleur, signé Miró en juillet 1938
f. 31 dédicace d'André Breton : « La beauté sera CONVULSIVE ou ne sera pas. La beauté sera ÉROTIQUE-VOILÉE, EXPLOSANTE-FIXE, MAGIQUE-CIRCONSTANCIELLE ou ne sera pas »
f. 32 dessin aux crayons de couleur, signé au verso : S.H. Taeuber-Arp, 1940
f. 33 papier déchiré, signé au verso : Arp

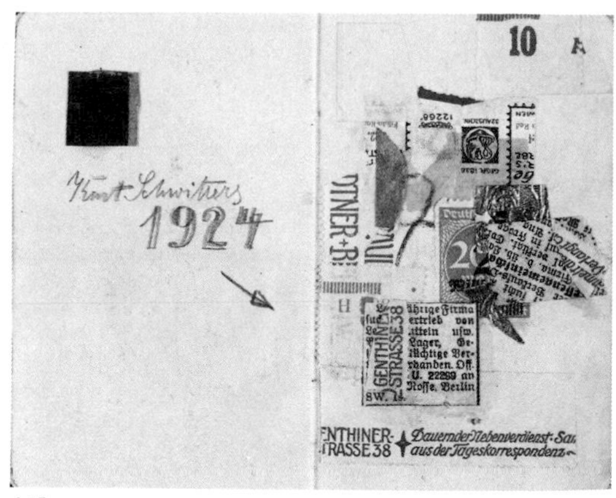

f 15

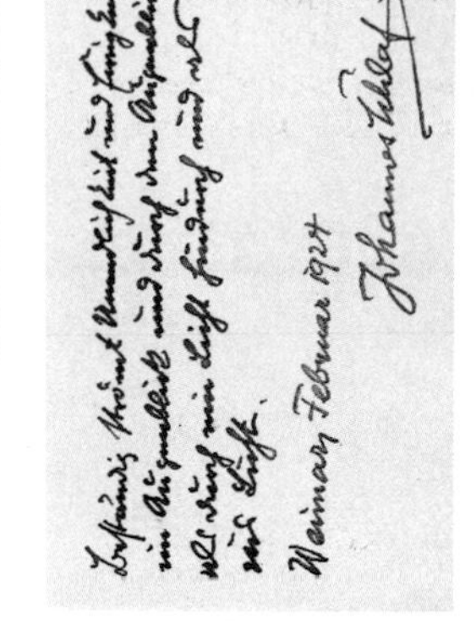

f 17

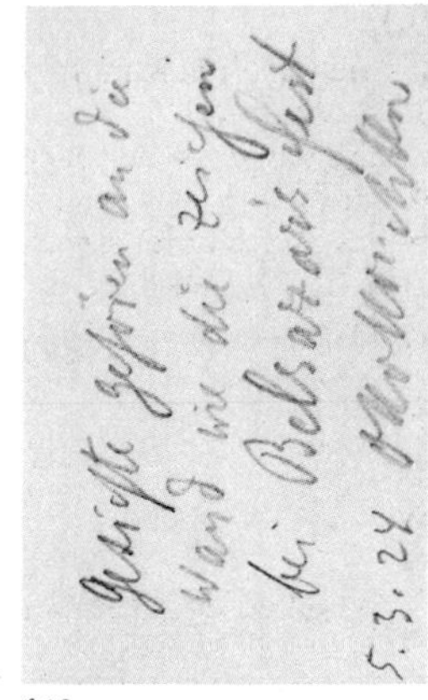

f 18

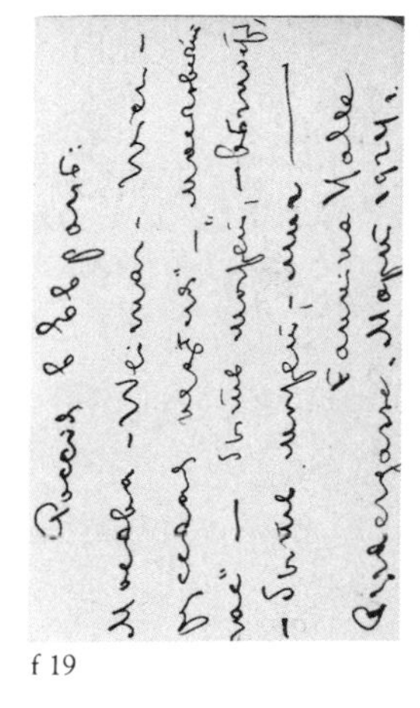
f 19

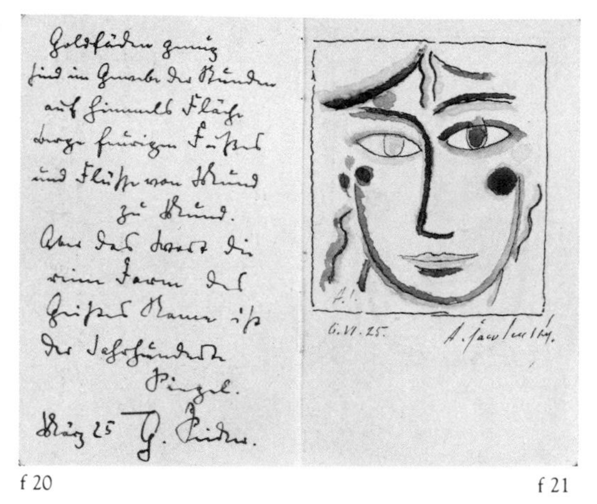

f 20

f 21

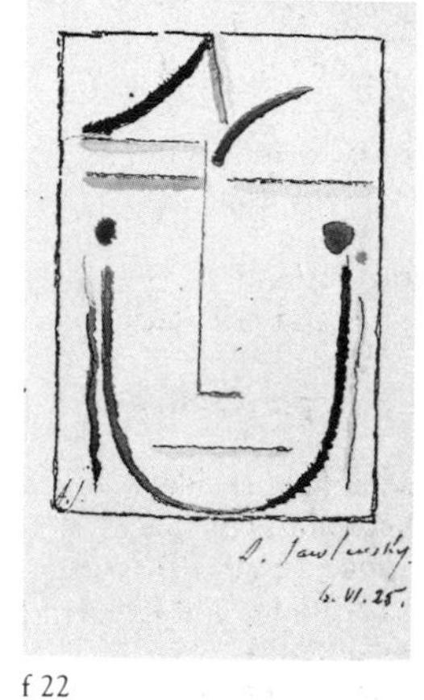

f 22

f 23

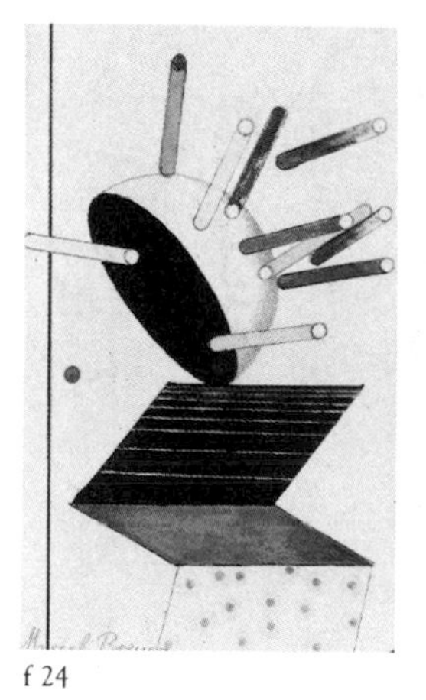
f 24

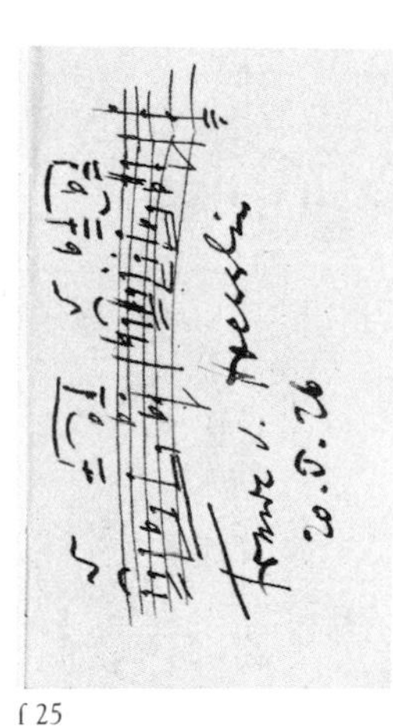
f 25

f 26

f 27

f 28

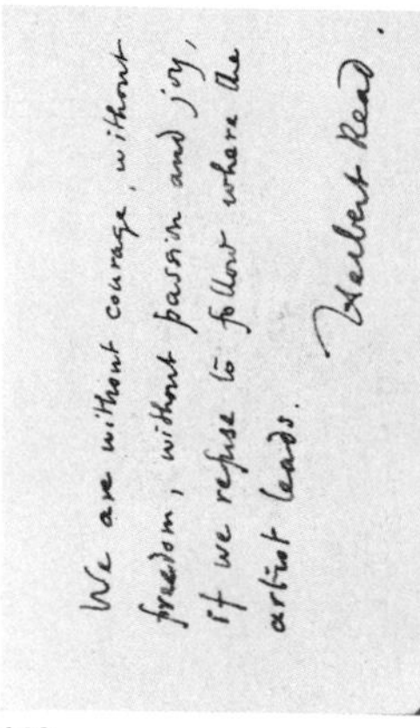

f 29

f 30

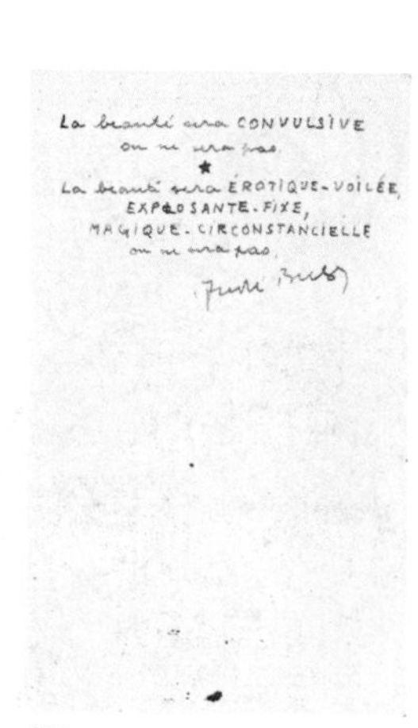

f 31

f 32

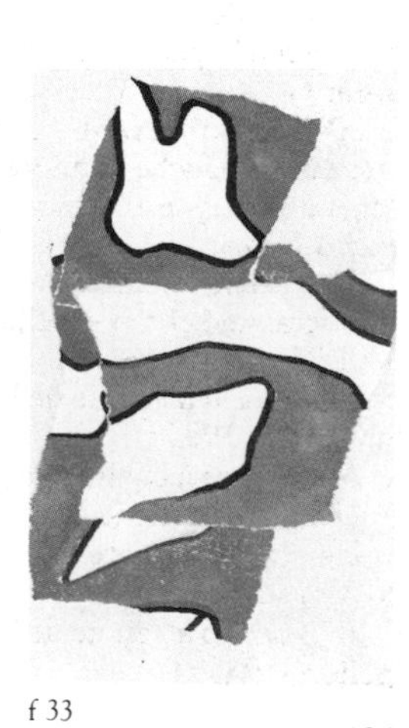
f 33

903
Carnet de Nina Kandinsky, 1925-27
9 × 7,3 × 1
reliure en moire verte, garde de papier fleuri vert;
43 feuillets dont 18 avec dessin ou dédicace et
25 feuillets vierge
AM 1981-65-915 (Inv. 729)

f. 1 *(non reproduit)* signature de Nina Kandinsky, date : 5 mars 1925
f. 2 dessin à l'aquarelle, signé Arndt
f. 3 dessin à l'encre de Chine et à l'aquarelle, intitulé « Russischer Tanz », signé (en lettres cyrilliques) : Kirschenbaum (?)
f. 4 dessin à l'encre de Chine et à l'aquarelle, signé Vladas Svipas et daté 1925
f. 5 dessin à la gouache, non signé
f. 6 dessin aquarellé et gouaché, signé R. Paris
f. 7 (verso) dessin à la mine de plomb, non signé
f. 8 dessin à la mine de plomb aquarellé, signé Hans Volger
f. 9 dessin aquarellé et gouaché, signé Bayer
f. 10 dessin à l'encre de Chine et à l'aquarelle, signé Paul Häberer
f. 11 dessin gouaché avec, au verso, une dédicace de Mizutani; les caractères chinois disent : le cercle, le carré, la sphère et le cube; daté du 16 décembre 1927
f. 12 dessin à la mine de plomb, à l'encre de Chine et à l'aquarelle avec, au verso, une dédicace de Breuer : « Eine Marie dankend zurück am 30.I.1926 »
f. 13 (recto) et f. 14 collage et dessin à l'encre de Chine et à l'encre rouge, probablement de Joost Schmidt
f. 15 assemblage probablement de Helene Schmidt-Nonne
f. 16 (verso) et f. 17 collage et dessin à l'encre de Chine et à l'aquarelle, signé Lou Scheper
f. 18 dessin à l'encre de Chine gouaché, signé au verso : Albers, et inscrit : « zum neuen Haus die Nina Gartenlaube »

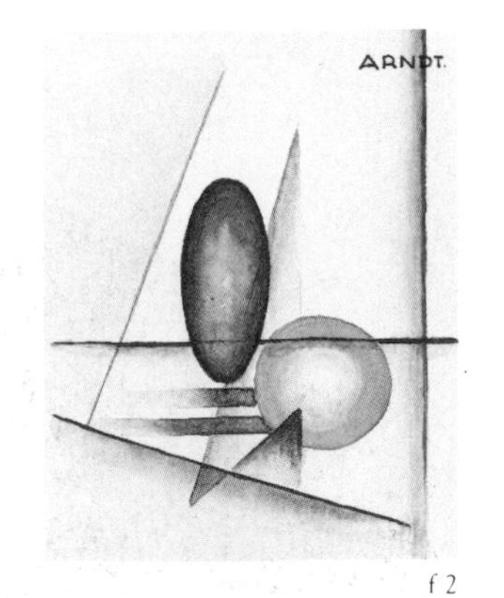

f 2

f 3

f 4

f 5

f 6

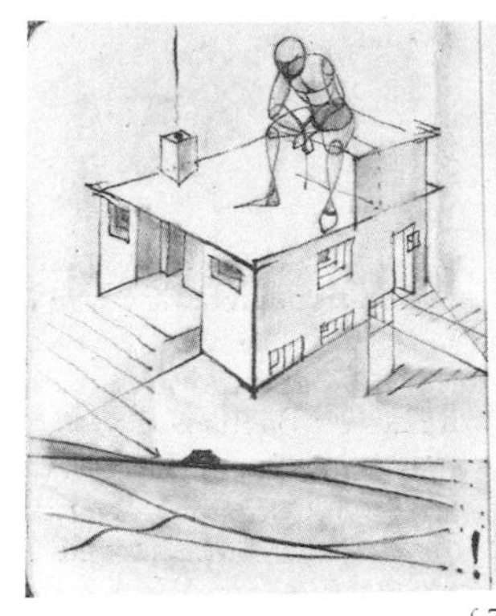
f 7

f 8

f 9

f 10

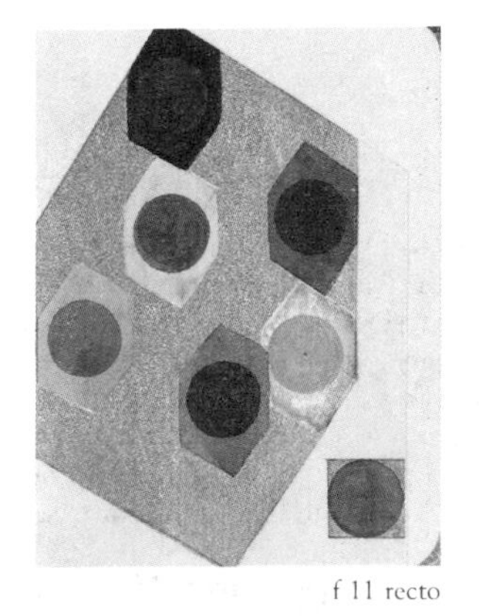
f 11 recto

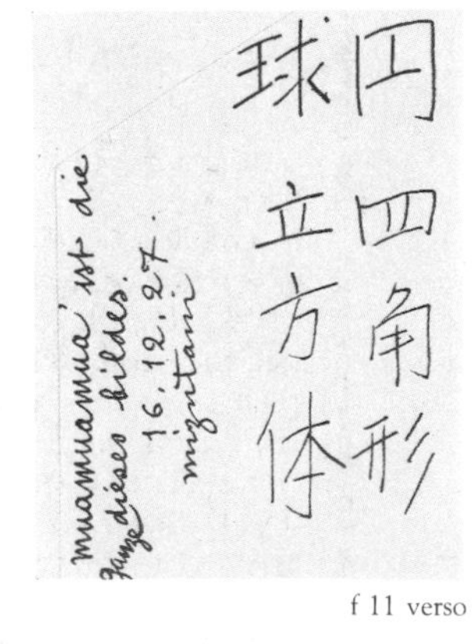

f 11 verso

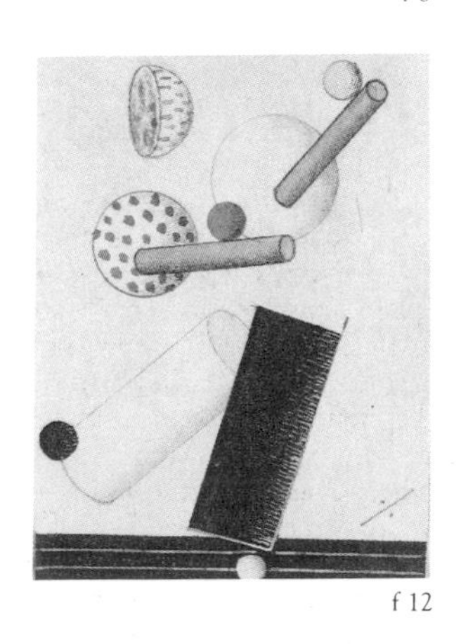
f 12

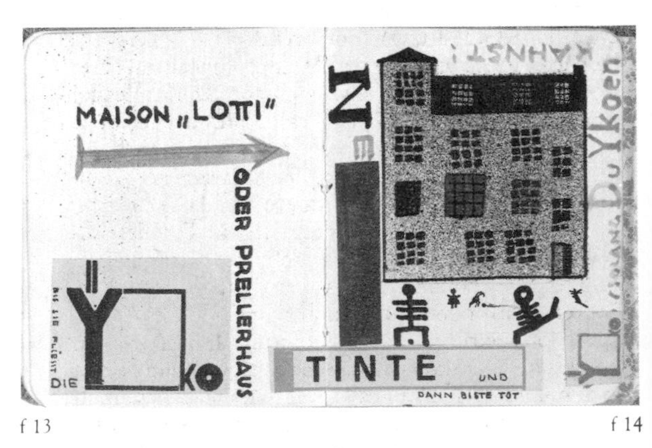

f 13 f 14

f 15

f 16

f 17

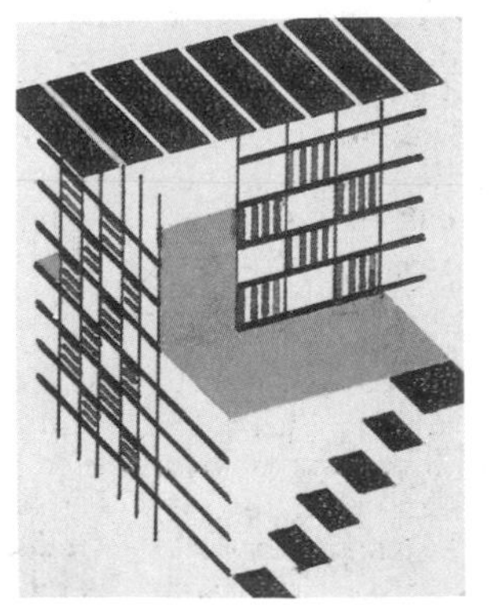
f 18 recto

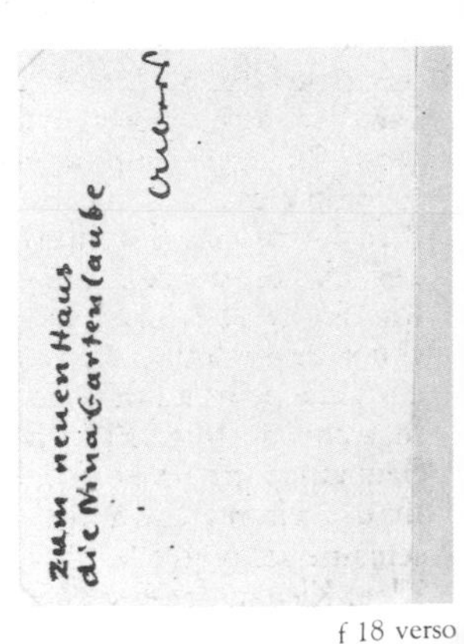

f 18 verso

904
Marianne Brandt
Étude sur les couleurs et formes élémentaires, 1923-24
papiers collés, 31,8 × 32,1
signé au verso : « Brandt »
travail d'élève du Bauhaus (Marianne Brandt était élève au Bauhaus en 1923-24)
commentaire porté au verso : « Kreis als Grundfläche (konzentrisch) als Spannung. Dreieck mit der Spitze die Mitte des Kreises berührend, um eher mitzuschwingen als die konz(entrische) Spannung u(nd) durchbrechen. Obere Horizontale des Quadrates zielt auch zur Mitte. Nicht auf die Spitze gestellt, da sonst fast keine Hemmung d. Konz. (?) entsteht »
AM 1981-65-916 (Inv. 870-33)

Après des « travaux préparatoires » dans le domaine de l'enseignement de l'art à Munich d'abord au temps de la Phalanx en 1902, à Moscou ensuite entre 1918 et 1921, Kandinsky consacrera pendant les onze années du Bauhaus le plus clair de son temps à cette activité, parfois décriée, niée même dans sa possibilité. Le temps de la peinture, toujours considérée comme sa véritable mission, est réduit à trois jours par semaine[1].

A Weimar, Klee et Kandinsky (ce dernier étant en même temps chargé de l'atelier de peinture murale) assurèrent chacun l'un des cours de la théorie de la forme (Formlehrekurs) qui fit partie de l'enseignement préliminaire d'Itten du premier semestre et qui devait fournir aux futurs artisans-artistes une sorte de « basse continue » de la création. Peu de renseignements existent sur ces premières années d'enseignement. Les travaux d'élèves sont rares. Les notes pour ces cours, qui n'étaient pas des leçons *ex cathedra* mais des exercices et analyses communs, manquent totalement pour cette période. Le travail reproduit ci-contre, signé au revers Marianne Brandt et concernant une étude de couleurs et de formes élémentaires, fut probablement exécuté entre 1923 et 1924, quand cet « apprenti », selon la terminologie de Weimar, assista au cours préliminaire.

Dans les statuts du Bauhaus de 1922, le cours élémentaire sur la forme est défini comme suit : la création (Gestaltung) comprend la théorie de l'espace, de la couleur et de la composition. Les lignes principales de l'enseignement de Kandinsky sont définies dans deux articles publiés à l'occasion de la première exposition de 1923[2], intitulés respectivement : « Éléments fondamentaux de la forme », et « Cours et séminaire sur la couleur ».

A Dessau, Kandinsky, remplacé à l'atelier de peinture murale par Hinnerk Scheper (1897-1957), augmenta le nombre de ses cours théoriques, dont existent des notes abondantes. En dehors d'une classe de peinture et de sculpture libres, grande nouveauté instaurée au Bauhaus quelque temps avant la nomination de Hannes Meyer comme directeur en 1928, les étudiants du 4e semestre pouvaient assister à un cours intitulé « Création artistique » (Künstlerische Gestaltung), une « sorte d'histoire de l'art moderne » (selon Max Bill), comprenant aussi bien l'analyse de maîtres anciens que des études comparées d'images empruntées à d'autres domaines scientifiques, tels la zoologie, la botanique et l'astronomie (cf. les illustrations repr. p. 464).

Les classes de peinture libre furent assurées par Kandinsky et Klee. Joost Schmidt fut chargé d'un cours de sculpture libre. « Ainsi entrai-je dans la classe de peinture libre de Kandinsky (et de Klee) », se souvient Max Bill (né en 1908), étudiant au Bauhaus entre 1927 et 1929. « Classe de peinture libre : cela revient à dire que l'on apportait chaque semaine ses nouvelles "inventions" à Kandinsky ou à Klee. Klee avait plus d'élèves, Kandinsky n'en ayant qu'un très petit nombre. L'accès à son art semblait plus difficile »[3]. Les travaux libres des élèves furent exposés au moins à deux reprises : en 1928 à Dessau, à l'Anhaltischen Kunstverein (accrochage commenté par Ludwig Grote), et en 1930 à Dessau et à Essen. La plus riche collection de travaux (imposés et libres) d'élèves de l'époque de Dessau, environ 200 pièces, fut réunie par le Bauhaus-Archiv de Berlin. Kandinsky lui-même avait conservé une quarantaine de travaux, principalement de 1927-28 (jamais reproduits), qui furent récemment entièrement restaurés par le Musée national d'art moderne. Ces travaux peuvent être classés en deux groupes principaux : les études concernant les couleurs et leur interaction, les correspondances couleurs-formes, l'interaction couleur-espace. Très éclectique, l'enseignement de Kandinsky fait aussi bien intervenir les écrits de Gœthe en la matière, de von Helmholtz, ou ceux du chimiste Ostwald, que les théories des psychologues Lipps ou E. Hering et les sciences occultes. Le deuxième groupe est constitué par les travaux en dessin analytique, isolant les principes structuraux applicables à la composition picturale.

Dans un de ses ouvrages de 1950[4] Charles Estienne accorde au Bauhaus une influence positive sur l'architecture et les arts appliqués, mais constate que l'influence spirituelle semble avoir passé « par dessus la tête des élèves directs dont aucun (...) n'a compté ou ne compte parmi les grands artistes d'aujourd'hui ».

Il convient peut-être de rappeler les buts — en apparence beaucoup plus humbles — poursuivis par les membres du corps enseignant du Bauhaus dans ce qui était considéré comme un « studium generale » plutôt que comme une formation de spécialiste, par exemple d'un artiste-peintre : initiation à l'observation précise et élémentaire, à la pensée objective qui unit l'analyse à la synthèse, à une action tendant vers l'œuvre synthétique.

Il convient également d'évoquer, avec Max Bill, éminent artiste, l'image qu'il a conservée de Kandinsky, enseignant : « Ce qu'il avait d'infiniment humain, joint à un sens affiné des situations et à une bonté toute paternelle, constituait le secret même de son succès, de son efficacité comme éducateur, efficacité, succès qui, à leur tour, n'eussent point été possibles sans son vaste savoir et sa constante recherche de vérités nouvelles »[5].

1. Lettre de Kandinsky à Hilla Rebay du 1er avril 1935, conservée à la Hilla Rebay Foundation, New York.
2. « Staatliches Bauhaus Weimar 1919-23 », Weimar-Munich, Bauhaus Verlag et Karl Nierendorf, Cologne, 1923.
3. Max Bill, *Kandinsky*, Paris, Maeght, 1951, p. 97.
4. Charles Estienne, *L'art abstrait est-il un académisme ?*, Paris, Ed. de Beaune, 1950, p. 9.
5. Max Bill, *op. cit.*, p. 98.

Table des matières

Préface
par Dominique Bozo 4

Remerciements 6

Introduction
par Christian Derouet 7

Note biographique et bibliographie sommaire
par Pierre Astier 12

Munich formation et voyages, 1900-1907
par Christian Derouet
documentation 17
catalogue 33

Munich-Murnau, 1908-1914
par Jessica Boissel
documentation 65
catalogue 81

Moscou, 1915-1921
par Christian Derouet
documentation 145
catalogue 161

Bauhaus Weimar-Dessau-Berlin, 1922-1933
par Jessica Boissel
documentation 225
catalogue 241

Paris Neuilly-sur-Seine, 1934-1944
par Christian Derouet
documentation 353
catalogue 369

Environnement de l'artiste
par Jessica Boissel
documentation 449
collection 465

Errata

p. 42, n° 22, lire : *(Inv. 781-4)* au lieu de : (Inv. 156).
p. 50, lire, comme signataire du texte : *Aloys de Becdelièvre*.
p. 60, n° 60, lire : *(Inv. 781-11)* au lieu de : (Inv. 781-1).
p. 71 : c'est intentionnellement et en vue d'une plus grande lisibilité que le bois gravé a été reproduit *à l'envers*.
p. 134, n° 150, lire : AM *1981-65-243* au lieu de : AM 1981-65-843.
p. 183, 3e col., 16e ligne, lire : *1914* au lieu de 1919.
p. 330, illustration 454 : *détail* du dessin AM 1981-65-404.
p. 354, 2e ligne du 4e paragraphe, lire : *144* tableaux au lieu de 44.
p. 358, 2e col., 12e ligne, lire : *Gualtieri* di San Lazzaro au lieu de : Giorgio di San Lazzaro.
p. 381, n° 601, dimensions manquantes : *23,1 × 27,1 cm*.
p. 446, n° 758, lire : *(Inv. 162)* au lieu de : (Inv. 196 a).
p. 448, n° 794, lire : *(Inv. 207-o)* au lieu de : (Inv. 207).

Secrétariat de rédaction : Annick Jean
avec le concours de Pierre Astier
Fabrication : Patrice Henry
Maquette : Jean Toche

Photocomposition : Bussière A.G., Paris
Photogravure : Haudressy A.G., Paris
Achevé d'imprimer sur les presses
de l'Imprimerie Blanchard, Le Plessis-Robinson
Dépôt légal : octobre 1984
N° d'éditeur : 416

1re réimpression
Dépôt légal : mars 1985